À LA CROISÉE DES MONDES™

L'INTÉGRALE

Découvrez l'adaptation
des Royaumes du Nord :

À LA
CROISÉE
DES MONDES™
LA BOUSSOLE D'OR
Au cinéma le 5 décembre 2007

www.alacroiseedesmondes.fr

METROPOLITAN
FILMEXPORT

NEW LINE CINEMA
A TimeWarner Company
TM and ©MMVII NEW LINE PRODUCTIONS, INC. TOUS DROITS RÉSERVÉS.

PHILIP PULLMAN

À LA CROISÉE DES MONDES

L'INTÉGRALE

Traduit de l'anglais
par Jean Esch

GALLIMARD

SOMMAIRE

*Le mot «dæmon», qui apparaît
tout au long du livre, se prononce
comme le mot français «démon».*

LES ROYAUMES DU NORD

OXFORD

PREMIÈRE PARTIE

Chapitre i
La carafe de tokay

Lyra et son dæmon traversèrent le Réfectoire où grandissait l'obscurité, en prenant bien soin de rester hors de vue des Cuisines. Les trois longues tables qui occupaient toute la longueur du Réfectoire étaient déjà dressées, l'argenterie et les verres réfléchissaient la lumière déclinante, et les longs bancs étaient tirés, prêts à accueillir les convives. Les portraits des anciens Maîtres étaient accrochés aux murs, tout là-haut dans la pénombre. Lyra atteignit l'estrade, jeta un coup d'œil par-dessus son épaule vers la porte ouverte des Cuisines et, ne voyant personne, elle s'approcha de la table surélevée. Ici, les couverts étaient en or, pas en argent, et les quatorze sièges n'étaient pas des bancs en chêne, mais des chaises en acajou dotées de coussins en velours.

Lyra s'arrêta à côté de la chaise du Maître et donna, de l'ongle, une chiquenaude sur le plus grand des verres. Le tintement clair résonna dans le Réfectoire.

— Tu n'es pas sérieuse, chuchota son dæmon. Sois sage.

Il se nommait Pantalaimon, et, à cette heure, il avait pris l'apparence d'un papillon de nuit marron pour passer inaperçu dans l'obscurité du Réfectoire.

— Ils font bien trop de bruit dans les Cuisines pour nous entendre, répondit Lyra à voix basse. Et l'Intendant n'apparaît qu'au premier son de cloche. Cesse de t'inquiéter.

Malgré tout, elle appuya la paume de sa main sur le cristal qui continuait de résonner, et Pantalaimon s'éloigna dans un battement d'ailes pour se glisser par l'entrebâillement de la porte du Salon, située à l'autre extrémité de l'estrade. Il réapparut presque aussitôt.

−Il n'y a personne, chuchota-t-il. Mais nous devons faire vite.

Accroupie derrière la table, Lyra fila jusqu'à la porte et pénétra à l'intérieur du Salon ; là, elle se redressa en regardant autour d'elle. L'unique lumière provenait d'une cheminée, dans laquelle des bûches flamboyantes se tassèrent légèrement au moment où son regard se posait sur elles, faisant jaillir dans l'âtre une fontaine d'étincelles. Lyra avait passé presque toute sa vie au Collège, mais jamais encore elle n'avait vu le Salon : seuls les Érudits et leurs invités pouvaient entrer ici, et uniquement les hommes. Les servantes elles-mêmes ne faisaient pas le ménage dans cette pièce. Cette tâche était réservée au Majordome.

Pantalaimon se posa sur l'épaule de Lyra.

−Alors, tu es contente ? On peut s'en aller maintenant ? murmura-t-il.

−Ne dis pas de bêtises ! J'ai envie d'en profiter !

C'était une vaste pièce, avec une table ovale en bois de rose verni, sur laquelle étaient posés plusieurs carafes et des verres, ainsi qu'un nécessaire de fumeur en argent avec un râtelier à pipes. Sur un buffet, non loin de là, se trouvaient un petit poêlon et un panier contenant des têtes de coquelicot.

−Ils ne manquent de rien, hein, Pan ? commenta-t-elle à voix basse.

Elle s'assit dans un des fauteuils en cuir vert. Celui-ci était si profond que Lyra se retrouva presque allongée, mais elle se redressa et glissa ses jambes sous ses fesses pour contempler les portraits sur les murs. D'autres Érudits, sans doute : en toge, barbus, sinistres, ils la regardaient, du haut de leurs cadres, avec un air de désapprobation solennelle.

−À ton avis, de quoi parlent-ils ici ? commença Lyra.

Mais, avant d'avoir achevé sa question, elle entendit des voix de l'autre côté de la porte.

−Derrière le fauteuil, vite ! murmura Pantalaimon.

En un éclair, Lyra jaillit du fauteuil pour s'accroupir derrière le dossier. Hélas, ce n'était pas le fauteuil le mieux adapté pour se cacher : il était situé au milieu de la pièce et, à moins de ne faire aucun bruit...

La porte s'ouvrit et la lumière changea : un des intrus tenait une lampe qu'il déposa sur le buffet. Lyra apercevait ses jambes, dans leur pantalon vert foncé et leurs chaussures noires lustrées. C'était un domestique.

Puis une voix rauque demanda :

−Lord Asriel est-il arrivé ?

C'était le Maître. Alors que Lyra retenait son souffle, elle vit le dæmon du serviteur (un chien, comme presque tous les dæmons des serviteurs) entrer en trottinant et s'asseoir sagement près de lui ; puis les pieds du Maître apparurent à leur tour, chaussés des souliers noirs usés qu'il portait toujours.

—Non, Maître, répondit le Majordome. Aucune nouvelle non plus de l'Aërodock.

—Il aura faim en arrivant, je suppose. Conduisez-le directement au Réfectoire.

—Très bien, Maître.

—Avez-vous décanté à son intention une bouteille de ce tokay particulier ?

—Oui, Maître. Le 1898, comme vous l'avez ordonné. Je me souviens que sa Seigneurie a un faible pour ce vin.

—Parfait. Vous pouvez disposer, maintenant.

—Avez-vous besoin de la lampe, Maître ?

—Oui, laissez-la. Vous penserez à venir l'entretenir au cours du repas.

Le Majordome s'inclina légèrement et pivota sur ses talons pour s'en aller ; son dæmon, bien dressé, le suivit en trottinant. De sa cachette-qui-n'en-était-pas-vraiment-une, Lyra vit le Maître se diriger vers une imposante penderie en chêne dans un coin de la pièce, décrocher sa toge suspendue sur un cintre et l'enfiler péniblement. Le Maître avait été un homme robuste, mais il avait maintenant plus de soixante-dix ans ; ses mouvements étaient raides et lents. Son dæmon avait pris l'apparence d'un corbeau, et dès que le Maître eut fini d'enfiler sa toge, l'oiseau s'élança du haut de l'armoire pour venir se poser à sa place habituelle, sur son épaule droite.

Lyra sentait que Pantalaimon était rongé d'angoisse, même s'il ne faisait aucun bruit. Elle, au contraire, éprouvait un délicieux sentiment d'excitation. Le visiteur auquel le Maître avait fait allusion, Lord Asriel, n'était autre que son oncle, un homme qu'elle admirait et redoutait grandement. On racontait qu'il s'occupait de haute politique, d'explorations secrètes et de guerres lointaines, et Lyra ne savait jamais à quel moment il allait réapparaître. C'était un homme au tempérament féroce : si par malheur il la surprenait dans cet endroit, il la punirait sévèrement, mais ce ne serait qu'un mauvais moment à passer.

Cependant, ce qu'elle vit ensuite changea totalement le cours de ses pensées.

Le Maître sortit de sa poche un papier plié qu'il déposa sur la table. Après avoir ôté le bouchon d'une carafe contenant un vin à la riche robe dorée, il déplia le papier et versa dans la carafe un filet de poudre blanche, avant de chiffonner la feuille et de la jeter dans le feu. Il prit ensuite, dans sa poche, un crayon avec lequel il remua le vin, jusqu'à ce que la poudre soit totalement dissoute, et il remit le bouchon sur la carafe.

Son dæmon émit un bref et faible croassement. Le Maître lui répondit à mi-voix et ses yeux ternes aux paupières tombantes balayèrent la pièce, puis il ressortit par où il était entré.

— Tu as vu ça, Pan ? murmura Lyra.

— Évidemment que j'ai vu ! Dépêchons-nous de filer avant l'arrivée de l'Intendant !

Mais au moment même où il prononçait ces mots, le tintement unique d'une cloche résonna à l'autre bout du Réfectoire.

— La cloche de l'Intendant ! s'exclama Lyra. Je croyais que nous avions davantage de temps.

Pantalaimon fila à tire-d'aile vers la porte du Réfectoire, et revint tout aussi rapidement.

— L'Intendant est déjà là, dit-il. Et tu ne peux pas sortir par l'autre porte…

L'autre porte, celle par laquelle le Maître était entré et sorti, donnait sur le corridor très fréquenté qui reliait la Bibliothèque à la Salle des Érudits. À cette heure, il était encombré d'hommes qui enfilaient leur toge pour le dîner, ou s'empressaient de déposer des papiers et des porte-documents dans la Salle des Érudits, avant de pénétrer dans le Réfectoire. Lyra avait envisagé de repartir par où elle était venue, croyant disposer de quelques minutes supplémentaires avant que ne retentisse la cloche de l'Intendant.

Si elle n'avait pas vu le Maître verser cette poudre dans le vin, peut-être se serait-elle risquée à affronter la colère de l'Intendant, ou à traverser, en espérant ne pas se faire remarquer, le corridor encombré. Mais elle était désorientée et hésitait.

Soudain, elle entendit un pas lourd sur l'estrade. L'Intendant venait s'assurer que le Salon était prêt à accueillir les Érudits après le dîner pour le vin et les pavots. Alors, elle se précipita vers la penderie en chêne, ouvrit la porte, se cacha à l'intérieur et referma la porte, juste au moment où l'Intendant entrait. Elle n'était pas inquiète pour Pantalaimon : la pièce était sombre, et il pouvait toujours se glisser sous un fauteuil.

Elle entendait la respiration pénible de l'Intendant et, par l'entrebâillement de la porte mal fermée, elle le vit arranger les pipes sur le râtelier à côté du nécessaire de fumeur et jeter un coup d'œil en direction des carafes et des verres. Après quoi, il aplatit ses cheveux sur les oreilles avec ses deux paumes et s'adressa à son dæmon. L'Intendant était un domestique, son dæmon était donc un chien ; mais c'était un domestique de rang supérieur, et le chien aussi par conséquent.

En vérité, il avait l'aspect d'un setter roux. L'air soupçonneux, il regardait partout autour de lui, comme s'il sentait la présence d'un intrus, mais il ne s'approcha pas de la penderie, au grand soulagement de Lyra. Elle avait peur de l'Intendant, car il l'avait déjà corrigée à deux reprises.

Elle entendit un petit chuchotement; Pantalaimon s'était faufilé dans l'armoire à ses côtés.

— Et voilà, on est obligés de rester là, maintenant! Pourquoi est-ce que tu ne m'écoutes jamais?

Elle attendit pour répondre que l'Intendant soit parti. Son travail consistait à surveiller le service de la table haute, et elle entendait les Érudits qui pénétraient dans le Réfectoire, le murmure des voix, le frottement des pieds.

— Une chance que je ne t'aie pas écouté, dit-elle en chuchotant. On n'aurait pas vu le Maître verser le poison dans le vin. Pan, c'était le tokay dont il a parlé au Majordome! Ils veulent assassiner Lord Asriel!

— Comment sais-tu que c'est du poison?

— Évidemment que c'est du poison! Souviens-toi, il a ordonné au Majordome de quitter la pièce avant de le verser. Si cette poudre avait été inoffensive, peu importait que le Majordome soit présent! Et je sais qu'il se passe des choses en ce moment... c'est politique. Les domestiques en parlent depuis plusieurs jours. On peut empêcher un meurtre, Pan!

— Jamais je n'ai entendu de telles sottises. Crois-tu que tu pourras rester coincée dans cette penderie exiguë pendant quatre heures? Je vais aller jeter un coup d'œil dans le couloir. Je te ferai signe dès que la voie sera libre.

Il quitta son épaule et s'envola, et Lyra vit apparaître sa petite ombre dans le rai de lumière.

— C'est inutile, Pan, je reste ici, déclara-t-elle. Il y a une autre toge ou je ne sais quoi dans la penderie. Je vais l'étendre par terre et m'installer confortablement. Il faut que je sache ce qu'ils ont l'intention de faire.

Elle s'était accroupie. Prudemment, elle se releva en tâtonnant, pour ne pas faire de bruit en heurtant les cintres, et s'aperçut que la penderie était en réalité plus spacieuse qu'elle ne l'avait cru. Il y avait là plusieurs toges et épitoges, certaines bordées de fourrure, la plupart doublées de soie.

— Je me demande si elles appartiennent toutes au Maître, murmura-t-elle. Quand d'autres collèges lui décernent des grades *honoris causa,* peut-être qu'ils lui offrent aussi de jolies toges, et il les range dans cette penderie pour se mettre sur son trente et un... Dis, Pan, tu crois vraiment que ce n'est pas du poison qu'il a mis dans le vin?

— Si, répondit le dæmon. Je pense que c'en est, comme toi. Je pense aussi que ça ne nous regarde pas. Et je pense que t'en mêler serait la chose la plus stupide que tu aies jamais faite dans ta vie. Cette histoire ne nous concerne pas.

— Ne dis pas de bêtises! s'exclama Lyra. Je ne vais pas rester là sans bouger pendant qu'ils font boire du poison à mon oncle!

— Allons-nous-en d'ici, alors.

— Pan, tu es un froussard.

— Parfaitement. Puis-je te demander ce que tu as l'intention de faire ? Tu vas jaillir tout à coup et arracher le verre de sa main tremblante ? Qu'avais-tu donc en tête ?

— Rien du tout, et tu le sais bien, répliqua-t-elle sèchement. Mais après avoir surpris le geste du Maître, je n'ai pas le choix. Tu sais ce qu'est la conscience, n'est-ce pas ? Comment pourrais-je aller m'asseoir à la Bibliothèque, ou ailleurs, et me tourner les pouces, en sachant ce qui va se passer ? Ce n'est pas mon intention, tu peux me croire !

— Voilà ce que tu attendais depuis le début, dit le dæmon après un moment de réflexion. Tu voulais te cacher ici et espionner. Comment ne l'ai-je pas compris plus tôt ?

— D'accord, je l'avoue. Tout le monde sait qu'ils se réunissent pour une chose secrète. Ils accomplissent une sorte de rituel. Et je voulais savoir ce que c'était.

— Ça ne te regarde pas ! Si ça les amuse d'avoir des petits secrets, sois plus intelligente qu'eux, et laisse-les faire. Se cacher et espionner, c'est bon pour les enfants.

— Je savais que tu dirais ça. Cesse donc de m'embêter maintenant.

Tous deux restèrent silencieux pendant un moment ; Lyra assise de manière inconfortable au fond de la penderie, Pantalaimon, posé sur une des toges, agitant d'un air suffisant ses antennes temporaires. Une tempête de pensées se déchaînait dans la tête de Lyra, et son désir le plus cher aurait été de les faire partager à son dæmon, mais elle aussi avait sa fierté. Peut-être devrait-elle essayer de faire le tri sans son aide.

En fait, elle était surtout inquiète, mais pas pour elle-même. À force de se trouver dans des situations délicates, elle avait fini par s'y habituer. Non, cette fois, elle s'inquiétait au sujet de Lord Asriel, et se demandait ce que tout cela signifiait. Ce n'était pas souvent qu'il venait ici au Collège, et le fait que sa visite ait lieu dans une période de fortes tensions politiques indiquait qu'il ne venait pas seulement pour manger, boire et fumer avec quelques vieux amis. Elle savait que Lord Asriel et le Maître étaient l'un et l'autre membres du Conseil du Cabinet, l'organe consultatif particulier du Premier Ministre ; mais les réunions du Conseil se déroulaient au Palais, et non pas dans le Salon de Jordan College.

Depuis plusieurs jours, une rumeur faisait chuchoter les domestiques du Collège. On racontait que les Tartares avaient envahi la Moscovie, et qu'ils déferlaient actuellement vers Saint-Pétersbourg au nord, d'où ils pourraient contrôler la mer Baltique et dominer finalement toute l'Europe de l'Ouest. Or, Lord Asriel se trouvait jusqu'à maintenant dans le Grand Nord : la dernière fois qu'elle l'avait vu, il préparait une expédition en Laponie...

—Pan, murmura-t-elle.

—Quoi ?

—Crois-tu qu'il va y avoir la guerre ?

—Pas maintenant. Lord Asriel ne viendrait pas dîner ici si elle devait éclater la semaine prochaine ou dans quinze jours.

—Oui, c'est bien ce que je pensais. Mais plus tard ?

—Chut ! Quelqu'un vient !

Lyra se redressa et approcha son œil de l'entrebâillement de la porte. C'était le Majordome qui venait s'occuper de la lampe comme le lui avait ordonné le Maître. La Salle des Érudits et la Bibliothèque étaient éclairées par une lumière alcaline, mais pour le Salon, les Érudits préféraient les anciennes lampes à naphte. Tant que vivrait le Maître cela ne changerait jamais.

Le Majordome tailla la mèche, ajouta une bûche dans le feu, puis, guettant les bruits venant de la porte du Réfectoire, il s'empara d'une poignée de feuilles dans le pot du nécessaire de fumeur.

À peine avait-il reposé le couvercle que la poignée de l'autre porte tourna, le faisant sursauter nerveusement. Lyra s'efforça de ne pas rire. Le Majordome s'empressa de fourrer les feuilles dans sa poche, avant de faire face à l'intrus.

—Lord Asriel ! s'exclama-t-il, et un frisson de stupeur glacée parcourut l'échine de Lyra.

D'où elle était, elle ne pouvait pas l'apercevoir, et elle dut réprimer son envie de se déplacer pour regarder.

—Bonsoir, Wren, dit Lord Asriel. (Lyra entendait toujours cette voix sévère avec un mélange de plaisir et d'appréhension.) J'arrive trop tard pour le dîner. Je vais attendre ici.

Le Majordome paraissait mal à l'aise. Les hôtes ne pénétraient dans le Salon qu'à l'invitation du Maître, et Lord Asriel le savait, mais le Majordome voyait avec quelle insistance Lord Asriel regardait le gonflement de sa poche et n'osa pas protester.

—Dois-je informer le Maître de votre arrivée, my Lord ?

—Je n'y vois pas d'inconvénient. Vous pourrez également m'apporter du café.

—Très bien, my Lord.

Le Majordome s'inclina et s'empressa de ressortir, suivi de son dæmon qui trottait docilement sur ses talons. L'oncle de Lyra marcha vers la cheminée et étira ses bras au-dessus de sa tête avec un bâillement léonin. Il portait des vêtements de voyage. Comme chaque fois qu'elle le voyait, Lyra songea à quel point il l'effrayait. Plus question désormais de quitter cette cachette sans être vue ; elle devait rester immobile et espérer.

Le dæmon de Lord Asriel, un léopard des neiges, se tenait derrière lui.

— As-tu l'intention de projeter les images ici ? demanda le dæmon.

— Oui. Cela créera moins d'agitation que de se déplacer jusqu'à l'Amphithéâtre. Ils voudront également voir les spécimens ; je ferai venir l'Appariteur dans un instant. L'heure est grave, Stelmaria.

— Tu devrais te reposer.

Lord Asriel s'affala dans un des fauteuils, si bien que Lyra ne vit plus son visage.

— Oui. Il faudrait aussi que je me change. Il existe certainement une ancienne règle de bienséance qui leur permet de m'infliger une amende de douze bouteilles pour être entré ici vêtu de manière incorrecte. Je devrais aussi dormir pendant trois jours. Mais malgré cela...

On frappa à la porte, et le Majordome réapparut avec un plateau en argent sur lequel étaient posées une cafetière et une tasse.

— Merci, Wren, dit Lord Asriel. N'est-ce pas le tokay que j'aperçois sur la table ?

— Le Maître a ordonné qu'il soit décanté spécialement pour vous, my Lord, répondit le Majordome. Il ne reste que trois douzaines de bouteilles de 98.

— Toutes les bonnes choses ont une fin. Posez ce plateau ici, près de moi. Oh, et demandez donc à l'Appariteur d'apporter les deux caisses que j'ai laissées à la Loge, voulez-vous ?

— Ici, my Lord ?

— Oui, ici. J'aurai besoin aussi d'un écran et d'une lanterne de projection. Ici également, et maintenant.

Le Majordome eut le plus grand mal à dissimuler sa stupéfaction, mais il parvint à retenir sa question, ou ses protestations.

— Wren, vous oubliez votre place, dit Lord Asriel. Ne me questionnez pas ; faites simplement ce que je vous demande.

— Très bien, my Lord, répondit le Majordome. Mais si je peux me permettre, peut-être devrais-je avertir M. Cawson de vos projets, my Lord ; sinon, il risque d'être quelque peu décontenancé, si vous voyez ce que je veux dire ?

— Je vois. Prévenez-le, dans ce cas.

M. Cawson était l'Intendant. Il existait entre lui et le Majordome une vieille et profonde rivalité. L'Intendant occupait un poste supérieur, mais le Majordome avait plus souvent l'occasion de s'insinuer dans les bonnes grâces des Érudits, et il ne s'en privait pas. Il se ferait une joie de montrer à l'Intendant qu'il en savait plus que lui sur ce qui se passait dans le Salon.

Il salua et s'en alla. Lyra regarda son oncle se servir une tasse de café, la vider d'un trait, puis s'en servir une deuxième, qu'il but plus lentement. Elle était en émoi. Des caisses de spécimens? Une lanterne de projection? Qu'avait-il donc à montrer aux Érudits, qui soit si important et si urgent?

Soudain, Lord Asriel se leva et tourna le dos à la cheminée. Elle s'émerveilla du contraste qu'il offrait avec le Majordome grassouillet ou les Érudits voûtés et alanguis. Lord Asriel était un homme de grande taille, avec de larges épaules, un visage sombre et féroce, et des yeux pétillants dans lesquels semblait étinceler un rire primitif. C'était le visage d'un homme fait pour dominer ou être combattu, en aucun cas celui de quelqu'un que l'on pouvait traiter avec condescendance ou pitié. Les mouvements de son corps étaient amples, parfaitement équilibrés comme ceux d'un fauve, et, quand il pénétrait dans une pièce comme celle-ci, on aurait dit un animal sauvage enfermé dans une cage trop petite pour lui.

En ce moment, son expression était lointaine, préoccupée. Son dæmon s'approcha de lui et appuya sa tête contre sa hanche; Lord Asriel le regarda d'un air impénétrable, avant de se retourner pour marcher jusqu'à la table. Lyra sentit soudain son estomac se soulever, car il avait ôté le bouchon de la carafe de tokay et se servait un verre.

— Non!

Ce petit cri lui échappa. Lord Asriel l'entendit et se retourna aussitôt.

— Qui est là?

Elle ne put s'en empêcher: elle jaillit hors de la penderie et se précipita pour lui arracher le verre qu'il tenait dans sa main. Le vin se renversa, éclaboussant le bord de la table et le tapis, puis le verre tomba et se brisa. Son oncle lui saisit le poignet et le tordit violemment.

— Lyra! Que diable fais-tu ici?

— Lâchez-moi et je vous le dirai!

— Je te briserai le bras d'abord. Comment oses-tu pénétrer en ce lieu?

— Je viens de vous sauver la vie!

Il y eut un moment de silence. Lyra se tordait de douleur mais elle grimaçait pour s'empêcher de crier, tandis que l'homme était penché au-dessus d'elle, le regard noir comme un ciel d'orage.

— Que dis-tu? demanda-t-il en retrouvant en partie son calme.

— Ce vin est empoisonné, murmura Lyra entre ses dents serrées. J'ai vu le Maître y verser de la poudre.

Il la lâcha. Elle s'effondra sur le plancher, et Pantalaimon voltigea vers elle, inquiet. Son oncle la toisait avec une expression de fureur contenue, et elle n'osait pas croiser son regard.

— J'étais juste venue voir à quoi ressemblait cette pièce, dit-elle. Je sais que je n'aurais pas dû. Je voulais ressortir avant l'arrivée de quelqu'un, mais j'ai entendu le Maître approcher, et je me suis retrouvée prise au piège. Je ne pouvais me cacher que dans la penderie. Et alors, je l'ai vu mettre la poudre dans le vin. Si je n'avais pas...

On frappa à la porte.

— Ce doit être l'Appariteur, dit Lord Asriel. Retourne dans la penderie. Si jamais j'entends le moindre bruit, je te ferai regretter de ne pas être morte.

Elle retourna se cacher à toute vitesse, et à peine eut-elle refermé la porte de la penderie que Lord Asriel lança :

— Entrez !

Comme il l'avait deviné, c'était l'Appariteur.

— Ici, my Lord ?

Lyra vit le vieil homme qui semblait hésiter sur le pas de la porte et, derrière lui, le coin d'une grosse caisse en bois.

— Oui, Shuter. Apportez-les toutes les deux et posez-les près de la table.

Lyra se détendit quelque peu, laissant s'exprimer sa douleur dans l'épaule et le poignet. Cela aurait suffi à lui arracher un cri, si elle avait été du genre à crier. Mais elle serra les dents et bougea doucement le bras, jusqu'à ce qu'il se décontracte.

Et soudain, il y eut un bruit de verre brisé et le glouglou d'un liquide qui s'écoule.

— Bon sang, Shuter, espèce de vieux maladroit ! Regardez ce que vous avez fait !

Lyra entr'aperçut la scène. Son oncle avait réussi à faire tomber la carafe de tokay posée sur la table, en faisant croire que c'était l'Appariteur le responsable. Le vieil homme posa soigneusement la caisse, en bredouillant des excuses.

— Allez donc chercher quelque chose pour nettoyer. Faites vite, avant que le tapis ne soit trempé !

L'Appariteur et son jeune assistant ressortirent en hâte. Lord Asriel s'approcha de la penderie et parla à voix basse.

— Puisque tu es là, tu vas pouvoir te rendre utile. Observe attentivement le Maître quand il entrera. Si tu m'apprends quelque chose d'intéressant à son sujet, je ferai en sorte que tu n'aies pas plus d'ennuis que tu n'en as déjà. C'est compris ?

— Oui, mon oncle.

—Mais si tu fais le moindre bruit, ne compte pas sur mon aide. Tu te débrouilleras seule.

Sur ce, il s'éloigna et tourna de nouveau le dos à la cheminée, tandis que l'Appariteur revenait dans la pièce avec une brosse et une pelle pour ramasser les bouts de verre, une cuvette et un torchon.

—Je ne peux que vous supplier une fois de plus de me pardonner, my Lord ; je ne sais pas ce qui…

—Contentez-vous de nettoyer tout ça.

Alors que l'Appariteur épongeait le vin sur le tapis, le Majordome frappa à la porte et entra avec le valet de Lord Asriel, un dénommé Thorold. À eux deux, ils portaient une lourde caisse en bois verni, munie de poignées en cuivre. Voyant ce que faisait l'Appariteur, il se figèrent.

—Eh oui, c'était le tokay, commenta Lord Asriel. Quel gâchis. Vous apportez la lanterne ? Posez-la près de la penderie, voulez-vous, Thorold ? Je pense installer l'écran de l'autre côté.

Lyra s'aperçut qu'elle pourrait ainsi voir l'écran, et ce qu'il y avait dessus, par l'entrebâillement de la porte de la penderie, et elle se demanda si son oncle avait choisi cette disposition dans ce but. Profitant du bruit que faisait le valet en déroulant la toile de lin rigide pour la fixer sur son cadre, elle chuchota :

—Tu vois ? On a bien fait de venir, hein ?

—Peut-être que oui, répondit Pantalaimon d'un ton austère, de sa petite voix de papillon de nuit. Peut-être que non.

Debout près de la cheminée, Lord Asriel finissait de siroter son café en regardant d'un œil sombre Thorold ouvrir la caisse de la lanterne de projection et ôter le capuchon de l'objectif, avant de vérifier le réservoir de pétrole.

—Il y a encore plein de pétrole, my Lord, déclara-t-il. Dois-je faire venir un technicien pour manipuler l'appareil ?

—Non, je m'en chargerai. Merci, Thorold. Dites-moi, Wren, ont-ils fini de dîner ?

—Bientôt, je pense, my Lord, répondit le Majordome. Si j'ai bien compris M. Cawson, le Maître et ses hôtes ne seront pas enclins à s'attarder en apprenant que vous êtes ici. Dois-je emporter le plateau du café ?

—Reprenez-le et disposez.

—Très bien, my Lord.

Après s'être incliné le Majordome prit le plateau et quitta la pièce, imité en cela par Thorold. Dès que la porte fut refermée, Lord Asriel se tourna vers la penderie, à l'autre bout de la pièce, et Lyra sentit toute la force de son regard, comme si celui-ci possédait une présence physique, comme si c'était une flèche ou une lance. Puis il détourna la tête et s'adressa à son dæmon, à voix basse.

Celui-ci vint s'asseoir lentement à ses côtés, alerte, élégant et dangereux ; ses yeux verts scrutant la pièce, avant de se tourner, comme les yeux noirs de l'homme, vers la porte du Réfectoire, au moment où la poignée tournait. Lyra ne voyait pas la porte, mais elle entendit un petit hoquet de surprise lorsque le premier homme fit son entrée dans la pièce.

—Bonsoir, Maître, déclara Lord Asriel. Eh oui, je suis de retour. Faites donc entrer vos hôtes ; j'ai quelque chose de très intéressant à vous montrer.

Chapitre 2
Images du Nord

 — Lord Asriel! s'exclama le Maître d'une voix puissante, en s'avançant pour lui serrer la main.

De sa cachette, Lyra pouvait observer les yeux du Maître et, de fait, elle les vit se diriger, l'espace d'une seconde, vers la table où précédemment on avait posé le tokay.

— Maître, dit Lord Asriel, je suis arrivé trop tard et craignais d'interrompre votre dîner, c'est pourquoi je me suis installé ici. Bonsoir, monsieur le Sous-Recteur. Ravi de vous voir si bien portant. Veuillez excuser mon apparence négligée, mais je viens d'atterrir. Eh oui, Maître, il n'y a plus de tokay. Je crois même que vous marchez dedans. L'Appariteur l'a renversé, mais c'était ma faute. Bonsoir, Aumônier. J'ai lu votre dernier article avec le plus grand intérêt...

Lord Asriel s'éloigna en compagnie de l'Aumônier, ce qui permit à Lyra de distinguer nettement le visage du Maître. Celui-ci demeurait impassible, mais le dæmon posé sur son épaule secouait ses plumes et se balançait nerveusement d'un pied sur l'autre. Déjà, Lord Asriel dominait l'assistance, et bien qu'il prît soin de se montrer courtois envers le Maître, qui était sur son territoire, on sentait où résidait le pouvoir.

Après avoir accueilli le visiteur, les Érudits entrèrent dans la pièce ; certains s'assirent autour de la table, d'autres dans des fauteuils, et bientôt, le bourdonnement des conversations envahit l'atmosphère. Lyra constata qu'ils étaient tous fortement intrigués par la caisse en bois, l'écran et la lanterne. Elle connaissait bien les Érudits : le Bibliothécaire, le Sous-Recteur, le Questeur et les autres ; ces hommes l'avaient entourée toute sa vie, ils avaient fait son éducation, ils l'avaient punie ou consolée, lui avaient offert de petits cadeaux, ou bien l'avaient chassée des arbres fruitiers du Jardin. Ils étaient sa seule famille. Peut-être même aurait-elle pu les considérer comme sa véritable famille si elle avait su ce qu'était une famille mais, dans ce cas, sans doute aurait-elle confié ce rôle aux domestiques du Collège. Les Érudits avaient des choses plus importantes à faire que de s'occuper des sentiments d'une fillette à moitié sauvage, échouée parmi eux par hasard.

Le Maître alluma la lampe à alcool sous le petit poêlon en argent et fit fondre du beurre, avant d'ouvrir en deux une demi-douzaine de têtes de pavots pour les y jeter. On servait toujours du pavot après un festin : en clarifiant les pensées et en stimulant la langue, il favorisait les conversations fertiles. Selon la tradition, le Maître les faisait cuire lui-même.

Profitant du grésillement du beurre fondu et du bourdonnement des discussions, Lyra chercha une position plus confortable. Avec une extrême prudence, elle décrocha une des toges suspendues à un cintre – une longue tunique en fourrure – et l'étala au fond de la penderie.

– Tu aurais dû choisir une vieille toge rêche, murmura Pantalaimon. Si tu es trop bien installée, tu vas t'endormir.

– Dans ce cas, c'est à toi de me réveiller, répliqua-t-elle.

Immobile, elle écouta les conversations. Rien que des discussions fort ennuyeuses en l'occurrence ; presque uniquement des histoires de politique, et la politique de Londres qui plus est, rien d'excitant sur les Tartares. L'odeur de pavot frit s'infiltrait agréablement par la porte entrouverte de la penderie et, plus d'une fois, Lyra se surprit à piquer du nez. Mais finalement, quelqu'un frappa des petits coups sur la table. Toutes les voix se turent, et le Maître prit la parole.

– Messieurs, déclara-t-il, je suis certain de parler en notre nom à tous en souhaitant la bienvenue à Lord Asriel. Ses visites sont rares, mais toujours extrêmement précieuses, et je crois savoir qu'il a une chose particulièrement intéressante à nous montrer ce soir. Nous sommes dans une période de fortes tensions politiques, vous ne l'ignorez pas, et Lord Asriel est attendu demain matin à la première heure à White Hall ; un train se tient prêt à le conduire à Londres à toute vapeur dès que nous aurons terminé notre discussion, aussi devons-nous faire bon usage de notre temps. Quand il aura fini son exposé, je suppose que certains d'entre vous voudront lui poser des questions. Je vous demande d'être concis et direct. Lord Asriel, c'est à vous.

– Merci, Maître. Pour commencer, je voudrais vous montrer quelques diapositives. Monsieur le Sous-Recteur, vous verrez mieux d'ici, je pense. Le Maître voudrait-il prendre le fauteuil près de la penderie ?

Le vieux Sous-Recteur étant quasiment aveugle, la courtoisie voulait qu'on lui laissât une place tout près de l'écran ; conséquence de ce changement de sièges, le Maître se retrouverait assis à côté du Bibliothécaire, à un mètre seulement de la penderie à l'intérieur de laquelle Lyra était recroquevillée. Alors que le Maître s'installait dans le fauteuil, Lyra l'entendit murmurer :

—Le scélérat ! Il savait, au sujet du vin, j'en suis sûr.

Le Bibliothécaire lui répondit à voix basse :

—Il va réclamer des subventions. S'il impose un vote...

—Dans ce cas, nous devrons nous y opposer, avec toute l'éloquence dont nous sommes capables.

La lanterne se mit à chuinter, actionnée avec vigueur par Lord Asriel. Lyra se déplaça légèrement pour apercevoir l'écran, sur lequel un cercle blanc éclatant venait d'apparaître. Lord Asriel lança :

—Quelqu'un pourrait-il éteindre la lampe ?

Un des Érudits se leva pour s'en charger, et la pièce se retrouva plongée dans la pénombre.

Lord Asriel commença son exposé :

—Comme vous le savez, je me suis rendu dans le Nord, il y a un an de cela, dans le cadre d'une mission diplomatique pour le compte du roi de Laponie. Officiellement, du moins. En vérité, mon but était d'aller plus au nord encore, jusqu'aux glaces, afin d'essayer de découvrir ce qu'il était advenu de l'expédition Grumman. Dans un de ses derniers messages adressés à l'Académie de Berlin, Grumman évoquait un phénomène naturel visible uniquement sur le territoire du Nord. J'étais bien décidé à enquêter, tout en cherchant à recueillir des informations sur le sort de Grumman. Toutefois, la première photo que je vais vous montrer ne concerne pas directement ces deux sujets.

Il déposa la première diapositive dans le chariot et la fit glisser derrière l'objectif. Un photogramme de forme ronde, en noir et blanc très contrasté, apparut sur l'écran. Il avait été pris de nuit, pendant la pleine lune, et montrait une cabane en bois située à quelque distance, dont les murs sombres se détachaient sur la neige qui l'entourait et s'entassait en couche épaisse sur le toit. À côté de la cabane se dressait un ensemble impressionnant d'instruments philosophiques qui, aux yeux de Lyra, semblaient tout droit sortis du parc Anbaric sur la route de Yarnton : des antennes, des câbles, des isolateurs en porcelaine, qui scintillaient dans l'éclat de la lune, recouverts d'un givre épais. Un homme vêtu de fourrures, le visage masqué par la grande capuche de son manteau, se tenait au premier plan, la main levée, comme pour dire bonjour. À ses côtés, on apercevait une silhouette plus petite. Le clair de lune baignait toute la scène d'une lumière blafarde.

—Ce photogramme a été réalisé à partir d'une émulsion standard au nitrate d'argent, expliqua Lord Asriel. J'aimerais vous en montrer un second, pris du même endroit, une minute plus tard, avec une nouvelle émulsion, préparée spécialement.

Il retira la première diapositive du chariot pour la remplacer par une autre. Ce second photogramme était beaucoup plus sombre, comme si l'éclat de la lune avait été filtré. On apercevait encore l'horizon, avec la forme noire de la cabane et son toit couvert de neige qui se détachaient, mais la diversité des instruments disparaissait dans l'obscurité. L'homme, lui, s'était métamorphosé : il était inondé de lumière et une fontaine de particules éclatantes semblait jaillir de sa main levée.

—Cette lumière, là, demanda l'Aumônier, elle monte ou elle descend ?

—Elle descend, répondit Lord Asriel, mais ce n'est pas de la lumière. C'est de la Poussière.

De la manière dont il avait prononcé ce dernier mot, Lyra imagina de la Poussière avec un P majuscule, comme s'il ne s'agissait pas de poussière ordinaire. D'ailleurs, la réaction des Érudits confirma son impression, car les paroles de Lord Asriel provoquèrent soudain un silence général, suivi de quelques hoquets d'incrédulité.

—Mais comment...

—Assurément...

—Il ne peut...

—Messieurs ! s'écria l'Aumônier. Laissez donc Lord Asriel s'expliquer.

—Il s'agit de Poussière, répéta ce dernier. Elle prend l'aspect de la lumière sur la plaque sensible, car les particules de Poussière affectent cette émulsion de la même manière que les photons affectent une émulsion au nitrate d'argent. C'est en partie pour vérifier ce phénomène que mon expédition s'est rendue, initialement, dans le Nord. Comme vous pouvez le constater, la silhouette de cet homme est parfaitement visible. Je vous demanderai maintenant de regarder la forme qui se trouve sur sa gauche.

Il indiqua la forme floue de la plus petite silhouette.

—Je croyais que c'était le dæmon de cet homme, dit le Questeur.

—Non. Au moment de la photo, son dæmon était enroulé autour de son cou, sous l'aspect d'un serpent. Cette silhouette que vous distinguez à peine est en réalité un enfant.

—Un morceau d'enfant... ? demanda quelqu'un, et la manière brutale dont il se tut indiqua qu'il savait qu'il n'aurait pas dû dire ça.

Il s'ensuivit un lourd silence.

Puis Lord Asriel répondit, calmement.

—Non, un enfant entier. D'où tout l'intérêt, n'est-ce pas ? Compte tenu de la nature de la Poussière.

Personne ne parla pendant plusieurs secondes. Puis retentit la voix de l'Aumônier.

—Aah, fit-il, tel un homme assoiffé qui, venant de boire tout son soûl, repose son verre et relâche la respiration qu'il retenait pendant qu'il buvait. Et les rayons de Poussière...

—... viennent du ciel, et l'enveloppent comme de la lumière. Vous pourrez examiner cette photo aussi attentivement que vous le souhaitez ; je vous la laisserai en partant. Je vous l'ai montrée pour faire la démonstration des effets de cette nouvelle émulsion. Maintenant, j'aimerais vous présenter une autre photo.

Il changea de diapositive encore une fois. La photo suivante avait été prise de nuit elle aussi, mais sans clair de lune cette fois. On y voyait un petit groupe de tentes au premier plan, se détachant faiblement sur l'horizon bas, et à côté, un empilement désordonné de caisses en bois, avec un traîneau. Mais le principal intérêt de cette photo résidait dans le ciel. Des rayons et des voiles de lumière pendaient tels des rideaux, en boucles et en guirlandes, retenus par des crochets invisibles, à des centaines de kilomètres d'altitude, ou bien flottant en biais, portés par le courant de quelque vent inconcevable.

—Qu'est-ce donc ? demanda le Sous-Recteur.

—Une photo de l'Aurore.

—Très joli photogramme, commenta le professeur Palmérien. Parmi les plus beaux que j'aie jamais vus.

—Pardonnez mon ignorance, dit le vieux Préchantre, de sa voix tremblante, mais si j'ai su un jour ce qu'était l'Aurore, je l'ai oublié. S'agit-il de ce qu'on appelle les Lumières du Nord ?

—Oui. Elle possède plusieurs noms. Elle est composée d'orages de particules chargées et de rayons solaires d'une intensité et d'une force extraordinaires, invisibles en eux-mêmes, mais qui provoquent cette radiation lumineuse lorsqu'ils entrent en contact avec l'atmosphère. Si j'avais eu le temps, j'aurais fait teinter cette photo pour vous montrer les couleurs, du vert pâle et du rose essentiellement, avec une touche pourpre tout en bas de cette formation semblable à des rideaux. Il s'agit là d'un cliché réalisé avec une émulsion ordinaire. Je vais maintenant vous montrer une photo prise avec l'émulsion spéciale.

Il retira la diapositive. Lyra entendit le Maître dire à voix basse :

—S'il veut imposer un vote, on pourrait essayer d'évoquer la clause de résidence. Il n'a pas résidé au Collège pendant au moins trente semaines au cours des cinquante-deux dernières semaines écoulées.

—Il a déjà mis l'Aumônier de son côté... répondit le Bibliothécaire dans un murmure.

Pendant ce temps, Lord Asriel glissait une autre photo dans le chariot de la lanterne. Elle montrait la même scène. Mais, comme avec les deux photos précédentes, la plupart des détails visibles à la lumière ordinaire étaient ici beaucoup plus sombres, à l'instar des rideaux rayonnants dans le ciel.

Toutefois, très haut au-dessus de ce paysage morne, Lyra apercevait une forme compacte. Elle constata que, comme elle, les Érudits assis près de l'écran se penchaient en avant pour mieux voir. Plus elle regardait cette photo, plus son étonnement croissait, car là, dans le ciel, on distinguait bel et bien les contours caractéristiques d'une ville : des tours, des dômes, des murs... des bâtiments et des rues suspendus dans le vide ! Elle faillit pousser un petit cri d'émerveillement.

L'Érudit Cassington dit :

—Ça ressemble à... une ville.

—Exactement, répondit Lord Asriel.

—Une ville d'un autre monde, assurément ? dit le Doyen, une note de mépris dans la voix.

Lord Asriel l'ignora. Un mouvement d'excitation parcourut certains Érudits, comme si, ayant rédigé des traités sur l'existence de la Licorne, sans jamais en voir une, on leur présentait un spécimen vivant qui venait d'être capturé.

—Il s'agit de l'histoire Barnard-Stokes ? demanda le professeur Palmérien. C'est bien cela, n'est-ce pas ?

—C'est justement ce que je veux découvrir, répondit Lord Asriel.

Il se tenait près de l'écran illuminé. Lyra voyait ses yeux sombres se promener parmi les Érudits occupés à scruter la photo de l'Aurore, et la lueur verte des yeux de son dæmon près de lui. Toutes les vénérables têtes se tendaient vers l'écran, leurs lunettes miroitaient ; seuls le Maître et le Bibliothécaire étaient renversés dans leur fauteuil, penchés l'un vers l'autre.

L'Aumônier prit la parole :

—Vous cherchiez, nous avez-vous dit, Lord Asriel, à savoir ce qu'était devenue l'expédition Grumman. Le Dr Grumman enquêtait-il sur ce phénomène lui aussi ?

—Je le pense, et je pense également qu'il possédait beaucoup d'informations sur ce sujet. Hélas, il ne pourra pas nous en faire part, car il est mort.

—Oh, non ! s'exclama l'Aumônier.

—J'ai peur que si ; j'en ai d'ailleurs la preuve.

Une onde d'inquiétude mêlée d'excitation parcourut le Salon, tandis que, sous les ordres de Lord Asriel, deux ou trois Érudits, parmi les plus jeunes, transportaient la caisse en bois sur le devant de la pièce. Lord Asriel retira la dernière photo du chariot, en laissant la lanterne allumée, et dans l'éclat théâtral du cercle de lumière, il se pencha pour ouvrir la caisse à l'aide d'un levier. Lyra entendit grincer les clous arrachés au bois humide. Le Maître se leva pour regarder, cachant la vue à Lyra. Son oncle reprit la parole.

—Si vous vous souvenez, l'expédition Grumman a disparu il y a dix-huit mois. L'Académie germanique l'avait envoyée vers le nord afin qu'elle explore le pôle magnétique et qu'elle réalise diverses observations célestes. C'est au cours de ce voyage qu'il put déceler l'étrange phénomène que nous venons de voir. Peu de temps après, il disparut. Nous avons supposé qu'il avait été victime d'un accident et que son corps gisait au fond d'une crevasse. En vérité, il n'y a pas eu d'accident.

—Que nous avez-vous donc apporté? demanda le Doyen. Est-ce un récipient sous vide?

Lord Asriel ne répondit pas immédiatement. Lyra entendit le claquement des fermoirs métalliques, suivi d'un sifflement lorsque l'air s'engouffra dans une boîte, puis ce fut le silence. Un silence de courte durée. Après une seconde ou deux jaillit un véritable brouhaha: cris d'horreur, protestations véhémentes, exclamations de colère et de peur.

—Mais qu'est-ce...

—... quasiment pas humain...

—Franchement, je...

—... ce qui lui est arrivé...

La voix du Maître y mit fin brutalement.

—Lord Asriel, que nous apportez-vous là, pour l'amour du ciel?

—Il s'agit de la tête de Stanislaus Grumman, répondit Lord Asriel.

Par-dessus le vacarme des exclamations, Lyra entendit quelqu'un se précipiter vers la porte et quitter la pièce en poussant des cris de détresse inarticulés. Que n'aurait-elle donné pour voir ce que voyaient les autres!

Lord Asriel reprit:

—J'ai découvert son corps conservé dans la glace près de Svalbard. Ses assassins ont infligé à sa tête le traitement que vous voyez. Vous remarquerez la manière caractéristique de scalper la victime. Monsieur le Sous-Recteur, elle vous est familière, je suppose.

Le vieil homme répondit d'une voix ferme.

—Oui, j'ai vu les Tartares pratiquer ce genre de chose. C'est une technique que l'on trouve parmi les aborigènes de Sibérie et chez les Toungouses. De là, évidemment, elle s'étend jusqu'aux terres des

Skraelings, même si, crois-je savoir, elle est aujourd'hui interdite au Nouveau Danemark. Puis-je examiner la tête de plus près, Lord Asriel?

Après un court silence, il ajouta :

—Ma vue n'est plus très bonne, et la glace est sale, mais il me semble apercevoir un trou au sommet du crâne. Me trompé-je?

—Absolument pas.

—Trépanation?

—Exactement.

Cette réponse provoqua un murmure d'excitation. Le Maître se déplaça, et Lyra put enfin voir de nouveau. Le vieux Sous-Recteur, debout dans le cercle de lumière projeté par la lanterne, tenait un gros bloc de glace devant son visage, et Lyra put distinguer la chose qui se trouvait à l'intérieur : une masse sanglante qui ressemblait très vaguement à une tête humaine. Pantalaimon voltigeait autour de Lyra, que cette agitation agaçait.

—Chut, fit-elle. Écoute.

—Le Dr Grumman compta naguère parmi les Érudits de ce Collège, déclara le Doyen avec ferveur.

—Finir entre les mains des Tartares...

—Aussi loin au nord?

—Sans doute ont-ils pénétré plus profondément qu'on ne l'imaginait!

—Avez-vous dit que vous l'aviez découvert près de Svalbard? demanda le Doyen.

—C'est cela même.

—Doit-on en conclure que les panserbjornes sont mêlés à cette histoire?

Lyra ne connaissait pas ce mot, mais visiblement, les Érudits, eux, le connaissaient.

—Impossible, déclara l'Érudit Cassington. Ce n'est pas dans leurs habitudes.

—C'est que vous ne connaissez pas Iofur Raknison, rétorqua le professeur Palmérien, qui avait lui-même effectué plusieurs expéditions dans les régions arctiques. Je ne serais pas du tout surpris d'apprendre qu'il s'est mis à scalper les gens, à la manière des Tartares.

Lyra regarda de nouveau son oncle, qui observait les Érudits, avec dans les yeux une lueur d'amusement sardonique, sans rien dire.

—Qui est ce Iofur Raknison? demanda quelqu'un.

—Le roi de Svalbard, répondit le professeur Palmérien. Oui, exactement, un des panserbjornes. Une sorte d'usurpateur; il a accédé au trône par la ruse, ai-je entendu dire, mais c'est un individu puissant, nullement un imbécile, en dépit de ses caprices grotesques, comme se faire construire un palais avec du marbre importé, et installer ce qu'il appelle une université...

—Pour qui ? Pour les ours ? demanda quelqu'un, et tout le monde éclata de rire.

Mais le professeur Palmérien poursuivit :

—Quoi qu'il en soit, je vous affirme que Iofur Raknison serait tout à fait capable d'infliger pareil sort à Grumman. Toutefois, il serait possible, si besoin était, de l'inciter à changer de comportement.

—Et vous savez comment faire, n'est-ce pas, Trelawney ? demanda le Doyen d'un ton ricaneur.

—Parfaitement. Savez-vous ce qu'il aimerait par-dessus tout ? Encore plus qu'un grade *honoris causa* ? Il voudrait un dæmon ! Trouvez un moyen de lui donner un dæmon, et il fera n'importe quoi pour vous.

Les Érudits rirent de bon cœur. Lyra suivait cette conversation avec perplexité ; les propos du professeur Palmérien n'avaient aucun sens. En outre, elle avait hâte d'en savoir plus sur cette histoire de scalp, les Lumières du Nord et cette mystérieuse Poussière. Aussi fut-elle déçue, car Lord Asriel avait fini de montrer ses reliques et ses photos, et la discussion prit rapidement un tour de dispute universitaire, pour savoir s'il fallait, oui ou non, lui donner de l'argent afin de financer une nouvelle expédition. Les deux camps échangeaient leurs arguments tour à tour, et Lyra sentit ses yeux se fermer. Bientôt, elle s'endormit, avec Pantalaimon lové autour de son cou, sous sa forme préférée pour dormir, celle d'une hermine.

Elle se réveilla en sursaut lorsque quelqu'un la secoua par l'épaule.

—Chut, fit son oncle.

La porte de la penderie était ouverte ; il était accroupi devant elle, à contre-jour.

—Ils sont tous partis, mais il y a encore des domestiques dans les parages. Retourne dans ta chambre, et surtout, prends soin de ne rien dire à personne.

—Ont-ils décidé de vous donner de l'argent finalement ? demanda-t-elle d'une voix endormie.

—Oui.

—C'est quoi, cette Poussière ?

Elle avait du mal à se relever après être restée coincée aussi longtemps.

—Ça ne te regarde pas.

—Si, justement ! Vous avez voulu que j'espionne dans la penderie, il faut m'expliquer pourquoi j'espionne. Dites, je peux voir la tête de l'homme ?

La fourrure d'hermine blanche de Pantalaimon se hérissa ; Lyra la sentit qui lui chatouillait le cou. Lord Asriel pouffa.

—Allons, pas de vulgarité, répondit-il, et il entreprit de ranger ses diapositives et sa boîte à prélèvements. As-tu observé le Maître ?

—Oui, et la première chose qu'il a faite, c'est de chercher le vin.

—Parfait. J'ai contrecarré ses plans pour l'instant. Allons, obéis, va te coucher.

—Mais vous, qu'allez-vous faire ?

—Je retourne dans le Nord. Je pars dans dix minutes.

—Je peux venir ?

Lord Asriel interrompit ce qu'il était en train de faire et la regarda comme s'il la voyait pour la première fois. Son dæmon posa lui aussi ses grands yeux verts de léopard sur elle et, sous ce double regard pénétrant, Lyra se sentit rougir. Malgré tout, elle refusa de baisser la tête.

—Ta place est ici, répondit finalement son oncle.

—Pourquoi ? Pourquoi ma place est-elle ici ? Pourquoi ne puis-je pas aller dans le Nord avec vous ? Je veux voir les Lumières du Nord, les ours et les icebergs, et tout le reste. Je veux savoir ce qu'est cette Poussière. Et cette ville flottante. Est-ce un autre monde ?

—Tu ne viendras pas avec moi, petite. Sors-toi cette idée de la tête ; on traverse une période trop dangereuse. Fais ce qu'on te dit, va te coucher, et si tu es une gentille fille, je te rapporterai une défense de morse avec des dessins esquimaux gravés dessus. Cesse de discuter ou je vais me mettre en colère.

Son dæmon poussa un grognement rauque et sauvage, et Lyra imagina soudain des crocs se refermant sur sa gorge.

Les lèvres pincées, elle jeta un regard noir à son oncle. Il pompait l'air du container sous vide, sans faire attention à elle ; comme s'il l'avait déjà oubliée. Sans un mot, mais les dents serrées et les sourcils froncés, la fillette, accompagnée de son dæmon, partit se coucher.

Le Maître et le Bibliothécaire étaient de vieux amis et alliés ; ils avaient l'habitude, après un moment difficile, de boire un verre de brantwijn pour se réconforter mutuellement. Aussi, après avoir salué Lord Asriel, ils se rendirent d'un pas lent dans les Appartements du Maître et s'installèrent dans le bureau, où les rideaux étaient tirés et le feu ranimé ; leurs dæmons occupant leurs places habituelles, sur les genoux ou les épaules, et là, ils réfléchirent à tout ce qui s'était passé.

—Croyez-vous vraiment qu'il était au courant pour le vin ? demanda le Bibliothécaire.

—Évidemment ! Je ne sais pas comment, mais il savait, et c'est lui qui a renversé la carafe. Bien sûr qu'il savait !

—Pardonnez-moi, Maître, mais je ne peux m'empêcher d'éprouver du soulagement. Je n'ai jamais aimé cette idée de...

– D'empoisonnement ?

– Oui. L'idée du meurtre.

– Personne n'aime cette idée, Charles. La question était de savoir si le fait de commettre cet acte était plus terrible que les conséquences de notre inaction. Eh bien, la Providence est intervenue, et la chose n'a pas eu lieu. Je regrette simplement de vous avoir fait supporter le poids de ce secret.

– Non, non, protesta le Bibliothécaire. Mais j'aurais aimé que vous m'en disiez plus.

Le Maître resta muet un moment, avant de répondre.

– Oui, peut-être aurais-je dû. L'aléthiomètre prédit des conséquences effroyables si Lord Asriel poursuit ses recherches. Abstraction faite de tout le reste, l'enfant se trouvera entraînée dans cette histoire, or, je veux la protéger le plus longtemps possible.

– Le projet de Lord Asriel a-t-il un rapport avec cette nouvelle initiative de la Cour de Discipline Consistoriale ? Comment appellent-ils cela déjà ? Le Conseil d'Oblation ?

– Lord Asriel… ? Non, non. Bien au contraire. En outre, le Conseil d'Oblation ne dépend pas entièrement de la Cour Consistoriale. Il s'agit d'une initiative semi-privée, menée par une personne qui ne porte pas Lord Asriel dans son cœur. Entre ces deux-là, Charles, je tremble.

Le Bibliothécaire resta muet à son tour. Depuis que le pape Jean Calvin avait transféré le siège de la Papauté à Genève et instauré la Cour de Discipline Consistoriale, l'Église exerçait un pouvoir absolu sur tous les aspects de la vie quotidienne. La Papauté elle-même avait été abolie après la mort de Calvin, et à sa place s'était développé un fouillis de cours, de collèges et de conseils, rassemblés sous le nom de Magisterium. Ces organes n'étaient pas toujours unis ; parfois apparaissait une rivalité entre eux. Durant la majeure partie du siècle précédent, le plus puissant de tous fut le Collège des Évêques, mais depuis quelques années, la Cour de Discipline l'avait remplacé et était devenue le corps de l'Église le plus actif et le plus redouté.

Malgré tout, des organes indépendants pouvaient encore voir le jour sous la protection d'une autre branche du Magisterium, et le Conseil d'Oblation, auquel le Bibliothécaire avait fait allusion, en était un exemple. Le Bibliothécaire ne savait pas grand-chose à son sujet, mais ce qu'il avait entendu dire le rebutait et l'effrayait, voilà pourquoi il partageait pleinement les inquiétudes du Maître.

– Le professeur Palmérien a mentionné un nom, dit-il au bout d'une minute ou deux. Barnard-Stokes ? Quelle est donc cette histoire de Barnard-Stokes ?

—Ah, ce n'est pas notre domaine, Charles. Si j'ai bien compris, la Sainte Église nous enseigne qu'il existe deux mondes : celui de toutes les choses que nous pouvons entendre et toucher, et un autre monde, le monde spirituel du ciel et de l'enfer. Barnard et Stokes étaient deux — comment dire ? — théologiens renégats qui posèrent comme hypothèse l'existence de nombreux autres mondes semblables à celui-ci, ni ciel ni enfer, mais des mondes matériels, souillés par le péché. Tout proches de nous, mais invisibles et inaccessibles. La Sainte Église a tout naturellement réfuté cette hérésie abominable, et Barnard et Stokes furent réduits au silence.

... Mais malheureusement pour le Magisterium, il semblerait qu'il existe de solides arguments mathématiques pour soutenir cette théorie des autres mondes. Personnellement, je ne les ai pas étudiés, mais l'Érudit Cassington m'affirme qu'ils sont fondés.

—Et voilà que Lord Asriel a photographié un de ces mondes, dit le Bibliothécaire. Et nous lui avons accordé une subvention pour partir à sa recherche. Je comprends.

—Exactement. Aux yeux du Conseil d'Oblation et de ses puissants protecteurs, le collège Jordan va passer pour un foyer de soutien à l'hérésie. Or, entre la Cour Consistoriale et le Conseil d'Oblation, je me dois de maintenir un équilibre, Charles, et pendant ce temps, l'enfant grandit. Ils ne l'auront pas oubliée. Tôt ou tard, elle se serait retrouvée impliquée, mais maintenant, elle va être entraînée dans cette histoire, même si je cherche à la protéger.

—Mais comment le savez-vous, bon sang ? Encore l'aléthiomètre ?

—Oui. Lyra a un rôle à jouer dans tout cela, et un rôle capital. L'ironie de la chose, c'est qu'elle doit accomplir sa tâche sans en avoir conscience. Mais elle peut être aidée, et si mon plan avec le tokay avait fonctionné, elle serait restée à l'abri un peu plus longtemps. Je lui aurais épargné un voyage dans le Nord. Plus que tout, je regrette de ne pas avoir pu lui expliquer que...

—Elle ne vous aurait pas écouté, dit le Bibliothécaire. Je la connais bien, hélas. Essayez de lui parler sérieusement ; elle vous écoute d'une seule oreille pendant cinq minutes, et elle commence à s'agiter. Interrogez-la la fois suivante sur ce sujet, elle aura tout oublié.

—Et si je lui parlais de la Poussière ? Vous ne croyez pas qu'elle m'écouterait ?

Le Bibliothécaire répondit par un petit bruit indiquant que cela lui paraissait peu probable.

—Pourquoi diable vous écouterait-elle ? dit-il. Pourquoi une lointaine énigme théologique intéresserait-elle une enfant robuste et insouciante ?

—À cause de ce qu'elle va devoir vivre. Son expérience comporte une grande trahison...

—Qui donc va la trahir ?

—C'est là le plus triste : c'est elle-même qui se trahira, et ce sera une terrible épreuve. Elle ne doit pas le savoir, évidemment, mais rien n'interdit de lui enseigner le problème de la Poussière. Et peut-être avez-vous tort, Charles, peut-être pourrait-elle s'y intéresser, si on lui expliquait la chose de manière simple. Cela pourrait lui servir plus tard. En tout cas, cela m'aiderait à me faire moins de souci à son sujet.

—Tel est le devoir des gens âgés, dit le Bibliothécaire. Se faire du souci pour les jeunes. Et le devoir des jeunes est de railler l'inquiétude des vieux.

Ils restèrent assis encore un moment dans le bureau, puis se séparèrent, car il se faisait tard, et ils étaient vieux et inquiets.

Chapitre 3
Lyra au collège

Jordan College était l'établissement le plus prestigieux et le plus riche de l'université d'Oxford. C'était sans doute aussi le plus grand, bien que personne ne pût l'affirmer avec certitude. Les bâtiments, regroupés autour de trois cours de formes irrégulières, dataient de toutes les époques comprises entre le Moyen Âge et le milieu du XVIIIᵉ siècle. Le Collège s'était développé morceau par morceau, indépendamment de tout plan d'ensemble, si bien que le passé et le présent se chevauchaient en chaque lieu, créant une impression de splendeur désordonnée et poussiéreuse. Il y avait toujours une partie qui menaçait de s'écrouler, et depuis cinq générations, la même famille, les Parslow, était employée à temps plein par le Collège, pour tous les travaux de maçonnerie et de ravalement. L'actuel M. Parslow enseignait le métier à son fils ; tous les deux, aidés par trois ouvriers, s'activaient, telles des termites travailleuses, sur les échafaudages qu'ils avaient érigés au coin de la Bibliothèque, ou au-dessus du toit de la Chapelle, et hissaient de gros blocs de pierre éclatants, des rouleaux de plomb brillants ou des poutres en bois.

Jordan College possédait des fermes et des terres dans tout le royaume de Britannia. Et l'on disait qu'il était possible de marcher d'Oxford à Bristol, dans un sens, et d'Oxford à Londres, dans l'autre sens, sans jamais quitter le domaine du Collège. Dans chaque coin du royaume, des teintureries et des briqueteries, des forêts et des usines payaient un loyer à Jordan College, et le jour du terme, l'Intendant et ses employés additionnaient les sommes, annonçaient le total au Conseil, et commandaient un couple de cygnes pour le Banquet. Une partie de cet argent était réinvestie – le Concilium venait d'approuver l'achat d'un immeuble de bureaux à Manchester –, le reste servait à payer les modestes traitements des Érudits et les gages des serviteurs (sans oublier les Parslow, et la douzaine d'autres familles d'artisans et de marchands qui travaillaient pour le Collège), à approvisionner richement la cave, à acheter des livres et des ambarographes pour la gigantesque Bibliothèque qui occupait tout un côté de la Cour Melrose, et s'enfonçait dans le sol, tel un terrier, sur plusieurs niveaux ; et surtout, cet argent servait à acheter les tout derniers instruments philosophiques destinés à équiper la Chapelle.

Il était important que la Chapelle reste à la pointe du progrès, car Jordan College ne possédait aucun rival, que ce soit en Europe ou dans la Nouvelle France, en tant que centre de théologie expérimentale. Voilà au moins une chose que Lyra savait. Fière de la prédominance de son collège, elle aimait se vanter devant les galopins et les va-nu-pieds avec lesquels elle jouait près du Canal ou des carrières d'argile ; et elle regardait tous les étudiants et les éminents professeurs venus d'ailleurs avec un mépris chargé de pitié, car ils n'appartenaient pas à Jordan College et savaient forcément moins de choses que le plus modeste débutant de cet établissement.

Quant à la théologie expérimentale, Lyra, pas plus que ses camarades, ne savait de quoi il s'agissait. Elle avait fini par supposer qu'il était question de magie, du mouvement des étoiles et des planètes, des minuscules particules de matière, mais ce n'était là, en vérité, que des suppositions. Les étoiles possédaient certainement des dæmons, à l'instar des humains, et la théologie expérimentale avait pour but de leur parler. Lyra imaginait l'Aumônier s'exprimant d'un ton dédaigneux, écoutant les remarques des dæmons des étoiles, puis opinant du chef judicieusement, ou secouant la tête à regret. Mais elle ne pouvait concevoir ce qu'ils se disaient.

D'ailleurs, cela ne l'intéressait pas particulièrement. Par bien des côtés, Lyra était une barbare. Ce qu'elle aimait par-dessus tout, c'était escalader les toits du Collège avec Roger, le marmiton, son meilleur ami, et cracher des noyaux de prune sur la tête des Érudits qui passaient en dessous, ou imiter les ululements de la chouette derrière une fenêtre, pendant que se déroulait un cours ; ou encore courir à toute allure dans les rues étroites de la ville, voler des pommes sur le marché, ou livrer bataille. De même que Lyra ignorait tout des courants souterrains qui régissaient la politique de Jordan College, les Érudits, pour leur part, auraient été incapables de percevoir le foisonnement d'alliances, de rivalités, de querelles et de traités qui constituait une vie d'enfant à Oxford. Des enfants qui jouent, quoi de plus agréable à regarder ! Qu'y avait-il de plus innocent, de plus charmant ?

En vérité, Lyra et ses semblables se livraient une guerre sans pitié. Pour commencer, tous les enfants d'un même collège (les jeunes domestiques, les enfants des domestiques et Lyra) affrontaient les enfants d'un autre collège. Mais cette hostilité était vite oubliée quand les enfants de la ville attaquaient un collégien ; alors, tous les collèges se liguaient pour partir en guerre contre les citadins. Cette rivalité, vieille de plusieurs centaines d'années, était aussi profonde que jubilatoire.

Pourtant, elle-même disparaissait quand les autres ennemis se faisaient menaçants. Parmi eux figurait un adversaire permanent ; il s'agissait des enfants des briquetiers qui vivaient près des carrières d'argile, méprisés par les enfants des collèges aussi bien que par ceux de la ville. L'année précédente, Lyra et certains enfants de la ville avaient conclu une trêve pour lancer une attaque sur les briquetiers, bombardant les enfants des carrières avec des boules de terre glaise et détruisant le château tout mou qu'ils avaient construit, avant de les rouler pendant un bon moment dans cette substance visqueuse près de laquelle ils vivaient, si bien qu'à la fin du combat, vainqueurs et vaincus ressemblaient à un troupeau de golems vociférants.

Le second ennemi était saisonnier. Les familles de gitans qui vivaient sur des péniches arrivaient et repartaient au gré des foires de printemps et d'automne, et constituaient toujours des adversaires de choix. Il y avait en particulier une famille de gitans qui revenait régulièrement s'amarrer au même endroit, dans cette partie de la ville baptisée Jericho, et contre laquelle Lyra se battait depuis qu'elle avait l'âge de lancer une pierre. Lors de leur dernière visite à Oxford, Roger et elle, aidés d'autres garçons de cuisine des deux collèges Jordan et St Michael, leur avaient tendu une embuscade, bombardant de boue leur péniche peinte de couleurs vives, jusqu'à ce que toute la famille saute à terre pour les pourchasser. Une deuxième escouade, commandée par Lyra, en avait alors profité pour se lancer à l'assaut et larguer les amarres de la péniche, qui s'était mise à dériver sur le canal, entravant toute la circulation fluviale, pendant que la bande de pirates de Lyra fouillait l'embarcation de fond en comble, à la recherche de la fameuse bonde. Lyra croyait fermement à l'existence de cette bonde. S'ils la retiraient, avait-elle expliqué à ses troupes, la péniche coulerait à pic. Hélas, ils ne trouvèrent aucune bonde et durent abandonner le bateau lorsque les gitans les rattrapèrent enfin, pour s'enfuir à travers les ruelles de Jericho, trempés et poussant des cris triomphants.

Tel était l'univers de Lyra, et son bonheur. Malgré tout, elle avait toujours eu le sentiment confus que son univers était plus vaste, qu'une partie d'elle-même appartenait également à la splendeur et au rituel de Jordan College, et que quelque part dans sa vie, il existait un lien avec le monde élevé de la politique, incarné par Lord Asriel. Mais cette certitude ne lui servait qu'à se donner de grands airs devant les autres gamins. Jamais elle n'avait eu l'idée de chercher à en savoir plus.

Ainsi avait-elle vécu toute son enfance, comme une sorte de chat à moitié sauvage. Seules les visites irrégulières de Lord Asriel venaient briser la routine de ses journées. Un oncle riche et puissant, c'était parfait pour se vanter, mais ce privilège avait un prix : se faire attraper par le plus agile des Érudits, qui l'emmenait aussitôt chez la Gouvernante pour qu'on la lave et lui enfile une robe propre, après quoi, on la conduisait (avec force menaces) dans la Salle des Professeurs pour prendre le thé avec Lord Asriel. Un petit groupe d'Érudits, parmi les plus anciens, était également invité. Lyra s'affalait au fond d'un fauteuil, l'air rebelle, jusqu'à ce que le Maître lui ordonne sèchement de se tenir droite ; alors, elle les foudroyait tous du regard, et l'Aumônier lui-même ne pouvait s'empêcher de rire.

.Le cérémonial ne variait jamais lors de ces visites formelles, embarrassantes. Après le thé, le Maître et les quelques Érudits qui avaient été invités laissaient Lyra et son oncle en tête à tête ; alors, celui-ci la faisait venir devant lui et lui demandait ce qu'elle avait appris depuis sa dernière visite.

Lyra récitait, en marmonnant, quelques vagues notions de géométrie, d'arabe, d'histoire ou d'ambarologie, pendant que son oncle, assis au fond de son siège, les jambes croisées, l'observait d'un air impassible, jusqu'à ce qu'elle ne sache plus quoi dire.

L'année dernière, avant d'entreprendre son expédition vers le nord, il lui avait alors demandé :

—Comment occupes-tu ton temps lorsque tu n'es pas absorbée par tes études ?

—Je... je m'amuse, bafouilla-t-elle. Dans le Collège. Je... je m'amuse, quoi.

—Fais-moi voir tes mains.

Lyra tendit les mains ; son oncle les prit dans les siennes et les retourna pour examiner les ongles. À côté de lui, son dæmon, allongé sur le tapis sous l'aspect d'un sphinx, battait parfois de la queue en observant fixement Lyra.

—Elles sont sales, commenta Lord Asriel en repoussant les mains de la fillette. On ne t'oblige donc pas à te laver, ici ?

—Si, si, dit-elle. Mais l'Aumônier a toujours les ongles noirs. Ils sont même plus sales que les miens.

—C'est un savant. Quelle est ton excuse ?

—Sans doute que je me suis sali les mains après les avoir lavées.

—Où vas-tu jouer pour être aussi sale ?

Lyra lui jeta un regard méfiant. Elle avait le sentiment que monter sur le toit était interdit, bien que personne le lui ait jamais dit clairement.

—Dans des vieilles salles, répondit-elle.

—Et puis ?

—Dans les carrières d'argile, des fois.

—Et ?

—À Jericho et Port Meadow.

—C'est tout ?

—Oui.

—Tu es une menteuse. Je t'ai vue sur le toit, pas plus tard qu'hier.

Elle se mordit la lèvre, sans répondre. Son oncle l'observait d'un air sardonique.

—Donc, tu joues aussi sur le toit, reprit-il. Vas-tu dans la Bibliothèque parfois ?

—Non. Mais j'ai trouvé un corbeau sur le toit de la Bibliothèque.

—Ah oui ? Et tu l'as attrapé ?

—Il était blessé à une patte. Je voulais le tuer et le faire rôtir, mais Roger a dit qu'il fallait le soigner. Alors, on lui a donné des restes de nourriture et du vin ; il s'est rétabli et s'est envolé.

—Qui est ce Roger ?

—Mon ami. Le garçon des Cuisines.

—Je vois. Donc, tu te promènes sur tous les toits...

—Non, pas tous. On ne peut pas grimper sur le Bâtiment Sheldon, parce qu'il faudrait sauter de la Tour des Pèlerins, au-dessus du vide. Il y a bien une lucarne qui donne sur le toit, mais malheureusement, je suis trop petite pour l'atteindre.

—Tu es donc montée sur tous les toits, sauf sur celui du Bâtiment Sheldon. Et les sous-sols ?

—Les sous-sols ?

—Jordan College est aussi étendu sous terre qu'en surface. Je m'étonne que tu ne l'aies pas encore découvert... Enfin bref, je repars dans un instant. Tu m'as l'air en bonne santé. Tiens.

Plongeant la main dans sa poche, il en sortit une poignée de pièces de monnaie, parmi lesquelles il piocha cinq dollars en or qu'il lui donna.

—On ne t'a pas appris à dire merci ?

—Merci, marmonna-t-elle.

—Es-tu obéissante avec le Maître ?

—Oh, oui.

—Est-ce que tu respectes les Érudits ?

—Oui.

Le dæmon de Lord Asriel laissa échapper un ricanement. Il ne s'était pas manifesté jusqu'à maintenant, et Lyra se sentit rougir.

— Va jouer, lui dit Lord Asriel.

Lyra tourna les talons et fonça vers la porte, soulagée, puis elle se souvint, et elle se retourna pour lancer un « Au revoir ! ».

Ainsi se déroulait la vie de Lyra à Jordan College, jusqu'à ce jour où elle décida de se cacher dans le Salon, et entendit parler pour la première fois de la Poussière.

Évidemment, le Bibliothécaire avait tort de dire au Maître que ce sujet ne l'aurait pas intéressée ; au contraire, elle aurait écouté avec beaucoup d'attention quiconque pouvait lui parler de la Poussière. Au cours des mois qui allaient suivre elle en apprendrait beaucoup plus et, pour finir, elle en saurait davantage sur la Poussière que n'importe qui sur terre ; mais en attendant, la vie trépidante du Collège continuait à se dérouler autour d'elle.

Quoi qu'il en soit, un autre sujet occupait ses pensées. Depuis quelques semaines une rumeur circulait en ville ; cette rumeur faisait rire certaines personnes et trembler les autres, tout comme il existait des gens qui se moquaient des fantômes, alors que d'autres en avaient peur. Pour une raison mystérieuse, que nul ne pouvait expliquer, des enfants avaient commencé à disparaître.

Voici comment cela se passait.

À l'est, en longeant l'immense cours du fleuve Isis, encombré de péniches transportant des briques, de bateaux chargés d'asphalte et de tankers remplis de maïs, qui avancent lentement, au-delà de Henley et Maidenhead, en direction de Teddington, là où s'enfoncent les eaux de l'Océan Allemand, et plus loin encore : à Mortlake, au-delà de la maison du grand magicien, le Dr Dree, au-delà de Falkeshall, où s'étendent les jardins d'agrément, illuminés de fontaines et d'étendards dans la journée, de lampions et de lanternes la nuit ; au-delà de White Hall Palace, où le Roi réunit chaque semaine son Conseil d'État ; au-delà de la Shot Tower, qui déverse en permanence son crachin de plomb fondu dans des cuves d'eau boueuse ; encore plus loin, là où le fleuve, large et sale à cet endroit, décrit une longue courbe vers le sud...

Là se trouvent Limehouse, et l'enfant qui va disparaître.

Il s'appelle Tony Makarios. Sa mère pense qu'il a neuf ans, mais elle a une mémoire défaillante, rongée par la boisson ; peut-être a-t-il huit ans, ou dix. On le surnomme le Grec mais, comme pour son nom, il s'agit d'une simple supposition de la part de sa mère, car en vérité il ressemble plus à un

Chinois qu'à un Grec, et il y a en lui du sang d'Irlandais, de Skraeling et de Lascar, hérité de sa mère. Tony n'est pas très intelligent, mais il possède une sorte de tendresse maladroite qui, parfois, le pousse à étreindre sa mère de manière brutale pour déposer un baiser collant sur ses joues. La pauvre femme est généralement trop éméchée pour prendre l'initiative d'un tel geste, ce qui ne l'empêche pas de réagir avec une certaine chaleur, lorsqu'elle comprend enfin ce qui se passe.

Tony traîne au marché de Pie Street. Il a faim. On est en début de soirée, et il sait qu'il n'aura pas à manger chez lui. Il a un shilling dans sa poche, que lui a donné un soldat pour avoir porté un message à sa petite amie, mais pas question de le dépenser pour acheter de la nourriture, alors qu'il suffit de se servir !

C'est pourquoi il déambule dans les allées du marché, entre les stands de vêtements usagés, les marchands de fruits et les vendeurs de poisson frit, avec son petit dæmon sur l'épaule, un moineau, qui jette des regards de tous les côtés. Dès qu'un commerçant et son dæmon tournent la tête, il émet un petit gazouillis. Alors, la main de Tony jaillit et revient aussitôt se glisser sous sa chemise ample, avec une pomme, une poignée de noix, et pour finir, une tourte chaude.

Mais le commerçant s'en aperçoit ; il se met à vociférer, et son dæmon-chat bondit, mais le moineau de Tony s'est envolé, et Tony lui-même est déjà presque arrivé au bout de la rue. Les injures et les imprécations font avec lui un bout de chemin. Arrivé au pied de l'Oratoire Sainte-Catherine, il s'arrête, s'assoit sur les marches et sort son butin fumant et tout écrasé, laissant une traînée de jus de viande sur sa chemise.

On l'observe. Une dame vêtue d'un long manteau de renard roux et jaune, une jeune et jolie femme dont les cheveux bruns lustrés brillent sous sa capuche doublée de fourrure, se tient dans l'ombre de l'Oratoire, quelques marches au-dessus de lui. On pourrait penser qu'un office s'achève, car une lumière éclaire le seuil de l'Oratoire, et à l'intérieur, un orgue joue ; la femme tient à la main un bréviaire orné de pierres précieuses.

Mais Tony, lui, ignore tout cela. Le visage enfoui dans sa tourte, assis sur les marches, les orteils recroquevillés, ses pieds nus collés l'un contre l'autre, il mâchonne, tandis que son dæmon prend l'apparence d'une souris et se lisse les moustaches.

Le dæmon de la jeune femme émerge de sous le manteau de renard. Il a l'apparence d'un singe, mais pas n'importe lequel : c'est un singe avec un long pelage soyeux, d'une couleur dorée intense et chatoyante. Ondulant avec grâce, il descend pas à pas les marches et vient s'asseoir juste derrière l'enfant.

La souris sent une présence ; elle redevient moineau, tourne légèrement la tête sur le côté et sautille sur les marches de pierre.

Le singe observe le moineau ; le moineau observe le singe.

Le singe tend lentement le bras. Sa petite main est toute noire ; ses ongles ressemblent à des griffes ; ses gestes sont doux et engageants. Le moineau ne peut résister. Il continue d'avancer par petits bonds ; il sautille, il sautille... et d'un battement d'ailes, il saute dans la main du singe.

Le primate le soulève et l'observe attentivement, avant de se relever et de faire demi-tour pour rejoindre son humain, en emportant le dæmon-moineau. La femme penche sa tête parfumée et murmure quelques mots.

Tony se retourne. C'est plus fort que lui.

—Ratter ! s'écrie-t-il la bouche pleine, un peu inquiet.

Le moineau répond par un gazouillis. C'est que tout va bien. Tony avale sa bouchée de tourte, en regardant fixement devant lui.

—Bonjour, dit la belle dame. Comment t'appelles-tu ?

—Tony.

—Où habites-tu, Tony ?

—À Clarice Walk.

—Qu'y a-t-il dans cette tourte ?

—Du steak.

—Tu aimes le chocolat ?

—Oh oui !

—Il se trouve que j'ai plus de chocolat que je ne peux en boire à moi seule. Veux-tu m'aider ?

À ce moment-là, Tony est déjà perdu. Il était perdu dès le moment où son dæmon faible d'esprit a sauté dans la main du singe. Il suit la jolie femme dans Denmark Street, ils longent le Quai du Pendu, ils descendent l'escalier du Roi George pour atteindre finalement une petite porte verte, découpée dans le flanc d'un immense entrepôt. La femme frappe à la porte, celle-ci s'ouvre ; ils entrent et elle se referme. Tony ne ressortira jamais de cet endroit, du moins, pas par cette porte ; et il ne reverra jamais sa mère. Cette dernière, pauvre créature avinée, pensera qu'il a fait une fugue, et chaque fois qu'elle se souviendra de lui, convaincue qu'il est parti à cause d'elle, elle pleurera toutes les larmes de son cœur brisé.

Le petit Tony Makarios n'était pas le seul enfant à avoir été capturé par la femme au singe doré. Il découvrit dans la cave de l'entrepôt une douzaine d'autres enfants, des garçons et des filles, dont aucun n'avait plus de douze ou treize ans, même si, comme lui, ils ignoraient quel était leur âge exact. Mais Tony ne remarqua pas, bien évidemment, l'autre point commun qu'ils partageaient tous. Aucun des enfants réunis dans cette cave chaude et moite n'avait encore atteint la puberté.

La gentille femme le fit asseoir sur un banc appuyé contre le mur, et demanda à une servante silencieuse de lui apporter une tasse de chocolat chaud, puisé dans la casserole posée sur le poêle. Tony mangea le restant de sa tourte et but le breuvage chaud et sucré sans prêter grande attention à son entourage, qui le considérait avec la même indifférence : il était trop petit pour représenter une menace, et trop flegmatique pour faire une victime satisfaisante.

Ce fut un autre garçon qui posa la question évidente :

— Hé, madame ! Pourquoi que vous nous avez amenés ici ?

C'était un petit voyou à la mine farouche, avec du chocolat autour de la bouche et un rat noir décharné en guise de dæmon. La femme discutait avec un homme robuste qui ressemblait à un capitaine de navire, près de la porte, et quand elle se retourna pour répondre, elle eut l'air si angélique dans la lumière des lampes à naphte sifflantes que tous les enfants firent silence.

— Nous avons besoin de votre aide, dit-elle. Vous voulez bien nous aider, n'est-ce pas ?

Personne n'osait dire un mot ; les enfants la regardaient fixement, intimidés tout à coup. Ils n'avaient jamais vu une femme comme celle-ci : elle était si gracieuse, si douce et gentille qu'ils n'en croyaient pas leur bonne étoile, et quoi qu'elle leur demande, ils se feraient un plaisir de le lui donner pour pouvoir rester un peu plus longtemps en sa présence.

Elle leur expliqua qu'ils allaient partir en voyage. Ils seraient bien nourris, ils auraient des vêtements chauds, et ceux qui le souhaitaient pouvaient envoyer une lettre à leurs parents pour leur dire qu'ils étaient sains et saufs. Le capitaine Magnusson les conduirait bientôt à bord de son bateau et, dès que la marée le permettrait, ils prendraient la mer en mettant le cap vers le nord.

Les enfants qui voulaient envoyer un message chez eux, si tant est qu'ils aient un domicile, se retrouvèrent bientôt assis autour de la jolie dame qui écrivait quelques lignes sous leur dictée, et après les avoir laissés griffonner une croix hésitante en bas de la feuille, elle glissait celle-ci dans une enveloppe parfumée, sur laquelle elle notait l'adresse qu'ils lui indiquaient. Tony aurait voulu envoyer un mot à sa mère, lui aussi, mais il était assez réaliste pour douter qu'elle soit capable de le lire. Il tira la dame par la manche de son manteau de renard et, à voix basse, lui demanda de bien vouloir dire à sa mère où il allait et ce qui allait se passer par la suite ; alors, elle pencha son visage gracieux vers le corps frêle et malodorant du jeune garçon, lui caressa la tête et promit de transmettre le message.

Après quoi, les enfants se pressèrent autour d'elle pour lui dire au revoir. Le singe au pelage doré caressa tous les dæmons, et les enfants touchèrent le manteau de fourrure pour se porter chance, ou puiser auprès de cette femme du courage et de l'espoir. Elle leur souhaita à tous un bon voyage et les remit entre les mains du capitaine à l'air si téméraire, à bord d'un bateau à vapeur amarré à quai. Le ciel s'était assombri ; le fleuve était une masse de lumières flottantes. Debout sur la jetée, la belle dame leur adressa des signes de la main, jusqu'à ce qu'elle ne distingue plus leurs visages.

Puis elle retourna à l'intérieur de l'entrepôt, le singe toujours niché contre sa poitrine, et elle jeta le petit paquet de lettres dans le poêle, avant de repartir par où elle était venue.

Il était relativement facile d'envoûter et d'enlever les enfants des taudis ; malgré tout, les gens finirent par s'en apercevoir, et la police fut contrainte d'agir, mais à contrecœur. Les disparitions mystérieuses cessèrent. Mais la rumeur était née, et peu à peu, elle s'amplifia, se répandit, se modifia, et lorsque, au bout de quelque temps, plusieurs autres enfants disparurent à Norwich, à Sheffield ensuite, puis à Manchester, les habitants de ces endroits, qui avaient entendu parler des disparitions survenues ailleurs, ajoutèrent celles-ci à la rumeur, lui redonnant de l'ampleur.

Ainsi naquit la légende d'un mystérieux groupe d'envoûteurs qui faisaient disparaître les enfants. Certaines personnes affirmaient que leur chef était une très jolie femme, d'autres parlaient d'un homme de grande taille aux yeux rouges, tandis qu'une troisième version évoquait un jeune garçon qui charmait ses victimes avec son rire et ses chansons, pour qu'elles le suivent comme des moutons.

Quant à savoir où l'on conduisait ces enfants, il n'y avait pas deux histoires qui concordaient. En Enfer, affirmaient certaines personnes, sous terre, au Royaume des fées. Pour d'autres, les enfants étaient retenus prisonniers dans une ferme où on les engraissait pour les manger. D'autres encore prétendaient qu'on les vendait comme esclaves à de riches Tartares... Et ainsi de suite.

Mais tout le monde s'accordait sur une chose : le nom de ces ravisseurs invisibles. Il fallait bien qu'ils aient un nom, faute de quoi on ne pouvait pas en parler ; or, c'était tellement délicieux d'en parler, surtout quand vous étiez douillettement calfeutré chez vous, ou entre les murs de Jordan College. Et le nom qui leur fut attribué, sans que quiconque pût expliquer pourquoi, était celui d'Enfourneurs.

« Ne rentre pas trop tard, sinon les Enfourneurs vont t'enlever ! »

« Ma cousine de Northampton connaît une femme dont le petit garçon a été kidnappé par les Enfourneurs... »

« Les Enfourneurs sont passés à Stratford. Il paraît qu'ils descendent vers le sud ! »

Et, bien entendu :

— Si on jouait aux enfants et aux Enfourneurs ?

Voilà ce que proposa Lyra à Roger, le marmiton de Jordan College. Roger l'aurait suivie au bout du monde.

— Comment on y joue ?

— Tu te caches, je te trouve et je t'ouvre le ventre, comme les Enfourneurs.

— Qu'est-ce que tu en sais ? Si ça se trouve, ils font pas du tout ça.

— Ah ah, tu as peur ! dit-elle. Ça se sent.

— Pas du tout. D'ailleurs, j'y crois même pas.

— Moi, si, déclara Lyra d'un ton catégorique. Mais ils me font pas peur. Si j'en voyais, je leur ferais ce qu'a fait mon oncle la dernière fois qu'il est venu ici. Je l'ai vu de mes propres yeux. Il était dans le Salon, et un des invités n'a pas été gentil avec lui, alors, mon oncle lui a jeté un regard noir et l'homme est tombé raide mort, la bave aux lèvres.

— Tu es sûre ? demanda Roger, dubitatif. J'ai pas entendu parler de ça aux Cuisines. Et en plus, tu n'as pas le droit d'entrer dans le Salon.

— Évidemment ! Ils vont pas raconter cette histoire aux domestiques. Et je te dis que je suis entrée dans le Salon ! De toute façon, mon oncle a l'habitude de faire ça. Il a fait la même chose avec des Tartares la fois où ils l'ont capturé. Ils l'avaient attaché pour lui arracher les tripes, mais quand le premier type s'est approché avec son couteau, mon oncle l'a simplement regardé, et le type est tombé raide mort ; un second s'est approché, et il lui a fait le même coup. À la fin, il ne restait plus qu'un seul Tartare. Mon oncle a promis de lui laisser la vie sauve s'il le détachait ; ce qu'il a fait, mais mon oncle l'a tué quand même, pour lui donner une leçon.

Roger paraissait encore plus dubitatif qu'au sujet des Enfourneurs, mais on ne pouvait pas laisser passer une si belle histoire, et ils incarnèrent tour à tour Lord Asriel et les Tartares foudroyés, en utilisant de la crème fraîche pour symboliser la bave.

Mais ce n'était qu'un pis-aller ; Lyra était toujours décidée à jouer aux Enfourneurs, et elle réussit à entraîner Roger dans les caves, dans lesquelles ils pénétrèrent grâce au double des clés du Majordome. Ils se faufilèrent dans les grandes galeries voûtées où reposaient les bouteilles de tokay et de vin blanc des Canaries, de bourgogne et de brantwijn, sous les toiles d'araignée centenaires. D'antiques arches de pierre se dressaient au-dessus de leurs têtes, supportées par des piliers épais comme dix troncs d'arbre ; leurs pieds glissaient sur les dalles irrégulières, et de chaque côté s'empilaient des tonneaux et des casiers contenant des bouteilles. C'était un spectacle fascinant. Oubliés les Enfourneurs, encore une fois. Lyra et Roger progressaient sur la pointe des pieds, une bougie dans leurs mains tremblantes, scrutant chaque recoin sombre, et une seule question, de plus en plus pressante, obsédait Lyra : quel goût avait donc le vin ?

Il y avait une façon très simple d'y répondre. Malgré les protestations vigoureuses de Roger, Lyra prit la plus vieille, la plus tordue et la plus verte des bouteilles qu'elle put trouver, et, n'ayant pas de quoi extraire le bouchon, elle brisa le goulot. Réfugiés dans le coin le plus reculé de la cave, ils burent à petites gorgées l'entêtante liqueur pourpre, en se demandant à quel moment ils seraient ivres, et surtout, comment ils sauraient qu'ils étaient ivres. À vrai dire, Lyra n'aimait pas beaucoup le goût du vin, mais elle devait reconnaître que c'était un breuvage noble et complexe. Le plus drôle, c'était de regarder leurs deux dæmons, qui semblaient de plus en plus confus : ils trébuchaient, riaient bêtement, et s'amusaient à changer de forme pour ressembler à des gargouilles, chacun essayant de se faire plus laid que l'autre.

Finalement, et presque simultanément, les deux enfants découvrirent ce que signifiait être ivre.

— Et ils aiment ça ? demanda Roger entre deux hoquets, après avoir vomi copieusement.

— Oui, répondit Lyra, qui se trouvait dans le même état. Et moi aussi j'aime ça, ajouta-t-elle d'un air obstiné.

Cet épisode n'apprit rien à Lyra, si ce n'est qu'on pouvait découvrir des endroits intéressants en jouant aux Enfourneurs. Repensant aux paroles de son oncle, lors de leur dernier entretien, elle décida d'explorer désormais le sous-sol, car ce qui se trouvait à la surface ne représentait qu'une infime partie de l'ensemble. Tel un arbre gigantesque dont le réseau de racines s'étendait sur plusieurs hectares, Jordan College (encastré à la surface entre St Michael's College d'un côté, Gabriel College de l'autre, et la Bibliothèque de l'Université derrière) avait commencé, au Moyen Âge, à s'étendre sous terre. Désormais, le sous-sol était tellement creusé de tunnels, de galeries, de caves, de celliers et d'escaliers, sous Jordan College et sur plusieurs centaines de mètres à la ronde, qu'il y avait presque autant d'air sous terre qu'au-dessus ! Bref, Jordan College reposait sur une sorte de dentelle de pierre.

Maintenant que Lyra avait le goût de l'exploration souterraine, elle abandonna son territoire de prédilection, les montagnes des toits du Collège, pour plonger avec Roger dans ces abîmes. Après avoir joué aux Enfourneurs, elle entreprit de les chasser, car désormais, cela ne faisait plus aucun doute : où pouvaient-ils se cacher, sinon sous terre ?

C'est ainsi qu'un jour, Lyra et Roger pénétrèrent dans la crypte sous l'Oratoire. Des générations de Maîtres avaient été enterrées là, chacun dans son cercueil doublé de plomb, à l'intérieur de niches creusées dans les murs. Une plaque de pierre, fixée sous chaque niche, indiquait leur nom :

Simon Le Clerc, Maître 1765-1789, Cerebaton
Requiescant in pace

—Qu'est-ce que ça veut dire ? demanda Roger.

—Le premier mot, c'est son nom, la ligne du dessous, c'est du latin. Au milieu, c'est la période pendant laquelle il était Maître. Et le deuxième nom, ça doit être son dæmon.

Ils continuèrent d'avancer dans le caveau silencieux, déchiffrant d'autres inscriptions :

Francis Lyall, Maître 1748-1765, Zohariel
Requiescant in pace

Ignatius Cole, Maître 1745-1748, Musca
Requiescant in pace

Lyra constata que chaque cercueil s'ornait d'une plaque de cuivre portant le dessin d'un être différent : ici un basilic, là une jolie femme, ici un serpent, là un singe. Et elle comprit qu'il s'agissait des représentations des dæmons des défunts. Quand les gens devenaient adultes, leurs dæmons perdaient leurs pouvoirs de métamorphose et adoptaient une forme unique, de manière définitive.

—Il y a des squelettes dans ces cercueils ! émit à voix basse Roger.

—De la chair en décomposition, chuchota Lyra. Des vers et des asticots qui grouillent dans les orbites des yeux.

—Je parie qu'il y a des fantômes par ici, commenta Roger, en frissonnant de délice.

Passé la première crypte, ils débouchèrent dans un couloir bordé d'étagères de pierre. Chacune d'elles était divisée en cubes, et dans chaque cube reposait un crâne.

Le dæmon de Roger, la queue coincée entre les pattes, tremblait contre ses jambes ; il laissa échapper un petit gémissement.

—Chut ! fit Roger.

Lyra ne pouvait pas voir Pantalaimon, mais elle le sentait posé sur son épaule, sous sa forme de papillon de nuit. Sans doute tremblait-il lui aussi.

Elle prit le crâne le plus proche et le sortit délicatement de sa niche.

—Hé, qu'est-ce que tu fais ? dit Roger. Faut pas y toucher !

Sans lui prêter attention, elle tourna et retourna le crâne dans ses mains. Soudain, quelque chose tomba du trou situé à la base du crâne, glissa entre ses doigts et heurta le sol avec un tintement ; terrifiée, elle faillit lâcher le crâne.

—Une pièce ! s'exclama Roger en s'en emparant. Il y a peut-être un trésor !

Il éleva la pièce dans la lumière de la bougie ; ils la regardaient avec des yeux écarquillés. En vérité, il ne s'agissait pas d'une pièce de monnaie, mais d'un petit disque de bronze gravé de traits grossiers qui représentaient un chat.

—C'est comme les dessins sur les cercueils, commenta Lyra. C'est son dæmon, je parie.

—Tu ferais mieux de le remettre à sa place, dit Roger, de plus en plus mal à l'aise.

Lyra renversa le crâne et remit le disque dans son caveau immémorial, puis elle reposa le crâne sur l'étagère. Chacun de ces crânes, constatèrent-ils, renfermait sa pièce-dæmon représentant le compagnon de toute une vie du défunt, près de lui jusque dans la mort.

—À ton avis, qui étaient ces gens, de leur vivant ? demanda Lyra. Sans doute des Érudits. Mais seuls les Maîtres ont droit à des cercueils. Il y a eu tellement d'Érudits ici, durant des siècles, qu'il n'y a certainement pas assez de place pour tous les enterrer, alors ils leur coupent simplement la tête et ils la gardent. C'est la partie la plus importante, de toute façon.

Ils ne découvrirent aucun Enfourneur, mais les catacombes situées sous l'Oratoire occupèrent Lyra et Roger pendant quelque temps. Un jour, Lyra voulut faire une farce aux Érudits morts en échangeant les médailles à l'intérieur des crânes, si bien qu'ils se retrouvèrent avec des dæmons qui n'étaient pas les leurs. Affolé par ce qu'il voyait, Pantalaimon se transforma en chauve-souris et se mit à voleter autour de Lyra en poussant des petits cris perçants, battant furieusement des ailes devant son visage, mais la fillette n'y prêta pas attention. La plaisanterie était trop bonne. Toutefois, elle eut l'occasion de s'en mordre les doigts peu de temps après. Le soir même, couchée dans son lit, dans sa chambre exiguë tout en haut de l'Escalier Douze, elle reçut la visite d'un cauchemar, et se réveilla en hurlant, pour découvrir au pied de son lit trois créatures vêtues de longues tuniques qui pointaient sur elle leurs doigts osseux, et repoussèrent leurs capuches pour laisser apparaître des moignons sanglants là où auraient dû se trouver leurs têtes. C'est seulement lorsque Pantalaimon, ayant pris l'apparence d'un lion, poussa de grands rugissements que les intrus battirent en retraite, en se fondant dans la pierre du mur, jusqu'à ce qu'on ne voie plus que leurs bras, puis leurs mains décharnées, d'un gris jaunâtre, puis leurs doigts qui s'agitaient, et puis plus rien. Dès le lendemain matin, Lyra s'empressa de redescendre dans les catacombes pour remettre chaque médaille à sa place, en murmurant : « Pardon ! Pardon !... » aux crânes.

Bien que beaucoup plus étendues que les caves, les catacombes avaient, elles aussi, des limites. Lorsque Lyra et Roger en eurent exploré chaque recoin, certains désormais qu'aucun Enfourneur ne se cachait là, ils décidèrent de poursuivre leurs explorations ailleurs, mais au moment où ils ressortaient de la crypte, ils furent repérés par l'Intercesseur, qui les interpella et leur ordonna de revenir dans l'Oratoire.

L'Intercesseur était un homme âgé et grassouillet, que l'on appelait Père Heyst. Ses fonctions consistaient à diriger tous les services religieux du Collège, à réciter les sermons, à prier et entendre les confessions. Quand Lyra était plus jeune, il s'était intéressé à son bien-être spirituel, mais il avait été rapidement découragé par l'indifférence sournoise et les repentirs hypocrites de la fillette. Elle ne possédait aucune prédisposition pour les choses de l'âme, conclut-il.

En entendant sa voix, Lyra et Roger firent demi-tour à contrecœur et pénétrèrent, en traînant les pieds, dans la pénombre de l'Oratoire qui sentait le moisi. Des bougies étaient allumées ici et là, devant les images des saints ; des bruits étouffés s'échappaient de la tribune d'orgue où l'on effectuait des travaux de réparation. Dans un autre coin, un domestique astiquait le lutrin de cuivre. Père Heyst leur fit signe à la porte de la sacristie.

—Que faisiez-vous ? leur demanda-t-il. Je vous ai vus entrer dans la crypte deux ou trois fois déjà. Qu'est-ce que vous manigancez ?

Il n'avait pas un ton accusateur. De fait, il semblait véritablement curieux. Son dæmon, perché sur son épaule, darda sa langue de lézard.

—On voulait juste visiter la crypte, répondit Lyra.

—Oui, mais pour quelle raison ?

—Euh... on voulait voir les cercueils.

—Mais pourquoi ?

Elle haussa les épaules. Telle était sa réponse chaque fois qu'elle se trouvait embarrassée.

—Et toi, reprit l'Intercesseur en se tournant vers Roger (tandis que le dæmon du jeune garçon agitait nerveusement sa queue de terrier pour l'apaiser), comment t'appelles-tu ?

—Roger, mon Père.

—Si tu es un domestique, où travailles-tu ?

—Aux Cuisines, mon Père.

—Ne devrais-tu pas y être en ce moment ?

—Si, mon Père.

—Alors, dépêche-toi de filer.

Roger pivota sur les talons et s'enfuit à toutes jambes. Lyra se balançait d'un pied sur l'autre.

—Quant à toi, Lyra, dit le Père Heyst, je suis ravi de constater que tu t'intéresses à tout ce que renferme l'Oratoire. Tu as beaucoup de chance, sais-tu, de pouvoir vivre au milieu de tout ce passé.

—Hmm.

—Mais je m'interroge sur le choix de tes compagnons. Es-tu une enfant solitaire ?

—Non.

—Est-ce que... la compagnie des autres enfants te manque ?

—Non.

—Je ne parle pas de Roger, le marmiton. Je parle d'enfants comme toi. Des enfants de haute naissance. Aimerais-tu avoir de tels compagnons ?

—Non.

—Peut-être que d'autres filles...

—Non.

—Vois-tu, Lyra, aucun d'entre nous ne voudrait que tu passes à côté des plaisirs et des distractions de l'enfance. Or, parfois je me dis que tu dois avoir une vie bien solitaire ici, au milieu de ces vieux Érudits. As-tu ce sentiment, Lyra ?

—Non.

Les doigts entrelacés, l'Intercesseur tapotait ses pouces l'un contre l'autre, ne sachant plus quelle question poser à cette enfant obstinée.

—Si jamais quelque chose te tracasse, dit-il finalement, tu sais que tu peux venir m'en parler. J'espère que tu en es consciente.

—Oui.

—Récites-tu tes prières ?

—Oui.

—C'est bien, tu es une gentille fille. Allez, file, maintenant.

Avec un soupir de soulagement à peine dissimulé, Lyra tourna les talons et s'en alla.

N'ayant pas découvert les Enfourneurs sous terre, elle retourna dans les rues. Là, elle se sentait chez elle.

Et puis, alors qu'elle avait presque fini par s'en désintéresser, les Enfourneurs firent leur apparition à Oxford.

Lyra en entendit parler pour la première fois lorsque disparut un jeune garçon appartenant à une famille de gitans qu'elle connaissait.

C'était à l'époque de la Foire aux chevaux ; le canal était encombré de péniches et de petits bateaux transportant des marchands et des voyageurs. Les quais du port de Jericho, égayés par les harnais étincelants, résonnaient du fracas des sabots des chevaux et de la clameur des marchandages. Lyra adorait la Foire aux chevaux. Outre la possibilité de s'offrir une petite promenade en s'emparant d'un cheval laissé à l'abandon, les occasions de déclencher les hostilités ne manquaient pas.

Or, pour cette année, elle avait un grand projet. Inspirée par la capture de la péniche l'année précédente, elle avait bien l'intention, cette fois-ci, d'effectuer un vrai voyage avant d'être délogée. Si, avec ses copains des cuisines, ils parvenaient à atteindre Abingdon, ils pourraient déclencher une formidable panique chez les...

Mais cette année, il n'y aurait pas de guerre. Alors qu'elle déambulait à l'extrémité du chantier de construction navale de Port Meadow, sous le soleil matinal, accompagnée de deux autres galopins, se passant une cigarette volée, dont ils recrachaient la fumée avec ostentation, elle entendit soudain une voix connue s'écrier :

— Qu'est-ce que tu as fait de lui, espèce de pauvre couillon ?

C'était une voix tonitruante, une voix de femme, mais une femme dotée de puissants poumons. Lyra la chercha aussitôt du regard, car il s'agissait de Ma Costa, qui lui avait filé une raclée mémorable à deux reprises, mais lui avait aussi offert du pain d'épice tout chaud à trois reprises, et dont la famille était réputée pour la magnificence et la somptuosité de son bateau. Ces gens étaient des princes chez les gitans, et Lyra admirait énormément Ma Costa ; malgré tout, elle continuerait à se méfier d'elle pendant quelque temps, car la péniche qu'ils avaient piratée la dernière fois était la sienne.

Un des compagnons de Lyra ramassa une pierre, par réflexe, en entendant ces éclats de voix, mais Lyra intervint :

— Pose ça, ordonna-t-elle. Elle est de très mauvaise humeur. Elle pourrait te briser la nuque comme une vulgaire brindille.

En vérité, Ma Costa semblait plus inquiète que furieuse. L'homme à qui elle s'adressait, un marchand de chevaux, répondait en haussant les épaules et en levant les bras au ciel.

—J'en sais rien, disait-il. Il était là à côté de moi, et la seconde d'après, il avait disparu. J'ai pas vu où il...

—Il te donnait un coup de main ! Il surveillait tes saloperies de canassons !

—Il avait qu'à rester à sa place ! Quelle idée de foutre le camp pendant que...

L'homme n'acheva pas sa phrase, car Ma Costa lui assena un coup violent sur le côté de la tête, suivi d'une telle volée d'injures et de gifles qu'il prit ses jambes à son cou en hurlant. Les autres marchands de chevaux qui se trouvaient à proximité s'esclaffèrent et un jeune étalon nerveux se cabra.

—Que se passe-t-il ici ? demanda Lyra à un enfant gitan qui regardait cette scène bouche bée. Qu'est-ce qui l'a mise en colère ?

—C'est à cause de son fils, répondit l'enfant. Billy. Elle doit se dire que les Enfourneurs l'ont enlevé. Et peut-être qu'elle a pas tort. Je l'ai pas revu depuis...

—Les Enfourneurs ? Ça voudrait dire qu'ils ont débarqué à Oxford ?

Le jeune gitan se retourna pour appeler ses camarades, qui tous observaient Ma Costa.

—Hé, les gars, elle est même pas au courant ! Elle sait pas que les Enfourneurs sont là !

Une demi-douzaine de chenapans lui adressèrent des sourires moqueurs, et Lyra jeta sa cigarette, reconnaissant dans cette provocation le signal de départ d'une bagarre. Tous les dæmons adoptèrent sur-le-champ des apparences belliqueuses : chaque enfant était maintenant accompagné de crocs, de griffes ou de pelage hérissé, mais Pantalaimon, considérant avec mépris l'imagination limitée de ces dæmons gitans, prit l'aspect d'un dragon, de la taille d'un cerf.

Toutefois, avant que le combat ne s'engage, Ma Costa en personne vint se placer entre les deux parties, de sa démarche dandinante ; elle gifla deux des jeunes gitans et se dressa face à Lyra, tel un boxeur sur le ring.

—Tu l'as vu, toi ? lui demanda-t-elle. Tu as vu mon Billy ?

—Non. On vient juste d'arriver. Ça fait des mois que j'ai pas vu Billy.

Le dæmon de Ma Costa, un faucon, tournoyait dans le ciel clair au-dessus d'elle ; ses yeux jaunes farouches couraient de droite à gauche, sans ciller. Lyra était terrifiée. Habituellement, personne ne s'inquiétait pour un enfant qui avait disparu depuis quelques heures, et surtout pas un gitan. Dans l'univers extrêmement solidaire des mariniers gitans, les enfants étaient des êtres précieux et idolâtrés, et une mère savait que si son enfant ne se trouvait pas sous sa surveillance, il n'était jamais loin de quelqu'un qui le protégerait.

Et voilà que Ma Costa, reine parmi les gitans, vivait dans l'angoisse à cause d'un enfant disparu. Que se passait-il donc ? se demandait Lyra.

Ma Costa effleura du regard le petit groupe d'enfants, comme si elle ne les voyait pas, puis elle tourna les talons et se fraya un chemin d'un pas chancelant dans la foule, en criant le nom de son fils. Tous les enfants se regardèrent ; en présence d'un tel chagrin, ils en avaient oublié leur rivalité.

—C'est qui ces Enfourneurs ? demanda Simon Parslow, un des camarades de Lyra.

Un des jeunes gitans lui répondit :

—Tu sais bien, ils enlèvent des enfants dans tout le pays. C'est des pirates...

—Non, c'est pas des pirates, rectifia un autre gitan. C'est des cannibales. C'est pour ça qu'on les appelle des Enfourneurs.

—Ils mangent des enfants ! s'exclama le deuxième camarade de Lyra, Hugh Lovat, un des marmitons de St Michael's College.

—Personne n'en sait rien, dit le premier gitan. Ils les emmènent et on les revoit plus jamais.

—Tout le monde sait ça, dit Lyra. Nous, on joue aux Enfourneurs depuis des mois déjà, avant vous autres, je parie. Mais je suis sûre que personne ne les a jamais vus.

—Si, y en a qui les ont vus ! lança un gitan.

—Qui donc ? demanda Lyra, sceptique. Tu les as vus, toi ? Comment tu sais que c'est pas juste une seule personne ?

—Charlie les a vus à Banbury, déclara une jeune gitane. Ils ont fait exprès de parler avec une dame pendant qu'un autre enlevait son petit garçon dans le jardin.

—Exact ! s'écria le dénommé Charlie, un jeune gitan. Je les ai vus faire !

—Et à quoi ils ressemblent ? demanda Lyra.

—Euh... je les ai pas très bien vus, en fait, avoua Charlie. Mais j'ai vu leur camion, s'empressa-t-il d'ajouter. Ils sont venus dans un camion blanc. Ils ont mis le petit garçon dans le camion, et ils ont fichu le camp à toute vitesse.

—Mais pourquoi est-ce qu'on les appelle les Enfourneurs ? demanda Lyra.

—Parce qu'ils les mangent ! répondit le premier gitan. C'est quelqu'un de Northampton qui nous l'a dit. Ils sont allés là-bas et tout ça. Cette fille de Northampton, son frère a été enlevé, et il paraît que ces types, quand ils l'ont emmené, ils ont dit qu'ils allaient le manger. Tout le monde sait ça. Ils les avalent tout crus.

Une jeune gitane qui se trouvait juste à côté éclata en sanglots.

—C'est la cousine de Billy, expliqua Charlie.

Lyra demanda alors :

— Qui a vu Billy pour la dernière fois ?

— Moi ! Moi ! Moi !... s'exclamèrent une demi-douzaine de voix.

— Je l'ai vu qui tenait le vieux canasson de Johnny Fiorelli.

— Je l'ai vu près du marchand de pommes d'amour.

— Je l'ai vu qui faisait de la balançoire.

Après avoir fait le tri dans toutes ces affirmations, Lyra en conclut que Billy avait été vu pour la dernière fois, de manière certaine, moins de deux heures plus tôt.

— Donc, dit-elle, il y a moins de deux heures, des Enfourneurs sont venus ici...

Tous les enfants regardèrent autour d'eux, en frissonnant malgré le soleil chaud, la foule du quai et les odeurs familières de goudron, de crottin et de feuilles à fumer. Mais comme personne ne savait à quoi ressemblaient ces Enfourneurs, n'importe qui pouvait être un Enfourneur, comme le fit justement remarquer Lyra au petit groupe effrayé, sur lequel elle exerçait désormais une emprise totale, les gitans comme les autres.

— Ils ressemblent forcément à des gens ordinaires, sinon, on les repérerait tout de suite, expliqua-t-elle. S'ils sortaient uniquement la nuit, ils pourraient ressembler à n'importe quoi. Mais puisqu'ils sortent en plein jour, c'est qu'ils sont comme tout le monde. Conclusion, n'importe laquelle de ces personnes peut être un Enfourneur...

— Non, pas possible, déclara un jeune gitan avec fermeté. Je les connais, tous ces gens.

— Bon, d'accord, pas eux, mais n'importe qui d'autre, dit Lyra. Essayons de les retrouver ! Sus aux Enfourneurs et à leur camion blanc !

De nouveaux venus se joignirent au petit groupe initial, et bientôt, une trentaine de jeunes gitans, au moins, se précipitaient d'un bout à l'autre des quais, entraient et sortaient des écuries en courant, escaladaient les grues et les mâts de charge sur le chantier de construction navale, sautaient par-dessus les clôtures pour envahir les prés, se balançaient à plus d'une dizaine sur le vieux pont tournant au-dessus de l'eau verte, traversaient à toute allure les rues étroites de Jericho, entre les petites maisons de brique, et s'engouffraient dans la grande tour carrée de l'Oratoire de Saint-Barnabé-le-Chimiste. La moitié d'entre eux ignoraient ce qu'ils cherchaient au juste et croyaient participer à un jeu, mais ceux qui étaient les plus proches de Lyra éprouvaient une peur et une appréhension véritables chaque fois qu'ils entr'apercevaient une silhouette solitaire au fond d'une ruelle ou dans la pénombre de l'Oratoire : s'agissait-il d'un Enfourneur ?

Évidemment, ce n'en était pas un. Finalement, devant le manque de succès de l'opération, tandis que planait au-dessus d'eux l'ombre de la disparition de Billy, l'enthousiasme s'émoussa. Au moment où Lyra et ses deux camarades de Jordan College quittaient Jericho, car l'heure du repas approchait, ils virent les gitans se réunir sur la jetée, non loin de l'endroit où était amarrée la péniche des Costa. Quelques femmes pleuraient à chaudes larmes ; les hommes formaient de petits groupes vibrant de colère, tandis que leurs dæmons virevoltaient nerveusement autour d'eux ou montraient les dents en scrutant l'obscurité.

— Je parie que les Enfourneurs n'oseraient pas venir ici, commenta Lyra en s'adressant à Simon Parslow, au moment où ils franchissaient le seuil de la grande Loge du Collège.

— Oh que non, répondit Simon. Mais je sais qu'une enfant du Marché a disparu.

— Qui ça ?

Lyra connaissait la plupart des enfants du Marché, pourtant, elle n'avait pas entendu parler de cette histoire.

— Jessie Reynolds, qui travaille chez le sellier. Hier, à l'heure de la fermeture, elle avait disparu, alors qu'elle était juste partie acheter un morceau de poisson pour le dîner de son père. Elle n'est pas revenue et personne ne l'a vue. Ils l'ont cherchée dans tout le Marché, et partout.

— Je l'ignorais ! s'exclama Lyra, indignée.

Elle trouvait inadmissible que ses sujets ne la tiennent pas immédiatement au courant de tout ce qui se passait.

— Ça date seulement d'hier. Si ça se trouve, elle a réapparu depuis.

— Je vais me renseigner.

Joignant le geste à la parole, Lyra fit demi-tour pour ressortir de la Loge. Mais à peine avait-elle atteint le seuil que le Portier l'apostropha.

— Hé, Lyra ! Tu ne peux pas ressortir ce soir. Ordre du Maître.

— Pourquoi ça ?

— Je te l'ai dit, ce sont les ordres du Maître. Il a dit que si tu rentrais, tu ne pouvais plus sortir.

— Essayez donc de m'attraper ! lança-t-elle.

Et elle partit comme une flèche, avant même que le vieil homme n'ait le temps de faire un pas.

Elle traversa en courant la rue étroite et dévala la ruelle où les camionnettes déchargeaient habituellement les marchandises du Marché Couvert. Vu l'heure tardive, elles étaient presque toutes reparties, mais quelques groupes de jeunes gens discutaient en fumant près du portail principal, juste en face du haut mur de pierre de St Michael's College. Lyra connaissait l'un d'entre eux : un garçon de seize ans qu'elle admirait, car il savait cracher plus loin que n'importe qui d'autre. Elle s'approcha et attendit humblement qu'il remarque sa présence.

— Ouais ? Qu'est-ce que tu veux ? demanda-t-il au bout d'un moment.

— C'est vrai que Jessie Reynolds a disparu ?

— Ouais. Pourquoi ?

— Parce qu'un jeune gitan a disparu lui aussi, aujourd'hui.

— Les gitans, ça disparaît tout le temps. Après chaque Foire aux chevaux, ils disparaissent.

— Et les chevaux aussi ! ajouta un de ses amis.

— Non, non, c'est différent, dit Lyra. Vous n'avez jamais entendu parler des Enfourneurs ?

Apparemment, aucun d'eux n'en avait entendu parler et, mis à part quelques plaisanteries grossières, ils écoutèrent attentivement ce que leur raconta Lyra.

— Les Enfourneurs ! s'exclama le garçon qu'elle connaissait, et qui se prénommait Dick. C'est grotesque ! Ces gitans, ils croient vraiment n'importe quoi !

— Il paraît que des Enfourneurs étaient à Banbury il y a deux semaines, insista Lyra, et cinq enfants ont été enlevés. Sans doute sont-ils à Oxford maintenant pour en kidnapper d'autres. Je parie que c'est eux qui ont enlevé Jessie.

— Je sais qu'un gamin a disparu du côté de Cowley, déclara un des garçons. Ça me revient maintenant. Ma tante est allée par là-bas hier — elle vend du poisson et des frites dans sa camionnette — et elle a entendu cette histoire... Un petit garçon, en effet... Mais je sais pas si c'est un coup des Enfourneurs. Ils existent pas. C'est de la blague.

— Ils existent ! s'exclama Lyra. Les gitans les ont vus. Il paraît qu'ils mangent les enfants qu'ils enlèvent, et ils...

Elle s'interrompit brutalement car, soudain, une idée venait de lui traverser l'esprit. Lors de cette étrange soirée où elle s'était cachée dans le Salon, Lord Asriel avait montré la photo d'un homme qui brandissait une sorte de bâton, dans lequel se déversaient des torrents de lumière. Il y avait une petite silhouette à ses côtés et, quand Lord Asriel avait dit qu'il s'agissait d'un enfant, quelqu'un lui avait demandé si c'était un enfant mutilé ; son oncle avait répondu non, justement.

Et soudain, une autre pensée la frappa de plein fouet : où était donc Roger ?

Elle ne l'avait pas revu depuis ce matin...

Tout à coup, elle prit peur. Pantalaimon, sous la forme d'un lion miniature, sauta dans ses bras en rugissant. Elle salua les jeunes garçons réunis près du portail du Marché et regagna à pas lents Turl Street, avant de foncer à toutes jambes vers Jordan College, dont elle franchit la porte une seconde avant son dæmon, qui avait pris l'aspect d'un guépard.

Le Portier lui fit la morale.

—J'ai été obligé de prévenir le Maître, dit-il. Il n'était pas content du tout. Je n'aimerais pas être à ta place, pour rien au monde.

—Où est Roger?

—Je ne l'ai pas vu. Il va y avoir droit lui aussi. Oh, oh, quand M. Cawson va lui tomber dessus...

Lyra fonça vers les Cuisines, se frayant un chemin au milieu de cet univers surchauffé, rempli de bruits métalliques et de vapeurs.

—Où est Roger? hurla-t-elle.

—Fiche le camp, Lyra! On a du travail!

—Mais où est-il, bon sang? Il est rentré, oui ou non?

Nul ne semblait lui prêter attention.

—Où est-il? Vous le savez forcément! cria-t-elle au Chef, qui lui assena une gifle retentissante.

Bernie, le pâtissier, tenta de la calmer, mais Lyra ne voulait rien entendre.

—Ils l'ont enlevé! Ces salauds d'Enfourneurs, il faudrait les attraper et les zigouiller! Ah, je vous déteste! Vous vous fichez pas mal de Roger...

—Allons, Lyra, tout le monde ici aime beaucoup Roger.

—C'est faux, sinon vous arrêteriez de travailler pour partir immédiatement à sa recherche! Je vous déteste!

—Si Roger n'est pas rentré, il peut y avoir des dizaines de raisons. Sois raisonnable. On doit préparer le dîner et le servir dans moins d'une heure; le Maître reçoit des invités dans le Pavillon, et ils vont dîner là-bas; ça veut dire que le Chef doit se débrouiller pour que les plats arrivent rapidement, avant d'être froids. La vie continue, Lyra. Je suis sûr que Roger va bientôt...

Sans attendre la suite, Lyra tourna les talons et quitta les Cuisines comme un ouragan, renversant sur son passage une pile de couvre-plats en argent et ignorant les vociférations qui jaillirent dans son dos. Elle dévala l'escalier, traversa en courant la Cour principale, entre la Chapelle et la Tour de Palmer, pour déboucher dans la Cour Yaxley, là où se dressaient les plus anciens bâtiments de Jordan College.

Pantalaimon filait devant elle, sous la forme d'un petit guépard, gravissant l'escalier jusqu'en haut, où se trouvait la chambre de la fillette. Celle-ci poussa violemment la porte, se saisit de sa chaise branlante pour la poser sous la fenêtre, ouvrit en grand les deux battants et enjamba le rebord. Une gouttière en pierre d'une trentaine de centimètres de large, tapissée de plomb, courait sous la fenêtre. Une fois grimpée dessus, Lyra se retourna et escalada le mur de briques rugueuses, pour finalement se retrouver sur le faîte du toit. Là, elle ouvrit la bouche et hurla à pleins poumons. Pantalaimon, qui se transformait en oiseau dès qu'il était sur un toit, voltigeait autour d'elle et poussait des cris aigus de corbeau, pour l'accompagner.

Le ciel était inondé de volutes couleur pêche, abricot et beige : de tendres petits nuages semblables à de la crème glacée dans l'immensité du ciel orange. Les clochers et les tours d'Oxford se dressaient autour d'elle, à sa hauteur ; les bois touffus de Château-Vert et de White Ham s'étendaient de chaque côté, à l'est et à l'ouest. Des corbeaux croassaient quelque part, des cloches sonnaient, et tout là-bas dans les Oxpens le vrombissement régulier d'un moteur à gaz annonçait l'ascension du zeppelin Royal Mail, à destination de Londres. Lyra le regarda s'élever au-delà des clochers de la Chapelle de St Michael's College, aussi gros tout d'abord que le bout de son petit doigt quand elle tendait le bras, puis de plus en plus petit, jusqu'à n'être plus qu'un point dans le ciel nacré.

Elle se retourna et contempla, tout en bas, la Cour plongée dans la pénombre, où les silhouettes des Érudits, vêtus de leur toge noire, commençaient à se diriger, seuls ou deux par deux, vers l'Office, leur dæmon trottinant ou voletant à leurs côtés, ou perché tranquillement sur leur épaule. Les lumières s'allumaient dans le Réfectoire ; Lyra voyait les vitraux rougeoyer les uns après les autres, à mesure qu'un domestique passait de table en table pour allumer les lampes à naphte. La cloche de l'Intendant retentit pour annoncer que le dîner serait servi dans une demi-heure.

Voilà quel était l'univers de Lyra. Elle aurait voulu qu'il restât toujours le même, mais hélas, tout était en train de changer autour d'elle, car quelqu'un, quelque part, enlevait des enfants. Elle s'assit au sommet du toit, le menton dans la main.

— Il faut qu'on le sauve, Pantalaimon, déclara-t-elle.

Le dæmon lui répondit de sa voix de corbeau, du haut d'une cheminée.

— Ça risque d'être dangereux, tu sais.

— Évidemment que je le sais !

— Souviens-toi de ce qu'ils ont dit dans le Salon.

— Quoi ?

— Ils ont parlé d'un enfant, là-haut dans l'Arctique. Celui qui n'attirait pas la Poussière.

— Ils ont dit que c'était un enfant entier... Pourquoi ?

— C'est peut-être ça qu'ils vont faire à Roger, aux gitans et aux autres enfants.

—Hein?

—Qu'est-ce que ça veut dire entier?

—Aucune idée. Sans doute qu'ils les coupent en deux. Je pense plutôt qu'ils en font des esclaves. Ce serait plus utile. Je parie qu'ils ont des mines là-bas. Des mines d'uranium pour l'atome. Je suis sûr que c'est à cause de ça. S'ils envoyaient des adultes au fond de la mine, ils mourraient, alors ils utilisent des enfants, ça coûte moins cher. Voilà ce qu'ils ont fait de Roger.

—Je pense que...

Les pensées de Pantalaimon devraient attendre pour s'exprimer, car quelqu'un s'était mis à brailler en dessous.

—Lyra! Lyra! Descends immédiatement!

On frappa au carreau de sa fenêtre. Lyra avait reconnu cette voix et ce ton impatient: c'était Mme Lonsdale, la Gouvernante. Impossible de lui échapper.

L'air renfrogné, Lyra se laissa glisser sur le toit, jusque sur la gouttière, puis elle franchit le rebord de la fenêtre dans l'autre sens. Mme Lonsdale faisait couler de l'eau dans la petite cuvette ébréchée, accompagnée par le vrombissement et le martèlement des tuyauteries.

—Combien de fois t'a-t-on interdit de monter là-haut!... Regarde-toi! Regarde ta robe... c'est dégoûtant! Enlève-moi ça immédiatement et lave-toi pendant que je te cherche des vêtements corrects qui ne soient pas déchirés. Tu ne peux donc pas rester propre...

Lyra était d'humeur trop maussade pour demander pourquoi elle était obligée de se laver et de s'habiller, alors que les adultes ne lui fournissaient jamais d'explications. Elle fit passer sa robe par-dessus sa tête et la jeta sur son petit lit, après quoi elle commença à se laver sans grand enthousiasme, pendant que Pantalaimon, qui avait pris l'apparence d'un canari, s'approchait par petits bonds du dæmon de Mme Lonsdale, un robuste retriever, en essayant vainement de l'énerver.

—Regarde-moi l'état de cette garde-robe! Tu n'as suspendu aucun vêtement depuis des semaines! Regarde-moi dans quel état est cette...

Regarde-moi ceci, regarde-moi cela... Lyra n'avait pas envie de regarder. Elle ferma les yeux et se frotta le visage avec la serviette.

—Tant pis, tu la porteras telle qu'elle est. On n'a pas le temps d'y mettre un coup de fer. Oh, Seigneur, tes genoux! Regarde-moi dans quel état...

—J'ai pas envie de regarder, grommela Lyra.

Mme Lonsdale lui donna une tape sur la cuisse.

—Lave-toi! ordonna-t-elle d'un ton féroce. Il faut que tu enlèves toute cette crasse.

—Pourquoi? demanda enfin Lyra. D'habitude, je ne me lave jamais les genoux. Personne ne va les regarder. Pourquoi suis-je obligée de faire tout ça ? Vous aussi vous vous fichez pas mal de Roger, comme le Chef. Il n'y a que moi qui...

Cette réflexion lui valut une autre tape, sur l'autre cuisse.

—Cesse de dire des bêtises. Je suis une Parslow, comme le père de Roger. C'est mon cousin germain. Mais je parie que tu l'ignorais, car tu n'as jamais posé la question, Miss Lyra. Ça ne t'est jamais venu à l'esprit. Alors, ne viens pas dire que je n'aime pas ce garçon. Même toi, je t'aime : Dieu sait pourtant que tu ne fais rien pour ça, et que je n'ai pas de remerciements en échange.

S'emparant du gant de toilette, elle entreprit de frotter les genoux de la fillette, si fort que la peau devint écarlate, mais au moins les genoux étaient propres.

—Si on fait tout ça, c'est parce que tu dois dîner avec le Maître et ses invités, ce soir. J'ose espérer que tu sauras te tenir convenablement. Ne parle que lorsqu'on t'interroge, sois sage et polie, souris aimablement et si on te pose une question, ne dis pas : « J'sais pas. »

Sur ce, Mme Lonsdale enfila la robe la plus présentable sur le corps frêle de Lyra, l'ajusta au mieux, piocha un ruban rouge dans le fouillis d'un tiroir et coiffa les cheveux de la fillette avec une brosse dure.

—S'ils m'avaient prévenue avant, j'aurais pu te laver les cheveux, dit-elle. Ah, quel dommage ! Mais tant qu'ils n'y regardent pas de trop près... Voilà. Maintenant, tiens-toi droite. Où sont tes jolies chaussures vernies ?

Cinq minutes plus tard, Lyra frappait à la porte du Pavillon du Maître, l'imposante maison, quelque peu lugubre, qui donnait sur la Cour Yaxley et, derrière, sur le Jardin de la Bibliothèque. Pantalaimon, transformé en hermine par politesse, se frotta contre sa jambe. Ce fut Cousins qui vint lui ouvrir la porte, le valet de chambre du Maître, un vieil ennemi de Lyra. Mais l'un et l'autre savaient qu'il fallait enterrer la hache de guerre ce soir.

—Mme Lonsdale m'a dit que je devais venir.

—Exact, répondit Cousins en s'écartant pour la laisser entrer. Le Maître est dans le Salon de Réception.

Il l'introduisit dans une immense pièce qui s'ouvrait sur le Jardin de la Bibliothèque. Les derniers rayons du soleil, qui se faufilaient entre la Bibliothèque et la Tour de Palmer, éclairaient les immenses tableaux et l'argenterie que collectionnait le Maître. Ils éclairaient également les invités, et Lyra comprit alors pourquoi ils ne dînaient pas au Réfectoire : trois des invités étaient des femmes.

—Ah, Lyra ! s'exclama le Maître. Je suis content que tu sois venue. Cousins, essayez de trouver une boisson sans alcool. Dame Hannah, je crois que vous ne connaissez pas Lyra... La nièce de Lord Asriel, vous savez.

Dame Hannah Relf, Directrice d'un des collèges de femmes, était une vieille dame aux cheveux blancs, dont le dæmon était un ouistiti. Lyra lui serra la main aussi poliment qu'elle le pouvait, après quoi on lui présenta d'autres invités qui étaient tous, comme Dame Hannah, des Érudits d'autres collèges, et donc totalement inintéressants. Finalement, le Maître arriva au dernier invité.

—Madame Coulter, dit-il, je vous présente notre petite Lyra. Lyra, viens saluer Mme Coulter.

—Bonsoir, Lyra, dit Mme Coulter.

C'était une jeune et jolie femme. Ses cheveux noirs soyeux encadraient son beau visage, et son dæmon était un singe au pelage doré.

Chapitre 4

L'aléthiomètre

 J'espère que tu seras assise à côté de moi pendant le dîner, dit Mme Coulter en faisant une petite place à Lyra sur le canapé. Je ne suis pas habituée au cérémonial d'une réception chez un Maître. Il faudra que tu me montres quel couteau et quelle fourchette utiliser.

— Vous êtes une Érudite ? demanda Lyra.

Elle considérait les Érudites avec un mépris typique de Jordan College : ce genre de personnes existait, certes, mais on ne pouvait pas les prendre plus au sérieux, les pauvres, que des animaux dressés pour exécuter un numéro. Toutefois, Mme Coulter ne ressemblait pas aux Érudites qu'avait pu rencontrer Lyra, et certainement pas aux deux autres invitées de la soirée, ces vieilles femmes à l'air sévère. En vérité, Lyra avait posé cette question en s'attendant à une réponse négative, car Mme Coulter possédait une telle élégance que la fillette était comme envoûtée. Elle ne pouvait la quitter des yeux.

— Non, pas vraiment, répondit la jolie femme. J'appartiens au collège de Dame Hannah ; cependant, la majeure partie de mon travail se déroule en dehors d'Oxford... Mais parle-moi plutôt de toi, Lyra. As-tu toujours vécu ici, à Jordan College ?

En l'espace de cinq minutes, Lyra lui avait tout raconté de son existence à moitié sauvage : ses itinéraires préférés sur les toits, les batailles dans les carrières d'argile, la fois où, avec Roger, ils avaient capturé et fait griller un corbeau, son intention de voler une péniche aux gitans pour naviguer jusqu'à Abingdon, etc. Elle lui raconta même (en jetant des regards à droite et à gauche et en baissant la voix) la farce que Roger et elle avaient faite dans la crypte, avec les crânes.

—Les fantômes sont venus dans ma chambre, ensuite ! Sans leur tête ! Évidemment, ils ne pouvaient pas parler ; ils émettaient des sortes de gargouillis, mais j'ai bien compris ce qu'ils voulaient. Alors, le lendemain, je suis retournée dans la crypte pour remettre les médailles à leur place. Sinon, je crois qu'ils m'auraient tuée.

—Tu ne crains rien, à ce que je vois, commenta Mme Coulter, admirative.

On était passé à table entre-temps et, comme Mme Coulter l'avait espéré, elles étaient assises côte à côte. Ignorant totalement le Bibliothécaire assis de l'autre côté, Lyra discuta durant tout le repas avec Mme Coulter.

Quand les dames se retirèrent pour le café, Dame Hannah demanda :

—Dis-moi, Lyra... vont-ils t'envoyer à l'école ?

La fillette parut déconcertée par cette question.

—J'en sais... Je ne sais pas, répondit-elle. Probablement pas, ajouta-t-elle par mesure de prudence. Je ne veux pas leur causer de tracas. Ni de dépenses. Il vaut sans doute mieux que je continue à vivre ici, pour recevoir l'enseignement des Érudits quand ils ont un moment de libre. Étant donné qu'ils sont déjà sur place, c'est plus pratique.

—Ton oncle Asriel a-t-il des projets pour toi ? demanda la seconde femme, qui était une Érudite de l'autre collège de femmes.

—Oui, dit Lyra. Je suppose. Mais ce n'est pas pour m'envoyer à l'école. Il va m'emmener dans le Nord, la prochaine fois qu'il ira.

—Oui, je me souviens qu'il m'en a parlé, dit Mme Coulter.

Lyra tressaillit. Les deux Érudites se redressèrent sur leur siège, très légèrement, mais leurs dæmons, qu'ils fussent bien élevés ou assoupis, se contentèrent d'échanger un regard.

—Je l'ai rencontré à l'Institut Arctique Royal, précisa Mme Coulter. À vrai dire, c'est un peu à cause de cette rencontre que je me trouve ici aujourd'hui.

—Vous êtes exploratrice ? demanda Lyra.

—Oui, d'une certaine façon. Je suis allée plusieurs fois dans le Nord. L'année dernière, j'ai passé trois mois au Groenland pour observer l'Aurore.

Et voilà : plus rien ni personne d'autre n'existait désormais aux yeux de Lyra. Les yeux fixés sur Mme Coulter, avec une fascination respectueuse, elle l'écoutait raconter ses histoires où il était question de construction d'igloos, de chasse au phoque et de négociations avec les sorcières de Laponie. Les deux Érudites n'ayant rien d'aussi excitant à raconter, elles gardèrent le silence jusqu'à ce que les hommes les rejoignent.

Un peu plus tard, tandis que les invités s'apprêtaient à prendre congé, le Maître dit :

—Ne pars pas tout de suite, Lyra, j'aimerais te parler une minute. Va dans mon bureau ; assieds-toi et attends-moi.

Intriguée, fatiguée et exaltée, Lyra obéit. Cousins, le valet de chambre, l'introduisit dans le bureau, en prenant soin de laisser la porte ouverte pour pouvoir la surveiller du hall, où il aidait les invités à enfiler leur manteau. Lyra chercha à apercevoir Mme Coulter, mais en vain. Finalement, le Maître entra dans le bureau et referma la porte.

Il se laissa tomber dans le fauteuil installé devant la cheminée. Son dæmon grimpa sur le dossier d'un battement d'ailes et s'installa près de sa tête, en posant sur Lyra ses vieux yeux aux paupières tombantes. La lampe produisait un léger sifflement qui accompagnait les paroles du Maître :

—Eh bien, Lyra. Tu as beaucoup discuté avec Mme Coulter. Ce qu'elle t'a raconté t'a intéressée ?

—Oh oui !

—C'est une femme remarquable.

—Formidable ! C'est la personne la plus formidable que je connaisse.

Le Maître soupira. Avec son costume noir et sa cravate noire, il ressemblait à son dæmon autant que cela était possible et, soudain, Lyra songea qu'un jour, très bientôt, il serait enterré dans la crypte sous l'Oratoire, lui aussi, et qu'un artiste graverait la représentation de son dæmon sur la plaque de cuivre de son cercueil, et leurs deux noms se côtoieraient.

—J'aurais dû prendre le temps de te parler avant aujourd'hui, Lyra, dit-il après quelques instants de silence. J'avais l'intention de le faire mais il semblerait que les choses soient plus avancées que je ne le croyais. Tu as vécu à l'abri ici, à Jordan College. Je crois que tu as été heureuse. Tu as toujours eu du mal à nous obéir, malgré tout nous t'aimons beaucoup, et tu n'as pas un mauvais fond. Il y a énormément de bonté et de tendresse en toi, Lyra, beaucoup de détermination aussi. Tu auras besoin de toutes ces qualités. Il se passe, dans le vaste monde du dehors, un tas de choses dont j'aurais voulu te protéger, en te gardant ici avec nous. Hélas, cela n'est plus possible.

Lyra le regardait fixement, sans rien dire. Allaient-ils la renvoyer de Jordan College ?

—Tu savais bien qu'un jour ou l'autre, il te faudrait aller à l'école, reprit le Maître. Certes, nous t'avons enseigné certaines choses ici, mais de manière trop superficielle, trop aléatoire. Notre savoir est d'un genre différent. Tu as besoin d'apprendre ce que de vieux hommes comme nous ne peuvent t'enseigner, surtout à l'âge que tu atteins. Tu as dû t'en apercevoir. Tu n'es pas non plus une enfant de domestiques ; nous ne pouvions pas te confier à une famille adoptive en ville. Ces gens auraient certainement pu s'occuper de toi, mais tes besoins sont différents. Ce que j'essaye de te dire, Lyra, c'est que la partie de ton existence qui était liée à Jordan College s'achève.

−Non, non! Je ne veux pas partir! Je me plais ici. Je veux y rester toute ma vie.

−Quand on est jeune, on pense que tout dure toujours. Malheureusement, c'est faux. Avant longtemps, Lyra − deux ans tout au plus − tu deviendras une jeune femme, tu ne seras plus une enfant. Et crois-moi, à ce moment-là, la vie à Jordan College te semblera beaucoup moins agréable.

−Mais c'est ma maison!

−C'était ta maison. Désormais, tu as besoin d'autre chose.

−Je ne veux pas aller à l'école!

−Tu as besoin d'une présence féminine à tes côtés, des conseils d'une femme.

Pour Lyra, le mot femme était immédiatement synonyme d'Érudites, et elle ne put réprimer une grimace. Être obligée de quitter la magnificence de Jordan College, la splendeur et la gloire de son savoir pour se retrouver dans les misérables bâtiments de brique d'un collège situé à l'extrémité nord d'Oxford, en compagnie d'Érudites sans charme, qui sentent le chou et la naphtaline comme les deux de ce soir, ah non!

Le Maître remarqua son expression, et vit les yeux de mouffette de Pantalaimon lancer des éclairs rouges. Alors, il demanda :

−En supposant qu'il s'agisse de Mme Coulter?

Immédiatement, la fourrure de Pantalaimon passa du brun terne au blanc duveteux. Lyra ouvrit de grands yeux.

−C'est vrai?

−Il se trouve qu'elle connaît Lord Asriel. Ton oncle est extrêmement soucieux de ton sort, bien évidemment, et quand Mme Coulter a entendu parler de toi, elle a proposé aussitôt son aide. Au fait, il n'y a pas de M. Coulter ; elle est veuve. Son mari est mort tragiquement dans un accident il y a quelques années ; penses-y avant de faire une gaffe.

Lyra acquiesça avec ferveur.

−C'est vrai? Elle va... s'occuper de moi?

−Ça te ferait plaisir?

−Oh, oui!

La fillette avait du mal à rester assise. Le Maître sourit. Il souriait si rarement qu'il manquait d'entraînement, et quiconque aurait assisté à cette scène (Lyra, elle, n'était pas en état de s'en apercevoir) aurait cru voir un rictus de tristesse.

−Dans ce cas, dit-il, je vais lui demander de venir pour en parler.

Il quitta la pièce, et quand il revint une minute plus tard, accompagné de Mme Coulter, Lyra s'était finalement levée, trop excitée pour rester assise.

Mme Coulter sourit et son dæmon dévoila ses dents blanches en une grimace espiègle. En se dirigeant vers le fauteuil, la jolie femme caressa les cheveux de Lyra, brièvement, et celle-ci se sentit parcourue par une onde de chaleur qui la fit rougir.

Après que le Maître lui eut servi un verre de brantwijn, Mme Coulter demanda :

—Eh bien, Lyra, je crois que je vais avoir une assistante, n'est-ce pas ?

—Oui, répondit simplement Lyra.

Elle aurait dit oui à n'importe quoi.

—J'ai besoin d'aide, car il y a beaucoup de travail, tu sais.

—Le travail ne me fait pas peur !

—Nous serons peut-être obligées de voyager.

—Peu importe. J'irai n'importe où.

—Ça pourrait même être dangereux. Surtout si nous devons aller dans le Nord.

Lyra en resta muette. Finalement, elle retrouva sa voix pour demander :

—Bientôt ?

Mme Coulter répondit en riant :

—Oui, c'est possible. Mais tu sais que tu devras travailler très dur. Tu devras apprendre les mathématiques et la navigation, la géographie céleste.

—C'est vous qui m'apprendrez tout ça ?

—Oui. Et tu devras m'aider en prenant des notes, en mettant de l'ordre dans mes papiers, en effectuant différents calculs de base, etc. Et comme nous rendrons visite à des gens importants, nous allons devoir te trouver de jolis vêtements. Tu as énormément de choses à apprendre, Lyra.

—Tant mieux. Je veux tout apprendre.

—Je n'en doute pas. Quand tu reviendras à Jordan College, tu seras une célèbre voyageuse. Cela étant dit, nous partons à l'aube demain matin, par le premier zeppelin, alors dépêche-toi d'aller te coucher. On se verra au petit déjeuner. Bonne nuit !

—Bonne nuit, dit Lyra.

Arrivée à la porte, et se souvenant de ses quelques notions de politesse, elle se retourna et lança :

—Bonne nuit, Maître.

—Dors bien, dit-il.

—Et merci, ajouta-t-elle à l'adresse de Mme Coulter.

Elle s'endormit enfin, malgré Pantalaimon, qui se calma seulement lorsqu'elle le réprimanda d'un ton sec ; il prit alors l'apparence d'un hérisson, par dépit. Il faisait encore nuit quand quelqu'un la secoua pour la réveiller.

—Lyra... chut... Ne crie pas,.. Réveille-toi, petite.

C'était Mme Lonsdale. Une bougie à la main, elle était penchée au-dessus d'elle et lui parlait à voix basse, en l'immobilisant avec sa main libre.

—Écoute-moi. Le Maître veut te voir avant que tu ne rejoignes Mme Coulter pour le petit déjeuner. Dépêche-toi de te lever et de courir jusqu'au Pavillon. Passe par le jardin et frappe à la porte-fenêtre du bureau. Tu as compris ?

Parfaitement réveillée maintenant et brûlante de curiosité, Lyra acquiesça et glissa ses pieds nus dans les chaussures que lui tendait Mme Lonsdale.

—Tu n'as pas le temps de te laver, on verra ça plus tard. Descends directement et reviens aussi vite. Je vais faire tes bagages pendant ce temps-là et te trouver des habits. Dépêche-toi.

La cour obscure était encore remplie de l'air glacé de la nuit. On continuait d'apercevoir les dernières étoiles mais, à l'est, la lumière du soleil imbibait peu à peu le ciel au-dessus du Réfectoire. Lyra pénétra en courant dans le Jardin de la Bibliothèque et s'immobilisa quelques instants dans le silence immense, les yeux levés vers les pinacles de pierre de la Chapelle, la coupole vert nacré du Bâtiment Sheldon et la lanterne peinte en blanc de la Bibliothèque.

Maintenant qu'elle s'apprêtait à quitter ce décor, elle se demandait s'il lui manquerait.

Quelque chose bougea derrière la fenêtre du bureau, et un halo de lumière apparut brièvement. Lyra se souvint alors qu'elle devait frapper au carreau de la porte-fenêtre. Celle-ci s'ouvrit presque immédiatement.

—C'est bien. Entre vite. Nous n'avons pas beaucoup de temps, dit le Maître.

Dès qu'elle fut entrée, il tira de nouveau le rideau devant la porte-fenêtre. Comme à son habitude, il était entièrement vêtu de noir.

—Je ne pars pas, finalement ? demanda Lyra.

—Si. Je ne peux pas l'empêcher, répondit le Maître. (Sur le moment, Lyra ne s'étonna pas de cette réponse étrange.) Je vais te donner quelque chose, Lyra, mais il faut me promettre de ne le montrer à personne. Tu me le jures ?

—Oui.

Il marcha vers le bureau et sortit d'un tiroir un petit objet enveloppé de velours noir. Quand il le déballa, Lyra découvrit une sorte de grosse montre, ou de petite horloge : un épais disque de cuivre et de cristal. On aurait dit une boussole, ou quelque chose de ce genre.

—C'est quoi ?

—Un aléthiomètre. Il n'en existe que six dans le monde, celui-ci est l'un d'eux. Je te le répète, Lyra : ne le montre à personne. Il serait même préférable que Mme Coulter ne le voie pas. Ton oncle...

—Mais à quoi ça sert ?

—Ça sert à dire la vérité. Mais pour savoir comment le lire, tu devras apprendre par toi-même. Va-t'en maintenant... le jour se lève. Dépêche-toi de regagner ta chambre avant que quelqu'un te voie.

Il enveloppa l'instrument dans le velours noir et le déposa dans les paumes jointes de la fillette. Il était étonnamment lourd. Le Maître prit ensuite le visage de Lyra entre ses mains, délicatement, et la tint ainsi un instant, sans un mot.

Lyra essaya de lever les yeux vers lui.

—Qu'est-ce que vous vouliez me dire au sujet de mon oncle ?

—Lord Asriel a présenté cet instrument à Jordan College il y a quelques années. Peut-être pourra t-il...

Il fut interrompu par des petits coups frappés à la porte. Lyra sentit un tremblement parcourir les mains du vieil homme.

—Fais vite, petite, dit-il à voix basse. Les forces de ce monde sont très puissantes. Les hommes et les femmes obéissent à des courants beaucoup plus féroces que tu ne peux l'imaginer, qui nous balayent et nous entraînent malgré nous. Va, Lyra, que Dieu te protège. Et surtout, garde tes pensées pour toi.

—Merci, Maître.

Serrant le petit paquet contre sa poitrine, elle quitta le bureau par la porte du jardin et ne se retourna qu'une seule fois, brièvement, pour voir le dæmon du Maître qui l'observait sur le rebord de la fenêtre. Déjà, le ciel s'était éclairci ; un souffle d'air frais parcourait l'atmosphère.

—Qu'est-ce que tu as dans la main ? demanda Mme Lonsdale en faisant claquer les fermoirs de la petite valise cabossée.

—C'est le Maître qui me l'a donné. On ne peut pas le mettre dans la valise ?

—Trop tard. Je ne vais pas la rouvrir. Tu mettras ce machin dans la poche de ton manteau. Allez, dépêche-toi de descendre à l'Office. Ne les fais pas attendre...

C'est seulement après avoir fait ses adieux aux quelques domestiques déjà debout à cette heure, et à Mme Lonsdale, qu'elle repensa à Roger. Et elle eut honte de ne pas avoir songé à lui une seule fois depuis sa rencontre avec Mme Coulter. Tout était arrivé si vite !

Et voilà qu'elle était en route pour Londres : assise près du hublot d'un zeppelin ! Les petites pattes d'hermine de Pantalaimon s'enfonçaient dans sa cuisse, tandis que ses pattes de devant étaient appuyées contre la vitre, à travers laquelle il regardait dehors. À côté de Lyra, Mme Coulter consultait des papiers, mais elle les rangea rapidement pour pouvoir bavarder. Quelle conversation brillante ! Lyra était enivrée. Il ne s'agissait pas du Nord cette fois, mais de Londres, des restaurants et des salles de bal, des soirées dans les ambassades et les ministères, des intrigues entre White Hall et Westminster. De fait, Lyra était presque plus fascinée par ce qu'elle entendait que par le paysage qui défilait sous l'engin volant. Tout ce que disait Mme Coulter semblait imprégné du parfum de l'âge adulte, une sensation à la fois déroutante et envoûtante : l'odeur du raffinement.

L'atterrissage à Falkeshall Gardens, la traversée du fleuve boueux en bateau, la somptueuse résidence sur la rive nord de la Tamise, où un portier corpulent (une sorte de concierge en uniforme, avec des médailles) salua Mme Coulter et adressa un clin d'œil à Lyra, qui le toisa avec indifférence...

Puis l'appartement...

Lyra demeura bouche bée. Elle avait vu beaucoup de beauté durant sa courte vie, mais c'était la beauté de Jordan College, la beauté d'Oxford : imposante, froide, masculine. À Jordan College, il y avait un tas de choses magnifiques, certes, mais rien de joli. Dans l'appartement de Mme Coulter, tout était joli. Grâce aux immenses fenêtres orientées au sud, il était inondé de lumière, et les murs étaient recouverts d'un élégant papier peint à fines rayures or. Il y avait de charmants tableaux dans des cadres dorés, un miroir ancien, des appliques extravagantes supportant des lampes ambariques dotées d'abat-jour à volants, des coussins, à volants eux aussi, des lambrequins à fleurs au-dessus de la tringle à rideau et, sur le sol, un tapis vert moelleux avec des dessins de feuilles. Lyra était éberluée ; on aurait dit que chaque centimètre de surface était occupé par de ravissantes petites boîtes en porcelaine, ou des bergères et des arlequins en faïence.

Mme Coulter souriait en voyant l'air admiratif de la fillette.

— Eh oui, Lyra, dit-elle, j'ai tellement de choses à te faire découvrir ! Enlève ton manteau, je vais te montrer la salle de bains. Quand tu te seras lavée, nous déjeunerons et nous irons faire des courses...

La salle de bains constituait un autre motif d'émerveillement. Lyra avait l'habitude de se laver dans une bassine ébréchée avec un savon jaunâtre très dur ; l'eau qui coulait du robinet était tiède — dans le meilleur des cas — et mêlée de rouille. Ici, l'eau était chaude, le savon rose et parfumé, les serviettes douces et épaisses. Le miroir teinté était entouré de petites lumières roses, si bien qu'en s'y regardant, Lyra découvrit un visage délicatement éclairé qui ne ressemblait pas à la Lyra qu'elle connaissait.

Pantalaimon, qui s'amusait à imiter l'apparence du dæmon de Mme Coulter, lui faisait des grimaces, accroupi sur le rebord du lavabo. Lyra le poussa dans l'eau savonneuse, et soudain, elle repensa à l'aléthiomètre resté dans la poche de son manteau. Celui-ci était posé sur le dossier d'une chaise dans la pièce voisine. Elle avait promis au Maître de Jordan College de ne pas le montrer à Mme Coulter...

Oh, tout cela était tellement embrouillé ! Mme Coulter était si gentille et intelligente, alors que Lyra avait vu, de ses propres yeux, le Maître tenter d'empoisonner l'oncle Asriel. Auquel des deux devait-elle obéir ? se demandait-elle.

Elle s'essuya rapidement pour s'empresser de retourner dans le salon, où son manteau était toujours au même endroit, évidemment.

— Tu es prête ? demanda Mme Coulter. Je pensais que nous pourrions aller déjeuner à l'Institut Arctique Royal. Je suis une des rares femmes à en être membre, autant profiter de ce privilège.

Une promenade de vingt minutes les mena à un imposant bâtiment en pierre de taille. Là, elles s'installèrent dans une immense salle à manger, où des couverts en argent étincelaient sur les tables recouvertes de nappes blanches. Elles mangèrent du foie de veau et du bacon.

— Le foie de veau, on peut en manger, expliqua Mme Coulter, le foie de phoque aussi, mais si jamais tu te retrouves un jour sans provisions dans l'Arctique, il ne faut surtout pas manger du foie d'ours. C'est plein de poison, et tu mourrais en quelques minutes.

Pendant qu'elles déjeunaient, Mme Coulter lui désigna certains membres de l'Institut qui étaient assis à d'autres tables.

— Tu vois ce vieux monsieur à la cravate rouge ? C'est le colonel Carborn. Il a effectué le premier vol en ballon au-dessus du Pôle Nord. Et le grand monsieur près de la fenêtre, celui qui vient juste de se lever, c'est le Dr Flèche Brisée.

— C'est un Skraeling ?

— Oui. C'est lui qui a dessiné la carte des courants sous-marins du Grand Océan du Nord...

Lyra regardait tous ces hommes illustres, avec un mélange de curiosité, d'admiration et de crainte. C'étaient tous des savants, aucun doute, mais aussi de grands explorateurs. Le Dr Flèche Brisée connaissait les dangers du foie d'ours ; elle doutait que le Bibliothécaire de Jordan College puisse en dire autant.

Après le déjeuner, Mme Coulter lui montra quelques-unes des précieuses reliques de l'Arctique conservées à la Bibliothèque de l'Institut : le harpon avec lequel avait été tuée la grande baleine Grimmsdur, la pierre sur laquelle était gravée une inscription dans une langue inconnue et que l'on avait retrouvée dans la main de l'explorateur Lord Rukh, mort de froid dans la solitude de sa tente, un allume-feu utilisé par le capitaine Hudson au cours de son célèbre voyage vers la Terre de Van Tieren. Mme Coulter lui raconta l'histoire de chacun de ces objets, et Lyra sentit son cœur se remplir d'admiration pour ces immenses héros valeureux et lointains.

Après quoi, elles allèrent faire des courses. Chaque instant de cette journée extraordinaire fut pour Lyra une expérience nouvelle. Entrer dans un magasin gigantesque rempli de vêtements, où l'on pouvait tout essayer et s'admirer dans des glaces... Tout était si joli... Les vêtements de Lyra lui étaient toujours fournis par Mme Lonsdale, déjà portés et raccommodés pour la plupart. Elle avait rarement porté des habits neufs, et quand cela arrivait, ils avaient été achetés pour des raisons pratiques, sans aucun souci d'élégance. Jamais encore elle n'avait choisi elle-même un vêtement. Et voilà que Mme Coulter lui proposait ceci, lui suggérait cela, et c'était elle qui payait par-dessus le marché.

Une fois les achats terminés, Lyra avait les joues empourprées et les yeux brillants de fatigue. Mme Coulter demanda qu'on emballe et qu'on livre tous ces vêtements à son domicile, puis toutes les deux rentrèrent à l'appartement.

La fillette prit un bon bain, avec une épaisse mousse parfumée. Mme Coulter la rejoignit pour lui laver les cheveux, sans frotter vigoureusement comme le faisait Mme Lonsdale. Elle était très douce, au contraire. Pantalaimon l'observait avec une vive curiosité, jusqu'à ce que Mme Coulter le regarde avec insistance. Il comprit et détourna pudiquement le regard de ces mystères féminins, comme le faisait le singe au pelage doré. C'était bien la première fois qu'il était obligé de tourner la tête devant Lyra.

Après le bain, il y eut encore une infusion avec du lait, une chemise de nuit en flanelle toute neuve, avec des dessins de fleurs et un col festonné, des pantoufles en peau de chèvre bleu ciel, et le lit.

Comme il était confortable ce lit ! Comme elle était douce cette lumière ambarique de la lampe de chevet ! Et la chambre, si douillette avec ses petits placards, sa coiffeuse et sa commode qui accueillerait tous ses nouveaux vêtements, le tapis qui recouvrait entièrement le sol et les adorables rideaux ornés d'étoiles, de lunes et de planètes ! Lyra était allongée sur le dos, raide, trop fatiguée pour dormir, trop émerveillée pour se poser des questions.

Dès que Mme Coulter fut sortie de la chambre, après lui avoir souhaité une bonne et douce nuit, Pantalaimon tira Lyra par les cheveux. Elle le repoussa brutalement, mais il lui murmura à l'oreille :

— Où est le machin ?

Elle comprit immédiatement à quoi il faisait allusion. Son vieux manteau élimé était suspendu dans la penderie de la chambre ; quelques secondes plus tard, elle était de retour dans son lit, assise en tailleur dans le faisceau de la lampe de chevet, Pantalaimon à ses côtés, qui la regardait attentivement déplier le velours noir pour examiner cet objet que lui avait confié le Maître.

— Comment a-t-il appelé ce truc ? demanda-t-elle à voix basse.

— Un aléthiomètre.

Inutile de demander ce que ça signifiait. L'objet pesait lourdement dans sa main, la surface en cristal miroitait, le boîtier en cuivre était magnifiquement ouvragé. Cela ressemblait beaucoup à une montre, ou à une boussole, car des aiguilles tournaient à l'intérieur d'un cadran, mais au lieu de désigner des chiffres ou des points cardinaux, elles indiquaient des petits symboles, peints avec une précision extraordinaire, comme sur de l'ivoire, avec le pinceau en poil de martre le plus fin qui soit. Lyra fit tourner le cadran entre ses doigts pour admirer chaque dessin. Il y avait une ancre, un sablier surmonté d'une tête de mort, un taureau, une ruche... Trente-six dessins différents en tout, et elle n'avait pas la moindre idée de ce qu'ils représentaient.

— Regarde, il y a une petite molette, dit Pantalaimon. Essaye de la faire tourner.

En fait, il y avait trois petites roulettes moletées, et chacune d'elles permettait de faire tourner une des trois aiguilles qui se déplaçaient en douceur tout autour du cran en produisant de discrets déclics. Ainsi, on pouvait les orienter en face de n'importe quel dessin, et une fois qu'elles avaient adopté la bonne position, exactement au centre de la case, elles ne bougeaient plus.

La quatrième aiguille était plus longue et plus fine ; elle semblait également faite dans un métal plus terne que les trois autres. En outre, il était impossible de contrôler ses mouvements ; elle allait là où elle voulait, semblable en cela à l'aiguille d'une boussole, à cette différence près qu'elle ne s'arrêtait jamais de tourner.

— Le mot mètre veut dire mesure, expliqua Pantalaimon. Comme dans thermomètre, par exemple. L'Aumônier nous l'a appris, souviens-toi.

— D'accord, ça c'est facile, répondit-elle. Mais à ton avis, à quoi ça sert ?

Ni l'un ni l'autre n'en avaient la moindre idée. Lyra passa un long moment à faire tourner les aiguilles, face aux différents symboles (ange, casque, dauphin, globe terrestre, luth, boussole, bougie, éclair, cheval...) et à regarder la grande aiguille tournoyer frénétiquement. Et même si elle ne comprenait rien, elle était intriguée et enchantée par la complexité et la beauté de cet objet. Pantalaimon devint souris pour pouvoir s'en approcher et poser ses toutes petites pattes sur le bord du cadran. Ses minuscules yeux noirs brillaient de curiosité en suivant le déplacement de la grande aiguille.

—À ton avis, lui demanda Lyra, que voulait me dire le Maître au sujet d'oncle Asriel ?

—Peut-être que nous devons cacher cet objet et le lui donner.

—Mais le Maître a essayé de l'empoisonner ! Si ça se trouve, c'est tout le contraire. Peut-être qu'il allait me dire de ne pas le lui donner justement.

—Non, dit Pantalaimon, c'est elle qui ne doit pas l'avoir.

On frappa doucement à la porte.

—Lyra, dit Mme Coulter, tu ferais bien d'éteindre ta lumière. Tu es fatiguée et, demain, nous avons une dure journée.

Lyra s'était empressée de cacher l'aléthiomètre sous les draps.

—Bien, madame Coulter.

—Bonne nuit.

—Bonne nuit.

Elle se blottit dans le lit et éteignit la lumière. Juste avant de s'endormir, elle glissa l'aléthiomètre sous son oreiller au cas où…

CHAPITRE 5

LE COCKTAIL

Durant les jours qui suivirent, Lyra accompagna Mme Coulter partout où elle allait, un peu comme si elle était son dæmon. Mme Coulter connaissait beaucoup de gens différents, qu'elle rencontrait dans toutes sortes d'endroits. Le matin, il pouvait y avoir une réunion de géographes à l'Institut Arctique Royal, à laquelle Lyra assistait, assise dans un coin ; ensuite, Mme Coulter avait rendez-vous avec un politicien ou un ecclésiastique pour déjeuner dans un restaurant chic. Séduits par Lyra, ils lui commandaient des plats spécialement pour elle ; elle apprenait à manger des asperges, découvrait le goût des ris de veau. L'aprèsmidi, elles faisaient des courses, car Mme Coulter préparait son expédition et il fallait acheter des fourrures, des cirés, des bottes imperméables, sans oublier les sacs de couchage, les couteaux et surtout le matériel de dessin qui émerveillait Lyra. Ensuite, elles allaient prendre le thé et rencontraient d'autres femmes, aussi bien habillées que Mme Coulter, sans être aussi belles ni aussi douées ; des femmes si différentes des Érudites, des marinières gitanes ou des domestiques du Collège, qu'elles semblaient appartenir à un autre sexe, doté de pouvoirs dangereux mais aussi de qualités comme l'élégance, le charme et la grâce. Pour ces occasions, Lyra était joliment habillée, et les dames la dorlotaient, elles la faisaient participer à leurs conversations délicates et raffinées qui tournaient toujours autour de tel artiste, tel homme politique, ou tel couple d'amants.

Le soir venu, Mme Coulter emmenait parfois Lyra au théâtre, et là encore, il y avait de nombreuses personnes à rencontrer et à admirer car, apparemment, Mme Coulter connaissait toute la haute société de Londres.

En plus de toutes ces activités, Mme Coulter enseignait à Lyra des rudiments de géographie et de mathématiques. Les connaissances de la fillette ressemblaient à une carte du monde rongée par des souris, car elle avait reçu à Jordan College un enseignement fragmentaire et décousu : un Jeune Érudit était généralement désigné pour lui enseigner telle ou telle matière ; les leçons se poursuivaient péniblement pendant une semaine environ, jusqu'à ce que Lyra « oublie » de venir au cours, au grand soulagement de l'Érudit. Ou bien, l'Érudit désigné oubliait ce qu'il était censé lui apprendre et lui exposait en long et en large le sujet de ses recherches du moment, quel qu'il soit. Pas étonnant dans ces conditions qu'elle n'ait acquis qu'un savoir partiel. Elle avait entendu parler de l'atome et des particules élémentaires, des charges ambaromagnétiques, des quatre forces fondamentales et d'autres fragments de théologie expérimentale, mais elle ignorait tout du système solaire. De fait, quand Mme Coulter découvrit cette lacune et lui expliqua de quelle façon la Terre et les cinq autres planètes tournaient autour du Soleil, Lyra rit de bon cœur à cette plaisanterie.

Malgré tout, elle tenait à montrer qu'elle avait certaines notions, et quand Mme Coulter lui parla des électrons, elle dit, sur un ton de spécialiste :

—Oui, ce sont des particules chargées négativement. Un peu comme la Poussière, sauf que la Poussière, elle, n'est pas chargée.

À peine avait-elle prononcé ces mots que le dæmon de Mme Coulter dressa brusquement la tête pour la regarder et tous les poils de son pelage doré se dressèrent sur son petit corps, comme si lui aussi était chargé électriquement. Mme Coulter posa sa main dans son dos.

—La Poussière ? dit-elle.

—Oui, vous savez, la Poussière de l'espace.

—Que sais-tu de la Poussière, Lyra ?

—Oh, je sais qu'elle vient de l'espace, et elle fait briller les gens, à condition que l'on ait une sorte d'appareil photo spécial pour la voir. Sauf les enfants. Elle n'affecte pas les enfants.

—Qui t'a appris ça ?

Lyra sentait maintenant qu'il régnait une forte tension dans la pièce, car Pantalaimon, sous l'aspect d'une hermine, avait grimpé sur ses genoux et tremblait violemment.

—Oh, quelqu'un de Jordan College, répondit Lyra en restant dans le vague. J'ai oublié qui. Je crois que c'était un des Érudits.

—Cela faisait partie de tes leçons ?

—Oui, peut-être. Ou bien, peut-être que c'était juste comme ça, en passant. Oui, je crois que c'est plutôt ça. L'Érudit en question venait du Nouveau Danemark, il me semble ; il parlait de la Poussière avec l'Aumônier juste au moment où je passais et ça m'a paru intéressant, alors je me suis arrêtée pour écouter...

—Je vois, dit Mme Coulter.

—C'est exact ce qu'il disait ? Ou bien, j'ai mal compris ?

—Je ne sais pas. Je suis sûre que tu en sais beaucoup plus que moi. Mais revenons-en aux électrons...

Par la suite, Pantalaimon dit à Lyra :

—Tu as vu quand les poils du dæmon se sont dressés ? Eh bien, j'étais juste derrière lui, et Mme Coulter lui a empoigné le pelage si violemment qu'elle en avait les jointures toutes blanches. Tu ne pouvais pas le voir, toi. Ses poils ont mis du temps à se remettre en place. J'ai bien cru qu'il allait te sauter dessus.

Voilà qui était étrange, assurément ; mais ni Lyra ni Pantalaimon ne savaient quelles conclusions en tirer.

Pour finir, il y avait d'autres sortes de leçons, dispensées de manière si douce et subtile que ça ne ressemblait pas à des leçons. Comment se laver les cheveux, comment choisir les couleurs qui vous conviennent le mieux, comment dire non de façon si charmante que personne ne se sente vexé, comment appliquer du rouge à lèvres, du fond de teint, se parfumer. Certes, Mme Coulter ne dictait pas directement sa conduite à Lyra, mais elle savait que la fillette l'observait quand elle se maquillait, aussi prenait-elle soin de laisser ses produits de beauté en évidence, pour permettre à Lyra de les découvrir et de les essayer en toute liberté.

Le temps passait ; l'automne commença à se transformer en hiver. De temps à autre, Lyra repensait à Jordan College, mais celui-ci lui paraissait désormais trop petit et trop calme, comparé à la vie trépidante qui était devenue la sienne. Parfois, elle repensait à Roger également et, dans ces moments-là, elle éprouvait un sentiment de malaise, mais il y avait une pièce de théâtre à voir, une nouvelle robe à porter, ou il fallait se rendre à l'Institut Arctique Royal, et elle oubliait Roger une fois de plus.

Lyra vivait à Londres depuis six semaines environ quand Mme Coulter décida d'organiser un cocktail. Lyra eut l'impression qu'elle voulait ainsi fêter quelque chose, mais Mme Coulter n'en parla pas. Elle commanda des fleurs, choisit les canapés et les boissons avec le traiteur, et passa toute une soirée à sélectionner les invités en compagnie de Lyra.

—Il nous faut absolument l'archevêque. Je ne peux pas me permettre de ne pas l'inviter bien que ce soit un vieux snob insupportable. Lord

Boreal est en ville, c'est un convive très amusant. Il y a aussi la princesse Postnikova. Crois-tu qu'il serait bon d'inviter Erik Andersson ? Je me demande si le moment est venu de l'introduire dans notre coterie...

Erik Andersson était le dernier danseur à la mode. Lyra ignorait ce que signifiait le mot « coterie », mais elle était heureuse de pouvoir donner son opinion. Elle notait consciencieusement tous les noms que suggérait Mme Coulter, en martyrisant l'orthographe, puis les rayait ensuite si Mme Coulter changeait d'avis.

Ce soir-là, quand Lyra alla se coucher, Pantalaimon lui murmura, sur l'oreiller :

— Nous n'irons jamais dans le Nord ! Elle va nous garder ici éternellement. Qu'est-ce qu'on attend pour partir ?

— Nous irons, répondit Lyra à voix basse. Tu ne l'aimes pas, voilà tout. Eh bien, tant pis pour toi. Moi, je l'aime bien. Pourquoi nous enseignerait-elle la navigation et tout le reste, si elle n'avait pas l'intention de nous emmener dans le Nord ?

— Pour calmer ton impatience, voilà pourquoi ! Ne me dis pas que tu as envie de jouer les petites filles modèles pendant ce cocktail. Cette femme t'a transformée en animal domestique.

Lyra lui tourna le dos et ferma les yeux. Ce que disait Pantalaimon était juste. Elle se sentait étouffée, privée de liberté, dans cette vie élégante et raffinée, si agréable fût-elle. Elle aurait donné n'importe quoi pour passer une journée avec ses camarades bons à rien d'Oxford, pour une bonne bataille dans les carrières de glaise et une course le long du canal. La seule chose qui l'incitait à demeurer polie et attentive face à Mme Coulter, c'était l'espoir alléchant d'aller dans le Nord. Peut-être pourraient-elles y retrouver Lord Asriel. Peut-être Mme Coulter et lui tomberaient-ils amoureux ; ils se marieraient, adopteraient Lyra et iraient libérer Roger des griffes des Enfourneurs.

L'après-midi juste avant le cocktail, Mme Coulter conduisit Lyra chez un coiffeur à la mode, où l'on donna de la souplesse et du mouvement à ses cheveux raides, où ses ongles furent limés et vernis, où on lui maquilla même un peu les yeux et la bouche pour lui montrer comment faire. Après quoi, elles allèrent chercher la nouvelle robe que Mme Coulter lui avait commandée, et acheter une paire de chaussures vernies, puis il fut temps de rentrer à la maison pour vérifier la disposition des fleurs et se préparer.

— Non, pas le sac à bandoulière, ma chérie, dit Mme Coulter en voyant Lyra ressortir de la chambre, toute rayonnante de se sentir aussi jolie.

Elle avait pris l'habitude de se promener, partout où elle allait, avec un petit sac à bandoulière en cuir blanc, pour garder l'aléthiomètre sous la main. Mme Coulter était occupée à aérer un bouquet de roses trop serrées dans un vase. Constatant que Lyra ne bougeait pas, elle regarda la porte de la chambre avec insistance.

— Oh, s'il vous plaît, madame Coulter, j'adore ce sac !

— Pas à l'intérieur, Lyra. C'est ridicule de se promener avec un sac chez soi. Enlève-moi ça immédiatement, et viens m'aider à inspecter les verres...

C'était moins le ton autoritaire que l'emploi des mots « chez soi » qui poussa Lyra à résister. Pantalaimon sauta à terre et, se transformant instantanément en moufette, il frotta son dos voûté contre les socquettes blanches de la fillette. Encouragée par ce soutien, Lyra dit :

— Il ne me gênera pas, je vous assure. C'est la seule chose que j'aime réellement porter. Et je trouve qu'il me va...

Elle n'acheva pas sa phrase, car soudain, le dæmon de Mme Coulter jaillit du canapé, telle une boule de poils dorés, pour se jeter sur Pantalaimon et le plaquer au sol, sans lui laisser le temps de réagir. Lyra poussa un grand cri d'effroi, puis de douleur, tandis que Pantalaimon gesticulait furieusement, en braillant et en grognant, sans pouvoir échapper à l'étau des pattes du singe. En quelques secondes seulement, celui-ci l'avait maîtrisé : une patte noire lui serrait la gorge, pendant que ses puissantes pattes de derrière immobilisaient les membres inférieurs de la moufette. Il saisit une des oreilles de Pantalaimon avec son autre patte de devant et tira, comme s'il voulait la lui arracher. Non pas de manière rageuse, mais avec une étrange violence froide, effrayante pour les témoins et plus encore pour celui qui la subissait.

Lyra sanglotait de frayeur.

— Non ! Je vous en supplie ! Arrêtez de nous faire du mal !

Occupée à arranger les bouquets de fleurs, Mme Coulter leva la tête.

— Tu n'as qu'à m'obéir, dit-elle.

— Promis !

Le singe doré libéra Pantalaimon, comme s'il n'avait plus envie de s'amuser. Pantalaimon se précipita vers Lyra, qui le prit dans ses bras et le serra contre son visage pour l'embrasser et le réconforter.

— Eh bien, Lyra, dit Mme Coulter.

Lyra lui tourna le dos rageusement et s'enfuit dans sa chambre en claquant la porte, mais à peine refermée, celle-ci s'ouvrit de nouveau. Mme Coulter entra et vint se planter devant la fillette.

— Lyra, si tu te conduis de manière aussi grossière, nous allons nous faire la guerre, et c'est moi qui l'emporterai. Pose immédiatement ce sac. Fais-moi disparaître cet air renfrogné. Et ne t'avise plus de claquer une porte devant moi, et même quand je ne suis pas là. Les premiers invités vont arriver dans quelques minutes, et je veux que tu te comportes comme une charmante enfant bien élevée, polie et attentive, bref, adorable. J'y tiens particulièrement, Lyra, c'est bien compris?

—Oui, madame Coulter.

—Alors, embrasse-moi.

Elle se pencha légèrement en avant, la joue tendue. Lyra dut se dresser sur la pointe des pieds pour y déposer un baiser. Elle remarqua combien sa joue était douce, et sentit l'odeur surprenante de la peau de Mme Coulter : parfumée, mais avec quelque chose de... métallique. Elle recula et déposa son sac à bandoulière sur sa coiffeuse, avant de suivre Mme Coulter dans le salon.

—Comment trouves-tu ces fleurs, ma chérie? demanda celle-ci d'un ton joyeux, comme s'il ne s'était rien passé. Évidemment, avec les roses, on est sûr de ne jamais se tromper, mais il faut savoir ne pas abuser des bonnes choses... Le traiteur a-t-il fait livrer suffisamment de glaçons? Sois gentille, va te renseigner. Boire chaud, c'est épouvantable...

Lyra s'aperçut qu'il lui était facile, finalement, de faire semblant d'être gaie et charmante, même si, à chaque instant, elle sentait toute la rancœur de Pantalaimon, et sa haine envers le singe au pelage doré. Soudain, on sonna à la porte et, bientôt, la pièce fut envahie de femmes vêtues à la dernière mode et d'hommes beaux ou distingués. Lyra évoluait au milieu de ces gens en proposant des canapés, distribuant des grands sourires et répondant poliment quand on lui posait une question. Elle avait l'impression de ressembler à un animal domestique, et à l'instant même où elle formulait mentalement cette pensée, Pantalaimon étendit ses ailes de chardonneret en gazouillant.

Il était heureux d'avoir prouvé qu'il avait raison, et Lyra décida de dissimuler un peu mieux ses sentiments.

—À quelle école vas-tu, ma chérie? lui demanda une vieille femme qui l'observait à travers un face-à-main.

—Je ne vais pas à l'école.

—Vraiment? J'aurais pourtant cru que ta mère t'enverrait dans sa vieille école. Un excellent établissement, d'ailleurs...

Lyra demeura perplexe, jusqu'à ce qu'elle comprenne l'erreur de la vieille dame.

—Oh! Ce n'est pas ma mère! Je suis là pour l'aider. Je suis son assistante personnelle, déclara-t-elle d'un air supérieur.

—Je vois. Mais qui sont tes géniteurs?

Une fois de plus, Lyra ne comprit pas immédiatement ce que voulait dire la vieille femme.

—Ah, mes parents. C'étaient un comte et une comtesse. Ils sont morts tous les deux dans un accident aéronautique dans le Nord.

—Le comte comment ?

—Belacqua. C'était le frère de Lord Asriel.

Le dæmon de la vieille femme, un ara au plumage pourpre, se balançait d'une patte sur l'autre, comme s'il était agacé. Voyant la vieille femme plisser le front d'un air intrigué, Lyra la gratifia d'un grand sourire et s'éloigna.

Elle passait devant un petit groupe d'hommes, rassemblés autour d'une femme, près du grand canapé, lorsqu'elle capta le mot « Poussière ». Lyra avait désormais suffisamment évolué en société pour savoir quand les hommes et les femmes flirtaient, et elle les observait avec fascination ; mais cette fois, elle s'arrêta pour tendre l'oreille. Apparemment, les hommes étaient des universitaires et, à en juger par la façon dont la jeune femme les interrogeait, Lyra en conclut qu'il s'agissait d'une étudiante.

—Elle a été découverte par un Moscovite — arrêtez-moi si vous le savez déjà —, disait un homme d'un certain âge, sous le regard admiratif de la jeune femme... un dénommé Rusakov, d'où le nom de Particules de Rusakov qu'on leur donne généralement. Des particules élémentaires qui n'ont absolument aucune action les unes sur les autres et extrêmement difficiles à détecter, mais le plus extraordinaire, c'est qu'elles semblent attirées par les êtres humains.

—Vraiment ? fit la jeune femme, les yeux écarquillés.

—Et ce n'est pas tout, reprit l'homme. Figurez-vous que certains êtres humains les attirent plus que d'autres. Les adultes, pas les enfants. Du moins, pas autant, et pas avant l'adolescence. D'ailleurs, c'est la raison pour laquelle... (À cet instant, il baissa la voix et se rapprocha de la jeune femme, en lui posant la main sur l'épaule, comme pour lui faire une confidence.) ... c'est la raison pour laquelle on a créé le Conseil d'Oblation. Ainsi que pourrait vous l'expliquer notre charmante hôtesse.

—Ah bon ? Elle fait partie du Conseil d'Oblation ?

—Allons, ma chère, c'est elle le Conseil d'Oblation. Ce projet est entièrement le sien...

L'homme s'apprêtait à en dire plus, lorsqu'il aperçut Lyra. Celle-ci l'observa sans ciller. Sans doute avait-il un peu trop bu, ou bien cherchait-il à impressionner la jeune femme, car il ajouta :

—Cette jeune demoiselle sait tout cela, j'en suis certain. Mais toi, petite, dit-il en s'adressant directement à Lyra, tu n'as pas à avoir peur du Conseil d'Oblation, n'est-ce pas ?

—Oh non, répondit Lyra. Ici, je n'ai rien à craindre de personne. Où je vivais autrefois, là-bas à Oxford, il y avait un tas de dangers. Les gitans, par exemple : ils enlèvent les enfants pour les vendre aux Turcs comme esclaves. Et à Port Meadow, à la pleine lune, un loup-garou sort du vieux couvent de Godstow. Un jour, je l'ai entendu pousser des hurlements. Il y a aussi les Enfourneurs...

— C'est ce que je disais, reprit l'homme. C'est bien ainsi qu'on surnomme le Conseil d'Oblation, n'est-ce pas ?

Lyra sentit que Pantalaimon se mettait à trembler, mais il fit un effort pour se contrôler, et les dæmons des deux adultes, un chat et un papillon, semblèrent ne rien remarquer.

— Les Enfourneurs ! s'exclama la jeune femme. Quel drôle de nom ! Pourquoi les appelle-t-on ainsi ?

Lyra s'apprêtait à lui raconter une des histoires à vous glacer le sang qu'elle avait inventées pour effrayer les gamins d'Oxford, mais l'homme la devança :

— À vrai dire, cette idée ne date pas d'hier. Déjà au Moyen Âge, les parents donnaient leurs enfants à l'Église pour qu'ils deviennent moines ou moniales. Ces pauvres petits malheureux étaient baptisés des « oblats ». Cela veut dire sacrifice ou offrande, quelque chose comme ça. On a donc repris la même idée quand on s'est intéressé à la Poussière... comme notre jeune amie ici présente le sait certainement. Si tu allais bavarder un peu avec Lord Boreal ? ajouta-t-il en s'adressant à Lyra encore une fois. Je suis sûr qu'il serait ravi de faire la connaissance de la petite protégée de Mme Coulter... C'est lui là-bas, l'homme aux cheveux blancs, avec un dæmon-serpent.

Il cherchait à se débarrasser d'elle pour pouvoir discuter en privé avec la jeune femme, Lyra l'avait bien compris. Mais apparemment, la jeune femme, elle, s'intéressait davantage à Lyra, et elle faussa compagnie à l'universitaire.

— Hé, attends un peu... Comment t'appelles-tu ?

— Lyra.

— Moi, c'est Adèle Starminster. Je suis journaliste. On peut bavarder un petit peu ?

Lyra, qui trouvait tout naturel que les gens aient envie de lui parler, répondit simplement :

— Oui.

Le dæmon-papillon de la jeune femme s'envola, voltigea dans tous les sens, avant de redescendre pour murmurer quelque chose à la journaliste, et Adèle Starminster déclara :

— Allons nous asseoir sur la banquette sous la fenêtre.

Cet endroit était le coin préféré de Lyra, car il donnait directement sur le fleuve, et la nuit, les lumières de la rive sud, juste en face, scintillaient au-dessus de leur reflet dans l'eau noire. Une file de barges, tractées par un remorqueur, remontait le courant. Adèle Starminster s'assit sur la banquette et glissa sur le côté pour faire de la place à Lyra.

—Si j'ai bien compris le professeur Docker, tu as des liens avec Mme Coulter ?

—Exact.

—Lesquels, au juste ? Tu n'es pas sa fille, ou une parente ? Je le saurais si...

—Non, non, répondit Lyra. Bien sûr que non. Je suis son assistante personnelle.

—Son assistante personnelle ? Tu es un peu jeune, non ? Je pensais plutôt que vous étiez apparentées, d'une manière ou d'une autre. Parle-moi d'elle.

—C'est une femme très intelligente.

Avant ce soir, Lyra aurait été plus élogieuse, mais les choses étaient en train de changer.

—D'accord, mais sur le plan personnel, demanda Adèle Starminster. Est-elle sympathique ou plutôt irritable ? Est-ce que tu habites ici avec elle ? Comment est-elle dans l'intimité ?

—Elle est très gentille, répondit Lyra, impassible.

—Que fais-tu exactement pour elle ? De quelle manière est-ce que tu l'aides ?

—Entre autres, je fais des calculs. Pour la navigation, par exemple.

—Ah, je vois... Et d'où viens-tu ? Quel est ton nom, déjà ?

—Lyra. Je viens d'Oxford.

—Pourquoi Mme Coulter t'a-t-elle choisie pour...

Elle se tut brutalement car Mme Coulter venait d'apparaître. À voir la façon dont Adèle Starminster leva les yeux vers elle, et la manière dont son dæmon se mit à voltiger nerveusement autour de sa tête, Lyra devina que la jeune femme n'était pas censée se trouver ici se soir.

—Je ne connais pas votre nom, lui dit Mme Coulter, sans élever la voix, mais il me suffit de cinq minutes pour le trouver, et je peux vous assurer que vous ne travaillerez plus jamais comme journaliste. Maintenant, levez-vous calmement, sans faire de scandale, et fichez le camp. J'ajoute que la personne qui vous a amenée ici ce soir va le regretter elle aussi.

Mme Coulter semblait habitée par une sorte de force ambarique. Son odeur elle-même était différente ; une odeur chaude, comme du métal brûlant, émanait de son corps. Lyra en avait déjà eu un aperçu précédemment, mais maintenant elle voyait cette énergie dirigée contre quelqu'un d'autre, et la pauvre Adèle Starminster n'avait pas la force de résister. Son dæmon tomba sur son épaule, agita encore une ou deux fois ses ailes magnifiques, avant de défaillir ; la jeune femme elle-même semblait avoir du mal à tenir debout. Avançant légèrement courbée, avec des mouvements patauds, elle se fraya un chemin au milieu des invités qui parlaient fort et quitta le salon, une main plaquée sur l'épaule pour retenir son dæmon évanoui.

—Eh bien? demanda Mme Coulter en reportant son attention sur Lyra.

—Je ne lui ai rien dit d'important.

—Que voulait-elle savoir?

—Juste ce que je faisais et qui j'étais, c'est tout!

Au moment où elle prononçait ces mots, Lyra s'aperçut que Mme Coulter était seule, sans son dæmon. «Comment est-ce possible?» se demanda-t-elle. Mais rapidement, le singe au pelage doré réapparut à ses côtés. Se penchant sur le côté, Mme Coulter le saisit par la patte pour le hisser sur son épaule, sans peine. Aussitôt, elle parut se détendre.

—Si tu tombes encore sur quelqu'un qui, de toute évidence, n'a pas été invité, viens me prévenir, d'accord?

L'odeur de métal chaud s'était atténuée. Peut-être Lyra l'avait-elle simplement imaginée, car elle retrouvait l'odeur habituelle de Mme Coulter, mêlée à celles des roses, de la fumée des cigarillos, et au parfum des autres femmes. Mme Coulter lui sourit, comme pour dire: «Toi et moi, nous comprenons ces choses-là, n'est-ce pas?», après quoi, elle s'éloigna pour accueillir d'autres invités.

Pantalaimon chuchota à l'oreille de Lyra:

—Pendant qu'elle était ici, j'ai vu son dæmon sortir de ta chambre. Il nous espionne. Il connaît l'existence de l'aléthiomètre!

Lyra sentait que Pantalaimon avait raison, mais elle ne pouvait rien y faire. Qu'avait donc dit ce professeur au sujet des Enfourneurs? Elle balaya le salon du regard, à sa recherche, mais à peine l'eut-elle repéré qu'elle vit le concierge de l'immeuble (habillé en domestique pour l'occasion), accompagné d'un autre homme, tapoter sur l'épaule du professeur et lui glisser quelques mots à voix basse. Il blêmit et les suivit hors de la pièce. La scène n'avait duré qu'une dizaine de secondes, et s'était déroulée de manière si discrète que personne, ou presque, n'avait rien remarqué. Mais elle laissa Lyra en proie à un sentiment d'angoisse.

La fillette déambula à travers les deux grandes pièces où avait lieu la réception, écoutant d'une oreille les conversations qui l'entouraient, s'intéressant à peine aux cocktails qu'elle n'avait pas le droit de goûter, de plus en plus nerveuse et inquiète. Elle n'avait pas remarqué qu'on l'observait, jusqu'à ce que le concierge apparaisse à ses côtés et se penche vers elle pour lui glisser:

—Mademoiselle Lyra, ce monsieur, là-bas, debout près de la cheminée, aimerait vous parler. Si vous ne le connaissez pas, sachez qu'il s'agit de Lord Boreal.

Lyra tourna la tête vers l'autre bout de la pièce. L'homme athlétique aux cheveux blancs la regardait fixement, et lorsque leurs regards se croisèrent, il lui adressa un petit signe de tête.

À contrecœur, mais intriguée malgré tout, Lyra traversa la pièce pour le rejoindre.

—Bonsoir, petite, dit-il.

Il avait une voix à la fois douce et autoritaire. La tête maillée et les yeux émeraude de son dæmon-serpent scintillaient dans la lumière de l'applique en verre taillé accrochée au mur tout près de lui.

—Bonsoir, répondit Lyra.

—Comment va mon vieil ami le Maître de Jordan College ?

—Très bien, merci.

—Je suppose qu'ils étaient tous bien tristes de te voir partir.

—Oui, sans aucun doute.

—Mme Coulter sait-elle t'occuper ? Que t'enseigne-t-elle ?

Se sentant d'humeur rebelle et mal à l'aise, Lyra n'avait pas envie de répondre à cette question condescendante en disant la vérité, ou par une de ses habituelles pirouettes. Au lieu de cela, elle dit :

—J'apprends ce que sont les Particules de Rusakov et le Conseil d'Oblation.

Soudain, l'homme sembla focaliser toute son attention sur les paroles de Lyra, comme on focalise le faisceau d'une lampe ambarique. Il ne la quittait pas des yeux.

—Et si tu me disais tout ce que tu sais ? demanda-t-il.

—Ils font des expériences dans le Nord, dit Lyra, qui sentait s'envoler toute prudence. Comme le Dr Grumman.

—Continue.

—Ils possèdent une espèce de photogramme spécial qui montre la Poussière, et quand il y a un homme dessus, on voit toute la lumière qui vient vers lui, mais pas quand c'est un enfant. Pas autant, en tout cas.

—Mme Coulter t'a-t-elle montré une photo comme celle-ci ?

Lyra hésita ; il ne s'agissait pas véritablement d'un mensonge, c'était autre chose, et elle n'avait pas l'habitude.

—Non, répondit-elle finalement. Je l'ai vue à Jordan College.

—Qui te l'a montrée ?

—Ce n'est pas à moi qu'on l'a montrée, avoua Lyra. Je passais par là et je l'ai vue. Ensuite, mon ami Roger a été enlevé par le Conseil d'Oblation. Mais...

—Qui t'a montré cette photo ?

—Mon oncle Asriel.

—Quand ?

—La dernière fois où il est venu à Jordan College.

– Je vois. Et qu'as-tu appris à part ça ? Je crois t'avoir entendue évoquer le Conseil d'Oblation.

– Oui. Mais ce n'est pas lui qui m'en a parlé ; j'ai entendu ça ici.

Ce qui était l'exacte vérité, songea-t-elle.

Lord Boreal l'observait attentivement. Lyra, elle, le regardait de son air le plus innocent. Finalement, il hocha la tête.

– Mme Coulter a dû estimer que tu étais prête pour l'aider dans son travail. Intéressant. As-tu commencé à y participer ?

– Non.

De quoi parlait-il ? se demandait-elle. Pantalaimon avait eu l'intelligence d'adopter la forme la plus inexpressive, celle d'un papillon de nuit ; il ne risquait donc pas de la trahir. Quant à elle, elle était sûre de pouvoir conserver son air innocent.

– T'a-t-elle expliqué ce qui arrive aux enfants ?

– Non, elle ne m'a pas parlé de ça. Je sais seulement que ça concerne la Poussière, et que c'est une sorte de sacrifice.

Là encore, ce n'était pas vraiment un mensonge, se dit Lyra. Elle n'avait pas dit que ces renseignements venaient de Mme Coulter.

– Le mot « sacrifice » me semble un peu excessif, dit Lord Boreal. On fait cela pour leur bien, autant que pour le nôtre. D'ailleurs, tous ces enfants suivent Mme Coulter de leur plein gré. Voilà pourquoi elle nous est si précieuse. Leur participation est indispensable, et quel enfant pourrait lui résister ? Et si elle a l'intention de se servir de toi pour mieux les attirer, tant mieux, je m'en réjouis.

Il lui sourit de la même manière que Mme Coulter, comme s'ils partageaient tous les deux un secret. Elle lui rendit son sourire, poliment, et il tourna les talons pour aller discuter avec quelqu'un d'autre.

Lyra et Pantalaimon partageaient le même sentiment d'horreur. Elle avait envie de se retrouver seule pour lui parler, elle avait envie de quitter cet appartement, envie de retourner à Jordan College, dans sa petite chambre misérable en haut de l'Escalier Douze ; envie de retrouver Lord Asriel...

Comme pour répondre à ce dernier souhait, elle entendit que l'on prononçait le nom de son oncle et, sous prétexte de prendre un petit four dans le plat posé sur la table, elle s'approcha du petit groupe qui discutait non loin de là. Un homme vêtu d'une robe pourpre d'évêque disait :

– ... Croyez-moi, je pense que Lord Asriel ne nous embêtera plus pendant quelque temps.

– Où est-il retenu prisonnier, avez-vous dit ?

– Dans la forteresse de Svalbard, paraît-il. Sous la surveillance des panserbjornes, vous savez, ces ours en armure. Des créatures incroyables ! Il n'a aucune chance de leur échapper, même s'il devait vivre mille ans. En vérité, je suis convaincu que la voie est libre, presque entièrement libre...

—Les dernières expériences ont confirmé ce que j'ai toujours pensé, à savoir que la Poussière est l'émanation du principe obscur lui-même, et...

—Il me semble percevoir là l'hérésie zoroastrique ?

—Ce n'est plus une hérésie...

—Et si nous parvenions à isoler le principe obscur...

—Svalbard, avez-vous dit ?

—Des ours en armure...

—Le Conseil d'Oblation...

—Les enfants ne souffrent pas, j'en suis persuadé...

—Lord Asriel emprisonné...

Lyra en avait suffisamment entendu. Tournant les talons, et s'éloignant aussi discrètement que Pantalaimon le papillon de nuit, elle retourna dans sa chambre et ferma la porte. Les bruits de la réception furent aussitôt étouffés.

—Alors ? murmura-t-elle, tandis que le dæmon se transformait en chardonneret sur son épaule.

—Alors, on s'enfuit, oui ou non ? demanda-t-il.

—Évidemment. Si on part maintenant, pendant que tout le monde est là, peut-être qu'elle ne s'en apercevra pas tout de suite.

—Lui, il s'en apercevra.

Pantalaimon faisait allusion au dæmon de Mme Coulter. Quand Lyra pensait à cette créature agile au pelage doré, elle était malade de peur.

—Cette fois, je ne me laisserai pas faire, déclara Pantalaimon courageusement. Moi, je peux me transformer, pas lui. Je changerai si rapidement d'aspect qu'il ne pourra pas réagir. J'aurai le dessus cette fois, tu verras.

Lyra acquiesça distraitement. Comment allait-elle s'habiller ? se demandait-elle. Comment sortir sans se faire repérer ?

—Tu feras le guet, murmura-t-elle. Dès que la voie sera libre, on fonce. Transforme-toi en papillon de nuit. Et n'oublie pas, à la seconde même où personne ne regarde...

Elle entrouvrit à peine la porte pour le laisser se faufiler dehors, ombre noire dans la lumière rose du couloir.

Pendant ce temps, elle s'empressa d'enfiler ses vêtements les plus chauds et en fourra quelques autres dans un des sacs en soie noire provenant de la boutique chic où elles étaient allées cet après-midi. Mme Coulter lui distribuait de l'argent comme si c'étaient des friandises et, bien que Lyra ait dépensé sans compter, il lui restait encore quelques souverains, qu'elle glissa dans la poche de son manteau en poil de loup.

Pour finir, elle enveloppa l'aléthiomètre dans le tissu de velours noir. Cet abominable singe l'avait-il découvert ? se demandait-elle. Oui, sans doute, et il avait certainement prévenu Mme Coulter. Ah, si seulement elle l'avait mieux caché !

À pas feutrés, elle approcha de la porte entrouverte. Sa chambre se trouvait au fond du couloir, tout près de la sortie, heureusement, et la plupart des invités étaient groupés plus loin dans les deux grandes pièces de réception. Lyra entendait les éclats de voix, les rires, le bruit d'écoulement d'une chasse d'eau, le tintement des verres, puis, une toute petite voix de papillon dans son oreille, qui lui dit :

—Maintenant ! Vite !

Elle se faufila dans le couloir, et moins de trois secondes plus tard, elle ouvrait la porte d'entrée de l'appartement. L'instant d'après, elle était sortie et refermait la porte, sans bruit. Suivie de Pantalaimon redevenu chardonneret, elle se précipita vers l'escalier et s'enfuit.

Chapitre 6
Prise dans les filets

 Marchant à grands pas, elle tourna le dos au fleuve dont les rives lui semblaient trop dégagées et trop éclairées. Un dédale de rues étroites conduisait à l'Institut Arctique Royal, seul endroit qu'elle était certaine de pouvoir retrouver à coup sûr, et elle s'engouffra dans ce labyrinthe obscur.

Si seulement elle avait connu Londres comme elle connaissait Oxford, elle aurait su quelles rues il fallait éviter, où se procurer de quoi manger, et surtout, à quelle porte frapper pour trouver un abri. Dans cette nuit glaciale, les ruelles noires qui l'entouraient grouillaient de mouvements, animées d'une vie secrète.

Transformé en chat sauvage, Pantalaimon scrutait les ténèbres environnantes avec des yeux qui transperçaient la nuit. Parfois, il s'immobilisait, le poil hérissé, alors Lyra se détournait de la ruelle qu'elle s'apprêtait à emprunter. Les ténèbres étaient pleines de bruits : des éclats de rire avinés, deux voix rocailleuses qui beuglaient une chanson, le fracas et les gémissements d'une machine mal huilée dans un sous-sol. Elle avançait prudemment au milieu de cet univers inconnu, les sens exacerbés, mêlés à ceux de Pantalaimon, en prenant soin de rester dans l'ombre des ruelles étroites.

De temps à autre, elle devait traverser une rue plus large, mieux éclairée, où les tramways passaient dans un vrombissement continu et des jets d'étincelles sous leurs câbles ambariques. Il existait des règles pour traverser les rues de Londres, mais elle s'en moquait, et quand quelqu'un se mettait à vociférer, elle prenait ses jambes à son cou.

Malgré tout, c'était bon de retrouver la liberté. Et elle savait que Pantalaimon, qui trottinait à ses côtés sur ses pattes de chat sauvage, éprouvait la même joie d'être à l'air libre, bien qu'il s'agît de l'air pollué de Londres, chargé de fumées et de suie, où résonnaient des milliers de bruits. Plus tard, ils réfléchiraient à la signification de tout ce qu'ils avaient entendu chez Mme Coulter, mais avant ils devaient songer à trouver un endroit pour dormir.

À un carrefour, au coin d'un grand magasin dont les vitrines brillamment éclairées se reflétaient sur la chaussée mouillée, se trouvait une buvette ambulante : une petite cabane montée sur des roues et dotée d'un comptoir, protégé par un volet en bois qui se relevait comme un auvent. Une lumière jaune éclairait l'intérieur de la buvette, d'où s'échappait une délicieuse odeur de café. Le patron, vêtu d'une veste blanche et accoudé au comptoir, discutait avec deux ou trois clients.

C'était tentant. Lyra marchait depuis une heure maintenant, dans le froid et l'humidité. Avec Pantalaimon métamorphosé en moineau, elle s'approcha de la buvette et leva la main pour attirer l'attention du patron.

— Un café et un sandwich au jambon, s'il vous plaît.

— Tu traînes dehors à une drôle d'heure, ma petite, dit un monsieur qui portait un chapeau haut de forme et une écharpe en soie blanche.

— Oui, répondit-elle simplement, et elle lui tourna le dos pour observer le carrefour animé.

Les spectateurs qui sortaient d'un théâtre voisin s'étaient regroupés à l'entrée du hall encore éclairé ; certains hélaient un taxi, tandis que d'autres enfilaient leur manteau. Dans la direction opposée se trouvait l'entrée d'une station de Chemin de fer Chtonien, et là aussi, une petite foule se pressait dans l'escalier.

— Tiens, petite, dit le patron de la buvette. Ça fait deux shillings.

— Laisse, je te l'offre, déclara l'homme au haut-de-forme.

« Pourquoi pas ? se dit Lyra. Je cours plus vite que lui, et j'aurai peut-être besoin de cet argent plus tard. » L'homme au haut-de-forme déposa une pièce sur le comptoir et sourit à la fillette. Son dæmon était un lémurien. Accroché au revers de sa veste, il regardait Lyra avec ses gros yeux ronds.

Elle mordit à pleines dents dans son sandwich, en gardant les yeux fixés sur le carrefour. Elle n'avait pas la moindre idée de l'endroit où elle se trouvait, n'ayant jamais vu de plan de Londres ; elle ne connaissait même pas la taille de cette ville et ne savait pas combien de temps il lui faudrait marcher pour atteindre la campagne.

— Comment tu t'appelles ? lui demanda l'homme.

— Alice.

— C'est un joli nom. Tiens, laisse-moi te verser une petite goutte de ce machin dans ton café... ça va te réchauffer...

Il dévissait le bouchon d'une flasque en argent.

—Non, j'aime pas ça, dit Lyra. Je veux juste un café.

—Je parie que tu n'as jamais bu du brandy comme celui-ci.

—Si. Même que j'ai vomi partout. J'en ai bu toute une bouteille, enfin presque.

—Bon, comme tu veux, dit l'homme en inclinant sa flasque au-dessus de sa propre tasse. Où vas-tu toute seule?

—Je vais rejoindre mon père.

—Qui est ton père?

—Un assassin.

—Un quoi?

—Un assassin! C'est son métier. Il avait un travail à faire ce soir. J'ai des vêtements propres pour lui dans ce sac, parce qu'il est souvent couvert de sang quand il a fini un travail.

—Ah, tu te moques de moi!

—Non, pas du tout.

Le lémurien laissa échapper une sorte de petit miaulement et grimpa se réfugier dans le cou de l'homme, pour observer la fillette à l'abri. Imperturbable, Lyra but son café et finit son sandwich.

—Bonsoir, dit-elle. J'aperçois mon père qui arrive. Il a l'air de mauvaise humeur.

L'homme au haut-de-forme jeta des regards autour de lui, tandis que Lyra s'éloignait en direction de la foule sortant du théâtre. Elle aurait adoré voir le Chemin de fer Chtonien (Mme Coulter lui avait dit que ce n'était pas pour les gens de leur condition), mais elle redoutait de se trouver prise au piège sous terre et préférait rester à l'air libre, où elle pouvait s'enfuir en courant en cas de nécessité.

Elle continua donc à marcher, et les rues devinrent de plus en plus sombres, de plus en plus désertes. Il bruinait, et même s'il n'y avait pas eu de nuages, le ciel de la ville était trop pollué pour qu'on puisse apercevoir les étoiles. Pantalaimon estimait qu'ils allaient vers le nord, mais comment en être sûr?

Des rues interminables bordées de petites maisons de brique toutes identiques, entourées de jardinets tout juste assez grands pour une poubelle, d'immenses usines délabrées derrière des clôtures de fil barbelé, éclairées par une seule lampe ambarique qui brillait faiblement en haut d'un mur, un veilleur de nuit qui somnolait à côté d'un brasero; ici et là, un oratoire, que seul un crucifix accroché à l'extérieur différenciait d'un entrepôt. Lorsque Lyra essaya d'ouvrir la porte d'un de ces lieux, un grognement s'éleva du banc situé à moins d'un mètre de là, dans le noir. Elle s'aperçut alors que le perron était peuplé de silhouettes endormies, et elle s'enfuit à toutes jambes.

—Où va-t-on dormir, Pan ? demanda-t-elle, tandis qu'ils parcouraient d'un **pas** traînant une rue bordée de magasins fermés par des rideaux de fer et des volets.

—Sous un porche quelque part.

—Tout le monde risque de nous voir.

—Il y a un canal un peu plus bas...

Il regardait l'extrémité d'une petite rue transversale sur la gauche. En effet, une étendue d'eau miroitait dans l'obscurité, et en s'en approchant prudemment, ils découvrirent un canal où une douzaine de péniches étaient amarrées le long des appontements ; certaines flottaient légèrement sur l'eau, d'autres, plus chargées, s'y enfonçaient, sous les grues qui ressemblaient à des potences. Une faible lueur scintillait à la fenêtre d'une cabane en bois, et un filet de fumée s'échappait de la cheminée en fer-blanc ; les seules autres lumières, sur le mur d'un entrepôt ou sur le portique d'une grue, laissaient cette zone dans l'obscurité. Sur les appontements étaient empilés des tonneaux d'alcool de charbon, d'énormes rondins et des rouleaux de câbles gainés de caoutchouc.

Lyra s'approcha de la cabane sur la pointe des pieds et colla son nez à la vitre. À l'intérieur, un vieil homme lisait laborieusement un journal illustré en fumant sa pipe ; son dæmon-épagneul, roulé en boule, dormait sur la table. Elle le vit se lever pour aller chercher une bouilloire noircie sur le poêle et verser de l'eau chaude dans la grosse tasse fêlée, avant de se rasseoir avec son journal.

—Si on lui demandait de nous héberger, Pan ? demanda Lyra, mais de toute évidence son dæmon avait l'esprit ailleurs.

Il se transforma en chauve-souris, puis en chouette, avant de redevenir chat sauvage. Voyant son affolement, la fillette jeta des regards dans toutes les directions ; c'est alors qu'elle les aperçut, en même temps que Pantalaimon : deux hommes se précipitaient vers elle, un de chaque côté, celui qui était le plus près brandissant un grand filet de pêche.

Pantalaimon poussa un long cri strident et se jeta, avec l'apparence d'un léopard, sur le dæmon de l'agresseur le plus proche, un renard à l'air sauvage, faisant tomber à la renverse Lyra, qui se retrouva empêtrée dans les jambes de l'homme. Celui-ci lança un juron en faisant un bond sur le côté, et Lyra en profita pour filer vers l'espace dégagé des quais. Elle ne devait surtout pas se retrouver acculée.

Devenu aigle, Pantalaimon fondit sur elle, en hurlant :

—À gauche ! À gauche !

Bifurquant dans cette direction, elle découvrit une ouverture entre les tonneaux et le coin d'une cabane en tôle ondulée. Elle s'y précipita, tel un boulet de canon.

C'était compter sans le filet!

Elle entendit un sifflement dans l'air et quelque chose claqua comme un fouet au-dessus de sa tête; d'abominables cordes goudronnées lui enserrèrent le visage, les bras, les mains. Immobilisée et emprisonnée, elle tomba, hurlant et gesticulant vainement.

—Pantalaimon! cria-t-elle.

Mais le dæmon-renard s'était jeté sur Pantalaimon le chat, et Lyra ressentit la douleur dans sa propre chair; elle laissa échapper un long cri de désespoir quand il s'effondra. Pendant ce temps, un des deux hommes enroulait à toute vitesse des cordes autour d'elle, autour de ses membres, de sa gorge, de sa tête, la ligotant sur le pavé mouillé. Lyra était aussi impuissante qu'une mouche prisonnière d'une toile d'araignée. Le pauvre Pan, blessé, rampait vers elle, tandis que le dæmon-renard lui mordait le dos, et il n'avait même plus la force de se métamorphoser. Le deuxième homme était couché dans une mare, une flèche plantée dans le cou...

Soudain, le monde entier sembla s'immobiliser au moment où l'homme au filet découvrit, lui aussi, son complice sur le sol.

Pantalaimon se redressa en position assise et cligna des yeux. Il y eut un bruit sourd, puis, dans un râle, l'homme au filet s'effondra sur Lyra qui poussa un cri d'horreur: du sang jaillissait de son corps!

Elle entendit un bruit de pas précipités, puis quelqu'un déplaça l'homme et se pencha au-dessus de lui; d'autres mains soulevèrent Lyra, la lame d'un couteau glissa entre les mailles du filet et celles-ci cédèrent les unes après les autres. Lyra acheva de se libérer en tirant dessus de toutes ses forces, puis se jeta à terre pour serrer Pantalaimon dans ses bras.

Agenouillée, elle se dévissa le cou pour lever les yeux vers ses sauveurs. Il s'agissait de trois hommes très bruns, dont l'un était armé d'un arc, les deux autres d'un couteau; et lorsqu'elle se retourna, l'homme à l'arc laissa échapper un petit hoquet de surprise.

—Hé, tu serais pas Lyra?

C'était une voix familière, mais la fillette n'arrivait pas à l'identifier, jusqu'à ce que l'homme s'avance, car alors, la lumière la plus proche éclaira son visage et le dæmon-faucon perché sur son épaule. Elle le reconnut soudain. C'était un gitan! Un authentique gitan d'Oxford!

Il se présenta:

—Tony Costa. Tu te souviens? Tu jouais toujours avec mon petit frère Billy autour des bateaux à Jericho, avant que les Enfourneurs le kidnappent.

—Oh, mon Dieu, Pan, nous sommes sauvés! s'écria-t-elle en sanglotant mais, au même moment, une autre pensée jaillit dans son esprit: c'était le bateau de la famille Costa qu'elle avait piraté ce fameux jour. Et si jamais il s'en souvenait?

—Tu ferais bien de venir avec nous, dit-il. Tu es seule?

—Oui. Je me suis enfuie de...

—On parlera de tout ça plus tard. Tais-toi. Jaxer, cache les corps dans un coin sombre. Kerim, va inspecter les environs.

Lyra se releva en tremblant, tenant Pantalaimon contre sa poitrine. Celui-ci tournait la tête; elle suivit son regard et comprit ce qui l'intriguait: les dæmons des deux hommes morts étaient en train de se volatiliser; ils s'effaçaient et s'envolaient comme des fumées, car ils s'efforçaient de s'accrocher à leurs humains. Pantalaimon se cacha les yeux, et Lyra s'élança sur les talons de Tony Costa.

—Qu'est-ce que vous faites ici? demanda-t-elle.

—Silence, petite. Il y a déjà suffisamment de problèmes, pas la peine d'en créer d'autres. On discutera sur la péniche.

Il la conduisit vers un petit pont de bois qui pénétrait au cœur du bassin. Les deux autres hommes les suivaient au petit trot, sans bruit.

Tony longea le quai, avant d'emprunter une jetée en bois; de là, il sauta à bord d'une péniche et ouvrit violemment la porte de la cabine.

—Entre, ordonna-t-il. Vite.

Lyra obéit, en tapotant son sac (qu'elle n'avait pas lâché, même à l'intérieur du filet) pour s'assurer que l'aléthiomètre était toujours là. Dans la cabine tout en longueur, à la lumière d'une lampe fixée à un crochet, elle aperçut une femme imposante et robuste, aux cheveux blancs, assise à une table, devant un journal. Lyra reconnut la mère de Billy.

—C'est qui? demanda la grosse femme. Ce serait pas Lyra?

—Tout juste. Faut décamper d'ici, Ma. On a tué deux hommes sur les quais. On a cru que c'étaient des Enfourneurs, mais je crois que c'étaient plutôt des marchands turcs. Ils avaient capturé Lyra. Ne perdons pas de temps à bavarder, on verra ça plus tard.

—Viens par ici, petite, dit Ma Costa.

Lyra s'exécuta, avec un mélange de bonheur et d'appréhension, car Ma Costa avait des mains comme des battoirs, et Lyra en était sûre maintenant: c'était bien leur bateau qu'elle avait piraté avec Roger et d'autres garçons du Collège. Malgré tout, la marinière prit le visage de la fillette entre ses grosses mains, et son dæmon, un grand chien gris ressemblant à un loup, se pencha en douceur pour lécher la tête de chat sauvage de Pantalaimon. Puis Ma Costa noua ses bras épais autour de Lyra pour la serrer contre sa poitrine.

—Je ne sais pas ce que tu fabriques par ici, mais tu m'as l'air morte de fatigue. Tu pourras prendre la couchette de mon Billy, quand je t'aurai fait avaler quelque chose de chaud. Pose-toi ici, petite.

Apparemment, l'acte de piratage était pardonné, ou du moins oublié. Lyra se glissa sur la banquette recouverte d'un coussin, devant une table en pin, tandis que le grondement sourd du moteur à gaz ébranlait la carcasse de la péniche.

—Où on va? demanda Lyra.

Ma Costa avait posé une casserole de lait sur le poêle et secouait la grille du foyer pour attiser les flammes.

—Loin d'ici. Mais on parlera de tout ça demain matin.

Refusant d'en dire plus, elle tendit à Lyra un bol de lait quand celui-ci fut chaud, après quoi, elle monta sur le pont dès que la péniche commença à avancer, échangeant quelques remarques à voix basse avec les hommes. Ayant bu son lait, Lyra souleva un coin du rideau pour voir les quais sombres défiler derrière le hublot. Une ou deux minutes plus tard, elle dormait à poings fermés.

Elle se réveilla dans un lit étroit, avec le grondement réconfortant du moteur tout au fond. En voulant se redresser, elle se cogna la tête, lâcha un juron, tâtonna autour d'elle et se leva avec prudence cette fois. Une faible lumière grise éclairait trois autres couchettes, une en dessous et deux autres sur le mur opposé de la cabine exiguë; les lits étaient vides et bien faits. Balançant ses jambes dans le vide, Lyra découvrit qu'elle était en sous-vêtements; sa robe et son manteau en poil de loup étaient pliés au bout de sa couchette, à côté de son sac de shopping. L'aléthiomètre était toujours là.

Après s'être habillée rapidement, elle ouvrit la porte pour retourner dans la cabine voisine où se trouvait le poêle et où il faisait bon. Il n'y avait personne. À travers les hublots, elle apercevait de chaque côté d'épaisses nappes de brouillard, traversées parfois de silhouettes plus sombres qui étaient peut-être des maisons ou des arbres.

Avant qu'elle ne décide de grimper sur le pont, la porte extérieure s'ouvrit et Ma Costa descendit l'escalier abrupt, enveloppée d'un vieux manteau de tweed sur lequel l'humidité avait déposé des milliers de perles minuscules.

—Bien dormi? demanda-t-elle en saisissant une poêle à frire. Assieds-toi quelque part, je vais faire le petit déjeuner. Reste pas debout dans mes jambes, il n'y a pas de place.

—Où sommes-nous? demanda Lyra.

—Sur le Canal de Grand Junction. Reste cachée surtout. Je ne veux pas te voir là-haut. On a des petits problèmes.

Elle découpa quelques tranches de bacon qu'elle jeta dans la poêle, et ajouta un œuf.

—Quel genre de problèmes ?

—Des problèmes qu'on peut régler facilement si tu restes dans ton coin.

Elle refusa d'en dire plus, jusqu'à ce que Lyra ait fini de manger. Soudain, la péniche ralentit et quelque chose vint heurter la coque ; Lyra entendit des éclats de voix d'hommes en colère, mais une plaisanterie les fit rire, puis les voix s'éloignèrent et le bateau reprit sa route.

Finalement, Tony Costa descendit à son tour dans la cabine. Comme sa mère, il était constellé de perles d'humidité, et il secoua son bonnet de laine au-dessus du poêle pour en faire jaillir et éclater les gouttelettes.

—Qu'est-ce qu'on lui dit, Ma ?

—On interroge d'abord, on explique ensuite.

Il se versa du café dans une tasse en fer-blanc et s'assit. C'était un homme robuste au teint très mat et, maintenant qu'elle pouvait l'observer à la lumière du jour, Lyra découvrait sur son visage une gravité empreinte de tristesse.

—Bien, dit-il. Pour commencer, Lyra, explique-nous ce que tu fais ici, à Londres. On a tous cru que tu avais été enlevée par les Enfourneurs.

—Non. Je vivais avec cette femme...

Lyra rassembla maladroitement les morceaux de son histoire et les secoua pour y mettre de l'ordre, comme si elle arrangeait un paquet de cartes avant de les distribuer. Et elle leur raconta tout, sauf ce qui concernait l'aléthiomètre.

—... Et hier soir, conclut-elle, pendant ce cocktail, j'ai compris ce qu'ils manigançaient réellement. Mme Coulter elle-même fait partie des Enfourneurs, et elle avait l'intention de se servir de moi pour que je l'aide à capturer d'autres enfants. En vérité, ce qu'ils font...

Ma Costa quitta la cabine pour se rendre à la timonerie. Tony attendit que la porte se soit refermée derrière elle.

—On sait ce qu'ils font, dit-il. Du moins, on en sait une partie. On sait surtout que les enfants ne reviennent jamais. Ils les emmènent dans le Nord, très loin, et ils font des expériences sur eux. Au début, on croyait qu'ils testaient un tas de maladies et de médicaments, mais dans ce cas, pourquoi cela a-t-il commencé seulement il y a deux ou trois ans ? Alors, on a pensé aux Tartares, peut-être qu'il existe un accord secret, car les Tartares veulent aller vers le nord, comme tout le monde, pour l'alcool de charbon, les mines, etc., et des rumeurs parlaient d'une guerre avant même l'arrivée des Enfourneurs. On a pensé alors que les Enfourneurs achetaient les chefs tartares en leur offrant des enfants, étant donné que les Tartares, ils mangent les enfants, pas vrai ? Ils les font rôtir et ils les mangent.

—C'est faux! s'exclama Lyra.

—Non, c'est la vérité. Y aurait un tas d'autres choses à raconter. Tiens, t'as déjà entendu parler de Nälkäinens?

—Non, avoua Lyra. Pas même avec Mme Coulter. Qui est-ce?

—Des sortes de fantômes qu'on trouve là-bas dans les forêts. Ils ont la taille d'un enfant, mais sans tête. Ils se déplacent la nuit, à tâtons; si tu dors dans la forêt, ils s'emparent de toi et pas moyen ensuite de les faire lâcher prise. Nälkäinens, c'est un mot nordique. Et les Buveurs de vent, très dangereux eux aussi. Ils se déplacent dans les airs. Des fois, tu tombes sur des grappes de Buveurs de vent qui flottent ensemble, tu te retrouves coincé au milieu. Dès qu'ils te touchent, tu perds toutes tes forces. En plus, tu peux pas les voir, c'est juste un scintillement dans l'air. Il y a aussi les Sans Souffle...

—C'est qui ceux-là?

—Des guerriers à moitié morts. Être vivant, c'est une chose; être mort, c'en est une autre, mais être à moitié mort, c'est pire que tout. Ils ne peuvent pas mourir, tu vois, mais ils n'ont pas non plus la force de vivre. Alors, ils errent, pour toujours. On les appelle les Sans Souffle à cause de ce qu'on leur a fait.

—Qu'est-ce qu'on leur a fait? demanda Lyra, les yeux écarquillés.

—Les Tartares du Nord leur cassent les côtes et ils leur sortent les poumons. C'est toute une technique. Ils font ça sans les tuer, mais leurs poumons ne peuvent plus fonctionner sans que leurs dæmons les actionnent à la main; résultat: ils sont à mi-chemin entre la vie et la mort, tu comprends. Et leurs dæmons doivent pomper et pomper nuit et jour, s'ils ne veulent pas mourir avec eux. Des fois, on croise des hordes entières de Sans Souffle dans la forêt, à ce qu'il paraît. Et puis, y a les panserbjornes, t'en as entendu parler? Ça veut dire «ours en armure». C'est comme des ours polaires, sauf que...

—Oui! J'en ai entendu parler! Un des hommes qui étaient au cocktail hier soir a dit que mon oncle, Lord Asriel, était retenu prisonnier dans une forteresse gardée par les ours en armure.

—Ah bon? Et qu'est-ce qu'il fiche là-bas?

—Il est parti explorer. Mais d'après ce que disait cet homme, je ne crois pas que mon oncle soit du côté des Enfourneurs. Je crois même qu'ils étaient contents qu'il soit en prison.

—S'il est surveillé par les ours en armure, ton oncle n'a aucune chance de s'enfuir. C'est comme des mercenaires, tu vois ce que je veux dire? Ils vendent leur force à qui les paie. Leurs mains sont comme celles des humains. Ils ont appris à travailler le fer il y a très longtemps, le fer météorique surtout, et ils en font des plaques d'armure pour se protéger. Depuis des siècles, ils agressent les Skraelings. Ce sont des assassins cruels, totalement sans pitié. Mais ils tiennent parole. Quand tu conclus un accord avec un panserbjorn, tu peux avoir confiance en lui.

Lyra songeait à toutes ces horreurs avec un mélange d'admiration et de crainte.

—Ma Costa n'aime pas entendre parler du Nord, ajouta Tony après un moment de silence, à cause de ce qui est peut-être arrivé à Billy. Car on sait qu'ils l'ont emmené dans le Nord.

—Comment le savez-vous?

—On a capturé un Enfourneur, et on l'a fait parler. C'est comme ça qu'on a appris un peu ce qu'ils faisaient. Les deux gars d'hier soir, c'étaient pas des Enfourneurs, ils étaient trop maladroits. Des Enfourneurs, on aurait pu les capturer vivants. Nous autres, les gitans, nous avons souffert plus que n'importe qui à cause de ces Enfourneurs, et on va se réunir pour décider de ce qu'on va faire. C'est pour ça qu'on traînait sur les quais hier soir, on faisait des réserves parce qu'on va à un grand rassemblement dans les Fens. D'après ce que j'ai entendu, on va envoyer une équipe de secours, quand on aura mis en commun toutes nos connaissances. En tout cas, c'est ce que je ferais si j'étais John Faa.

—Qui est John Faa?

—Le roi des gitans.

—Vous voulez aller libérer ces enfants? Et Roger?

—Roger?

—Le garçon de cuisine de Jordan College. Il a été enlevé comme Billy, juste avant que je parte avec Mme Coulter. Je suis sûre que si j'avais été kidnappée, il serait venu à mon secours. Et si vous allez libérer Billy, je veux venir avec vous pour libérer Roger.

«Et l'oncle Asriel», pensa-t-elle, mais elle ne le dit pas.

Chapitre 7
John Faa

Maintenant qu'elle avait un but, Lyra se sentait beaucoup mieux. Aider Mme Coulter, c'était très bien, mais Pantalaimon avait raison : elle n'effectuait aucun véritable travail là-bas, elle n'était qu'un joli petit animal domestique. Sur le bateau des gitans, en revanche, le travail ne manquait pas, et Ma Costa veillait à ce que Lyra accomplisse sa part. Elle nettoyait et balayait, épluchait les pommes de terre, préparait le thé, graissait les arbres de transmission, veillait à ôter les algues autour de l'hélice, faisait la vaisselle, amarrait la péniche aux points de mouillage, et en l'espace de deux ou trois jours, elle s'adapta parfaitement à sa nouvelle vie, comme si elle était née gitane.

Toutefois, elle ne remarqua pas que les Costa guettaient constamment le moindre signe montrant, de la part des riverains, un intérêt inhabituel pour elle. Même si Lyra ne s'en rendait pas compte, elle était importante, et nul doute que Mme Coulter et le Conseil d'Oblation la cherchaient partout. De fait, grâce à des conversations entendues dans des pubs, en cours de route, Tony apprit que la police effectuait des raids dans les maisons, les fermes, les chantiers de construction et les usines, sans fournir d'explications, mais, selon la rumeur, ils cherchaient une fillette disparue. Ce qui était plutôt étrange quand on pensait à tous les enfants qui avaient disparu jusqu'à maintenant, sans qu'on se donne la peine de les retrouver. Résultat : les gitans, comme les habitants de la terre ferme, étaient de plus en plus nerveux et inquiets.

En outre, l'intérêt que les Costa portaient à Lyra avait une autre cause, mais elle ne l'apprendrait que quelques jours plus tard.

Aussi prirent-ils l'habitude de la cacher dans la cabine chaque fois qu'ils passaient devant la petite maison d'un éclusier ou un bassin, et partout où ils risquaient de croiser des curieux. Un jour, ils traversèrent une ville où la police fouillait toutes les embarcations qui empruntaient la voie navigable et bloquait la circulation dans les deux sens. Mais cela n'inquiéta pas les Costa. Car il y avait un compartiment secret sous la couchette de Ma, à l'intérieur de laquelle Lyra resta coincée pendant deux heures, tandis que les policiers inspectaient la péniche de fond en comble, en vain.

— Comment se fait-il que leurs dæmons ne m'aient pas trouvée ? demanda-t-elle par la suite.

Ma lui montra que la cachette était entièrement tapissée de cèdre, bois qui avait un effet soporifique sur les dæmons. Et, en effet, Pantalaimon avait passé tout ce temps à dormir comme un bienheureux près de la tête de Lyra.

Lentement, et après beaucoup de haltes et de détours, la péniche des Costa approcha enfin de la région des Fens, cette contrée sauvage aux cieux immenses et aux marécages sans fin, dont aucune carte ne donnait un relevé fidèle, à l'est de l'Anglia. La zone la plus éloignée se confondait avec les criques et les bras de mer, tandis que l'autre extrémité de l'océan touchait la Hollande ; d'ailleurs, des parties des Fens avaient été asséchées et équipées de digues par les Hollandais, dont certains s'étaient même installés ici. Si bien que la langue des Fens se teintait fortement de néerlandais. Mais d'autres zones n'avaient jamais été asséchées, ni cultivées, ni colonisées et, dans ces régions les plus sauvages du centre, là où serpentaient les anguilles et se regroupaient les oiseaux aquatiques, là où dansaient les feux des marais et où des rôdeurs entraînaient les insouciants voyageurs à leur perte dans les marécages, les gitans savaient depuis toujours qu'ils pouvaient se réunir en toute sécurité.

C'est pourquoi, empruntant un millier de canaux sinueux, de cours d'eau et de voies fluviales, des embarcations gitanes convergeaient maintenant vers les Byanplats, seule étendue de terre légèrement surélevée au milieu de centaines de kilomètres carrés d'eau stagnante. Là se dressait un antique temple en bois, entouré d'un petit groupe d'habitations permanentes, de quais, de jetées et d'un marché à l'anguille. Quand un rassemblement de gitans était organisé, les voies navigables étaient à ce point envahies par les bateaux qu'il était possible de marcher pendant plus d'un kilomètre, dans n'importe quelle direction, en passant d'un pont à l'autre ; c'est du moins ce qu'on disait. Les gitans régnaient en maîtres dans les Fens. Nul, à part eux, n'osait s'y aventurer, et tant qu'ils restaient tranquilles et traitaient leurs affaires loyalement les riverains faisaient mine d'ignorer les trafics incessants et les affrontements occasionnels. Si le cadavre d'un gitan s'échouait sur la rive, ou se retrouvait prisonnier dans les filets de pêche, eh bien, tant pis, ce n'était après tout qu'un gitan.

Fascinée, Lyra écoutait les histoires des habitants des Fens, de Cosse Noire l'énorme chien fantôme et des feux des marais provoqués par des bulles d'huile de sorcière. Avant même qu'ils n'aient atteint les Fens, elle commença à se considérer comme une authentique gitane ; elle avait rapidement retrouvé son accent d'Oxford, et voilà qu'elle était en train d'acquérir celui des gitans, auquel s'ajoutaient quelques mots de hollandais des Fens. Si bien que Ma crut bon de lui rappeler certains faits.

— Tu n'es pas une gitane, Lyra. Avec de l'entraînement, tu pourrais peut-être te faire passer pour une gitane, mais le langage, ce n'est pas tout. Il y a quelque chose de plus profond en nous, des courants puissants. Nous autres, on est un peuple de l'eau, de la tête aux pieds, mais toi, tu es une fille du feu. En fait, tu ressembles à un feu des marais, voilà ta place dans l'univers des gitans ; tu as de l'huile de sorcière dans ton âme. Tu es un être trompeur, petite.

Lyra était vexée.

— Je n'ai jamais trompé qui que ce soit ! Demandez donc à...

Il n'y avait personne pour témoigner en sa faveur, évidemment, et Ma Costa éclata de rire, gentiment.

— Tu ne comprends donc pas que je te fais un compliment, bécasse ! dit-elle, ce qui eut pour effet d'apaiser Lyra, bien qu'elle n'eût toujours pas compris.

Il était tard quand ils atteignirent les Byanplats, et le soleil s'apprêtait à disparaître dans le ciel ensanglanté. Les silhouettes de l'île basse et du Zaal formaient deux bosses noires dans la lumière déclinante, comme les constructions regroupées tout autour ; des volutes de fumée montaient dans l'air immobile, et des bateaux collés les uns aux autres s'échappaient des odeurs de poisson frit, de feuilles à fumer et d'alcool de genièvre.

Ils accostèrent à proximité du Zaal lui-même, à un mouillage que la famille Costa utilisait depuis des générations, comme l'expliqua Tony.

Ma Costa préparait à manger. Deux anguilles bien grasses sifflaient et crépitaient dans la poêle à frire, et la bouilloire chauffait pour la poudre de pomme de terre. Pendant ce temps, Tony et Kerim se graissèrent les cheveux, enfilèrent leur plus belle veste en cuir, nouèrent autour de leur cou des foulards bleus à pois, ornèrent leurs doigts de bagues en argent, allèrent ensuite saluer de vieux amis des bateaux voisins et boire un ou deux verres dans le bar le plus proche, d'où ils rapportèrent des informations importantes.

— On est arrivés juste à temps. Le Grand Conseil a lieu ce soir même. Et une rumeur circule en ville, devinez laquelle ! On raconte que l'enfant qui a disparu se trouve sur un bateau de gitans, et qu'elle va faire son apparition lors de la réunion !

Tony s'esclaffa, en ébouriffant les cheveux de Lyra. Depuis qu'ils avaient atteint les Fens, il paraissait d'humeur de plus en plus joyeuse, comme si la tristesse sauvage qui se lisait naguère sur son visage n'avait été qu'un masque.

Lyra sentit l'excitation monter dans sa poitrine, tandis qu'elle s'empressait de finir de manger et de faire la vaisselle, de se peigner et de glisser l'aléthiomètre dans la poche de son manteau en loup, pour sauter à terre avec tous les autres membres de la famille et grimper en direction du Zaal.

Elle avait cru que Tony plaisantait. Elle s'aperçut rapidement qu'il n'en était rien, ou peut-être qu'elle ressemblait beaucoup moins à une gitane qu'elle ne l'avait cru car de nombreuses personnes la dévisageaient et les enfants la montraient du doigt. Quand ils atteignirent enfin les grandes portes du Zaal, ils se retrouvèrent seuls au milieu d'une foule massée sur les côtés pour les regarder passer.

C'est alors que Lyra commença à se sentir véritablement nerveuse et resta collée près de Ma Costa. Quant à Pantalaimon, il se fit le plus gros possible, en prenant son apparence de panthère pour la rassurer. Ma Costa, elle, gravit les marches en traînant les pieds, comme si rien au monde ne pouvait l'arrêter ou, au contraire, la faire avancer plus vite ; Tony et Kerim marchaient à ses côtés, fiers comme des princes.

La grande salle était éclairée par des lampes à naphte qui illuminaient les visages et les corps des personnes présentes, mais laissaient la charpente du toit dans l'obscurité. Les nouveaux arrivants devaient se battre pour pouvoir s'asseoir sur le sol car tous les bancs étaient déjà pleins, mais quelques familles se serrèrent pour faire de la place ; les enfants étaient installés sur les genoux, les dæmons roulés en boule sous les pieds, ou perchés sur les palissades.

À l'extrémité du Zaal se dressait une estrade sur laquelle étaient placées huit chaises en bois sculpté. Au moment où Lyra et la famille Costa se résignaient à rester debout (il n'y avait plus aucun moyen de s'asseoir), huit hommes émergèrent de la pénombre et vinrent se placer devant ces chaises. Une onde d'excitation parcourut l'assistance ; les gens échangèrent des murmures et s'engouffrèrent dans les espaces vides du premier rang. Finalement, le silence se fit, et sept des huit hommes alignés sur l'estrade s'assirent.

Celui qui resta debout semblait avoir dans les soixante-dix ans, mais c'était un homme grand, puissant, avec un cou de taureau. Il portait une simple veste en toile et une chemise à carreaux comme beaucoup de gitans, rien qui attirât l'attention, si ce n'est cette impression de force et d'autorité qui émanait de lui. Lyra reconnut cette aura ; l'oncle Asriel possédait la même, le Maître de Jordan College également. Le dæmon de cet homme était un corbeau, fort semblable à celui du Maître.

— C'est John Faa, le roi des gitans d'Occident, murmura Tony.

John Faa prit la parole, d'une voix posée et profonde.

— Gitans ! Soyez les bienvenus. Nous sommes réunis pour écouter et pour prendre une décision. Vous savez tous pourquoi. De nombreuses familles ici présentes ont perdu un enfant. Certaines en ont même perdu deux. Ces enfants ont été enlevés. On ne peut ignorer que des enfants de sédentaires disparaissent également. Autrement dit, il ne s'agit pas de faire la guerre aux gens des terres. On parle beaucoup, en particulier, d'une enfant et d'une récompense. Je vous livre la vérité pour mettre fin à cette rumeur. Cette enfant se nomme Lyra Belacqua, et elle est recherchée par la police. On offre une récompense de mille souverains à qui la livrera aux autorités. C'est une enfant des terres, mais elle est sous notre protection, et elle le restera. Celui qui est tenté par ces mille souverains ferait mieux de trouver refuge dans un endroit qui ne soit ni sur terre ni sur l'eau, car il n'est pas question de livrer cette enfant.

Lyra se sentit rougir de la racine des cheveux jusqu'à la pointe des pieds ; Pantalaimon se transforma en papillon de nuit brunâtre pour se cacher. Tous les regards s'étaient tournés vers eux, et Lyra ne pouvait que lever les yeux vers Ma Costa pour être rassurée.

Mais John Faa poursuivait :

— On peut discuter pendant des heures, ça ne résoudra pas le problème. Si on veut que ça change, nous devons agir. Je vous livre une autre information : les Enfourneurs, ces infâmes voleurs d'enfants, conduisent leurs prisonniers dans une ville située à l'extrême nord, très loin dans le pays des ténèbres. Une fois là-bas, j'ignore ce qu'ils font d'eux. Certaines personnes disent qu'ils les tuent, d'autres prétendent le contraire. On ne sait pas.

... Ce qu'on sait, en revanche, c'est qu'ils agissent avec l'aide de la police et du clergé. Toutes les autorités les soutiennent. N'oubliez surtout pas ça. Elles savent ce qui se passe, et elles les aident chaque fois que c'est possible.

... C'est pourquoi, ce que je vous propose n'est pas facile. Et j'ai besoin de votre approbation. Je vous propose d'envoyer des combattants, là-haut dans le Nord, pour libérer ces enfants et les ramener vivants. Je vous propose d'investir notre or dans cette mission, mais aussi notre savoir-faire et tout le courage que nous pouvons rassembler. Oui, Raymond van Gerrit ?

Un homme dans l'assistance avait levé la main ; John Faa s'assit pour le laisser parler.

—Pardonnez-moi, seigneur Faa. Des enfants des terres sont également retenus prisonniers, avec les enfants gitans. Êtes-vous en train de dire que nous devrions les libérer eux aussi ?

John Faa se leva pour répondre.

—Raymond, suggères-tu que nous devrions affronter mille dangers pour libérer un petit groupe d'enfants terrorisés, puis annoncer à certains d'entre eux qu'ils peuvent rentrer à la maison, et à d'autres qu'ils doivent rester ? Allons, tu n'es pas un monstre, Raymond. Eh bien, mes amis, ai-je votre approbation ?

Apparemment, la question les prit de court, car il y eut un moment d'hésitation, mais soudain un grondement puissant envahit la salle, des mains se levèrent pour applaudir, des poings se dressèrent, une clameur monta, faisant trembler la charpente. Des oiseaux qui dormaient dans l'obscurité du toit, réveillés en sursaut, s'envolèrent en faisant tomber une fine pluie de poussière.

John Faa laissa le vacarme se poursuivre pendant encore une minute ou deux, avant de lever la main pour réclamer le silence.

—Il faudra du temps pour nous organiser. Je vais demander aux chefs de clans de prélever un impôt. Nous nous réunirons de nouveau ici même dans trois jours. Entre-temps, je m'entretiendrai avec l'enfant dont je vous ai parlé et avec Farder Coram, et j'établirai un plan que je vous soumettrai quand nous nous reverrons. Bonne nuit à tous.

Sa présence, imposante, sobre et franche, avait suffi à les calmer. Alors que les personnes de l'auditoire franchissaient les grandes portes pour sortir dans la nuit glaciale, regagner leur embarcation ou les bars bondés de la petite colonie, Lyra demanda à Ma Costa :

—Qui sont les autres hommes sur l'estrade ?

—Les chefs des six clans, et l'autre, c'est Farder Coram.

Il n'était pas difficile de deviner de qui elle parlait en disant « l'autre », car c'était le plus âgé de tous. Il marchait à l'aide d'une canne et, durant tout le temps où il était resté assis derrière John Faa, il n'avait pas cessé de trembler, comme s'il avait la fièvre.

—Allez, viens, lui dit Tony. Je vais t'emmener présenter tes hommages à John Faa. Tu dois l'appeler Lord Faa. J'ignore ce qu'il va te demander, mais je te conseille de dire la vérité.

Métamorphosé en moineau, Pantalaimon s'était perché sur l'épaule de Lyra, plein de curiosité, ses petites griffes plantées dans le manteau en poil de loup, tandis qu'elle suivait Tony en direction de l'estrade, au milieu de la foule.

Il la hissa sur l'estrade. Sachant que toutes les personnes encore présentes dans la salle avaient les yeux fixés sur elle, et consciente de valoir soudain un millier de souverains, Lyra rougit et hésita. Pantalaimon sauta sur sa poitrine et se transforma en chat sauvage pour s'asseoir dans ses bras, en crachant et en jetant des regards autour de lui.

Lyra sentit qu'on la poussait dans le dos ; elle avança vers John Faa. L'air sévère, inébranlable et impénétrable, il ressemblait davantage à une colonne de pierre qu'à un être humain. Malgré tout, il se pencha en avant et lui tendit la main. Celle de Lyra disparut à l'intérieur de la sienne.

—Sois la bienvenue, Lyra.

Si près de lui, elle sentait le grondement de sa voix, semblable à un tremblement de terre. Pourtant elle n'était pas inquiète, grâce à la présence de Pantalaimon, mais aussi parce que l'expression figée de John Faa s'était un peu détendue. Il la traitait avec beaucoup de douceur.

—Merci, Lord Faa.

—Suis-moi dans la salle de réunion, nous avons à parler. Au fait, les Costa t'ont-ils bien nourrie ?

—Oh, oui. Nous avons mangé des anguilles au dîner.

—De bonnes anguilles du Fen, j'espère.

La salle de réunion était un endroit très agréable, où brûlait un grand feu de cheminée, avec des buffets bas chargés d'argenterie et de porcelaine et une lourde table en bois sombre poli par les ans, autour de laquelle étaient disposées douze chaises.

Les autres hommes présents sur l'estrade avaient disparu, mais le vieil homme tremblotant était toujours là. John Faa l'aida à s'asseoir.

—Viens t'asseoir à ma droite, dit John Faa à Lyra, en s'installant en bout de table.

La fillette se retrouva ainsi en face de Farder Coram, un peu effrayée par son visage creux comme une tête de mort et son tremblement permanent. Son dæmon était un beau chat couleur feuille morte, d'une taille imposante, qui avança à pas feutrés sur la table, la queue dressée, pour venir renifler élégamment Pantalaimon, frottant sa truffe contre la sienne, avant de prendre place sur les genoux de Farder Coram. Les yeux à demi fermés, il ronronna doucement.

Une femme que Lyra n'avait pas encore remarquée sortit de l'obscurité de la pièce avec un plateau chargé de verres, le déposa à côté de John Faa, esquissa une révérence et repartit. John Faa servit de petits verres de genièvre contenu dans une cruche en terre, pour lui-même et Farder Coram, et du vin pour Lyra.

—Alors, comme ça, dit-il, tu t'es enfuie ?

—Oui.

—Et qui est donc cette dame de chez qui tu t'es enfuie?

—Elle s'appelle Mme Coulter. Au début, je croyais qu'elle était gentille, mais j'ai découvert qu'en fait elle faisait partie des Enfourneurs. J'ai entendu quelqu'un expliquer ce qu'étaient les Enfourneurs; on les appelle le Conseil Général d'Oblation, et elle en est le chef. C'est même une idée à elle, paraît-il. Ils suivent un plan, j'ignore de quoi il s'agit, mais ils voulaient que je les aide à capturer des enfants. Évidemment, ils ne savaient pas que...

—Qu'est-ce qu'ils ne savaient pas?

—Premièrement, ils ne savaient pas que je connais certains des enfants qui ont été enlevés: mon ami Roger, le garçon de cuisine de Jordan College, Billy Costa, et aussi une fille du Marché Couvert d'Oxford. Deuxièmement... concernant mon oncle, Lord Asriel: je ne pense pas qu'il ait quelque chose à voir avec les Enfourneurs. J'ai espionné le Maître et les Érudits de Jordan College, en me cachant dans le Salon où personne n'a le droit d'entrer, à part eux, et je l'ai entendu leur parler de son expédition dans le Nord et de la Poussière; il a même rapporté la tête de Stanislaus Grumman, avec un trou dedans, fait par les Tartares. Et maintenant, il paraît que les Enfourneurs l'ont enfermé quelque part. Il est surveillé par les ours en armure. Et moi, je veux aller le libérer.

Elle avait dit cela avec fougue et détermination, appuyée contre le haut dossier en bois sculpté de la chaise qui la faisait paraître encore plus petite. Les deux vieillards ne purent s'empêcher de sourire mais, alors que le sourire de Farder Coram était un rictus hésitant, complexe, qui tremblait sur son visage comme les rayons de soleil qui chassent les ombres par une journée venteuse du mois de mars, le sourire de John Faa était chaleureux, simple et doux.

—Répète-nous ce que ton oncle a dit ce soir-là, demanda John Faa. N'oublie rien, surtout. Raconte-nous tout.

Lyra s'exécuta, plus lentement qu'elle ne l'avait fait avec les Costa, mais plus honnêtement aussi. Elle était impressionnée par John Faa, et surtout, par sa gentillesse. Quand elle eut terminé son récit, Farder Coram s'exprima pour la première fois. Il avait une voix chaude et chantante, avec autant de nuances qu'il y avait de couleurs dans la fourrure de son dæmon.

—Cette Poussière, Lyra, demanda-t-il, l'ont-ils appelée autrement?

—Non. La Poussière, c'est tout. Mme Coulter m'a expliqué que c'était des particules élémentaires. C'est comme ça qu'elle l'a appelée elle aussi.

—Et ils pensent qu'en faisant quelque chose aux enfants, ils pourront en apprendre davantage?

—Oui. Mais je ne sais pas quoi. Sauf que mon oncle... Il y a une chose que j'ai oublié de vous dire. Quand il leur a montré des photos, il y en avait une où on voyait l'Horreur...

—De quoi ? dit John Faa.

—L'Aurore, rectifia Farder Coram. C'est bien cela, Lyra ?

—Oui, c'est ça. Et dans les lumières de... l'Aurore, on voyait une sorte de ville. Avec des tours, des églises, des dômes, etc. Ça ressemblait un peu à Oxford, enfin, c'est ce que j'ai pensé. Oncle Asriel était surtout intéressé par ça, je crois, mais le Maître et les autres Érudits s'intéressaient davantage à la Poussière, comme Mme Coulter, Lord Boreal et les autres.

—Je vois, dit Farder Coram. Très intéressant.

John Faa reprit la parole :

—Je vais te dire quelque chose, Lyra. Farder Coram, ici présent, est un sage. Un visionnaire. Il s'est intéressé à tout ce qui concerne la Poussière, les Enfourneurs, Lord Asriel et le reste, et à toi aussi. Chaque fois que les Costa, ou une demi-douzaine d'autres familles, allaient à Oxford, ils en revenaient avec des bribes d'informations. À ton sujet, petite. Tu le savais ?

Lyra secoua la tête. Elle commençait à prendre peur. Pantalaimon grognait, trop bas pour que quiconque l'entende, mais elle le sentait au bout de ses doigts enfouis dans sa fourrure.

—Eh oui, reprit John Faa, tous tes faits et gestes revenaient ici jusqu'à Farder Coram.

Cette fois, Lyra ne put se retenir.

—On n'a rien abîmé ! Je vous le jure ! C'était juste un peu de boue ! Et on n'est pas allés très...

—Mais de quoi parles-tu, petite ? demanda John Faa.

Farder Coram éclata de rire, ce qui eut pour effet de faire cesser son tremblement, et son visage illuminé parut soudain beaucoup plus jeune.

Lyra, elle, ne riait pas. Les lèvres tremblantes, elle dit :

—Et même si on avait trouvé la bonde, on ne l'aurait pas enlevée ! C'était juste pour rire. On ne l'aurait pas fait couler, jamais de la vie !

John Faa s'esclaffa à son tour. Sa main épaisse frappa sur la table avec une telle force que les verres tintèrent et que ses larges épaules tremblotèrent ; il dut sécher ses larmes. Lyra n'avait jamais vu un tel spectacle, elle n'avait jamais entendu un tel braillement, c'était comme si une montagne riait.

—Oui, oui, dit-il, quand il fut remis de son fou rire, nous connaissons bien cette histoire, petite ! Je crois même que, depuis ce jour, partout où les Costa débarquent, il y a toujours quelqu'un pour y faire allusion. « Tu ferais bien de placer un garde sur ta péniche, Tony », lui dit-on. « Les fillettes sont redoutables par ici ! » Oh, cette histoire a fait le tour des Fens. Mais rassure-toi, on ne va pas te punir pour ça. Sois tranquille.

Il se tourna vers Farder Coram, et les deux vieillards recommencèrent à rire, mais plus discrètement cette fois. Et Lyra en éprouva un sentiment de joie et de soulagement.

Finalement, John Faa secoua la tête et retrouva son sérieux.

—Comme je te le disais, Lyra, nous savons tout de toi, depuis que tu es enfant. Depuis ta naissance. Et tu as le droit de savoir ce qu'on sait sur toi. J'ignore ce qu'ils t'ont raconté à Jordan College au sujet de tes origines, mais ils ne connaissent pas toute la vérité. T'ont-ils expliqué qui étaient tes parents?

Lyra nageait maintenant en pleine confusion.

—Oui. Ils m'ont dit... ils m'ont dit qu'ils... ils ont dit que Lord Asriel m'avait placée là parce que ma mère et mon père étaient morts dans un accident aéronautique. Voilà ce qu'ils m'ont dit.

—Vraiment? Eh bien, je vais te raconter une histoire. Une histoire vraie. Je sais qu'elle est vraie, car c'est une gitane qui me l'a racontée, et les gitans disent toujours la vérité à John Faa et à Farder Coram. Voici donc la vérité te concernant, Lyra. Ton père n'est pas mort dans un accident aéronautique, car ton père est Lord Asriel.

Lyra était incapable d'avoir la moindre réaction.

—Voici comment ça s'est passé, poursuivit John Faa. Quand il était encore un jeune homme, Lord Asriel partit explorer tout le territoire du Nord, et il en revint avec une immense fortune. C'était un homme plein d'entrain, passionné, prompt à s'enflammer. Ta mère était passionnée elle aussi. Moins bien née que lui, certes, mais très intelligente. C'était une universitaire, et ceux qui la connaissaient la disaient très belle. Ton père et elle sont tombés amoureux à l'instant même où ils se sont rencontrés. Malheureusement, ta mère était déjà mariée. Elle avait épousé un politicien, un membre important du parti du Roi, un de ses plus proches conseillers. Un homme en pleine ascension. Quand ta mère s'est retrouvée enceinte, elle n'a pas osé annoncer à son mari que l'enfant n'était pas de lui. Et quand cette enfant est née — il s'agit de toi, petite —, il était évident qu'elle ressemblait à son véritable père, aussi a-t-elle jugé préférable de te cacher, en faisant croire que tu étais morte.

On t'a donc emmenée dans le comté d'Oxford, où ton père possédait des terres, et confiée à une gitane. Hélas, quelqu'un est allé raconter toute la vérité au mari de ta mère qui s'est rendu immédiatement sur place pour mettre à sac le cottage où vivait la gitane. Celle-ci avait eu le temps de se réfugier dans la grande maison, et il l'a suivie, habité par une rage meurtrière.

Ton père était parti à la chasse, mais on a réussi à le prévenir et il est rentré aussitôt, à cheval, juste à temps pour découvrir le mari de ta mère au pied du grand escalier. Une seconde plus tard, il aurait enfoncé la porte de la penderie où la gitane s'était cachée avec toi. Lord Asriel l'a alors défié, et les deux hommes se sont battus sur-le-champ... et Lord Asriel l'a tué. La gitane a tout vu et tout entendu, Lyra, c'est comme ça que nous le savons.

Il y eut un grand procès. Ton père n'est pas homme à nier ni à dissimuler la vérité, ce qui plaçait les juges devant un dilemme. Certes, il avait tué un homme, il avait fait couler le sang, mais il défendait sa maison et son enfant face à un intrus. D'un autre côté, la loi autorise un homme à venger le viol de son épouse, et les avocats du défunt ont soutenu que tel avait été le cas.

L'affaire a duré des semaines ; les deux parties ont échangé des tonnes d'arguments. Finalement, les juges ont puni Lord Asriel en lui confisquant tous ses biens et toutes ses terres. Lui qui avait été plus riche qu'un roi était devenu un miséreux.

Quant à ta mère, elle ne voulait pas entendre parler de cette histoire, ni même de toi. Elle t'a ignorée. Ta nourrice gitane m'a confié qu'elle avait souvent eu peur de la manière dont ta mère te traiterait, car c'était une femme orgueilleuse et méprisante. Voilà pour elle.

Parlons de toi, maintenant. Si les choses s'étaient passées différemment, ma petite Lyra, tu aurais pu grandir parmi les gitans, car la nourrice supplia le tribunal de l'autoriser à te garder, mais nous autres, gitans, nous n'avons pas bonne réputation devant les juges. Ils ont donc décidé que tu devais être placée dans un prieuré, ce qui fut fait, chez les Sœurs de l'Obédience à Watlington. Tu ne t'en souviens pas. Toutefois, Lord Asriel ne l'entendait pas de cette oreille. Il n'avait que mépris pour les prieurés, les moines et les nonnes, et, fidèle à sa réputation d'homme fougueux, il débarqua un jour et t'emmena. Non pas pour t'élever lui-même ni pour te confier aux gitans, mais pour te conduire à Jordan College, en mettant la justice au défi de s'y opposer.

La justice a laissé faire. Lord Asriel a repris ses explorations, et toi, tu as grandi à Jordan College. Ton père n'a posé qu'une seule condition : ta mère n'aurait pas le droit de t'approcher. Si jamais elle essayait de te voir, il fallait l'en empêcher et le prévenir aussitôt, car toute sa colère s'était reportée sur elle. Le Maître promit solennellement de respecter cette exigence, et le temps passa.

Mais voilà que surgit cette grande angoisse concernant la Poussière. Dans tout le pays, dans le monde entier, des hommes avisés, et des femmes aussi, commencèrent à s'inquiéter. Pour nous, gitans, tout cela importait peu, jusqu'à ce qu'ils nous volent nos enfants. À ce moment-là, nous nous sommes sentis concernés. Or, nous avons des contacts dans de nombreux endroits que tu ne pourrais imaginer, y compris à Jordan College. Tu l'ignores, mais quelqu'un te surveillait et nous tenait informés depuis que tu vivais là-bas. Car, vois-tu, on s'intéresse à toi, et cette gitane qui t'a élevée s'est toujours fait beaucoup de souci à ton sujet.

— Qui me surveillait ? demanda Lyra.

L'idée que l'on puisse s'intéresser ainsi à ses faits et gestes, si loin, l'emplissait d'une émotion étrange.

— Un employé des Cuisines. Bernie Johansen, le pâtissier. Il est à moitié gitan, mais je parie que tu ne l'as jamais soupçonné.

Bernie était un homme doux et solitaire, un de ces rares adultes à posséder un dæmon de son propre sexe. C'était sur ce pauvre Bernie que Lyra avait craché sa bile de désespoir quand Roger avait disparu. Et Bernie racontait tout aux gitans ! Elle n'en revenait pas.

— Bref, reprit John Faa, nous avons appris que tu avais quitté Jordan College, et cela survenait justement à un moment où Lord Asriel, emprisonné, ne pouvait intervenir. Nous nous sommes souvenus de la promesse que lui avait faite le Maître, et nous nous sommes rappelé que l'homme qu'avait épousé ta mère, le politicien tué par Lord Asriel, s'appelait Edward Coulter.

— Mme Coulter ? s'exclama Lyra, abasourdie. Vous voulez dire que... c'est ma mère ?

— Oui. Et si ton père avait été libre, jamais elle n'aurait osé le défier, et tu serais toujours à Jordan College sans te douter de quoi que ce soit. Quant à savoir pourquoi le Maître t'a laissée partir, c'est un mystère que je ne peux expliquer. Il était pourtant chargé de veiller sur toi. Mais on peut supposer qu'elle avait les moyens de faire pression sur lui.

Lyra comprenait tout à coup l'étrange comportement du Maître le matin de son départ.

— En fait, il ne voulait pas..., dit-elle, essayant de se remémorer la scène avec précision. Il... il m'a demandé de venir le voir au petit jour, sans rien dire à Mme Coulter... Comme s'il voulait me protéger d'elle...

Elle s'interrompit, observa les deux vieillards, et décida soudain de leur raconter toute la vérité au sujet de ce qui s'était passé dans le Salon.

— Je ne vous ai pas tout dit. Le soir où je me suis cachée dans le Salon, j'ai vu le Maître qui essayait d'empoisonner Lord Asriel, en versant de la poudre dans le vin. J'ai prévenu mon oncle et il a renversé la carafe sur la table. Je lui ai sauvé la vie. Mais je n'ai jamais compris pourquoi le Maître avait voulu l'empoisonner, il a toujours été si gentil. Et puis, le matin de mon départ, il m'a fait venir dans son bureau, très tôt, discrètement pour que personne ne me voie, et là, il m'a dit...

Lyra sonda sa mémoire pour essayer de se souvenir des paroles exactes du Maître. Rien à faire.

—... Tout ce que j'ai compris, reprit-elle, c'est qu'il m'a donné un objet qu'elle ne devait surtout pas voir, je parle de Mme Coulter. Mais à vous, je crois que je peux le montrer...

Plongeant la main dans la poche de sa veste en poil de loup, elle en sortit le petit paquet enveloppé de velours. Elle le déposa sur la table et sentit la grande et simple curiosité de John Faa, l'intelligence pétillante de Farder Coram se braquer l'une et l'autre sur l'objet mystérieux, comme deux projecteurs. Lorsqu'elle eut déballé l'aléthiomètre, ce fut Farder Coram qui parla le premier :

—Je ne pensais pas qu'un jour j'en reverrais un. C'est un lecteur de symboles. T'a-t-il parlé de cet objet, petite ?

—Non. Il m'a seulement dit que je devrais apprendre à m'en servir par moi-même. Et il a appelé ça un aléthiomètre.

John Faa se tourna vers son compagnon.

—Qu'est-ce que ça signifie ?

—C'est un mot grec. Ça vient d'*aletheia*, il me semble, qui veut dire «vérité». Autrement dit, cet appareil sert à mesurer la vérité. Eh bien, Lyra, as-tu appris à l'utiliser ?

—Non. J'arrive à diriger les trois petites aiguilles sur différents dessins, mais impossible de contrôler la grande. Elle n'arrête pas de tourner. Mais parfois, quand je suis très concentrée, j'arrive à la faire aller dans un sens ou dans l'autre, uniquement par la pensée.

—Comment ça fonctionne, Farder Coram ? demanda John Faa. Et comment fait-on pour lire ?

—Tous ces dessins autour du cadran, expliqua Farder Coram en orientant l'objet vers le regard perçant de John Faa, sont des symboles, et chacun d'eux représente beaucoup de choses différentes. Prenez l'ancre de bateau, par exemple. Le premier sens de ce symbole est l'espoir, car l'espoir vous permet de tenir bon au milieu de la tempête, comme une ancre. Le deuxième sens, c'est la constance. Le troisième, c'est l'idée d'obstacle invisible, de prévention. Le quatrième sens, c'est la mer. Et ainsi de suite... Il y a peut-être une dizaine, une vingtaine, ou même une infinité de sens.

—Et vous les connaissez tous ?

—J'en connais quelques-uns, mais pour tous les interpréter, j'aurais besoin du Livre. J'ai vu le Livre, et je sais où il se trouve, malheureusement je ne l'ai pas.

—Nous parlerons de ça plus tard, dit John Faa. Dites-nous plutôt comment on fait pour déchiffrer.

—Il y a trois aiguilles que l'on peut contrôler, expliqua Farder Coram. On s'en sert pour poser une question. En désignant trois symboles, on peut poser toutes les questions que l'on souhaite, étant donné que chacun possède de nombreuses significations. Une fois que la question est bien précisée, la grande aiguille tourne et désigne d'autres symboles qui donnent la réponse.

—Mais comment l'appareil sait-il à quel niveau de sens on pense quand on pose la question ? demanda John Faa.

—L'appareil lui-même n'en sait rien. Pour que ça marche, celui qui pose la question doit avoir tous les niveaux présents à l'esprit. D'abord il faut connaître toutes les significations, or, il peut en exister des milliers. Ensuite, il faut pouvoir les garder en tête sans trop y penser ou sans solliciter une réponse, et juste suivre des yeux les déplacements de l'aiguille. Quand elle a fini de tournoyer, on a la réponse à sa question. Je sais comment ça fonctionne, car j'ai vu un sage d'Uppsala s'en servir, un jour. Et c'est la seule fois où j'ai pu admirer cet objet. Sais-tu que les aléthiomètres sont rares, petite ?

—Le Maître m'a dit qu'il en existait six seulement.

—J'en ignorais le nombre exact, mais c'est très peu.

—L'as-tu caché à Mme Coulter, comme le Maître te l'avait demandé, Lyra ?

—Oui. Mais son dæmon a fouillé ma chambre. Et je suis sûre qu'il l'a trouvé.

—Je vois. Ma petite Lyra, j'ignore si nous connaîtrons un jour toute la vérité, mais voici ce que je crois d'après ce que je sais. Le Maître a été chargé par Lord Asriel de veiller sur toi et de te protéger de ta mère. Ce qu'il a fait, pendant dix ans ou plus. Mais les amis de Mme Coulter au sein de l'Église l'ont aidée à créer ce Conseil d'Oblation ; dans quel but ? nous l'ignorons. Toujours est-il que la voilà aussi puissante, à sa manière, que l'était Lord Asriel autrefois. Deux parents aussi redoutables et ambitieux l'un que l'autre, et le Maître de Jordan College coincé entre les deux avec toi sur les bras.

Mais le Maître a mille autres préoccupations. La principale étant son collège et le savoir qu'il renferme. S'il sent que cela est menacé, il se doit de réagir. Or, depuis quelque temps, l'Église se fait de plus en plus autoritaire. On crée des conseils pour ceci, des conseils pour cela, on parle de rétablir le Bureau de l'Inquisition, à Dieu ne plaise. Et le Maître est obligé de louvoyer entre toutes ces forces. S'il veut que Jordan College survive, il doit se ranger du côté de l'Église.

D'un autre côté, le Maître est soucieux de ton sort, Lyra. Bernie Johansen a toujours été formel sur ce point. Le Maître de Jordan College et tous les Érudits t'aimaient comme leur propre fille. Ils étaient prêts à tout pour te protéger, et pas uniquement parce qu'ils l'avaient promis à Lord Asriel. Par conséquent, si le Maître t'a livrée à Mme Coulter, alors qu'il avait juré à Lord Asriel de ne jamais le faire, c'est qu'il a pensé que tu serais plus en sécurité avec elle qu'à Jordan College. Et s'il a décidé d'empoisonner Lord Asriel, sans doute est-ce parce qu'il a pensé que les agissements de ton oncle les mettaient tous en danger, et nous aussi peut-être, voire même la terre entière. Pour moi, le Maître est un homme confronté à de terribles décisions : quoi qu'il décide, il fera du mal, mais peut-être que s'il fait le bon choix, il en résultera moins de souffrances. Que Dieu me garde de devoir, un jour, être dans cette situation. Et lorsque est venu le moment où il a dû te laisser partir, il t'a donné ce lecteur de symboles, en te demandant de le protéger. Toutefois, j'ignore quel usage il veut que tu en fasses, étant donné que tu ne sais pas l'utiliser. Son raisonnement m'échappe, je l'avoue.

— Il a dit que l'oncle Asriel avait présenté l'aléthiomètre à Jordan College quelques années plus tôt, dit Lyra, qui essayait de se souvenir. Il voulait ajouter autre chose, mais quelqu'un a frappé à la porte et il n'a plus rien dit. J'ai l'impression qu'il voulait que je le cache à mon oncle également.

— Ou le contraire, dit John Faa.

— Que voulez-vous dire, John ? demanda Farder Coram.

— Peut-être voulait-il charger Lyra de rendre l'aléthiomètre à Lord Asriel, comme pour se faire pardonner d'avoir essayé de l'empoisonner. Peut-être a-t-il estimé que Lord Asriel ne représentait plus un danger. Ou que, guidé par la sagesse de cet instrument, il renoncerait à son projet. Et dans le cas où il serait retenu prisonnier, peut-être que l'aléthiomètre l'aiderait à retrouver la liberté. Je te conseille de garder précieusement ce lecteur de symboles, Lyra. Si tu promets de veiller sur lui, j'accepte de te le laisser. Mais un jour viendra peut-être où nous aurons besoin de le consulter, et à ce moment-là, nous te le demanderons.

Il remballa l'aléthiomètre dans le velours et le fit glisser sur la table. Lyra aurait voulu poser mille questions mais, soudain, elle se sentit intimidée par cet homme imposant, avec ses petits yeux à la fois perçants et doux, au milieu des plis et des rides de son visage.

Il y avait quand même une chose qu'elle devait savoir.

— Qui est la gitane qui a été ma nourrice ?

— La mère de Billy Costa, évidemment ! Elle ne te l'a jamais dit, car je le lui avais interdit. Mais elle sait bien de quoi nous sommes en train de parler, alors désormais, il n'y a plus de secret. Maintenant tu vas retourner auprès d'elle. Tu as largement de quoi réfléchir, petite. Dans trois jours, nous aurons une nouvelle réunion, et nous discuterons de ce qu'il faut faire. Sois une gentille fille. Bonne nuit, Lyra.

– Bonne nuit, Lord Faa. Bonne nuit, Farder Coram, dit-elle poliment en serrant l'aléthiomètre contre sa poitrine, et en attrapant Pantalaimon de son autre main.

Les deux vieillards lui adressèrent un sourire chaleureux. Ma Costa attendait derrière la porte de la salle de réunion et, comme s'il ne s'était rien passé depuis la naissance de Lyra, la marinière la serra dans ses bras robustes et l'embrassa avant de la conduire au lit.

Chapitre 8
Frustration

 Lyra devait désormais s'habituer à cette nouvelle façon de voir sa propre histoire, et cela ne pouvait pas se faire en un jour. Considérer Lord Asriel comme son père, c'était une chose, mais accepter que Mme Coulter soit en réalité sa mère, voilà qui était beaucoup moins facile. Deux mois plus tôt, elle s'en serait réjouie, bien évidemment, et cela ne faisait qu'accroître sa confusion.

Mais, fidèle à elle-même, Lyra refusa de se tourmenter plus longtemps, car il y avait la ville de Fen à explorer, et beaucoup de jeunes gitans à impressionner. Et avant la fin des trois jours, elle avait réuni autour d'elle une petite bande de chenapans, grâce aux histoires de son père, cet homme si puissant, emprisonné injustement.

— Un soir, l'ambassadeur de Turquie était invité à dîner à Jordan College. Il avait reçu ordre du Sultan lui-même d'assassiner mon père, et il portait au doigt une bague creuse remplie de poison. Lorsqu'on servit le vin, il fit semblant de tendre la main au-dessus du verre de mon père, et y versa discrètement le poison. Son geste fut si rapide que personne ne s'en aperçut, mais...

— C'était quoi comme poison? demanda une fillette au fin visage.

— Un poison provenant d'un serpent turc très spécial, inventa Lyra. Ils le capturent en jouant de la flûte pour l'attirer, ils lui jettent ensuite une éponge imbibée de miel, et quand le serpent mord dedans, il ne peut plus en arracher ses crocs, alors ils le maintiennent et récoltent le venin. Bref, mon père avait vu le geste du Turc, alors il dit : « Messieurs, j'aimerais porter un toast à l'amitié entre Jordan College et le collège d'Izmir », collège

115

auquel appartenait l'ambassadeur turc. «Et en signe de cette amitié, dit-il, nous allons échanger nos verres de vin.» L'ambassadeur était coincé, car s'il refusait de boire c'était une grave insulte, mais d'un autre côté, il ne pouvait pas boire car il savait que le vin était empoisonné. Il devint blême et s'évanouit. Quand il revint à lui, il était toujours assis à table, et tout le monde avait les yeux fixés sur lui. Il était donc obligé d'avaler le poison ou de faire des aveux.

— Alors, qu'a-t-il choisi?

— Il a bu le vin. Il a mis plus de cinq minutes à mourir, dans d'atroces souffrances.

— Tu l'as vu?

— Non, car aucune femme n'a le droit de s'asseoir à la Grande Table. Mais j'ai vu son cadavre ensuite, quand ils l'ont emporté. Il avait la peau toute ridée, comme une vieille pomme, et les yeux lui sortaient de la tête. En fait, ils ont même été obligés de les renfoncer dans les orbites...

Pendant ce temps, dans toute la région des Fens, la police frappait aux portes des maisons, fouillait les greniers et les appentis, examinait les papiers et interrogeait quiconque affirmait avoir vu une fillette blonde. À Oxford, les recherches furent encore plus acharnées. Jordan College fut fouillé de fond en comble, du débarras le plus poussiéreux à la cave la plus sombre, tout comme les collèges Gabriel et St Michael, jusqu'à ce que les directeurs émettent une protestation commune en réaffirmant leurs droits ancestraux. Si un écho de ces recherches parvenait jusqu'à Lyra, c'était uniquement par le vrombissement quasi incessant des moteurs à gaz des engins aériens qui sillonnaient le ciel. On ne les voyait pas à cause des nuages bas, et le règlement aéronautique les obligeait à respecter une certaine altitude au-dessus des Fens, mais comment savoir quels diaboliques instruments d'observation ils transportaient à bord? Mieux valait se mettre à couvert dès qu'elle les entendait, ou bien mettre sur sa tête son chapeau ciré pour masquer sa chevelure claire trop voyante.

Lyra interrogea longuement Ma Costa sur l'histoire de sa naissance. Elle tissa ensuite tous les détails sous la forme d'une grande tapisserie mentale encore plus précise, plus vivante que tous les récits qu'elle inventait, et elle revivait sans cesse la fuite du cottage, la dissimulation à l'intérieur de la penderie, les propos violents des deux hommes et le duel, le fracas des épées...

— Les épées? Grand Dieu, tu rêves, ma fille! s'exclama Ma Costa. M. Coulter avait une arme à feu, Lord Asriel l'a obligé à la lâcher en lui frappant la main et il l'a expédié au tapis d'un seul coup de poing. Ensuite, il y a eu deux coups de feu. Ça m'étonne que tu ne t'en souviennes pas, même si tu étais petite. Le premier coup a été tiré par Edward Coulter, qui a récupéré son arme et ouvert le feu, et le second par Lord Asriel, qui la lui a arrachée une deuxième fois et l'a retournée contre lui. Il lui a tiré une balle entre les deux yeux ; la cervelle a jailli. Et ensuite, sans perdre son sang-froid, il a dit : « Sortez de là, madame Costa, avec l'enfant », car vous brailliez à tue-tête, ton dæmon et toi. Il t'a alors fait sauter dans ses bras et t'a assise sur ses épaules, en marchant de long en large, heureux comme tout, pendant que le mort gisait à ses pieds. Il a même réclamé du vin et m'a demandé de nettoyer par terre.

Après avoir écouté cette histoire pour la quatrième fois, Lyra était désormais convaincue de s'en souvenir parfaitement ; elle pouvait même indiquer la couleur de la veste de M. Coulter et décrire les manteaux, les fourrures, suspendus dans la penderie. Ma Costa ne put s'empêcher de rire.

Chaque fois qu'elle était seule, Lyra déballait l'aléthiomètre et l'observait longuement, comme une amoureuse contemple la photo de son bien-aimé. Ainsi, chaque dessin avait plusieurs significations, hein ? se disait-elle. Pourquoi ne pourrait-elle pas les déchiffrer ? N'était-elle pas la fille de Lord Asriel ?

Repensant à ce qu'avait dit Farder Coram, elle tenta de concentrer ses pensées sur trois symboles choisis au hasard, devant lesquels elle disposa les trois aiguilles. Elle s'aperçut alors qu'en tenant simplement l'aléthiomètre dans ses paumes, en le regardant paisiblement, la grande aiguille se déplaçait d'une façon moins aléatoire. Au lieu de tournoyer frénétiquement, elle glissait lentement d'une image à une autre. Elle s'arrêtait devant trois dessins, parfois deux seulement, parfois cinq ou plus, et même si Lyra n'y comprenait rien, cela lui procurait un sentiment de calme profond et de jubilation qu'elle n'avait jamais connu. Pantalaimon se penchait au-dessus du cadran, parfois chat, parfois souris, suivant du regard les déplacements de l'aiguille, et une ou deux fois ils partagèrent une vision fugitive, comme si un rayon de soleil avait soudain traversé les nuages pour éclairer une chaîne de montagnes majestueuse, au loin, inaccessible et inconnue. Dans ces moments-là, Lyra se sentait parcourue des mêmes frissons délicieux qu'elle avait ressentis toute sa vie en entendant prononcer le mot « Nord ».

Les trois jours s'écoulèrent ainsi, avec énormément d'allées et venues entre les innombrables bateaux et le Zaal. Puis vint le soir du deuxième Grand Conseil. Le temple était encore plus bondé que la fois précédente. Mais Lyra et les Costa arrivèrent suffisamment tôt pour s'asseoir au premier rang et, dès que les lumières vacillantes montrèrent que l'endroit était plein à craquer, John Faa et Farder Coram firent leur apparition sur l'estrade et prirent place derrière la table. John Faa n'eut pas besoin de réclamer le silence ; il posa simplement ses grosses mains à plat sur la table, en observant la foule et le brouhaha cessa.

— Vous avez fait ce que je vous avais demandé, dit-il. Et même au-delà de mes espérances. Je vais maintenant appeler les chefs des six clans qui viendront ici remettre leur or et indiquer le nombre de leur recrues. Nicholas Rokeby, à toi de commencer.

Un solide gaillard à la barbe noire grimpa sur l'estrade et déposa un gros sac en cuir sur la table.

— Voici notre or, déclara-t-il. Et nous offrons trente-huit hommes.

— Merci, Nicholas, dit John Faa.

Farder Coram prenait des notes. Le premier homme alla se placer au fond de l'estrade, tandis que John Faa appelait le second, puis le troisième, et ainsi de suite. Chacun déposa un sac sur la table en annonçant le nombre d'hommes qu'il pouvait rassembler. Les Costa faisaient partie du clan Stefanski et, bien évidemment, Tony avait été un des premiers à se porter volontaire. Lyra vit son dæmon-faucon danser nerveusement d'une patte sur l'autre et déployer ses grandes ailes, au moment où le chef de famille déposait devant John Faa l'argent des Stefanski et la promesse de vingt-trois hommes.

Quand les six chefs de clan se furent succédé sur l'estrade, Farder Coram montra sa feuille à John Faa, qui se leva pour s'adresser de nouveau à l'auditoire.

— Mes chers amis, nous avons réuni cent soixante-dix hommes. Je suis fier de vous et je vous remercie. Quant à l'or, je suis certain, à en juger par le poids des sacs, que vous avez puisé profondément dans vos coffres, et pour cela aussi je vous adresse mes remerciements les plus chaleureux. Voici maintenant ce que nous allons faire, ajouta-t-il. Nous allons affréter un bateau et mettre le cap au nord ; nous retrouverons les enfants et nous les libérerons. D'après ce que nous savons, nous serons peut-être obligés de nous battre. Ce ne sera pas la première fois ni la dernière, mais jamais encore nous n'avons eu à combattre des ravisseurs d'enfants, et nous devrons rivaliser d'habileté. Mais nous ne reviendrons pas sans nos enfants. Une question, Dirk Vries ?

Un homme se leva pour demander :

— Lord Faa, savez-vous pourquoi ils ont enlevé ces enfants ?

— Il s'agit, paraît-il, d'une question théologique. Ils procèdent à une expérience, mais nous ignorons de quelle nature. Pour être totalement franc, nous ne savons même pas si ces enfants sont martyrisés ou pas. Mais quoi qu'il en soit, ces individus n'ont pas le droit de venir arracher en pleine nuit de jeunes enfants aux cœurs de leurs familles. Oui, Raymond van Gerrit ?

L'homme qui avait déjà pris la parole lors de la première réunion se leva et dit :

—Cette enfant recherchée dont vous nous avez parlé, Lord Faa, est assise ici même, au premier rang. J'ai entendu dire que la police mettait sens dessus dessous les maisons de tous les habitants des environs des Fens à cause d'elle. J'ai entendu dire également qu'une loi était présentée au Parlement aujourd'hui même, afin d'abroger nos privilèges, toujours à cause de cette enfant. Oui, mes amis, dit-il en haussant la voix pour couvrir les murmures d'étonnement et d'indignation, ils vont voter une loi qui supprimera notre droit d'aller et venir en toute liberté ! Nous avons donc le droit de savoir, Lord Faa : qui est cette enfant à cause de laquelle nous risquons de perdre tous nos privilèges ? Ce n'est même pas une des nôtres, paraît-il. Comment une fille des terres peut-elle nous faire courir un si grave danger ?

Lyra leva les yeux vers la silhouette imposante de John Faa. Son cœur battait si violemment qu'elle entendit à peine les premiers mots de sa réponse.

—Vide ton sac, Raymond, ne sois pas si timide. Tu voudrais qu'on livre cette enfant à ceux qui la pourchassent, c'est cela ?

L'homme resta debout, la mine renfrognée, sans rien dire.

—Peut-être que oui, peut-être que non, reprit John Faa. Mais si un homme, ou une femme, a besoin d'une raison pour faire le bien, réfléchis à ceci. Cette enfant est la fille de Lord Asriel. Pour ceux qui l'auraient oublié, c'est Lord Asriel qui est intervenu auprès des Turcs pour sauver la vie de Sam Brœkman. C'est Lord Asriel qui a autorisé nos bateaux à emprunter les canaux qui traversent sa propriété. C'est Lord Asriel qui a combattu la loi sur les voies navigables au Parlement, pour notre plus grand intérêt. Et enfin, c'est Lord Asriel qui a lutté nuit et jour pendant les terribles inondations de 53, n'hésitant pas à plonger deux fois dans l'eau pour sauver les jeunes Ruud et Nellie Koopman. Tu as oublié, Raymond ? Honte à toi ! Honte à toi ! Aujourd'hui, Lord Asriel est retenu prisonnier dans les régions les plus froides et les plus sombres du globe, enfermé dans la forteresse de Svalbard. Ai-je besoin de vous décrire les créatures qui le surveillent ? La fille de cet homme est sous notre protection et Raymond van Gerrit voudrait qu'on la livre aux autorités, en échange d'un peu de paix et de tranquillité. C'est bien cela, Raymond ? Lève-toi et réponds !

Raymond van Gerrit s'était recroquevillé sur son siège, et rien n'aurait pu le faire se lever. Un murmure de désapprobation parcourut l'immense assemblée, et Lyra ressentit la honte que lui-même devait éprouver à cet instant, ainsi qu'un vif sentiment de fierté en pensant à la bravoure de son père.

John Faa se retourna vers les autres hommes réunis sur l'estrade.

–Nicholas Rokeby, je te charge de trouver un navire, et c'est toi qui le commanderas quand nous prendrons la mer. Adam Stefanski, je veux que tu t'occupes des armes et des munitions ; tu dirigeras les combats. Roger van Poppel, tu seras responsable de l'approvisionnement, aussi bien en nourriture qu'en vêtements chauds. Simon Hartmann, je te nomme trésorier, à toi de gérer au mieux notre or. Benjamin de Ruyter, je te charge des missions de renseignement. Il y a un tas de choses que nous devons découvrir, à toi de te débrouiller ; tu feras tes rapports à Farder Coram. Michael Canzona, tu devras coordonner le travail des quatre premiers chefs de clan, et tu me feras des rapports. Tu seras aussi mon second, et, si je meurs, c'est toi qui assureras le commandement à ma place.

Voilà, j'ai pris des dispositions, conformément à l'usage, et si quiconque parmi vous, homme ou femme, souhaite émettre une objection, qu'il n'hésite pas à le faire.

Après quelques secondes d'hésitation, une femme se leva.

–Lord Faa, vous n'avez pas l'intention d'emmener des femmes dans cette expédition, pour s'occuper des enfants une fois que vous les aurez retrouvés ?

–Non, Nell. Nous manquerons déjà de place. En outre, tous les enfants que nous libérerons seront forcément mieux traités entre nos mains qu'ils ne l'étaient avant notre arrivée.

–Mais supposons que, pour les libérer, vous ayez besoin de femmes déguisées en gardiennes, en infirmières ou en je ne sais quoi ?

–Oui, je n'avais pas pensé à cela, avoua John Faa. Nous examinerons attentivement cette question quand nous nous retirerons dans la salle de réunion, je te le promets.

Un homme se leva.

–Lord Faa, je vous ai entendu dire que Lord Asriel était retenu prisonnier. Sa libération fait-elle partie de votre plan ? Car, dans ce cas, s'il est entre les griffes des ours comme vous semblez le penser, cent soixante-dix hommes ne suffiront pas. Et même si Lord Asriel est effectivement notre ami, rien ne nous oblige, me semble-t-il, à aller jusque-là.

–Ce que tu dis est juste, Adriaan Braks. Mon intention était que l'on garde les yeux ouverts et l'oreille dressée pour essayer de glaner des informations durant notre séjour dans le Nord. Peut-être pourrons-nous faire quelque chose pour lui venir en aide, peut-être pas, mais vous pouvez me faire confiance pour que je n'utilise pas votre contribution, financière et humaine, dans un but autre que celui exposé, à savoir retrouver les enfants et les ramener à la maison.

Une autre femme se leva.

—Lord Faa, nous ignorons ce que les Enfourneurs ont fait à notre enfant. Nous avons tous entendu des rumeurs et des histoires effrayantes. Nous avons entendu parler d'enfants décapités, d'enfants coupés en deux, puis recousus, et d'autres ignominies encore, trop affreuses pour qu'on les évoque. Je suis sincèrement désolée de causer du tourment à certaines personnes, mais nous avons tous entendu ces histoires, et je veux que les choses soient clairement dites. Si jamais vous deviez découvrir la confirmation de ces horreurs, Lord Faa, j'ose espérer que votre vengeance sera à la hauteur du crime commis. J'espère que vous ne laisserez aucune considération de pitié ou de clémence retenir votre bras et vous empêcher de frapper, de frapper fort, de porter un coup mortel au cœur de cette vilenie diabolique. En disant cela, je suis sûre de parler au nom de toutes les mères dont l'enfant a été capturé par les Enfourneurs.

Elle se rassit au milieu d'un puissant murmure d'approbation. Dans tout le temple du Zaal, des têtes acquiescèrent.

John Faa attendit que le silence revienne.

—Rien ne retiendra ma main, Margaret, dit-il, excepté le bon sens. Et si je retiens ma main dans le Nord, ce sera pour frapper encore plus fort dans le Sud. Frapper prématurément serait aussi néfaste que frapper à cent kilomètres de la cible. Ton discours est le fait d'une passion brûlante, c'est certain. Mais en cédant à cette fougue, mes amis, vous céderez à cette faute contre laquelle je vous ai toujours mis en garde : vous placerez l'assouvissement de vos passions au-dessus du travail à accomplir. Or, dans ce cas précis, notre travail consiste d'abord à sauver, ensuite à châtier. Il ne s'agit pas de satisfaire vos désirs de vengeance. Nos sentiments ne comptent pas. Si nous parvenons à sauver les enfants, même sans pouvoir châtier les Enfourneurs, nous aurons atteint notre but principal. Mais si nous choisissons de punir d'abord les Enfourneurs, et si, à cause de cela nous perdons notre seule chance de sauver les enfants, ce sera un échec.

Toutefois, Margaret, sois assurée d'une chose : quand sonnera l'heure de la vengeance, nous frapperons si violemment que leurs cœurs succomberont de frayeur. Nous saperons leurs forces. Nous les laisserons en piteux état, brisés et broyés, lacérés en mille morceaux, éparpillés aux quatre vents. Mon maillet a soif de sang, mes amis. Il n'en a pas savouré une seule goutte depuis que j'ai massacré le champion des Tartares. Accroché dans mon bateau, il rêve et il sent l'odeur du sang dans le vent qui souffle du nord. Il s'est adressé à moi cette nuit, il m'a parlé de sa soif, et je lui ai répondu : « Bientôt, mon ami. Bientôt. » Tu as mille raisons de t'inquiéter, Margaret, mais ne crains pas que le cœur de John Faa soit trop faible pour frapper, le moment venu. C'est la raison qui décidera du moment opportun. Pas la passion. Quelqu'un d'autre souhaite-t-il s'exprimer ? Parlez librement.

Comme personne ne se manifestait, John Faa fit sonner la cloche qui marquait la fin de la réunion, en la brandissant avec force au-dessus de sa tête ; les tintements se répandirent dans la salle et firent trembler la charpente du toit.

Il quitta ensuite l'estrade pour s'enfermer dans la salle de réunion, en compagnie des chefs de clan. Lyra était déçue. Pourquoi n'avaient-ils pas besoin d'elle ? Quand elle posa la question à Tony, il éclata de rire.

—Ils doivent dresser des plans, maintenant, dit-il. Tu as rempli ton rôle, Lyra. Au tour de John Faa et du Conseil.

—Mais je n'ai encore rien fait ! protesta Lyra, tandis qu'elle suivait les autres dehors, à contrecœur, puis empruntait la route pavée conduisant à la jetée. Je me suis seulement enfuie de chez Mme Coulter ! Ce n'est qu'un début. Je veux aller dans le Nord moi aussi !

—Tu sais quoi ? dit Tony. Je te rapporterai une défense de morse, c'est promis.

Lyra fit la moue. Pendant ce temps, Pantalaimon s'amusait à faire des grimaces au dæmon de Tony, qui ferma ses yeux fauves d'un air méprisant. Lyra descendit jusqu'à la jetée et traîna un instant avec ses nouveaux compagnons de jeux qui s'amusaient à balancer des lampes retenues par une ficelle au-dessus de l'eau noire, afin d'attirer les poissons aux yeux globuleux qui remontaient lentement vers la surface et d'essayer de les embrocher avec des bâtons taillés en pointe. Sans succès.

Lyra, elle, ne pensait qu'à John Faa et aux chefs de clan et, finalement, elle remonta discrètement la route pavée jusqu'au Zaal. La fenêtre de la salle de réunion était éclairée. Celle-ci était malheureusement trop haute pour qu'on puisse voir à l'intérieur, mais la fillette entendait le bourdonnement des voix.

Alors, elle marcha jusqu'à la porte et frappa avec détermination, cinq fois. À l'intérieur, les voix se turent, une chaise racla le plancher, et la porte s'ouvrit, déversant un flot de lumière chaude sur le perron humide.

—Oui ? fit l'homme qui était venu ouvrir.

Derrière lui, Lyra apercevait les autres hommes assis autour de la table, devant des sacs d'or soigneusement empilés, des feuilles de papier, des crayons, des verres et un pichet de genièvre.

—Je veux aller dans le Nord, déclara Lyra d'une voix forte, pour que tous puissent l'entendre. Je veux vous aider à libérer les enfants. C'était mon but quand je me suis enfuie de chez Mme Coulter. Et même avant, j'avais l'intention de libérer mon ami Roger, le garçon des Cuisines de Jordan College qui a été enlevé. Je veux vous aider. Je m'y connais en navigation, je sais effectuer des relevés ambaromagnétiques de l'Aurore, je sais ce qu'on peut manger dans un ours, et un tas d'autres choses très utiles. Si en arrivant là-bas vous vous apercevez que vous avez besoin de moi, vous regretterez de m'avoir laissée ici. Comme l'a dit cette dame tout à l'heure, il vous faudra peut-être des femmes pour tenir un rôle, et peut-être des enfants aussi. On ne sait jamais. Vous avez tout intérêt à m'emmener, Lord Faa. Mais pardon de vous avoir interrompus.

Tout en parlant, Lyra était entrée dans la pièce ; les hommes et leurs dæmons la regardaient, certains d'un air amusé, d'autres d'un air agacé, mais elle n'avait d'yeux que pour John Faa. Pantalaimon était assis dans ses bras, ses yeux de chat sauvage lançant des éclairs verts.

John Faa lui répondit :

—Lyra, il n'est pas question de t'entraîner au cœur du danger, inutile de te faire des illusions. Tu resteras ici, à l'abri, pour aider Ma Costa. Voilà ce que tu vas faire.

—Je suis en train d'apprendre à déchiffrer l'aléthiomètre ! Ça devient plus clair de jour en jour ! Vous en aurez forcément besoin... forcément !

John Faa secoua la tête.

—Je sais que tu rêvais d'aller dans le Nord, mais je suis convaincu que Mme Coulter, elle-même, ne t'y aurait pas emmenée. Si tu veux vraiment voir le Nord, il faudra attendre la fin de cette période troublée. Allez, fiche le camp.

Pantalaimon cracha doucement, mais le dæmon de John Faa quitta le dossier de la chaise et vola vers eux en agitant ses grandes ailes noires, non pas de manière menaçante, mais plutôt pour leur rappeler les bonnes manières. Lyra tourna les talons, tandis que le corbeau planait au-dessus de sa tête. La porte se referma derrière elle avec un petit claquement inflexible.

—On ira quand même, dit-elle à Pantalaimon. Qu'ils essayent donc de nous en empêcher ! On va voir ce qu'on va voir !

Chapitre 9
Les espions

Les jours suivants, Lyra concocta une douzaine de plans, qu'elle rejeta l'un après l'autre, rageusement, car ils se résumaient tous à la même idée : s'embarquer clandestinement. Mais comment jouer les passagers clandestins sur une péniche ? Certes, le grand voyage s'effectuerait sur un vrai bateau, et elle connaissait suffisamment d'histoires pour imaginer un tas de cachettes à bord d'un navire : les canots de sauvetage, la cale, les sentines..., bien qu'elle ignorât ce dont il s'agissait. Mais pour ce faire, elle devrait d'abord monter à bord du navire, et pour quitter les Fens, il n'y avait qu'une seule méthode, celle des gitans.

Car, à supposer qu'elle parvienne à gagner la côte par ses propres moyens, il y avait toujours le risque de se tromper de bateau dans le port. Ce ne serait pas très malin, se disait-elle, de se cacher à l'intérieur d'un canot et de se réveiller en partance pour le Haut Brésil.

Pendant ce temps, tout autour d'elle se poursuivaient nuit et jour les préparatifs alléchants en vue de l'expédition. Lyra traîna dans les pattes d'Adam Stefanski pendant qu'il sélectionnait les volontaires pour le groupe de combat. Elle bombarda Roger van Poppel de suggestions concernant les réserves qu'ils devaient emporter : avait-il pensé aux lunettes de glacier ? demanda-t-elle. Savait-il où l'on pouvait acheter les meilleures cartes de l'Arctique ?

Celui qu'elle aurait voulu tout particulièrement aider, c'était Benjamin de Ruyter, l'espion. Hélas, celui-ci s'était éclipsé aux petites heures du jour, dès le lendemain de la deuxième réunion et, naturellement, nul ne pouvait dire où il était allé ni quand il reviendrait. Aussi, par dépit, Lyra s'accrocha aux basques de Farder Coram.

—Il vaudrait mieux que je vous aide, je crois, lui dit-elle, car je connais les Enfourneurs mieux que quiconque, étant donné que j'ai failli en faire partie. Vous aurez certainement besoin de moi pour comprendre les messages de M. de Ruyter.

Ému par la farouche obstination et le désespoir évident de la fillette, Farder Coram s'abstint de la rembarrer. Au lieu de cela, il discuta avec elle, l'écouta raconter ses souvenirs d'Oxford et de Mme Coulter, et surtout, il l'observa pendant qu'elle consultait l'aléthiomètre.

—Où est ce fameux livre avec tous les symboles? lui demanda-t-elle un jour.

—À Heidelberg.

—Il n'en existe qu'un seul?

—Il y en a peut-être d'autres, mais c'est le seul que j'aie jamais vu.

—Je parie qu'ils en ont un aussi à la Bibliothèque Bodley d'Oxford, dit Lyra.

Elle avait du mal à détacher les yeux du dæmon de Farder Coram, assurément le plus beau dæmon qu'elle ait jamais connu. Quand Pantalaimon se transformait en chat, il était famélique, avec le poil hirsute et rêche, mais Sophomax, lui, car tel était son nom, avait des yeux dorés et une élégance incommensurable; deux fois plus gros qu'un véritable chat, il arborait une fourrure épaisse, où les rayons du soleil faisaient naître une infinité de nuances: fauve, noisette, blé, or, feuille morte, acajou... Lyra mourait d'envie de caresser ce pelage, d'y frotter sa joue mais, évidemment, elle s'en gardait bien, car le fait de toucher le dæmon d'une autre personne constituait la plus grave entorse aux règles de la bienséance. Certes, les dæmons pouvaient se toucher, et même se battre, mais cette interdiction qui régissait les contacts entre humains et dæmons était ancrée si profondément dans l'esprit des gens que, même durant les batailles, les guerriers ne touchaient jamais au dæmon d'un adversaire. Cela était formellement interdit. Pourtant, Lyra ne se souvenait pas de se l'être entendu dire, elle le savait tout simplement; aussi instinctivement qu'elle redoutait la nausée et recherchait le confort. C'est pourquoi, bien qu'elle admirât la fourrure de Sophomax et se plût à imaginer sa douceur sous ses doigts, jamais elle ne fit le moindre geste pour essayer de la toucher, et jamais elle ne le ferait.

Sophomax était aussi beau, resplendissant et robuste que Farder Coram était décati et faible. Peut-être était-il malade, ou peut-être était-il handicapé à la suite d'un mauvais coup, toujours est-il qu'il ne pouvait pas marcher sans prendre appui sur deux cannes, et il tremblait en permanence comme une feuille. Toutefois, son esprit restait vif, alerte et puissant, et Lyra en vint bientôt à l'aimer, pour son immense savoir, mais aussi pour la fermeté dont il faisait preuve envers elle.

—Que signifie ce sablier, Farder Coram? demanda-t-elle, penchée au-dessus de l'aléthiomètre, par une belle matinée ensoleillée, sur la péniche du vieil homme. L'aiguille n'arrête pas de revenir dessus.

—Il y a souvent un indice quand tu regardes d'un peu plus près. Quelle est donc cette petite chose sur le dessus?

La fillette se pencha davantage, en plissant les yeux.

—C'est un crâne!

—Et, à ton avis, qu'est-ce qu'il représente?

—La Mort... C'est la Mort?

—Exact. Dans la gamme des significations du sablier, il y a la Mort. En fait, la Mort vient en seconde position, juste après le Temps, évidemment.

—Savez-vous ce que j'ai remarqué, Farder Coram? L'aiguille s'y arrête toujours pendant le second tour! Au premier tour, on dirait qu'elle hésite, et au second, elle s'arrête. Ça veut dire que c'est le deuxième sens?

—Probablement. Que lui as-tu demandé, Lyra?

—Je pensais...

Elle s'interrompit, stupéfaite de constater qu'elle avait posé une question à l'instrument, sans s'en apercevoir.

—... En fait, j'ai simplement réuni trois images parce que... je pensais à M. de Ruyter... Alors, j'ai choisi le serpent, le creuset et la ruche, pour savoir comment se déroulait sa mission d'espionnage, et...

—Pourquoi as-tu choisi ces trois symboles?

—Je me suis dit que le serpent représentait la ruse, et un espion doit être rusé; le creuset pourrait symboliser le savoir, comme quelque chose qu'on distille, et la ruche, c'est le travail acharné, en référence aux abeilles laborieuses. Grâce au travail et à la ruse, on obtient la connaissance, vous comprenez, et c'est justement ça le métier de l'espion. Alors, je les ai sélectionnés, j'ai posé la question dans ma tête, et la grande aiguille s'est arrêtée sur la Mort... Dites, vous croyez que ça marche pour de bon, Farder Coram?

—Oui, ça marche, Lyra. Mais on n'est jamais certain de bien interpréter la réponse. C'est un art subtil. Je me demande si...

Mais avant qu'il ait pu achever sa phrase, on frappa à la porte, avec insistance, et un jeune gitan entra dans la cabine.

—Pardonnez-moi, Farder Coram. Jacob Huismans est revenu, et il est grièvement blessé.

—Il accompagnait Benjamin de Ruyter, dit Farder Coram. Que s'est-il passé?

—Il ne veut pas parler, répondit le jeune homme. Vous feriez mieux de venir, Farder Coram, car il n'en a plus pour longtemps ; il saigne de l'intérieur.

Farder Coram et Lyra échangèrent un regard chargé d'inquiétude et de stupéfaction, qui ne dura qu'une seconde, car Farder Coram, prenant appui sur ses béquilles, s'empressa de se rendre auprès du blessé, précédé de son dæmon qui avançait à pas feutré. Lyra les suivit, bondissant d'impatience.

Le jeune homme les conduisit à un bateau amarré à la jetée, où une femme portant un tablier en flanelle rouge leur ouvrit la porte. Voyant qu'elle jetait un regard méfiant en direction de Lyra, Farder Coram dit :

— Il est important que cette jeune fille écoute ce que Jacob va nous dire, madame.

Alors, la femme les laissa entrer et se retira dans un coin, tandis que son dæmon-écureuil était perché, en silence, sur la pendule en bois. Sur une couchette, sous un édredon en patchwork, gisait un homme au visage livide ruisselant de sueur, les yeux vitreux.

— J'ai envoyé chercher le médecin, Farder Coram, dit la femme d'une voix tremblante. Je vous en prie, il ne doit pas s'agiter. Il souffre. Il est arrivé sur la péniche de Peter Hawker il y a quelques minutes.

— Où est Peter ?

— Il arrime son bateau. C'est lui qui m'a conseillé de vous faire prévenir.

— Il a bien fait. Tu m'entends, Jacob ?

Jacob regarda Farder Coram qui s'était assis sur la couchette voisine, à une trentaine de centimètres.

— Bonjour, Farder Coram, murmura-t-il.

Lyra observa son dæmon : un furet, immobile à côté de la tête du blessé. Il était roulé en boule, mais ne dormait pas, car ses yeux étaient ouverts, et vitreux comme ceux de Jacob.

— Que s'est-il passé ? demanda Farder Coram.

— Benjamin est mort... Il est mort et Gérard a été capturé.

Sa voix était rauque, sa respiration très faible. Quand il se tut, son dæmon se déplia douloureusement pour venir lui lécher la joue. Revigoré, Jacob reprit :

— On s'était introduits dans le ministère de la Théologie, car Benjamin avait entendu dire, par un des Enfourneurs que nous avons capturés, que leur quartier général se trouvait à cet endroit, et que c'était de là que provenaient tous les ordres...

Il se tut de nouveau.

— Vous avez capturé des Enfourneurs ? interrogea Farder Coram.

Jacob acquiesça, et se tourna vers son dæmon. Il était rare que des dæmons s'adressent à des humains, autres que le leur, mais cela pouvait arriver parfois, comme maintenant :

—On a capturé trois Enfourneurs à Clerkenwell et on les a obligés à nous dire pour qui ils travaillaient, d'où venaient les ordres, etc. Hélas, ils ignoraient où on emmène les enfants ; ils savent seulement que c'est dans le nord de la Laponie...

Le furet dut s'interrompre pour reprendre son souffle ; sa petite poitrine palpitait.

—... Les Enfourneurs nous ont alors parlé du ministère de la Théologie et de Lord Boreal. Benjamin a dit qu'il pénétrerait dans le ministère avec Gérard Hook, pendant que Frans Brœkman et Tom Mendham essaieraient de dénicher Lord Boreal.

—Ils l'ont trouvé ?

—On ne sait pas. Ils ne sont pas revenus. C'était comme s'ils avaient été au courant de nos projets avant même qu'on agisse et, si ça se trouve, Frans et Tom ont été avalés tout crus dès qu'ils se sont approchés de Lord Boreal.

—Revenons-en à Benjamin, dit Farder Coram en entendant que le souffle de Jacob se faisait plus rauque, et voyant ses yeux se fermer de douleur.

Son dæmon laissa échapper un petit gémissement d'angoisse et d'amour ; la femme avança d'un pas ou deux, la main sur la bouche, mais elle ne dit rien, et le furet poursuivit, d'une voix faible :

—Avec Benjamin et Gérard, on est allés au ministère à White Hall, et là, on a découvert sur le côté une petite porte qui n'était pas gardée. On a fait le guet dehors, pendant que les deux autres forçaient la serrure et entraient. Ils étaient à l'intérieur depuis moins d'une minute quand on a entendu un grand cri d'effroi. Le dæmon de Benjamin est ressorti en volant pour nous faire signe de venir à leur secours, et il est retourné aussitôt à l'intérieur ; on a sorti notre couteau et on l'a suivi. Mais l'endroit était plongé dans l'obscurité, rempli de formes et de bruits sauvages qui se déplaçaient de manière terrifiante ; on avançait à tâtons. Soudain, une vive agitation s'est produite au-dessus de nos têtes, suivie d'un hurlement de terreur, et Benjamin et son dæmon sont tombés du haut d'un grand escalier. Son dæmon a essayé de le retenir en battant furieusement des ailes, mais en vain ; ils se sont écrasés tous les deux sur le sol et sont morts presque aussitôt.

Gérard semblait avoir disparu, puis quelqu'un a poussé un grand cri en haut, et on a reconnu sa voix. Mais on était trop paralysés par la peur pour bouger, et soudain, une flèche s'est enfoncée dans notre épaule...

La voix du dæmon faiblissait, et le blessé émit un gémissement. Penché en avant, Farder Coram tira délicatement sur l'édredon, laissant apparaître l'extrémité empennée d'une flèche, plantée dans l'épaule de Jacob, au milieu d'un amas de sang coagulé. La pointe de la flèche était enfoncée si profondément dans la poitrine du pauvre homme qu'elle ne dépassait que d'une quinzaine de centimètres. Lyra crut qu'elle allait s'évanouir.

Des bruits de pas et des voix résonnèrent à l'extérieur, sur la jetée.

Farder Coram se redressa.

— Voici le médecin, Jacob, dit-il. Nous allons te laisser. Nous parlerons plus longuement quand tu seras rétabli.

Avant de sortir, il serra l'épaule de la femme. Lyra marcha tout près de lui pour remonter la jetée, car déjà une foule inquiète commençait à se rassembler. Farder Coram ordonna à Peter Hawker d'aller prévenir immédiatement John Faa, puis il ajouta :

— Lyra, dès que nous saurons si Jacob a une chance de survivre ou pas, il faudra que l'on reparle de cet aléthiomètre. En attendant, va t'amuser ailleurs, on t'enverra chercher.

Lyra repartit seule en direction du rivage envahi par les roseaux ; là, elle s'assit et lança de la boue dans l'eau. Elle était au moins sûre d'une chose : elle n'éprouvait aucune joie ni aucune fierté à pouvoir déchiffrer l'aléthiomètre... À vrai dire, elle avait peur. Quel que soit le pouvoir invisible qui faisait tournoyer et s'arrêter cette aiguille, il connaissait des choses, comme un être doué d'intelligence.

— Pour moi, c'est un esprit, dit-elle ; et pendant un instant, elle fut tentée de lancer l'instrument dans les marécages.

— S'il y avait un esprit là-dedans, je le verrais, dit Pantalaimon. Comme ce vieux fantôme à Godstow. Je l'avais vu, mais pas toi.

— Il existe différentes sortes d'esprits, répondit Lyra d'un ton réprobateur. On ne les voit pas tous. Et les vieux Érudits morts, avec la tête coupée ? Je les ai vus, souviens-toi.

— Ce n'était qu'un mauvais rêve.

— Non. C'étaient de vrais esprits, et tu le sais. Mais l'esprit qui fait bouger cette fichue aiguille est d'un genre différent.

— Si ça se trouve, c'est pas un esprit, insista Pantalaimon, refusant d'en démordre.

— Que veux-tu que ce soit ?

— Ça pourrait être... des particules élémentaires.

Lyra s'esclaffa.

— Parfaitement ! dit le dæmon. Tu te souviens du moulin à photons qu'ils ont à Gabriel College ? Eh bien !

Il existait, en effet, à Gabriel College un objet saint que l'on conservait sur l'autel de l'Oratoire, recouvert (maintenant que Lyra y repensait) d'un tissu de velours noir, comme celui qui enveloppait l'aléthiomètre. Elle l'avait vu lorsqu'elle avait accompagné le Bibliothécaire de Jordan College pour un office. Au moment culminant de l'invocation, l'Intercesseur avait soulevé le tissu pour dévoiler dans la pénombre un dôme de verre, à l'intérieur duquel se trouvait un objet trop lointain pour qu'on le distingue, jusqu'à ce que l'Intercesseur tire sur une ficelle reliée à un store au-dessus, laissant entrer un rayon de soleil qui vint frapper très précisément le dôme. La chose leur apparut alors : une sorte de petite girouette, munie de quatre ailes, noires d'un côté, blanches de l'autre, qui se mit à tournoyer dans la lumière du soleil. Cet instrument illustrait une leçon morale, expliqua l'Intercesseur, car le noir de l'ignorance fuyait devant la lumière, tandis que la blancheur de la sagesse s'empressait de l'embrasser. Lyra le croyait sur parole. Mais la petite girouette qui tournoyait était amusante à regarder, indépendamment de toute signification, grâce aux pouvoirs des photons, expliqua le Bibliothécaire alors qu'ils regagnaient Jordan College.

Aussi Pantalaimon avait peut-être raison. Si les particules élémentaires pouvaient faire tournoyer le moulin à photons, faire bouger une aiguille était alors un jeu d'enfant. Malgré tout, elle était troublée.

—Lyra ! Lyra !

C'était Tony Costa qui lui adressait de grands signes sur la jetée.

—Viens vite ! lui cria-t-il. Il faut que tu ailles voir John Faa au Zaal. Dépêche-toi, petite, c'est urgent.

Elle trouva John Faa en compagnie de Farder Coram et des autres chefs ; tous semblaient soucieux.

John Faa prit la parole.

—Lyra, mon enfant, Farder Coram m'a appris que tu savais interpréter ce curieux instrument. Et j'ai le regret de t'annoncer que ce pauvre Jacob vient de mourir. Je pense que nous allons devoir t'emmener avec nous, finalement. Cette décision me cause beaucoup de soucis, mais apparemment, nous n'avons pas d'autre choix. Dès que Jacob aura été enterré, conformément à la coutume, nous partirons. Tu m'as bien compris, Lyra : tu viens avec nous. Toutefois, ce n'est pas une raison pour te réjouir ou jubiler. Les problèmes et les dangers nous attendent. Je te place sous la protection de Farder Coram. Surtout, ne sois pas pour lui une source d'ennuis et de tracas, car alors, tu sentirais tout le poids de ma colère. Sur ce, dépêche-toi d'aller prévenir Ma Costa et tiens-toi prête à partir.

Les deux semaines qui suivirent furent sans doute les plus chargées qu'ait connues Lyra dans sa vie. Mais « chargées » ne voulait pas dire trépidantes, car il y avait de longues et mornes périodes d'attente durant lesquelles elle devait se cacher dans des placards humides et étroits, regarder défiler derrière le hublot de la péniche le triste paysage d'automne imbibé de pluie, se cacher de nouveau, dormir près des gaz d'échappement du moteur et se réveiller avec une migraine à vous donner la nausée, et surtout, sans jamais pouvoir sortir à l'air libre pour s'amuser à courir sur la rive, grimper sur le pont, et voir actionner les portes des écluses.

Car, bien évidemment, Lyra ne devait pas être vue. Tony Costa lui avait rapporté les nouvelles entendues dans les pubs des environs : une immense chasse à l'homme avait été organisée dans tout le royaume pour retrouver une fillette blonde, avec à la clé une grosse récompense pour celui qui la dénicherait et une sanction sévère pour quiconque la cachait. Certaines rumeurs étaient étranges : des personnes affirmaient qu'elle était l'unique enfant à avoir échappé aux Enfourneurs et qu'elle détenait de redoutables secrets ; d'autres prétendaient que ce n'était pas une enfant humaine, mais un couple d'esprits déguisés sous la forme d'une fillette et d'un dæmon, envoyés dans ce monde par des forces infernales afin de répandre le chaos. Selon une autre rumeur, il ne s'agissait pas d'un enfant mais d'un adulte, rapetissé par magie, à la solde des Tartares, et venu espionner le bon peuple anglais dans le but de préparer la voie pour une invasion tartare.

Lyra écouta toutes ces histoires, d'abord avec amusement, puis avec consternation. Tous ces gens qui la haïssaient et la craignaient ! En outre, elle avait hâte de quitter sa cabine exiguë et étouffante. Elle aurait voulu être déjà arrivée dans le Nord, dans les tempêtes de neige, sous une Aurore flamboyante. À d'autres moments, elle se languissait de Jordan College ; grimper sur les toits avec Roger, entendre la cloche de l'Intendant annoncer que le repas aurait lieu dans une demi-heure, le vacarme, le bourdonnement et les cris des Cuisines lui manquaient... Surtout, elle aurait tant voulu que rien n'ait changé, que rien ne change jamais, pouvoir rester pour toujours la petite Lyra de Jordan College.

L'unique chose qui réussissait à l'arracher à son ennui et à sa mauvaise humeur, c'était l'aléthiomètre. Elle l'interrogeait chaque jour, parfois en compagnie de Farder Coram, parfois seule, et s'apercevait qu'elle accédait de plus en plus facilement à cet état de sérénité dans lequel la signification des symboles devenait évidente, et elle voyait apparaître les immenses chaînes montagneuses au loin, éclairées par le soleil.

Elle essaya, péniblement, d'expliquer à Farder Coram ce qu'elle ressentait.

— C'est un peu comme si on parlait à quelqu'un, seulement on n'entend pas cette personne et on se sent idiot, car elle est beaucoup plus intelligente que vous, et elle ne se met pas en colère, ni rien... Elle sait tant de choses ! C'est comme si elle savait tout, ou presque. Mme Coulter était intelligente elle aussi, elle connaissait un tas de choses, mais là il s'agit d'une autre forme de connaissance... C'est plus de la compréhension, je dirais...

Farder Coram posait des questions, et Lyra essayait de trouver les réponses.

—Que fait Mme Coulter à cet instant? demandait-il, et Lyra actionnait aussitôt les aiguilles.

—Explique-moi ce que tu fais.

—Eh bien, la Madone représente Mme Coulter, et je pense à ma mère quand je place l'aiguille à cet endroit. La fourmi, ça veut dire « très affairée », c'est facile, car c'est le premier sens. Quant au sablier, on trouve l'idée du Temps, dont le présent fait partie, et je me concentre sur cette notion.

—Mais comment fais-tu pour trouver les bonnes significations?

—Je les vois. Ou plutôt, je les sens; c'est un peu comme descendre une échelle en pleine nuit: on pose son pied et on sent un autre barreau en dessous. Je fais marcher mon esprit, je découvre un autre sens et, à ce moment-là, je sens que c'est le bon. Ensuite, je les assemble. Il y a une astuce, comme plisser les yeux pour mieux voir.

—Alors, vas-y, et voyons ce que ça nous dit.

Lyra s'exécuta. La grande aiguille s'agita immédiatement, puis s'arrêta, repartit, s'arrêta de nouveau, alternant ainsi, de manière précise, les déplacements et les pauses. Il y avait là une telle sensation de grâce et de force, que Lyra avait l'impression d'être un oisillon qui apprend à voler. Farder Coram, penché de l'autre côté de la table, nota les endroits où l'aiguille s'arrêtait; il vit la fillette écarter ses cheveux de son visage et se mordiller la lèvre inférieure, tandis que ses yeux suivaient tout d'abord l'aiguille, puis, lorsque son chemin fut tracé, ils balayèrent la surface du cadran. Mais pas au hasard, constata Farder Coram. En tant que joueur d'échecs, il savait comment les adeptes de ce jeu observaient une partie en cours. Un excellent joueur semblait discerner des lignes de force et d'influence sur le plateau; il s'intéressait aux lignes les plus fortes et ignorait les autres. Or, les yeux de Lyra bougeaient de la même façon, en fonction d'un champ magnétique qu'elle seule percevait.

L'aiguille s'arrêta successivement devant l'éclair, l'enfant, le serpent, l'éléphant et un animal dont Lyra ignorait le nom: une sorte de lézard avec des yeux globuleux et une longue queue enroulée autour de la branche sur laquelle il se tenait. L'aiguille répéta plusieurs fois cet enchaînement, sous le regard de Lyra.

—Que signifie ce lézard? demanda Farder Coram, rompant la concentration de la fillette.

—Ça n'a pas de sens... Je vois bien ce qu'indique l'aiguille, mais je dois me tromper dans l'interprétation. L'éclair symbolise la colère, je pense.

L'enfant... c'est sans doute moi... J'étais sur le point de deviner la signification du lézard, mais vous m'avez parlé au même moment, et je l'ai perdue.
Vous voyez, l'aiguille se promène n'importe où.

—Oui, je vois ça. Je suis désolé de t'avoir déconcentrée, Lyra. Tu es fatiguée ? Veux-tu t'arrêter ?

—Non, continuons, dit-elle, mais elle avait les joues rouges et les yeux
brillants.

Elle présentait tous les signes de la surexcitation, aggravée par le long
enfermement dans cette cabine étouffante.

Le vieil homme regarda par le hublot. Dehors, il faisait presque nuit et ils
parcouraient la dernière portion de voie navigable avant d'atteindre la côte.
L'immensité plate d'un estuaire, couvert d'écume brunâtre, s'étendait sous
un ciel morne, jusqu'à un groupe de citernes d'alcool de charbon, rouillées
et cernées de tuyaux, à côté d'une raffinerie d'où s'échappait une épaisse
fumée qui s'élevait lentement pour rejoindre les nuages.

—Où sommes-nous ? demanda Lyra. Dites, Farder Coram, est-ce que je
pourrais sortir, juste un peu ?

—Nous sommes près de Colby, répondit le vieil homme. Dans l'estuaire
de la rivière Cole. Quand nous atteindrons la ville, nous arrimerons la
péniche près du Marché Fumoir et nous rejoindrons le port à pied. Nous y
serons dans une heure ou deux...

Mais la nuit était presque tombée et, dans ce vaste paysage de désolation
autour de la rivière, rien ne bougeait, à l'exception de leur embarcation et
d'une barge transportant du charbon, au loin, en direction de la raffinerie.
Lyra paraissait si fatiguée, elle donnait l'impression de tant étouffer à force
de rester enfermée... que Farder Coram dit :

—Bah, je suppose que tu peux sortir prendre l'air quelques minutes. Je
ne dis pas de l'air frais, car nous ne sommes pas au large, mais tu peux
t'asseoir sur le pont et regarder le paysage jusqu'à ce qu'on approche de la
ville.

Lyra se leva d'un bond, et Pantalaimon se transforma immédiatement en
mouette, impatiente d'étirer ses ailes. Il faisait froid dehors et, bien qu'emmitouflée, Lyra frissonna. Pantalaimon, lui, s'élança dans les airs en poussant un croassement de joie ; il tournoya dans le ciel, rasa les flots, filant
devant le bateau, passant ensuite derrière la poupe. Lyra partageait son
exultation ; elle l'incitait mentalement à défier à la course le dæmon-cormoran du vieil homme qui tenait la barre. Mais celui-ci l'ignora et vint se
poser en douceur sur le gouvernail, tout près de son humain.

Il n'y avait aucune trace de vie dans ce paysage brun et terne ; seuls le
halètement régulier du moteur et le clapotis de l'eau sous la proue brisaient

l'immensité du silence. Des nuages bas flottaient dans le ciel, sans offrir de pluie ; en dessous, le ciel était chargé de fumée. Seule l'élégance éblouissante du vol de Pantalaimon était porteuse de vie et de joie.

Au moment où il s'élevait en flèche dans les airs, à la sortie d'un plongeon en piqué, ses ailes blanches déployées se détachant dans le gris du ciel, il fut soudain frappé en plein vol par un objet noir et il bascula sur le côté, choqué et meurtri. Lyra poussa un grand cri, victime de la même douleur intense. Une seconde petite chose noire rejoignit la première ; elles ne se déplaçaient pas comme des oiseaux, mais plutôt comme des insectes au vol pesant, rectiligne, et bourdonnant.

Tandis que Pantalaimon chutait, essayant désespérément de modifier sa trajectoire pour atteindre le bateau et les bras tendus de Lyra, les créatures noires continuaient à l'assaillir, vombrissantes et meurtrières. Terrassée par sa propre peur et celle de Pantalaimon, Lyra vit soudain quelque chose passer devant elle et s'élever dans le ciel.

C'était le dæmon du vieil homme à la barre, et bien qu'il parût maladroit et lourd, il évoluait avec puissance et rapidité. Le cormoran donna des coups de bec à droite et à gauche ; il y eut un battement d'ailes noires, une tache blanche fugitive, et une petite chose noire s'écrasa sur le toit goudronné de la cabine, aux pieds de Lyra, juste au moment où Pantalaimon tombait dans ses mains tendues.

Avant qu'elle n'ait eu le temps de le réconforter, il reprit son apparence de chat sauvage pour se jeter sur la créature qui cherchait à fuir en rampant. Il l'immobilisa fermement avec ses griffes acérées et leva les yeux vers le ciel qui s'assombrissait : le dæmon-cormoran, tournoyant de plus en plus haut, essayait de repérer la deuxième créature.

Soudain, l'oiseau redescendit à toute vitesse et croassa quelques mots au vieil homme, qui s'écria :

— Elle s'est enfuie ! Ne laissez pas s'enfuir l'autre. Tenez...

Il vida d'un trait le gobelet de fer-blanc qu'il tenait à la main et le lança à Lyra.

Celle-ci le plaqua immédiatement sur la créature. Sous le gobelet, la chose bourdonnait et grondait comme une petite machine.

— Ne bouge pas, ordonna Farder Coram dans son dos, et il s'agenouilla pour glisser un bout de carton sous le gobelet.

— C'est quoi ? demanda Lyra d'une voix tremblante.

— Descendons dans la cabine pour y jeter un œil. Fais bien attention, surtout. Ne la laisse pas s'échapper.

En passant, elle regarda le dæmon du vieil homme à la barre, car elle aurait voulu le remercier, mais le cormoran avait les yeux fermés. Alors, elle remercia le marin.

—Tu ferais mieux de rester dans la cabine, petite, telle fut sa réponse.

Elle descendit dans la cabine avec le gobelet. Farder Coram avait trouvé un verre à bière. Il renversa le gobelet au-dessus du verre et ôta le carton pour faire tomber la créature au fond du verre. Il le leva dans la lumière afin d'examiner la petite chose furieuse.

De la taille du pouce de Lyra environ, elle n'était pas noire, mais vert foncé. Ses élytres étaient dressés, comme une coccinelle sur le point de s'envoler et, en dessous, ses ailes battaient si violemment qu'elles formaient une tache floue. Ses petites pattes à six griffes raclaient le verre lisse.

—C'est quoi ? répéta-t-elle.

Pantalaimon, toujours chat sauvage, était tapi sur la table, à moins de dix centimètres ; ses yeux verts suivaient les mouvements de la créature à l'intérieur du verre.

—Si tu l'ouvrais en deux, dit Farder Coram, tu ne trouverais aucun organisme vivant. Ni animal ni insecte en tout cas. J'ai déjà vu une de ces bestioles, mais je ne pensais pas en trouver si haut vers le nord. Ça vient d'Afrique. Il y a un mécanisme d'horloge qui fonctionne à l'intérieur, et sur le ressort est fixé un mauvais esprit, frappé d'un maléfice.

—Qui l'a envoyé jusqu'ici ?

—Inutile de déchiffrer les symboles de l'aléthiomètre, Lyra. Tu peux le deviner aussi aisément que moi.

—Mme Coulter ?

—Évidemment. Elle n'a pas exploré seulement le Nord ; on trouve beaucoup de choses étranges dans les contrées sauvages du Sud. C'est au Maroc que j'ai vu une de ces créatures. Elles représentent un danger mortel. Tant que l'esprit vit à l'intérieur, elle ne s'arrêtera pas, et si par malheur tu libères l'esprit, celui-ci jaillira avec une telle fureur qu'il tuera le premier être vivant qui se trouvera sur son chemin.

—Mais que venait-il faire ?

—Espionner, pardi ! Quel triple idiot j'ai été de te laisser sortir. Et j'aurais dû te laisser analyser tranquillement les symboles, sans te déranger.

—Ça y est, je comprends, maintenant ! s'exclama Lyra avec une excitation soudaine. Le lézard signifie « air » ! Je l'avais bien vu, mais je ne saisissais pas le sens, et quand j'ai essayé de comprendre, ça m'a échappé.

—Ah, fit Farder Coram, je comprends moi aussi. Mais ce n'est pas un lézard, voilà pourquoi. C'est un caméléon ! Et cet animal représente l'air, car il ne mange pas et ne boit pas, il se nourrit d'air.

—Et l'éléphant...

—C'est l'Afrique !

Ils se regardèrent. Chaque nouvelle preuve des pouvoirs de l'aléthio-mètre les impressionnait et les effrayait.

—Il nous a prévenus depuis le début, dit Lyra. On aurait mieux fait de l'écouter. Mais que va-t-on faire de cette créature, maintenant ? On peut la tuer ?

—Je ne crois pas qu'on puisse faire quoi que ce soit. Il va falloir l'enfermer solidement dans une boîte, et veiller à ne pas la laisser sortir. Mais je m'in-quiète surtout de ce que l'autre ait réussi à s'enfuir. Elle va retourner auprès de Mme Coulter, pour lui annoncer qu'elle t'a vue. Ah, quel imbécile je fais !

Fouillant dans un placard, il dénicha un petit tube en fer d'environ cinq centimètres de diamètre. Il servait à ranger des vis, mais le vieil homme les fit glisser en inclinant le tube et essuya l'intérieur avec un chiffon, avant de le coiffer avec le verre de bière, sans ôter le carton.

La créature parvint à sortir une patte et à repousser le tube avec une force surprenante, mais ils réussirent finalement à l'enfermer et à revisser solide-ment le couvercle.

—Dès que nous serons à bord du bateau, je souderai le couvercle pour plus de sécurité, dit Farder Coram.

—Le mécanisme ne s'arrête donc jamais ?

—Un mécanisme ordinaire, si. Mais comme je te l'ai expliqué, celui-ci est remonté en permanence par l'esprit fixé sur le ressort. Plus il se débat, plus le ressort est tendu, et plus il a de force. Pour l'instant, rangeons cette sale bestiole dans un coin...

Il enveloppa le tube dans un morceau de flanelle pour étouffer le bour-donnement incessant, et le glissa sous sa couchette.

La nuit était tombée, et Lyra regardait à travers le hublot les lumières de Colby qui se rapprochaient. L'air étouffant s'épaississait et se transformait en brume, et quand enfin ils s'amarrèrent à l'appontement, le long du mar-ché, tout autour d'eux leur sembla atténué et flou. L'obscurité avait étendu des voiles gris argenté et nacrés sur les entrepôts et les grues, sur les étals en bois et le bâtiment en granit aux nombreuses cheminées qui avait donné son nom au Marché Fumoir, et où nuit et jour on fumait des poissons sus-pendus dans la bonne odeur du bois de chêne. Les cheminées contribuaient à épaissir l'air moite, et l'agréable puanteur des harengs, des maquereaux et du haddock fumés semblait émaner des pavés eux-mêmes.

Enveloppée dans un ciré, coiffée d'une grande capuche pour cacher ses cheveux, Lyra marchait entre Farder Coram et le vieux marinier. Leurs trois dæmons, aux aguets, avançaient en éclaireur à chaque intersection et sur-veillaient les arrières, guettant le moindre bruit de pas.

Mais il n'y avait pas d'autre silhouette que les leurs. Tous les habitants de Colby étaient enfermés chez eux, sans doute en train de boire du genièvre à côté des poêles grondants. Ils atteignirent le quai sans voir personne, et là, le premier homme qu'ils aperçurent, ce fut Tony Costa qui montait la garde à l'entrée.

—Dieu soit loué, vous voilà, dit-il à voix basse, en s'écartant pour les laisser passer. On vient d'apprendre que Jack Verhœven a été abattu et son bateau coulé, et personne ne savait où vous étiez. John Faa est déjà à bord, impatient de lever l'ancre.

Ce navire paraissait immense à Lyra : une timonerie et une cheminée au centre, un gaillard d'avant et un robuste mât de charge au-dessus d'une écoutille recouverte d'une bâche ; des lumières jaunes derrière les hublots et la passerelle, des lumières blanches à la tête de mât, et trois ou quatre hommes sur le pont, accomplissant avec précipitation des gestes qu'elle ne distinguait pas.

Devant Farder Coram, Lyra s'empressa de gravir la passerelle en bois, en jetant autour d'elle des regards curieux. Prenant l'apparence d'un singe, Pantalaimon escalada immédiatement le mât de charge, mais elle l'obligea à revenir immédiatement ; Farder Coram tenait à ce qu'ils descendent dans la cabine.

Au pied d'un escalier s'ouvrait un petit salon, où John Faa discutait tranquillement avec Nicholas Rokeby, le gitan nommé capitaine du bateau. John Faa n'agissait jamais à la hâte. Lyra attendait impatiemment qu'il l'accueille à bord, mais il prit le temps d'achever ses remarques concernant la marée et le pilotage avant de se tourner enfin vers les nouveaux arrivants.

—Bonsoir, mes amis, dit-il. Le pauvre Jack Verhœven est mort, vous le savez peut-être. Ses hommes ont été capturés.

—Nous avons de mauvaises nouvelles nous aussi, annonça Farder Coram.

Et il narra leur rencontre avec les esprits volants.

John Faa secoua sa tête altière, sans toutefois leur faire de reproches.

—Où est la créature ? demanda-t-il.

Farder Coram sortit de sa poche le tube en fer et le déposa sur la table. Le bourdonnement qui s'en échappait était si violent que le tube se déplaçait lentement sur la surface en bois.

—J'ai entendu parler de ces saletés mécaniques, mais je n'en avais encore jamais vu, commenta John Faa. Je sais cependant qu'il est impossible de les dompter ou de les renvoyer d'où elles viennent. Inutile également de lester ce tube de plomb pour le jeter au fond de l'océan, car un jour, il sera rongé par la rouille et l'esprit maléfique s'en échappera pour s'attaquer à Lyra, où qu'elle soit. Non, nous allons devoir le garder avec nous et faire preuve de vigilance.

Lyra étant la seule personne du sexe féminin à bord (John Faa avait fina-lement renoncé, après mûre réflexion, à emmener des femmes), elle dispo-sait d'une cabine individuelle. Une toute petite cabine néanmoins, à peine plus grande qu'un placard, avec une couchette et un hublot. Elle rangea ses affaires dans le tiroir sous sa couchette et s'empressa de remonter sur le pont, tout excitée, impatiente de s'accouder au garde-fou pour regarder l'Angleterre disparaître derrière eux. Mais la majeure partie de la côte s'était déjà dissipée dans le brouillard.

Le vacarme de l'eau tout en bas, le souffle de l'air, les lumières du bateau qui brillaient vaillamment dans le noir, le grondement du moteur, les odeurs d'iode, de poisson et de charbon étaient heureusement suffisam-ment excitants en eux-mêmes. Et bientôt, une autre sensation, moins agréable, s'y ajouta, tandis que le navire commençait à tanguer sur les flots de l'Océan Allemand. Quand quelqu'un appela Lyra pour lui dire de des-cendre manger, la fillette s'aperçut qu'elle avait moins faim qu'elle ne l'avait cru et, finalement, elle se dit qu'il serait peut-être préférable de s'al-longer, par égard pour Pantalaimon, car le pauvre ne se sentait pas très bien. Ainsi débuta le grand voyage vers le Nord.

BOLVANGAR

DEUXIÈME PARTIE

Chapitre 10
Le consul et l'ours

John Faa et les autres chefs de l'expédition avaient décidé de se rendre à Trollesund, principal port de Laponie. Les sorcières possédaient un consulat en ville, et John Faa savait que sans leur aide, ou du moins sans leur neutralité bienveillante, il serait impossible de sauver les enfants prisonniers. Il exposa son projet à Lyra et Farder Coram le lendemain, lorsque le mal de mer de la fillette se fut légèrement atténué. Le soleil brillait de mille feux, les vagues vertes venaient frapper la proue du bateau, puis battaient en retraite en emportant des traînées d'écume. Debout sur le pont, fouettée par le vent du large, face à la mer scintillante, Lyra se sentait déjà beaucoup mieux ; et maintenant que Pantalaimon avait découvert la joie d'être une mouette, ou un pétrel qui volait en rase-mottes au-dessus de la crête des vagues, Lyra était trop absorbée par le bonheur de son dæmon pour s'apitoyer sur ses petites misères de marin d'eau douce.

John Faa, Farder Coram et deux ou trois autres personnes s'étaient réunis à la proue du bateau, en plein soleil, pour évoquer la suite des événements.

— Farder Coram connaît ces sorcières de Laponie, expliqua John Faa. Et, si je ne m'abuse, elles ont une dette envers lui.

— C'est exact, John, dit le vieil homme. En fait, cette histoire date d'il y a quarante ans, mais ce n'est rien pour une sorcière. Certaines vivent quatre fois plus longtemps que ça.

— D'où vient cette dette, Farder Coram ? demanda Adam Stefanski, le responsable des troupes de combat.

— J'ai sauvé la vie à une sorcière, expliqua Farder Coram. Elle est tombée du ciel brusquement, pourchassée par un énorme oiseau rouge, comme je n'en avais jamais vu. Blessée, elle a plongé dans les marais, et je me suis mis à sa recherche. Elle allait se noyer lorsque je l'ai hissée à bord de mon bateau. J'ai tué l'oiseau, mais il est tombé à pic au fond des marécages, à mon grand regret, car il était gros comme un butor et rouge comme le feu.

—Oh... firent les hommes autour de lui, captivés par son récit.

—Quand j'ai recueilli cette sorcière sur mon bateau, reprit Farder Coram, j'ai eu le plus grand choc de ma vie, car figurez-vous que cette jeune femme n'avait pas de dæmon !

Il avait dit cela comme s'il avait dit : « Elle n'avait pas de tête ! » Cette simple idée était répugnante. Les hommes frissonnèrent, leurs dæmons se hérissèrent, secouèrent leurs plumes ou poussèrent des croassements méchants, et les hommes durent les calmer. Pantalaimon se blottit contre la poitrine de Lyra, et leurs deux cœurs battirent à l'unisson.

—Du moins, reprit Farder Coram, c'est l'impression que j'ai eue. Étant donné qu'elle était tombée du ciel, j'ai deviné que c'était une sorcière. Elle avait pourtant l'apparence d'une jeune femme, plus mince que certaines et plus jolie que la plupart, mais cette absence de dæmon me fichait une sacrée frousse.

—Ça veut dire qu'elles n'ont pas de dæmons, les sorcières ? demanda l'autre homme, Michael Canzona.

—Leurs dæmons sont invisibles, voilà tout, répondit Adam Stefanski. En fait, il était là, près d'elle, mais Farder Coram ne l'a pas vu.

—Non, tu as tort, Adam, dit Farder Coram. Son dæmon n'était pas là. Vois-tu, les sorcières ont le pouvoir de se séparer de leurs dæmons, contrairement à nous. En cas de besoin, elles peuvent même les envoyer dans un autre pays, portés par le vent ou sur des nuages, ou même sous la mer. D'ailleurs, cette sorcière que j'avais sauvée se reposait depuis moins d'une heure quand son dæmon est revenu à tire-d'aile, car il avait senti sa peur et sa souffrance. Et j'ai le sentiment, bien qu'elle ne l'ait jamais avoué, que cet énorme oiseau rouge que j'avais tué était le dæmon d'une autre sorcière, qui la pourchassait. Ah, Seigneur ! Rien que d'y penser, j'en tremblais. J'aurais dû retenir mon geste, mais trop tard, le mal était fait. En tout cas, je lui avais sauvé la vie, aucun doute là-dessus, et pour me le confirmer, elle déclara que je pouvais réclamer son aide en cas de besoin. Et en effet, elle a volé à mon secours le jour où les Skraelings m'ont blessé avec une flèche empoisonnée. Nous avons eu d'autres contacts ensuite... Je ne l'ai pas revue depuis de nombreuses années, mais elle n'aura pas oublié.

—Elle vit à Trollesund ?

—Non, non. Les sorcières vivent dans les forêts et la toundra, pas dans un port au milieu des hommes et des femmes. Leur univers, c'est la nature. Malgré tout, elles ont un consulat en ville, et je pourrai la contacter, n'ayez crainte.

Lyra aurait voulu en savoir beaucoup plus sur les sorcières ; hélas, les hommes parlèrent ensuite des problèmes de carburant et de provisions et, finalement, elle eut très envie de découvrir le reste du bateau. Marchant sur le pont en direction de la proue, elle fit bientôt la connaissance d'un matelot, en lui lançant les pépins de la pomme qu'elle avait mangée au petit déjeuner et qu'elle avait gardés. C'était un robuste gaillard au tempérament placide, et après avoir échangé quelques jurons, ils devinrent d'excellents amis. Il s'appelait Jerry. Sur ses conseils, Lyra découvrit que le fait de s'occuper empêchait d'avoir le mal de mer, et que même une tâche ingrate comme nettoyer le pont pouvait être agréable, si on l'accomplissait dans l'esprit d'un marin. Cette idée l'enchanta et, dès lors, elle plia les couvertures sur sa couchette comme l'aurait fait un marin, elle rangea ses affaires dans le placard comme un marin, et se mit à employer des termes de marine.

Après deux jours passés en mer, Lyra décréta que cette vie était faite pour elle. Devenue maître du bateau, de la salle des machines jusqu'au pont, elle connut rapidement tous les membres de l'équipage par leur prénom. Le capitaine Rokeby l'autorisa à adresser un signal à une frégate hollandaise en actionnant la poignée du sifflet ; le cuistot accepta son aide pour préparer le plum-pudding, et seule l'intervention sévère de John Faa l'empêcha de grimper au mât de misaine pour scruter l'horizon du haut du nid-de-pie.

Ils voguaient droit vers le nord, et chaque jour, il faisait un peu plus froid. On fouilla dans les réserves du bateau pour trouver un ciré que l'on pourrait couper à la taille de Lyra, et Jerry lui enseigna l'art de la couture, une activité qu'elle apprit de bon cœur, après l'avoir pourtant rejetée avec mépris du temps de Jordan College, quand elle refusait d'écouter les instructions de Mme Lonsdale. Ensemble, ils confectionnèrent pour l'aléthiomètre un petit sac étanche qu'elle pourrait porter à la taille. Au cas où elle tomberait à l'eau, dit-elle. Le sac accroché à la ceinture, vêtue de son ciré et coiffée de son chapeau imperméable, elle agrippait le garde-fou, face à l'écume cinglante qui passait par-dessus la proue et se répandait sur le pont. Parfois, elle souffrait encore un peu du mal de mer, surtout quand le vent se levait et que le bateau piquait du nez en transperçant les immenses vagues gris-vert. Dans ces moments-là, c'était à Pantalaimon qu'il incombait de la distraire en frôlant la surface de l'eau sous la forme d'un pétrel, car Lyra sentait la joie infinie qu'il éprouvait au milieu des bourrasques de vent et d'eau salée, et elle en oubliait ses nausées. De temps à autre, il essayait même de devenir poisson, et une fois, il se joignit à un banc de dauphins, à leur vif étonnement et pour leur plus grand plaisir. Frissonnante sur le gaillard d'avant, Lyra riait joyeusement de voir son Pantalaimon adoré, agile et puissant, jaillir hors de l'eau en même temps qu'une demi-douzaine d'autres formes grises insaisissables. Pourtant, son plaisir se teintait de douleur et de peur, car elle s'interrogeait : et s'il cessait de l'aimer pour devenir dauphin ?

Son ami le matelot se trouvait près d'elle à ce moment-là, occupé à tendre une bâche au-dessus de l'écoutille avant, et il s'interrompit pour regarder le dæmon de la fillette batifoler avec les dauphins. Son propre dæmon, une mouette, perchée sur le cabestan, avait enfoui sa tête sous son aile. Le marin savait ce que ressentait Lyra.

—Je me souviens, la première fois où j'ai pris la mer, mon Belisaria n'avait pas adopté une forme définitive, car j'étais encore jeune, et il adorait se transformer en marsouin. J'avais peur qu'il garde cette apparence. Sur mon premier bateau, il y avait un vieux marin qui ne pouvait jamais descendre à terre, car son dæmon était devenu définitivement dauphin, et impossible pour lui de sortir de l'eau. C'était un formidable marin, le meilleur navigateur que j'aie connu ; il aurait pu gagner une fortune avec la pêche, pourtant, il n'était pas content de son sort. Il n'a jamais été heureux, jusqu'à ce qu'il meure et qu'on jette son corps dans la mer.

—Pourquoi est-ce que les dæmons ne peuvent plus changer au bout d'un moment ? demanda Lyra. Moi, je veux que Pantalaimon puisse continuer à changer. Et lui aussi.

—Il en a toujours été ainsi, et il en sera toujours ainsi. Ça fait partie du passage à l'âge adulte. Viendra le moment où tu te fatigueras de ses changements incessants, et tu voudras qu'il adopte une apparence définitive.

—Non, jamais !

—Oh que si. Tu auras envie de grandir, comme toutes les filles. D'ailleurs, cette apparence fixe a aussi des avantages.

—Ah bon ? Lesquels ?

—Tu sais enfin qui tu es vraiment. Prends ce vieux Belisaria. C'est une mouette, ça veut dire que je suis une sorte de mouette moi aussi. Certes, je ne suis pas majestueux, ni splendide, ni beau, mais je suis un gars résistant, je peux survivre n'importe où, je sais toujours trouver un peu de nourriture et un peu de compagnie. C'est bon à savoir. Le jour où ton dæmon prendra une forme définitive, tu sauras enfin qui tu es.

—Supposons que le dæmon choisisse une apparence qui ne nous plaît pas ?

—Eh bien, tu n'es pas content, voilà. Tu sais, il y a un tas de gens qui aimeraient avoir un lion pour dæmon et qui se retrouvent avec un caniche. Et tant qu'ils n'auront pas appris à se satisfaire de ce qu'ils sont, ils ne connaîtront pas la paix. Ah, quel gâchis !

Mais Lyra avait le sentiment qu'elle ne grandirait jamais.

Et puis, un beau matin, une odeur différente flotta dans l'air : le bateau
avançait bizarrement, en tanguant de manière plus prononcée, au lieu de
s'élever à la crête des vagues et de retomber. À peine réveillée, Lyra monta
sur le pont pour contempler avidement le paysage : quel étrange spectacle
après toute cette eau, car bien qu'ils n'aient navigué que quelques jours, elle
avait l'impression d'être restée en mer pendant des mois. Juste devant le
bateau se dressait une montagne, tapissée d'arbres et coiffée de neige, qui
dominait une petite ville et un port minuscule situé juste en dessous. On
apercevait des maisons de bois aux toits pointus, le clocher d'un oratoire,
des grues dans le port, et des nuages de mouettes qui tournoyaient dans le
ciel en criant. Il régnait une forte odeur de poisson, mélangée à des odeurs
terrestres : la résine de pin, l'humus, et quelque chose d'animal, de musqué,
et autre chose encore, froid, vif et sauvage, peut-être de la neige. C'était
l'odeur du Nord.

Des phoques venaient folâtrer autour du bateau, montrant leur tête de
clown à la surface de l'eau, avant de replonger, sans une éclaboussure. Le
vent glacial qui arrachait l'écume au sommet des vagues couronnées de
blanc cherchait à s'engouffrer dans le ciré de Lyra. Bientôt, elle eut les mains
en feu et le visage engourdi. Pantalaimon, devenu hermine, lui réchauffait
le cou avec sa fourrure ; malgré tout, il faisait trop froid pour rester dehors
sans s'activer, même pour admirer les phoques, et Lyra redescendit manger
son porridge, en regardant dehors à travers le hublot.

Dans le port, l'eau était calme, et lorsqu'ils eurent franchi l'imposante
digue, Lyra fut comme déséquilibrée par la disparition du tangage et du
roulis. Avec Pantalaimon, ils regardèrent avec impatience le bateau progresser vers le quai, lentement, centimètre après centimètre. Au cours de
l'heure suivante, le vacarme des moteurs s'atténua pour ne plus être qu'un
ronronnement ; des voix puissantes aboyèrent des ordres, on lança des
cordes, on abaissa des passerelles, on ouvrit des écoutilles.

— Allez, viens, Lyra, dit Farder Coram. Toutes tes affaires sont rassemblées ?

En vérité, les quelques affaires que possédait Lyra étaient déjà emballées
depuis que, en se réveillant, elle avait découvert la côte. Il lui suffisait de
courir dans sa cabine pour prendre son sac et elle était prête.

La première chose que Farder Coram et Lyra firent en débarquant fut de
se rendre au siège du Consulat des Sorcières. Il ne leur fallut pas longtemps

pour le trouver, car toute la petite ville s'était regroupée autour du port, l'Oratoire et la maison du gouverneur étant les deux seuls bâtiments d'importance. Le Consul des Sorcières habitait une maison de bois peinte en vert, avec vue sur la mer, et quand ils sonnèrent à la porte, la clochette tinta bruyamment dans la rue silencieuse.

Un domestique les fit entrer dans un petit salon et leur apporta du café. Finalement, le Consul en personne vint les accueillir. C'était un homme obèse au visage rubicond, vêtu d'un costume noir strict, et nommé Martin Lanselius. Son dæmon était un serpent de petite taille, d'un vert aussi intense et brillant que les yeux de son humain, qui étaient, en vérité, la seule chose en lui qui évoquait les sorcières, même si Lyra ne savait pas trop à quoi devait ressembler une sorcière.

—Eh bien, que puis-je pour vous, Farder Coram? demanda-t-il.

—Deux choses, docteur Lanselius. Premièrement, j'ai hâte d'entrer en contact avec la sorcière que j'ai rencontrée il y a quelques années, dans la région des Fens, à l'est de l'Anglia. Elle s'appelle Serafina Pekkala.

Le Dr Lanselius prit note avec un stylo en argent.

—À quand remonte cette rencontre? s'enquit-il.

—Une quarantaine d'années, dirais-je. Mais je pense qu'elle se souvient de moi.

—Et quelle est cette deuxième chose que vous vouliez me demander?

—Je représente un certain nombre de familles de gitans qui ont perdu leurs enfants. Or, nous avons des raisons de croire qu'une organisation capture ces enfants, les nôtres et d'autres aussi, afin de les emmener dans le Nord, pour un motif encore inconnu. J'aimerais savoir si vous-même ou vos congénères avez entendu parler de tels faits.

Le Dr Lanselius sirota son café d'un air précieux.

—Il n'est pas impossible, en effet, que nous ayons eu connaissance de cette activité, répondit-il. Mais vous vous doutez bien que les relations entre mon peuple et les Habitants du Nord sont très cordiales. Il serait mal venu de provoquer des tensions.

Farder Coram acquiesça, comme s'il comprenait parfaitement.

—Évidemment, dit-il. Et il serait inutile de vous demander s'il me serait possible d'obtenir ce renseignement par un autre biais. C'est pourquoi j'ai commencé par vous parler de mon amie la sorcière.

Ce fut au tour du Dr Lanselius d'acquiescer, comme si lui aussi comprenait. Lyra assistait à ce petit jeu avec un mélange d'étonnement et de respect. Un tas de choses se déroulaient sous la surface des mots, et finalement, elle sentit que le Consul des Sorcières avait pris une décision.

—Très bien, dit-il. Évidemment, vous savez que votre nom ne nous est pas inconnu, Farder Coram. Serafina Pekkala est la reine d'un clan de sorcières de la région du lac Enara. Concernant votre autre question, il va sans dire que ce renseignement ne vient pas de moi.

—Bien entendu.

—Eh bien, il existe dans cette ville une ramification d'une organisation baptisée la Compagnie d'Exploration du Nord, qui prétend chercher du minerai, mais est en réalité contrôlée par un organisme nommé le Conseil Général d'Oblation, installé à Londres. Or, je sais que cette organisation importe des enfants. C'est une chose que peu de gens savent en ville ; le gouvernement de Norrovège n'est pas au courant, officiellement. Il est vrai que les enfants ne restent pas longtemps ici ; on les envoie quelque part ensuite, vers l'intérieur du pays.

—Savez-vous où précisément, docteur Lanselius ?

—Non. Je vous le dirais si je le savais.

—Et savez-vous ce qu'on leur fait là-bas ?

Pour la première fois, le Dr Lanselius se tourna vers Lyra. Celle-ci lui rendit son regard. Le petit dæmon-serpent vert dressa la tête dans le cou du Consul et lui chuchota quelque chose à l'oreille en agitant sa langue fourchue.

Le Consul déclara :

—J'ai entendu prononcer l'expression «Méthode de Maystadt» dans le cadre de cette affaire. Je pense qu'ils utilisent ces mots pour éviter de désigner ce qu'ils font par son véritable nom. J'ai également entendu le mot «intercision», mais je ne saurais dire de quoi il s'agit.

—Certains de ces enfants sont-ils en ville en ce moment ? demanda Farder Coram.

Il caressait la fourrure de son dæmon assis sur ses genoux, aux aguets. Lyra remarqua que le félin avait cessé de ronronner.

—Non, je ne pense pas, dit le Dr Lanselius. Un groupe d'une douzaine d'enfants est arrivé il y a une semaine, mais ils sont repartis avant-hier.

—Ah ! Pas plus ? Voilà qui nous donne un peu d'espoir. Comment voyagent-ils, docteur Lanselius ?

—En traîneau.

—Et vous ne savez pas du tout où ils sont allés ?

—Non. Ce n'est pas une chose qui nous préoccupe, je l'avoue.

—Évidemment. Vous avez répondu à toutes mes questions avec beaucoup de franchise, monsieur, et voici la dernière. À ma place, quelle question poseriez-vous au Consul des Sorcières ?

Pour la première fois, le Dr Lanselius sourit.

—Je lui demanderais où je peux obtenir les services d'un ours en armure, dit-il.

Lyra se redressa sur son siège ; elle sentit le cœur de Pantalaimon faire un bond dans ses mains.

— J'avais cru comprendre que les ours en armure étaient justement au service du Conseil d'Oblation, s'étonna Farder Coram. Enfin, la Compagnie d'Exploration du Nord, ou je ne sais quoi.

— Il y en a au moins un qui n'est pas à leur service. Vous le trouverez au dépôt de traîneaux, tout au bout de Langlokur Street. C'est là-bas qu'il travaille en ce moment, mais il a si mauvais caractère et il fait tellement peur aux chiens qu'il risque de perdre sa place rapidement.

— C'est un renégat ?

— Oui, apparemment. Il s'appelle Iorek Byrnison. Vous vouliez savoir ce que je poserais comme question, je vous ai répondu. Et je vais même vous dire ce que je ferais : je sauterais sur cette occasion inespérée d'engager un ours en armure.

Lyra avait du mal à rester en place. Mais Farder Coram qui connaissait les rites propres à ce genre de discussion reprit un autre gâteau au miel et aux épices sur le plateau. Pendant qu'il le dégustait, le Dr Lanselius se tourna vers Lyra.

— Je crois savoir que tu as en ta possession un aléthiomètre, dit-il, au grand étonnement de la fillette, qui se demandait comment il pouvait être au courant.

— En effet, dit-elle, et sentant que Pantalaimon la pinçait, elle demanda : Vous voulez le voir ?

— Avec plaisir.

Plongeant la main de façon peu élégante dans la sacoche imperméable, elle sortit le petit paquet enveloppé de velours et le lui tendit. Le Dr Lanselius déballa l'instrument et le manipula avec la plus grande prudence, contemplant le cadran comme un savant contemple un manuscrit rare.

— Quelle merveille ! s'exclama-t-il. J'en avais déjà vu un, mais pas aussi beau que celui-ci. Possèdes-tu également le Grand Livre des Interprétations ?

— Non... répondit Lyra, mais avant qu'elle ait pu en dire plus, Farder Coram prit la parole.

— Non, répéta-t-il. Malheureusement. Lyra possède cet aléthiomètre mais elle n'a aucun moyen de s'en servir. Cet instrument reste aussi mystérieux que ces flaques d'encre dont se servent les Hindous pour prédire l'avenir. Et à ma connaissance, le Livre des Interprétations le plus proche se trouve dans l'abbaye de St Johann à Heidelberg.

Lyra comprenait pourquoi il disait cela : il ne voulait pas que le Dr Lanselius connaisse les pouvoirs qu'elle avait acquis. Mais elle voyait aussi une chose que Farder Coram ne pouvait pas voir : la nervosité soudaine du dæmon du Dr Lanselius, et elle comprit qu'il était inutile de mentir.

— En fait, je sais le déchiffrer, dit-elle, s'adressant à la fois au Dr Lanselius et à Farder Coram, et ce fut le Consul qui réagit le premier.

— Je te félicite. Mais comment as-tu obtenu cet aléthiomètre ?

— C'est le Maître de Jordan College qui me l'a donné. Savez-vous qui les a fabriqués, docteur Lanselius ?

— On dit qu'ils proviennent de la ville de Prague. Le savant qui a inventé le premier aléthiomètre cherchait apparemment à découvrir un moyen de mesurer les influences des planètes, conformément aux préceptes de l'astrologie. Il voulait créer un instrument qui réagirait aux positions de Mars ou de Vénus, comme une boussole réagit par rapport au Nord. Sur ce plan, il a échoué mais, de toute évidence, le mécanisme qu'il a créé réagissait à quelque chose, bien que personne ne pût dire à quoi exactement.

— Mais d'où viennent tous ces symboles ?

— Oh, cela remonte au XVIIe siècle. En ce temps-là, les symboles et les emblèmes étaient partout. Les bâtiments et les tableaux étaient conçus pour se lire comme des livres. Chaque chose en représentait une autre ; et à condition de posséder le dictionnaire adéquat, vous pouviez alors déchiffrer la Nature elle-même. Pas étonnant, dans ces conditions, de voir des philosophes utiliser le symbolisme en vigueur à leur époque pour interpréter un savoir provenant d'une source mystérieuse. Mais personne n'a utilisé sérieusement tous ces symboles depuis environ deux siècles.

Il rendit l'instrument à Lyra et ajouta :

— Puis-je te poser une question ? Sans le Livre des Symboles, comment fais-tu pour interpréter cet instrument ?

— Je commence par faire le vide dans mon esprit et, ensuite, c'est comme si je regardais au fond de l'eau. Il faut laisser vos yeux découvrir le bon niveau d'interprétation, car c'est le seul qui soit net. Quelque chose comme ça.

— Oserais-je te demander une petite démonstration ?

Lyra se tourna vers Farder Coram ; elle avait envie de répondre oui, mais elle attendait son approbation. Le vieil homme acquiesça.

— Quelle question dois-je lui poser ? demanda Lyra.

— Quelles sont les intentions des Tartares concernant le Kamtchatka ?

Ce n'était pas difficile. Lyra orienta les aiguilles de l'aléthiomètre face au chameau tout d'abord, qui représentait l'Asie, et aussi les Tartares ; face à la corne d'abondance ensuite, pour désigner le Kamtchatka, où il existait des mines d'or ; et enfin, face au dessin de la fourmi, symbole d'intense activité, mais aussi de détermination et de volonté. Puis, immobile, elle laissa son esprit rassembler les trois niveaux d'interprétation, en faisant le vide pour accueillir la réponse, qui survint presque immédiatement. La grande aiguille fine tremblota devant le dauphin, le casque, le bébé et l'ancre, dansant de l'un à l'autre, avant de s'orienter vers le creuset, selon un schéma complexe que les yeux de Lyra suivirent sans hésitation, mais qui restait incompréhensible pour les deux hommes.

Quand l'aiguille eut refait plusieurs fois le même chemin, Lyra leva la tête, en clignotant des yeux comme si elle émergeait d'un état second.

—Ils vont faire semblant d'attaquer, mais ils ne le feront pas pour de bon, car c'est trop loin de chez eux.

—Peux-tu m'expliquer comment tu as compris ça?

—À cause du dauphin, tout d'abord. Une de ses significations les plus profondes, c'est l'idée de jeu, expliqua-t-elle. Et je sais que c'est la bonne interprétation, car l'aiguille s'est arrêtée plusieurs fois dessus, et l'image était claire uniquement à ce niveau de sens. Le casque symbolise la guerre. Réunis, les deux signifient donc qu'on fait semblant de faire la guerre. Le bébé, lui, représente la difficulté, ça veut dire qu'il serait difficile pour eux d'attaquer. Et l'ancre explique pourquoi: les Tartares seraient trop loin de leur base. Voilà comment je vois les choses, vous comprenez?

Le Dr Lanselius acquiesça.

—Remarquable, dit-il. Je te remercie infiniment. Je n'oublierai pas ce que tu m'as dit.

Il jeta un regard étrange à Farder Coram, avant de revenir sur Lyra.

—Pourrais-je te demander une autre petite démonstration? Dans le jardin derrière cette maison, tu trouveras plusieurs branches de sapin, accrochées à un mur. L'une d'elles a été utilisée par Serafina Pekkala. Sauras-tu me dire laquelle?

—D'accord! s'exclama Lyra, toujours prête à fanfaronner, et elle s'empressa de sortir en emportant l'aléthiomètre.

Elle avait hâte de découvrir les branches de sapin, car les sorcières s'en servaient pour voler, et elle n'en avait encore jamais vu.

Pendant son absence, le Consul demanda à Farder Coram:

—Savez-vous qui est cette enfant?

—C'est la fille de Lord Asriel. Et sa mère est Mme Coulter, membre du Conseil d'Oblation.

—Oui, mais à part ça?

Le vieux gitan secoua la tête.

—Je n'en sais pas plus. Mais c'est une créature étrange et innocente, et pour rien au monde je ne voudrais qu'il lui arrive malheur. Par quel miracle est-elle capable d'utiliser cet instrument, je l'ignore, mais je la crois quand elle en parle. Pourquoi cette question, docteur Lanselius ? Que savez-vous sur elle ?

— Les sorcières parlent de cette enfant depuis des siècles, expliqua le Consul. Comme elles vivent tout près de l'endroit où le voile entre les mondes est le plus fin, elles entendent parfois des murmures éternels, par la voix de ces êtres qui passent d'un monde à l'autre. Et elles parlent d'une enfant comme celle-ci, dotée d'un grand destin qui ne peut être accompli qu'ailleurs, pas sur cette terre, mais bien plus loin. Sans cette enfant, nous mourrons tous. Mais elle doit accomplir ce destin sans en avoir conscience, car seule son ignorance peut nous sauver. Vous comprenez ?

— Non. Je ne peux pas dire que je comprenne.

— Cela signifie qu'elle doit être libre de commettre des erreurs. Nous devons espérer qu'elle n'en commettra pas, mais nous ne pouvons pas la guider. Toutefois, je suis heureux d'avoir vu cette enfant avant de mourir.

— Mais comment savez-vous qu'il s'agit de l'enfant en question ? Et qui sont ces êtres, dont vous parlez, qui passent d'un monde à l'autre ? Franchement, j'ai du mal à vous suivre, docteur Lanselius, même si je vous considère comme un honnête homme...

Avant que le Consul n'ait pu lui répondre, la porte s'ouvrit et Lyra fit une entrée triomphante en brandissant une petite branche de sapin.

— C'est celle-ci ! s'exclama-t-elle. Je les ai toutes testées, et c'est celle-ci, j'en suis sûre.

Le Consul examina la branche, puis hocha la tête.

— Exact. C'est remarquable, Lyra. Tu as de la chance de posséder un tel instrument, et je souhaite qu'il te soit utile. J'aimerais te donner quelque chose...

Il prit la branche de sapin et brisa une brindille.

— La sorcière a volé sur cette branche ? demanda la fillette, impressionnée.

— Oui. Je ne peux pas te la donner tout entière, car j'en ai besoin pour la contacter, mais cette brindille te suffira. Prends-en bien soin.

— Comptez sur moi. Et merci.

Elle la glissa dans sa sacoche à côté de l'aléthiomètre. Farder Coram caressa la branche de sapin, comme s'il s'agissait d'un porte-bonheur, et sur son visage apparut une expression que Lyra n'avait encore jamais vue : une sorte d'envie. Le Consul les raccompagna à la porte, où il serra la main de Farder Coram et celle de Lyra.

— J'espère que vous réussirez, leur dit-il, et il demeura sur le perron de la maison, dans le froid vif, pour les regarder s'éloigner dans la ruelle.

— Il connaissait déjà la réponse au sujet des Tartares, dit Lyra à Farder

Coram. L'aléthiomètre me l'a dit, mais je n'en ai pas parlé. C'était indiqué par le creuset.

—Sans doute voulait-il te tester. Quoi qu'il en soit, tu as eu raison de jouer le jeu, car on ne peut pas deviner ce qu'il sait déjà. Et il nous a fourni un précieux renseignement en nous parlant de l'ours. Je ne vois pas comment nous l'aurions su autrement.

Ils trouvèrent le chemin du dépôt de traîneaux, qui se composait de deux entrepôts en béton situés dans une zone broussailleuse, une sorte de terrain vague où les mauvaises herbes poussaient entre les pierres grises et les flaques de boue gelée. Un type à la mine renfrognée, assis dans un bureau, leur indiqua que l'ours finissait son travail à dix-huit heures, mais ils devraient faire vite s'ils voulaient le voir, car généralement, il fonçait directement derrière le bar Einarsson, dans la cour, où on lui donnait à boire.

Farder Coram conduisit Lyra dans le meilleur magasin de la ville pour lui acheter des vêtements contre le froid. Ils firent l'acquisition d'un parka en peau de renne, car les poils de renne sont creux et donc parfaitement isolants ; la capuche était doublée de fourrure de glouton qui chasse la glace qui se forme quand on respire. Ils achetèrent également des sous-vêtements et des sous-bottes en peau de jeune renne, et des gants de soie pour mettre à l'intérieur des grosses moufles en fourrure. Les bottes et les moufles étaient faites avec la peau des pattes antérieures de renne, extrêmement résistante, et les semelles des bottes étaient en peau de phoque barbu, aussi solide que la peau de morse, mais plus légère. Pour finir, ils achetèrent une cape imperméable qui l'enveloppait de la tête aux pieds, à demi transparente, faite avec des boyaux de phoque.

Ainsi vêtue, avec en plus une écharpe en soie autour du cou, un bonnet de laine sur les oreilles, et la grande capuche rabattue sur la tête, elle avait l'impression d'étouffer, mais ils se rendaient dans des régions bien plus froides.

John Faa, qui avait supervisé le déchargement du bateau, était ravi d'apprendre ce qu'avait dit le Consul des Sorcières, et encore plus heureux d'entendre parler de l'ours.

—Nous irons le voir dès ce soir, déclara-t-il. Avez-vous déjà parlé à une telle créature, Farder Coram ?

—Oui. J'ai même combattu l'un de ces ours, mais je n'étais pas seul, Dieu soit loué. Nous devons nous préparer à traiter avec lui, John. Il va se montrer très exigeant, j'en suis sûr, et désagréable. Ce ne sera pas facile de négocier, mais il nous le faut.

—Nous l'aurons. Et votre fameuse sorcière ?

—Elle est loin d'ici, et elle est devenue reine d'un clan, dit Farder Coram.

J'espérais qu'il serait possible de lui faire parvenir un message, mais nous n'avons pas le temps d'attendre la réponse.

—Je vois. Maintenant, laissez-moi vous parler de ce que moi j'ai découvert, mon cher vieil ami.

Depuis un moment, John Faa brûlait d'envie de leur dire quelque chose. Il avait fait la connaissance d'un chercheur d'or sur les quais, un Néo-Danois nommé Lee Scoresby, venant du Texas. Et cet homme possédait un dirigeable ! L'expédition à laquelle il espérait participer était tombée à l'eau, faute de moyens, avant même qu'il quitte Amsterdam, et maintenant, il se retrouvait coincé ici.

—Pensez un peu à ce qu'on pourrait faire avec l'aide d'un aéronaute, Farder Coram ! s'exclama John Faa en frottant ses mains épaisses. Je l'ai encouragé à nous rejoindre. On dirait que la chance est de notre côté !

—Ce serait encore mieux si nous savions où nous allons, souligna Farder Coram, mais rien, apparemment, ne pouvait atténuer l'enthousiasme de John Faa à l'idée de repartir en campagne.

Une fois la nuit tombée, quand le matériel et les vivres furent débarqués et entreposés sur les quais, sous bonne garde, Farder Coram et Lyra longèrent les quais à la recherche du bar Einarsson. Ils le trouvèrent assez facilement : une construction en béton rudimentaire, ornée d'une enseigne au néon rouge qui clignotait de manière irrégulière ; derrière les fenêtres recouvertes de givre résonnaient des éclats de voix.

Sur le côté, une plaine pleine d'ornières conduisait à une plaque métallique servant de porte à une cour, dans laquelle un appentis bancal reposait sur un sol de boue gelée. La faible lumière qui filtrait par la fenêtre du bar éclairait une pâle silhouette accroupie, en train de dévorer un cuissot de viande que la créature tenait à deux mains. Lyra crut distinguer une gueule maculée de sang, de petits yeux noirs méchants, un pelage jaunâtre, sale et emmêlé. Des grognements affreux, d'ignobles bruits de mastication et de succion s'échappaient de sa bouche pendant que l'animal mastiquait.

Farder Coram s'arrêta à la porte et lança :

—Iorek Byrnison !

L'ours s'arrêta de manger. Il les observait, mais son regard demeurait inexpressif.

—Iorek Byrnison, répéta Farder Coram. Puis-je te parler ?

Le cœur de Lyra cognait dans sa poitrine, car quelque chose dans la présence de l'ours lui faisait sentir la proximité du froid, du danger, de la force brutale, mais une force contrôlée par l'intelligence, une intelligence non humaine, car les ours ne possédaient pas de dæmons. Cette étrange créature massive qui rongeait son morceau de viande ne ressemblait pas du tout à ce qu'elle avait imaginé, et Lyra ressentait un vif sentiment d'admiration et de pitié pour cet animal solitaire. L'ours laissa tomber le cuissot de renne dans la boue et s'approcha de la porte à quatre pattes, d'une démarche lourde. Puis il se dressa sur ses pattes de derrière, imposant, comme pour montrer combien il était puissant, pour leur rappeler que la porte constituait une barrière futile, et il s'adressa à eux, du haut de ses trois mètres, au moins.

—Qui êtes-vous?

Sa voix profonde semblait faire trembler le sol. La puanteur qui émanait de son corps était presque suffocante.

—Je suis Farder Coram, j'appartiens au peuple gitan d'Anglia occidentale. Cette petite fille s'appelle Lyra Belacqua.

—Qu'est-ce que vous voulez?

—Nous voulons te proposer un travail, Iorek Byrnison.

—J'en ai déjà un.

L'ours se laissa retomber sur ses quatre pattes. Difficile de détecter le moindre sentiment dans sa voix, qu'il s'agisse d'ironie ou de colère, tant elle était grave et morne.

—Que fais-tu exactement ici, au dépôt de traîneaux? demanda Farder Coram.

—Je répare les machines cassées et les objets en fer. Je soulève les choses lourdes.

—Est-ce un travail digne d'un panserbjorn?

—C'est payé.

Derrière l'ours, la porte qui donnait sur l'arrière du bar s'entrouvrit et un homme déposa sur le sol un grand pichet en terre, avant de lever les yeux vers le trio.

—C'est qui?

—Des étrangers, répondit l'ours.

Le patron du bar semblait sur le point de dire quelque chose, mais l'ours avança vers lui d'un pas titubant, et l'homme s'empressa de refermer la porte, inquiet. L'ours saisit l'anse du pichet en terre avec une griffe et le porta à sa gueule. Lyra sentit les effluves âcres de l'alcool qui dégoulinait.

Après avoir avalé plusieurs rasades, l'ours reposa le pichet et se retourna pour continuer à ronger son cuissot de viande, sans se préoccuper de Farder Coram et de Lyra; en apparence seulement, car il demanda:

—C'est quel genre de boulot?

—Il faudra se battre, selon toute vraisemblance, répondit Farder Coram. Nous partons vers le nord, à la recherche d'un endroit où l'on a conduit des enfants kidnappés. Quand nous les aurons retrouvés, nous devrons nous battre pour les libérer, et ensuite, nous les ramènerons chez eux.

—Et combien vous payez ?

—Je ne sais pas quoi t'offrir, Iorek Byrnison. Si l'or te tente, on en a.

—Non.

—Qu'est-ce qu'ils te donnent au dépôt ?

—Ma dose de viande et d'alcool.

Sur ce, l'ours laissa tomber !'os rongé et porta de nouveau le pichet à sa gueule, buvant l'alcool puissant comme si c'était de l'eau.

—Pardonne ma question, Iorek Byrnison, dit Farder Coram, mais tu pourrais mener une existence digne sur la banquise, à chasser les phoques et les morses, ou bien, tu pourrais partir guerroyer et rapporter de glorieux trophées. Qu'est-ce qui te retient ici, à Trollesund ?

Lyra en eut la chair de poule. Elle aurait cru que cette question, qui ressemblait presque à une insulte, allait provoquer la fureur de l'énorme créature, et elle s'émerveillait du courage de Farder Coram. Iorek Byrnison posa le pichet et s'approcha de la porte pour dévisager le vieil homme. Farder Coram ne cilla même pas.

—Je connais ces individus que vous recherchez, les coupeurs d'enfants, dit l'ours. Ils ont quitté la ville avant-hier pour se rendre dans le Nord, avec d'autres enfants. Personne ici ne vous parlera d'eux ; les gens font semblant de ne rien voir, car les coupeurs d'enfants font marcher les affaires. Moi, j'aime pas ces coupeurs d'enfants, alors je vais répondre gentiment à votre question. Je reste ici et je bois de l'alcool, car ils m'ont volé mon armure et, sans elle, je peux chasser les phoques, mais je ne peux pas faire la guerre ; or, je suis un ours en armure, la guerre est pour moi comme l'océan où je nage, comme l'air que je respire. Les habitants de cette ville m'ont fait boire de l'alcool, jusqu'à ce que je m'endorme, et ensuite, ils m'ont volé mon armure. Si je savais où ils l'ont cachée, je détruirais toute cette ville pour la récupérer. Alors, si vous voulez acheter mes services, le prix est le suivant : rendez-moi mon armure. Alors je vous aiderai dans votre mission, jusqu'à ma mort, ou jusqu'à votre victoire. Le prix à payer est mon armure. Je veux la récupérer, car alors, je n'aurai plus jamais besoin de boire.

Chapitre 11
L'armure

 Dès leur retour au bateau, Farder Coram s'enferma longuement dans le salon en compagnie de John Faa et des autres chefs pour discuter, tandis que Lyra regagnait sa cabine pour consulter l'aléthiomètre. Moins de cinq minutes plus tard, elle savait exactement où se trouvait l'armure de l'ours, et pourquoi il serait difficile de la récupérer.

Elle s'interrogeait : devait-elle aller dans le salon pour prévenir John Faa et les autres ? Finalement, elle se dit que s'ils voulaient en avoir connaissance, ils lui poseraient la question. D'ailleurs, peut-être savaient-ils déjà.

Allongée sur sa couchette, elle repensa à cet ours sauvage et puissant, à l'insouciance avec laquelle il buvait cet alcool violent, à sa solitude dans sa petite cabane miteuse. Comme c'était différent d'être un humain, se disait-elle, avec un dæmon à qui l'on pouvait parler ! Dans le silence du bateau immobile, sans les grincements permanents du métal et du bois, sans le vrombissement du moteur ou le fracas de l'eau contre la coque, Lyra sombra peu à peu dans le sommeil, aux côtés de Pantalaimon qui dormait sur son oreiller.

Elle rêvait de son père, magnifique et emprisonné, lorsque soudain, sans aucune raison apparente, elle se réveilla. Elle ignorait l'heure qu'il était. Une faible lumière — sans doute le clair de lune, se dit-elle — pénétrait dans la cabine et éclairait ses nouveaux vêtements en fourrure entassés dans un coin. À peine les avait-elle vus qu'elle brûla d'envie de les essayer de nouveau.

Une fois habillée, il fallut qu'elle sorte sur le pont, car elle avait trop chaud. Une minute plus tard, elle ouvrait la porte en haut de l'escalier et débouchait à l'air libre.

Immédiatement, elle vit qu'il se passait quelque chose d'étrange dans le ciel. Tout d'abord, elle crut que c'étaient des nuages qui se déplaçaient, mais Pantalaimon lui murmura :

— L'Aurore !

Frappée d'émerveillement, Lyra dut se retenir au garde-fou pour ne pas tomber.

Le spectacle envahit au nord tout le ciel. De grands rideaux de lumière douce, qui semblaient descendre du ciel lui-même, tremblotaient dans l'atmosphère. Vert pâle et rouge rosé, aussi transparents que l'étoffe la plus fragile, d'un carmin profond et enflammé tout en bas, tels les feux de l'Enfer, ils se balançaient et scintillaient librement, avec davantage de grâce que le plus talentueux des danseurs. Lyra avait même l'impression de les entendre : un bruissement lointain et murmuré. Devant cette fragilité évanescente, elle sentit naître en elle un sentiment aussi profond que lorsqu'elle s'était trouvée en présence de l'ours. Elle était émue par ce spectacle, si beau qu'il en devenait presque sacré. Des larmes vinrent lui piquer les yeux, et ces larmes transformèrent la lumière en arc-en-ciel. Très vite, elle se retrouva plongée dans le même état de transe que lorsqu'elle consultait l'aléthiomètre. Peut-être, songea-t-elle avec quiétude, que cette force mystérieuse qui animait l'aiguille de l'aléthiomètre faisait aussi rougeoyer l'Aurore. Peut-être était-ce la Poussière elle-même. Elle se fit cette réflexion sans même s'en apercevoir, et elle l'oublia aussitôt, pour s'en souvenir beaucoup plus tard.

Devant ses yeux ébahis, l'image d'une ville sembla se former derrière les voiles et les courants de couleur translucide : des tours et des dômes, des temples couleur de miel et des colonnades, de vastes boulevards et un jardin verdoyant, illuminé de soleil. Cette vision lui donnait le vertige, comme si elle la regardait, non pas d'en bas, mais d'en haut, par-delà un gouffre si gigantesque que rien ne pouvait le franchir. Un univers entier les séparait.

Mais quelque chose traversait ce paysage, et lorsque Lyra plissa les yeux pour se concentrer sur ce déplacement, elle sentit sa tête tourner, comme si elle allait s'évanouir, car cette petite chose mouvante ne faisait pas partie de l'Aurore, ni de l'autre univers qui apparaissait derrière. Elle évoluait dans le ciel au-dessus des toits de la ville. Quand enfin Lyra la distingua plus nettement, elle était parfaitement réveillée et la ville dans le ciel avait disparu.

La chose volante se rapprocha et tournoya au-dessus du bateau, les ailes déployées. Puis elle descendit avec grâce et se posa en fouettant l'air avec ses ailes puissantes, pour finalement s'arrêter sur le pont, à quelques mètres seulement de Lyra.

Dans la lumière de l'Aurore, la fillette découvrit un énorme oiseau, une magnifique oie grise dont la tête était couronnée d'une touche de blanc pur. Et pourtant, ce n'était pas un oiseau, c'était un dæmon, bien qu'il n'y ait personne d'autre en vue, à part Lyra elle-même. Et cette idée l'emplit d'une peur paralysante.

L'oiseau demanda :

—Où est Farder Coram ?

Soudain, Lyra comprit qui était cette créature. C'était le dæmon de Serafina Pekkala, la reine du clan, la sorcière amie de Farder Coram.

Elle répondit en bafouillant :

—Je... il... euh... je vais le chercher...

Tournant les talons, elle dévala l'escalier pour se précipiter dans la cabine occupée par Farder Coram, ouvrit la porte et lança dans l'obscurité :

—Farder Coram ! Le dæmon de la sorcière est ici ! Il vous attend sur le pont ! Il est venu tout seul ! Je l'ai vu voler dans le ciel...

Le vieil homme dit :

—Demande-lui de m'attendre sur le pont arrière, petite.

Le dæmon-oie se dirigea d'un air majestueux vers la poupe du bateau, et là, il regarda autour de lui, à la fois élégant et sauvage, provoquant un mélange de terreur et de fascination chez Lyra qui avait l'impression d'accueillir un fantôme.

Farder Coram les rejoignit enfin, emmitouflé dans ses vêtements polaires, suivi de près par John Faa. Les deux hommes saluèrent respectueusement le visiteur, imités en cela par leur dæmon respectif.

—Bienvenue, dit Farder Coram. Je suis heureux et fier de te revoir, Kaisa. Veux-tu entrer ou préfères-tu rester dehors ?

—Je préfère rester en plein air, merci, Farder Coram. Mais ne risquez-vous pas d'avoir froid ?

Les sorcières et leurs dæmons étaient insensibles au froid, mais ils savaient que ce n'était pas le cas des simples humains.

Après l'avoir assuré qu'ils étaient bien couverts, Farder Coram demanda :

—Comment va Serafina Pekkala ?

—Elle vous envoie son bon souvenir, Farder Coram, et elle se porte bien, elle est solide. Qui sont ces deux personnes ?

Le vieil homme fit les présentations. Le dæmon-oie regarda fixement Lyra.

—J'ai entendu parler de cette enfant, dit-il. On parle beaucoup d'elle chez les sorcières. Ainsi, vous venez pour faire la guerre ?

—Non, pas la guerre, Kaisa. Nous allons libérer les enfants qu'on nous a volés. Et j'espère que les sorcières nous apporteront leur aide.

—Pas toutes, assurément. Certains clans travaillent avec les Chasseurs de Poussière.

—Ce que vous appelez le Conseil d'Oblation ?

—J'ignore tout de ce Conseil. Ce sont des Chasseurs de Poussière ; ils ont débarqué dans nos contrées il y a dix ans avec des instruments philosophiques. Ils nous ont donné de l'argent pour qu'on leur permette d'installer des stations sur nos terres, et ils nous ont traités avec courtoisie.

—Qu'est-ce donc que cette Poussière ?

—Elle vient du ciel. Certaines personnes prétendent qu'elle a toujours existé ; d'autres affirment qu'elle est apparue depuis peu. Une chose est sûre : quand les gens découvrent son existence, une peur immense s'empare d'eux et, dès lors, rien ne peut les empêcher de tenter de découvrir de quoi il s'agit. Mais tout cela ne concerne pas les sorcières.

—Et où sont-ils maintenant, ces fameux Chasseurs de Poussière ?

—À quatre jours de voyage d'ici, au nord-est, dans un endroit appelé Bolvangar. Notre clan n'a conclu aucun accord avec eux, et en vertu de notre dette ancienne envers vous, Farder Coram, je viens vous indiquer comment les retrouver.

Farder Coram sourit, et John Faa frappa dans ses grandes mains épaisses, en signe de satisfaction.

—Merci mille fois, dit-il à l'oie. Mais en savez-vous un peu plus au sujet de ces Chasseurs de Poussière ? Que font-ils là-bas à Bolvangar ?

—Ils ont érigé des bâtiments de métal et de béton et creusé des salles souterraines. Ils font brûler de l'alcool de charbon, qu'ils importent à grands frais. Nous ignorons ce qu'ils font exactement, mais une atmosphère de haine et de peur flotte au-dessus de cet endroit, et sur plusieurs kilomètres alentour. Les sorcières peuvent voir ces choses, contrairement aux autres humains. Les animaux se tiennent à l'écart eux aussi. Aucun oiseau ne survole cet endroit ; les lemmings et les renards ont fui eux aussi. D'où le surnom donné à ce lieu, Bolvangar, qui signifie : « les Champs du Mal ». Mais eux, ils ne l'appellent pas comme ça. Ils l'appellent la Station. Mais pour tout le monde, c'est Bolvangar.

—Et quelles sont leurs défenses ?

—Ils possèdent une compagnie de Tartares du Nord armés de fusils. Ce sont de bons soldats, mais ils manquent d'entraînement, car personne n'a jamais attaqué le camp depuis sa construction. En outre, tout le complexe est entouré d'une clôture de fil de fer barbelé, parcouru par la force ambarique. Il y a peut-être d'autres moyens de défense que nous ignorons, car comme je vous le disais, nous ne nous intéressons pas à ces gens.

Lyra brûlait d'envie de poser une question, et le dæmon-oie le sentit car il se tourna vers elle, comme pour lui donner la permission de parler.

—Pourquoi est-ce que les sorcières parlent de moi ?

—À cause de ton père, et de sa connaissance des autres mondes, répondit le dæmon.

Cette réponse les surprit tous les trois. Lyra se tourna vers Farder Coram, qui lui rendit son regard étonné, puis vers John Faa, qui paraissait perplexe lui aussi.

—Des autres mondes ? dit-il. Pardonnez-moi, mais de quels mondes s'agit-il ? Vous voulez parler des étoiles ?

—Certes non.

—Du monde des esprits peut-être ? dit Farder Coram.

—Non plus.

—Il s'agit de la ville dans les lumières ? s'exclama Lyra. C'est ça ?

L'oie tourna vers elle sa tête hautaine. Ses yeux noirs étaient entourés d'un trait fin bleu comme le ciel ; son regard était pénétrant.

—Oui, répondit le dæmon. Les sorcières connaissent les autres mondes depuis des milliers d'années. Parfois, on peut les apercevoir dans les Lumières du Nord. Ils ne font pas partie de l'univers ; même les étoiles les plus lointaines font partie de l'univers, mais ces lumières nous font découvrir un univers totalement différent. Pourtant, il n'est pas plus éloigné ; il est parallèle au nôtre. Ici même, sur ce pont, des millions d'autres univers existent, dans une ignorance mutuelle...

L'oie leva ses ailes et les étendit.

—En faisant ce simple geste, reprit le dæmon, je viens de frôler dix millions d'autres mondes, sans qu'ils en soient troublés. Un cheveu nous sépare, et pourtant, nous ne pouvons pas toucher, voir, ni entendre ces autres mondes, sauf dans les Lumières du Nord.

—Et pourquoi là-bas ? demanda Farder Coram.

—Les particules électriques de l'Aurore ont la propriété de rendre plus fine la matière de ce monde, si bien que l'on peut voir à travers pendant un court instant. Les sorcières l'ont toujours su, mais nous en parlons rarement.

—Mon père y croit, dit Lyra. Je le sais, car je l'ai entendu en parler, et il a même montré des photos de l'Aurore.

—Existe-t-il un rapport avec la Poussière ? demanda John Faa.

—Comment savoir ? répondit le dæmon-oie. Je peux juste vous dire que les Chasseurs de Poussière en ont aussi peur que si c'était un poison mortel. Voilà pourquoi ils ont emprisonné Lord Asriel.

—Pour quelle raison exactement ? s'enquit Lyra.

—Ils pensent qu'il a l'intention d'utiliser la Poussière, d'une manière ou d'une autre, pour établir un pont entre ce monde et celui qui est situé au-delà de l'Aurore.

Lyra était comme prise de vertiges. Elle entendit Farder Coram demander :

—Et c'est vrai ?

—Oui, répondit le dæmon-oie. Ils estiment toutefois qu'il n'en est pas capable, car il faut être fou, pensent-ils, pour croire à l'existence de ces autres mondes. Mais c'est vrai, tel est le but de Lord Asriel. Or, c'est un personnage si puissant qu'ils craignent qu'il ne perturbe leurs plans, c'est pourquoi ils ont conclu un pacte avec les ours en armure pour le capturer et l'enfermer dans la forteresse de Svalbard, à l'écart. Certains affirment que les Chasseurs de Poussière ont aidé le nouvel ours-roi à obtenir son trône, par-dessus le marché.

Lyra demanda :

—Les sorcières veulent bien qu'il bâtisse ce pont ? Sont-elles avec lui ou contre lui ?

—La réponse à cette question est extrêmement complexe. Premièrement, les sorcières ne sont pas toutes unies. Il y a parmi nous des différences d'opinion. Deuxièmement, le pont de Lord Asriel aura une influence sur une guerre que se livrent à présent quelques sorcières et diverses autres forces, dont certaines dans le monde spirituel. La possession de ce pont, s'il existait, donnerait un énorme avantage à son propriétaire. Troisièmement, le clan de Serafina Pekkala — le mien — ne fait partie d'aucune alliance pour le moment, malgré les pressions que nous subissons pour nous ranger d'un côté ou de l'autre. Vous voyez, ce sont des questions hautement politiques, auxquelles il n'est pas facile de répondre.

—Et les ours, dans tout ça ? demanda Lyra. Dans quel camp sont-ils ?

—Dans le camp de celui qui les paye. Ils ne sont absolument pas concernés par ces questions ; ils n'ont pas de dæmons, les problèmes des humains les laissent indifférents. Du moins, c'était comme ça autrefois, mais nous avons entendu dire que leur nouveau roi avait l'intention de changer cette vieille mentalité... Quoi qu'il en soit, les Chasseurs de Poussière les ont payés pour qu'ils emprisonnent Lord Asriel, et ils le garderont enfermé à Svalbard jusqu'à ce que la dernière goutte de sang ait quitté le corps du dernier ours vivant.

—Pas tous les ours ! s'exclama Lyra. Il y en a au moins un qui n'est pas d'accord. C'est un banni, et il va se joindre à nous.

L'oie posa sur la fillette son regard perçant. Cette fois, Lyra devina son étonnement.

Farder Coram semblait mal à l'aise.

— En fait, Lyra, dit-il, je ne crois pas. Nous avons appris que Iorek Byrnison purgeait une peine de travailleur sous contrat ; il n'est pas libre, comme nous l'avons cru : il a été condamné. Tant qu'il n'aura pas été libéré, il ne pourra pas nous accompagner, armure ou pas, et d'ailleurs, cette armure, il ne la récupérera jamais.

— Il nous a dit que les gens d'ici l'avaient berné ! Ils l'ont fait boire et ils lui ont volé son armure !

— Nous avons entendu un autre son de cloche, dit John Faa. En fait, il s'agit d'un dangereux criminel.

— Quand le... (Étouffée par l'indignation, Lyra avait du mal à s'exprimer.) ... quand l'aléthiomètre dit quelque chose, je sais que c'est vrai. Je lui ai posé la question, et il m'a répondu que l'ours disait la vérité ; les gens d'ici l'ont berné, et ce sont eux qui racontent des mensonges, pas lui ! Je le crois, Lord Faa ! Farder Coram... vous l'avez vu, et vous le croyez vous aussi, n'est-ce pas ?

— Je l'ai cru, petite. Maintenant, je n'en suis plus aussi sûr que toi.

— Mais de quoi ont-ils peur ? Ils pensent qu'il va se mettre à tuer des gens dès qu'il aura retrouvé son armure ? Il pourrait tuer des dizaines de personnes sans elle !

— Il en a déjà tué plusieurs, dit John Faa. Quand ils lui ont confisqué son armure, il s'est lancé à sa recherche, avec la folie du désespoir. Il a détruit le poste de police, la banque et je ne sais plus quoi d'autre. Deux hommes, au moins, ont été tués. S'ils ne l'ont pas abattu sur-le-champ, c'est uniquement grâce à son talent extraordinaire pour travailler le métal ; ils voulaient l'utiliser comme ouvrier.

— Comme esclave, oui ! pesta Lyra. Ils n'en avaient pas le droit !

— En vérité, ils auraient pu le tuer à cause de ces meurtres, mais ils ne l'ont pas fait. À la place, ils l'ont obligé à travailler dans l'intérêt de la ville, jusqu'à ce qu'il ait remboursé tous les dégâts et payé le prix du sang.

— John, dit Farder Coram, j'ignore ce que vous en pensez, mais j'ai le sentiment qu'ils ne lui rendront jamais son armure. Plus ils le gardent prisonnier, plus il sera furieux quand on le libérera.

— Mais si nous, on lui redonne son armure, il viendra avec nous, et il ne les embêtera plus jamais, dit Lyra. Je vous le promets, Lord Faa.

— Et comment pourrions-nous faire ?

— Je sais où est son armure !

Il y eut un moment de silence, durant lequel, tous les trois prirent conscience que le regard du dæmon de la sorcière était posé sur Lyra. Le trio se tourna vers lui, imités par leurs dæmons, qui jusqu'à présent avaient eu l'extrême obligeance de ne pas dévisager cette créature insolite, venue jusqu'ici sans son humain.

—Tu ne seras pas surprise, Lyra, reprit l'oie, d'apprendre que l'aléthiomètre fait partie des raisons pour lesquelles les sorcières s'intéressent à toi. Notre Consul nous a parlé de ta visite de ce matin. Je crois savoir que c'est le Dr Lanselius qui vous a parlé de l'ours.

—Exact, répondit John Faa. Farder Coram et Lyra sont allés lui parler. J'oserais dire que Lyra a raison, mais si nous enfreignons les lois de ces gens, nous ne ferons que provoquer un conflit. Or, nous ferions mieux de prendre la direction de Bolvangar, rapidement, avec ou sans ours.

—Mais, vous ne l'avez pas vu, John, dit Farder Coram. Et je crois ce que dit Lyra. Nous pourrions peut-être nous porter garants de lui. Cet ours peut faire toute la différence.

—Qu'en penses-tu ? demanda John Faa au dæmon de la sorcière.

—Nous avons traité quelquefois avec les ours. Leurs désirs nous semblent aussi étranges que les nôtres le sont à leurs yeux. Si cet ours est un renégat, peut-être sera-t-il moins digne de confiance que l'affirme leur réputation. C'est à vous seuls de décider.

—Nous prendrons une décision, déclara John Faa d'un ton ferme. En attendant, pourrais-tu nous dire comment nous rendre à Bolvangar ?

Le dæmon-oie parla de vallées et de collines, de forêts et de toundra, d'étoiles. Lyra l'écouta un instant, puis s'allongea dans le transat, avec Pantalaimon roulé en boule autour de son cou, et elle repensa à cette magnifique vision que le dæmon-oie avait apportée avec lui. Un pont entre deux mondes... C'était bien plus splendide que tout ce qu'elle aurait pu espérer ! Et seul son père, cet homme immense, pouvait avoir conçu ce projet. Dès qu'elle aurait libéré les enfants, elle se rendrait à Svalbard avec l'ours pour remettre l'aléthiomètre à Lord Asriel, et elle s'en servirait pour le libérer. Ensuite, ils construiraient le pont ensemble et seraient les premiers à franchir le...

Sans doute John avait-il emporté Lyra dans sa cabine durant la nuit, car c'est là qu'elle se réveilla. Le soleil pâle était déjà levé, il n'irait pas plus haut dans le ciel : à peine la largeur d'une main au-dessus de l'horizon. Il ne devait pas être loin de midi, pensa-t-elle. Bientôt, à mesure qu'ils se dirigeraient vers le nord, il n'y aurait plus de soleil du tout.

Après s'être habillée en hâte, elle courut sur le pont, pour constater qu'il ne se passait pas grand-chose. Toutes les provisions et les réserves avaient été déchargées ; on avait loué des traîneaux et des équipages de chiens qui attendaient le départ. Tout était prêt, mais rien ne bougeait. La plupart des gitans s'étaient réfugiés dans un café envahi de fumée, en face des quais, où ils mangeaient des gâteaux aux épices en buvant un café fort et sucré, assis autour des grandes tables en bois sous le crépitement et le bourdonnement de quelques vieilles lampes ambariques.

—Où est Lord Faa? demanda-t-elle en s'asseyant avec Tony Costa et ses amis. Et Farder Coram? Ils sont partis récupérer l'armure de l'ours?

—Ils sont en pleine discussion avec le Sysselman. C'est comme ça qu'ils appellent le gouverneur. Alors, il paraît que tu as vu l'ours, Lyra?

—Oui! répondit-elle, et elle leur parla de lui.

Pendant ce temps, un nouveau venu avait pris une chaise et rejoint le petit groupe assis à table.

—Alors comme ça, tu as parlé avec le vieux Iorek? dit-il.

Surprise, Lyra se tourna vers l'inconnu. C'était un homme grand et maigre, avec une épaisse moustache noire, des yeux bleus étroits, et une perpétuelle expression de distance ironique et amusée. Lyra fut très impressionnée, sans pouvoir dire si elle éprouvait de la sympathie pour cet homme, ou au contraire de l'animosité. Son dæmon était un lièvre miteux, apparemment aussi efflanqué et coriace que lui.

Il lui tendit la main, que Lyra serra avec méfiance.

—Lee Scoresby, dit-il.

—L'aéronaute! s'exclama-t-elle. Où est votre ballon? Je pourrai monter dedans?

—Il est remballé pour l'instant, mademoiselle. Tu dois être la fameuse Lyra. Alors, comment ça s'est passé avec Iorek Byrnison?

—Vous le connaissez?

—J'ai combattu à ses côtés lors de la campagne du Tunguska. Fichtre, ça fait des années que je connais Iorek. Les ours ne sont jamais des bestioles faciles, mais lui, c'est un cas, on peut le dire. Eh bien, messieurs, l'un de vous est-il tenté par un petit jeu de hasard?

Un paquet de cartes, surgi de nulle part, venait d'apparaître dans les mains de Scoresby. Il les mélangea en les faisant claquer entre ses doigts.

—J'ai entendu parler de vos talents de manipulateur de cartes, ajouta Scoresby en battant le jeu d'une seule main, tandis que de l'autre il sortait un cigare de sa poche de poitrine. Et je me suis dit que vous ne refuseriez pas à un modeste voyageur texan l'occasion de se mesurer à votre savoir-faire sur le champ de bataille du tapis vert. Alors, qu'en dites-vous, messieurs?

De fait, les gitans tiraient fierté de leur grande habileté aux cartes, et plusieurs d'entre eux, visiblement intéressés par cette proposition, approchèrent leur chaise. Pendant qu'ils se mettaient d'accord sur le jeu et l'enjeu avec Lee

Scoresby, son dæmon agita les oreilles pour faire signe à Pantalaimon qui, d'un bond, vint se placer à ses côtés, sous l'aspect d'un écureuil.

Le lièvre s'adressait également à Lyra, bien évidemment, et la fillette l'entendit qui disait :

— Va vite voir l'ours pour le mettre au courant. Dès qu'ils sauront ce qui se passe, ils cacheront son armure ailleurs.

Lyra se leva, en emportant son gâteau aux épices, et nul ne remarqua son départ ; Lee Scoresby avait commencé à distribuer les cartes, et tous les regards, méfiants, étaient braqués sur ses mains.

Dans la lumière blafarde et déclinante d'un après-midi sans fin, elle retrouva le chemin du dépôt de traîneaux. C'était une chose qu'elle devait faire, elle le savait ; malgré tout, elle se sentait mal à l'aise, et un peu effrayée, il fallait bien l'avouer.

Le gros ours travaillait devant le plus grand des deux hangars en béton, et Lyra s'arrêta devant le portail ouvert pour l'observer. Iorek Byrnison était occupé à démanteler un tracteur à gaz victime d'un accident ; la plaque de métal qui protégeait le moteur était froissée et tordue, et une des ailes se dressait vers le haut. L'ours souleva le métal aussi lestement que du carton, le tourna dans tous les sens entre ses pattes gigantesques comme s'il en testait la résistance et, finalement, coinçant un coin sous sa patte de derrière, il plia toute la plaque de métal, de manière à faire ressortir les bosses et à lui redonner sa forme originelle. Posant la plaque contre le mur, il souleva d'une seule main la masse du tracteur et le coucha sur le côté, avant de se pencher pour examiner l'aile déformée.

C'est alors qu'il aperçut Lyra. Celle-ci fut traversée par une décharge de peur glacée ; il était si imposant, si bizarre. Elle l'observait à travers le grillage, à une quarantaine de mètres de lui, et soudain, elle songea qu'il suffirait à l'ours d'un bond ou deux pour couvrir cette distance et arracher la clôture, comme une vulgaire toile d'araignée. Elle faillit tourner les talons et s'enfuir en courant, mais Pantalaimon la retint :

— Stop ! Laisse-moi aller lui parler.

Il avait pris l'aspect d'une hirondelle de mer, et avant même qu'elle n'ait pu répondre, il avait franchi la clôture et était retombé de l'autre côté sur le sol gelé. Il y avait une porte ouverte un peu plus loin et Lyra aurait pu le suivre, mais elle demeura en retrait, réticente. Pantalaimon se retourna, la regarda et se transforma en blaireau.

Elle comprit ce qu'il faisait. Les dæmons ne pouvaient s'éloigner de plus de quelques mètres de leurs humains, or, si elle restait derrière le grillage et si lui conservait l'apparence d'un oiseau, il ne pourrait pas s'approcher de l'ours ; il allait être obligé de tirer au maximum.

Lyra était partagée entre la colère et le désespoir. Pantalaimon enfonça ses griffes de blaireau dans la terre et continua d'avancer. C'était un sentiment si étrange quand votre dæmon tirait sur le lien invisible qui l'unissait à vous ; un mélange de douleur intense dans la poitrine, de chagrin profond, et d'amour. Et Lyra savait que c'était la même chose pour Pantalaimon. Tous les enfants s'amusaient à faire cette expérience en grandissant : voir jusqu'où leur dæmon et eux pouvaient se séparer, pour finalement se rejoindre, avec un immense soulagement.

Pantalaimon tira encore un peu plus sur le fil invisible.

—Non, Pan !

Mais il continua. L'ours le regarda, sans réagir. La douleur dans le cœur de Lyra devenait de plus en plus insupportable, et un sanglot monta dans sa gorge.

—Pan...

Alors, elle franchit la clôture, trébuchant sur le sol gelé pour le rejoindre, et Pantalaimon se transforma en chat sauvage pour sauter dans ses bras ; ils s'étreignirent avec force, secoués l'un et l'autre de petits sanglots malheureux.

—J'ai vraiment cru que tu allais... dit-elle.

—Non.

—La douleur est indescriptible...

Elle chassa ses larmes d'un geste rageur et renifla bruyamment. Le dæmon se blottit au creux de ses bras, et Lyra se dit alors qu'elle préférait mourir plutôt que d'être séparée de lui et d'éprouver de nouveau cette tristesse ; elle deviendrait folle de chagrin et de terreur. Au moins, si elle mourait, ils resteraient réunis, comme les Érudits dans la crypte de Jordan College.

La fillette et son dæmon levèrent les yeux vers l'ours solitaire. Il n'avait pas de dæmon. Il était seul, toujours seul. Elle éprouva alors une telle bouffée de pitié et de tendresse pour cette pauvre créature qu'elle faillit caresser son pelage dru et emmêlé, et seul un sentiment de respect à l'égard de ces yeux froids et féroces la retint.

—Iorek Byrnison, dit-elle.

—Quoi ?

—Lord Faa et Farder Coram essayent de récupérer ton armure.

Il n'eut aucune réaction. Son silence en disait long sur ce qu'il pensait de leurs chances.

—Je sais où elle est, ajouta-t-elle, et si je te le disais, peut-être que tu pourrais aller la récupérer toi-même...

—Comment sais-tu où elle est ?

—J'ai un lecteur de symboles. Il me semble que je devais te le dire, Iorek Byrnison, vu la façon dont ils t'ont berné au départ. Je trouve ça injuste. Ils n'auraient pas dû agir ainsi. Lord Faa va discuter avec le Sysselman, mais quoi qu'il leur dise, ça m'étonnerait qu'ils te rendent ton armure. Alors, si je te dis où elle est, est-ce que tu viendras avec nous pour libérer les enfants prisonniers à Bolvangar?

—Oui.

—Je... (Elle ne voulait pas se montrer indiscrète, mais sa curiosité était la plus forte.) Pourquoi est-ce que tu ne fabriques pas tout simplement une autre armure avec tout ce métal qu'il y a ici?

—Parce qu'il ne vaut rien. Regarde...

Soulevant la plaque du capot d'une main, il transperça le métal d'un coup de griffe, comme avec un ouvre-boîtes.

—Mon armure est faite en fer de ciel, spécialement pour moi. L'armure d'un ours est son âme, comme ton dæmon est la tienne. Imagine que tu te débarrasses de lui (il désigna Pantalaimon), pour le remplacer par une vulgaire poupée remplie de son. C'est la même chose. Alors, où est mon armure?

—Tu dois me promettre de ne pas te venger. Ils ont eu tort de te la confisquer, mais il faut te faire une raison.

—Très bien. Pas de vengeance. Mais pas question de me laisser faire non plus. S'ils m'attaquent, ils meurent.

—Elle est cachée dans la cave de la maison d'un prêtre, expliqua Lyra. Il est persuadé qu'un esprit maléfique se cache à l'intérieur, et il a essayé de le faire sortir. Voilà où elle est.

L'ours se dressa sur ses pattes de derrière et tourna la tête vers l'ouest, si bien que les derniers rayons du soleil recouvrirent son visage d'une fine pellicule brillante et blanchâtre, crémeuse, dans la pénombre. Lyra sentait la puissance de l'imposante créature irradier comme des vagues de chaleur.

—Je suis obligé de travailler jusqu'au coucher du soleil, dit-il. J'ai donné ma parole au chef ce matin. Je lui dois encore quelques minutes de travail.

—Pour moi, le soleil est déjà couché, dit Lyra en tendant le bras, car de l'endroit où elle se trouvait, il avait disparu derrière le cap rocheux qui faisait saillie au sud-ouest.

L'ours retomba sur ses quatre pattes.

—C'est juste, dit-il, et son visage était maintenant dans l'ombre, comme celui de Lyra. Comment tu t'appelles, petite?

—Lyra Belacqua.

—Eh bien, je suis ton obligé, Lyra Belacqua.

Sur ce, il lui tourna le dos et s'éloigna de sa démarche chaloupée, avançant si vite sur le sol gelé que Lyra ne parvenait pas à le suivre, même en courant. Et pourtant, elle courait, tandis que Pantalaimon, devenu mouette, prenait de l'altitude pour suivre l'ours et indiquer le chemin à Lyra.

Jaillissant du dépôt, Iorek Byrnison emprunta une ruelle, avant de déboucher dans la rue principale de la ville, pour passer devant la cour de la résidence du gouverneur, où un drapeau flottait mollement dans l'air immobile et où une sentinelle faisait les cent pas, d'une démarche raide. Il dévala ensuite la colline, en passant devant l'extrémité de la rue où habitait le Consul des Sorcières. Entre-temps, la sentinelle avait compris ce qui se passait et elle essayait de rassembler ses esprits, mais Iorek Byrnison tournait déjà au coin d'une rue, près du port.

Sur son chemin, les gens se figeaient ou bien décampaient pour le laisser passer. La sentinelle tira deux coups de feu en l'air et s'élança vers le bas de la colline, à la poursuite de l'ours, mais il gâcha tous ses efforts en dérapant sur la pente gelée, ne parvenant à retrouver son équilibre qu'en agrippant la barrière la plus proche. Lyra le suivait de près. Alors qu'elle longeait la résidence du gouverneur, elle vit des gens sortir précipitamment dans la cour pour voir ce qui se passait, et crut apercevoir parmi eux Farder Coram, mais elle continua à dévaler la pente sans s'arrêter, en direction du coin de rue où la sentinelle venait de tourner, à la suite de l'ours.

La maison du prêtre, plus ancienne que la plupart des autres habitations, était construite en briques de qualité. Trois marches conduisaient à la porte d'entrée en bois, transformée maintenant en allumettes ; de l'intérieur de la maison s'échappaient des cris et le fracas des meubles brisés. Arrivée à la porte, la sentinelle hésita, son fusil à la main, mais, alors que les curieux commençaient à se rassembler autour du perron et à se mettre à leurs fenêtres de l'autre côté de la rue, le soldat comprit qu'il devait agir, et il tira un coup de feu devant lui, dans le vide, avant de se précipiter à l'intérieur.

Quelques instants plus tard, la maison tout entière sembla trembler. Trois fenêtres volèrent en éclats et une tuile tomba du toit ; une domestique sortit en courant, terrorisée, suivie par son dæmon, une poule qui battait des ailes en gloussant.

Un nouveau coup de feu retentit à l'intérieur, auquel succéda un puissant rugissement qui fit hurler la servante. Comme propulsé par un canon, le prêtre jaillit à son tour par la porte, accompagné par son dæmon-pélican qui battait frénétiquement des ailes, blessé dans sa fierté. En entendant une voix aboyer des ordres dans son dos, Lyra se retourna pour voir surgir au coin de la rue des policiers armés, de pistolets pour certains, de fusils pour d'autres, suivis de près par John Faa, lui-même suivi de la silhouette agitée du gouverneur.

Soudain, un grand bruit de bois brisé attira tous les regards vers la maison. Une fenêtre du rez-de-chaussée, qui s'ouvrait visiblement sur une cave, était en train de se desceller, dans un fracas de verre accompagné par le grincement du bois qui se fend. Le soldat qui avait rejoint Iorek Byrnison dans la maison en ressortit à toutes jambes pour venir se planter devant la fenêtre de la cave, prêt à faire feu. C'est alors que la fenêtre fut arrachée du mur, et l'on vit surgir Iorek Byrnison, l'ours en armure.

Sans son armure, il était impressionnant. Avec elle, il devenait terrifiant. De couleur rouille, elle était assemblée de manière grossière avec des rivets ; de grandes plaques de métal décoloré et bosselé se chevauchaient et frottaient les unes contre les autres en grinçant. Le casque était aussi pointu que sa gueule, avec deux fentes pour les yeux, découvrant la partie inférieure de la mâchoire pour lui permettre de mordre et de lacérer ses victimes à coups de dents.

Le soldat tira plusieurs coups de feu dans sa direction, et les policiers tentèrent de l'abattre eux aussi, mais Iorek Byrnison repoussait les projectiles comme de vulgaires gouttes de pluie. Soudain, il s'élança, dans un grincement et un fracas de métal, avant que le soldat ait eu le temps de s'enfuir, et le projeta à terre. Le dæmon de ce dernier, un husky, sauta à la gorge de l'ours, mais celui-ci n'y prêta pas plus attention qu'à une mouche et, soulevant la sentinelle d'une seule main, il l'attira vers lui, se pencha en ouvrant grand la gueule et coinça la tête de l'homme entre ses mâchoires. Lyra devina ce qui allait se passer : l'ours allait broyer le crâne de la sentinelle, comme un œuf ; il s'ensuivrait un affrontement sanglant, avec de nouveaux morts, leur départ serait encore retardé, et les enfants ne seraient jamais libérés, avec ou sans l'aide de Iorek Byrnison.

Sans même réfléchir, elle s'élança et posa la main sur l'unique point faible de l'armure de l'ours, l'interstice qui s'ouvrait entre le bas du casque et la grande plaque de fer qui couvrait ses épaules quand il baissait la tête, là où apparaissait le pelage jaunâtre, entre les rebords rouillés du métal. Elle enfonça ses doigts dans l'ouverture et Pantalaimon bondit aussitôt, au même endroit, sous la forme d'un chat sauvage, prêt à la défendre. Mais Iorek s'était immobilisé, et les hommes armés cessèrent de tirer.

— Iorek ! déclara-t-elle d'une voix ferme. Écoute-moi ! Tu as une dette envers moi. Tu as l'occasion de la rembourser. Fais ce que je te demande. N'attaque pas ces hommes. Fais demi-tour et pars avec moi. Nous avons besoin de toi, Iorek, tu ne peux pas rester ici. Suis-moi jusqu'au port, sans même te retourner. Farder Coram et Lord Faa se chargeront d'arranger les choses avec les autorités. Libère cet homme et viens avec moi...

L'ours ouvrit lentement la gueule. La sentinelle s'évanouit ; sa tête ensanglantée, mouillée de salive et pâle comme un linge, heurta le sol. Son dæmon-husky entreprit de le ranimer et de le rassurer, tandis que l'ours marchait vers Lyra.

Nul ne bougea. Tout le monde regarda l'ours tourner le dos à sa victime, à la demande de cette fillette avec son dæmon-chat, et ils s'écartèrent pour laisser passer Iorek Byrnison qui avançait d'un pas pesant au milieu d'eux, accompagné de Lyra, en direction du port.

Toute l'attention de la fillette était concentrée sur l'ours, aussi ne vit-elle pas la peur et la colère qui éclatèrent librement une fois le monstre parti. Elle marchait à ses côtés, et Pantalaimon ouvrait la marche, comme pour s'assurer que la voie était libre.

Quand ils arrivèrent au port, Iorek Byrnison baissa la tête et détacha son casque d'un coup de patte, le laissant tomber bruyamment sur le sol gelé. Des gitans, sentant qu'il se passait quelque chose, étaient sortis du café, et là, dans la lueur des lumières ambariques du pont du bateau, ils regardèrent Iorek Byrnison se débarrasser de son armure d'un mouvement d'épaules, et l'abandonner en tas sur le quai. Sans un mot, il marcha vers l'eau, s'y plongea sans troubler la surface et disparut.

— Que s'est-il passé ? demanda Tony Costa en entendant les cris de fureur provenant des rues en amont, tandis que les habitants de la ville et la police affluaient vers le port.

Lyra lui expliqua aussi clairement que possible.

— Mais où est-il ? demanda Tony Costa. Il ne peut pas laisser son armure comme ça par terre ! Ils vont la lui reprendre dès qu'ils vont arriver.

Lyra partageait cette crainte, car au coin de la rue venaient de surgir les premiers policiers, suivis de nouveaux renforts, puis du gouverneur, du prêtre et d'une vingtaine de curieux. John Faa et Farder Coram s'efforçaient de suivre tout ce monde.

Mais soudain, en apercevant le petit groupe de gitans rassemblés sur le quai, ils s'arrêtèrent, car quelqu'un d'autre venait d'apparaître. Assis sur l'armure de l'ours, les jambes croisées, Lee Scoresby avait installé nonchalamment sa longue silhouette dégingandée, et tenait à la main le plus long pistolet que Lyra ait jamais vu, pointé distraitement sur la grosse bedaine du gouverneur.

— J'ai l'impression que vous n'avez pas tellement pris soin de l'armure de mon ami, dit-il d'un ton badin. Regardez-moi toute cette rouille ! Je ne serais pas surpris de découvrir des mites en plus ! Restez tous où vous êtes, et que personne ne bouge jusqu'à ce que l'ours revienne avec du lubrifiant. Vous pouvez aussi rentrer chez vous et lire les journaux. À vous de choisir.

— Le voici ! s'exclama Tony en désignant à l'extrémité du quai un escalier où Iorek Byrnison était en train d'émerger, tenant dans sa gueule une chose sombre et luisante. Une fois sur le quai, il s'ébroua, faisant jaillir des torrents d'eau de tous côtés, jusqu'à ce que sa fourrure retrouve son gonflant. Il se pencha pour saisir de nouveau entre ses dents la chose noire et la traîner jusqu'à l'endroit où gisait son armure. C'était un phoque mort.

—Iorek! lança l'aéronaute en se levant paresseusement, son arme toujours braquée sur le gouverneur. Comment ça va, mon vieux?

L'ours leva la tête et émit un petit grognement, avant d'éventrer le phoque d'un seul coup de griffes. Fascinée, Lyra le regarda écarter la peau de l'animal et arracher des lambeaux de graisse, qu'il frotta sur toute son armure, enduisant copieusement les endroits où les plaques frottaient les unes contre les autres.

—Tu es avec ces gens? demanda l'ours à Lee Scoresby, sans interrompre sa tâche.

—Exact. On a été recrutés tous les deux, il me semble.

—Où est votre ballon? demanda Lyra au Texan.

—Démonté et ficelé sur deux traîneaux. Tiens, voilà justement le patron.

John Faa et Farder Coram, accompagnés du gouverneur, traversèrent le quai, avec quatre policiers armés.

—Eh, l'ours! s'écria le gouverneur d'une voix haut perchée et agressive. Je t'autorise à partir avec ces gens. Mais je te préviens, si jamais tu remets les pieds par ici, nous n'aurons aucune pitié.

Sans lui prêter la moindre attention, Iorek Byrnison continua à frotter la graisse de phoque sur son armure. Le soin qu'il apportait à cette tâche rappelait à Lyra sa propre dévotion envers Pantalaimon. D'ailleurs, l'ours le lui avait bien dit: son armure était son âme. Le gouverneur et les policiers se retirèrent et, peu à peu, les habitants firent demi-tour pour rentrer chez eux, à l'exception de quelques-uns qui restèrent pour regarder.

John Faa mit ses mains en porte-voix.

—Gitans! cria-t-il.

Tout le monde était prêt pour le départ. En vérité, ils brûlaient tous d'impatience depuis qu'ils avaient mis pied à terre; les traîneaux étaient chargés, les équipages de chiens attachés.

John Faa déclara:

—Le moment est venu, mes amis. Nous sommes tous rassemblés, et la route s'ouvre devant nous. Monsieur Scoresby, vous êtes paré?

—Paré, Lord Faa.

—Et toi, Iorek Byrnison?

—Un instant, répondit l'ours.

Il avait fini de graisser son armure. Ne voulant pas gâcher la viande de phoque, il souleva la carcasse entre ses dents et la balança sur le plus grand des deux traîneaux de Lee Scoresby, avant d'enfiler son armure. C'était stupéfiant de voir avec quelle aisance il la manipulait : l'épaisseur des plaques de métal était de presque deux centimètres, et pourtant, il les mettait en place sur son dos comme s'il s'agissait de tuniques de soie. Il lui fallut moins d'une minute pour se harnacher, et cette fois, sans le moindre grincement.

Moins d'une demi-heure plus tard, l'expédition prenait la direction du nord. Sous un ciel peuplé de millions d'étoiles et une lune aveuglante, les traîneaux bringuebalaient bruyamment sur les ornières gelées et les pierres, jusqu'à ce qu'ils atteignent les champs d'un blanc immaculé à la périphérie de la ville. On n'entendit plus alors que le craquement de la neige durcie et le grincement du bois. Heureux de pouvoir enfin se dépenser, les chiens avaient accéléré l'allure, et les traîneaux glissaient maintenant avec rapidité et douceur.

Assise à l'arrière du traîneau de Farder Coram, tellement emmitouflée qu'on ne voyait plus que ses yeux, Lyra murmura à Pantalaimon :

—Tu vois Iorek ?

—Il court à côté du traîneau de Lee Scoresby, répondit le dæmon qui avait repris sa forme d'hermine et s'accrochait à la capuche doublée de fourrure de glouton.

Droit devant eux, au-delà des montagnes qui se dressaient à l'horizon, les arcs et les boucles pâles des Lumières du Nord commençaient à apparaître en tremblotant. Lyra les regardait à travers ses paupières mi-closes, parcourue par des frissons de pur bonheur à l'idée de filer vers le nord dans l'éclat majestueux de l'Aurore. Pantalaimon tenta de lutter contre la somnolence qui envahissait Lyra, mais celle-ci était trop forte, et il se roula en boule à l'intérieur de la capuche en prenant la forme d'une souris. Il lui en parlerait quand ils se réveilleraient, mais il s'agissait sans doute d'une martre, ou d'un rêve, ou bien d'une sorte d'esprit local inoffensif, toujours est-il qu'une chose suivait la caravane de traîneaux, en se balançant avec agilité de branche en branche au milieu des sapins très serrés, et cette chose lui évoquait le souvenir désagréable d'un singe.

CHAPITRE 12
LE GARÇON PERDU

Ils voyagèrent pendant plusieurs heures, puis s'arrêtèrent pour manger. Pendant que les hommes allumaient des feux et faisaient fondre de la neige et que Iorek Byrnison regardait Lee Scoresby faire griller la viande de phoque juste à côté, John Faa s'entretint avec Lyra.

— Dis-moi, Lyra, vois-tu suffisamment clair pour interroger ton instrument? demanda-t-il.

La lune avait depuis longtemps disparu. La lumière de l'Aurore était plus intense que le clair de lune, mais changeante, hélas. Heureusement, Lyra avait de bons yeux. Fouillant parmi les épaisseurs de fourrures qui l'enveloppaient, elle extirpa le petit paquet de velours noir.

— Oui, je vois assez clair, dit-elle. D'ailleurs, je connais maintenant l'emplacement de la plupart des symboles. Que dois-je demander, Lord Faa?

— J'aimerais en savoir plus sur la façon dont ils défendent cet endroit, Bolvangar.

Sans même avoir besoin de réfléchir, Lyra s'aperçut que ses doigts déplaçaient instinctivement les aiguilles de l'aléthiomètre, face au casque, au griffon et au creuset; et elle sentit se dessiner dans son esprit les interprétations appropriées de chacun de ces symboles, tel un diagramme complexe en trois dimensions. Aussitôt, la grande et fine aiguille se mit à tournoyer, s'arrêtant parfois pour repartir dans l'autre sens, semblable à une abeille qui danse pour transmettre son message à la ruche. Lyra la regardait calmement; elle savait que la signification approchait, que la vision s'éclaircissait. Elle laissa l'aiguille poursuivre sa danse, jusqu'à ce qu'il n'y ait plus aucun doute.

173

—Le dæmon de la sorcière avait raison, Lord Faa. La base de Bolvangar est gardée par une armée de Tartares, et l'endroit est entièrement entouré de barbelés. Toutefois, à en croire le lecteur de symboles, ils ne s'attendent pas à être attaqués. Mais...

—Qu'y a-t-il, petite?

—Il y a autre chose. Dans la vallée voisine se trouve un petit village, près d'un lac, dont les habitants sont terrorisés par un fantôme.

John Faa secoua la tête impatiemment.

—Nous avons d'autres chats à fouetter. Je suppose qu'il existe toutes sortes d'esprits dans ces forêts. Parle-moi plutôt des Tartares. Combien sont-ils, par exemple? Comment sont-ils armés?

Lyra transmit la réponse de l'aléthiomètre:

—Il y a soixante hommes, armés de fusils, plus deux autres armes plus importantes, des sortes de canons. Ils possèdent des lance-flammes également. Et... leurs dæmons sont des loups. Voilà ce que dit l'instrument.

Cette information provoqua une certaine agitation parmi les gitans les plus âgés, ceux qui avaient déjà participé à une campagne.

—Les régiments de Sibirsks ont des dæmons-loups, commenta l'un d'eux.

John Faa reprit la parole:

—Je n'ai jamais connu adversaire plus féroce. Nous devrons nous battre comme des tigres. Et demander conseil à l'ours, car c'est un redoutable guerrier.

Mais Lyra pensait à autre chose.

—Ce fantôme, Lord Faa..., dit-elle. Je crois que c'est le fantôme d'un des enfants qu'on cherche!

—Quand bien même, Lyra, je ne vois pas ce qu'on peut y faire. Soixante soldats sibirsks, armés de fusils et de lance-flammes... Monsieur Scoresby, veuillez venir un instant, je vous prie.

Alors que l'aéronaute approchait du traîneau, Lyra s'éclipsa pour aller discuter avec l'ours.

—Dis-moi, Iorek, as-tu déjà voyagé par ici?

—Une seule fois, répondit-il de sa voix grave et sèche.

—Il y a un village tout près, n'est-ce pas?

—Oui, derrière la crête, dit-il en fixant son regard sur un point entre les arbres de plus en plus clairsemés.

—Loin d'ici?

—Pour toi ou pour moi?

—Pour moi, répondit la fillette.

—Trop loin. Mais pas pour moi.

—Combien de temps te faudrait-il pour atteindre ce village?

—Oh, je pourrais faire trois allers et retours avant l'apparition de la prochaine lune.

—Laisse-moi t'expliquer, Iorek. Je possède un lecteur de symboles qui m'apprend certaines choses, et il m'a dit que je devais me rendre dans ce village. C'est très important, mais Lord Faa refuse de me laisser y aller. Il veut qu'on avance le plus vite possible, et je sais combien c'est important aussi. Mais si je n'y vais pas, peut-être ne saurons-nous jamais ce que font réellement les Enfourneurs.

L'ours ne répondit pas. Il était assis comme un être humain, ses grosses pattes croisées sur ses genoux ; ses yeux noirs scrutaient ceux de Lyra. Il savait qu'elle avait quelque chose à lui demander.

Ce fut Pantalaimon qui parla le premier :

—Pourrais-tu nous emmener là-bas et rattraper la caravane ensuite ?

—Oui, je pourrais. Mais j'ai promis à John Faa de lui obéir, à lui et à personne d'autre.

—Et si j'avais sa permission ? demanda Lyra.

—Dans ce cas, d'accord.

Tournant les talons, elle s'éloigna en courant dans la neige.

—Lord Faa ! s'écria-t-elle. Si Iorek Byrnison m'emmène de l'autre côté de la crête, jusqu'au village, nous vous rejoindrons dès que nous saurons ce qui s'y passe. Il connaît le chemin, ajouta-t-elle d'un ton pressant. Je n'insisterais pas autant si la même chose ne s'était pas déjà produite. Vous vous souvenez, Farder Coram, l'histoire du caméléon ? Sur le moment, je ne comprenais pas, mais j'avais vu juste, et nous l'avons su après. J'ai le même pressentiment. Je ne comprends pas exactement ce que disent les symboles, mais je sais que c'est important. Iorek Byrnison dit qu'il a le temps de faire trois fois l'aller et retour avant la prochaine lune, et je ne peux pas être plus en sécurité qu'avec lui, n'est-ce pas ? Mais il refuse de partir sans votre autorisation, Lord Faa.

Il y eut un moment de silence. Farder Coram poussa un soupir. John Faa fronçait les sourcils sous sa capuche fourrée, et sa bouche était crispée. Mais avant qu'il n'ait eu le temps de répondre, l'aéronaute intervint :

—Lord Faa, dit-il, si Iorek Byrnison emmène la fillette, elle sera autant en sécurité que si elle restait ici avec nous. Tous les ours sont dignes de confiance, mais je connais Iorek depuis des années, et je vous assure que rien au monde ne pourra lui faire renier sa parole. Ordonnez-lui de prendre soin d'elle, et il le fera, croyez-moi. Pour ce qui est de la vitesse, il peut galoper pendant des heures sans se fatiguer.

—Pourquoi ne pas envoyer quelques hommes ? demanda John Faa.

—Ils seraient obligés d'y aller à pied, répondit Lyra. Il est impossible de franchir cette crête avec un traîneau. Sur ce genre de terrain, Iorek est capable d'avancer plus vite que n'importe qui, et je suis suffisamment légère pour ne pas le ralentir. Faites-moi confiance, Lord Faa. Je vous promets de ne pas m'attarder, de ne rien dévoiler à personne, et d'éviter tous les dangers.

— Tu es certaine de devoir aller là-bas ? Ce lecteur de symboles ne se moquerait pas de toi, par hasard ?

— Non, jamais, Lord Faa. D'ailleurs, je pense qu'il ne pourrait pas.

John Faa se frotta le menton, songeur.

— Si tout se passe bien, dit-il, nous disposerons d'informations supplémentaires, c'est un fait. Iorek Byrnison, lança-t-il à l'ours, es-tu prêt à faire ce que réclame cette enfant ?

— Je vous obéis, Lord Faa. Demandez-moi de conduire cette enfant là-bas, je le ferai.

— Très bien. Je te demande de la conduire où elle le souhaite, et de faire tout ce qu'elle désire. Lyra, c'est à toi que je m'adresse maintenant. Tu m'écoutes ?

— Oui, Lord Faa.

— Dès que tu as trouvé ce que tu cherches, tu fais demi-tour et tu reviens immédiatement. Iorek Byrnison, nous serons repartis d'ici là, il faudra nous rattraper.

L'ours hocha sa lourde tête.

— Y a-t-il des soldats dans ce village ? demanda-t-il à Lyra. J'aurai besoin de mon armure ? On ira plus vite si je ne la mets pas.

— C'est inutile, répondit-elle. Je suis formelle, Iorek. Merci, Lord Faa. Je promets de vous obéir.

Tony Costa lui donna un morceau de viande de phoque séchée à mâchonner, et, en compagnie de Pantalaimon blotti à l'intérieur de sa capuche sous la forme d'une souris, Lyra grimpa sur le dos du gros ours, agrippant les poils drus dans ses moufles et serrant le dos musclé entre ses cuisses. La fourrure de l'animal était extraordinairement épaisse et, à cet instant, la fillette se sentit submergée par un sentiment de pouvoir sans limites. Comme si elle ne pesait rien du tout, l'ours fit demi-tour et s'éloigna à grandes foulées vers la crête, en s'enfonçant parmi les taillis.

Il fallut un certain temps à Lyra pour s'habituer à ce balancement, après quoi, elle éprouva une formidable allégresse. Elle chevauchait un ours ! L'Aurore dessinait des arcs de cercle et des boucles de lumière au-dessus de leurs têtes, et de tous les côtés s'étendaient le froid glacial de l'Arctique et le silence infini du Nord.

Les grosses pattes de Iorek Byrnison se posaient presque sans bruit sur la neige. Les arbres, à cet endroit, étaient rabougris, car ils se trouvaient à l'entrée de la toundra, mais des ronces et des buissons se dressaient sur leur chemin. L'ours les traversait comme s'il s'agissait de vulgaires toiles d'araignée.

Ils gravirent la petite crête, au milieu des éboulis de roches noires et disparurent. Lyra avait envie de bavarder avec l'ours, et s'il avait été humain, sans doute aurait-elle déjà lié amitié avec lui ; mais il était si étrange, si sauvage et froid, qu'elle se sentait intimidée pour la première fois de sa vie. Aussi, tandis qu'il continuait de galoper, en balançant infatigablement ses puissantes pattes, Lyra s'efforça-t-elle sans rien dire de s'adapter à ses mouvements. D'ailleurs, peut-être préférait-il le silence, se dit-elle, car aux yeux d'un ours en armure, elle devait passer pour une gamine bavarde.

Jusqu'ici, Lyra avait rarement eu l'occasion de s'interroger sur son image, et cette expérience lui semblait très intéressante, bien qu'un peu déstabilisante ; comme le fait de chevaucher cet ours. Iorek Byrnison progressait à grandes foulées, en avançant simultanément les deux pattes du même côté, ce qui provoquait un roulis prononcé. Lyra comprit qu'elle ne pouvait pas simplement rester assise ; elle devait accompagner le mouvement.

Ils voyageaient depuis une heure. Lyra se sentait ankylosée et endolorie ; aussi se réjouit-elle quand Iorek Byrnison ralentit et s'arrêta enfin.

— Regarde là-haut, dit-il.

Lyra leva la tête, mais elle dut s'essuyer les yeux, car le froid l'avait fait pleurer. Ayant retrouvé la vue, elle laissa échapper un petit cri de stupeur en découvrant le ciel. L'Aurore n'était plus qu'un scintillement pâle et tremblotant, mais les étoiles, elles, étincelaient comme des diamants, et sous cette immense voûte obscure, constellée de pierres précieuses, des centaines et des centaines de minuscules formes noires, venues de l'est et du sud, filaient vers le nord.

— Ce sont des oiseaux ? demanda-t-elle.

— Non, des sorcières, répondit l'ours.

— Des sorcières ! Mais que font-elles ?

— Elles partent en guerre, peut-être. Je n'en ai jamais vu autant.

— Tu connais des sorcières, Iorek ?

— J'en ai servi quelques-unes. Et j'en ai combattu d'autres. Ce spectacle aurait de quoi effrayer Lord Faa. Si les sorcières volent à la rescousse de vos ennemis, vous avez des raisons de trembler.

— Lord Faa ne se laissera pas effrayer. Toi non plus, tu n'as pas peur, n'est-ce pas ?

— Pas encore. Quand je sentirai venir la peur, je saurai la maîtriser. Mais mieux vaut prévenir Lord Faa, car les hommes n'ont peut-être pas vu les sorcières.

L'ours se remit en route, tandis que Lyra continuait de scruter le ciel, jusqu'à ce que les larmes de froid emplissent de nouveau ses yeux. Les nuées de sorcières qui volaient vers le nord lui parurent innombrables.

Finalement, Iorek Byrnison s'arrêta et déclara :

— Voici le village.

Ils dominaient un petit groupe de maisons de bois, au pied d'une pente rocailleuse et accidentée, à côté d'une immense et plate étendue de neige. « Sans doute un lac gelé », songea Lyra. Comme le confirma la jetée en bois qui s'y enfonçait. Ils n'étaient plus qu'à cinq minutes du but.

— Et maintenant, on fait quoi ? demanda l'ours.

Lyra descendit de son dos et s'aperçut qu'elle avait du mal à tenir debout. Son visage était figé, ses jambes flageolaient, mais elle s'accrocha à la fourrure de l'animal et frappa du pied jusqu'à ce qu'elle retrouve des forces.

— Il y a un enfant, ou une sorte de fantôme, dans ce village, dit-elle. Ou alors tout près d'ici, je ne sais pas exactement. Je veux essayer de le retrouver pour le ramener à Lord Faa. Je pense qu'il s'agit d'un fantôme, mais le lecteur de symboles essaye peut-être de me dire une chose que je ne comprends pas.

— En tout cas, s'il est dehors, dit l'ours, j'espère qu'il est bien abrité.

— Je ne crois pas qu'il soit mort, dit Lyra, mais elle était loin d'en avoir la certitude.

L'aléthiomètre avait indiqué la présence d'une chose mystérieuse et surnaturelle. C'était inquiétant. Mais n'était-elle pas la fille de Lord Asriel ? se dit-elle. Et qui avait-elle sous ses ordres ? Un ours invincible. Comment, dans ces conditions, pouvait-elle éprouver de la peur ?

— Allons voir, dit-elle.

Elle remonta sur le dos de l'ours et celui-ci entreprit, avec prudence, de gravir la pente rocailleuse. Sans doute les chiens du village les avaient-ils sentis ou vus arriver car, soudain, ils se mirent à pousser des aboiements effrayés, et les rennes parqués dans leur enclos s'agitèrent nerveusement ; leurs bois s'entrechoquaient comme des branches mortes. Dans l'air immobile, le moindre bruit s'entendait de très loin.

Alors qu'ils atteignaient les premières maisons, Lyra scruta la pénombre ; l'Aurore continuait de décliner, et la lune ne se lèverait pas avant longtemps. Ici et là, une lumière vacillait sous un toit recouvert de neige, et Lyra crut entr'apercevoir des visages blêmes derrière les carreaux. Elle imaginait sans peine la stupéfaction de ces gens voyant une fillette qui chevauchait un grand ours blanc !

Au centre du petit village, dans un espace dégagé, à côté de la jetée, des bateaux que l'on avait tirés à sec formaient des monticules sous la neige. Les aboiements des chiens devenaient assourdissants, et juste au moment où

Lyra craignait d'avoir réveillé toute la population, la porte d'une maison s'ouvrit et un homme sortit, le fusil à la main. Son dæmon-glouton bondit sur le tas de bûches, faisant jaillir une gerbe de neige.

Lyra sauta aussitôt à terre pour venir se placer entre l'homme et Iorek Byrnison, car c'était elle qui lui avait déconseillé de porter son armure.

L'homme prononça des mots qu'elle ne comprit pas. Iorek répondit dans le même langage, et l'homme laissa échapper un petit gémissement de terreur.

—Il pense que nous sommes des esprits maléfiques, dit l'ours à Lyra. Que dois-je lui répondre?

—Dis-lui que nous ne sommes pas de mauvais esprits, mais nous avons de très bons amis qui le sont. Et nous cherchons... un enfant, c'est tout. Un enfant différent des autres. Dis-lui ça.

Dès que l'ours eut répété ces paroles, l'homme tendit le bras vers la droite, pour désigner un endroit au loin, et se lança dans des explications volubiles.

Iorek Byrnison se chargea de la traduction:

—Il demande si on vient pour emmener l'enfant. Ils ont peur de lui. Ils ont essayé de le chasser, mais il revient toujours.

—Dis-lui que nous allons l'emmener, mais que ce n'était pas bien de le traiter de cette façon. Où est-il?

L'homme donna des indications, accompagnées de grands gestes; il tremblait. Lyra craignait qu'il ne presse par inadvertance sur la détente de son fusil, mais dès qu'il eut fini de parler, il s'empressa de rentrer chez lui en claquant la porte. Lyra apercevait maintenant des visages derrière chaque fenêtre.

—Alors, où est l'enfant? demanda-t-elle.

—Dans le séchoir à poissons, répondit l'ours.

Il fit demi-tour et trottina vers la jetée.

Lyra lui emboîta le pas, rongée par l'inquiétude. L'ours se dirigeait vers une petite cabane en bois, levant parfois la tête pour renifler à droite et à gauche et se repérer; arrivé devant la porte, il s'arrêta et déclara:

—C'est ici.

Le cœur de Lyra battait si fort qu'elle pouvait à peine respirer. Elle s'apprêtait à frapper à la porte, mais prit conscience de l'absurdité de son geste. Alors, elle inspira à fond pour crier quelque chose, mais s'aperçut qu'elle ne savait pas quoi dire. Oh, il faisait si sombre maintenant! Elle aurait dû apporter une lampe...

Elle n'avait pas le choix et, de toute façon, elle ne voulait pas paraître effrayée. L'ours avait parlé de maîtriser sa peur; elle devait faire la même chose. Elle souleva la lanière en cuir de renne qui maintenait le loquet et tira de toutes ses forces pour briser le gel qui avait scellé la porte. Celle-ci s'ouvrit avec un craquement sec. Lyra dut déblayer avec son pied la neige entassée sur le seuil. Pas question de compter sur l'aide de Pantalaimon qui, redevenu hermine, courait de long en large dans la neige, ombre blanche sur le sol immaculé, en poussant de petits cris plaintifs.

—Pan, pour l'amour du ciel! dit-elle. Transforme-toi en chauve-souris et va jeter un coup d'œil à ma place...

Mais son dæmon refusait d'obéir, il ne voulait même pas lui répondre. Lyra ne l'avait jamais vu dans cet état, sauf peut-être la fois où, avec Roger, elle avait interverti les médailles des dæmons dans les crânes des morts, à l'intérieur de la crypte de Jordan College. Il était encore plus effrayé qu'elle. Quant à Iorek Byrnison, allongé dans la neige non loin de là, il observait la scène en silence.

—Sors! cria Lyra aussi fort qu'elle l'osait. Sors de là!

Il n'y eut aucune réponse. Alors, elle ouvrit la porte un peu plus, et Pantalaimon bondit dans ses bras, sous sa forme de chat, en lui donnant des coups de tête, comme pour l'obliger à reculer.

—Va-t'en! criait-il. Ne reste pas ici! Oh, Lyra, va-t'en! Fais demi-tour!

Tout en essayant de le calmer, elle vit, du coin de l'œil, Iorek Byrnison se relever, et en se retournant, elle aperçut un individu qui arrivait en courant avec une lampe. Quand il fut assez près pour se faire entendre, il brandit sa lampe pour éclairer ses traits: c'était un vieil homme au visage rond, tellement ridé que ses yeux semblaient disparaître au milieu des plis de peau. Son dæmon était un renard polaire.

Il prononça quelques mots, et Iorek Byrnison traduisit:

—Il dit que ce n'est pas le seul enfant de ce genre. Il en a vu d'autres dans la forêt. Parfois, ils meurent rapidement, parfois, ils ne meurent pas. Celui-ci est coriace, dit-il. Mais il serait préférable pour lui qu'il meure.

—Demande-lui s'il peut me prêter sa lampe.

L'ours posa la question, et le vieil homme lui tendit aussitôt la lampe, en acquiesçant vigoureusement. Comprenant qu'il était venu dans ce but, Lyra le remercia; il répondit en hochant de nouveau la tête et recula de quelques pas, loin d'elle, de la cabane et de l'ours.

Soudain, une pensée traversa Lyra: et si cet enfant était Roger? Elle pria de toutes ses forces pour que ce ne soit pas lui. Pantalaimon, redevenu hermine, s'accrochait à elle; ses petites griffes s'enfonçaient dans son parka. Soulevant la lampe à bout de bras, elle fit un pas à l'intérieur de la cabane... et découvrit alors quelle était réellement la mission du Conseil d'Oblation, et la nature du sacrifice que les enfants devaient consentir.

Le jeune garçon était recroquevillé contre les claies en bois sur lesquelles étaient suspendues de nombreuses rangées de poissons éviscérés, raides comme des bâtons. Il serrait contre lui un bout de poisson, comme Lyra serrait Pantalaimon, à deux mains, de toutes ses forces, sur son cœur, mais il n'avait que cela à étreindre, un morceau de poisson séché, car il n'avait plus de dæmon. Les Enfourneurs le lui avaient arraché. Voilà ce que signifiait le mot « intercision » : elle avait devant les yeux un enfant mutilé.

Chapitre 13
Leçon d'escrime

 Sa première impulsion fut de faire demi-tour et de s'enfuir ; elle fut prise d'une nausée. Un être humain sans dæmon, c'était comme une personne sans visage, ou avec la cage thoracique ouverte et le cœur arraché : une chose contre nature, aussi étrange qu'effrayante, qui appartenait au monde des cauchemars, et non à la réalité des sens.

Lyra s'accrocha à Pantalaimon, sa tête se mit à tourner, sa gorge se souleva, et malgré le froid glacial de la nuit, une sueur fiévreuse, plus froide encore, l'inonda.

—Ratter, dit l'enfant. Vous avez mon Ratter ?

Lyra comprit aussitôt de quoi il s'agissait.

—Non, répondit-elle d'une voix tremblante et apeurée qui exprimait ce qu'elle ressentait. Comment tu t'appelles ?

—Tony Makarios. Où est Ratter ?

—Je ne sais pas... (Elle dut avaler sa salive pour repousser une vague de nausée.) Les Enfourneurs...

Elle ne put achever sa phrase. Il fallait qu'elle sorte de cette cabane pour aller s'asseoir seule dans la neige, mais évidemment, elle n'était pas toute seule, elle n'était jamais seule, car Pantalaimon était toujours là. Oh, être séparé de lui comme ce pauvre petit garçon avait été séparé de son Ratter ! La chose la plus terrible au monde ! Elle se surprit à sangloter. Pantalaimon pleurnichait lui aussi, et tous les deux éprouvaient ce même sentiment de pitié et de chagrin à l'égard du pauvre garçon mutilé.

Finalement, Lyra se releva.

—Viens, Tony, dit-elle. Sortons d'ici. On va t'emmener dans un endroit sûr.

Un mouvement se produisit dans l'obscurité du séchoir à poissons, et l'enfant apparut sur le seuil, tenant toujours le poisson séché contre lui. Il portait des vêtements relativement chauds : un épais anorak matelassé et des bottes en fourrure, mais ils semblaient avoir déjà beaucoup servi et n'étaient pas à sa taille. Dans la lumière du dehors, dispensée par les faibles traînées de l'Aurore qui se reflétaient sur le sol enneigé, il paraissait encore plus désemparé et misérable.

Le villageois qui leur avait apporté la lampe avait reculé de plusieurs mètres ; il les interpella.

Iorek Byrnison traduisit.

—Il dit que tu dois payer pour le poisson.

Lyra avait envie d'ordonner à l'ours de tuer cet homme, mais elle répondit :

—On les débarrasse de l'enfant ; ils peuvent bien nous offrir un poisson.

L'ours transmit sa réponse. L'homme marmonna quelques mots, mais n'insista pas. Lyra déposa sa lampe dans la neige et prit la main du demi-garçon pour le conduire vers l'ours. Il la suivit sans résister, nullement surpris ni effrayé de découvrir ce grand animal blanc, et quand Lyra l'aida à monter sur le dos de Iorek, il dit simplement :

—Je ne sais pas où est mon Ratter.

—Nous non plus, Tony. Mais nous... nous punirons les Enfourneurs. Je te le promets. Iorek, je peux grimper sur ton dos, moi aussi ?

—Mon armure pèse bien plus lourd que deux enfants.

Elle monta donc derrière Tony et lui montra comment s'accrocher aux longs poils drus ; Pantalaimon prit place à l'intérieur de la capuche de la fillette, tout chaud, blotti contre elle et rempli de pitié. Lyra savait qu'il aurait voulu dorloter le pauvre enfant, le lécher, le réconforter et le réchauffer, comme l'aurait fait son propre dæmon mais, bien évidemment, le grand tabou l'en empêchait.

Ils traversèrent le village et remontèrent vers la crête ; sur les visages des habitants se lisait l'horreur, mais aussi une sorte de soulagement angoissé en voyant une fillette et un grand ours blanc emmener cette créature horriblement mutilée.

Dans le cœur de Lyra, la répulsion luttait contre la compassion, mais cette dernière finit par l'emporter. Elle prit dans ses bras le petit corps décharné et le tint contre elle, à l'abri. Le voyage du retour fut plus pénible, plus froid, plus noir mais, curieusement, il sembla passer plus vite. Iorek Byrnison était infatigable, et Lyra avait pris l'habitude de chevaucher sur son dos, si bien qu'ils ne risquaient plus de tomber. Le corps glacé qu'elle tenait entre ses bras était si léger qu'elle pouvait aisément le retenir, mais il était inerte et raide, il n'accompagnait pas les mouvements de l'ours, et ce n'était donc pas si facile.

Parfois, le demi-garçon prononçait quelques mots.

—Que dis-tu ? demanda Lyra.

—Est-ce qu'il saura où je suis ?

—Oui, c'est certain, il saura. Il te retrouvera et on le retrouvera. Tiens bon, Tony. On est bientôt arrivés...

L'ours continuait d'avancer au pas de course. Lyra ne sentit à quel point elle était fatiguée que lorsqu'ils eurent enfin rejoint les gitans. La caravane avait fait une halte pour reposer les chiens, et soudain, ils étaient là, Farder Coram, Lord Faa, Lee Scoresby, qui tous se précipitaient pour l'aider, puis s'immobilisaient brusquement, muets de stupeur, en découvrant celui qui accompagnait Lyra. Cette dernière était tellement ankylosée qu'elle ne pouvait même pas détacher ses bras noués autour du garçon, et John Faa fut obligé de les écarter délicatement pour l'aider ensuite à descendre de l'ours.

—Bonté divine, qu'est-ce donc ? dit-il. Lyra, qu'as-tu découvert ?

—Il s'appelle Tony, murmura-t-elle entre ses lèvres gelées. On lui a arraché son dæmon. Voilà ce que font les Enfourneurs !

Les hommes restaient en retrait, apeurés, mais l'ours s'adressa à eux, au grand étonnement de Lyra, pour les réprimander sévèrement :

—Honte à vous ! Pensez à ce qu'a fait cette enfant ! Peut-être n'avez-vous pas plus de courage qu'elle, mais vous ne pouvez pas en avoir moins !

—Tu as raison, Iorek Byrnison, dit John Faa, et il se retourna pour lancer des ordres. Ranimez le feu et faites chauffer de la soupe pour l'enfant. Pour les deux enfants. Farder Coram, votre tente est montée ?

—Oui, John. Amenez-la, on va la réchauffer...

—Et le petit garçon, dit quelqu'un. Il peut manger et se réchauffer lui aussi, même si...

Lyra voulut parler des sorcières à John Faa, mais tout le monde semblait si affairé, et elle se sentait si fatiguée ! Après quelques minutes de confusion, pendant lesquelles des silhouettes couraient en tous sens dans la lumière des lampes et la fumée des feux, elle sentit les petites dents d'hermine de Pantalaimon lui mordiller le lobe de l'oreille, et elle se réveilla pour découvrir le visage de l'ours à quelques centimètres du sien.

—Les sorcières, chuchota Pantalaimon. J'ai appelé Iorek.

—Ah oui, marmonna Lyra. Iorek, merci de m'avoir conduite là-bas et ramenée ensuite. J'oublierai peut-être de parler des sorcières à Lord Faa, il vaut mieux que tu le fasses à ma place.

À peine entendit-elle l'ours acquiescer, avant de s'endormir pour de bon.

Quand elle ouvrit un œil, le jour était presque levé, et il ne se lèverait pas davantage. Au sud-est, le ciel était pâle, dans l'air flottait une brume grisâtre à travers laquelle les gitans évoluaient comme des fantômes corpulents, pour charger les traîneaux et attacher les chiens.

Lyra assistait à tout cela du traîneau de Farder Coram, dans lequel elle était allongée sous un amas de fourrures. Réveillé avant elle, Pantalaimon essayait de prendre l'apparence d'un renard polaire, pour finalement retrouver son corps d'hermine, son préféré.

Iorek Byrnison dormait dans la neige, tout près de là, sa tête appuyée sur ses grosses pattes, mais Farder Coram, lui, était déjà en plein travail, et dès qu'il vit émerger Pantalaimon, il approcha du traîneau en boitant, afin de réveiller Lyra.

Celle-ci le vit arriver et se redressa.

— Farder Coram, je sais maintenant ce que je ne comprenais pas ! L'aléthiomètre répétait sans cesse la même chose : oiseau et vide, ça n'avait aucun sens, car en réalité, ça voulait dire « pas de dæmon », mais je ne voyais pas comment... Que se passe-t-il ?

— Lyra, je redoute de t'annoncer cette nouvelle après ce que tu as fait, mais le petit garçon est mort il y a une heure. Il était très énervé, il ne tenait pas en place ; il réclamait sans cesse son dæmon : où était-il ? allait-il bientôt revenir ? Et pendant tout ce temps, il serrait contre lui ce vieux morceau de poisson, comme si... Oh, je préfère ne pas en parler. Finalement, il a fermé les yeux et s'est calmé ; c'était la première fois qu'il paraissait aussi serein, car il ressemblait désormais à toutes les personnes qui meurent, quand leur dæmon s'évanouit tout naturellement. Ils ont essayé de lui creuser une tombe, mais le sol est gelé et dur comme la pierre. Alors, John Faa a ordonné qu'on allume un grand feu, et ils vont l'incinérer pour que sa dépouille ne soit pas souillée par la charogne.

... Tu as accompli un acte courageux et charitable, Lyra. Je suis fier de toi. Maintenant que nous savons de quelles horreurs ces gens sont capables, notre objectif nous apparaît plus clairement. En attendant, tu dois te reposer et manger, car tu t'es endormie trop vite hier soir pour te restaurer convenablement, or, avec ce froid, il faut manger pour garder des forces...

Tout en parlant, le vieil homme s'affairait ; il arrangeait les fourrures, il resserrait et démêlait les cordes du traîneau, vérifiait les harnais des chiens....

— Farder Coram, où est le petit garçon ? Ils l'ont déjà brûlé ?

— Non. Il repose là-bas.

— Je veux le voir.

Il ne pouvait pas lui refuser ça, car elle avait vu des choses plus terribles qu'un cadavre, et cela pourrait peut-être l'apaiser. Et donc, accompagnée de Pantalaimon qui sautillait délicatement à ses côtés sous la forme d'un lièvre blanc, elle longea la caravane de traîneaux, jusqu'à l'endroit où des hommes empilaient du petit bois.

Le corps du garçon gisait sous une couverture à carreaux, au bord de la piste. Lyra s'agenouilla près de lui et souleva la couverture avec ses mains protégées par des moufles. Un des hommes voulut l'arrêter, mais les autres secouèrent la tête.

Pantalaimon s'approcha, tandis que la fillette contemplait le pauvre visage ravagé. Ôtant une de ses moufles, elle posa sa main sur les paupières du garçon. Elles étaient froides comme du marbre. Farder Coram avait raison : le pauvre petit Tony Makarios ressemblait maintenant à tous les humains dont le dæmon s'est volatilisé dans la mort. « Oh, si on m'arrachait Pantalaimon ! » songea-t-elle. Elle prit son dæmon dans ses bras et le serra contre elle de toutes ses forces, comme pour le faire rentrer dans son cœur. Le pauvre petit Tony, lui, n'avait que ce misérable morceau de poisson...

Où était-il, d'ailleurs ?

Elle ôta la couverture. Le poisson avait disparu.

Elle se leva d'un bond ; ses yeux lancèrent des éclairs.

— Où est son poisson ?

Les hommes s'immobilisèrent, perplexes, ne sachant pas de quoi elle parlait ; mais certains de leurs dæmons le savaient, eux, et ils se regardèrent. Un des hommes esquissa un sourire.

— Vous n'avez pas le droit de rire ! s'écria Lyra. Je vous arrache les poumons si vous vous moquez de lui ! Il ne lui restait plus que ça, un vieux poisson séché ; voilà le dæmon qu'il devait aimer et choyer ! Qui le lui a pris ? Où est-il ?

Pantalaimon avait pris l'aspect d'un léopard des neiges, semblable au dæmon de Lord Asriel, mais Lyra ne s'en aperçut même pas ; elle ne voyait que le bien et le mal.

— Calme-toi, petite, dit un des hommes.

— Qui a volé le poisson ? demanda-t-elle avec la même fureur, et le gitan recula d'un pas devant tant de passion et de rage.

— Je ne savais pas, dit un des autres hommes d'un air contrit. Je croyais qu'il venait de le manger. Et je lui ai retiré ce poisson des mains, par respect. Voilà tout.

— Où est-il maintenant ?

L'homme semblait très mal à l'aise.

— J'ai cru qu'il n'en avait plus besoin, alors je l'ai donné à mes chiens. Je te demande pardon, Lyra.

— Ce n'est pas à moi qu'il faut demander pardon, c'est à lui.

Elle se retourna pour s'agenouiller de nouveau, et posa sa main sur la joue glacée de l'enfant mort.

Soudain, une idée lui vint, et elle fouilla sous son amoncellement de fourrures. L'air froid s'engouffra lorsqu'elle ouvrit son parka, mais en quelques secondes, elle trouva ce qu'elle cherchait, et elle sortit une pièce en or de sa bourse, avant de s'emmitoufler à nouveau.

—Prête-moi ton couteau, demanda-t-elle à l'homme qui avait pris le poisson.

Elle prit le couteau qu'on lui tendait et se tourna vers Pantalaimon.

—Comment s'appelait-il, déjà ?

Il savait de qui elle parlait, évidemment.

—Ratter.

Serrant la pièce dans sa moufle et tenant le couteau à la manière d'un crayon, elle grava le nom du dæmon dans l'or.

—J'espère que ça ira, si je te traite comme un Érudit de Jordan College, murmura-t-elle à l'oreille de l'enfant mort.

Elle desserra, à grand-peine, ses mâchoires et glissa la pièce dans sa bouche. Elle rendit son couteau à l'homme et tourna les talons dans le crépuscule du matin pour rejoindre Farder Coram.

Celui-ci lui offrit un bol de soupe chaude, qu'elle avala goulûment.

—Que va-t-on faire au sujet de ces sorcières, Farder Coram ? demanda-t-elle. Je me demande si la vôtre était parmi elles.

—La mienne ? Je n'irais pas jusque-là, Lyra. Elles pouvaient se rendre n'importe où. Toutes sortes de préoccupations influencent la vie des sorcières, vois-tu ; des choses invisibles à nos yeux, des maladies mystérieuses qui les terrassent, alors que nous y sommes indifférents, des causes de conflit qui dépassent notre compréhension, des joies et des peines liées à la floraison de minuscules plantes dans la toundra... mais j'avoue que j'aurais aimé les voir voler, Lyra. J'aurais voulu admirer ce spectacle. Allez, bois toute ta soupe. Tu en veux encore ? Il y a aussi de la galette qui cuit. Mange, petite, car nous allons bientôt reprendre la route.

Ce repas revigora Lyra, et son âme gelée commença à se réchauffer. Comme tous les autres, elle alla voir le garçon allongé sur son bûcher funéraire ; elle baissa la tête et ferma les yeux pendant que John Faa récitait des prières, puis les hommes aspergèrent les bûches d'alcool de charbon et y jetèrent des allumettes. Le bûcher s'embrasa immédiatement.

Après s'être assurés que le corps n'était plus que cendres, ils se remirent en route. Ce fut un voyage crépusculaire. Très vite, la neige se mit à tomber et, bientôt, le monde se limita aux ombres grises des chiens qui couraient devant, aux balancements et aux grincements du traîneau, à la morsure du froid, et à une mer tourbillonnante d'énormes flocons, à peine plus foncés que le ciel, à peine plus clairs que le sol.

Les chiens continuaient de courir, la queue droite, soufflant des nuages de vapeur. Ils fonçaient droit vers le nord, tandis que la lueur blafarde du midi apparaissait et s'éteignait, et que le crépuscule se refermait une fois de plus sur le monde. Ils firent halte pour boire, manger, se reposer dans un vallon entre deux collines, et pour s'orienter. Tandis que John Faa évoquait avec Lee Scoresby la meilleure façon d'utiliser le ballon, Lyra pensait à la mouche-espion, et elle demanda à Farder Coram ce qu'était devenu le tube en fer dans lequel il l'avait emprisonnée.

—Je l'ai rangé en lieu sûr, dit-il. Il est tout au fond de cette musette, mais il n'y a rien à voir. Je l'ai soudé quand on était sur le bateau, comme je l'avais dit. Pour être franc, je ne sais pas ce qu'on va en faire. On pourrait le jeter au fond d'une mine. Mais inutile de t'inquiéter, Lyra. Tant que je le garde, tu n'as rien à craindre.

À la première occasion, elle plongea le bras tout au fond du sac en toile durci par le gel et en ressortit le petit tube en fer. Avant même de le toucher, elle le sentit bourdonner.

Pendant que Farder Coram s'entretenait avec les autres chefs, Lyra apporta le tube à Iorek Byrnison et lui expliqua son idée. Celle-ci lui était venue en voyant l'ours transpercer si aisément, d'un coup de griffe, le métal du tracteur.

Iorek l'écouta attentivement, après quoi, il prit le couvercle d'une boîte de biscuits en fer-blanc, qu'il transforma habilement en petit cylindre aplati. Lyra s'émerveillait devant tant de dextérité : contrairement à la plupart des autres ours, Iorek Byrnison et ses semblables possédaient des pouces qui leur permettaient de tenir des objets avec fermeté pour pouvoir les travailler. En outre, il avait un tel sens inné de la résistance et de la flexibilité des métaux qu'il lui suffisait de le soupeser une ou deux fois, de le tordre dans un sens et dans l'autre, et de l'inciser légèrement avec sa griffe pour pouvoir le plier. Comme il le fit devant les yeux de Lyra, repliant les côtés vers l'intérieur, les uns sur les autres, jusqu'à former un rebord, avant de fabriquer un couvercle adapté. À la demande de Lyra, il confectionna deux tubes : le premier de la taille du tube original, et un autre juste assez large pour contenir le tube lui-même, ainsi qu'une certaine quantité de poils, de mousse et de lichen, tassés en une masse compacte pour étouffer le bruit. Une fois fermée, la boîte avait les dimensions et la forme de l'aléthio-mètre.

Ce travail achevé, la fillette s'assit à côté de Iorek Byrnison, occupé à mastiquer un cuissot de renne gelé, aussi dur que du bois.

—Iorek, demanda-t-elle, ce n'est pas trop difficile de vivre sans dæmon ?
Tu ne souffres pas de la solitude ?

—La solitude ? Je ne sais pas. On me dit qu'il fait froid ici. J'ignore ce qu'est
le froid, car je n'en souffre pas. De la même façon, je ne sais pas ce qu'est la
solitude. Les ours sont faits pour vivre en solitaire.

—Et les ours de Svalbard ? demanda Lyra. Ils sont des milliers, pas vrai ?
C'est ce qu'on raconte.

En guise de réponse, Iorek brisa l'articulation du cuissot, avec un bruit
sec, comme une bûche qui se fend.

—Pardonne-moi, dit Lyra. Je ne voulais pas t'offenser. Je suis curieuse,
voilà tout. En fait, si je m'intéresse autant aux ours de Svalbard, c'est à cause
de mon père.

—Qui est ton père ?

—Lord Asriel. Et il est prisonnier à Svalbard justement. Je crois que les
Enfourneurs l'ont trahi, et ils ont payé les ours pour l'empêcher de sortir.

—Je l'ignorais. Je ne suis pas un ours de Svalbard.

—Oh. Je croyais que...

—Non. J'étais un ours de Svalbard dans le temps. J'ai été chassé pour avoir
tué un autre ours. On m'a privé de mon rang, de ma fortune et de mon
armure, et on m'a envoyé vivre aux abords du monde des humains pour
me battre quand je réussissais à me faire engager comme mercenaire, ou
accomplir des travaux de force en noyant mes souvenirs dans l'alcool.

—Pourquoi as-tu tué cet ours ?

—Par colère. Nous autres, les ours, nous avons des moyens d'évacuer
notre colère, entre nous, mais ce jour-là, j'étais hors de moi. Alors, je l'ai
tué, et j'ai été puni, à juste titre.

—Tu étais un ours riche et de haut rang ! s'exclama Lyra, émerveillée.
Exactement comme mon père ! Il lui est arrivé la même chose après ma
naissance. Il a tué quelqu'un, lui aussi, et on lui a tout pris. Mais c'était bien
avant qu'il soit retenu prisonnier à Svalbard. Je ne sais rien de cet endroit, à
part que c'est tout là-haut dans le Nord... C'est recouvert de glace ? On peut
y aller en traversant à pied la mer gelée ?

—Non, pas en partant de cette côte. La mer est parfois gelée au sud, mais
pas toujours. Il faudrait un bateau.

—Ou un ballon, peut-être.

—Oui, un ballon. Mais dans ce cas, il faudrait des vents favorables.

Pendant que Iorek continuait de mastiquer son cuissot de renne, une idée
folle traversa l'esprit de Lyra qui pensait à toutes ces sorcières aperçues dans
le ciel nocturne, mais elle n'en parla pas. Elle interrogea Iorek Byrnison sur
Svalbard, et l'écouta attentivement lorsqu'il lui parla des glaciers qui avan-

çaient lentement, des rochers et des glaces flottantes envahis par des groupes de centaines de morses aux défenses brillantes, de la mer grouillante de phoques, des narvals entrechoquant leurs longues défenses blanches au-dessus de l'eau glacée, des immenses et lugubres côtes, des falaises hautes de trois cents mètres, ou plus, là où d'ignobles créatures perchaient, des houillères et des mines où les ours forgerons martelaient d'épaisses plaques de fer qu'ils assemblaient ensuite en forme d'armures...

—S'ils t'ont pris ton armure, Iorek, d'où vient cette tenue ?

—Je l'ai fabriquée de mes propres mains à Nova Zembla. Car sans elle, je n'étais qu'une partie de moi-même.

—Ainsi, les ours peuvent fabriquer eux-mêmes leurs âmes..., dit-elle. (Il y avait encore beaucoup de choses qu'elle ignorait, pensa-t-elle.) Qui est le roi de Svalbard ? Les ours ont-ils un roi ?

—Il s'appelle Iofur Raknison.

Ce nom évoquait vaguement quelque chose pour Lyra. Elle l'avait déjà entendu, mais où ? Ce n'était pas un ours ni un gitan qui lui en avait parlé. Non, ce mot avait été prononcé par une voix d'Érudit, précise, pédante avec une sorte d'arrogance lascive, dans le plus pur style de Jordan College. Elle le répéta plusieurs fois dans sa tête... Elle connaissait ce nom !

Et soudain, tout lui revint : le Salon, les Érudits écoutant Lord Asriel. C'était le professeur Palmérien qui avait parlé de Iofur Raknison. Il avait employé le mot « panserbjornes », que Lyra ne connaissait pas, et elle ignorait que ce Iofur Raknison était un ours. Mais qu'avait-il dit, au juste ? Le roi de Svalbard était vaniteux, sensible à la flatterie. Il y avait autre chose... Si seulement elle pouvait s'en souvenir, mais il s'était passé tant de choses depuis...

—Si ton père est prisonnier des ours de Svalbard, déclara Iorek Byrnison, il ne pourra jamais s'échapper. Là-bas, il n'y a pas de bois pour fabriquer un bateau. En revanche, si c'est un noble, il sera traité avec égards. Ils lui donneront une maison et un domestique pour le servir, de la nourriture et de quoi se chauffer.

—Il n'est pas possible de vaincre ces ours ?

—Non.

—Même par la ruse ?

L'ours cessa de manger pour regarder la fillette, puis il dit :

—Personne ne peut vaincre les ours en armure. Tu as vu mon armure ; maintenant, regarde mes armes.

Lâchant son morceau de viande, il tendit les pattes de devant, ouvertes vers le ciel. Chaque paume noire était recouverte d'une peau calleuse, épaisse d'au moins deux centimètres, et les griffes étaient aussi longues, si ce n'est plus, que la main de Lyra, aiguisées comme une lame de couteau. Impressionnée, la fillette les caressa du bout des doigts.

—D'un seul coup de poing, je peux broyer le crâne d'un phoque, déclara Iorek. Ou briser le dos d'un homme, lui arracher un bras ou une jambe. Et je peux mordre. Si tu n'étais pas intervenue à Trollesund, j'aurais écrasé la tête de cet homme comme un vulgaire œuf. Voilà pour la force, parlons de la ruse maintenant. Impossible de tromper un ours. Tu veux une preuve ? Prends un bâton et bats-toi avec moi.

Sans se faire prier, Lyra brisa une branche d'un buisson chargé de neige, l'élagua avec soin et s'amusa à fendre l'air comme si elle maniait une rapière. Iorek Byrnison attendait, accroupi, les pattes sur les cuisses. Une fois prête, elle se plaça devant lui, mais elle n'osait pas l'attaquer, tant il paraissait pacifique. Alors, elle fit des moulinets et des feintes, à droite, à gauche, sans aucune intention de le frapper. Elle répéta ces mouvements plusieurs fois, mais l'ours ne bougeait pas d'un pouce.

Finalement, elle décida de lui porter une attaque, sans violence, uniquement pour lui toucher le ventre avec son bâton. Immédiatement, la patte de l'ours jaillit et repoussa le bâton d'un geste nonchalant.

Surprise, Lyra récidiva, avec le même résultat. Les gestes de l'ours étaient bien plus rapides, plus précis, que les siens. Elle tenta de le frapper de nouveau, pour de bon désormais, maniant son bâton comme un fleuret, mais pas une fois elle n'atteignit sa cible. Iorek semblait deviner ses intentions avant même qu'elle n'attaque, et quand elle se fendit à la manière d'un escrimeur, en visant la tête, la grosse patte repoussa le bâton sans aucune difficulté, et quand Lyra feinta, il ne bougea même pas.

Exaspérée, la fillette se lança dans un assaut furieux, alternant les attaques frontales, les feintes, les moulinets, mais pas une fois elle ne parvint à franchir le barrage de ces pattes. Elles étaient partout, toujours au bon moment pour parer, toujours au bon endroit pour bloquer.

Elle prit peur et s'arrêta. À bout de souffle, épuisée, elle transpirait sous ses fourrures, tandis que l'ours, lui, était toujours assis, impassible. Si elle l'avait attaqué avec une véritable épée, mortellement pointue, il n'aurait même pas eu une égratignure.

—Je parie que tu sais rattraper les balles de fusil aussi, dit-elle en jetant son bâton. Mais comment fais-tu ?

—Je ne suis pas un être humain, dit-il. Voilà pourquoi personne ne peut attaquer un ours par surprise. Nous voyons les ruses et les feintes aussi clairement que les mouvements des bras et des jambes. Nous savons voir les choses d'une manière que les humains ont oubliée. Mais toi, Lyra, tu sais tout cela, car tu sais déchiffrer le lecteur de symboles.

—Mais ce n'est pas pareil !

Lyra était encore plus impressionnée par l'ours que lorsqu'elle l'avait vu en colère.

—C'est la même chose, dit-il. Les adultes ne peuvent pas le déchiffrer, d'après ce que j'ai compris. De la même manière que je surpasse les soldats humains, tu étonnes les adultes avec ce lecteur de symboles.

—Oui, sans doute, dit Lyra, perplexe et méfiante. Ça veut dire que je ne saurai plus m'en servir quand je serai grande ?

—Qui sait ? Je n'ai jamais vu de lecteur de symboles ni personne qui sache les déchiffrer. Peut-être es-tu différente des autres.

Il se remit à quatre pattes et continua à dévorer son cuissot de viande. Lyra s'était découverte, car elle avait trop chaud, mais le froid la surprit et elle dut se rhabiller. Cet épisode l'avait ébranlée, et elle avait hâte de consulter l'aléthiomètre, mais il faisait trop froid et, de plus, on l'appelait, car le moment était venu de repartir. Elle prit les boîtes en fer fabriquées par Iorek, remit le tube vide dans la musette de Farder Coram, et rangea celui qui contenait la mouche-espion dans la bourse fixée à sa ceinture, avec l'aléthiomètre. Elle était ravie de se remettre en route.

Les chefs s'étaient mis d'accord avec Lee Scoresby : lors de leur prochaine halte, ils gonfleraient son ballon et il jouerait les espions dans les airs. Bien évidemment, Lyra mourait d'envie de l'accompagner ; et bien évidemment, cela lui fut refusé, mais elle fit tout le chemin avec l'aéronaute et ne cessa de le bombarder de questions.

—Monsieur Scoresby, comment feriez-vous pour voler jusqu'à Svalbard ?

—Oh, il faudrait un dirigeable pour ça, avec un moteur à gaz, une sorte de zeppelin, ou alors, un bon vent du sud. Mais je ne m'y risquerais pas, pour sûr ! Tu as déjà vu cet endroit ? C'est le coin le plus désertique, le cul-de-sac le plus sinistre, le trou perdu le plus inhospitalier de la planète !

—Je me demandais... Admettons que Iorek Byrnison veuille revenir chez lui...

—Ils le tueraient. Iorek est un banni. À l'instant même où il mettrait les pieds là-bas, les autres le réduiraient en miettes.

—Comment vous faites pour gonfler votre ballon, monsieur Scoresby ?

—Je peux fabriquer de l'hydrogène en versant de l'acide sulfurique sur de la limaille de fer. On capte le gaz qui s'en échappe et on remplit peu à peu le ballon. La deuxième méthode consiste à trouver une poche de gaz à proximité d'une mine. Il y a énormément de gaz par ici, sous terre, et du pétrole aussi. Je peux obtenir du gaz à partir du pétrole, si besoin est, et à partir du charbon aussi. Finalement, ce n'est pas difficile. Mais la méthode la plus rapide, c'est de prendre le gaz de la terre. Avec une bonne poche, on peut remplir le ballon en une heure.

— Combien de personnes pouvez-vous transporter ?

— Six, en cas de besoin.

— Vous pourriez transporter Iorek Byrnison avec son armure ?

— Je l'ai déjà fait. Je l'ai sauvé des griffes des Tartares pendant la campagne du Tunguska : il était encerclé et ils voulaient l'affamer. Je suis arrivé en ballon et je l'ai sauvé. Ça paraît simple, mais il a fallu que je calcule le poids de ce lascar, au jugé. Ensuite, j'espérais qu'il y aurait une poche de gaz sous la forteresse de glace qu'il avait bâtie. Mais j'avais repéré la nature du terrain et je pensais bien qu'on avait une chance en creusant. Car j'étais obligé de lâcher les gaz pour descendre, et si je voulais remonter, il fallait que je regonfle le ballon. Bref, on a réussi notre coup, et j'ai emmené Iorek, avec son armure.

— Dites, monsieur Scoresby, vous saviez que les Tartares faisaient des trous dans la tête des gens ?

— Oui, bien sûr. Ils font ça depuis des milliers d'années. Durant la campagne du Tunguska, on a capturé cinq Tartares, et trois d'entre eux avaient un trou dans le crâne. Il y en avait même un qui en avait deux !

— Ils se font ça entre eux ?

— Parfaitement. D'abord, il découpent un demi-cercle sur le cuir chevelu, pour pouvoir soulever la peau et mettre le crâne à nu. Ensuite, ils découpent un petit cercle dans l'os, jusqu'au cerveau, en faisant très attention de ne pas l'abîmer et, pour finir, ils recousent la peau du cuir chevelu.

— Je croyais qu'ils n'infligeaient ce supplice qu'à leurs ennemis !

— Non, pas du tout ! C'est un immense privilège au contraire. Ils font ça pour que les dieux puissent leur parler.

— Avez-vous entendu parler d'un explorateur nommé Stanislaus Grumman ?

— Grumman ? Oui, bien sûr. J'ai rencontré un membre de son équipe quand j'ai survolé le fleuve Ienisseï, il y a deux ans. Il partait vivre parmi les tribus de Tartares dans cette région. D'ailleurs, je crois qu'il avait un trou dans le crâne, lui aussi. Cela fait partie de la cérémonie d'initiation, mais l'homme qui m'en a parlé n'y connaissait pas grand-chose.

— Donc... si Grumman était une sorte de Tartare honoraire, ils ne l'ont sans doute pas tué ?

— Tué ? Il est mort ?

— Oui. J'ai vu sa tête, déclara fièrement Lyra. C'est mon père qui l'a retrouvée. Je l'ai vue quand il l'a montrée aux Érudits de Jordan College à Oxford. Ils l'ont aussi scalpé.

—Qui l'a scalpé?

—Les Tartares, c'est du moins ce qu'ont pensé les Érudits.

—Ce n'était peut-être pas la tête de Grumman, dit Lee Scoresby. Ton père a pu vouloir berner les Érudits.

—Oui, c'est possible, dit Lyra, songeuse. Il voulait leur réclamer de l'argent.

—Et quand ils ont vu la tête, ils lui ont donné de l'argent?

—Oui.

—Bien joué. Généralement, les gens ont un tel choc quand ils voient ce genre de choses qu'ils n'aiment pas regarder de trop près.

—Surtout les Érudits, commenta Lyra.

—Tu es mieux placée que moi pour le savoir. En tout cas, si c'était réellement la tête de Grumman, je parie que ce ne sont pas les Tartares qui l'ont scalpé. Ils ne scalpent que leurs ennemis, et Grumman était un Tartare d'adoption.

Lyra réfléchit à toutes ces choses durant le trajet. Les Enfourneurs et leur cruauté, la peur inspirée par la Poussière, la ville à l'intérieur de l'Aurore, son père emprisonné à Svalbard, sa mère — où était-elle au fait? —, l'aléthiomètre, les sorcières volant vers le nord, et le pauvre petit Tony Makarios, la mouche-espion mécanique, l'étrange et inquiétante invincibilité de Iorek Byrnison.

Elle finit par s'endormir. Chaque heure les rapprochait de Bolvangar.

CHAPITRE 14
LES LUMIÈRES DE BOLVANGAR

Le fait que les gitans n'aient pas vu ni entendu parler de Mme Coulter inquiétait Farder Coram et John Faa, bien plus qu'ils ne le laissaient paraître devant Lyra. Mais ils ne pouvaient se douter que la fillette s'inquiétait elle aussi. Car Lyra avait peur de Mme Coulter, et elle pensait souvent à elle. Alors que Lord Asriel était désormais devenu « son père », Mme Coulter, elle, ne serait jamais « sa mère ». Le dæmon de Mme Coulter, le singe au pelage doré, avait déclenché une haine tenace chez Pantalaimon ; Lyra en outre était sûre qu'il avait fourré son nez dans ses secrets, et sans doute découvert l'aléthiomètre.

Or, l'un et l'autre étaient forcément à ses trousses ; il serait ridicule de croire le contraire. La mouche-espion était là pour le prouver.

Toutefois, lorsque l'ennemi frappa, il n'avait pas le visage de Mme Coulter. Les gitans avaient prévu de faire une halte pour permettre aux chiens de se reposer, réparer quelques traîneaux, et fourbir leurs armes en vue de l'assaut sur Bolvangar. John Faa espérait que Lee Scoresby trouverait un gisement de gaz souterrain pour remplir le plus petit de ses deux ballons et qu'il pourrait ainsi espionner leurs ennemis. Mais l'aéronaute scrutait le temps avec la même attention qu'un marin, et il annonça la venue imminente du brouillard ; de fait, à peine se furent-ils arrêtés que la purée de pois les enveloppa. Lee Scoresby savait qu'il ne verrait rien dans le ciel, aussi dut-il se contenter de vérifier son matériel, bien que tout fût parfaitement en état de marche. Et soudain, sans crier gare, une volée de flèches jaillit de l'obscurité.

Trois gitans tombèrent et moururent de manière si silencieuse que nul ne remarqua quoi que ce soit. C'est seulement en les découvrant affalés en travers de la piste, étrangement immobiles, que les autres comprirent ce qui se passait, mais il était trop tard, car déjà de nouvelles flèches volaient vers eux. Certains levèrent la tête, intrigués par ce crépitement irrégulier qui frappait la caravane, alors que les flèches s'enfonçaient dans le bois ou la toile gelée des traîneaux.

Le premier à reprendre ses esprits fut John Faa, qui aboya des ordres. Des mains transies de froid et des membres engourdis s'animèrent pour lui obéir, tandis qu'une nouvelle volée de flèches s'abattait sur eux, comme une rafale de pluie mortelle.

Lyra était à découvert, et les flèches passèrent au-dessus de sa tête. Averti du danger avant elle, Pantalaimon se transforma en léopard et la jeta à terre. Chassant la neige de ses yeux, la fillette roula sur le dos pour essayer de voir ce qui se passait, car la demi-obscurité s'emplissait de bruits et de confusion. Soudain, elle entendit un puissant rugissement, puis les bruits métalliques de l'armure de Iorek Byrnison qui bondissait par-dessus le traîneau pour disparaître dans le brouillard ; on entendit des hurlements, des grognements, des craquements, des crissements et des bruits de coups violents, des cris de terreur, accompagnés de rugissements de fureur animale. Iorek causait des ravages parmi leurs attaquants.

Mais qui étaient ces attaquants ? se demandait Lyra. Elle n'avait vu apparaître aucune figure ennemie jusqu'à maintenant. De tous les côtés, les gitans s'agitaient pour défendre leurs traîneaux, mais en agissant ainsi, ils offraient des cibles faciles (Lyra elle-même s'en rendait compte), et leurs moufles les gênaient pour tirer. Elle n'avait entendu que quatre ou cinq coups de feu, alors que la pluie de flèches tombait sans discontinuer. À chaque minute, d'autres hommes tombaient.

«Oh, John Faa! pensa-t-elle avec angoisse. Vous n'aviez pas prévu cette attaque, et je ne vous ai pas aidé!»

Mais Lyra n'eut guère le temps de se lamenter car, soudain, Pantalaimon émit un puissant feulement, et quelque chose – un autre dæmon – se jeta sur lui et le plaqua au sol, coupant le souffle à Lyra du même coup. Des mains s'emparèrent d'elle, la soulevèrent de terre, étouffant ses cris avec des moufles puantes, la jetèrent dans d'autres bras, avant de la plaquer de nouveau dans la neige ; les vertiges et le manque d'air se mêlaient à la douleur. On lui tira les bras dans le dos, jusqu'à ce que ses épaules craquent, et on lui ligota les poignets, puis on lui enfila une cagoule sur la tête pour étouffer ses hurlements, car elle hurlait à pleins poumons.

—Iorek! Iorek! Au secours!

L'entendait-il ? Impossible à dire. Elle fut projetée sur une surface dure qui se mit à tanguer et à cahoter comme un traîneau. À travers sa cagoule, elle percevait le fracas du combat. Peut-être entendit-elle le rugissement de Iorek Byrnison, mais il semblait venir de très loin, et elle tressautait sur le sol irrégulier, les bras attachés dans le dos, le visage masqué, secouée de sanglots de rage et de peur. Des voix étranges s'élevaient autour d'elle.

—Pan! murmura-t-elle.

—Je suis là. Chut! Je vais t'aider à respirer. Reste calme.

Avec ses pattes de souris, il tira sur la cagoule jusqu'à ce que la bouche de Lyra soit dégagée, et elle avala de grandes bouffées d'air glacial.

—C'est qui? demanda-t-elle à voix basse.

—On dirait des Tartares. Je crois qu'ils ont tué John Faa.

—Oh, non...

—Je l'ai vu tomber. Il aurait dû se préparer à ce genre d'attaque.

—On aurait dû l'aider! On aurait dû consulter l'aléthiomètre!

—Chut. Fais semblant d'être évanouie.

Un fouet claqua, les chiens de traîneau répondirent par des hurlements. À en juger par la façon dont elle était secouée et ballottée, Lyra savait qu'ils fonçaient à toute allure, et elle avait beau tendre l'oreille, elle n'entendait que quelques coups de feu désespérés, étouffés par la distance, puis il n'y eut plus que les grincements du bois, le frottement rapide des pattes des chiens sur la neige dure.

—Ils nous conduisent chez les Enfourneurs.

Le mot «mutilé» lui vint à l'esprit. Une peur horrible envahit tout son corps, et Pantalaimon se blottit contre elle.

—Je me battrai, déclara-t-il.

—Moi aussi. Je les tuerai!

—Iorek aussi, quand il apprendra ce qui s'est passé. Ils les réduira en bouillie!

—Nous sommes loin de Bolvangar?

Pantalaimon n'en savait rien, mais sans doute à moins d'une journée de voyage, estimaient-ils l'un et l'autre. Après un trajet si long que tout le corps de Lyra était tordu de crampes, l'allure ralentit légèrement, et quelqu'un lui ôta sa cagoule d'un geste brusque.

Lyra découvrit, penché au-dessus d'elle, sous une capuche en fourrure de glouton, un large visage asiatique, éclairé par la lueur dansante d'une lampe. Un éclat de satisfaction brillait dans ses yeux noirs, surtout lorsque Pantalaimon, se glissant hors du parka de Lyra, montra ses dents d'hermine blanche en crachant. Le dæmon de l'homme, un énorme glouton, riposta de la même manière, mais Pantalaimon ne cilla pas.

L'homme adossa la fillette contre le flanc du traîneau. Mais elle basculait sans cesse sur le côté, car elle avait les mains attachées dans le dos ; il lui ligota alors les pieds pour pouvoir lui détacher les mains.

Malgré la neige qui tombait et l'épais brouillard, elle voyait combien cet homme était puissant, et le conducteur également ; ils se tenaient en équilibre sur le traîneau, parfaitement à l'aise, contrairement aux gitans.

L'homme lui parla, mais Lyra ne comprit pas ses paroles ; il essaya une autre langue, sans plus de résultat. Finalement, il opta pour un anglais approximatif.

— Comment ton nom ?

Pantalaimon se hérissa, comme pour la mettre en garde, et Lyra comprit immédiatement le message. Ces hommes ignoraient qui elle était ! Ils ne l'avaient pas kidnappée à cause de ses liens avec Mme Coulter, et peut-être n'étaient-ils pas, finalement, à la solde des Enfourneurs.

— Lizzie Brooks, répondit-elle.

— Lissie Broogs, répéta-t-il. On t'emmène dans joli endroit. Avec gens très gentils.

— Qui êtes-vous ?

— Des Samoyèdes. Nous chasseurs.

— Où m'emmenez-vous ?

— Joli endroit. Gens gentils. Tu as panserbjorn ?

— Oui, pour nous protéger.

— Ah, pas bon ! Ours, pas bon ! On t'a eue quand même !

Il éclata de rire. Lyra parvint à se contrôler et à ne rien dire.

— Qui ces gens ? demanda l'homme en désignant la direction d'où ils venaient.

— Des marchands.

— Marchands... Marchands de quoi ?

— Fourrures, alcool, dit Lyra. Feuilles à fumer.

— Eux vendre feuilles à fumer et acheter fourrures ?

— Oui.

Il dit quelque chose à son compagnon, qui répondit brièvement. Pendant ce temps, le traîneau continuait de filer, et Lyra adopta une position plus confortable pour essayer de voir où ils allaient, mais la neige formait un rideau épais, le ciel était noir ; bientôt, elle eut trop froid pour continuer à regarder et se recoucha. Pantalaimon et Lyra devinaient leurs pensées respectives et s'efforçaient de rester calmes, mais l'idée que John Faa avait été tué... Et qu'était devenu Farder Coram ? Iorek réussirait-il à tuer les autres Samoyèdes ? Les gitans retrouveraient-ils sa trace ?

Pour la première fois, elle fut tentée de se lamenter sur son sort.

Bien plus tard, l'homme la secoua par l'épaule et lui tendit une tranche de viande de renne séchée. C'était rance et dur, mais Lyra avait faim et, au moins, c'était nourrissant. Après l'avoir mastiquée, elle se sentit un peu mieux. Elle glissa la main sous ses épaisseurs de fourrure, lentement, pour s'assurer que l'aléthiomètre était toujours là, puis, avec la plus grande prudence, elle sortit le petit tube de la mouche-espion, qu'elle introduisit à l'intérieur de sa botte fourrée. Transformé en souris, Pantalaimon s'y glissa à son tour afin de le pousser tout au fond, jusqu'à le coincer sous le pied de son caleçon long en peau de renne.

Épuisée par la peur, elle ne tarda pas à sombrer dans un sommeil agité.

Elle fut réveillée par le changement de rythme du traîneau. Il avançait doucement et, en ouvrant les yeux, Lyra vit filer au-dessus de sa tête une succession de lumières éblouissantes, à tel point qu'elle dut abaisser sa capuche sur son front. Malgré le froid glacial et la raideur de ses membres engourdis, elle parvint à se redresser suffisamment pour constater que le traîneau passait entre deux rangées de grands poteaux, dont chacun supportait une puissante lampe ambarique. Puis il franchit un portail en métal, situé tout au bout de cette avenue de lumières, pour pénétrer dans un immense espace dégagé, semblable à une place de marché déserte ou à une arène. Le sol était entièrement plat, lisse et blanc, sur une centaine de mètres. Tout autour se dressait une haute clôture métallique.

Arrivé à l'extrémité de cette arène, le traîneau s'arrêta. Ils étaient devant un bâtiment bas, ou plutôt une succession de bâtiments bas, couverts d'une épaisse couche de neige. Lyra pensa que des galeries reliaient sans doute entre eux ces différents bâtiments, des tunnels enfouis sous la neige. Sur un côté, un épais mât métallique lui rappelait quelque chose, sans qu'elle pût dire quoi.

L'homme installé dans le traîneau trancha la corde qui lui enserrait les chevilles et la fit descendre sans ménagements, tandis que le conducteur ordonnait aux chiens de se tenir tranquilles. Une porte s'ouvrit dans le bâtiment le plus proche, à quelques mètres de là, une lampe ambarique s'alluma juste au-dessus et balaya les environs, à la manière d'un projecteur.

Le ravisseur de Lyra la poussa devant lui, comme on brandit un trophée, sans la lâcher, et prononça quelques mots. Le personnage vêtu de l'anorak matelassé répondit dans la même langue, et la fillette put apercevoir ses traits : ce n'était pas un Samoyède ni un Tartare. À vrai dire, on aurait pu le prendre pour un Érudit de Jordan College. Il observait Lyra, mais plus particulièrement Pantalaimon.

Le Samoyède reprit la parole, et l'homme de Bolvangar demanda à Lyra :

— Tu parles anglais ?

—Oui.

—Ton dæmon prend toujours cette forme ?

En voilà une question inattendue ! Lyra demeura bouche bée. Mais Pantalaimon y répondit à sa manière, en se transformant en faucon. S'envolant de l'épaule de la fillette, il fondit sur le dæmon de l'homme, une grosse marmotte, qui décocha un coup de patte vif et cracha au moment où Pantalaimon passait devant elle dans un grand battement d'ailes.

—Je vois, dit l'homme d'un ton satisfait, tandis que Pantalaimon revenait se poser sur l'épaule de Lyra.

Les Samoyèdes semblaient s'impatienter. L'homme de Bolvangar s'en aperçut et ôta une de ses moufles pour glisser la main dans une poche. Il en sortit une petite bourse fermée par un cordon, d'où il fit glisser dans la main du chasseur une douzaine de lourdes pièces.

Les deux hommes comptèrent l'argent, et le rangèrent soigneusement, après s'être partagé la somme équitablement. Sans un regard derrière eux, ils remontèrent sur le traîneau ; le conducteur fit claquer son fouet, hurla des ordres à ses chiens, et les Samoyèdes repartirent à toute allure dans l'immense arène blanche, pour s'enfoncer dans l'avenue de lumières et disparaître finalement dans l'obscurité.

L'homme avait ouvert la porte.

—Entre vite, dit-il. Il fait bon à l'intérieur, c'est confortable. Ne reste pas dehors. Comment t'appelles-tu ?

Il s'exprimait comme un Anglais, sans aucun accent particulier. De fait, il ressemblait à ces gens qu'elle avait rencontrés chez Mme Coulter : intelligents, cultivés et importants.

—Lizzie Brooks, dit-elle.

—Entre, Lizzie. Nous allons bien nous occuper de toi ici, ne t'en fais pas.

Il avait plus froid qu'elle, visiblement, bien qu'elle soit restée dehors plus longtemps, et il avait hâte de retourner au chaud. Décidant de jouer les enfants idiots, un peu demeurés et récalcitrants, elle franchit le seuil du bâtiment en traînant les pieds.

Il y avait en réalité deux portes, séparées par un sas. Dès qu'ils eurent franchi la deuxième porte, Lyra commença à étouffer sous une chaleur insupportable, qui l'obligea à ouvrir son parka et à ôter sa capuche.

Ils se trouvaient maintenant dans une sorte de petit hall, dans lequel s'ouvraient, à droite et à gauche, des couloirs ; devant Lyra se trouvait un guichet de réception semblable à celui d'un hôpital. L'éclairage violent faisait étinceler les surfaces blanches immaculées et l'acier brillant. Une odeur de nourriture flottait dans l'air, une odeur familière de bacon et de café, masquant à peine l'odeur diffuse, mais tenace, de l'hôpital et des médicaments. Des murs qui les entouraient s'échappait un bourdonnement ; le genre de bruit auquel il faut s'habituer pour ne pas devenir fou.

Pantalaimon, devenu chardonneret, murmura à son oreille :

— Joue les idiotes et les demeurées.

Plusieurs adultes la toisaient : l'homme qui l'avait fait entrer, un autre, vêtu d'une blouse blanche, et enfin, une femme en tenue d'infirmière.

— Anglaise, disait le premier homme. Des marchands, apparemment.

— Des chasseurs, comme d'habitude ? L'histoire habituelle ?

— De la même tribu, autant que j'aie pu en juger. Nurse Clara, voulez-vous emmener la petite... hmm... et vous occuper d'elle ?

— Certainement, docteur. Viens avec moi, ma chérie, dit l'infirmière, et Lyra la suivit docilement.

Elles empruntèrent un petit couloir ; d'une cantine s'échappaient des voix et des bruits de couverts. L'infirmière avait à peu près le même âge que Mme Coulter, se dit Lyra, et un air vif, brusque même, austère et sévère : sans doute savait-elle recoudre une plaie et changer un pansement, mais elle était incapable de raconter une histoire. Son dæmon (Lyra fut parcourue d'un étrange frisson glacé en s'en apercevant) était un petit chien blanc qui trottinait derrière elle ; Lyra n'aurait su dire d'où lui venait ce frisson glacé.

— Comment t'appelles-tu, ma chérie ? demanda l'infirmière en ouvrant une lourde porte.

— Lizzie.

— Lizzie tout court ?

— Lizzie Brooks.

— Quel âge as-tu ?

— Onze ans.

Lyra avait souvent entendu dire qu'elle était petite pour son âge, sans trop savoir ce que cela signifiait. Elle n'en avait jamais fait un complexe, mais elle se dit que cela pourrait peut-être l'aider à créer une Lizzie timide, nerveuse et insignifiante ; aussi se fit-elle encore plus petite en entrant dans la pièce.

S'attendant à un flot de questions concernant l'endroit d'où elle venait, et comment elle était arrivée ici, Lyra préparait déjà ses réponses. Apparemment, l'infirmière ne manquait pas uniquement d'imagination, mais aussi de curiosité. Bolvangar aurait pu, tout aussi bien, se trouver à la périphérie de Londres, et accueillir en permanence des enfants. Son petit dæmon bien sage trottinait sur ses talons, aussi vif et sinistre qu'elle.

La pièce dans laquelle elles venaient de pénétrer était meublée d'un canapé, d'une table, de deux chaises, d'un classeur et d'un placard vitré contenant des médicaments, des bandages et une cuvette. Immédiatement, l'infirmière ôta le parka de Lyra et le laissa tomber sur le sol éclatant.

— Enlève-moi tout le reste. On va t'examiner pour voir si tu es en bonne santé, si tu n'as pas de gerçures ou le nez qui coule, et ensuite, on te trouvera de beaux habits tout propres. Mais avant tout, tu vas passer sous la douche, ajouta-t-elle.

De fait, Lyra ne s'était pas lavée ni changée depuis plusieurs jours et, dans la chaleur ambiante, cela devenait de plus en plus évident.

Pantalaimon s'agita pour protester, mais Lyra le rappela à l'ordre d'un froncement de sourcils. Il se posa sur le canapé, tandis que Lyra se débarrassait de tous ses vêtements, un par un, avec un sentiment de colère et de honte : mais elle eut la présence d'esprit de le cacher pour jouer son rôle de fillette sotte et obéissante.

— Ta ceinture portefeuille aussi, Lizzie, dit l'infirmière, et elle la lui ôta elle-même de ses doigts énergiques.

Au moment de la déposer par terre, sur le tas des vêtements de Lyra, elle marqua un temps d'arrêt en sentant sous ses doigts la forme de l'aléthiomètre.

— Qu'est-ce que c'est ? demanda-t-elle en ouvrant la sacoche.

— Oh, une sorte de jouet. C'est à moi.

— Oui, oui, bien sûr. Personne ne te le prendra, ma chérie, répondit Nurse Clara en dépliant l'étoffe de velours noir. C'est très beau ; on dirait une boussole. Allez, hop, à la douche !

Elle reposa l'aléthiomètre et tira un rideau.

À contrecœur, Lyra se glissa sous l'eau chaude et se savonna ; Pantalaimon resta perché sur la tringle du rideau. L'un et l'autre savaient qu'il ne fallait pas se montrer trop vif, car les dæmons des gens maussades étaient maussades eux aussi. Quand la fillette fut lavée et séchée, l'infirmière lui prit sa température, lui examina les yeux, les oreilles et la gorge, après quoi, elle la mesura et la fit monter sur une balance, avant de noter quelque chose sur une feuille fixée sur une planchette. Elle donna ensuite à Lyra un pyjama et une robe de chambre. L'un et l'autre étaient propres et de bonne qualité, comme l'anorak du pauvre Tony Makarios, mais eux aussi semblaient avoir déjà été portés. Lyra se sentait extrêmement mal à l'aise.

— Ce ne sont pas mes affaires, dit-elle.

— Non, ma chérie. Tes affaires ont bien besoin d'être nettoyées.

— Je pourrai les récupérer ?

— Oui, sans doute. Certainement.

— Où sommes-nous ?

— On appelle cet endroit la Station Expérimentale.

Ce n'était pas une réponse. Lyra l'aurait fait remarquer, mais Lizzie Brooks devait s'en contenter, aussi accepta-t-elle sans protester d'enfiler les vêtements qu'on lui tendait.

—Je veux mon jouet, déclara-t-elle d'un ton obstiné, une fois habillée.

—Vas-y, reprends-le, ma chérie, dit l'infirmière. Mais tu ne préfères pas un joli nounours en peluche? Ou une belle poupée?

Elle ouvrit un tiroir dans lequel gisaient quelques jouets, telles des créatures mortes. Lyra s'approcha et fit mine de réfléchir quelques secondes, avant de choisir une poupée de chiffons aux grands yeux vides. Elle n'avait jamais eu de poupée, mais elle savait ce qu'on attendait d'elle, et elle la plaqua contre sa poitrine.

—Et ma ceinture portefeuille? demanda-t-elle. J'aime bien m'en servir pour ranger mes jouets.

—Vas-y, prends, répondit Nurse Clara, occupée à remplir un formulaire rose.

Lyra remonta son pantalon de pyjama trop large et attacha la pochette en toile cirée autour de sa taille.

—Et mon manteau et mes bottes? demanda-t-elle. Mes moufles et tout ça?

—On va te les laver, répondit l'infirmière mécaniquement.

Au même moment, un téléphone sonna et, pendant que l'infirmière répondait, Lyra se baissa et ramassa le deuxième tube en fer, celui qui renfermait la mouche-espion; elle le glissa dans sa sacoche, avec l'aléthiomètre.

—Allez, viens, Lizzie, dit l'infirmière en raccrochant le téléphone. Nous allons te trouver quelque chose à manger. Je parie que tu meurs de faim.

Elle suivit Nurse Clara au réfectoire, où étaient disposées une douzaine de tables rondes et blanches, couvertes de miettes et de cercles collants laissés par les verres. Des assiettes et des couverts sales étaient empilés sur un chariot métallique. En l'absence de fenêtres, et pour donner une illusion de lumière et d'espace, on avait tapissé tout un mur avec une immense photo de plage tropicale, avec un ciel bleu, du sable blanc et des cocotiers.

L'homme qui avait accueilli Lyra était allé chercher un plateau sur un passe-plat.

—Allez, mange, dit-il.

«Inutile de mourir de faim», se dit Lyra, et elle mangea avec plaisir le ragoût et les pommes de terre. Venait ensuite un bol de pêches en conserve avec de la glace. Pendant qu'elle mangeait, l'homme et l'infirmière discutaient à une table voisine, et quand elle eut fini, l'infirmière lui apporta un verre de lait chaud et emporta le plateau.

L'homme vint s'asseoir en face d'elle. Son dæmon, la marmotte, n'était pas aussi morne et indifférent que le chien de l'infirmière, mais il resta assis sur son épaule, sagement, observant et écoutant.

—Eh bien, Lizzie, as-tu assez mangé?

—Oui, merci.

—J'aimerais que tu me dises d'où tu viens. Tu le sais?

—De Londres.

—Ah. Et que fais-tu par ici, si loin au nord?

—J'accompagne mon père, marmonna-t-elle.

Elle gardait la tête baissée, évitant le regard scrutateur de la marmotte et essayant de donner l'impression qu'elle était au bord des larmes.

—Ton père? Je vois. Et que vient-il faire dans cette partie du monde?

—Du commerce. On est venus avec un chargement de feuilles à fumer du Nouveau Danemark, pour acheter des fourrures.

—Ton père était seul?

—Non. Il y avait aussi mes oncles et tout ça, plus d'autres hommes, répondit-elle en restant dans le vague, car elle ignorait ce que le chasseur samoyède lui avait raconté.

—Pourquoi ton père t'a-t-il emmenée faire un pareil voyage, Lizzie?

—Il y a deux ans, il a emmené mon frère, et il avait promis de m'emmener la fois suivante, mais il ne l'a jamais fait. J'ai tellement insisté qu'il a fini par céder.

—Quel âge as-tu?

—Onze ans.

—Bien, bien. Tu as beaucoup de chance, Lizzie. Ces chasseurs qui t'ont retrouvée ne pouvaient pas choisir mieux en te conduisant ici.

—Je n'étais pas perdue, dit Lyra. En fait, il y a eu une bataille. Ils étaient nombreux, et ils avaient des flèches...

—Oh, voilà qui m'étonnerait. Je crois plutôt que tu t'es éloignée de la caravane de ton père, et que tu t'es perdue. Ces chasseurs t'ont retrouvée et ils t'ont amenée directement ici. Voilà ce qui s'est passé, Lizzie.

—Je les ai vus se battre! Ils tiraient des flèches et tout ça... Je veux mon papa, ajouta-t-elle en haussant le ton, sentant venir les larmes.

—Tu es en sécurité ici, en attendant qu'il arrive, déclara l'homme en blanc.

—Je les ai vus tirer des flèches!

—Non, tu crois les avoir vus. Cela arrive souvent quand il fait très froid, Lizzie. Tu t'endors, tu fais de mauvais rêves et, ensuite, tu ne sais plus ce qui est vrai ou pas. Rassure-toi, il n'y a eu aucune bataille. Ton père est sain et sauf; il va partir à ta recherche; bientôt, il viendra frapper à notre porte, car c'est le seul endroit habité à des centaines de kilomètres à la ronde. Imagine un peu sa surprise quand il verra que tu es ici, saine et sauve ! Nurse Clara va te conduire au dortoir, où tu vas rencontrer d'autres petits garçons et petites filles qui se sont perdus, comme toi. Allez, va. Nous bavarderons demain matin.

Lyra se leva, serrant contre elle sa poupée de chiffons, et Pantalaimon bondit sur son épaule, tandis que l'infirmière ouvrait la porte du réfectoire.

Il fallut emprunter d'autres couloirs, et Lyra se sentait réellement fatiguée tout à coup, à tel point qu'elle ne cessait de bâiller et avait du mal à soulever les pieds dans les pantoufles en laine qu'on lui avait données. Pantalaimon piquait du nez lui aussi, et il dut se changer en souris pour se nicher à l'intérieur de la poche de la robe de chambre de Lyra. Celle-ci crut discerner une rangée de lits, des visages d'enfant, un oreiller... avant de sombrer dans le sommeil.

Quelqu'un la secouait. Son premier réflexe fut de porter sa main à sa ceinture : les deux tubes étaient toujours là, à l'abri. Alors, elle essaya d'ouvrir les yeux. Oh, comme c'était difficile ; jamais elle n'avait dormi si profondément.

— Réveille-toi ! Réveille-toi !

C'était un chuchotement plus qu'une voix. Au prix d'un énorme effort, comme si elle poussait un rocher vers le sommet d'une colline, Lyra s'obligea à émerger du sommeil.

Dans la lumière blafarde d'une ampoule ambarique de très faible puissance, fixée au-dessus de la porte, elle découvrit trois fillettes près de son lit. Elle avait du mal à les distinguer, car ses yeux mirent un long moment à s'habituer à la pénombre, mais elles semblaient avoir le même âge qu'elle, et elles parlaient sa langue.

— Elle est réveillée !

— Ils lui ont fait avaler des somnifères. Je parie que...

— Comment tu t'appelles ?

— Lizzie, marmonna Lyra.

— Il y a eu un nouvel arrivage d'enfants ? demanda une des filles.

— J'en sais rien. Je suis seule.

— Où t'ont-ils capturée ?

Lyra fit un nouvel effort pour se redresser. Elle ne se souvenait pas d'avoir avalé un somnifère, mais peut-être le verre de lait chaud était-il drogué. Elle avait la tête lourde.

— Où sommes-nous ?

— Au milieu de nulle part. Ils ne veulent pas nous le dire.

—D'habitude, les enfants arrivent par groupes.

—Et qu'est-ce qu'ils leur font ? demanda Lyra qui essayait de rassembler ses esprits, tandis que Pantalaimon se réveillait à ses côtés, en s'étirant.

—On n'en sait rien, répondit la fillette qui était la plus loquace.

C'était une grande rouquine, nerveuse, avec un fort accent londonien.

—Ils nous mesurent, ils nous font des examens, et...

—Ils mesurent la Poussière, déclara une autre fille, une petite brune rondelette au visage enjoué.

—Tu n'en sais rien ! répliqua la première.

—Si, elle a raison, dit la troisième, une enfant à l'air renfermé, qui berçait son dæmon-lapin. Je les ai entendus discuter.

—Ils nous emmènent l'un après l'autre, c'est tout ce qu'on sait, dit la rouquine. Et personne ne revient jamais.

—Y a un garçon, dit la brune rondelette, il affirme que...

—Ne lui dis pas ça ! s'exclama la rouquine. Pas tout de suite.

—Il y a des garçons aussi ? demanda Lyra.

—Oui. On est nombreux. Une trentaine, je dirais.

—Plus que ça, dit la grassouillette. Au moins quarante.

—Mais ils n'arrêtent pas d'en emmener, précisa la rouquine. Généralement, ils commencent par faire venir tout un groupe d'enfants, on est nombreux, mais un par un, les autres disparaissent.

—Ce sont des Enfourneurs, dit la fillette potelée. Tu connais les Enfourneurs, je suppose ? On avait sacrément la frousse quand ils nous ont capturés...

Lyra se réveillait peu à peu. Les dæmons des autres filles, à l'exception du lapin, guettaient les bruits du couloir à travers la porte. Tout le monde chuchotait. Lyra leur demanda comment elles s'appelaient. La rouquine se nommait Annie, la brune grassouillette Bella, et la troisième, la maigrichonne, Martha. Elles ne connaissaient pas les noms des garçons, car filles et garçons étaient séparés la plupart du temps. Toutefois, ils n'étaient pas maltraités.

—On n'est pas si mal ici, dit Bella, il n'y a pas grand-chose à faire, à part passer des tests ou faire des exercices ; ils nous mesurent, ils prennent notre température et ainsi de suite. En fait, c'est surtout ennuyeux, à la longue.

—Sauf quand Mme Coulter débarque, dit Annie.

Lyra dut se faire violence pour ne pas pousser un cri, et Pantalaimon battit des ailes si violemment que les autres filles s'en aperçurent.

—Il est très nerveux, dit Lyra en le caressant pour le calmer. Ils ont dû nous faire avaler des somnifères, comme vous le disiez, car on se sent complètement abrutis. Qui est cette Mme Coulter ?

—C'est elle qui nous a capturés, la plupart d'entre nous du moins, expliqua Martha. Tous les enfants parlent d'elle. Quand elle arrive, tu peux être sûre que des enfants vont disparaître.

—Elle adore regarder les enfants quand ils les emmènent, elle aime regarder ce qu'ils leur font. Ce garçon, Simon, il affirme qu'ils les tuent, et pendant ce temps-là, Mme Coulter, elle regarde.

—Ils tuent les enfants? répéta Lyra en frissonnant.

—Sûrement. Vu que personne ne revient jamais.

—Et ils s'intéressent beaucoup aux dæmons aussi, ajouta Bella. Ils les pèsent, ils les mesurent, etc.

—Ils touchent à vos dæmons?

—Mon Dieu, non! Ils obligent ton dæmon à grimper sur une sorte de balance et à changer d'aspect; pendant ce temps, ils prennent des notes et des photos. Et aussi, ils te mettent dans une grande boîte pour mesurer la Poussière, tout le temps; ils n'arrêtent pas de mesurer la Poussière.

—C'est quoi cette poussière? demanda Lyra.

—On n'en sait rien, dit Annie. C'est un truc qui vient de l'espace. Ce n'est pas de la vraie poussière. Si tu n'en as pas, tant mieux. Mais en définitive, tout le monde a de la Poussière.

—Hé, vous savez ce qu'a dit Simon? demanda Bella. Il a dit que les Tartares se faisaient des trous dans la tête pour laisser entrer la Poussière.

—Qu'est-ce qu'il en sait? répliqua Annie avec mépris. Je poserai la question à Mme Coulter la prochaine fois qu'elle viendra.

—Tu n'oseras pas! s'exclama Martha, admirative.

—Détrompe-toi.

—Quand doit-elle venir? s'enquit Lyra.

—Après-demain, dit Annie.

Un frisson glacé parcourut le dos de Lyra, et Pantalaimon vint se blottir contre elle. Elle ne disposait que d'une journée pour retrouver Roger, apprendre le maximum de choses sur cet endroit, puis s'enfuir, ou être libérée. Mais si tous les gitans avaient été tués, qui allait sauver les enfants de la mort dans ce paysage sauvage et glacial?

Tandis que les trois filles continuaient de discuter, Lyra et Pantalaimon se blottirent sous les draps pour essayer de se réchauffer, en sachant que sur des centaines de kilomètres autour de ce petit lit, il n'y avait que la peur.

CHAPITRE 15
DÆMONS EN CAGE

Lyra n'était pas du genre à se morfondre ; c'était une enfant d'un tempérament optimiste, dotée d'un grand sens pratique. En outre, elle manquait d'imagination. Une personne imaginative n'aurait jamais envisagé sérieusement d'entreprendre un tel voyage pour sauver son ami Roger ; ou bien, ayant eu cette idée, elle aurait immédiatement trouvé mille raisons pour démontrer que cela était impossible. Un menteur chevronné ne possède pas forcément une imagination débordante ; à vrai dire, beaucoup d'excellents menteurs n'ont aucune imagination, c'est ce qui confère à leurs mensonges un tel pouvoir de conviction.

Aussi, maintenant qu'elle était prisonnière du Conseil d'Oblation, Lyra ne se laissait pas effrayer par le sort des gitans. Ils étaient tous de valeureux guerriers et, même si Pantalaimon affirmait avoir vu John Faa frappé par une flèche, il s'était peut-être trompé, et s'il ne s'était pas trompé, John Faa n'était peut-être que légèrement blessé. La malchance avait voulu qu'elle tombe entre les mains des Samoyèdes, mais les gitans seraient bientôt là pour la secourir, et s'ils n'y parvenaient pas, rien ne pourrait empêcher Iorek Byrnison de venir la libérer. Ils se rendraient ensuite à Svalbard avec le ballon de Lee Scoresby pour sauver Lord Asriel.

Dans l'esprit de Lyra, les choses étaient aussi simples que ça.

Dès le lendemain matin, en se réveillant dans le dortoir, elle était prête à affronter toutes les situations que lui réserverait cette nouvelle journée. Et surtout, elle avait hâte de revoir Roger, hâte de le voir la première, avant qu'il ne la voie.

Elle n'eut pas longtemps à attendre. Les enfants, dispersés dans différents dortoirs, étaient réveillés chaque matin à 7 heures 30 par les infirmières qui s'occupaient d'eux. Après s'être lavés et habillés, ils rejoignaient les autres au réfectoire pour le petit déjeuner.

C'est là qu'elle vit Roger.

Il était assis à une des tables, avec cinq autres garçons. La queue menant au comptoir des cuisines passait tout près d'eux, et Lyra laissa tomber son mouchoir pour pouvoir s'accroupir en le ramassant. Elle put ainsi se pencher discrètement vers la chaise de Roger, et Pantalaimon put s'adresser à Salcilia, le dæmon du jeune garçon.

Salcilia était un pinson. Il se mit à voleter avec une telle frénésie que Pantalaimon dut se transformer en chat et lui sauter dessus pour l'immobiliser et lui murmurer quelques mots. Ce genre de bagarre ou de chahut entre les dæmons des enfants était chose courante, fort heureusement, et personne n'y prêta attention, mais Roger blêmit tout à coup. Lyra n'avait jamais vu quelqu'un d'aussi blanc. Il leva les yeux vers le regard hautain et vide qu'elle lui adressait et, rapidement, il retrouva des couleurs, en même temps que l'espoir, l'excitation et la joie transparaissaient sur son visage ; et seul Pantalaimon, en secouant fermement Salcilia, put empêcher Roger de pousser un grand cri et de se lever pour serrer dans ses bras sa camarade de jeu de Jordan College.

Lyra détourna la tête avec un dédain ostensible, laissant à Pantalaimon le soin d'expliquer la situation à Roger. Munies de leurs plateaux de corn flakes et de toasts, les quatre filles allèrent s'asseoir à une table libre ; elles avaient immédiatement formé une bande qui excluait tous les autres, afin de pouvoir cancaner en toute liberté.

On ne peut pas réunir très longtemps un groupe d'enfants dans un même lieu sans leur offrir de nombreuses distractions et, à certains égards, Bolvangar ressemblait à une école, avec des activités organisées à des heures régulières, comme par exemple l'éducation physique et les travaux manuels. Les garçons et les filles étaient séparés, sauf durant les récréations et au moment des repas ; ce n'est donc qu'en milieu de matinée, après une demi-heure de cours de couture dispensé par une des infirmières, que Lyra eut la possibilité de bavarder avec Roger. Mais cette conversation devait avoir l'air naturel, d'où la difficulté. Tous les enfants réunis dans ce centre avaient plus ou moins le même âge, l'âge où les garçons parlaient uniquement aux garçons et les filles uniquement aux filles, chacun des deux sexes mettant un point d'honneur à ignorer l'autre.

Une autre occasion se présenta au réfectoire, lorsque les enfants vinrent boire un verre de lait et manger un biscuit. Lyra envoya Pantalaimon, transformé en mouche, discuter avec Salcilia perché sur le mur à côté de leur table, pendant que Roger et elle restaient chacun de leur côté, avec leur groupe. Il est très difficile de bavarder quand l'attention de votre dæmon est ailleurs ; c'est pourquoi Lyra sirota son lait sans discuter avec les autres filles, en faisant semblant d'être d'humeur maussade et rebelle. La moitié de ses pensées accompagnait le petit bourdonnement entre les deux dæmons, et elle n'écoutait pas vraiment ce qui se disait autour d'elle. Malgré tout, elle entendit soudain une fillette aux cheveux blonds comme les blés prononcer un nom qui lui fit dresser l'oreille.

Ce nom était celui de Tony Makarios. Lyra reporta immédiatement son attention sur la discussion en cours, obligeant Pantalaimon à ralentir sa conversation avec le dæmon de Roger, et les deux enfants écoutèrent ce que disait la fillette blonde.

—Je sais pourquoi ils l'ont emmené, disait-elle, tandis que toutes les têtes étaient penchées vers elle. C'est parce que son dæmon ne pouvait pas se transformer. Ils ont pensé que Tony était plus âgé qu'il paraissait, ou qu'il l'affirmait, et que ce n'était plus vraiment un enfant. Mais en vérité, son dæmon ne changeait pas souvent parce que Tony avait la tête vide la plupart du temps. Moi, je l'ai vu changer. Il s'appelait Ratter...

—Pourquoi est-ce qu'ils s'intéressent autant aux dæmons ? demanda Lyra.

—Personne ne le sait, répondit la fillette blonde.

—Moi, je sais ! déclara un garçon qui écoutait leur conversation. Ils tuent ton dæmon pour voir si toi aussi tu meurs ensuite.

—Dans ce cas, pourquoi font-ils l'expérience avec de si nombreux enfants ? rétorqua quelqu'un. Il suffirait d'essayer une fois, pas vrai ?

—Moi, je sais ce qu'ils font réellement, déclara la première fillette.

Elle avait attiré l'attention de tous. Mais les enfants ne voulaient pas que le personnel sache de quoi ils parlaient ; aussi durent-ils feindre l'indifférence, alors qu'en réalité ils écoutaient avec une curiosité passionnée.

—Comment le sais-tu ? demanda quelqu'un.

—J'étais avec Tony quand ils sont venus le chercher. On était à la lingerie.

Elle avait rougi jusqu'aux oreilles. Si elle s'attendait à des ricanements entendus et à des plaisanteries, elle fut déçue ; les enfants étaient comme hypnotisés, il n'y eut même pas un sourire.

La fillette blonde enchaîna :

—On ne faisait pas de bruit mais, soudain, l'infirmière est arrivée, celle qui a la voix douce. Et elle a dit : « Allez, sors, Tony, je sais que tu es là. Viens, on ne te fera pas de mal... — Qu'est-ce que vous allez me faire ? » il a demandé. Elle lui a répondu : « On va juste t'endormir pour une toute petite opération et, ensuite, tu te réveilleras comme s'il ne s'était rien passé. » Mais Tony ne la croyait pas. Il lui a répondu...

—Les trous dans la tête! s'exclama un des enfants. Ils te font un trou dans la tête, comme les Tartares! J'en suis sûr!

—La ferme! lui lança un autre enfant. Alors, qu'a répondu l'infirmière?

Une douzaine d'enfants, au moins, s'étaient regroupés autour de la table; et leurs dæmons, désireux d'en savoir plus, écoutaient la conversation, tendus, les yeux écarquillés.

La fillette blonde poursuivit son récit:

—Tony voulait savoir ce qu'ils allaient faire à Ratter. Alors l'infirmière lui a dit: «Il va dormir, comme toi. —Vous allez le tuer, hein? a dit Tony. Je le sais! Tout le monde sait ce qui se passe!» L'infirmière a voulu le rassurer. «Non, bien sûr que non! C'est juste une petite opération. Une simple incision. Ça ne fait même pas mal, mais on t'endort quand même par mesure de précaution.»

Le silence régnait dans le réfectoire. L'infirmière chargée de la surveillance s'était absentée un instant et la guillotine du passe-plat des cuisines était baissée, si bien que personne ne pouvait les entendre.

—Quel genre d'opération? demanda un garçon d'une voix tremblante. Elle a dit quel genre d'incision?

—Elle a simplement dit que ça rendait plus adulte. Et que tout le monde devait passer par là; c'est pour ça que les dæmons des adultes ne se transforment pas comme les nôtres. Ils font cette opération pour leur donner une apparence définitive, et c'est comme ça qu'on devient adulte.

—Mais...

—Ça veut dire...

—Tous les adultes ont subi cette opération?

—Et les...

Soudain, toutes les voix se turent et tous les regards se tournèrent vers la porte du réfectoire. Nurse Clara venait d'apparaître sur le seuil, morne et lugubre; à ses côtés se trouvait un homme en blouse blanche que Lyra n'avait encore jamais vu.

—Bridget McGinn! lança-t-il.

La fillette blonde se leva en tremblant. Son dæmon-écureuil s'accrocha à son cou.

—Oui, monsieur? dit-elle d'une toute petite voix, à peine audible.

—Finis ton lait et suis Nurse Clara, ordonna-t-il. Vous autres, dépêchez-vous de terminer et de rejoindre vos cours.

Dans le plus grand silence, les enfants allèrent déposer leurs tasses sur le chariot métallique, avant de quitter le réfectoire. Aucun n'osa regarder Bridget McGinn, sauf Lyra, et elle lut la peur sur le visage livide de la fillette.

Le restant de la matinée fut consacré aux activités sportives. La Station possédait un petit gymnase, car il était difficile de sortir durant l'interminable nuit polaire, et chaque groupe d'enfants s'y rendait tour à tour, sous la surveillance d'une infirmière. Là, ils formaient des équipes pour jouer au ballon ; au début, Lyra, qui n'avait jamais participé à ce genre d'activité, se sentit un peu perdue. Mais c'était une enfant vive et robuste, née pour commander : il ne lui fallut pas longtemps pour se prendre au jeu. Les cris et les rires des enfants, les braillements et les aboiements des dæmons envahirent la petite salle, chassant rapidement les pensées angoissantes, ce qui était, bien évidemment, le but recherché.

À l'heure du déjeuner, alors que les enfants faisaient de nouveau la queue au réfectoire, Lyra entendit Pantalaimon émettre un petit gazouillement de joie et, en se retournant, elle découvrit Billy Costa juste derrière elle.

— Roger m'a dit que tu étais ici, murmura-t-il.

— Ton frère est en route, avec John Faa et tout un groupe de gitans, annonça-t-elle. Ils vont nous ramener à la maison.

Le garçon faillit pousser un grand cri de joie, qu'il camoufla en toussotement.

— Tu dois m'appeler Lizzie, ajouta-t-elle. Jamais Lyra. Et je veux que tu me racontes tout ce que tu sais.

Ils s'assirent à la même table, non loin de Roger. Il était plus facile de discuter à l'heure du déjeuner, quand les enfants allaient et venaient entre les tables et se pressaient autour du passe-plat de la cuisine, dans le réfectoire bondé. Au milieu du fracas des couverts et des assiettes, Billy et Roger lui racontèrent tout ce qu'ils savaient. Billy avait appris par le biais d'une infirmière que l'on conduisait souvent les enfants qui avaient subi l'opération dans des auberges situées plus au sud, ce qui expliquait peut-être comment Tony Makarios s'était retrouvé à errer dans la nature. Mais Roger avait quelque chose de plus important à lui apprendre.

— J'ai découvert une cachette, dit-il.

— Hein ? Où ?

— Cette photo... (Il parlait du gigantesque photogramme de la plage tropicale.) Si tu regardes dans le coin supérieur droit, tu vois le panneau du plafond ?

Le plafond se composait de grand panneaux rectangulaires encastrés dans une structure métallique ; le coin du panneau situé juste au-dessus de la photo s'était légèrement soulevé.

— En voyant ça, dit Roger, je me suis dit que les autres étaient peut-être pareils, alors j'ai essayé de les soulever, et aucun n'est fixé. Il suffit de les soulever. Avec ce gars qui a disparu, on a essayé de faire la même chose dans notre dortoir, une nuit, avant qu'ils l'emmènent. En fait, il y a un espace juste derrière, où l'on peut ramper...

—Jusqu'où peut-on aller en rampant?

—Aucune idée. On n'est pas allés très loin. On s'est dit que le moment venu on pourrait se planquer là-haut, mais ils nous retrouveraient certainement.

Pour Lyra, il s'agissait moins d'une cachette que d'une voie de circulation. À vrai dire, c'était la meilleure nouvelle depuis son arrivée ici. Hélas, ils n'eurent pas l'occasion d'en discuter plus longtemps car, soudain, un des médecins frappa sur une table avec une cuillère pour obtenir le silence.

—Écoutez-moi, les enfants. Écoutez-moi bien. Régulièrement nous devons faire des exercices d'évacuation en cas d'incendie. Nous devons apprendre à nous habiller chaudement et à sortir sans panique. Nous allons procéder à un exercice cet après-midi. Quand vous entendrez la sonnerie, vous devrez interrompre immédiatement ce que vous êtes en train de faire et obéir à l'adulte qui se trouve à côté de vous. Souvenez-vous de l'endroit où ils vous conduiront. C'est là que vous devrez aller s'il y a vraiment le feu.

«Tiens, tiens, se dit Lyra, en voilà une idée!»

Durant la première partie de l'après-midi, Lyra et quatre autres filles subirent des tests concernant la Poussière. Évidemment, les médecins se gardèrent de leur dire ce qu'ils faisaient, mais c'était facile à deviner. Une par une, on les conduisit dans un laboratoire, ce qui, évidemment, était source de frayeur. «Comme ce serait cruel, songea Lyra, de mourir sans avoir pu leur jouer un sale tour.» Mais, apparemment, la terrible opération tant redoutée n'était pas pour aujourd'hui.

—Nous voulons juste effectuer quelques mesures, expliqua le médecin.

Difficile de s'y retrouver parmi tous ces gens: ils se ressemblaient tous avec leurs blouses blanches, leurs planchettes à pince et leurs crayons. Les femmes elles aussi étaient toutes identiques; vêtues de leur uniforme, étrangement calmes et mornes, on aurait dit des sœurs jumelles.

—On a déjà pris mes mesures hier, dit Lyra.

—Oui, mais aujourd'hui, c'est différent. Monte sur cette plaque de métal... Enlève tes chaussures d'abord. Tu peux tenir ton dæmon dans tes bras, si tu veux. Regarde devant toi, oui, c'est ça, fixe la petite lumière verte. Bien...

Il y eut un éclair. Le médecin lui demanda ensuite de regarder de l'autre côté, puis à droite, puis à gauche, et chaque fois, il se produisit un petit déclic, accompagné d'un flash.

—Parfait. Maintenant, approche-toi de cette machine et glisse ta main dans ce tube. Tu n'as rien à craindre, je te le promets. Tends les doigts. Oui, comme ça.

—Qu'est-ce que vous mesurez ? La Poussière, c'est ça ?

—Qui t'a parlé de la Poussière ?

—Une des filles. Je ne connais pas son nom. Elle a dit qu'on avait de la Poussière partout sur nous. Pourtant, je ne suis pas couverte de Poussière, moi ! Du moins, je ne crois pas. J'ai pris une douche hier.

—Ce n'est pas le même genre de poussière. Celle-ci, on ne la voit pas à l'œil nu. C'est une poussière spéciale. Serre le poing, s'il te plaît... Bien. Maintenant, si tu enfonces la main un peu plus dans le tube, tu vas sentir une sorte de poignée... Tu la tiens ? Bon, vas-y, prends-la. Très bien. Peux-tu approcher ton autre main par ici... Pose-la sur cette boule de cuivre. Parfait. Excellent. Tu vas sentir un léger picotement, ne t'inquiète pas, c'est juste un peu de courant ambarique...

Pantalaimon avait adopté son aspect de chat sauvage ; tendu et méfiant, il rôdait autour des appareils. Ses yeux étincelants lançaient des regards soupçonneux, et il revenait régulièrement se frotter contre Lyra.

Convaincue désormais qu'ils ne lui feraient pas subir l'opération aujourd'hui, et certaine d'être protégée par son déguisement de Lizzie Brooks, elle se risqua à poser une question :

—Pourquoi arrachez-vous les dæmons des gens ?

—Hein ? Qui t'a parlé de ça ?

—Toujours la même fille, mais je ne connais pas son nom. Elle a dit que vous arrachiez les dæmons des gens.

—C'est ridicule...

Le médecin paraissait nerveux. Lyra enchaîna :

—Vous venez chercher les enfants un par un, et on ne les revoit jamais. Il y en a qui pensent que vous les tuez, tout simplement, mais d'autres ne sont pas de cet avis, et cette fille m'a raconté que vous arrachiez...

—C'est absolument faux ! Quand nous venons chercher les enfants, c'est qu'il est temps pour eux d'aller s'installer ailleurs. Ils sont devenus adultes. J'ai peur que ta camarade ne s'inquiète sans raison. Il ne s'agit pas du tout de ça. N'y pense plus. Qui est cette fille, d'abord ?

—Je suis arrivée hier. Je ne connais pas les noms.

—Décris-la-moi.

—Je ne me souviens plus. Je crois qu'elle a des cheveux châtains... châtain clair, peut-être... Je n'en sais rien.

Le médecin s'éloigna pour discuter avec l'infirmière. Tandis qu'ils parlaient à voix basse, Lyra en profita pour observer leurs dæmons. Celui de l'infirmière était un bel oiseau, aussi sage et indifférent que le petit chien de Nurse Clara ; celui du médecin était un gros papillon de nuit. Aucun des deux ne bougeait. Ils étaient réveillés pourtant, car les yeux de l'oiseau brillaient et les antennes du papillon remuaient paresseusement, mais ils n'étaient pas agités, comme on aurait pu s'y attendre. Peut-être n'étaient-ils pas réellement inquiets, ni curieux.

Le médecin reprit son poste et poursuivit l'examen : il pesa séparément Lyra et Pantalaimon, il observa la fillette derrière un écran spécial, il mesura les battements de son cœur, il la plaça sous un petit tuyau qui émettait un sifflement et une odeur qui ressemblait à de l'air frais.

Soudain, au beau milieu d'un de ces tests, une forte sonnerie retentit, et continua sans s'arrêter.

— L'alarme d'incendie, commenta le médecin avec un soupir. Très bien, Lizzie, suis Nurse Betty.

— Tous leurs vêtements chauds sont dans le dortoir, docteur, dit l'infirmière. La petite ne peut pas sortir comme ça. Doit-on d'abord retourner les chercher, à votre avis ?

Furieux d'avoir été interrompu durant ses expériences, le médecin fit claquer ses doigts d'un air agacé.

— C'est justement le genre de question que cet exercice est censé susciter, je suppose, dit-il. Ah, que c'est énervant !

Lyra décida de tenter sa chance.

— Quand je suis arrivée hier, dit-elle, Nurse Clara a rangé toutes mes affaires dans un placard, dans la pièce où elle m'a examinée. Celle d'à côté. Je pourrais les mettre pour aller dehors.

— Bonne idée ! s'exclama l'infirmière. Dépêchons-nous.

Habitée par une joie secrète, Lyra sortit rapidement à la suite de l'infirmière pour récupérer ses fourrures, son caleçon long et ses bottes, et elle s'empressa de les enfiler, pendant que Nurse Betty s'habillait de son côté.

Elles se précipitèrent à l'extérieur. Dans le vaste espace dégagé, devant le groupe de bâtiments principaux, une centaine de personnes, adultes et enfants, attendaient ; certains étaient excités, d'autres agacés, la plupart étaient simplement perplexes.

— Vous voyez ? disait un adulte. Cet exercice n'est pas inutile ; il prouve bien que ce serait la panique s'il y avait vraiment le feu.

Quelqu'un soufflait dans un sifflet en agitant les bras, mais personne ne faisait attention à lui. Apercevant Roger, Lyra lui fit signe. Roger tira Billy Costa par le bras, et tous les trois se trouvèrent bientôt réunis, au milieu d'une foule d'enfants courant en tous sens.

— Si on va jeter un petit coup d'œil aux alentours, personne ne s'en apercevra, dit Lyra. Il va leur falloir une éternité pour compter tout le monde, et on pourra toujours dire qu'on a suivi quelqu'un d'autre et qu'on s'est perdus.

Ils attendirent que la plupart des adultes regardent dans une autre direction, puis Lyra ramassa un peu de neige, pour en faire une boule qu'elle lança au hasard dans la foule. En l'espace de quelques secondes, tous les enfants l'avaient imitée, et le ciel était parcouru de boules de neige. Les éclats de rire couvraient totalement les cris des adultes qui tentaient de faire revenir le calme, et les trois amis en profitèrent pour disparaître au coin du bâtiment.

La neige épaisse les empêchait d'avancer aussi vite qu'ils le souhaitaient, mais cela n'avait apparemment aucune importance, car personne ne les suivait. Lyra et ses compagnons escaladèrent le toit incurvé d'une des galeries, et se retrouvèrent au milieu d'un étrange paysage lunaire fait de monticules et de trous réguliers, baignés de blanc sous le ciel obscur et éclairés par les reflets des lampes disposées tout autour de l'étendue de neige.

— Qu'est-ce qu'on cherche ? demanda Billy.

— Je n'en sais rien. On cherche, répondit Lyra en les conduisant vers un bâtiment carré, compact, situé un peu à l'écart, éclairé par une faible lumière ambarique installée au coin.

Dans leur dos, le chahut se poursuivait. De toute évidence, les enfants profitaient pleinement de leur liberté, et Lyra espérait qu'ils continueraient le plus longtemps possible. Elle contourna le bâtiment, à la recherche d'une fenêtre. Le toit n'était qu'à 2,50 m du sol environ et, contrairement aux autres bâtiments, celui-ci n'était pas relié au reste de la Station par une galerie couverte.

Il n'y avait pas de fenêtre, mais il y avait une porte. Une pancarte fixée juste au-dessus indiquait, en lettres rouges :

ENTRÉE FORMELLEMENT INTERDITE

Lyra referma la main sur la poignée. À ce moment-là, Roger s'exclama :

— Regarde ! Un oiseau ! Ou...

Son « ou » était rempli de perplexité, car la créature qui descendait en piqué dans le ciel noir n'était pas un oiseau : c'était une créature que Lyra avait déjà rencontrée.

— Le dæmon de la sorcière !

L'oie agita ses ailes immenses, faisant jaillir un tourbillon de neige au moment de se poser sur le sol.

— Bien le bonjour, Lyra. Je t'ai suivie jusqu'ici, mais tu ne m'as pas vue. J'attendais que tu ressortes à l'air libre. Alors, que se passe-t-il ?

Elle lui raconta, brièvement.

— Où sont les gitans ? demanda-t-elle ensuite. Comment va John Faa ? Ont-ils vaincu les Samoyèdes ?

—La plupart des gitans sont sains et saufs. John Faa a été blessé, mais rien de grave. Les hommes qui t'ont enlevée sont des chasseurs qui attaquent souvent des groupes de voyageurs. Seuls, ils se déplacent bien plus vite qu'une caravane. Les gitans sont encore à une journée d'ici.

Les deux garçons observaient d'un air horrifié cet échange entre le dæmon-oie et Lyra qui semblait si à l'aise avec lui car, évidemment, ils n'avaient encore jamais vu un dæmon sans son humain, et ils ne savaient pas grand-chose des sorcières.

Lyra s'adressa à eux :

—Vous devriez faire le guet, les gars. Billy, tu vas par là. Toi, Roger, tu surveilles le chemin qu'on vient de prendre. On n'en a pas pour longtemps.

Les deux garçons s'empressèrent de rejoindre leur poste, et Lyra se retourna vers la porte.

—Pourquoi veux-tu entrer là-dedans ? demanda le dæmon-oie.

—À cause de ce qu'ils y font. Ils arrachent... (Instinctivement, elle baissa la voix.)... ils arrachent les dæmons des gens. Ceux des enfants. Et je me dis que ça se passe peut-être là-dedans. En tout cas, il y a quelque chose derrière cette porte, et je voulais jeter un coup d'œil. Mais elle est fermée...

—Je peux l'ouvrir, déclara l'oie.

Elle battit des ailes une ou deux fois, projetant de la neige contre la porte, et soudain, Lyra perçut un petit déclic à l'intérieur de la serrure.

—Fais bien attention en entrant, dit le dæmon.

Lyra tira sur la porte en repoussant l'amas de neige et se faufila à l'intérieur. Le dæmon-oie lui emboîta le pas. Pantalaimon était nerveux et inquiet, mais il ne voulait pas montrer sa peur devant le dæmon de la sorcière ; c'est pourquoi il avait sauté sur la poitrine de Lyra et trouvé refuge au milieu de ses fourrures.

Dès que ses yeux se furent habitués à la pénombre, la fillette comprit la cause de cet effroi.

Dans une série de boîtes en verre, disposées sur des étagères tout autour de la pièce, étaient enfermés les dæmons des enfants mutilés : des formes spectrales de chats, d'oiseaux, de rats et autres créatures, hébétées et effrayées, livides.

Le dæmon de la sorcière laissa échapper un cri de fureur, et Lyra serra Pantalaimon contre elle, en disant :

—Ne regarde pas, ne regarde pas !

—Où sont les enfants de ces dæmons ? demanda le dæmon-oie, tremblant de rage.

Lyra lui raconta, d'une voix mal assurée, sa rencontre avec le petit Tony Makarios, et regarda par-dessus son épaule les pauvres dæmons en cage qui se collaient contre les parois vitrées, dont on entendait les cris de douleur et de chagrin étouffés. Dans la faible lumière dispensée par une unique ampoule ambarique peu puissante, elle vit qu'un nom figurait sur une carte placée devant chaque boîte. Il y avait une cage vide, portant le nom de Tony Makarios. Il y avait quatre ou cinq autres boîtes vides, avec des noms.

—Il faut libérer ces pauvres créatures! déclara-t-elle. Je vais briser ces cages de verre!

Elle chercha désespérément du regard un objet pouvant l'aider, mais la pièce était vide.

—Attends, dit le dæmon-oie.

C'était le dæmon d'une sorcière, beaucoup plus âgé qu'elle, et beaucoup plus puissant surtout; Lyra était obligée de lui obéir.

—Nous devons faire croire à ces gens que quelqu'un a oublié de fermer les cages et de verrouiller la porte, expliqua l'oie. S'ils découvrent du verre brisé et des empreintes de pas dans la neige, combien de temps leur faudra-t-il, à ton avis, pour te démasquer? Or, tu dois conserver ton anonymat jusqu'à l'arrivée des gitans. Tu vas faire exactement ce que je te dis: va chercher de la neige, et quand je le te le dirai, souffles-en un peu sur chaque cage, l'une après l'autre.

Lyra ressortit en courant. Roger et Billy faisaient toujours le guet, et là-bas, dans l'arène de neige, les cris et les rires continuaient de fuser car, en réalité, une minute ou deux seulement s'étaient écoulées.

La fillette ramassa dans ses mains jointes une bonne quantité de neige poudreuse et suivit les instructions du dæmon-oie. Alors qu'elle soufflait un peu de neige sur chaque cage de verre, l'oie émettait un petit cliquetis de gorge, et le loquet fixé sur le devant de la cage s'ouvrait par magie.

Quand elle les eut toutes ouvertes, elle releva la porte de la première: un perroquet au plumage blême jaillit en battant des ailes, mais il s'écrasa sur le sol avant d'avoir pu prendre son envol. L'oie se pencha et, de son bec, l'aida à se remettre debout; le perroquet se transforma en souris, désorientée et chancelante. Pantalaimon bondit à terre pour la réconforter.

Lyra s'affaira et, quelques minutes après, tous les dæmons retrouvèrent la liberté. Certains tentaient de parler et, regroupés à ses pieds, essayaient même de s'accrocher à son caleçon long, mais le grand tabou les retenait. Elle comprenait leur réaction; ces pauvres créatures réclamaient la chaleur dense et solide du corps de leur humain. Comme l'aurait fait Pantalaimon, ils rêvaient de se plaquer contre un cœur qui bat.

—Il faut faire vite maintenant, dit l'oie. Lyra, dépêche-toi de retourner te mêler aux autres enfants. Courage, petite. Les gitans font le plus vite possible. Moi, je dois aider ces pauvres dæmons à retrouver leurs humains...

Elle se rapprocha de Lyra et ajouta à voix basse : Hélas, ils ne seront plus jamais unis comme autrefois. Ils ont été séparés pour toujours. C'est la chose la plus affreuse que j'aie jamais vue... Ne t'occupe pas de tes empreintes dans la neige, je les effacerai. Fais vite...

— Oh, je vous en prie, avant que vous partiez ! Les sorcières... Elles peuvent voler, n'est-ce pas ? Je n'ai pas rêvé l'autre soir quand je les ai vues dans le ciel ?

— Oui, elles volent. Pourquoi ?

— Seraient-elles capables de tirer une montgolfière ?

— Certainement, mais...

— Serafina Pekkala va venir ?

— Nous n'avons pas le temps d'aborder la politique des nations sorcières. Des forces importantes sont en jeu dans cette affaire, et Serafina Pekkala doit défendre au mieux les intérêts de son clan. Mais il est possible que ce qui se passe ici soit lié aux événements qui agitent le reste du monde. On a besoin de toi à l'intérieur, Lyra. Cours ! Cours !

Elle se mit à courir, et Roger, qui regardait d'un air effaré les dæmons blêmes sortir peu à peu du bâtiment, vint à sa rencontre en pataugeant dans la neige profonde.

— Ils... c'est comme dans la crypte de Jordan College... Des dæmons !

— Oui, chut. Ne dis rien à Billy. Ne dis rien à personne pour l'instant. Allez, viens.

Derrière eux, l'oie battait puissamment des ailes, projetant de la neige sur les traces qu'ils avaient laissées ; autour d'elle s'étaient regroupés les dæmons abandonnés, mais d'autres s'éloignaient à pas lents, en poussant des petits cris de désespoir. Une fois toutes les empreintes effacées, l'oie se retourna pour rassembler les dæmons livides. Elle leur parla et, un par un, ils se métamorphosèrent en oiseaux, au prix d'un terrible effort, sembla-t-il ; et tels des oisillons, ils suivirent le dæmon de la sorcière, battant maladroitement des ailes, trébuchant, courant dans la neige, pour finalement réussir, non sans mal, à s'envoler. Ils formaient une ligne irrégulière, pâle et spectrale, sur le fond noir du ciel, gagnant peu à peu de la hauteur, malgré la faiblesse et la confusion de certains d'entre eux ; d'autres, privés de volonté, chutèrent, mais la grande oie grise fit demi-tour pour aller les rechercher, en les prenant dans son bec, et les emmener en douceur, jusqu'à ce qu'ils disparaissent dans le noir intense du ciel.

Roger tirait Lyra par le bras.

— Vite ! dit-il. Ils sont bientôt prêts.

Ils s'empressèrent de rejoindre Billy, qui leur adressait de grands signes au coin du bâtiment principal. Les enfants s'étaient lassés de chahuter — ou peut-être les adultes avaient-ils retrouvé un peu d'autorité – toujours est-il que tout le monde était maintenant plus ou moins aligné devant la grande entrée. Lyra et ses deux camarades émergèrent juste à temps du coin du bâtiment pour se fondre dans le groupe. Lyra chuchota :

— Passez le message parmi tous les enfants : qu'ils se tiennent prêts à s'enfuir. Ils doivent repérer où sont rangés les vêtements chauds et se tenir prêts à les récupérer pour décamper dès qu'on leur en donnera le signal. Et surtout, cela doit rester absolument secret, c'est bien compris ?

Billy acquiesça, et Roger demanda :

— C'est quoi le signal ?

— L'alarme d'incendie, dit Lyra. Le moment venu, je la déclencherai.

Ils attendirent patiemment qu'on les compte. Si quelqu'un, au sein du Conseil d'Oblation, avait eu la moindre expérience de l'enseignement, les choses auraient été mieux organisées : il fallait vérifier le nom de chaque enfant sur la liste et, bien entendu, ils n'étaient pas classés par ordre alphabétique. En outre, aucun des adultes n'était habitué à faire régner la discipline. Il en résultait une énorme pagaille, bien que les enfants aient cessé de courir dans tous les sens.

Lyra assistait à ce spectacle d'un œil intéressé. Décidément ces gens n'étaient pas doués. Beaucoup de choses laissaient à désirer ; ils râlaient contre les exercices d'évacuation, ils ne savaient pas où étaient rangés les vêtements chauds, ils étaient incapables de mettre les enfants en rang. Toutes ces négligences pourraient tourner à son avantage.

Ils avaient presque fini de compter les enfants lorsque survint une nouvelle cause de perturbation. La plus effroyable pour Lyra.

Elle entendit le bruit comme tout le monde. Les têtes se tournèrent pour scruter le ciel obscur et tenter d'apercevoir le zeppelin, dont les moteurs à gaz résonnaient distinctement dans l'air immobile.

Par chance, il venait de la direction opposée à celle prise par l'oie grise. Mais c'était bien l'unique consolation. Bientôt, le dirigeable apparut, et un murmure d'excitation parcourut la foule. Sa silhouette rebondie, aux flancs argentés et lisses, glissa au-dessus de l'avenue de lumière ; ses propres feux jaillissaient de la cabine fixée sous l'engin.

Le pilote réduisit les gaz et se prépara à exécuter une manœuvre complexe. Lyra comprit alors à quoi servait le mât ; il s'agissait d'un mât d'amarrage, évidemment ! Tandis que les adultes faisaient rentrer les enfants, qui avaient tous la tête levée et le doigt tendu, l'équipe au sol grimpait aux échelles du mât et s'apprêtait à attacher les câbles d'amarrage. Les moteurs du zeppelin vrombissaient, faisant jaillir des tourbillons de neige, et les visages des passagers apparaissaient derrière les hublots de la cabine.

Lyra, elle aussi, avait les yeux fixés sur le dirigeable. Impossible de se tromper. Agrippé à elle, Pantalaimon se transforma en chat sauvage et cracha sa fureur, car venait d'apparaître derrière un hublot le beau visage, encadré de cheveux bruns, de Mme Coulter. Sur ses genoux était assis son dæmon au pelage doré.

Chapitre 16
La guillotine

Lyra s'empressa de rabattre sur sa tête sa capuche doublée de peau de glouton, et de franchir avec les autres enfants la porte à double battant. Il serait toujours temps, plus tard, de songer à ce qu'elle dirait lorsque Mme Coulter et elle se retrouveraient face à face; dans l'immédiat, elle avait un autre problème à régler: où cacher ses vêtements pour pouvoir les récupérer ensuite sans demander la permission?

Heureusement, il régnait un tel désordre à l'intérieur – les adultes s'efforçaient de faire rentrer rapidement les enfants afin de dégager le chemin pour les passagers du zeppelin – que personne ne faisait attention à elle. Elle ôta son parka, ses bottes et son caleçon long, les roula en boule et se fraya un chemin jusqu'à son dortoir à travers les couloirs encombrés.

Elle traîna une armoire métallique dans un coin de la pièce, grimpa dessus et exerça une poussée sur une des plaques du plafond. Celle-ci se souleva, comme l'avait affirmé Roger et, dans l'espace qui se trouvait juste derrière, Lyra glissa ses bottes et son caleçon. Enfin, elle sortit l'aléthiomètre de sa sacoche pour le cacher dans la poche intérieure de son parka, puis le tassa dans la cachette improvisée.

Elle sauta à terre, remit l'armoire à sa place et murmura à Pantalaimon:

– Nous devons jouer les idiots jusqu'à ce qu'elle nous voie, et lui dire qu'on a été kidnappés. Pas un mot au sujet des gitans ou de Iorek Byrnison, surtout.

Car Lyra comprenait maintenant que toutes les frayeurs qui l'habitaient se concentraient sur Mme Coulter, comme l'aiguille d'une boussole est atti-

222

rée par le Pôle. Tout le reste, y compris l'effroyable cruauté de l'intercision, elle pouvait le supporter, elle était suffisamment forte, mais l'image de ce beau visage, le souvenir de cette voix douce, la pensée de ce singe fourbe suffisaient à lui nouer l'estomac, à la faire pâlir et à lui donner des nausées.

« Dieu soit loué, les gitans vont arriver. Penses-y. Pense à Iorek Byrnison. Et ne te fais pas repérer », se disait-elle en revenant vers le réfectoire, d'où s'échappait un grand brouhaha.

Les enfants faisaient la queue pour boire quelque chose de chaud ; certains portaient encore leur anorak. Tous parlaient du zeppelin et de ses passagers.

— C'était elle... avec son dæmon-singe...

— Elle t'a capturé toi aussi ?

— Elle a promis d'écrire à ma maman et à mon papa, mais je parie que...

— Elle ne nous a jamais dit qu'on tuait des enfants. Elle n'a jamais parlé de ça.

— Le singe, c'est lui le plus affreux... Il s'est jeté sur mon Karossa et il a failli le tuer... Je n'avais plus de forces...

De toute évidence, les enfants étaient tous aussi effrayés que Lyra. Apercevant Annie et les deux autres, elle s'assit à leur table.

— Savez-vous garder un secret ? leur demanda-t-elle.

— Évidemment !

Les trois visages se tournèrent vers elle, exprimant l'impatience et l'espoir.

— Je connais un plan pour s'échapper, déclara Lyra. Des gens vont venir pour nous libérer ; ils seront ici demain. Peut-être même avant. Nous devons juste nous tenir prêts. Dès que le signal retentit, on récupère nos vêtements chauds et on se précipite dehors. Sans perdre une minute, vous foncez dehors. Mais si vous n'avez pas vos anoraks, vos bottes et le reste, vous mourrez de froid.

— C'est quoi le signal ? demanda Annie.

— L'alarme d'incendie, comme cet après-midi. Tout est organisé. Tous les enfants seront prévenus, mais pas les adultes. Et surtout pas elle.

Leurs regards pétillaient d'espoir et d'excitation. Et le message avait déjà commencé à circuler à travers tout le réfectoire. Lyra sentait que l'atmosphère avait changé. Tout à l'heure, dehors, les enfants avaient envie de jouer, ils débordaient d'énergie ; puis, quand ils avaient aperçu Mme Coulter, leur enthousiasme avait cédé la place à une peur hystérique difficilement contenue, mais maintenant, on percevait de la détermination et du sang-froid dans leur volubilité. Lyra s'émerveillait du pouvoir de l'espoir.

Elle se tourna vers la porte du réfectoire avec prudence, prête à baisser la tête, car des voix d'adultes approchaient et, soudain, Mme Coulter en personne apparut ; elle jeta un coup d'œil à l'intérieur, en souriant aux enfants qui dégustaient leur boisson chaude et leur gâteau, à l'abri et bien nourris. Un petit frisson parcourut aussitôt l'ensemble du réfectoire. Tous les enfants la regardaient, immobiles et muets.

Mme Coulter continua de sourire et passa sans s'arrêter ni dire un mot. Peu à peu, les conversations reprirent.

Lyra demanda :

—Où vont-ils ?

—Sans doute dans la salle de réunion, dit Annie. Un jour, ils nous y ont emmenés, ajouta-t-elle, parlant d'elle et de son dæmon. Il y avait une vingtaine d'adultes dans la pièce. L'un d'eux donnait un cours : j'ai dû me mettre devant eux et faire tout ce qu'il me demandait, comme par exemple voir jusqu'où mon Kyrillion pouvait s'éloigner de moi ; ensuite, il m'a hypnotisée et il m'a fait faire d'autres expériences... C'est une grande salle avec beaucoup de chaises, des tables et une petite estrade. Juste derrière le bureau. Je parie qu'ils vont faire comme si l'exercice d'évacuation s'était bien passé. J'ai l'impression qu'ils ont peur d'elle, autant que nous...

Lyra passa le restant de la journée en compagnie des autres filles, à observer, parlant peu, essayant de ne pas se faire remarquer. Après l'éducation physique et un cours de couture, il y eut le dîner, puis la récréation dans la salle de loisirs, une grande pièce sinistre avec quelques jeux, de vieux livres abîmés et une table de ping-pong. Au bout d'un moment, Lyra et les autres prirent conscience d'une sorte d'effervescence contenue autour d'eux ; les adultes couraient dans tous les sens, ou bien discutaient avec animation, par petits groupes. Lyra en conclut qu'ils avaient découvert l'évasion des dæmons, et qu'ils se demandaient ce qui s'était passé.

Cependant, elle n'apercevait pas Mme Coulter, à son grand soulagement d'ailleurs. Quand vint l'heure de se coucher, elle comprit qu'elle devait mettre les autres filles dans la confidence.

—Dites, est-ce qu'ils viennent parfois vérifier si on dort ? demanda-t-elle.

—Ils ne viennent qu'une fois, répondit Bella. Ils balayent le dortoir avec une lampe, ils ne regardent pas vraiment.

—Tant mieux. Car j'ai l'intention d'aller faire un petit tour cette nuit. Un garçon m'a montré un passage dans le plafond...

Elle leur expliqua son projet. Annie déclara :

—Je t'accompagne !

—Non, il ne faut pas ; ce sera moins risqué s'il manque juste une personne. Vous pourrez toutes dire que vous dormiez et que vous ne savez pas où je suis allée.

— Mais si je venais avec toi...

— On risquerait de se faire prendre, dit Lyra.

Les deux dæmons s'affrontaient du regard ; Pantalaimon sous l'aspect d'un chat sauvage, et le Kyrillion d'Annie transformé en renard. L'un et l'autre tremblaient de rage. Pantalaimon cracha discrètement, montrant les dents ; Kyrillion tourna alors la tête et entreprit de faire sa toilette d'un air indifférent.

— Très bien, dit Annie, résignée.

Il n'était pas rare que des conflits entre enfants soient réglés par leurs dæmons de cette façon, l'un reconnaissant la domination de l'autre. Leurs humains acceptaient l'issue de l'affrontement sans rancœur, généralement, et Lyra sut qu'Annie se plierait à sa décision.

Chacune des filles fournit des vêtements afin de remplir le lit de Lyra et donner l'impression qu'elle dormait sous les couvertures, puis elles jurèrent le secret. Après quoi, Lyra écouta à la porte pour s'assurer qu'il n'y avait personne dans les parages, sauta sur l'armoire métallique, souleva le panneau amovible et se hissa par l'ouverture dans le plafond.

— Ne dites rien, surtout, murmura-t-elle, penchée au-dessus des trois visages levés vers elle.

Elle remit délicatement le panneau en place et examina les lieux.

Elle était recroquevillée dans un étroit conduit métallique soutenu par un ensemble de poutrelles et d'étançons. Les panneaux amovibles du plafond étant légèrement transparents, la faible lumière qui provenait d'en bas éclairait cet espace exigu (à peine cinquante centimètres de hauteur) qui s'étendait de tous les côtés. En outre, il était encombré de tuyaux et de conduits, et il serait extrêmement facile de s'y perdre, mais en suivant les structures métalliques, en évitant de peser de tout son poids sur les panneaux, et du moment qu'elle ne faisait pas de bruit, elle devait pouvoir voyager ainsi d'un bout à l'autre de la Station.

— C'est comme dans le temps, à Jordan College, tu te souviens, Pan ? murmura-t-elle. Quand on a espionné dans le Salon.

— Justement, si tu étais restée tranquille, rien de tout cela ne serait arrivé, répondit le dæmon.

— Donc, c'est à moi de tout arranger, pas vrai ?

Lyra essaya de se repérer et, après avoir localisé approximativement la salle de réunion, elle se mit en marche. Cette expédition n'était pas une partie de plaisir. Elle était obligée d'avancer à quatre pattes, car le manque d'espace ne lui permettait pas de se tenir accroupie et, régulièrement, elle devait se faufiler sous un gros tuyau ou enjamber des conduits de chauffage brûlants. Les gaines métalliques qu'elle empruntait suivaient le tracé des cloisons, autant qu'elle pouvait en juger, et tant qu'elle continuait ainsi, elle sentait sous elle une solidité rassurante. Mais les gaines étaient étroites et tranchantes sur les bords, à tel point qu'elle s'entaillait les mains et les genoux en avançant, et bientôt, tout son corps fut endolori, envahi de crampes et couvert de poussière.

Mais elle savait plus ou moins où elle se trouvait, et elle apercevait, quand elle se retournait, la masse noire de ses vêtements entassés au-dessus du dortoir, qui servirait à guider son retour. Elle savait quand une pièce était inoccupée, car les panneaux du plafond étaient sombres. Parfois, elle entendait des voix et elle s'arrêtait pour tendre l'oreille, mais ce n'étaient que les cuistots dans les cuisines ou les infirmières réunies dans ce qui était certainement leur salle de repos. Leurs conversations ne présentant aucun intérêt, elle poursuivait son chemin.

Finalement, elle atteignit la zone où devait se trouver la fameuse salle de réunion, d'après ses calculs et, de fait, il y avait devant elle un espace sans tuyaux, où tous les panneaux, sur un large rectangle, étaient éclairés. Collant son oreille contre le plafond, elle perçut un murmure de voix adultes et sut qu'elle avait trouvé le bon endroit.

Tendue, elle progressa centimètre par centimètre et finit par s'allonger de tout son long à l'intérieur du conduit, l'oreille collée contre le métal froid.

On entendait parfois un tintement de couverts, ou le bruit du verre contre le verre quand on servait à boire. Il y avait quatre voix différentes, apparemment, dont celle de Mme Coulter. Les trois autres appartenaient à des hommes. Ils évoquaient la fuite des dæmons.

— Qui est responsable de la surveillance de cette section ? demanda Mme Coulter de sa douce voix mélodieuse.

— Un jeune chercheur nommé McKay, répondit un des hommes. Mais il existe des mécanismes automatiques...

— Ils n'ont pas fonctionné, dit-elle.

— Je suis désolé, madame Coulter, mais ils ont fonctionné. McKay nous assure qu'il a fermé toutes les cages quand il a quitté le bâtiment à 11 heures précises. La porte extérieure, elle, n'a pas été ouverte, en aucun cas, car il est entré et ressorti par la porte intérieure, comme à son habitude. Il faut fournir un code à l'ordinateur qui contrôle les serrures et, dans ce cas, la mémoire l'enregistre. Dans le cas contraire, l'alarme se déclenche.

— Mais l'alarme ne s'est pas déclenchée, dit Mme Coulter.

— Malheureusement, elle a sonné quand tout le monde était dehors pour participer à l'exercice d'évacuation.

— Mais quand vous êtes rentrés...

—Hélas, encore une fois, les deux alarmes sont branchées sur le même circuit, c'est un défaut de conception auquel il faudra remédier. Conclusion, quand on a coupé l'alarme d'incendie après l'exercice, celle du laboratoire a été coupée en même temps. Malgré cela, nous aurions dû nous en apercevoir, car après chaque perturbation dans la routine de nos activités quotidiennes, nous procédons habituellement à des vérifications, mais vous êtes arrivée au même moment, chère madame Coulter, à l'improviste, et si vous vous souvenez, vous avez exigé de rencontrer immédiatement, dans votre chambre, le personnel du laboratoire. Par conséquent, personne n'est retourné au laboratoire avant un certain temps.

—Je vois, dit Mme Coulter d'un ton glacial. Dans ce cas, les dæmons ont été libérés pendant l'exercice d'évacuation. Ce qui élargit considérablement la liste des suspects, pour inclure tout le personnel de la Station. Avez-vous envisagé cela ?

—Avez-vous envisagé que ce pourrait être l'œuvre d'un enfant ? répliqua quelqu'un.

Mme Coulter demeura muette, et le deuxième homme poursuivit :

—Chaque adulte avait une tâche à effectuer, chaque tâche réclamait toute son attention, et chacune de ces tâches a été accomplie. Il n'est donc pas possible qu'un membre du personnel ait ouvert cette porte. Autrement dit, une personne est venue de l'extérieur dans ce but bien précis, ou bien, un des enfants à réussi à se faufiler jusqu'au laboratoire, à ouvrir les portes et les cages, avant de rejoindre ses camarades devant le bâtiment principal.

—Et comment comptez-vous enquêter ? demanda Mme Coulter. Non, réflexion faite, ne me dites rien. Comprenez bien, docteur Cooper, que je ne critique pas par plaisir. Nous devons nous montrer extrêmement prudents. C'était une effroyable erreur de brancher les deux alarmes sur le même circuit ; cela doit être corrigé sur-le-champ. L'officier tartare responsable de la garde pourrait peut-être vous aider dans votre enquête ? C'est une simple suggestion de ma part. Au fait, où étaient les Tartares durant l'exercice d'évacuation ? Je suppose que vous avez déjà réfléchi à cette question ?

—Oui, bien sûr, répondit le même homme d'un ton las. Tous les soldats de la garde étaient partis en patrouille. Ils tiennent des registres très détaillés.

—Je suis certaine que vous faites de votre mieux. Mais regardez où nous en sommes. Quel gâchis ! Enfin, oublions tout ça pour l'instant. Parlez-moi plutôt du nouveau séparateur.

Lyra fut parcourue d'un frisson de terreur. Ce mot ne pouvait signifier qu'une seule chose.

—Ah, nous avons fait de gros progrès! déclara le docteur, soulagé de voir que la conversation changeait de terrain. Avec le premier modèle, nous courions toujours le risque de voir le patient mourir sous le choc de l'opération, mais nous avons considérablement amélioré ce point.

—Les Skraelings avaient manuellement de meilleurs résultats, dit un homme qui n'avait pas encore parlé.

—Grâce à des siècles de pratique, répondit l'autre.

—Au début, l'arrachement pur et simple était la seule option, déclara l'orateur principal, en dépit des traumatismes provoqués chez nos praticiens. Si vous vous souvenez, nous avons dû renvoyer un grand nombre d'entre eux, victimes de dépression. Le premier grand changement fut l'utilisation de l'anesthésie, combinée au scalpel ambarique de Maystadt. Ainsi, nous avons pu réduire le nombre de décès par choc opératoire à moins de cinq pour cent.

—Et ce nouvel instrument? demanda Mme Coulter.

Lyra tremblait comme une feuille. Le sang battait à ses tempes, et Pantalaimon plaquait son corps d'hermine contre elle, en murmurant:

—Calme-toi, Lyra. Ils ne le feront pas... On les en empêchera...

—En fait, disait le docteur, dans sa salle en dessous, c'est une fort étrange découverte de Lord Asriel lui-même qui nous a donné la clé de cette nouvelle méthode. Il a en effet constaté qu'un alliage de manganèse et de titane avait la propriété d'isoler le corps du dæmon de l'humain. Mais au fait, qu'est-il advenu de Lord Asriel?

—Peut-être n'êtes-vous pas au courant, dit Mme Coulter. Lord Asriel a été condamné à mort avec sursis. Une des conditions de son exil à Svalbard était qu'il renonce entièrement à son travail philosophique. Malheureusement, il a réussi à se procurer des livres et du matériel afin de poursuivre ses expériences hérétiques, à tel point qu'il serait désormais dangereux de le laisser en vie. Quoi qu'il en soit, il semblerait que le Conseil de Discipline Consistorial ait commencé à débattre de la question de la peine de mort et de son éventuelle application. Mais revenons-en à votre nouvel instrument, docteur. Comment fonctionne-t-il?

—Ah... oui... La peine de mort, vous dites? Bonté divine... Pardonnez-moi. Le nouvel instrument, donc... Nous cherchons à savoir ce qui se passe lorsque l'intercision est effectuée quand le patient reste conscient, et bien entendu, cela était impossible avec la Méthode Maystadt. Aussi avons-nous mis au point une sorte de... guillotine, pourrait-on dire. La lame est un alliage de manganèse et de titane, et l'on place l'enfant dans un caisson grillagé —comme une petite cabine— du même alliage; le dæmon, lui, est placé dans un caisson similaire, relié au premier. Tant qu'il existe un contact physique, évidemment, le lien subsiste. Ensuite, on fait tomber la lame pour trancher le lien, d'un coup bien net. On obtient ainsi deux entités séparées.

—J'aimerais beaucoup assister à cela, dit Mme Coulter. Bientôt, j'espère. Mais pour le moment, je suis fatiguée. Je vais aller me coucher. Je veux voir tous les enfants demain. Nous découvrirons qui est entré dans le laboratoire.

Il y eut un bruit de chaises, des échanges de politesses ; une porte qui se referma. Les trois hommes continuèrent à parler en baissant la voix.

—Que manigance Lord Asriel ?

—Je crois qu'il a des idées totalement différentes sur la nature de la Poussière. Tout est là. Ses opinions sont profondément hérétiques, voyez-vous, et le Conseil de Discipline Consistorial ne peut tolérer aucune autre interprétation que celle autorisée. En outre, il veut expérimenter...

—Expérimenter ? Avec la Poussière ?

—Chut ! Pas si fort...

—Croyez-vous qu'elle va rédiger un rapport défavorable ?

—Non. Je trouve que vous avez été parfait.

—J'avoue que son comportement m'inquiète.

—Vous ne le trouvez pas... philosophique ?

—Exactement. Je sens un intérêt personnel. Je n'aime pas employer ce mot, mais il y a chez elle quelque chose de... macabre.

—Vous exagérez.

—Vous souvenez-vous des premières expériences, le plaisir qu'elle prenait à les voir écartelés...

En entendant ces mots, Lyra ne put retenir un petit cri ; son pied heurta une barre métallique.

—Vous avez entendu ?

—Dans le plafond...

—Vite !

Des chaises raclèrent le sol, il y eut un bruit de pas précipités, une table qu'on traîne. Lyra tenta de s'enfuir, mais l'espace était trop étroit, et à peine avait-elle eu le temps de parcourir quelques mètres qu'un des panneaux du plafond, juste à côté d'elle, se souleva brutalement ; elle se retrouva nez à nez avec un homme stupéfait. Elle était si près de lui qu'elle aurait pu compter les poils de sa moustache. Aussi surpris qu'elle, mais disposant d'une plus grande liberté de mouvement, il parvint à glisser la main par l'ouverture et à lui agripper le bras.

—C'est une gamine !

—Ne la laissez pas s'enfuir !

Lyra planta ses dents dans la grosse main constellée de taches de rousseur. L'homme poussa un hurlement, mais ne lâcha pas prise, bien que Lyra le mordît au sang. Pantalaimon montrait les dents et crachait, mais en vain ; l'homme était beaucoup plus fort qu'elle, et il continuait à tirer, à tirer, jusqu'à ce que la fillette qui s'accrochait désespérément à un tuyau soit obligée de lâcher prise, et bascule à moitié par l'ouverture, la tête la première.

Toujours sans dire un mot, elle coinça ses jambes par-dessus le rebord tranchant de la gaine métallique et effectua un rétablissement, en griffant, mordant, frappant et crachant à l'aveuglette, habitée par une fureur incontrôlable. Sous elle, les hommes haletaient, grognaient et poussaient des râles de douleur ou d'épuisement, mais ils continuaient de la tirer vers le bas.

Et soudain, Lyra sentit toutes ses forces l'abandonner.

C'était comme si une main étrangère s'était introduite en elle, là où aucune main n'avait le droit de pénétrer, pour arracher quelque chose de profond et de précieux.

Elle se sentit prise de vertiges et de nausées, sur le point de s'évanouir, terrassée par le choc.

Un des hommes avait saisi Pantalaimon !

Il avait attrapé le dæmon de Lyra avec ses mains d'être humain, et le pauvre Pan tremblait, rendu fou d'horreur et de dégoût. Son corps de chat sauvage, au poil terni par le manque de forces, projetait des étincelles ambariques comme des signaux d'alarme... Il se tordit vers Lyra, tandis qu'elle tendait les deux mains vers lui...

L'un et l'autre se figèrent. Ils étaient prisonniers.

Elle sentait ces mains... Ce n'était pas autorisé... Personne n'était censé toucher... Impossible...

—Elle était seule ?

Un homme avait passé la tête par l'ouverture du plafond.

—Oui, on dirait...

—Qui est cette fille ?

—La nouvelle.

—Celle que les chasseurs samoyèdes...

—Oui.

—Vous ne croyez pas qu'elle... les dæmons...

—C'est possible. Mais pas seule en tout cas.

—Doit-on en parler à...

—Ce serait signer notre perte, vous ne croyez pas ?

—Je suis d'accord. Il vaut mieux qu'elle ne sache rien.

—Que faire alors ?

—Elle ne peut pas retourner avec les autres enfants.

—Impossible!

—Il n'y a qu'une seule chose à faire.

—Maintenant?

—Il le faut. Ça ne peut pas attendre demain matin. Elle veut y assister.

—Nous pouvons nous en occuper; inutile d'y mêler quelqu'un d'autre.

L'homme qui semblait commander, celui qui ne tenait ni Lyra ni Pantalaimon, se tapotait les dents avec son ongle. Son regard ne se fixait nulle part. Finalement, il hocha la tête.

—Maintenant, dit-il. Car sinon, elle parlera. Le choc de l'opération évitera au moins ça. Elle aura oublié qui elle est, ce qu'elle a vu, ce qu'elle a entendu... Allons-y.

Lyra était incapable de dire un mot; elle pouvait à peine respirer. Elle ne put que se laisser entraîner à travers la Station, dans des couloirs blancs et déserts, passant devant des pièces bourdonnantes d'énergie ambarique, devant des dortoirs où des enfants dormaient avec leur dæmon sur leur oreiller, tout près d'eux, partageant leurs rêves; et pas une seconde durant le trajet, elle ne cessa d'observer Pantalaimon, qui tendait tout son corps vers elle; leurs yeux ne se quittaient pas.

Une porte s'ouvrit, actionnée par un volant, dans un sifflement pneumatique, laissant apparaître une pièce violemment éclairée, tout en dallage blanc et en acier étincelant. La peur qu'elle éprouvait à cet instant ressemblait presque à une douleur physique; c'était véritablement une douleur physique, tandis que les trois hommes les entraînaient, Pantalaimon et elle, vers une grande cage grillagée, argentée, au-dessus de laquelle une énorme lame du même métal attendait, prête à les séparer à tout jamais.

Retrouvant enfin sa voix, la fillette se mit à hurler. Son cri résonna bruyamment sur les surfaces brillantes de la pièce, mais l'épaisse porte avait eu le temps de se refermer dans un chuintement; Lyra pouvait hurler indéfiniment, pas un son ne sortirait de cette salle.

Mais, en réponse à ses cris de désespoir, Pantalaimon avait réussi à se libérer de ces mains abominables. Devenu lion, puis aigle, il les lacéra avec ses serres cruelles, en agitant furieusement ses larges ailes; puis il devint loup, ours, putois... Il bondissait, grognait, griffait... enchaînant les transformations à un rythme trop rapide pour que l'œil les enregistre, tout cela sans cesser de sautiller, de voler, de foncer d'un endroit à l'autre, tandis que des mains maladroites s'agitaient en tous sens, pour se refermer sur le vide.

Mais ces hommes avaient des dæmons, eux aussi, évidemment. Le combat ne se déroulait pas à deux contre trois, mais à deux contre six. Le blaireau, la chouette et le babouin étaient bien décidés tous les trois à terrasser Pantalaimon, et Lyra leur criait :

—Pourquoi ? Pourquoi faites-vous ça ? Aidez-nous ! Vous n'avez pas le droit d'être de leur côté !

Elle se remit à gesticuler et à mordre, avec une fougue renouvelée, jusqu'à ce que l'homme qui la retenait pousse un cri et la lâche un court instant. Elle était libre, et Pantalaimon jaillit vers elle, tel un éclair ; elle le plaqua contre sa poitrine haletante, il enfonça ses griffes de chat sauvage dans sa chair, et chaque élancement de douleur lui redonnait espoir.

—Jamais ! Jamais ! Jamais ! cria-t-elle en reculant contre le mur, prête à défendre son dæmon jusqu'à la mort.

Mais ils se jetèrent sur elle de nouveau, trois hommes robustes et brutaux, alors qu'elle n'était qu'une enfant effrayée, en état de choc. Ils lui arrachèrent Pantalaimon, la jetèrent d'un côté de la cage et emportèrent le dæmon, qui continuait à se débattre, de l'autre côté. Ils étaient maintenant séparés par un grillage, mais Pantalaimon faisait encore partie d'elle. Pendant quelques secondes encore, il était son âme précieuse et irremplaçable.

Malgré les halètements des hommes, malgré ses propres sanglots et les hurlements sauvages de son dæmon, Lyra entendit un bourdonnement ; elle vit un des hommes (il saignait du nez) actionner des commandes sur un tableau. L'énorme lame argentée se levait lentement, scintillante. Le dernier instant de sa vie avec son dæmon serait le plus affreux.

—Que se passe-t-il ici ?

Une voix douce et mélodieuse... sa voix. Tout s'arrêta.

—Que faites-vous ? Et qui est cette enf...

Elle n'acheva pas le mot « enfant », car elle venait de reconnaître Lyra. À travers ses yeux embués de larmes, Lyra la vit chanceler et se retenir à une table ; son beau visage, si harmonieux, revêtit l'espace d'un instant le masque de la stupéfaction et de l'horreur.

—Lyra..., murmura-t-elle.

Le singe doré jaillit à ses côtés, en un éclair et, d'un geste vif, il arracha Pantalaimon de la cage métallique, tandis que Lyra sortait de son côté. Pantalaimon se libéra des pattes empressées du singe pour se précipiter, d'un pas chancelant, dans les bras de Lyra.

—Jamais, jamais, dit-elle d'une voix haletante, la tête enfouie dans sa fourrure, et le dæmon plaqua son cœur battant contre celui de la fillette.

Ils restèrent enlacés, tels les survivants d'un naufrage, tremblant sur une côte déserte. Lyra entendit confusément Mme Coulter s'adresser aux trois hommes, mais elle ne pouvait même pas interpréter le ton de sa voix. Et voilà qu'ils quittaient cette salle abominable ; Mme Coulter l'aidait à avancer dans le couloir, elles franchirent une porte, entrèrent dans une chambre, il y avait un parfum dans l'air, une lumière tamisée...

Mme Coulter l'allongea délicatement sur le lit. Lyra serrait si fort Pantalaimon que son bras tremblait. Une main douce lui caressa le front.

—Ma chère, ma très chère enfant, dit la voix mélodieuse. Comment es-tu arrivée ici ?

CHAPITRE 17
LES SORCIÈRES

Lyra gémissait et sanglotait sans pouvoir s'arrêter, comme si on venait de la sauver d'une eau si froide que son cœur avait presque gelé. Pantalaimon s'était couché contre sa peau nue, à l'intérieur de ses vêtements, pour lui redonner courage, sans cesser toutefois d'observer Mme Coulter occupée à préparer une boisson.

Il guettait aussi le singe au pelage doré, dont les petits doigts secs s'étaient promenés furtivement sur le corps de Lyra, à un moment où seul Pantalaimon pouvait le remarquer, pour palper, autour de la taille de la fillette, la sacoche en toile cirée et son contenu.

— Tiens, ma chérie, bois ça, dit Mme Coulter.

Elle glissa tendrement son bras dans le dos de Lyra pour la redresser.

La fillette se crispa instinctivement, mais se détendit presque aussitôt en captant les pensées de Pantalaimon : « Nous n'avons rien à craindre tant que nous jouons la comédie. » Ouvrant les yeux, elle constata qu'ils étaient mouillés de larmes, et à sa grande surprise, à sa grande honte aussi, elle se mit à sangloter sans pouvoir s'arrêter.

Mme Coulter déposa la tasse entre les mains du singe, et tapota les yeux de Lyra avec un mouchoir parfumé, en murmurant quelques paroles de réconfort.

— Pleure autant que tu veux, ma chérie, dit la voix si douce, et Lyra décida d'arrêter aussitôt.

Elle s'efforça de retenir ses larmes, pinça les lèvres et refoula les sanglots qui continuaient de secouer sa poitrine.

Pantalaimon jouait le même jeu : il fallait les tromper, les tromper. Prenant l'aspect d'une souris, il s'échappa de la main de Lyra pour renifler timidement le breuvage que tenait le singe dans sa main. C'était inoffensif : une simple infusion de camomille, rien de plus. Il revint se poser sur l'épaule de Lyra et murmura :

— Bois.

La fillette s'assit dans le lit et prit à deux mains la tasse chaude, soufflant sur l'infusion pour la refroidir. Tout cela en gardant les yeux baissés. Elle jouait le plus grand rôle de sa vie.

— Lyra, chérie, murmura Mme Coulter en lui caressant les cheveux. J'ai bien cru que nous t'avions perdue pour toujours ! Que s'est-il passé ? Tu t'es égarée ? Quelqu'un t'a fait sortir de l'appartement ?

— Oui.

— Qui donc, ma chérie ?

— Un homme et une femme.

— Des invités de la soirée ?

— Je crois. Ils m'ont dit que vous aviez besoin de quelque chose qui se trouvait en bas, et quand je suis descendue, ils m'ont sauté dessus et m'ont jetée dans une voiture qui a démarré aussitôt. Mais quand la voiture s'est arrêtée, j'ai bondi et je me suis enfuie ; ils ne m'ont pas retrouvée. Malheureusement, je ne savais plus où j'étais...

Un nouveau sanglot, moins violent, la fit trembler ; elle pouvait le mettre sur le compte de son récit.

— Alors, j'ai marché au hasard, reprit-elle, pour essayer de retrouver mon chemin, mais les Enfourneurs m'ont enlevée... Ils m'ont enfermée dans une camionnette avec d'autres enfants et ils m'ont emmenée quelque part, dans un grand bâtiment. Je ne sais pas où c'était.

À chaque seconde qui passait, à chaque phrase qu'elle prononçait, elle sentait revenir ses forces. Maintenant qu'elle se livrait à une activité délicate, mais familière, toujours imprévisible, à savoir mentir, elle retrouvait une sorte de maîtrise, ce même sentiment de complexité et de contrôle que lui procurait l'aléthiomètre. Elle devait prendre garde à ne pas dire des choses trop improbables ; elle devait demeurer dans le vague tout en inventant des détails plausibles. Bref, elle devait faire du travail d'artiste.

— Combien de temps t'ont-ils gardée dans cet endroit ? interrogea Mme Coulter.

Le périple de Lyra sur les canaux et son séjour avec les gitans avaient duré plusieurs semaines ; elle devait justifier cette longue disparition. Elle inventa un voyage avec les Enfourneurs jusqu'à Trollesund, suivi d'une nouvelle évasion, agrémentée de nombreux détails puisés dans son observation de la ville, puis une expérience de bonne à tout faire au bar

Einarsson et un emploi dans une famille de fermiers au milieu des terres, où elle avait été capturée par les Samoyèdes qui l'avaient conduite ici, à Bolvangar.

— Et ils allaient me... Ils voulaient m'arracher...

— Chut, ma chérie, chut. J'exigerai des explications.

— Mais pourquoi voulaient-ils me faire ça ? Je n'ai jamais rien fait de mal, moi ! Tous les enfants ont peur de ce qui se passe ici, et personne ne connaît la vérité. Mais c'est affreux. C'est pire que tout... Pourquoi ces gens font-ils ça, madame Coulter ? Pourquoi sont-ils aussi cruels ?

— Calme-toi... Tu n'as rien à craindre, ma chérie. Ils ne te feront rien. Maintenant que je sais que tu es ici, tu ne crains plus rien, tu ne seras plus jamais en danger. Personne ne te fera de mal, Lyra chérie. Personne ne te fera souffrir...

— Mais ils font du mal aux autres enfants ! Pourquoi ?

— Ah, mon cœur...

— C'est à cause de la Poussière ?

— Ils t'ont raconté cela ? Ce sont les médecins qui t'en ont parlé ?

— Les enfants parlent tous de ça, mais personne ne sait vraiment ce qu'ils font !... Il faut me dire la vérité ! Vous n'avez pas le droit de garder le secret, plus maintenant !

— Lyra... Lyra... Ce sont de grandes notions très compliquées, la Poussière et tout le reste. Ce ne sont pas des problèmes de petite fille. Mais sache que les médecins font ça pour le bien des enfants, mon cœur. La Poussière est une mauvaise chose, maléfique et malveillante. Les adultes et leurs dæmons sont infestés par la Poussière, si profondément qu'on ne peut plus rien faire pour eux. Impossible de les aider... Mais grâce à une petite opération, les enfants peuvent être protégés. La Poussière ne se collera jamais sur eux. Ils vivront en toute sécurité, heureux et...

Lyra repensa au petit Tony Makarios. Elle se pencha en avant tout à coup, prise d'un haut-le-cœur. Mme Coulter recula.

— Ça ne va pas, ma chérie ? Va dans la salle de bains.

Lyra déglutit avec peine et s'essuya les yeux.

— Vous n'êtes pas obligés de nous faire ça, dit-elle. Pourquoi vous ne nous laissez pas tranquilles ? Je parie que Lord Asriel vous empêcherait d'agir s'il était au courant de ce qui se passe. S'il a de la Poussière, si vous aussi vous avez de la Poussière, si le Maître de Jordan College et tous les autres adultes ont de la Poussière, ce doit être normal. Quand je sortirai d'ici, j'alerterai tous les enfants du monde entier. Et d'ailleurs, si cette opération est aussi bonne que vous le dites, pourquoi les avez-vous empêchés de continuer ? Il fallait les laisser faire. Vous auriez dû être contente.

Mme Coulter secouait la tête, avec un petit sourire empreint d'une sagesse un peu triste.

— Vois-tu, ma chérie, il arrive que certaines choses, si bonnes qu'elles soient, fassent un peu mal, et évidemment, les gens qui t'aiment ne veulent pas te voir souffrir... Mais ça ne veut pas dire qu'on te retire ton dæmon. Il reste avec toi! Tu sais, beaucoup d'adultes, ici, ont subi cette opération. Les infirmières ont l'air heureuses, non?

Lyra tressaillit. Soudain, elle comprenait d'où leur venait ce regard vide, cette absence de curiosité, et la manière dont leurs petits dæmons trottinaient derrière elles, comme des somnambules.

«Ne dis rien», pensa-t-elle, et elle pinça les lèvres.

— Voyons, ma chérie, reprit Mme Coulter, personne ne songerait à pratiquer une opération sur un enfant sans prendre toutes les précautions. Et jamais, au grand jamais, personne ne volerait son dæmon à un enfant! Il s'agit uniquement d'une petite opération, et ensuite, tu es tranquille. Pour toujours! Ton dæmon est un merveilleux ami et compagnon quand tu es jeune, mais à la puberté, que tu vas bientôt atteindre, ma chérie, les dæmons sont la cause de pensées et de sentiments gênants, et c'est ça qui laisse entrer la Poussière. Une petite opération juste avant, et tu n'es plus jamais embêtée. Ton dæmon reste avec toi, seulement... vous n'êtes plus reliés. C'est comme... comme un formidable animal familier. Le meilleur animal familier du monde! Ça ne te plairait pas?

Oh, les ignobles mensonges! Même si Lyra avait ignoré qu'il s'agissait de mensonges (elle avait vu Tony Makarios, les dæmons en cage), elle aurait haï cette idée. Son âme chérie, le compagnon adoré de son cœur, arraché à elle et transformé en animal domestique trottinant? La haine faillit lui faire perdre le contrôle d'elle-même, et Pantalaimon, dans ses bras, prit l'aspect d'un putois, la plus vilaine et la plus cruelle de toutes ses formes, en montrant les dents.

Mais l'un et l'autre restèrent muets. Lyra serra Pantalaimon contre elle, pendant que Mme Coulter lui caressait les cheveux.

— Allez, bois ta camomille, ma chérie. Je vais leur demander de te préparer un lit ici. Inutile que tu retournes dormir dans un dortoir avec les autres filles, maintenant que j'ai récupéré ma petite assistante. Ma préférée! La meilleure assistante du monde! Sais-tu que l'on t'a cherchée dans tout Londres? La police t'a même cherchée à travers tout le pays. Oh, comme tu m'as manqué! Tu ne peux pas savoir combien je suis heureuse de te retrouver...

Pendant ce temps, le singe doré ne cessait d'aller et venir à travers la chambre, tantôt perché sur un coin de table et balançant sa queue dans le vide, tantôt accroché à Mme Coulter et lui murmurant des choses à l'oreille, ou arpentant le sol, la queue dressée. Évidemment, il trahissait l'impatience de Mme Coulter qui ne put se retenir plus longtemps.

—Lyra, chérie, dit-elle, je crois que le Maître de Jordan College t'a donné quelque chose avant ton départ. N'est-ce pas ? Il t'a donné un aléthiomètre. Malheureusement, il n'en avait pas le droit. On le lui avait confié. Or, cet objet est beaucoup trop précieux pour être transporté. Sais-tu qu'il n'en existe que deux ou trois dans le monde ? Je pense que le Maître te l'a donné dans l'espoir qu'il tombe entre les mains de Lord Asriel. Il t'a demandé de ne pas m'en parler, pas vrai ?

Lyra tordit sa bouche en guise de réponse.

—Je vois. Mais ne t'en fais pas, ma chérie, tu ne m'as rien dit, n'est-ce pas ? Tu n'as donc pas renié ta parole. Écoute-moi bien, cependant. Nous devons prendre le plus grand soin de cet objet ; il est si rare et si fragile qu'il faut désormais lui éviter tous les risques.

—Pourquoi ne pas le donner à Lord Asriel ? demanda Lyra sans faire un geste.

—À cause de ce qu'il prépare. Tu sais qu'il a été envoyé en exil, car il a en tête des idées dangereuses et cruelles. Or, il a besoin de l'aléthiomètre pour achever son plan, mais crois-moi, ma chérie, personne n'a intérêt à le lui donner. Le Maître de Jordan College a commis une grave erreur. Mais maintenant que tu es au courant, il vaut mieux que tu me le donnes, n'est-ce pas ? Cela t'évitera de le transporter partout, et tu n'auras plus besoin de le surveiller. Tu devais te demander, je suppose, à quoi pouvait bien servir ce vieux machin...

Lyra se demandait surtout comment elle avait pu, naguère, trouver cette femme fascinante et intelligente.

—Si tu as cet objet, ma chérie, tu ferais mieux de me le confier. Il est dans cette sacoche autour de ta taille, n'est-ce pas ? Ah, tu as eu une excellente idée...

Déjà, ses mains avides s'affairaient autour de la taille de la fillette pour détacher la sacoche en toile cirée. Lyra se raidit. Le singe était accroupi à l'extrémité du lit, frémissant d'impatience, ses petites mains noires plaquées sur sa bouche. Mme Coulter ôta la ceinture et ouvrit la sacoche. Sa respiration s'était accélérée. Elle sortit le paquet enveloppé de velours noir, le déplia, faisant apparaître le petit boîtier en fer-blanc confectionné par Iorek Byrnison.

Redevenu chat sauvage, Pantalaimon se tenait prêt à bondir. Lyra balança ses jambes pour pouvoir courir le moment venu.

—Tiens, qu'est-ce donc ? demanda Mme Coulter, amusée. Quelle drôle de petite boîte en fer ? Tu l'as mis là-dedans pour le protéger, ma chérie ? Et toute cette mousse... Que de précautions ! Et encore une boîte à l'intérieur de la première ! Soudée par-dessus le marché ! Qui a fait ça, ma chérie ?

Mais elle était trop impatiente pour attendre la réponse. Dans son sac à main elle avait un couteau à lames multiples ; elle choisit la plus robuste qu'elle glissa sous le couvercle.

Aussitôt, un bourdonnement furieux envahit la pièce.

Lyra et Pantalaimon se figèrent. Intriguée, curieuse, Mme Coulter souleva le couvercle, et le singe doré se pencha pour regarder de plus près.

Avec une rapidité stupéfiante, la forme noire de la mouche-espion jaillit du tube et s'écrasa sur le visage du primate.

Celui-ci émit un hurlement en se rejetant en arrière. Mme Coulter souffrait elle aussi ; elle poussait des cris de douleur et d'effroi ; la petite mécanique diabolique se jeta sur elle, rampant sur sa poitrine et sa gorge pour atteindre son visage.

Lyra n'hésita pas un instant. Pantalaimon bondit vers la porte ; elle s'élança à sa suite et s'enfuit à toutes jambes, courant plus vite qu'elle n'avait jamais couru de sa vie.

— L'alarme d'incendie ! s'écria Pantalaimon, qui volait devant elle.

Apercevant un boîtier rouge à l'entrée du couloir suivant, elle brisa la glace d'un coup de poing et se remit à courir en direction des dortoirs. Elle déclencha une deuxième alarme, puis une troisième ; les gens commençaient à sortir dans les couloirs, cherchant à apercevoir les flammes.

Alors que Lyra arrivait près des cuisines, Pantalaimon lui souffla une idée. Elle se précipita. En quelques secondes, elle avait ouvert tous les robinets de gaz et jeté une allumette enflammée près du brûleur le plus proche. Après quoi, elle tendit le bras pour attraper un sac de farine sur une étagère et le lança de toutes ses forces sur le coin de la table pour le faire éclater et remplir l'air de poudre blanche, car elle avait entendu dire que la farine explose quand on l'approche d'une flamme.

Puis elle ressortit à toute vitesse et fonça vers son dortoir. Les couloirs étaient maintenant envahis d'enfants courant dans tous les sens, au comble de l'excitation, car le mot « évasion » s'était répandu. Les plus âgés se dirigeaient vers les débarras où étaient rangés les vêtements, guidant les plus jeunes. Les adultes essayaient de contrôler les opérations, mais aucun d'entre eux ne savait ce qui se passait. Dans tous les coins, ce n'était que cris, pleurs, rires et bousculades.

Au milieu de ce chaos, Lyra et Pantalaimon continuaient à foncer vers le dortoir en se faufilant comme des anguilles, et juste au moment où ils atteignaient leur but, une explosion sourde ébranla tout le bâtiment.

Le dortoir était désert. Lyra traîna le placard métallique dans le coin, l'escalada, récupéra les fourrures derrière le faux plafond, et palpa l'épaisseur de son parka. L'aléthiomètre était toujours là. Elle s'habilla en hâte, en prenant soin de rabattre sa capuche sur sa tête. Pantalaimon qui faisait le guet à la porte, transformé en moineau, lui lança :

— C'est bon !

Lyra se précipita hors du dortoir. Par chance, un groupe d'enfants qui avaient déjà récupéré des vêtements chauds fonçaient dans le couloir en direction de la porte principale, et elle se joignit à eux, en nage, le cœur battant à tout rompre, et sachant qu'elle n'avait pas le choix : c'était fuir ou mourir.

Hélas, la voie était bloquée. Le feu dans les cuisines s'était rapidement propagé, et quelque chose avait provoqué l'effondrement d'une partie du toit. Certaines personnes escaladaient les poutres et les étançons pour accéder à l'air glacial et mordant. L'odeur de gaz s'était accentuée. Une seconde explosion se produisit, plus forte que la précédente, plus proche aussi. La détonation projeta à terre plusieurs enfants ; les cris de terreur et de douleur envahirent tout l'espace.

Lyra lutta pour escalader les décombres et, grâce à Pantalaimon qui lui criait : «Par ici !» ou : «Par là !», au milieu des cris et des battements d'ailes des autres dæmons, elle parvint à se hisser jusqu'au toit béant. L'air qu'elle respirait était gelé, et elle espérait que tous les enfants avaient réussi à récupérer leurs vêtements chauds, car à quoi bon s'enfuir de la Station si c'était pour mourir de froid ensuite ?

Un véritable incendie avait commencé à se propager. En prenant pied sur le toit, sous le ciel noir et étoilé, Lyra vit les flammes lécher les bords d'un immense trou sur le côté du bâtiment. Des enfants et des adultes étaient massés près de l'entrée principale, mais les adultes paraissaient maintenant plus nerveux et les enfants plus effrayés.

— Roger ! Roger ! Où es-tu ? hurla Lyra, et Pantalaimon, le regard perçant comme une chouette, lui cria qu'il venait de le voir.

Quelques secondes plus tard, ils se retrouvaient.

— Dis à tous les enfants de venir avec moi ! cria Lyra dans l'oreille de Roger.

— Impossible... ils sont trop paniqués.

— Explique-leur ce qu'ils font aux enfants qui disparaissent ! Ils leur arrachent leur dæmon avec un grand couteau ! Raconte-leur ce que tu as vu cet après-midi, tous les dæmons qu'on a libérés ! Explique-leur ce qui va leur arriver s'ils ne s'enfuient pas !

Roger demeura bouche bée, horrifié, mais il se ressaisit rapidement et se précipita vers le groupe d'enfants le plus proche. Lyra se chargea d'un autre

groupe, et à mesure que le message circulait, des enfants éclataient en sanglots en serrant leur dæmon contre eux.

— Venez tous avec moi ! leur cria Lyra. Les secours vont arriver ! Nous
devons partir d'ici ! Faites vite !

Les enfants s'élancèrent dans le plus grand désordre en direction de l'avenue de lumières ; leurs bottes faisaient crisser la neige dure.

Dans leur dos, des adultes s'époumonaient, puis il y eut un grondement,
suivi d'un grand fracas, alors qu'une autre partie du bâtiment principal
s'effondrait. Des étincelles jaillirent, des flammes montèrent dans le ciel,
avec un bruit sinistre, comme un tissu qu'on déchire. Mais un autre bruit
retentit, affreusement proche et violent. Lyra ne l'avait jamais entendu,
pourtant, elle le reconnut immédiatement : c'étaient les hurlements des
dæmons-loups des gardes tartares. Elle se sentit trembler de la tête aux
pieds, et de nombreux enfants, terrorisés, se figèrent en trébuchant, car
venait d'apparaître, courant à petites foulées, le premier garde tartare, le
fusil à la main, suivi par la tache grise, bondissante et puissante, de son
dæmon.

Un second Tartare le rejoignit, puis un troisième. Tous étaient vêtus de
cottes de mailles rembourrées et n'avaient pas d'yeux, ou du moins, on ne
voyait pas leurs yeux derrière les fentes de leurs casques. Les seuls yeux que
l'on apercevait, c'étaient les canons des fusils, et les yeux jaunes flamboyants des dæmons-loups, aux mâchoires dégoulinantes de bave.

Lyra tressaillit. Elle n'avait pas imaginé à quel point ces créatures pouvaient être effrayantes. Maintenant qu'elle savait avec quelle indifférence les
gens de Bolvangar brisaient « le grand tabou », elle ne pouvait s'empêcher
de trembler en songeant à ces crocs acérés...

Les Tartares coururent se placer en ligne, bloquant l'avenue de lumières,
leurs dæmons à leurs côtés, aussi disciplinés et exercés qu'ils l'étaient eux-
mêmes. Dans une minute, il y aurait une seconde ligne, car d'autres
Tartares arrivaient en renfort, et d'autres encore, au loin. « Des enfants ne
peuvent pas affronter des soldats », songea Lyra, désespérée. Ce n'était pas
comme les batailles dans les carrières d'argile d'Oxford, où on lançait des
boules de terre glaise sur les enfants des briquetiers.

Mais peut-être que si, finalement ! Lyra se souvenait d'avoir lancé, un
jour, une poignée de glaise sur le large visage d'un fils de briquetier qui fonçait sur elle. Le garçon s'était arrêté net pour ôter la terre de ses yeux, et les
enfants de la ville en avaient profité pour lui sauter dessus !

Ce jour-là, elle pataugeait dans la boue. Aujourd'hui, elle était dans la
neige.

Comme elle l'avait fait cet après-midi-là, mais avec une détermination bien plus forte, elle confectionna une boule de neige, qu'elle lança sur le soldat le plus proche.

— Visez les yeux ! cria-t-elle, en lançant une seconde boule.

D'autres enfants l'imitèrent, et soudain, le dæmon de l'un d'eux, transformé en passereau, eut l'idée d'accompagner la boule de neige pour la projeter directement dans les fentes du casque, et tous les autres dæmons l'imitèrent. Quelques secondes plus tard, les Tartares, aveuglés, trébuchaient en crachant et en lançant des jurons, tout en essayant d'ôter les paquets de neige coincés dans les fentes étroites devant leurs yeux.

— Allons-y ! s'écria Lyra en se précipitant vers le portail qui s'ouvrait sur l'avenue de lumières.

Les enfants s'élancèrent dans son sillage, tous sans exception, évitant avec agilité les coups de mâchoires des loups, et courant le plus vite possible dans l'avenue, vers l'immensité obscure qui les appelait.

Soudain, un officier tartare, dans leur dos, aboya un ordre d'une voix hargneuse et, aussitôt, une vingtaine de fusils s'armèrent en même temps. Un second braillement résonna, auquel succéda un silence tendu ; on n'entendait plus que les pas des enfants et leur respiration haletante.

Les soldats prenaient le temps de viser. À cette distance, ils ne pouvaient pas manquer leurs cibles.

Mais avant qu'ils n'ouvrent le feu, un des Tartares laissa échapper un râle de douleur, et un autre poussa un grand cri de surprise.

Lyra s'arrêta. Se retournant, elle découvrit un homme couché dans la neige, une flèche à l'empennage gris plantée dans le dos. Il se contorsionnait et crachait du sang, tandis que les autres soldats jetaient des regards affolés de tous les côtés pour savoir d'où venait cette flèche, mais l'archer meurtrier demeurait invisible.

Soudain, une seconde flèche, venue tout droit du ciel, frappa un autre soldat, à la nuque cette fois. Il s'effondra aussitôt. L'officier poussa un cri et tout le monde leva les yeux vers le ciel noir.

— Les sorcières ! s'exclama Pantalaimon.

En effet, c'étaient elles : formes noires élégantes et diaphanes qui filaient très haut dans le ciel, en produisant un sifflement et un bruissement d'air à travers les aiguilles des branches de sapin qu'elles chevauchaient. Sous les yeux hébétés de Lyra, l'une d'elles descendit en piqué et décocha une flèche : un autre soldat tomba.

Alors, tous les Tartares levèrent leurs armes et mitraillèrent le ciel, tirant dans le vide, sur des ombres, des nuages, tandis qu'une pluie de flèches s'abattait sur eux.

Voyant que les enfants s'enfuyaient, l'officier ordonna à un petit groupe d'hommes de se lancer à leur poursuite. Quelques enfants hurlèrent. D'autres les imitèrent presque aussitôt, et soudain, tous firent demi-tour, en proie à la plus grande panique, terrorisés par cette silhouette monstrueuse qui fonçait vers eux, jaillie de l'obscurité.

—Iorek Byrnison! s'exclama Lyra, envahie par une joie intense.

L'ours en armure qui chargeait semblait indifférent au poids qu'il portait sur le dos, lequel, au contraire, semblait lui donner de l'élan. Il passa devant Lyra à toute vitesse et vint percuter de plein fouet les Tartares, éparpillant les soldats, les dæmons, les fusils, dans tous les sens. Puis il s'immobilisa, pivota sur lui-même, avec un mélange de grâce et de puissance, et décocha deux énormes coups de poing, un de chaque côté, aux deux gardes les plus proches de lui.

Un dæmon-loup lui sauta dessus; Iorek Byrnison lui assena un coup du tranchant de la main, en plein élan. Des flammes vives jaillirent du corps de l'animal, juste avant qu'il ne retombe dans la neige, où il gémit quelques instants puis disparut. Son humain mourut aussitôt.

Confronté à cette double attaque, l'officier tartare n'hésita pas. Il beugla une suite d'ordres, et les soldats se divisèrent en deux groupes: le premier était chargé d'affronter les sorcières, et le second, plus important, devait terrasser l'ours. Les Tartares étaient d'une bravoure remarquable. Mettant un genou à terre, par groupes de quatre, ils ouvrirent le feu comme s'ils s'exerçaient sur un champ de tir, ne bougeant pas d'un pouce lorsque la masse imposante de Iorek fonça vers eux. Quelques secondes plus tard, ils étaient morts.

Iorek repartit à l'attaque, pivotant sur le côté, montrant les dents, écrasant tout sur son passage, tandis que les balles des fusils volaient autour de lui, tels des essaims d'abeilles ou des mouches inoffensives. Pendant ce temps, Lyra entraînait les enfants vers l'obscurité. Ils devaient continuer à fuir, car, si dangereux que fussent les Tartares, les adultes de Bolvangar l'étaient encore plus.

Hurlant à pleins poumons et gesticulant, elle obligeait les enfants à avancer. Alors que les lumières, dans leur dos, dessinaient de grandes ombres sur la neige, Lyra sentait son cœur l'entraîner vers l'obscurité profonde de la nuit arctique et la pureté du froid, bondissant d'impatience à l'idée de s'y plonger, comme le faisait Pantalaimon, devenu lièvre blanc et ivre d'énergie.

—Où on va? demanda un enfant.

—Il n'y a rien là-bas, que de la neige! renchérit un autre.

—Les secours vont arriver, expliqua Lyra. Cinquante gitans, au moins. Je parie même que vous en connaissez certains. Toutes les familles de gitans qui ont perdu un enfant ont envoyé quelqu'un.

—Je ne suis pas gitan, moi! dit un garçon.

—Peu importe. Ils t'emmèneront quand même.

—Où ça ? demanda une voix plaintive.

—Chez vous, répondit Lyra. C'est pour ça que je suis venue, pour vous libérer, et j'ai fait venir les gitans pour vous ramener chez vous. Si nous continuons à marcher, nous allons bientôt les rencontrer. L'ours était avec eux ; ils ne doivent pas être très loin.

—Hé, vous avez vu cet ours ! s'exclama un garçonnet. Quand il a éventré le dæmon d'un coup de griffes, l'homme est mort d'un coup, comme si on lui avait arraché le cœur !

—Je ne savais pas qu'on pouvait tuer les dæmons, dit un autre enfant.

Ils s'étaient tous mis à parler en même temps ; l'excitation et le soulagement avaient délié les langues. Du moment qu'ils continuaient d'avancer, se disait Lyra, ils pouvaient bien jacasser.

—C'est vrai ce qu'on raconte ? demanda une petite fille.

—Oui, répondit Lyra. Je n'aurais jamais cru qu'un jour je verrais quelqu'un sans son dæmon. Mais en venant ici, on a découvert un pauvre garçon tout seul, sans dæmon. Il n'arrêtait pas de le réclamer, de demander où il était, quand il allait revenir. Il s'appelait Tony Makarios.

—Je le connais ! s'exclama un des enfants.

—Moi aussi, ajouta un autre, ils l'ont emmené il y a environ une semaine.

—Eh bien, ils lui ont arraché son dæmon, dit Lyra, sachant combien cela les affecterait. Et peu de temps après, il est mort. Tous les dæmons qu'ils arrachent, ils les enferment dans des cages, dans un petit bâtiment carré, là-bas à l'intérieur du centre.

—C'est vrai, confirma Roger. Mais Lyra les a libérés durant l'exercice d'évacuation.

—Ah oui, je les ai vus ! s'exclama Billy Costa. Au début, je ne savais pas ce que c'était, et ensuite, je les ai vus s'envoler avec une grosse oie grise.

—Mais pourquoi ? demanda un garçon. Pourquoi arrachent-ils les dæmons des gens ? C'est une torture !

—La Poussière, suggéra un enfant, timidement.

Le premier garçon ricana avec mépris.

—La Poussière ! Ça n'existe pas ! Ils l'ont inventée ! Je n'y crois pas.

—Hé ! s'exclama quelqu'un d'autre, regardez le zeppelin !

Toutes les têtes se tournèrent. Au-delà des lumières éblouissantes, là où se poursuivait le combat, la longue carcasse de l'engin volant ne flottait plus fièrement au mât d'amarrage ; elle piquait dangereusement du nez, et juste derrière, une sorte de globe s'élevait...

—Le ballon de Lee Scoresby ! s'exclama Lyra, en frappant joyeusement dans ses moufles.

Les autres enfants n'en revenaient pas. Lyra les entraîna à sa suite, en se demandant comment l'aéronaute avait pu arriver jusqu'ici avec son ballon. Elle avait compris ce qu'il était en train de faire ; quelle brillante idée ! Remplir son ballon avec le gaz du zeppelin, et s'enfuir dans les airs tout en évitant les risques de poursuite !

—Ne vous arrêtez pas, surtout ! Vous allez mourir gelés ! cria Lyra, car elle voyait des enfants trembler de froid et les entendait geindre.

Leurs dæmons eux aussi poussaient de petits cris plaintifs.

Horripilé par ce spectacle, Pantalaimon, sous la forme d'un glouton, réprimanda sévèrement le dæmon-écureuil d'une fillette, couché sur son épaule et qui gémissait faiblement.

—Rentre dans son manteau ! Fais-toi le plus gros possible et réchauffe-la ! ordonna-t-il d'un ton sec.

Effrayé, le dæmon de la fillette se glissa immédiatement à l'intérieur de l'anorak.

Hélas, cette étoffe synthétique matelassée n'était pas aussi chaude que de la véritable fourrure. De fait, certains enfants ressemblaient à des tonneaux sur pattes, tant ils étaient corpulents, mais leurs vêtements, fabriqués dans des laboratoires et des usines situés très loin du froid, ne pouvaient rivaliser avec les fourrures qui enveloppaient Lyra. Certes, elles empestaient mais, au moins, elles gardaient la chaleur.

—Si on ne trouve pas rapidement les gitans, les enfants ne vont pas tenir le coup, glissa-t-elle à Pantalaimon.

—Continue de les faire avancer, murmura le dæmon. Si jamais ils se couchent dans la neige, ils sont perdus. Tu te souviens de ce que disait Farder Coram...

Farder Coram lui avait raconté ses expéditions dans le Nord, et Mme Coulter également... à supposer que les siennes soient véridiques. En tout cas, l'un et l'autre étaient formels sur un point : il ne fallait jamais s'arrêter dans la neige et le froid.

—Jusqu'où doit-on continuer ? demanda un jeune garçon.

—Elle nous a fait marcher jusqu'ici pour qu'on meure, dit une fillette.

—Je préfère être ici que là-bas, répliqua une autre.

—Pas moi ! Au moins, dans la Station, il fait chaud. Il y a de la nourriture, des boissons chaudes et plein de trucs.

—Mais tout est en feu !

—Qu'est-ce qu'on va devenir ? Je parie qu'on va tous mourir de faim...

L'esprit de Lyra était assailli de questions angoissées qui voletaient autour d'elle comme des sorcières, rapides et insaisissables. Quelque part, hors d'atteinte, il y avait une splendeur et une excitation qu'elle ne comprenait pas.

Cette image lui redonna une force nouvelle ; elle releva une fillette tombée dans une congère, poussa dans le dos un garçon qui traînassait et leur cria à tous :

— Ne vous arrêtez pas ! Suivez les traces de l'ours ! Il est venu avec les gitans, ses empreintes vous conduiront forcément vers eux ! Continuez à avancer !

De gros flocons de neige avaient fait leur apparition ; bientôt, ils auraient recouvert entièrement les traces de pas de Iorek Byrnison. Maintenant qu'ils étaient hors de portée des lumières de Bolvangar et que les flammes de l'incendie n'étaient plus qu'une lueur diffuse, seul le sol enneigé brillait d'un faible éclat. Des nuages épais obscurcissaient le ciel mais, en baissant la tête, les enfants distinguaient encore les empreintes profondes laissées par Iorek Byrnison dans la neige. Lyra les encourageait, les brutalisait, les bousculait, les portait à moitié, les injuriait, les poussait, les tirait, les prenait tendrement dans ses bras, chaque fois que c'était nécessaire, et Pantalaimon (qui savait juger de l'état de chaque dæmon) lui indiquait ce qu'elle devait faire.

« Je les sauverai, se répétait-elle. Je suis venue jusqu'ici pour les sauver, et j'y arriverai, bon sang ! »

Roger suivait son exemple, tandis que Billy Costa, grâce à son regard perçant, ouvrait le chemin. Bientôt, le rideau de neige devint si épais qu'ils durent s'accrocher l'un à l'autre pour ne pas se perdre, et Lyra se dit : « ... peut-être que si on s'allongeait tous les uns contre les autres pour se tenir chaud... En creusant des trous dans la neige... »

Elle entendait des bruits. Le grondement d'un moteur quelque part, non pas le martèlement sourd d'un zeppelin, quelque chose de plus aigu, comme le bourdonnement d'une abeille. Le bruit disparaissait, puis réapparaissait.

Des aboiements aussi... Des chiens ? Des chiens de traîneau ? Difficile à dire, ils étaient trop lointains, étouffés par la neige, emportés par les rafales de vent. C'étaient peut-être les chiens de traîneau des gitans, ou bien les esprits sauvages de la toundra, ou encore ces dæmons rendus à la liberté et qui réclamaient leurs enfants perdus.

Étaient-ce vraiment des lumières là-bas sur la neige ? Non, c'étaient encore des fantômes, certainement... Avaient-ils tourné en rond sans s'en apercevoir ? Revenaient-ils vers Bolvangar ?

Non, car il s'agissait de petites lueurs jaunes, comme des lanternes, et non de la lueur blanche éblouissante des lumières ambariques. Elles bougeaient, et les aboiements se rapprochaient. Lyra ne savait plus si elle était endormie ou éveillée ; elle errait au milieu de silhouettes familières, et des hommes vêtus de fourrures la soutenaient ; le bras puissant de John Faa la soulevait de terre, Farder Coram riait de bonheur et les gitans installaient les enfants sur des traîneaux, les couvrant de peaux de bêtes et leur donnant à manger de la viande de phoque séchée. Tony Costa était là lui aussi ; il étreignait Billy, lui donnait des petits coups de poing complices dans l'épaule, pour l'étreindre de nouveau, en le secouant joyeusement. Et Roger...

— Roger vient avec nous, dit-elle à Farder Coram. C'est lui que j'étais venue chercher. Nous retournerons à Jordan College ensemble. Quel est ce bruit ?

C'était toujours le même grondement, ce moteur, semblable à une mouche-espion devenue folle, et dix mille fois plus grosse.

Soudain, une déflagration la projeta à terre. Pantalaimon ne put venir à son secours, car le singe doré...

Mme Coulter...

Le singe étouffait, mordait, griffait Pantalaimon, qui se défendait en passant d'une forme à l'autre, si rapidement que l'œil ne pouvait suivre toutes ses transformations. Il ripostait de son mieux tandis que Mme Coulter, son beau visage déformé par la haine, entraînait Lyra vers un traîneau motorisé ; la fillette se débattait aussi sauvagement que son dæmon. La neige était si épaisse qu'ils semblaient isolés au cœur d'un petit blizzard localisé ; les phares ambariques du traîneau n'éclairaient que les gros flocons qui tourbillonnaient à quelques dizaines de centimètres de leurs yeux.

— À l'aide ! cria Lyra aux gitans qui étaient là, quelque part au milieu de cette neige aveuglante. Aidez-moi ! Farder Coram ! Lord Faa ! Oh, Seigneur, au secours !

Mme Coulter aboya des ordres d'une voix stridente, dans le langage des Tartares du Nord. Le rideau de neige s'écarta dans un tourbillon, et ils apparurent : une escouade de soldats, armés de fusils, accompagnés de leurs dæmons-loups qui grognaient derrière eux. Voyant Mme Coulter se débattre avec sa proie, le chef saisit Lyra d'une seule main, comme une vulgaire poupée de chiffons, et la lança dans le traîneau, où elle demeura allongée, à demi assommée, hébétée.

Un coup de fusil retentit, puis un autre ; les gitans avaient compris ce qui se passait. Mais tirer sur des cibles invisibles pouvait se révéler très dangereux. Rassemblés en un groupe compact autour du traîneau, les Tartares pouvaient mitrailler à volonté le rideau de neige, tandis que les gitans, eux, n'osaient riposter de peur d'atteindre Lyra.

Quelle amertume elle éprouvait à cet instant ! Quelle immense fatigue aussi.

Encore sous le choc, la tête bourdonnante, Lyra parvint à se redresser dans le traîneau, pour découvrir que Pantalaimon continuait à affronter le singe. Ses mâchoires de glouton s'étaient refermées sur un bras au pelage doré ; il avait cessé de changer d'apparence et s'accrochait à sa proie avec ténacité. Et là, qui était-ce ?

Roger ? C'était bien lui. Il s'était jeté sauvagement sur Mme Coulter et la frappait à coups de poing et de pied, de tête également, jusqu'à ce qu'un des Tartares l'assomme, d'un simple revers de la main, comme on chasse une mouche. Tout cela ressemblait à une immense fantasmagorie : mélange de blanc et de noir, une traînée verte traversa le champ de vision de Lyra, des ombres informes, une lumière filante...

Un immense tourbillon écarta des rideaux de neige, et au milieu de cet espace dégagé jaillit Iorek Byrnison, dans un fracas métallique. Quelques secondes plus tard, ses énormes mâchoires se refermaient à droite et à gauche, une patte lacéra une cotte de mailles : dents blanches, fer noir, fourrure imbibée de rouge...

Soudain, Lyra sentit qu'on la soulevait, avec une force irrésistible ; elle agrippa Roger et l'arracha ainsi aux mains de Mme Coulter, le cramponnant de toutes ses forces. Les dæmons des deux enfants étaient devenus des oiseaux qui poussaient des cris perçants et battaient furieusement des ailes, enveloppés soudain de tourbillons plus puissants : Lyra aperçut en l'air, juste à côté d'elle, une sorcière, une de ces ombres élégantes et informes venues de très haut, suffisamment proche pour qu'on puisse la toucher. La sorcière tenait un arc et elle obligea ses bras pâles et nus (dans ce froid glacial !) à tendre la corde pour décocher une flèche dans la fente du casque d'un Tartare menaçant, à moins d'un mètre...

La flèche pénétra dans le casque et ressortit en partie de l'autre côté ; le dæmon-loup du soldat se volatilisa au moment où il bondissait, avant même que le Tartare s'effondre.

Lyra et Roger furent soulevés dans les airs et se retrouvèrent accrochés, les doigts engourdis, à une branche de sapin, sur laquelle la jeune sorcière était assise, avec une grâce pleine d'aisance. Puis elle se pencha en avant, sur la gauche ; une chose énorme se précipita à leur rencontre, et soudain ils se retrouvèrent sur le sol.

Ils dégringolèrent dans la neige, juste à côté de la nacelle du ballon de Lee Scoresby.

— Vite, saute là-dedans ! cria le Texan. Et n'oublie pas ton ami. Tu as vu l'ours ?

Lyra remarqua que trois sorcières tenaient une corde, nouée autour d'un rocher, qui retenait l'énorme masse flottante de la montgolfière.

— Monte ! cria-t-elle à Roger, tout en escaladant le rebord de la nacelle ourlée de cuir, pour retomber à l'intérieur comme une grosse boule de neige. Quelques secondes plus tard, Roger lui tomba dessus, et un bruit tonitruant, à mi-chemin entre un rugissement et un grognement, fit trembler le sol.

—Allez, Iorek! On embarque, vieux! hurla Lee Scoresby.

L'ours escalada à son tour la nacelle, dans un sinistre grincement d'osier et de bois.

Un tourbillon d'air plus léger chassa le brouillard et la neige pendant un court instant, et durant cette brève éclaircie, Lyra découvrit tout ce qui se passait autour d'eux. Elle vit un groupe de gitans, emmenés par John Faa, harceler l'arrière-garde des Tartares pour les obliger à battre en retraite vers les ruines enflammées de Bolvangar; elle vit d'autres gitans installer les enfants, un par un, sur les traîneaux, à l'abri et au chaud sous les fourrures; elle vit Farder Coram lancer des regards inquiets autour de lui, appuyé sur son bâton, tandis que son dæmon au pelage couleur d'automne bondissait dans la neige en regardant de tous côtés.

—Farder Coram! cria Lyra. Par ici!

Le vieil homme l'entendit, tourna la tête et regarda d'un air stupéfait le ballon qui se balançait au bout de la corde, retenu par les sorcières, et Lyra qui lui faisait de grands gestes, tout là-haut, dans la nacelle.

—Lyra! Tu es hors de danger? Tout va bien?

—Parfaitement bien! cria-t-elle. Au revoir, Farder Coram! Au revoir! Ramenez tous les enfants chez eux!

—Tu peux compter sur nous, parole de gitan. Bon vent, petite... Bon vent...

Au même moment, l'aéronaute abaissa le bras pour donner le signal du départ, et les sorcières lâchèrent la corde.

Le ballon s'éleva immédiatement dans l'air épaissi par la neige, à une vitesse vertigineuse. Le sol disparut dans le brouillard, et ils poursuivirent de plus en plus vite leur formidable ascension. Lyra se dit qu'une fusée n'aurait pu quitter la Terre plus rapidement. Elle resta agrippée à Roger, plaquée sur le plancher de la nacelle par l'accélération.

Lee Scoresby éclatait de rire et poussait de grands cris de joie dans le plus pur style texan, tandis que Iorek Byrnison ôtait calmement son armure: il glissait avec dextérité ses griffes entre les articulations, pour les faire sauter d'un petit mouvement du poignet, et empilait soigneusement les plaques. À l'extérieur de la nacelle, le claquement et le bruissement de l'air à travers les aiguilles de sapin et les morceaux d'étoffe indiquaient que les sorcières leur tenaient compagnie dans les hautes sphères.

Peu à peu, Lyra retrouva son souffle, son équilibre et un rythme cardiaque normal. Elle se redressa pour regarder autour d'elle.

La nacelle était bien plus grande qu'elle ne l'avait imaginé. Le long des parois étaient disposés des instruments philosophiques, ainsi que des piles de fourrures, des bouteilles d'air et divers objets, trop petits ou trop insolites pour qu'on puisse les identifier dans le brouillard.

—C'est un nuage? demanda-t-elle.

—Évidemment! Enveloppe donc ton ami dans des fourrures avant qu'il se transforme en glaçon. Il fait froid, mais il va faire encore plus froid.

—Comment nous avez-vous retrouvés?

—Grâce aux sorcières. L'une d'elles veut vous parler, paraît-il. Une fois sortis de ce fichu nuage, quand nous nous serons orientés, on pourra s'installer et bavarder autant qu'on veut.

—Iorek, dit Lyra, merci d'être venu.

L'ours répondit par un grognement et entreprit de lécher le sang qui maculait sa fourrure. Son poids faisait pencher la nacelle d'un côté, mais ce n'était pas dangereux. Roger restait méfiant, mais Iorek Byrnison ne faisait pas plus attention à lui qu'à un vulgaire flocon de neige. Lyra, elle, se contentait de s'accrocher au rebord de la nacelle, qui lui arrivait juste sous le menton quand elle se tenait debout, et scrutait le nuage tourbillonnant, les yeux écarquillés.

Quelques secondes plus tard, le ballon émergea totalement du nuage, et continua de s'élever, toujours aussi rapidement, vers les cieux.

Quel spectacle!

Juste au-dessus de leurs têtes trônait l'énorme globe du ballon. Devant eux, l'Aurore flamboyait, avec plus d'éclat et de grandeur que jamais. Elle était partout, ou presque, et c'était un peu comme si eux-mêmes en faisaient partie. D'immenses rubans incandescents tremblotaient et se déployaient, telles des ailes d'anges; des cascades luminescentes dévalaient des roches invisibles pour former des mares tourbillonnantes ou rester suspendues comme de gigantesques chutes d'eau.

Lyra demeura bouche bée devant ce spectacle, puis elle baissa les yeux et découvrit une chose plus merveilleuse encore.

Aussi loin que portait le regard, jusqu'à l'horizon, et dans toutes les directions, s'étendait une mer blanche, agitée et infinie. Des sommets arrondis et des abîmes vaporeux se dressaient ou s'ouvraient ici et là mais, dans l'ensemble, on avait l'impression d'une masse de glace compacte.

Au milieu surgissaient, solitaires, par deux ou en groupes plus ou moins importants, de petites ombres noires, ces silhouettes diaphanes si élégantes: des sorcières chevauchant leurs branches de sapin.

Elles filaient à toute vitesse, sans le moindre effort, montant vers le ballon, se penchant d'un côté ou de l'autre pour se diriger. Celle qui avait sauvé Lyra des griffes de Mme Coulter suivait la trajectoire du ballon, et Lyra put la voir distinctement pour la première fois.

Elle était jeune, plus jeune que Mme Coulter, blonde, avec des yeux verts pétillants, et vêtue, comme toutes les sorcières, de simples voiles de soie noire, sans fourrures, ni capuche, ni moufles. Pourtant, elle semblait se moquer du froid. Autour de son balai était enroulée une simple guirlande de petites fleurs rouges. Elle chevauchait sa branche de sapin comme s'il s'agissait d'un destrier, et l'arrêta à moins d'un mètre du regard éberlué de Lyra.

—Lyra?

—Oui! Vous êtes Serafina Pekkala?

—Exact.

Lyra comprit alors pourquoi Farder Coram était amoureux d'elle, et pourquoi il avait le cœur brisé, ce dont elle ne se serait pas doutée quelques secondes plus tôt. Il se faisait vieux, c'était maintenant un vieillard fatigué; Serafina, elle, resterait jeune encore longtemps.

—As-tu le lecteur de symboles? demanda la sorcière, d'une voix si proche du chant aigu et sauvage de l'Aurore elle-même que Lyra eut du mal à percevoir le sens des mots enveloppés de tant de douceur.

—Oui. Il est dans ma poche, à l'abri.

De grands battements d'ailes annoncèrent une autre arrivée et, bientôt, la grande oie grise apparut aux côtés de la sorcière. Elle prononça juste quelques mots, avant de repartir en décrivant un large cercle autour du ballon, tout en prenant de l'altitude.

—Les gitans ont détruit Bolvangar, déclara Serafina Pekkala. Après avoir tué vingt-deux gardes et neuf membres du personnel, ils ont mis le feu à tous les bâtiments qui tenaient encore debout.

—Et Mme Coulter?

—Aucune trace d'elle.

La sorcière poussa un long cri sauvage et, aussitôt, ses congénères formèrent un cercle qui se rapprocha du ballon.

—Monsieur Scoresby, dit-elle. Donnez-nous la corde, si vous voulez.

—Merci mille fois, madame. Nous continuons de grimper. Je crois que nous allons monter encore un peu. Combien de sorcières faut-il pour nous tirer vers le nord?

—Nous sommes fortes, répondit-elle simplement.

Lee Scoresby attachait une corde épaisse autour de l'anneau gainé de cuir qui rassemblait toutes les cordes enveloppant le ballon rempli de gaz, et auxquelles la nacelle elle-même était suspendue. Lorsque la corde fut solidement fixée, il lança l'autre extrémité par-dessus bord et, aussitôt, six sorcières se précipitèrent pour s'en saisir et commencèrent à tirer, éperonnant leurs montures célestes vers l'étoile Polaire.

Tandis que le ballon dérivait en direction du nord, Pantalaimon vint se percher au bord de la nacelle, sous la forme d'une hirondelle de mer. Le dæmon de Roger voulut lui aussi jeter un coup d'œil, mais il s'empressa de rentrer la tête, car Roger s'était endormi, très vite, tout comme Iorek Byrnison. Seul Lee Scoresby resta éveillé ; il mâchonnait calmement un fin cigare et observait ses instruments de navigation.

— Eh bien, Lyra, dit Serafina Pekkala. Sais-tu pourquoi nous allons voir Lord Asriel ?

La fillette fut surprise.

— Pour lui donner l'aléthiomètre, évidemment !

Elle ne s'était même pas posé la question ; cela lui semblait évident. Mais, soudain, elle se souvint de sa première motivation, si ancienne qu'elle avait failli l'oublier.

— Ou alors... pour l'aider à s'échapper. Oui, c'est ça. On va l'aider à s'enfuir.

Mais à peine avait-elle prononcé ces paroles qu'elles lui parurent absurdes. S'échapper de Svalbard ? Impossible !

— Essayer, du moins, ajouta-t-elle. Pourquoi ?

— Je dois t'expliquer certaines choses, il me semble, dit Serafina Pekkala.

— Au sujet de la Poussière ?

C'était ce que Lyra voulait connaître en premier.

— Oui, par exemple. Mais tu es fatiguée, et le voyage sera long. Nous parlerons de tout ça quand tu te réveilleras.

De fait, Lyra bâilla. Un long bâillement à se décrocher la mâchoire, qui dura presque une minute, lui sembla-t-il, et malgré tous ses efforts, elle ne put résister aux assauts du sommeil. Serafina Pekkala tendit la main par-dessus le bord de la nacelle pour lui caresser les yeux, et alors que Lyra glissait sur le plancher, Pantalaimon la rejoignit, se changea en hermine et vint prendre sa place favorite pour dormir, dans son cou.

La sorcière régla sa vitesse de vol sur celle de la nacelle, tandis que le ballon poursuivait sa route vers Svalbard.

SVALBARD

TROISIÈME PARTIE

Chapitre 18
Brouillard et glace

Lee Scoresby disposa quelques fourrures sur Lyra, qui se recroquevilla contre Roger, et tous les deux continuèrent à dormir, tandis que le ballon poursuivait sa route vers le Pôle en se balançant dans les airs. L'aéronaute, emmitouflé dans ses épaisseurs de fourrures, consultait ses instruments de temps à autre, mâchonnait son cigare, sans jamais l'allumer, à cause de la proximité de l'hydrogène hautement inflammable.

—Cette gamine est très importante, hein ? dit-il au bout de quelques minutes en s'adressant à la sorcière.

—Plus qu'elle ne le saura jamais, répondit Serafina Pekkala.

—Cela veut-il dire qu'on peut s'attendre à une importante riposte armée ? Comprenez-moi bien, je suis obligé de gagner ma vie. Je ne peux pas me permettre de me faire arrêter ou canarder sans espérer une quelconque forme de compensation, fixée à l'avance. Je n'essaye nullement de minimiser l'importance de cette expédition, sachez-le, madame. Mais John Faa et les gitans m'ont offert juste de quoi acheter mon temps, mon savoir-faire et l'usure normale de mon ballon, c'est tout. Le tarif ne comprenait pas les frais d'assurance en cas d'acte de guerre. Or, permettez-moi de vous le dire, chère madame, quand nous atterrirons à Svalbard avec Iorek Byrnison, cela constituera un acte de guerre.

Sur ce, Lee Scoresby cracha délicatement, par-dessus bord, un morceau de feuille à fumer.

—Conclusion, ajouta-t-il, j'aimerais savoir à quoi on peut s'attendre sur le plan du désordre et du grabuge.

—Il y aura peut-être des affrontements, concéda Serafina Pekkala. Mais vous avez l'habitude de vous battre, il me semble.

—Oui, quand je suis payé. En vérité, je croyais qu'il s'agissait d'un simple transport de passagers, et j'ai fixé mon prix en conséquence. Mais après ce petit accrochage en bas, je me demande jusqu'où s'étendent mes responsabilités de transporteur. Suis-je tenu, par exemple, de risquer ma vie et mon matériel dans une guerre entre ours ? Ou bien, cette charmante enfant a-t-elle à Svalbard des ennemis aussi mal lunés que ceux de Bolvangar ? Je vous dis tout cela uniquement pour faire la conversation.

—Monsieur Scoresby, répondit la sorcière, j'aimerais pouvoir répondre à vos interrogations. Tout ce que je peux vous dire, c'est que nous tous, humains, sorcières et ours sommes déjà engagés dans une guerre, bien que certains d'entre nous l'ignorent encore. Que le danger vous attende à Svalbard ou que vous repartiez sain et sauf, vous êtes un soldat mobilisé.

—Oh, voilà qui me semble un peu précipité. J'ai l'impression qu'un homme devrait avoir le choix de prendre les armes ou pas.

—Nous n'avons pas plus le choix que pour notre naissance.

—Quand même, dit l'aéronaute, j'aime choisir les missions que j'effectue, les endroits où je voyage, la nourriture que je mange et les compagnons avec lesquels je m'assois pour bavarder. Et vous, vous n'aimez pas avoir le choix de temps en temps ?

Serafina Pekkala réfléchit, puis répondit :

—Peut-être ne donnons-nous pas le même sens au mot « choix », monsieur Scoresby. Les sorcières ne possèdent rien ; nous ne cherchons donc pas à défendre des biens ou à réaliser des profits ; quant à choisir entre une chose et une autre, lorsque vous vivez plusieurs centaines d'années, vous savez que chaque occasion se représentera tôt ou tard. Nous avons des besoins différents. Vous, vous devez entretenir et réparer votre ballon, c'est long et coûteux, j'en suis consciente. Nous autres, il nous suffit, pour voler, d'arracher une branche de sapin ; n'importe laquelle fera l'affaire, et elles ne manquent pas. Nous ne craignons pas le froid, nous n'avons donc pas besoin de vêtements chauds. Nous ne possédons aucun moyen d'échange autre que l'entraide. Quand une sorcière a besoin de quelque chose, une autre sorcière le lui donne. Quand il faut livrer une guerre, nous ne réfléchissons pas en termes de coûts pour décider si nous devons nous battre ou pas. En outre, nous n'avons pas un sens de l'honneur aussi fort que les ours, par exemple. Pour un ours, une insulte est comme un coup mortel. Pour nous... c'est une chose inconcevable. En effet, comment pourrait-on insulter une sorcière ? Et d'ailleurs, quelle importance ?

—Je suis d'accord avec vous sur ce point. Les insultes ne valent pas une guerre, car la bave du crapaud n'atteint pas la blanche colombe. Toutefois, j'espère que vous comprenez mon dilemme, madame. Je suis un simple aéronaute, et je n'aimerais pas finir mes jours dans le besoin. Je voudrais m'acheter une petite ferme, quelques bêtes, des chevaux... Oh, rien de somptueux, vous le voyez bien. Ni palais, ni esclaves, ni montagnes d'or. Non, juste le vent du soir dans la sauge, un cigare et un verre de bourbon. Malheureusement, tout cela coûte de l'argent. Voilà pourquoi je vole avec mon ballon en me faisant payer, et après chaque voyage, j'envoie un peu d'or à la banque Wells Fargo, et le jour où j'aurai assez d'économies, je vendrai ce foutu ballon, je m'offrirai un billet de bateau pour Port Galveston, et je ne quitterai plus jamais le plancher des vaches.

—Il existe une autre différence entre nous, monsieur Scoresby. Une sorcière ne peut renoncer à voler, pas plus qu'à respirer. Voler fait partie de nous-mêmes.

—Je comprends, madame, et je vous envie. Hélas, je n'ai pas vos sources de satisfaction. Pour moi, voler est un métier comme un autre ; je ne suis qu'un technicien. Je pourrais tout aussi bien monter des valves sur des moteurs à gaz ou brancher des circuits ambariques. Mais je l'ai choisi, voyez-vous. J'ai pris ma décision en toute liberté. Voilà pourquoi l'idée de participer à une guerre dont j'ignore tout me paraît... dérangeante.

—Le conflit entre Iorek Byrnison et son roi est lié à cette guerre, expliqua la sorcière. Quant à cette enfant, elle est destinée à y jouer un rôle elle aussi.

—Vous parlez de destin, dit Lee Scoresby, comme s'il s'agissait d'une chose immuable. Or, je ne suis pas sûr d'aimer cette idée, pas plus que le fait de me retrouver enrôlé dans une guerre que je ne comprends pas. Où est ma liberté dans tout ça, je vous prie ? Cette enfant me semble posséder plus d'indépendance de caractère que tous les gens que je connais. Et vous me dites qu'elle n'est qu'une sorte de jouet mécanique qu'on a remonté pour suivre une voie déjà tracée.

—Nous sommes tous soumis au destin, mais nous sommes obligés de faire comme si de rien n'était, répondit la sorcière, pour ne pas mourir de désespoir. Une curieuse prophétie pèse sur cette enfant : son destin est de mettre fin au destin. Elle doit y parvenir sans savoir ce qu'elle fait, comme si cela était inscrit dans sa nature, et non dans son destin justement. Si par malheur elle apprenait ce qu'elle doit accomplir, tout échouerait ; la mort se répandrait à travers tous les mondes, ce serait le triomphe du désespoir, pour toujours. Les univers ne seraient plus que des machines enclenchées les unes dans les autres, aveugles, privées de pensées, de sentiments, de vie...

L'aéronaute et la sorcière posèrent tous les deux leur regard sur Lyra, dont le visage endormi (le peu qu'on en voyait sous la capuche) affichait un petit froncement de sourcils obstiné.

—J'ai l'impression qu'une partie d'elle-même le sait déjà, dit Lee Scoresby. En tout cas, elle semble prête. Et le garçon dans tout ça ? Savez-vous qu'elle est venue jusqu'ici pour le sauver des griffes de ces ignobles individus ? C'étaient des camarades de jeux dans le temps, à Oxford ou je ne sais où. Vous le saviez ?

—Oui, je le savais. Lyra transporte un objet d'une immense valeur, et il semblerait que le destin se serve d'elle comme messager pour qu'elle l'apporte à son père. Ainsi, elle est venue jusqu'ici pour retrouver son camarade, sans savoir que celui-ci avait été conduit dans le Nord par le destin, uniquement pour qu'elle le suive et qu'elle apporte cet objet à son père.

—C'est comme ça que vous voyez les choses, hein ?

Pour la première fois, la sorcière parut hésiter.

—C'est ce qui semble se produire... Personne ne peut déchiffrer les ténèbres, monsieur Scoresby. Il est fort possible que je me trompe.

—Mais vous, les sorcières, qu'est-ce qui vous a entraînées dans cette histoire, si je peux me permettre ?

—Tout en ignorant ce qui se passait à Bolvangar, nous avions le sentiment, au plus profond de nous-mêmes, que c'était une chose horrible. Lyra étant leur ennemie, nous sommes devenues ses amies. Nous ne réfléchissons pas davantage. Par ailleurs, des liens d'amitié unissent mon clan et les gitans, depuis l'époque où Farder Coram m'a sauvé la vie. Nous sommes intervenues à leur demande. Les gitans, eux, ont des obligations envers Lord Asriel.

—Je vois. Autrement dit, vous remorquez ce ballon jusqu'à Svalbard pour aider les gitans. Votre amitié ira-t-elle jusqu'à nous ramener ? Ou bien devrai-je attendre un vent favorable, en comptant sur l'indulgence des ours entre-temps ? Une fois de plus, madame, je vous pose cette question en toute amitié.

—Si nous pouvons vous aider à retourner à Trollesund, monsieur Scoresby, nous le ferons. Mais nous ignorons ce qui nous attend à Svalbard. Le nouveau roi des ours a apporté quelques changements ; les règles d'autrefois ne sont plus en vigueur, il sera peut-être difficile de nous poser. Et j'ignore comment Lyra pourra atteindre son père. J'ignore également ce que Iorek Byrnison a en tête ; je sais seulement que leurs sorts sont liés.

—Je n'en sais pas plus que vous, madame. Je crois que Iorek s'est attaché à la gamine, comme une sorte de protecteur. Elle l'a aidé à récupérer son armure, vous comprenez ? Mais comment savoir ce que pensent les ours ? En tout cas, si un ours est capable d'aimer un être humain, Iorek aime cette fillette. Pour ce qui est de se poser à Svalbard, ça n'a jamais été facile. Malgré tout, si je peux faire appel à vous pour me pousser dans la bonne direction, je me sentirai plus tranquille. Et si je peux faire quelque chose pour vous en échange, n'hésitez pas. Mais à titre indicatif, pourriez-vous me dire dans quel camp je me trouve dans cette guerre invisible ?

—Nous sommes tous les deux du côté de Lyra.

—Oh, aucun doute là-dessus.

Ils poursuivirent leur route. La présence des nuages les gênait pour apprécier leur vitesse. En temps normal, évidemment, un ballon suivait les caprices du vent et se déplaçait à la vitesse de l'air. Mais ainsi tirée par les sorcières, la montgolfière fendait l'air au lieu de se laisser porter, en résistant toutefois au mouvement, car le ballon récalcitrant ne possédait pas les lignes aérodynamiques d'un zeppelin. Conclusion, la nacelle se balançait dans tous les sens, beaucoup plus secouée et bringuebalée qu'au cours d'un vol normal.

S'il restait indifférent à ces désagréments, Lee Scoresby s'inquiétait en revanche pour ses instruments, et prit soin de vérifier que tout était solidement arrimé. D'après l'altimètre, ils volaient à plus de trois mille mètres. La température était de −20 degrés. Certes, il avait déjà eu plus froid, mais pas souvent, et il n'avait aucune envie de renouveler l'expérience ; c'est pourquoi il déplia la toile qu'il utilisait pour les bivouacs d'urgence, la tendit devant les enfants endormis pour les protéger du vent, avant de s'allonger à son tour, dos à dos avec son vieux camarade d'armes, Iorek Byrnison ; sur ce, il s'endormit.

Quand Lyra se réveilla, la lune était haute dans le ciel, et tout ce qu'on apercevait semblait recouvert d'une feuille d'argent, que ce soit la surface ondulante des nuages en bas ou les épées de glace accrochées aux armatures extérieures du ballon.

Roger dormait encore, tout comme Lee Scoresby et l'ours. Mais, à côté de la nacelle, la reine des sorcières, assise sur sa branche, suivait le déplacement du ballon.

—On est encore loin de Svalbard ? demanda Lyra.

—Si nous ne rencontrons pas de vents contraires, nous y serons dans une douzaine d'heures.

—Où va-t-on se poser ?

—Tout dépend de la météo. En tout cas, nous essaierons d'éviter les falaises. Elles sont habitées par des créatures qui se jettent sur tout ce qui bouge. Si on le peut, on te posera à l'intérieur des terres, loin du palais de Iofur Raknison.

—Qu'est-ce qui va se passer si je retrouve Lord Asriel ? Est-ce qu'il voudra retourner à Oxford ? Je ne sais même pas si je dois lui dire que je sais qu'il est mon père. Peut-être qu'il veut continuer à faire croire qu'il est mon oncle. En vérité, je ne le connais pas très bien.

—Il ne voudra pas retourner à Oxford, Lyra. Il me semble qu'une chose doit être accomplie dans un autre monde, et Lord Asriel est le seul qui puisse fabriquer un pont pour combler le gouffre entre ces deux mondes. Mais il a besoin de quelque chose pour l'aider.

—L'aléthiomètre ! s'exclama Lyra. Quand le Maître de Jordan College me l'a donné, j'ai senti qu'il voulait me dire quelque chose au sujet de Lord Asriel, mais il n'a pas eu le temps. Je savais bien qu'il ne voulait pas réellement l'empoisonner. Il va déchiffrer l'aléthiomètre et il saura comment fabriquer ce pont ? Je suis sûre que je pourrai l'aider. Je parie que je suis aussi douée que n'importe qui pour le déchiffrer maintenant.

—Je ne sais pas, répondit Serafina Pekkala. Nul ne peut dire comment il s'y prendra, ni quelle sera sa tâche. Certaines forces nous parlent, d'autres sont au-dessus de nous ; et il existe des secrets, même pour les plus puissants.

—L'aléthiomètre me le dirait ! Je pourrais l'interroger.

Mais il faisait trop froid ; Lyra n'aurait même pas pu le tenir entre ses mains. Elle s'enveloppa dans les fourrures et plaqua sa capuche contre son visage pour se protéger de la morsure du vent, ne laissant qu'une étroite ouverture pour les yeux. Loin devant, légèrement en contrebas, la longue corde fixée à l'anneau de suspension du ballon était tirée par six ou sept sorcières assises sur leurs branches de sapin. Les étoiles étincelaient, éclatantes, froides et dures comme des diamants.

—Pourquoi n'avez-vous pas froid, Serafina Pekkala ?

—Nous sentons le froid, mais peu nous importe, car il ne peut pas nous faire de mal. Et si nous nous protégions du froid, nous ne sentirions plus tout le reste, comme par exemple le picotement brillant des étoiles, la musique de l'Aurore et, surtout, le contact soyeux du clair de lune sur notre peau. Toutes ces choses valent bien qu'on supporte le froid.

—Je pourrais les sentir moi aussi ?

—Non. Tu mourrais si tu enlevais tes vêtements. Reste bien couverte.

—Combien de temps vivent les sorcières, Serafina Pekkala ? Plusieurs centaines d'années, m'a dit Farder Coram. Pourtant, vous n'avez pas l'air vieille.

—J'ai trois cents ans, ou plus. Notre plus vieille sorcière-mère approche des mille ans. Un jour, Yambe-Akka viendra la chercher. Un jour, elle viendra me chercher moi aussi. C'est la déesse des morts. Elle vient à toi en souriant, avec douceur, et tu comprends que le moment est venu de mourir.

—Il existe des hommes sorcières ? Ou n'y a-t-il que des femmes ?

—Certains hommes sont à notre service, comme le Consul de Trollesund. Parfois, nous choisissons d'autres hommes comme amants ou maris. Tu es encore jeune, Lyra, trop jeune pour comprendre cela, mais je vais t'expliquer quand même, tu comprendras plus tard. Les hommes passent devant nos yeux comme des papillons, des créatures qui ne vivent qu'une courte saison. Nous les aimons ; ils sont courageux, fiers, beaux, intelligents. Hélas, ils meurent presque tout de suite. Ils meurent si rapidement que nos cœurs souffrent en permanence. Nous donnons naissance à leurs enfants, qui deviennent des sorcières si ce sont des filles, ou de simples humains dans le cas contraire, puis, en un clin d'œil, voilà que les hommes disparaissent, abattus, massacrés, perdus. Nos fils également. Quand un petit garçon grandit, il se croit immortel. Sa mère, elle, sait bien que c'est faux. Et chaque fois, cela devient plus douloureux, jusqu'à ce que notre cœur finisse par se briser. C'est à ce moment-là, peut-être, que Yambe-Akka vient nous chercher. Elle est plus vieille que la toundra. Peut-être que pour elle, la vie d'une sorcière est aussi brève que la vie d'un homme à nos yeux.

—Étiez-vous amoureuse de Farder Coram ?

—Oui. Le sait-il ?

—Je ne sais pas, mais je sais qu'il est amoureux de vous.

—Quand il m'a sauvé la vie, il était jeune et robuste, rempli de fierté et de charme. Je l'ai aimé immédiatement. J'aurais changé ma nature, j'aurais renoncé au picotement des étoiles et à la musique de l'Aurore, j'aurais accepté de ne plus voler ; j'aurais abandonné tout cela en un instant, sans même réfléchir, pour pouvoir devenir l'épouse d'un marinier gitan, lui faire à manger, partager son lit et porter ses enfants. Hélas, on ne peut pas changer ce que l'on est, uniquement ce qu'on fait. Je suis une sorcière. Lui est un humain. Malgré tout, je suis restée avec lui assez longtemps pour lui donner un enfant...

—Il ne m'en a jamais parlé ! C'était une fille ? Une sorcière ?

—Non. Un garçon. Il est mort lors de la grande épidémie survenue il y a quarante ans ; cette maladie en provenance de l'Occident. Pauvre petit enfant ; il est venu au monde et l'a quitté aussitôt, tel un éphémère. Sa mort a lacéré mon cœur, comme toujours. Elle a brisé celui de Coram. Et puis, j'ai reçu un appel me demandant de rejoindre mon peuple, car Yambe-Akka avait emporté ma mère, et j'étais désormais la reine du clan. Alors, je suis partie, il le fallait.

—Et vous n'avez jamais revu Farder Coram ?

—Jamais. Mais j'ai entendu parler de ses actions ; j'ai appris qu'il avait été blessé par les Skraelings, avec une flèche empoisonnée, alors, j'ai envoyé des herbes et des sortilèges pour le sauver, mais je n'avais pas le courage de le revoir. J'ai appris combien cette blessure l'avait affaibli, et combien sa sagesse avait grandi ; je savais qu'il étudiait et lisait énormément, j'étais fière de lui et de sa bonté. Malgré tout, je suis restée loin de lui, car c'était une époque délicate pour mon clan, une guerre entre sorcières menaçait d'éclater. En outre, je croyais qu'il m'avait oubliée et qu'il avait pris une épouse humaine...

—Il ne se mariera jamais, déclara Lyra avec conviction. Vous devriez aller le voir. Il vous aime toujours, je le sais.

—Il aurait honte de son âge, et je ne veux pas qu'il se sente humilié.

—Oui, sans doute. Mais vous pourriez au moins lui envoyer un messager... je trouve.

Serafina Pekkala resta muette un long moment. Ayant repris l'apparence d'une hirondelle de mer, Pantalaimon s'envola et vint se poser sur la branche de la sorcière, quelques secondes, avant de se dire qu'il avait peut-être été insolent.

Finalement, Lyra demanda :

—Pourquoi les gens ont-ils des dæmons ?

—Ah ! Tout le monde pose cette question, et personne ne connaît la réponse. Depuis qu'il y a des êtres humains, il y a des dæmons. C'est ce qui nous différencie des animaux.

—C'est vrai, on est différents... Prenez les ours, par exemple. Ils sont bizarres, non ? On pourrait croire qu'ils sont comme des personnes, et soudain, ils font quelque chose de si étrange, si cruel, que vous vous dites que vous ne les comprendrez jamais... Vous ne savez pas ce que m'a dit Iorek ? Il m'a dit que son armure était pour lui comme un dæmon pour une personne. « C'est mon âme », a-t-il dit. Mais là encore, on est différents, parce que lui, il a fabriqué cette armure de ses mains. Quand ils l'ont envoyé en exil, ils lui ont confisqué sa première armure, mais il a trouvé du métal pour en fabriquer une nouvelle, comme s'il fabriquait une nouvelle âme. Nous, on ne peut pas fabriquer nos dæmons. Ensuite, les habitants de Trollesund lui ont fait boire de l'alcool et lui ont volé son armure, mais j'ai découvert où elle était cachée et il l'a récupérée... Ce que je me demande, c'est pourquoi il veut se rendre à Svalbard ? Ils vont l'attaquer. Peut-être même qu'ils vont le tuer... J'aime beaucoup Iorek. Je l'aime tellement que je voudrais qu'il n'aille pas là-bas.

—T'a-t-il parlé de lui ?

—Je connais seulement son nom. Et c'est le Consul de Trollesund qui nous l'a donné.

—Iorek Byrnison est de haute naissance. C'est un prince. À vrai dire, s'il n'avait pas commis un crime grave, il serait roi des ours aujourd'hui.

—Il m'a dit que leur roi s'appelait Iofur Raknison.

—Iofur Raknison est devenu roi quand Iorek Byrnison a été envoyé en exil. Iofur est un prince lui aussi, évidemment, car sinon, il n'aurait pas été autorisé à gouverner, mais il est aussi très intelligent, au sens humain du terme ; il passe des alliances et signe des traités. Il ne vit pas comme les autres ours, dans des forteresses de glace, mais dans un palais tout neuf ; il parle d'échanger des ambassadeurs avec des nations humaines et de développer l'exploitation des mines avec l'aide d'ingénieurs humains... Il est très rusé et habile. Certains affirment qu'il a poussé Iorek à commettre le geste qui lui a valu d'être exilé ; d'autres pensent que même s'il n'est pas responsable, il encourage les gens à le penser, car cette rumeur renforce encore sa réputation d'ingéniosité.

—Mais qu'a donc fait Iorek précisément ? Si je l'aime tant, voyez-vous, c'est parce que mon père a été puni, lui aussi, à cause de ce qu'il a fait. J'ai l'impression qu'ils se ressemblent. Iorek m'a raconté qu'il avait tué un autre ours, mais il ne m'a jamais expliqué comment ça s'était passé.

—Ils se sont battus à cause d'une ourse. Le mâle tué par Iorek n'a pas voulu montrer les signes habituels de soumission quand il est devenu évident que Iorek était le plus fort. En dépit de leur immense fierté, les ours ne manquent jamais de reconnaître la supériorité d'un autre ours et de s'y soumettre, mais pour une raison quelconque, cet ours-ci ne l'a pas fait. Certains prétendent que Iofur Raknison a manipulé ses pensées ou lui a fait manger des herbes hallucinogènes. Quoi qu'il en soit, le jeune ours a insisté, et Iorek Byrnison s'est laissé dominer par son caractère impétueux. L'affaire a été rapidement jugée : Iorek aurait dû blesser son adversaire, pas le tuer.

—Sans cette sale histoire, il serait roi, dit Lyra. J'ai aussi entendu parler de Iofur Raknison par le professeur Palmérien de Jordan College, qui était allé dans le Nord et l'avait rencontré. Il a dit... Ah, je ne me souviens plus de ce qu'il a dit... Je crois que Iofur a accédé au trône par la ruse, ou quelque chose comme ça... Pourtant, Iorek m'a dit un jour qu'on ne pouvait avoir les ours par la ruse, et il me l'a prouvé. Mais apparemment, on dirait bien qu'ils ont été manipulés tous les deux, l'ours vaincu et lui. Peut-être que seuls les ours peuvent tromper les autres ours, les humains, eux, ne peuvent pas. Sauf que... les habitant de Trollesund, ils l'ont eu par la ruse eux aussi, quand ils l'ont fait boire pour lui voler son armure !

—Quand les ours se comportent comme des êtres humains, peut-être que l'on peut les avoir par la ruse, expliqua Serafina Pekkala. En temps normal, jamais un ours ne boirait de l'alcool. Iorek Byrnison buvait pour oublier la honte de l'exil, et c'est uniquement pour ça que les gens de Trollesund ont pu le tromper si facilement.

—Oui, sans doute, dit Lyra en hochant la tête.

Cette idée lui plaisait. Elle vouait à Iorek une admiration presque sans limites, et se réjouissait de trouver confirmation de sa grandeur d'âme.

—C'est très astucieux votre raisonnement, dit-elle. Si vous ne me l'aviez pas dit, je n'y aurais pas pensé. Je crois que vous êtes sans doute plus intelligente que Mme Coulter.

Ils continuaient d'avancer dans les airs. Lyra se mit à mâchonner le morceau de viande de phoque qu'elle avait trouvé au fond de sa poche.

—Serafina Pekkala, demanda-t-elle au bout d'un moment, c'est quoi la Poussière ? J'ai l'impression que toute cette histoire tourne autour de la Poussière, mais personne ne m'a expliqué ce que c'était.

—Je ne sais pas, répondit Serafina Pekkala. Les sorcières ne se sont jamais préoccupées de la Poussière. Tout ce que je peux te dire, c'est que partout où il y a des prêtres les gens ont peur de la Poussière. Mme Coulter n'est pas prêtre, mais c'est un puissant agent du Magisterium. C'est elle qui a fondé le Conseil d'Oblation, et persuadé l'Église de subventionner la Station de Bolvangar, parce qu'elle s'intéresse énormément à la Poussière. Nous autres sorcières ne pouvons pas comprendre les raisons de cet engouement. Mais il y a beaucoup de choses que nous n'avons jamais comprises. En voyant les Tartares se faire des trous dans le crâne, on ne peut que s'étonner devant cette pratique étrange. La Poussière peut paraître étrange elle aussi, et on s'interroge, sans toutefois se mettre martel en tête et tout détraquer pour l'examiner. Laissons cela à l'Église.

—L'Église ? répéta Lyra.

Quelque chose lui était revenu en mémoire : elle se souvenait d'avoir parlé avec Pantalaimon, dans les Fens, de la force mystérieuse qui faisait bouger l'aiguille de l'aléthiomètre, et ils avaient pensé au moulin à photons sur le grand autel de Gabriel College, aux particules élémentaires qui actionnaient les petites pales. L'Intercesseur n'avait aucun doute concernant le lien entre les particules élémentaires et la religion.

—... Oui, peut-être, dit-elle en hochant la tête. Après tout, les affaires de l'Église sont souvent tenues secrètes. Mais il s'agit, la plupart du temps, de choses anciennes, et la Poussière ne l'est pas, à ma connaissance. Je me demande si Lord Asriel m'expliquera...

Elle bâilla de nouveau.

—Je ferais mieux de m'allonger, dit-elle à Serafina Pekkala, si je ne veux pas me transformer en glaçon. J'ai déjà eu froid à terre, mais jamais à ce point. S'il se met à faire encore plus froid, je vais mourir.

—Couche-toi et enveloppe-toi bien dans les fourrures.

—Oui, c'est ce que je vais faire. D'ailleurs, si je dois mourir, je préfère mourir ici, dans le ciel, que là-bas, à Bolvangar. Quand ils nous ont placés sous cette grande lame, je me suis dit que c'était la fin... Avec Pantalaimon, on a pensé la même chose tous les deux. Oh, quelle torture ! Bon, on va dormir un peu. Réveillez-nous quand on sera arrivés.

Elle s'allongea sur le tas de fourrures, avec des gestes maladroits, tout le corps ankylosé par le froid intense, et se blottit contre Roger qui dormait toujours.

Les quatre voyageurs poursuivirent ainsi leur traversée, endormis à bord du ballon couvert d'une pellicule de glace, en direction des rochers et des glaciers, des mines et des forteresses de glace de Svalbard.

Serafina Pekkala alerta l'aéronaute, qui se réveilla en sursaut, engourdi par le froid ; mais en sentant les mouvements de la nacelle, il comprit tout de suite qu'il se passait quelque chose d'anormal. Celle-ci se balançait violemment, tandis que le ballon était secoué par de puissantes rafales, et les sorcières qui tenaient la corde avaient le plus grand mal à le contrôler. Si jamais elles lâchaient prise, le ballon dévierait aussitôt de sa trajectoire et, à en juger par le coup d'œil que Scoresby jeta à la boussole, il serait emporté vers la Nova Zembla à plus de cent cinquante kilomètres à l'heure.

— Où sommes-nous ? l'entendit crier Lyra.

Celle-ci commençait à se réveiller, dérangée par le balancement anormal, chacun de ses membres engourdi par le froid glacial.

Elle n'entendit pas la réponse de la sorcière, mais à travers ses paupières mi-closes, elle vit, éclairé par une lampe ambarique, Lee Scoresby s'accrocher à une armature et se saisir d'une corde qui disparaissait à l'intérieur du ballon lui-même. Il tira dessus d'un coup sec, comme s'il essayait de la libérer, et leva les yeux vers cette masse obscure et gonflée, avant d'enrouler la corde autour d'un taquet de l'anneau de suspension.

— Je lâche un peu de gaz ! cria-t-il à Serafina Pekkala. On va descendre. On est beaucoup trop haut.

La réponse de la sorcière échappa à Lyra, encore une fois. Roger se réveillait à son tour ; il est vrai que les grincements de la nacelle auraient suffi à réveiller un mort, sans parler de l'amplitude du balancement. Le dæmon de Roger et Pantalaimon, transformés en ouistitis, s'accrochaient l'un à l'autre, tandis que Lyra s'efforçait de rester allongée, refusant de céder à la panique.

— Ce n'est rien ! s'exclama Roger d'un ton qui exprimait une décontraction que Lyra était loin d'éprouver. Dès qu'on aura atterri, on fera un bon feu pour se réchauffer. J'ai des allumettes dans ma poche ; je les ai volées dans les cuisines de Bolvangar.

Le ballon perdait de l'altitude, sans aucun doute, car ils furent bientôt enveloppés par un nuage épais et glacé. Des lambeaux cotonneux envahirent l'intérieur de la nacelle et, brusquement, tout s'obscurcit. Lyra n'avait jamais vu un brouillard aussi épais. Serafina Pekkala poussa un cri. L'aéronaute défit la corde enroulée autour du taquet et la laissa filer entre ses doigts. Elle jaillit vers le ciel et, malgré les grincements et le gémissement du vent dans les gréements, Lyra entendit, ou sentit, un bruit sourd quelque part au-dessus de sa tête.

Lee Scoresby vit son regard affolé.

—C'est la valve des gaz, cria-t-il. Elle se ferme avec un ressort pour empêcher le gaz de s'échapper. Quand je l'abaisse, le gaz sort par le haut, on perd de la poussée et on descend.

—On va bientôt...

Elle ne put achever sa phrase, car une chose effroyable se produisit au même moment. Une créature de la taille d'un enfant, avec des ailes parcheminées et des griffes crochues, escaladait le flanc de la nacelle, en direction de Lee Scoresby. Elle avait une tête plate, des yeux exorbités et une énorme bouche de grenouille, d'où s'échappait une puanteur épouvantable. Lyra n'eut même pas le temps de hurler ; Iorek Byrnison repoussa la créature d'un coup de griffes. Elle lâcha prise et disparut dans les nuages en poussant un long hurlement perçant.

—Les monstres des falaises, commenta simplement Iorek.

Presque aussitôt, Serafina Pekkala réapparut ; elle s'accrocha à la nacelle et déclara d'une voix pressante :

—Les monstres des falaises attaquent ! Nous allons poser le ballon, et ensuite, nous devrons nous défendre. Ils...

Lyra n'entendit pas la suite, car il se produisit un bruit de déchirure, et le ballon bascula sur le côté. Un choc énorme projeta les trois humains contre la paroi de la nacelle, là où Iorek avait empilé les plaques de son armure. Celui-ci tendit sa grosse patte pour les empêcher de tomber par-dessus bord, car la nacelle tanguait dangereusement. Serafina Pekkala avait disparu. Le vacarme était effrayant : chaque bruit s'accompagnait des cris stridents des monstres des falaises, et Lyra les voyait passer à toute vitesse, laissant derrière eux un sillage nauséabond.

Une nouvelle secousse se produisit, si soudaine qu'ils se retrouvèrent tous projetés sur le plancher, et la nacelle tomba à pic, à une vitesse effrayante, en tournoyant. On aurait dit qu'ils s'étaient détachés du ballon et tombaient en chute libre. Il y eut une nouvelle série de secousses ; la nacelle était projetée de droite à gauche, comme s'ils rebondissaient maintenant entre des parois rocheuses.

La dernière chose que vit Lyra, ce fut Lee Scoresby pointant le grand canon de son pistolet vers la gueule d'un monstre, puis elle ferma les yeux et s'accrocha à la fourrure de Iorek Byrnison, avec toute l'énergie de la terreur. Les hurlements, les cris stridents, les coups de fouet et le ululement du vent, les craquements de la nacelle, semblables aux râles d'un animal que l'on torture, tout cela emplissait l'air d'un vacarme à vous glacer le sang.

C'est alors que se produisit le choc le plus violent, et Lyra fut éjectée de la nacelle, incapable de s'accrocher au pelage de l'ours; le souffle coupé, elle atterrit dans un tel enchevêtrement de membres et de fourrures qu'elle ne pouvait différencier le haut du bas. Son visage, à l'intérieur de la capuche bien serrée, était recouvert d'une fine poudre sèche et glacée, comme des cristaux...

C'était de la neige; elle avait atterri dans une congère! Tellement meurtrie qu'elle ne parvenait pas à rassembler ses pensées, elle demeura ainsi immobile pendant plusieurs secondes, avant de songer à cracher la neige qu'elle avait dans la bouche et à respirer, faiblement, jusqu'à ce que l'air recommence à entrer dans ses poumons.

Elle ne souffrait d'aucune blessure; elle avait simplement le souffle coupé. Avec prudence, elle essaya de remuer les mains, les pieds, les bras, les jambes, puis de lever la tête. Elle ne voyait presque rien, car sa capuche était encore pleine de neige. Au prix d'un gros effort, comme si chacune de ses mains pesait une tonne, elle l'abaissa et regarda autour d'elle. Elle découvrit alors un monde gris, des gris pâles et des gris sombres, et noir aussi, où des nappes de brouillard flottaient comme des linceuls.

Les seuls bruits qu'elle entendait étaient les cris lointains des monstres des falaises, tout là-haut dans le ciel, et le fracas des vagues contre les rochers, plus loin.

—Iorek! cria-t-elle.

Sa voix était faible et tremblante; elle essaya de nouveau, mais personne ne répondit.

—Roger! cria-t-elle cette fois, sans plus de succès.

À cet instant, elle aurait pu se croire seule au monde mais, bien entendu, ce n'était pas le cas, et Pantalaimon sortit de son parka, sous la forme d'une souris, pour lui tenir compagnie.

—J'ai vérifié l'état de l'aléthiomètre, dit-il. Pas de casse, il est intact.

—On est perdus, Pan! Tu as vu ces horribles monstres des falaises? Et M. Scoresby qui leur a tiré dessus? Que Dieu nous garde s'ils descendent ici...

—Essayons de retrouver la nacelle.

—Évitons de crier, dit Lyra. Je viens de le faire, mais peut-être qu'il est préférable de se taire ; ils risquent de nous entendre. Si seulement je savais où on est.

— Peut-être qu'il vaut mieux ne pas le savoir, fit remarquer le dæmon. Si ça se trouve, on est au pied d'une falaise, sans aucune issue, et quand le brouillard va se dissiper, les monstres vont nous voir.

Après s'être reposée encore quelques minutes, Lyra tâtonna autour d'elle et s'aperçut qu'elle avait atterri entre deux rochers recouverts de glace. Tout était enveloppé d'une pellicule de brouillard givré ; d'un côté lui parvenait le fracas des vagues, à une cinquantaine de mètres autant qu'elle pût en juger, et tout là-haut, les cris stridents des monstres des falaises continuaient à résonner, bien qu'ils fussent quelque peu atténués. On ne voyait pas à plus de deux ou trois mètres, et dans cette purée de pois, même les yeux de chouette de Pantalaimon étaient inutiles.

Lyra avançait péniblement, glissant sur les rochers rugueux, tournant le dos au bruit des vagues pour remonter un peu sur la grève, où elle ne trouva que des rochers et de la neige. Aucune trace du ballon ni de ses passagers.

— Ils n'ont pas pu se volatiliser, murmura-t-elle.

Devenu chat, Pantalaimon rôdait un peu plus loin ; c'est ainsi qu'il découvrit les quatre gros sacs de sable, éventrés, dont le contenu éparpillé avait déjà commencé à geler.

— Le lest, commenta Lyra. M. Scoresby les a sans doute largués pour reprendre de l'altitude...

Elle déglutit avec peine pour tenter de faire disparaître la boule qui lui obstruait la gorge, ou la peur qui lui nouait l'estomac, ou les deux.

— Mon Dieu, j'ai peur, dit-elle. Pourvu qu'ils soient sains et saufs.

Pantalaimon sauta dans ses bras et, redevenant souris, il se faufila dans la capuche de Lyra où personne ne pouvait le voir. Soudain, elle entendit un bruit, un raclement sur la pierre, et se retourna.

— Ior... !

Sa voix mourut dans sa gorge. Ce n'était pas Iorek Byrnison. C'était un ours inconnu, vêtu d'une armure étincelante, constellée de gouttes de rosée transformées en givre, avec une plume plantée dans son casque.

Il se tenait à deux mètres d'elle, immobile, et Lyra crut réellement que son heure avait sonné.

L'ours ouvrit la gueule pour pousser un rugissement. L'écho qui se répercuta contre les falaises déclencha de nouveaux cris stridents tout là-haut dans le ciel. C'est alors qu'un second ours surgit du brouillard, puis un troisième. Pétrifiée, Lyra serrait ses petits poings. Les ours ne bougèrent pas, jusqu'à ce que le premier demande :

—Ton nom ?

—Lyra.

—D'où viens-tu ?

—Du ciel.

—Dans un ballon ?

—Oui.

—Suis-nous. Tu es notre prisonnière. Allez, en route. Vite !

Épuisée et terrorisée, Lyra suivit l'ours sans un mot, en trébuchant sur les rochers déchiquetés et glissants. Elle se demandait comment diable elle allait bien pouvoir se sortir de ce pétrin.

Chapitre 19
Captivité

Les ours conduisirent Lyra dans un ravin creusé entre les falaises, où le brouillard était encore plus dense que sur le rivage. Les cris des créatures monstrueuses et le fracas des vagues s'atténuaient à mesure qu'ils montaient, et bientôt ils n'entendirent plus que les lamentations incessantes des oiseaux marins. Sans un mot, ils escaladaient les rochers et les congères, et Lyra avait beau scruter la grisaille étouffante, tendre l'oreille dans l'espoir d'entendre un bruit révélateur de la présence de ses amis, c'était comme si elle était le seul être humain à Svalbard, et Iorek aurait pu tout aussi bien être mort.

L'ours-sergent resta muet jusqu'à ce qu'ils atteignent une étendue plane. Là, ils s'arrêtèrent. À en juger par le bruit des vagues, très lointain, ils se trouvaient maintenant au sommet des falaises, et Lyra n'osait pas s'enfuir de peur de basculer dans le vide.

— Regarde, ordonna l'ours, alors qu'un souffle de vent écartait le lourd rideau de brouillard.

La lumière du jour n'était pas plus éclatante pour autant, mais Lyra leva les yeux comme on le lui demandait et se retrouva face à une gigantesque construction de pierre. Aussi haute que le plus haut bâtiment de Jordan College, elle était beaucoup plus massive, et ornée de sculptures guerrières montrant des ours victorieux et des Skraelings vaincus, des Tartares enchaînés, esclaves dans les mines, ou des zeppelins venus des quatre coins du monde pour apporter des cadeaux et des tributs au roi des ours, Iofur Raknison.

Du moins, c'est ce qu'expliqua l'ours-sergent, et Lyra fut forcée de le croire sur parole car chaque saillie, chaque relief de la façade entièrement sculptée était occupé par des fous de Bassan et des skuas, qui ne cessaient de croasser et de pousser des cris stridents, en tournoyant dans le ciel bas. Leurs fientes avaient recouvert la moindre parcelle du bâtiment d'une épaisse couche grisâtre.

Indifférents à cette saleté, les ours franchirent l'immense porche, avançant sur le sol gelé, constellé lui aussi de déjections. Il y avait une cour, de grands escaliers, des portes, et chaque fois, des ours en armure réclamaient aux nouveaux venus un mot de passe. Leurs armures astiquées étincelaient ; leurs casques s'ornaient d'une plume. Lyra ne pouvait s'empêcher de comparer chaque ours qu'elle voyait à Iorek Byrnison, toujours à l'avantage de ce dernier : il était plus puissant, plus gracieux aussi, et son armure était une véritable armure, couleur rouille, tachée de sang, bosselée de traces de coups, ce n'était pas une parure décorative, élégante et soignée comme toutes celles qu'elle voyait autour d'elle.

À mesure qu'ils s'enfonçaient à l'intérieur du château, la température augmentait. L'odeur qui régnait dans le palais de Iofur était répugnante : mélange de graisse de phoque rance, d'excréments, de sang, de déchets de toutes sortes. Lyra baissa sa capuche pour avoir un peu d'air, mais elle ne put s'empêcher de plisser le nez. «Pourvu que les ours ne sachent pas interpréter les expressions humaines», se dit-elle. À intervalles réguliers, des équerres de fer soutenaient des lampes à graisse de baleine qui projetaient des ombres dansantes, et il n'était pas toujours aisé de voir où l'on mettait les pieds.

Finalement, ils s'arrêtèrent devant une épaisse porte de fer. Un ours-garde actionna un énorme loquet, et le sergent se retourna brusquement vers Lyra, et la jeta à l'intérieur, la tête la première. Avant même d'avoir pu se relever, elle entendit la porte se refermer bruyamment derrière elle.

Il régnait dans ce cachot une obscurité profonde, mais Pantalaimon eut la bonne idée de se transformer en luciole pour projeter une faible lueur autour d'eux. Ils se trouvaient dans une cellule exiguë dont les murs suintaient d'humidité, avec un banc de pierre pour seul ameublement. Dans le coin le plus éloigné, on distinguait un tas de haillons qui servait sans doute de couche, et c'était tout ce que Lyra voyait.

Elle s'assit en tailleur, avec Pantalaimon sur son épaule, et fouilla dans ses vêtements pour récupérer l'aléthiomètre.

— Il a beaucoup souffert, on dirait, mon pauvre Pan, murmura-t-elle. J'espère qu'il fonctionne encore.

Pantalaimon vint se poser sur son poignet afin de l'éclairer, pendant que Lyra se concentrait. Elle s'émerveillait de constater que, en dépit de sa situation périlleuse, il lui suffisait de s'asseoir pour trouver la sérénité dont elle avait besoin pour déchiffrer l'aléthiomètre. Celui-ci faisait tellement partie d'elle-même maintenant que les questions les plus complexes se traduisaient toutes seules sous la forme des symboles qui les composaient, aussi naturellement que ses muscles actionnaient ses membres ; elle n'avait même pas besoin de réfléchir.

Elle déplaçait les aiguilles et posait la question mentalement :

« Où est Iorek ? »

La réponse fut immédiate :

« À une journée de marche d'ici, il a été emporté par le ballon après l'accident. Mais il se dépêche. »

« Et Roger ? »

« Avec Iorek. »

« Que va faire Iorek ? »

« Il a l'intention de s'introduire de force dans le palais pour te libérer, malgré le danger. »

Lyra rangea l'aléthiomètre, plus inquiète encore qu'auparavant.

— Ils ne le laisseront pas faire, hein ? dit-elle. Ils sont trop nombreux. Ah, si seulement j'étais une sorcière, Pan, tu pourrais aller lui porter un message, et nous pourrions élaborer un véritable plan...

C'est alors qu'elle eut la peur de sa vie.

Une voix d'homme s'éleva dans l'obscurité, tout près d'elle.

— Qui es-tu ?

Lyra se leva d'un bond en poussant un cri d'effroi. Se transformant aussitôt en chauve-souris, Pantalaimon tournoya au-dessus de sa tête en couinant, tandis que la fillette reculait contre le mur suintant.

— Alors ? Hein ? dit l'homme. Qui est là ? Parlez ! Parlez !

— Pan, redeviens luciole, dit Lyra d'une voix tremblante. Mais ne t'approche pas trop.

Le petit point lumineux dansa dans les airs, voltigeant autour de la tête de l'homme. Car il ne s'agissait pas d'un tas de haillons, mais d'un homme à la barbe grise, enchaîné au mur, dont les yeux étincelaient dans la brillance de Pantalaimon. De longs cheveux filasse pendaient sur ses épaules. Son dæmon, un serpent à l'air las, lové sur ses genoux, dardait parfois sa langue fourchue quand Pantalaimon passait trop près.

— Comment vous appelez-vous ? demanda-t-elle.

— Jotham Santelia. Je suis professeur de cosmologie, titulaire d'une chaire de fondation royale à l'université de Gloucester. Et toi, qui es-tu ?

— Je m'appelle Lyra Belacqua. Pourquoi vous a-t-on enfermé ?

— Par malveillance et jalousie... D'où viens-tu ? Hein ?

— De Jordan College.

—Quoi ? Oxford ?

—Oui.

—Cette crapule de Trelawney est toujours là-bas ?

—Le professeur Palmérien ? Oui, oui, dit-elle.

—Nom de Dieu ! Ils auraient dû l'obliger à démissionner depuis long-temps. Sale plagiaire ! Poseur !

Lyra répondit par un petit grognement neutre.

—A-t-il enfin publié son étude sur les photons des rayons gamma ? demanda le professeur en tendant le visage vers Lyra.

Elle eut un mouvement de recul.

—Euh... je ne sais pas, répondit-elle tout d'abord, puis l'habitude reprit le dessus, et elle inventa une histoire. Non, non, ça me revient maintenant. Il a dit qu'il devait encore vérifier quelques chiffres. Et... il a dit aussi qu'il allait publier un article sur la Poussière.

—Le scélérat ! Le voleur ! La canaille ! La crapule ! s'écria le vieil homme.

Il tremblait si violemment que Lyra craignit qu'il ne succombât à une crise cardiaque. Son dæmon glissa paresseusement de ses genoux, tandis que le professeur se frappait les cuisses avec rage. Des filets de bave pen-daient de sa bouche.

—C'est vrai, renchérit Lyra, j'ai toujours pensé, moi aussi, que c'était un voleur. Une crapule et tout le reste.

Bien qu'il fût hautement improbable qu'une fillette dépenaillée surgisse un beau jour dans sa cellule pour lui parler de l'homme qui peuplait ses obsessions, le professeur ne sembla pas s'en étonner. « Aucun doute, se dit Lyra, ce pauvre homme est fou. » Mais peut-être possédait-il quelques ren-seignements qui pourraient lui être utiles ?

Elle vint s'asseoir prudemment à côté de lui, veillant toutefois à ce qu'il ne puisse pas la toucher, mais suffisamment près pour que la petite lumière de Pantalaimon éclaire son visage.

—Le professeur Trelawney aimait se vanter, dit-elle, en affirmant qu'il connaissait bien le roi des ours...

—Il se vante, hein ? Ah ! Ah ! Évidemment qu'il se vante ! Ce n'est qu'un sale prétentieux ! Et un pirate ! Il ne peut s'enorgueillir d'aucune décou-verte originale ! Il a tout volé aux autres !

—Oui, c'est exact, dit Lyra avec conviction. Et quand, par hasard, il fait quelque chose tout seul, il se trompe !

—Absolument ! Aucun talent, aucune imagination ! Un charlatan sur toute la ligne !

—Je suis sûre, dit Lyra, que vous en savez beaucoup plus que lui sur les ours, par exemple.

—Les ours ? Ah ! Je pourrais écrire un traité sur les ours ! C'est d'ailleurs pour ça qu'ils m'ont enfermé, figure-toi.

—Ah bon ?

—Je sais trop de choses sur eux, mais ils n'osent pas me tuer. Ce n'est pourtant pas l'envie qui leur manque. Je le sais. J'ai des amis. Des amis puissants !

—Certainement, dit Lyra. Et je parie que vous feriez un merveilleux enseignant. Avec tout votre savoir et votre expérience.

Dans les profondeurs de sa folie, une petite lueur de bon sens continuait de briller malgré tout, et il lui jeta un regard mauvais, comme s'il la soupçonnait de faire de l'ironie. Mais toute sa vie, Lyra avait côtoyé des universitaires soupçonneux et grognons ; et elle le regarda avec une telle admiration que le vieil homme fut rassuré.

—Enseignant..., répéta-t-il. Enseignant... Oui, je pourrais enseigner. Qu'on me donne le bon élève, je saurai allumer un feu dans son esprit !

—Vos connaissances ne doivent pas se perdre, ajouta Lyra. Elles doivent se transmettre, pour que les gens se souviennent de vous.

—C'est juste, dit le professeur en acquiesçant avec gravité. C'est finement observé, petite. Comment t'appelles-tu ?

—Lyra, répéta-t-elle. Vous pourriez m'apprendre ce que vous savez sur les ours ?

—Les ours...

—Évidemment, j'aimerais tout savoir sur la cosmologie et la Poussière, mais je ne suis pas assez intelligente. Pour ça, il vous faut des élèves réellement brillants. Mais vous pourriez me transmettre vos connaissances sur les ours. Ce serait un bon point de départ, et peut-être qu'on pourrait en arriver à la Poussière.

Le professeur acquiesça de nouveau.

—Oui, tu as sans doute raison. Il existe une corrélation entre le microcosme et le macrocosme ! Les étoiles sont vivantes, petite. Le savais-tu ? Tout ce qui nous entoure est vivant, et il existe de grandes visées loin d'ici ! L'univers est rempli d'intentions. Tout ce qui se produit a un but. Ton but est de me le rappeler. Bravo, bravo... dans mon désespoir, je l'avais oublié. Bravo ! Excellent, petite !

—Vous avez déjà rencontré le roi ? Iofur Raknison ?

—Oh oui, bien sûr. Je suis venu ici à son invitation, figure-toi. Il voulait créer une université. Il voulait me nommer Vice-Président. De quoi en boucher un coin à l'Institut Arctique Royal, hein ? Et à cette crapule de Trelawney ! Ah ah !

—Que s'est-il passé ?

—J'ai été trahi par des médiocres. Parmi lesquels Trelawney, évidemment. Il est venu ici. À Svalbard. Il a répandu des mensonges et des calomnies sur mes compétences. Diffamation! Calomnie! Qui a découvert la preuve définitive du théorème de Barnard-Stokes, hein? Hein? Eh oui, Santelia lui-même! Trelawney ne pouvait pas le supporter. Il a menti effrontément. Il a poussé Iofur Raknison à me jeter dans ce cachot. Mais un jour, j'en sortirai, tu verras. Et je serai Vice-Président. Oh, oui. Que Trelawney vienne me supplier ensuite! Que le Comité de publication de l'Institut Arctique Royal ose rejeter mes contributions! Ah ah! Je dénoncerai toutes leurs bassesses!

—Je pense que Iorek Byrnison vous croira, quand il reviendra, dit Lyra.

—Iorek Byrnison? Inutile de compter sur lui. Il ne reviendra jamais.

—Si. Il est même en chemin.

—Dans ce cas, ils le tueront. Ce n'est plus un ours. C'est un paria. Comme moi. On l'a rejeté. Il ne jouit plus des privilèges accordés aux ours.

—Supposons que Iorek Byrnison revienne, malgré tout. Et supposons qu'il défie Iofur Raknison en duel...

—Oh, c'est impossible, déclara le professeur d'un ton catégorique. Jamais Iofur Raknison ne s'abaissera à accorder à Iorek Byrnison le droit de l'affronter. Il n'a plus aucun droit. Ce n'est plus un ours, je te le répète; ce pourrait être un phoque ou un morse. Ou pire: un Tartare ou un Skraeling. Ils n'accepteront jamais de le combattre avec les honneurs comme un ours; ils le tueront avec leurs lance-feu sans même le laisser approcher. Aucune chance. Aucune pitié.

—Oh, fit Lyra, accablée par le désespoir. Et les autres prisonniers des ours? Vous savez où ils sont enfermés?

—Les autres prisonniers?

—Oui, comme... Lord Asriel.

L'attitude du professeur se modifia brusquement. Il recula contre le mur en secouant la tête d'un air affolé.

—Chut! Tais-toi! Ils vont t'entendre, murmura-t-il.

—Il ne faut pas parler de Lord Asriel?

—C'est interdit! Et dangereux! Iofur Raknison ne veut pas que l'on prononce son nom!

—Pourquoi? demanda Lyra en se rapprochant du professeur et en parlant à voix basse afin de ne pas l'inquiéter.

—Iofur Raknison a reçu pour mission spéciale, confiée par le Conseil d'Oblation, de garder Lord Asriel prisonnier, expliqua le vieil homme dans un murmure. Mme Coulter est venue en personne pour rencontrer Iofur et lui offrir toutes sortes de récompenses s'il conservait Lord Asriel à l'écart. Je le sais car, à l'époque, j'étais dans les bonnes grâces de Iofur. J'ai même rencontré Mme Coulter ! Parfaitement. J'ai eu une longue conversation avec elle. Iofur était follement épris de cette femme. Il en parlait sans cesse. Il ferait n'importe quoi pour elle. Si elle voulait exiler Lord Asriel à des milliers de kilomètres, son désir serait exaucé. Cette chère Mme Coulter n'avait qu'à demander. Savais-tu qu'il allait donner le nom de cette femme à la capitale ?

— Et donc, personne n'a le droit d'approcher de Lord Asriel ?

— Personne ! Jamais ! Malgré tout, Iofur a peur de Lord Asriel. Il joue un jeu dangereux. Mais c'est un malin. Il a contenté les deux parties. D'un côté, il a gardé Lord Asriel en quarantaine, pour faire plaisir à Mme Coulter. Et de l'autre, il a permis à Lord Asriel de se procurer tout le matériel qu'il souhaitait pour ses expériences. Mais cet équilibre ne peut pas durer. C'est trop instable. On ne peut pas satisfaire les deux camps. La fonction d'onde de cette situation va bientôt s'affaiblir. Je le sais de source sûre.

— Ah bon ? dit Lyra, qui avait l'esprit ailleurs, car elle réfléchissait à ce qu'il venait de dire.

— Oui. La langue de mon dæmon reconnaît le goût des probabilités, figure-toi.

— Le mien aussi. Au fait, professeur, quand est-ce qu'ils nous donnent à manger ?

— À manger ?

— Ils nous apportent forcément de la nourriture de temps en temps, sinon, on mourrait de faim. Et je vois des os par terre. Je suppose que ce sont des restes de phoques, non ?

— Des phoques... je ne sais pas. Peut-être.

Lyra se leva et marcha jusqu'à la porte à tâtons. Il n'y avait pas de poignée, naturellement, ni trou de serrure, et le battant était si bien ajusté qu'aucune lumière ne passait, ni en haut ni en bas. Elle colla son oreille contre l'huis, mais n'entendit aucun bruit. Dans son dos, le vieil homme marmonnait des paroles inintelligibles. Elle entendit le bruit de sa chaîne, tandis qu'il se retournait péniblement et s'allongeait de l'autre côté. Très vite, il se mit à ronfler.

Elle regagna le banc, toujours à tâtons. Fatigué de dispenser de la lumière, Pantalaimon était redevenu chauve-souris et voletait dans le cachot en poussant de petits cris, tandis que Lyra, assise sur le banc, se rongeait un ongle.

Soudain, de manière totalement inattendue, elle se souvint des paroles prononcées par le professeur Palmérien, dans le Salon de Jordan College. Quelque chose la tracassait depuis que Iorek Byrnison avait mentionné pour la première fois le nom de Iofur, et voilà que la mémoire lui revenait :

ce que Iofur Raknison désirait plus que tout au monde, avait dit le professeur Trelawney, c'était un dæmon.

Évidemment, elle n'avait pas compris, sur le moment, ce qu'il voulait dire, car il avait parlé de panserbjornes au lieu d'employer le mot anglais, et Lyra ignorait qu'il parlait des ours ; de même elle ignorait que Iofur Raknison n'était pas un homme. Or, un homme avait forcément un dæmon, cela n'avait donc aucun sens.

Mais tout devenait clair maintenant. Tout ce qu'elle avait entendu dire au sujet de l'ours-roi se recoupait : le plus grand désir du puissant Iofur Raknison était d'être un homme, avec un dæmon.

Et tandis qu'elle se faisait cette réflexion, une idée lui vint : le moyen d'inciter Iofur Raknison à faire une chose qu'il ne ferait jamais en temps normal ; un moyen de rendre à Iorek Byrnison son trône légitime ; un moyen, enfin, d'atteindre l'endroit où ils avaient enfermé Lord Asriel, pour lui remettre l'aléthiomètre.

Cette idée, encore fragile, flottait dans son esprit comme une bulle de savon, et Lyra n'osait pas la regarder en face, de peur de la voir éclater. Mais elle savait comment se comportent les idées, aussi la laissa-t-elle se développer lentement dans son coin, en regardant ailleurs et en pensant à autre chose.

Elle était presque endormie quand la porte s'ouvrit dans un fracas métallique de verrous. La lumière se déversa à l'intérieur du cachot, et Lyra se leva d'un bond. Pantalaimon s'était précipité dans sa poche.

Dès que l'ours-garde baissa la tête pour saisir dans sa gueule le morceau de viande de phoque et le lancer à l'intérieur, elle s'approcha et lui dit :

—Conduisez-moi auprès de Iofur Raknison. Si vous ne le faites pas, vous aurez des ennuis. C'est très urgent.

L'ours laissa tomber le morceau de viande et leva la tête. Ce n'était pas facile de déchiffrer les expressions des ours, mais celui-ci paraissait furieux.

—Ça concerne Iorek Byrnison, ajouta-t-elle. Je sais à son sujet quelque chose qui intéressera le roi.

—Dis-moi de quoi il s'agit, je lui transmettrai le message, répondit l'ours.

—Non, impossible. Personne ne peut être au courant avant le roi, dit Lyra. Désolée, je ne veux pas être malpolie, mais la loi veut que le roi soit toujours la première personne avertie.

Peut-être cet ours était-il idiot. Quoi qu'il en soit, il eut un moment d'hésitation, puis il lança le morceau de phoque dans le cachot, et déclara :

—Très bien. Viens avec moi.

Il la conduisit dehors, à l'air libre, ce dont elle le remercia en son for intérieur. Le brouillard s'était levé et des étoiles brillaient au-dessus des hauts murs de la cour. Le gardien échangea quelques mots avec un congénère, qui s'adressa à Lyra.

— Personne ne peut voir Iofur Raknison à sa guise, dit-il. Il faut attendre qu'il ait envie de vous voir.

— Ce que j'ai à lui dire est très urgent. Ça concerne Iorek Byrnison. Je suis sûre que sa Majesté voudra être mise au courant, mais je ne peux en parler à personne d'autre, vous comprenez? Ce ne serait pas correct. Et le Roi serait furieux s'il l'apprenait.

Cet argument sembla avoir un certain poids, suffisant en tout cas pour impressionner l'ours et le faire réfléchir. Lyra était certaine d'avoir bien analysé la situation : Iofur Raknison avait apporté tant de bouleversements dans les règles qu'aucun ours ne savait sur quel pied danser. Elle pouvait donc exploiter cette indécision générale pour accéder à Iofur.

L'ours s'absenta pour aller consulter son supérieur hiérarchique, et peu de temps après Lyra fut de nouveau introduite dans le palais, mais dans les quartiers officiels cette fois. L'endroit n'était pas plus propre pour autant, au contraire, l'air semblait même plus épais que dans le cachot, car on avait tenté de masquer la puanteur avec des parfums entêtants. On la fit attendre dans un couloir, puis dans une antichambre, et enfin, derrière une grande porte, pendant que les ours discutaient, se disputaient et couraient dans tous les sens. Elle eut ainsi le temps d'observer la décoration grotesque : les murs débordaient de moulures dorées à la feuille d'or, dont certaines s'effritaient déjà sous l'effet de l'humidité ; les tapis colorés étaient jonchés d'immondices.

Finalement, la grande porte s'ouvrit de l'intérieur. Dans la lumière aveuglante d'une demi-douzaine de lustres, au milieu de ces mêmes parfums capiteux qui flottaient dans l'air, elle découvrit tout d'abord un tapis écarlate, puis les visages d'une dizaine d'ours, ou plus, qui la regardaient fixement ; aucun ne portait d'armure, mais tous arboraient une sorte de décoration : un collier en or, une coiffe de plumes pourpres, une écharpe rouge vermillon. Bizarrement, il y avait également des oiseaux dans cette pièce ; des hirondelles de mer et des skuas, perchés sur les moulures en stuc, volaient parfois en rase-mottes pour chiper les morceaux de poisson tombés d'un nid installé dans un des lustres.

Au fond de la pièce, sur une estrade, se dressait un trône imposant. Il était en granit pour donner une impression de force inébranlable mais, comme beaucoup d'autres choses dans le palais de Iofur, il s'ornait d'une débauche de draperies et de festons dorés, semblables à des guirlandes de Noël sur une montagne.

Sur ce trône était assis l'ours le plus gigantesque que Lyra ait jamais vu.

En vérité, Iofur Raknison était encore plus grand et plus massif que Iorek ; son visage était beaucoup plus mobile et expressif, empreint d'une sorte d'humanité qu'elle n'avait jamais vue chez Iorek. Quand Iofur posa son regard sur elle, Lyra eut l'impression que c'était un homme qui la regardait, un homme comme ceux qu'elle avait rencontrés chez Mme Coulter, un politicien habile, habitué au pouvoir. Il portait autour du cou une lourde chaîne en or, au bout de laquelle pendait une pierre précieuse trop voyante, et ses griffes – qui mesuraient au moins quinze centimètres – étaient recouvertes de feuille d'or. Il se dégageait de l'ensemble une impression de force et d'énergie gigantesques, d'habileté aussi ; Iofur était suffisamment impressionnant pour se permettre d'arborer ces ornements clinquants ; ils ne lui donnaient pas un air absurde, au contraire, ils lui conféraient un aspect barbare et grandiose.

Lyra frissonna. Son idée lui semblait soudain trop invraisemblable pour être formulée. Malgré tout, elle se rapprocha légèrement, car il le fallait, et elle s'aperçut que Iofur tenait quelque chose sur ses genoux, comme un humain tiendrait un chat, ou un dæmon.

Il s'agissait, en réalité, d'une grande poupée de chiffons, un mannequin doté d'un visage humain dénué d'expression. La poupée était habillée comme aurait pu l'être Mme Coulter, et d'ailleurs, se dit Lyra, il existait une certaine ressemblance entre les deux. Iofur faisait comme s'il possédait un dæmon ! À cet instant, Lyra comprit qu'elle n'avait rien à craindre.

Elle approcha du trône et salua bien bas, tandis que Pantalaimon restait soigneusement caché au fond de sa poche.

– Nous vous saluons, grand Roi, dit-elle. Ou plutôt, devrais-je dire, je vous salue. Moi seule, sans lui.

– Lui ? De qui parles-tu ?

La voix de Iofur Raknison était plus douce qu'elle ne l'aurait cru, teintée de variations expressives et de nuances. Quand il parlait, il agitait sa patte devant sa gueule pour chasser les mouches qui s'y regroupaient.

– Iorek Byrnison, votre Majesté, dit Lyra. J'ai quelque chose de très important et de très secret à vous apprendre, et je préfère que ce soit en privé.

– Quelque chose qui concerne Iorek Byrnison ?

Elle s'approcha davantage, en enjambant soigneusement les crottes d'oiseaux qui jonchaient le sol, repoussant les mouches qui bourdonnaient devant son visage.

– Cela concerne les dæmons, dit-elle, à voix basse pour être entendue de lui seul.

L'expression de Iofur se modifia. Lyra ne pouvait pas la déchiffrer, mais elle voyait bien qu'il était très intéressé. Soudain, il descendit lourdement de son trône, obligeant la fillette à faire un bond sur le côté, et aboya un ordre. Les autres ours baissèrent la tête et reculèrent vers la sortie. Les oiseaux, effrayés par son rugissement, tournoyèrent dans la pièce en criaillant, avant de retourner se poser dans leurs nids.

Dès que tout le monde eut quitté la salle du trône, à l'exception de Lyra, Iofur Raknison se retourna brutalement vers la fillette.

—Eh bien, dit-il. Dis-moi d'abord qui tu es. Quelle est cette histoire de dæmons ?

—Je suis un dæmon, votre Majesté.

Il se figea.

—Le dæmon de qui ? demanda-t-il.

—Iorek Byrnison.

C'était le mensonge le plus dangereux qu'elle ait jamais formulé ; elle voyait bien que seule la stupéfaction empêchait Iofur de la tuer sur-le-champ. Alors, elle enchaîna :

—Je vous en supplie, Majesté, laissez-moi vous expliquer avant de me faire du mal. Je suis venue ici à mes risques et périls, comme vous pouvez le voir, et je n'ai aucun moyen de vous nuire. En vérité, je veux vous aider, c'est pour cela que je suis venue. Iorek Byrnison fut le premier ours à posséder un dæmon, pourtant, cela aurait dû être vous. Je préférerais mille fois être votre dæmon que le sien, voilà pourquoi je suis ici.

—Comment ? demanda Iofur, le souffle coupé. Comment un ours peut-il avoir un dæmon ? Et pourquoi lui ? Et d'abord, comment peux-tu être aussi loin de lui ?

Quand il parlait, les mouches jaillissaient de sa bouche comme de minuscules paroles.

—C'est facile. Je peux m'éloigner de lui, car je suis comme le dæmon d'une sorcière. Vous savez bien qu'ils peuvent s'éloigner à des centaines de kilomètres de leurs humains. Et si vous voulez savoir comment je suis devenue son dæmon, je vous dirai que ça s'est passé à Bolvangar. Vous connaissez Bolvangar, Mme Coulter vous en a certainement parlé, mais je parie qu'elle ne vous a pas raconté tout ce qu'ils faisaient là-bas.

—Des opérations...

—Oui, des opérations. L'intercision. Mais ils font beaucoup d'autres choses également, comme la fabrication de dæmons artificiels. Avec des expérimentations sur les animaux. Quand Iorek Byrnison l'a appris, il s'est porté volontaire pour une expérience, pour voir s'il était possible de lui créer un dæmon, et ils ont réussi. C'est moi. Je m'appelle Lyra. Quand les humains ont des dæmons, ceux-ci ont des apparences d'animaux ; à l'inverse, quand un ours possède un dæmon, c'est un humain. Je suis son dæmon. Je peux lire ses pensées et savoir exactement ce qu'il fait, où il se trouve et...

— Où est-il en ce moment ?

— À Svalbard. Il se presse d'arriver ici.

— Pourquoi ? Que veut-il ? Est-il devenu fou ? Nous allons le réduire en bouillie !

— C'est moi qu'il veut. Il vient pour me récupérer. Mais je ne veux pas être son dæmon, Iofur Raknison ; je veux être le vôtre. Quand ils ont vu qu'un ours doté d'un dæmon était quasiment invincible, les gens de Bolvangar ont décidé de ne pas renouveler l'expérience. Iorek Byrnison est donc le seul ours à posséder un dæmon. Avec mon aide, il pourrait monter tous les ours contre vous. Voilà pourquoi il vient ici à Svalbard.

L'ours-roi laissa éclater sa fureur. Son rugissement fit trembler les perles de cristal des lustres, et les oiseaux présents dans la salle du trône poussèrent des cris stridents. Lyra sentit ses oreilles bourdonner.

Mais elle était prête à tout endurer.

— Voilà pourquoi je vous préfère à lui, dit-elle. Vous êtes fougueux, puissant et intelligent. Il fallait que je le quitte pour venir vous le dire, car je ne veux pas qu'il gouverne les ours. Le roi ne peut être que vous. Il existe un moyen, un seul, de me voler à lui, pour faire de moi votre dæmon, mais je devais venir vous le révéler, car vous ne pouvez pas le connaître. De plus, vous risquiez d'employer contre Iorek Byrnison les méthodes que l'on emploie habituellement contre les ours bannis ; au lieu de l'affronter dignement, vous l'auriez tué avec des lance-feu, ou je ne sais quoi. Mais si vous faites cela, je m'éteindrai comme une lumière, et je mourrai en même temps que lui.

— Mais tu... comment...

— Je peux devenir votre dæmon, dit Lyra, mais seulement si vous battez Iorek Byrnison lors d'un combat singulier. Car alors, sa force entrera en vous, mon esprit pénétrera dans le vôtre, et nous ne formerons plus qu'un seul être, vous et moi, nous partagerons toutes nos pensées, et vous pourrez m'envoyer à des kilomètres pour espionner, ou bien me garder ici auprès de vous, à votre guise. Et je vous aiderai à mener les ours au combat pour que vous vous empariez de Bolvangar, si vous le souhaitez ; vous les obligerez à créer d'autres dæmons pour vos ours favoris ; ou alors, si vous préférez rester le seul ours à posséder un dæmon, nous pourrons détruire Bolvangar pour toujours. À nous deux, nous pourrons tout faire, Iofur Raknison !

Pendant qu'elle parlait, Lyra tenait Pantalaimon au fond de sa poche, d'une main tremblante, et le dæmon restait aussi immobile que possible, sous la forme d'une minuscule souris.

Iofur Raknison, lui, faisait les cent pas, envahi par une excitation qu'il avait du mal à contenir.

— Un combat singulier ? dit-il. Moi ? Je dois affronter Iorek Byrnison ? Impossible ! C'est un banni ! Comment pourrais-je me battre contre lui ? N'y a-t-il pas d'autre moyen ?

— Non, c'est le seul, répondit Lyra.

Elle le regrettait, elle aussi, car Iofur Raknison lui paraissait plus imposant, plus enragé, à chaque minute qui passait. Malgré toute son admiration pour Iorek, si forte que fût la confiance qu'elle avait en lui, elle ne pouvait croire qu'il fût capable de vaincre ce géant parmi les ours géants. Mais c'était leur seul espoir. Se faire faucher de loin par les lance-feu, ce n'était pas une solution.

Soudain, Iofur Raknison se retourna.

— Prouve-le ! Prouve-moi que tu es un dæmon !

— Très bien, dit Lyra. C'est facile. Je peux découvrir ce que vous êtes le seul à savoir, une chose que seul un dæmon pourrait découvrir.

— Dis-moi quelle est la première créature que j'ai tuée.

— Pour ça, je dois m'isoler dans une pièce. Quand je serai votre dæmon, je pourrai vous montrer comment je fais, mais en attendant, cela doit rester secret.

— Il y a une antichambre juste à côté. Vas-y, et reviens me voir quand tu auras la réponse.

Lyra ouvrit la porte et se retrouva dans une pièce éclairée par une seule lampe, totalement vide, à l'exception d'une vitrine en acajou renfermant quelques objets en argent terni. Elle sortit l'aléthiomètre de sa poche et demanda mentalement :

« Où est Iorek ? »

« À quatre heures de marche d'ici ; il presse le pas. »

« Comment le mettre au courant de mon plan ? »

« Tu dois lui faire confiance. »

Elle songea avec inquiétude combien il serait fatigué en arrivant. Mais elle se dit qu'elle contrevenait aux recommandations de l'aléthiomètre en ne faisant pas confiance à Iorek. Chassant cette pensée, elle posa la question de Iofur Raknison. Quelle était donc la première créature qu'il avait tuée ?

La réponse fut brutale : Iofur avait tué son propre père.

Elle interrogea l'aléthiomètre pour en savoir plus, et apprit que Iofur était seul sur la banquise ce jour-là, jeune ours encore, lors de sa première expédition de chasse, lorsqu'il avait rencontré un ours solitaire. Ils s'étaient querellés et battus, et Iofur l'avait tué. En apprenant par la suite qu'il s'agissait de son propre père (les ours étant élevés par leur mère, ils connaissaient rarement leur père), il avait toujours caché la vérité. Nul ne savait ce qui s'était passé, à part Iofur lui-même.

Lyra rangea l'aléthiomètre, en se demandant de quelle façon elle allait présenter les choses au roi.

—Flatte-le ! murmura Pantalaimon. Il n'attend que ça.

Ouvrant la porte, Lyra trouva Iofur Raknison qui l'attendait, avec une expression où se mêlaient le triomphe, la fourberie, l'angoisse et l'avidité.

—Eh bien ?

Elle s'agenouilla devant lui et baissa la tête pour caresser sa patte gauche, la plus puissante, car les ours étaient tous gauchers.

—Je vous demande pardon, Iofur Raknison. J'ignorais que vous étiez si fort et si puissant !

—Que dis-tu là ? Réponds à ma question !

—La première créature que vous avez tuée était votre propre père. Je pense que vous êtes un nouveau dieu, Iofur Raknison. C'est certain. Seul un dieu aurait la force de faire ça.

—Tu sais la vérité ! Tu vois !

—Oui, car je suis un dæmon, comme je vous l'ai expliqué.

—Dis-moi encore une chose. Que m'a promis Lady Coulter quand elle est venue ici ?

Lyra retourna dans la pièce voisine pour consulter l'aléthiomètre et revint quelques instants plus tard avec la réponse.

—Elle vous a promis de convaincre le Magisterium de Genève de vous autoriser à vous faire baptiser chrétien, bien que vous n'ayez pas de dæmon. Mais je crains fort qu'elle ne l'ait pas fait et, de vous à moi, je doute qu'ils soient d'accord pour vous donner ce droit si vous n'avez pas de dæmon. Je crois d'ailleurs qu'elle le savait, mais elle vous a caché la vérité. Peu importe, car quand je serai votre dæmon, vous pourrez vous faire baptiser si vous le souhaitez, et personne ne pourra s'y opposer. Vous pourrez l'exiger même, ils n'auront pas le pouvoir de vous le refuser.

—Oui... c'est juste. C'est ce qu'elle m'a promis. Très exactement. Et elle m'a menti, dis-tu ? Je lui ai fait confiance et elle m'a menti ?

—Oui. Mais ça n'a plus d'importance, maintenant. Pardonnez-moi, Iofur Raknison, mais je me permets de vous signaler que Iorek Byrnison n'est plus qu'à quatre heures d'ici, et peut-être devriez-vous demander à vos gardes de ne pas l'abattre. Si vous voulez l'affronter pour m'avoir, il doit pouvoir accéder au palais.

—Oui, je comprends...

—Et quand il sera ici, peut-être devrais-je faire semblant de continuer à lui appartenir, en disant que je me suis perdue, ou quelque chose comme ça. Il ne saura rien. Je jouerai la comédie. Avez-vous l'intention de dire aux autres ours que je suis le dæmon de Iorek et que je vous appartiendrai quand vous l'aurez vaincu ?

—Je ne sais pas... À ton avis ?

—Je pense qu'il vaut mieux ne rien dire. Quand nous serons unis, vous et moi, nous pourrons réfléchir plus facilement et prendre la meilleure décision. Dans l'immédiat, vous devez expliquer à vos sujets pourquoi vous allez laisser Iorek se battre avec vous comme un ours, alors que c'est un banni. Ils ne comprendront pas, nous devons donc trouver une explication. Évidemment, ils obéiront à vos ordres, mais s'ils comprennent pourquoi vous agissez ainsi, ils vous admireront encore davantage.

—Que doit-on leur dire ?

—Dites-leur... Dites-leur que pour assurer la sécurité absolue de votre royaume, vous avez fait revenir Iorek Byrnison, afin de l'affronter personnellement, car le vainqueur régnera sur le peuple des ours à tout jamais. Vous comprenez, si vous donnez l'impression que Iorek Byrnison est revenu à votre initiative, ils seront très impressionnés. Ils penseront que vous avez le pouvoir de le faire revenir à votre guise, de n'importe où. Ils penseront que vous pouvez tout faire.

—Oui...

L'ours géant était pieds et poings liés désormais. Lyra se sentait comme enivrée par le pouvoir qu'elle exerçait sur lui, et si Pantalaimon ne lui avait pas mordillé la main pour lui rappeler la réalité du danger qui les menaçait, peut-être aurait-elle perdu toute mesure.

Mais elle se ressaisit et recula de quelques pas, humblement, pour regarder les ours préparer, sous les ordres fiévreux de Iofur, l'arène pour Iorek Byrnison. Pendant ce temps, ignorant ce qui se tramait, Iorek approchait à grands pas de son destin, sans que Lyra puisse l'avertir qu'il allait devoir vendre chèrement sa peau.

Chapitre 20
Combat à outrance

Les combats entre ours étaient fréquents, et l'occasion d'un grand rituel. Toutefois, il était rare qu'un ours tue l'un de ses semblables, et quand cela arrivait, c'était généralement par accident, ou lorsque l'un des deux combattants ne savait pas interpréter les signaux de son adversaire, comme dans le cas de Iorek Byrnison. Les meurtres, comme celui du père de Iofur tué par son fils, étaient encore plus rares.

Mais parfois, dans certaines circonstances, le seul moyen de régler un différend était un combat jusqu'à la mort. Dans ces cas-là, tout un cérémonial s'imposait.

Dès que Iofur eut annoncé l'arrivée imminente de Iorek Byrnison, et l'organisation d'un combat, on balaya et ratissa l'arène, et des ferronniers abandonnèrent momentanément les mines pour s'occuper de l'armure du roi. Chaque rivet fut examiné, chaque articulation testée, les plaques de métal furent polies avec le sable le plus fin. Ses pattes furent l'objet de la même attention. On ôta la pellicule d'or et chaque griffe de quinze centimètres de long fut aiguisée et limée en une pointe mortelle. Lyra, qui assistait à ces préparatifs, sentait son estomac se soulever, en songeant que le pauvre Iorek Byrnison ne bénéficierait pas de toute cette préparation ; voilà presque vingt-quatre heures déjà qu'il marchait dans la neige, sans se reposer ni manger. Peut-être même avait-il été blessé dans l'accident de montgolfière. Et elle l'avait entraîné dans ce combat sans le prévenir.

Iofur Raknison testa l'efficacité de ses griffes sur un phoque qu'on venait de tuer — lui ouvrant le ventre comme une simple feuille de papier — et lui broya le crâne (deux coups de pattes, et il se brisa comme une coquille d'œuf). Lyra dut s'excuser auprès du roi et se réfugier dans un coin pour pleurer.

Pantalaimon lui-même, toujours prompt à lui remonter le moral, ne trouvait pas les mots pour la réconforter. Lyra ne pouvait que consulter l'aléthiomètre : Iorek n'était plus qu'à une heure de marche, lui apprit l'instrument, et une fois encore, lui répéta-t-il, elle devait lui faire confiance. Par ailleurs (c'était plus difficile à déchiffrer), elle eut l'impression que l'aléthiomètre lui reprochait de poser deux fois la même question.

Entre-temps, la nouvelle du combat s'était répandue parmi les ours, si bien qu'il n'y avait plus une place libre autour de l'arène. Les ours de haut rang occupaient les meilleures places, évidemment ; un petit enclos était spécialement réservé aux ourses, parmi lesquelles se trouvaient toutes les épouses de Iofur. Lyra était très intriguée par les ourses, car elle savait peu de chose sur elles ; malheureusement, ce n'était pas le moment d'aller poser des questions. Elle resta aux côtés de Iofur Raknison, qui était entouré de courtisans soucieux de réaffirmer leurs privilèges par rapport aux ours ordinaires ; elle essayait de deviner la signification de ces plumes, ces insignes et ces symboles qu'ils arboraient. Certains ours de haut rang, constata-t-elle, transportaient des sortes de petites poupées, semblables au faux dæmon de leur roi. Sans doute essayaient-ils de s'attirer ses faveurs en imitant la mode qu'il avait lancée. Lyra nota avec ironie leur embarras en voyant que Iofur s'était débarrassé de sa poupée ; ils ne savaient que faire de la leur. Devaient-ils la jeter eux aussi ? Étaient-ils tombés en disgrâce ? Quel comportement adopter ?

Tel était le sentiment dominant à la cour, semblait-il. Le doute. Les ours ne savaient plus qui ils étaient. Ils ne partageaient pas les certitudes et les convictions absolues de leur roi, si bien qu'un voile d'inquiétude planait en permanence au-dessus d'eux, et ils échangeaient des regards interrogateurs, tout en observant Iofur.

Tous regardaient Lyra avec une curiosité non dissimulée. Celle-ci demeurait sagement près de Iofur, sans rien dire, baissant les yeux chaque fois qu'un ours posait son regard sur elle.

Entre-temps le brouillard s'était levé, le ciel s'était éclairci et, par malchance, ce bref moment de clarté, aux alentours de midi, coïncidait avec l'arrivée imminente de Iorek. Parcourue de frissons, juchée au sommet d'un petit tertre de neige dure à l'extrémité de l'arène, Lyra leva les yeux vers la faible lueur qui éclairait le ciel, rêvant de voir surgir un vol de silhouettes noires, élégantes et floues, qui descendraient pour l'emporter, ou la cité cachée de l'Aurore, avec ses immenses boulevards inondés de soleil.

Elle rêvait de sentir autour d'elle les bras épais de Ma Costa, de respirer ces odeurs familières de chair et de nourriture qui vous enveloppaient en sa présence...

Elle se surprit à pleurer de nouveau et dut essuyer, douloureusement, ses larmes qui gelaient à peine formées. Elle avait tellement peur. Les ours, qui ne pleuraient jamais, ne comprenaient pas ce qui lui arrivait ; pour eux, il s'agissait d'une futile manifestation humaine. Bien évidemment, Pantalaimon ne pouvait pas la réconforter comme il l'aurait fait en temps normal, mais Lyra gardait sa main dans sa poche, refermée autour de son petit corps chaud de souris, et le dæmon frottait son museau contre ses doigts.

À ses côtés, les ferronniers effectuaient les derniers ajustements sur l'armure de Iofur Raknison. Dressé sur ses pattes de derrière, celui-ci ressemblait à une immense tour de métal poli ; les plaques lisses et brillantes étaient incrustées de fils d'or, son casque enserrait la partie supérieure de sa tête comme une carapace argentée étincelante, avec deux fentes pour les yeux ; quant au dessous de son corps, il était protégé par une cotte de mailles très ajustée. C'est en voyant ce spectacle terrifiant que Lyra comprit qu'elle avait trahi Iorek Byrnison, car celui-ci ne possédait rien de tel. Son armure rudimentaire protégeait uniquement son dos et ses flancs. En regardant Iofur Raknison, si puissant et impressionnant, elle sentait son estomac se soulever, sous l'effet combiné de la culpabilité et de la peur.

— Excusez-moi, votre Majesté, dit-elle. Si vous vous souvenez de ce que je vous ai dit...

Sa voix tremblante paraissait encore plus fragile dans l'air glacé. Iofur Raknison tourna sa tête redoutable, abandonnant la cible que trois ours brandissaient devant lui pour qu'il la lacère de ses griffes aiguisées.

— Oui ? Quoi ?

— Souvenez-vous, je vous ai dit qu'il valait mieux que j'aille parler à Iorek Byrnison, en faisant semblant de...

Mais avant qu'elle n'ait le temps d'achever sa phrase, les ours perchés sur la tour de guet poussèrent en chœur un rugissement. Leurs congénères, comprenant ce que cela signifiait, répondirent par une clameur d'excitation triomphante. Les guetteurs venaient d'apercevoir Iorek.

— Votre Majesté, dit Lyra d'un ton pressant. Il faut que j'aille lui parler. Je vais le duper.

— Oui, oui. Va. Encourage-le à se battre !

Iofur Raknison avait du mal à parler, tant sa fureur et son excitation étaient intenses.

Lui tournant le dos, Lyra traversa l'arène nue et dégagée, laissant ses petites empreintes de pas dans la neige, et les ours regroupés tout au bout s'écartèrent pour la laisser passer. Ils déplacèrent leur masse pataude et l'horizon lui apparut, blafard dans la lumière pâle. Où était donc Iorek Byrnison ? Elle ne le voyait pas, mais il est vrai, songea-t-elle, que les ours montés au sommet de la tour de guet apercevaient des choses qui lui étaient encore cachées. Pour l'instant, elle ne pouvait qu'avancer dans la neige, droit devant elle.

Il la vit avant qu'elle ne le voie. Il y eut d'abord un fracas de métal, puis, au milieu d'un tourbillon de neige, Iorek Byrnison apparut à ses côtés.

— Oh, Iorek ! J'ai fait une chose affreuse ! Tu vas devoir te battre contre Iofur Raknison, et tu n'es pas prêt. Tu es fatigué et affamé, je suppose. Et ton armure...

— Quelle chose affreuse ?

— Je lui ai annoncé que tu allais venir, car le lecteur de symboles me l'avait appris. Comme Iofur rêve de devenir un être humain pour avoir un dæmon, je lui ai fait croire que j'étais ton dæmon, et que j'allais t'abandonner pour devenir le sien, mais je lui ai dit que, pour cela, il devait d'abord se battre contre toi. Sinon, jamais ils ne t'auraient laissé l'affronter directement, ils t'auraient fait brûler vif avant même que tu aies pu approcher...

— Tu as berné Iofur Raknison ?

— Oui. Je l'ai convaincu de se battre avec toi au lieu de te liquider immédiatement comme un banni, en lui expliquant que le vainqueur deviendrait le roi des ours pour toujours. Il le fallait absolument car...

— On devrait t'appeler Lyra Parle-d'Or. C'est mon vœu le plus cher de me battre contre Iofur ! Allez, viens, petit dæmon.

Elle observa Iorek Byrnison, efflanqué, l'air féroce, avec son armure cabossée, et elle sentit son cœur se gonfler de fierté.

Ensemble, ils marchèrent vers la silhouette massive du palais de Iofur, là où s'étendait l'arène, plate et dégagée, au pied des murailles. Les ours s'étaient massés sur les remparts, des têtes blanches apparaissaient à chaque meurtrière ; leurs corps énormes formaient comme un mur dense de brouillard blanc, droit devant, constellé des points noirs des yeux et des museaux. Ceux qui étaient dans les premiers rangs s'écartèrent, formant deux colonnes entre lesquelles avancèrent Iorek Byrnison et son soi-disant dæmon. Tous les regards étaient fixés sur eux.

Iorek s'arrêta à l'orée de l'arène. Le roi Iofur descendit du monticule de neige piétinée, et les deux ours se firent face, à quelques mètres l'un de l'autre.

Lyra était si près de Iorek qu'elle percevait en lui un tremblement, telle une dynamo géante générant de puissantes forces ambariques. Elle posa brièvement sa main sur sa nuque, à la limite du casque, et lui murmura :

—Bats-toi avec brio, mon ami Iorek. C'est toi le véritable roi, pas Iofur. Il n'est rien.

Puis elle recula.

—Ours ! clama Iorek Byrnison en s'adressant à ses congénères.

L'écho de son rugissement se répercuta contre les murailles du palais, chassant les oiseaux de leurs nids. Il poursuivit :

—Voici les termes de ce combat. Si Iofur Raknison me tue, il sera roi pour toujours, sans que quiconque puisse le défier ou le critiquer. Si je tue Iofur Raknison, je deviendrai votre roi. Ma première décision sera de détruire ce palais, ce lieu clinquant et grotesque qui empeste le parfum, et de jeter à la mer tout l'or et tout le marbre. Les ours n'ont qu'un seul métal : le fer ! Pas l'or. Iofur Raknison a souillé le royaume de Svalbard. Je viens pour le purifier. Iofur Raknison, je te défie !

Iofur avança d'un pas, comme s'il avait du mal à se retenir.

—Ours ! hurla-t-il à son tour. Iorek Byrnison est venu à ma demande. C'est moi qui l'ai attiré ici. C'est donc à moi de définir les termes de ce combat. Les voici : si je tue Iorek Byrnison, sa dépouille sera lacérée et jetée aux monstres des falaises. Sa tête sera exposée sur le toit de mon palais. Son souvenir sera effacé des mémoires. Prononcer son nom sera considéré comme un crime capital...

Il continua ainsi, jusqu'à ce que Iorek reprenne la parole. C'était un rite, une coutume suivie fidèlement. Pendant ce temps, Lyra observait les deux ours, si différents l'un de l'autre : Iofur étincelant et puissant, impressionnant de force et de vitalité, paré d'une armure splendide, fier et royal ; en face de lui, Iorek, plus petit — Lyra n'aurait jamais pu imaginer qu'il puisse paraître petit—, mal protégé par sa vieille armure rouillée et cabossée. Mais son armure était son âme. Il l'avait faite lui-même, à son image. Ils ne formaient qu'un. Iofur, lui, ne se satisfaisait pas de son armure ; il rêvait d'une autre âme. Il brûlait d'impatience, alors que Iorek était serein.

Lyra savait que tous les autres ours faisaient la même comparaison. Mais Iorek et Iofur n'étaient pas simplement deux ours ; ils représentaient également deux idéaux opposés, deux avenirs pour le royaume des ours, deux destinées. Iofur avait entraîné ses sujets dans une direction, Iorek les conduirait sur un autre chemin, et au moment où un avenir se refermerait à tout jamais, un autre s'ouvrirait devant eux.

Tandis que l'affrontement rituel approchait de la seconde phase, les deux ours, nerveux, commencèrent à faire les cent pas dans la neige, se rapprochant peu à peu, en balançant leur grosse tête. Les spectateurs, eux, demeuraient totalement immobiles, mais tous les yeux les suivaient.

Finalement, les deux combattants se figèrent ; ils s'observèrent, chacun à un bout de l'arène.

Et soudain, dans un énorme rugissement et dans un tourbillon de neige, les deux ours s'élancèrent au même moment. Deux masses rocheuses en équilibre sur des sommets voisins, ébranlées par un tremblement de terre, et qui dévalent la montagne en prenant de la vitesse, bondissant par-dessus les crevasses, réduisant les arbres en morceaux, pour finalement se percuter, si violemment que les deux rochers se retrouvèrent réduits en cailloux : voilà comment les ours débutèrent le combat. Le fracas du choc résonna dans l'air immobile, répercuté par les murailles du palais. Mais, contrairement aux rochers, les deux adversaires résistèrent à la collision. Ils furent projetés au sol, et le premier à se relever fut Iorek. D'un bond agile, il pivota sur lui-même et se jeta sur Iofur, dont l'armure, endommagée par le choc, le gênait pour lever la tête. Iorek visa immédiatement le point le plus vulnérable : dans le cou. Sa patte s'enfonça dans la fourrure blanche, puis ses griffes se glissèrent sous l'extrémité du casque de Iofur, pour tenter de l'arracher d'un coup sec.

Sentant le danger, Iofur grogna et s'ébroua, comme Lyra avait vu Iorek le faire au bord de l'océan, projetant des gerbes d'eau. Iorek tomba à la renverse, déséquilibré, et Iofur se dressa sur ses pattes arrière, dans un grincement de métal tordu, redressant l'acier de ses plaques dorsales grâce à sa simple force. Puis, telle une avalanche, il se jeta sur Iorek, qui essayait encore de se relever.

Lyra elle-même eut le souffle coupé par la violence de l'attaque. La terre en trembla. Comment Iorek pouvait-il survivre à pareil choc ? se dit-elle. Il se débattait pour se retourner et prendre appui sur le sol, mais il avait les pattes en l'air, et Iofur avait planté ses crocs dans sa chair, près de son cou. Des gouttes de sang chaud volaient dans les airs ; l'une d'elles retomba sur le parka de Lyra, et elle plaqua sa main dessus, comme un gage d'amour.

Iorek enfonça ses pattes de derrière sous les attaches de la cotte de mailles de Iofur, et tira d'un coup sec vers le bas. Tout l'avant fut arraché, et Iofur s'écarta en titubant pour examiner les dégâts, ce qui permit à Iorek de se relever enfin, péniblement.

Pendant quelques instants, les deux ours restèrent à quelque distance l'un de l'autre pour reprendre leur souffle. Iofur était gêné maintenant par sa cotte de mailles, qui de protection s'était transformée en entrave : toujours attachée en bas, elle traînait par terre autour de ses pattes de derrière.

Mais le sort de Iorek n'était pas plus enviable : la blessure dans son cou saignait abondamment ; il avait le souffle court.

Ce qui ne l'empêcha pas de sauter sur Iofur avant que le roi n'ait pu se dépêtrer de sa cotte de mailles pendante, et il l'envoya au tapis, la tête la première, avant de plonger littéralement sur la partie dénudée du cou de son adversaire, là où le bord du casque était tordu. Mais Iofur le repoussa, et les deux ours reprirent le corps à corps, projetant des gerbes de neige qui jaillissaient dans toutes les directions et empêchaient par moments de voir qui avait le dessus.

Lyra assistait au spectacle, osant à peine respirer, se tordant nerveusement les mains, à s'en faire mal. Elle crut voir Iofur entailler le ventre de Iorek d'un coup de griffes, mais ce n'était pas possible car, presque aussitôt, après une nouvelle explosion de neige, les deux ours étaient de nouveau debout, tels des boxeurs, et Iorek lacérait sauvagement le visage de Iofur, tandis que celui-ci ripostait avec la même rage.

Lyra tremblait devant la violence de ces attaques. Comme si un géant donnait de grands coups de marteau sur une enclume, avec un marteau doté de cinq pointes en acier acérées...

Le fer cognait contre le fer, les dents s'entrechoquaient, les respirations ressemblaient à des râles féroces, les pattes martelaient le sol gelé. Tout autour, la neige constellée de rouge était devenue de la boue écarlate.

L'armure de Iofur était maintenant dans un état pitoyable : les plaques tordues et disloquées, les incrustations d'or arrachées ou maculées d'une épaisse couche de sang ; il avait perdu son casque. Malgré son aspect pitoyable, Iorek était en bien meilleure condition ; il résistait beaucoup mieux au pilonnage de l'ours-roi, et il savait esquiver les attaques de ses griffes de quinze centimètres.

Malgré tout, Iofur était plus grand, plus robuste que Iorek, qui était épuisé, affamé. Surtout, blessé au ventre, aux deux pattes avant et dans le cou, il avait perdu plus de sang, alors que Iofur ne saignait que de la mâchoire inférieure. Lyra brûlait d'envie de voler au secours de son ami, mais que pouvait-elle faire ?

Iorek semblait en difficulté. Il boitait ; chaque fois qu'il posait sa patte avant gauche sur le sol, on voyait bien qu'elle avait du mal à supporter son poids. Il ne s'en servait pas pour frapper, et les coups provenant de sa patte droite étaient beaucoup plus faibles, presque des caresses, comparés aux coups monstrueux qu'il décochait quelques instants auparavant.

Cela n'avait pas échappé à Iofur. Il se mit à railler son adversaire, le traitant de patte folle, d'ourson pleurnichard, de pauvre minable rongé par la rouille, de futur cadavre, etc., tout en lui assenant des coups que Iorek ne pouvait plus éviter ou contrer. Celui-ci se retrouva contraint de reculer, pas à pas, accroupi sous la pluie de coups que lui assenait l'ours-roi ricanant.

Lyra était en larmes. Son valeureux et intrépide défenseur allait mourir, mais elle ne lui ferait pas l'affront de le trahir en détournant la tête, car s'il la regardait, elle voulait qu'il puisse voir dans ses yeux brillants tout son amour, toute sa confiance, et non pas un visage dissimulé par lâcheté, un dos tourné par peur.

Alors, elle se força à regarder, mais ses larmes l'empêchaient de voir ce qui se passait véritablement, et d'ailleurs, peut-être la réalité lui aurait-elle échappé malgré tout. En tout cas, elle échappa à Iofur.

Si Iorek reculait pas à pas, c'était uniquement pour trouver un endroit dégagé et sec, un rocher solide pour prendre son appui et bondir ; quant à sa patte gauche, elle était en réalité intacte et débordante d'énergie accumulée. On ne pouvait pas duper un ours, mais comme le lui avait expliqué Lyra, Iofur ne voulait plus être un ours, il voulait devenir un homme ; voilà pourquoi Iorek pouvait l'abuser.

Celui-ci trouva enfin ce qu'il cherchait : une pierre solidement ancrée dans la couche de glace. Il s'y appuya, les muscles bandés, dans l'attente du moment idéal.

Il survint quand Iofur se dressa sur ses pattes de derrière en poussant un hurlement de triomphe, la tête tournée vers le flanc gauche de Iorek, qu'il croyait affaibli.

C'est alors que Iorek passa à l'attaque. Semblable à une vague qui a accumulé de la force pendant des milliers de kilomètres dans l'océan, en troublant à peine la surface de l'eau, mais qui, lorsqu'elle atteint le rivage, se dresse très haut dans le ciel, semant la terreur chez les habitants de la côte, puis s'écrase sur la rive avec une violence irrésistible, Iorek Byrnison bondit face à son adversaire, jaillissant de son appui de pierre et décochant de la patte gauche un terrible coup qui atteignit la mâchoire offerte de Iofur Raknison.

C'était un coup monstrueux. Arrachée, la mâchoire inférieure vola dans les airs, projetant des gerbes de sang dans la neige, sur plusieurs mètres à la ronde.

La langue rouge de Iofur pendait sur sa gorge. L'ours-roi se retrouvait soudain réduit au silence, incapable de mordre, impuissant. Iorek n'en demandait pas plus. Il bondit. Ses dents se plantèrent dans la fourrure de Iofur et il agita la tête, violemment, dans tous les sens, soulevant de terre le corps énorme pour mieux le jeter au sol, comme si Iofur n'était qu'un pauvre phoque échoué au bord de l'eau.

Finalement, il donna un grand coup de tête en arrière, et la vie de Iofur Raknison s'enfuit entre ses crocs.

Il restait un dernier rituel à accomplir. D'un coup de griffes, Iorek ouvrit le torse sans protection du roi mort ; il tira sur la fourrure pour le dépouiller, laissant apparaître les côtes blanc et rouge, semblables à la charpente d'un bateau renversé. Glissant la patte à l'intérieur de la cage thoracique, il arracha le cœur de Iofur, écarlate et fumant, et le mangea, là, devant les sujets de Iofur.

Une clameur retentit, et ce fut le chaos ; tous les ours se précipitèrent pour rendre hommage au vainqueur de Iofur.

La voix de Iorek Byrnison s'éleva, dominant toutes les autres.

— Ours ! Qui est votre roi ?

Une nouvelle clameur lui répondit, semblable au rugissement de tous les vents de la terre sur un océan balayé par un orage.

— Iorek Byrnison !

Les ours savaient ce qu'ils avaient à faire. Tous les insignes, les écharpes, les diadèmes… furent arrachés, jetés à terre et piétinés avec mépris, oubliés en un instant. Ils étaient à présent les ours de Iorek, de vrais ours, pas des demi-humains inquiets, torturés par la conscience de leur infériorité. Ils envahirent le palais et commencèrent à jeter de grands blocs de marbre du haut des tours les plus élevées, frappant les remparts avec leurs poings puissants, jusqu'à ce que des pierres se détachent, qu'ils jetaient ensuite du haut des falaises, et qui allaient s'écraser sur la jetée plusieurs centaines de mètres plus bas.

Sans leur prêter attention, Iorek défit son armure pour soigner ses blessures, mais Lyra l'avait déjà rejoint, piétinant la neige écarlate et gelée, en criant aux ours d'arrêter de détruire le palais, car il y avait des prisonniers à l'intérieur.

— Des prisonniers humains ? demanda Iorek.

— Oui. Iofur Raknison les a enfermés dans les donjons ; il faut les faire sortir et les mettre à l'abri, sinon, ils vont être écrasés par les chutes de pierres.

Iorek lança quelques ordres et, aussitôt, plusieurs ours s'empressèrent d'aller libérer les prisonniers. Lyra se tourna vers Iorek.

— Attends, laisse-moi t'aider. Je veux vérifier que tu n'es pas grièvement blessé… Ah, si seulement j'avais des bandages ou quelque chose… Tu as une vilaine plaie au ventre…

Un ours vint déposer une sorte de substance verte et dure, givrée, qu'il tenait dans sa gueule, aux pieds de Iorek.

— De la mousse cicatrisante, commenta Iorek. Sois gentille, Lyra, mets-en dans mes blessures. Referme la peau par-dessus, et recouvre avec de la neige, jusqu'à ce que ça gèle.

Il refusa de laisser les autres ours s'occuper de lui, malgré leur désir de lui venir en aide. D'ailleurs, Lyra était habile, et elle aurait fait n'importe quoi pour le secourir. Penchée au-dessus du grand ours-roi, la fillette fourra la mousse à l'intérieur de la plaie béante et recouvrit de neige la chair à vif jusqu'à ce que cesse l'hémorragie. Quand elle eut terminé, ses moufles étaient imbibées du sang de Iorek, mais les plaies étaient refermées.

Entre-temps, les prisonniers — une douzaine d'hommes tremblants et éblouis par la lumière, blottis les uns contre les autres — avaient été libérés. Inutile d'essayer de parler au professeur, car le pauvre vieux était fou, et bien que Lyra eût aimé savoir qui étaient tous ces hommes, bien d'autres choses, plus urgentes, réclamaient son attention. Elle ne voulait pas distraire Iorek, occupé à distribuer les ordres à la ronde, mais, malgré tout, elle se faisait du souci au sujet de Roger, de Lee Scoresby et des sorcières. Par ailleurs, elle avait faim et tombait de fatigue... La meilleure chose à faire dans l'immédiat, c'était de se tenir à l'écart de cette agitation.

Elle se roula en boule dans un coin tranquille de l'arène, avec Pantalaimon redevenu hermine pour lui tenir chaud ; elle se couvrit de neige comme l'aurait fait un ours et s'endormit.

Elle sentit qu'on lui donnait un petit coup dans le pied, et une voix d'ours qu'elle ne connaissait pas lui dit :

— Lyra Parle-d'Or, le roi veut te voir.

Elle se réveilla quasiment morte de froid, incapable d'ouvrir ses yeux collés par le givre, mais Pantalaimon lui lécha les paupières pour faire fondre la glace de ses cils et, bientôt, elle découvrit le jeune ours qui lui parlait, éclairé par la lumière de la lune.

Deux fois, elle essaya de se lever, deux fois elle retomba.

— Viens, monte sur moi, lui dit l'ours.

Il se baissa pour lui offrir son dos large et, en s'accrochant à ses poils drus, Lyra parvint à s'y hisser et à s'y maintenir tant bien que mal, tandis qu'il la conduisait vers une cavité dans la neige, où de nombreux ours étaient rassemblés.

Parmi eux se trouvait une petite silhouctte, qui se précipita vers Lyra, et dont le dæmon fit un bond pour accueillir Pantalaimon.

— Roger !

— Iorek Byrnison m'a forcé à rester caché un peu plus loin dans la neige, pendant qu'il venait te chercher. On est tombés du ballon, figure-toi ! Après ta chute, on a dérivé sur des kilomètres, et ensuite, quand M. Scoresby a lâché les gaz, on s'est écrasés contre une montagne, et on s'est payé une glissade comme tu n'en as jamais vu ! Je ne sais pas où est passé M. Scoresby, ni les sorcières. Je me suis retrouvé seul avec Iorek Byrnison. Il est venu directement ici. Les autres m'ont raconté son combat...

Lyra regarda autour d'elle. Sous la direction d'un ours visiblement âgé, les prisonniers humains construisaient un abri fait de bois flotté et de bouts de toile. Ils semblaient heureux d'avoir une tâche à accomplir. L'un d'eux frottait deux silex pour allumer un feu.

— Il y a de quoi manger, déclara le jeune ours qui avait réveillé Lyra.

En effet, un phoque fraîchement tué gisait dans la neige. D'un coup de griffes, l'ours l'éventra et montra à Lyra où trouver les rognons. Elle en mangea un, cru : c'était chaud, tendre... et délicieux, au-delà de ce qu'on pouvait imaginer.

— Mange la graisse aussi, dit l'ours.

La graisse avait un goût de crème parfumée à la noisette. Roger hésita, mais finit par suivre l'exemple de Lyra. Ils mangèrent goulûment, et en l'espace de quelques minutes, Lyra, parfaitement réveillée désormais, commença à se réchauffer.

S'essuyant la bouche, elle regarda autour d'elle, mais Iorek demeurait invisible.

— Iorek Byrnison discute avec ses conseillers, expliqua le jeune ours. Il veut vous voir tous les deux dès que vous aurez fini de manger. Suivez-moi.

Il les conduisit, au-delà d'une congère, dans un endroit où des ours commençaient à ériger un mur fait de blocs de glace. Iorek était assis au centre d'un groupe d'ours plus âgés ; il se leva pour accueillir Lyra.

— Lyra Parle-d'Or. Viens écouter ce qu'on me raconte.

Il ne prit pas la peine d'expliquer la raison de sa présence aux autres ours, mais peut-être leur avait-il déjà parlé d'elle ; quoi qu'il en soit, ils lui firent une place parmi eux et la traitèrent avec beaucoup de déférence, comme une reine. Lyra se sentait immensément fière de pouvoir s'asseoir à côté de son ami Iorek Byrnison, et de se joindre à la conversation des ours tandis que l'Aurore scintillait dans le ciel polaire.

Il s'avéra que la domination exercée par Iofur Raknison avait pris l'apparence d'un envoûtement. Certains rejetaient la faute sur l'influence de Mme Coulter qui avait rendu visite à Iofur avant l'exil de Iorek, sans que celui-ci le sache, et lui avait offert de nombreux cadeaux.

— Elle lui a donné une drogue, dit un ours, qu'il a fait avaler à Hjalmur Hjalmurson à son insu, pour lui faire perdre la tête.

Hjalmur Hjalmurson, devina Lyra, était l'ours tué par Iorek, et dont la mort avait provoqué son exil. Ainsi, Mme Coulter était derrière tout ça ! Et ce n'était pas tout.

— Il existe des lois humaines qui interdisent certaines choses qu'elle projetait de réaliser, mais, hélas, les lois humaines n'ont pas cours à Svalbard. Elle voulait bâtir ici même une autre station, comme Bolvangar, en plus affreux, et Iofur était prêt à la laisser faire, en dépit de toutes les traditions des ours ; car si des humains sont parfois venus ici en visiteurs, ou comme prisonniers, jamais aucun n'y a vécu ni travaillé. Petit à petit, elle aurait accru son pouvoir sur Iofur Raknison, et lui aurait accru sa domination sur nous, jusqu'à ce qu'on devienne les esclaves de cette femme, obligés de courir ici et là selon ses désirs, avec pour seule tâche de surveiller les abominations qu'elle allait créer...

C'était un des conseillers qui parlait ainsi, un vieil ours nommé Soren Eisarson, qui avait beaucoup souffert du règne de Iofur Raknison.

— Que fait-elle en ce moment même, Lyra ? demanda Iorek Byrnison. Quand elle apprendra la mort de Iofur, quels seront ses plans ?

Lyra sortit l'aléthiomètre. Il n'y avait pas beaucoup de lumière, mais Iorek demanda qu'on aille lui chercher une torche.

— Qu'est-il arrivé à M. Scoresby ? demanda Lyra pendant qu'ils attendaient. Et les sorcières ?

— Elles ont été attaquées par un clan rival. J'ignore si les autres sorcières étaient alliées aux mutilateurs d'enfants, en tout cas, elles patrouillaient en grand nombre autour du ballon, et elles nous ont attaqués pendant l'orage. Je n'ai pas vu ce qui est arrivé à Serafina Pekkala. Quant à Lee Scoresby, après que je fus tombé avec le garçon, son ballon a repris de l'altitude et l'a emporté. Mais ton lecteur de symboles te révélera leur destin.

Un ours tira jusqu'à eux un traîneau sur lequel reposait un chaudron où rougeoyaient des braises ; il y plongea un bâton résineux. Le bois s'enflamma immédiatement, et dans la lumière dansante des flammes, Lyra déplaça les aiguilles de l'aléthiomètre pour connaître le sort réservé à Lee Scoresby.

Elle apprit ainsi qu'il était toujours dans les airs, porté par les vents qui l'entraînaient vers Nova Zembla ; il avait échappé aux monstres des falaises et réussi à repousser l'assaut des sorcières de l'autre clan.

Lyra rapporta ces informations à Iorek, qui hocha la tête, satisfait.

— S'il est dans les airs, il n'a rien à craindre, dit-il. Et Mme Coulter ?

La réponse fut plus compliquée ; l'aiguille de l'instrument se balançait d'un symbole à un autre, selon un ordre qui plongea Lyra dans la confusion pendant un long moment. Autour d'elle, la curiosité des ours était énorme, mais refrénée par leur respect envers Iorek Byrnison et celui qu'il semblait vouer à la fillette, aussi n'eut-elle aucun mal à les chasser de ses pensées pour se replonger dans la transe aléthiométrique.

La signification des symboles, une fois qu'elle en eut déchiffré l'agencement, était consternante.

— Il dit que... elle a appris qu'on se dirigeait par ici avec le ballon, alors elle a affrété un zeppelin de transport, armé de mitrailleuses... et je pense que...

ils sont en route pour Svalbard en ce moment même. Elle ignore que Iofur Raknison a été vaincu, évidemment, mais elle l'apprendra bientôt... Oui, c'est ça, des sorcières vont le lui dire ; elles l'auront appris par l'intermédiaire des monstres des falaises. Je suis persuadée qu'il y a des espions autour de nous, dans les airs, Iorek. Mme Coulter venait ici pour... pour faire semblant d'aider Iofur Raknison mais, en réalité, son but était de lui voler le pouvoir, avec l'appui d'un régiment de Tartares qui doit arriver par la mer. Ils seront ici dans deux jours environ.

... Dès qu'elle le pourra, elle se rendra à l'endroit où Lord Asriel est retenu prisonnier, et elle le fera assassiner. Car... tout devient clair maintenant. Une chose m'échappait jusqu'à présent, Iorek : pourquoi veut-elle tuer Lord Asriel ? Parce qu'elle sait ce qu'il projette de faire, et elle a peur ; elle veut le faire elle-même et prendre le contrôle avant lui... Il s'agit sans doute de la ville dans le ciel, oui, forcément ! Elle veut y arriver la première ! ... Ah, l'aléthiomètre veut me dire autre chose...

Penchée au-dessus de l'instrument, elle se concentrait au maximum, tandis que la longue aiguille fine virevoltait ici et là. Si vite qu'il était presque impossible de la suivre. Roger, qui regardait par-dessus l'épaule de Lyra, ne la vit même pas s'arrêter ; il ne percevait que les bribes d'un dialogue rapide et intermittent entre les doigts de Lyra qui manipulaient les aiguilles et celle qui lui répondait, langage aussi improbable et déconcertant que l'Aurore elle-même.

— Oui, dit-elle finalement en reposant l'instrument sur ses genoux, clignant des yeux et soupirant, tandis qu'elle émergeait de son intense concentration. Oui, je vois ce qu'il veut me dire. C'est encore moi qu'elle pourchasse. Elle veut me prendre un objet que je possède, car Lord Asriel le veut lui aussi. Ils en ont besoin pour... Pour cette fameuse expérience...

Elle s'interrompit afin de reprendre sa respiration. Quelque chose la troublait, sans qu'elle puisse dire quoi. Elle était persuadée que cet objet si important n'était autre que l'aléthiomètre lui-même, car Mme Coulter l'avait toujours convoité. Pouvait-il s'agir d'autre chose ? Pourtant, l'aléthiomètre avait une façon différente de parler de lui.

— Je suppose qu'elle veut s'emparer de l'aléthiomètre, dit-elle d'un air morne. C'est ce que j'ai toujours pensé. Il faut que je l'apporte à Lord Asriel avant qu'elle ne s'en empare. Si par malheur, elle mettait la main dessus, nous mourrions tous.

En prononçant ces mots, Lyra se sentait si fatiguée, envahie d'une telle lassitude, et si triste que mourir aurait été un soulagement. Mais l'exemple de Iorek l'empêchait d'avouer son découragement. Elle rangea l'aléthiomètre et redressa la tête.

—Elle est loin d'ici ? demanda Iorek.

—Quelques heures, à peine. Je crois que je ferais mieux d'apporter l'alé-thiomètre à Lord Asriel dès que possible.

—J'irai avec toi, déclara Iorek.

Elle ne protesta pas. Pendant que Iorek donnait des ordres et réunissait un escadron armé pour les accompagner lors de la dernière étape de leur voyage vers le nord, Lyra demeura immobile, afin d'économiser son énergie. Sentant que quelque chose s'était enfui de son être au cours de cette dernière lecture de l'aléthiomètre, elle ferma les yeux et s'endormit.

CHAPITRE 21
L'ACCUEIL DE LORD ASRIEL

 Lyra chevauchait un jeune ours puissant, tout comme Roger, tandis que Iorek, infatigable, marchait en tête ; une escouade armée d'un lance-feu fermait la marche. Le voyage fut long et pénible. Les régions intérieures de Svalbard étaient montagneuses : un foisonnement de pics et de crêtes abruptes, traversés par des ravins profonds et des vallées encaissées. Mais surtout, il y régnait un froid intense. Lyra pensait avec nostalgie aux traîneaux des gitans qui glissaient en douceur sur la neige, pour se rendre à Bolvangar ; rétrospectivement, comme ce trajet lui semblait rapide et confortable ! Ici, l'air glacé était plus pénétrant que partout ailleurs ; peut-être l'ours qu'elle chevauchait n'avait-il pas le pas aussi léger que Iorek ; ou peut-être était-elle minée par la fatigue. Quoi qu'il en soit, ce voyage lui semblait interminable.

De plus, elle ignorait où ils se rendaient, et la distance qu'ils devaient parcourir. Tout ce qu'elle savait, c'était ce que lui avait raconté le vieil ours, Soren Eisarson, pendant que les autres préparaient le lance-feu. Il avait participé aux négociations avec Lord Asriel concernant les conditions de son emprisonnement, et il s'en souvenait très bien.

Au début, raconta-t-il, les ours de Svalbard considéraient Lord Asriel de la même manière que tous les autres politiciens, rois ou fauteurs de troubles divers que l'on avait exilés sur une île sinistre. Tous ces prisonniers étaient des gens importants, se disaient-ils, sinon, ils auraient été tués immédiatement par leurs compatriotes. Peut-être pourraient-ils, un jour, se révéler précieux pour les ours, si leur destin politique s'inversait et s'ils retournaient gouverner leurs pays ; peut-être alors seraient-ils reconnaissants aux ours de ne pas les avoir traités avec cruauté ou mépris.

Aussi Lord Asriel avait-il rencontré à Svalbard des conditions de détention ni meilleures ni pires que des centaines d'autres exilés. Toutefois, certaines choses rendaient ses geôliers méfiants. Il y avait d'abord le parfum de mystère et de péril spirituel qui entourait tout ce qui concernait la Poussière, il y avait l'angoisse évidente de ceux qui l'avaient conduit ici, et enfin, il y avait les entretiens privés entre Mme Coulter et Iofur Raknison.

En outre, les ours n'avaient jamais été confrontés à un individu à la personnalité aussi hautaine et majestueuse que Lord Asriel ; sur ce point, il surpassait même Iofur Raknison. Il savait discuter avec force et éloquence, et réussit à persuader l'ours-roi de le laisser choisir son lieu de résidence.

Le premier endroit qu'on lui avait attribué était situé trop bas, dit-il. Il avait besoin d'un point élevé, au-dessus de la fumée et de l'agitation des mines et des forgerons. Il donna aux ours les plans du logement qu'il souhaitait, en leur précisant l'endroit qu'il avait choisi ; il les acheta avec de l'or, il flatta Iofur Raknison, et les ours se mirent au travail avec un enthousiasme surprenant. Bientôt, une maison se dressa sur un promontoire orienté au nord : une grande construction solide, munie de cheminées dans lesquelles brûlaient d'énormes blocs de charbon, extraits et transportés par les ours, avec d'immenses fenêtres en verre véritable. C'est là qu'il vivait, prisonnier traité comme un roi.

Il entreprit ensuite de réunir le matériel nécessaire à l'installation d'un laboratoire.

Avec une formidable ténacité, il se fit apporter des livres, des instruments, des produits chimiques, toutes sortes d'outils et d'appareils. Miraculeusement, tout lui parvint, en provenance de tel ou tel endroit ; parfois au grand jour, parfois de manière clandestine, par le biais des visiteurs qu'il exigeait de pouvoir recevoir. Par voie terrestre, par mer et par air, Lord Asriel réussit à rassembler tout son matériel et, moins de six mois après son envoi en exil, il disposait de tout ce dont il avait besoin.

Depuis, il travaillait ; il réfléchissait, calculait, planifiait, dans l'attente de la dernière chose qui lui manquait encore pour accomplir la tâche qui effrayait tant le Conseil d'Oblation. Et cette chose se rapprochait à chaque minute.

Lyra aperçut pour la première fois la prison de son père quand Iorek s'arrêta au pied d'une crête pour permettre aux enfants de se dégourdir les jambes et de se réchauffer, car le froid commençait à les paralyser dangereusement.

– Regardez là-haut, dit-il.

Une large pente couverte d'éboulis et de glace, dans laquelle on avait dégagé un chemin à grand-peine, menait à un rocher escarpé qui se détachait sur le ciel. L'Aurore était absente, mais les étoiles brillaient. Au sommet du rocher noir et nu reposait une construction somptueuse qui projetait de la lumière dans toutes les directions : non pas la lueur enfumée et tremblante des lampes à graisse de phoque, ni la blancheur brutale des éclairages ambariques, mais la douce et crémeuse lumière du naphte.

Les fenêtres ainsi éclairées indiquaient, elles aussi, le formidable pouvoir de Lord Asriel. Le verre coûtait très cher et, sous ces terribles latitudes, de si grandes fenêtres gaspillaient beaucoup de chaleur. En ce lieu, elles constituaient une marque de richesse et d'influence bien plus grande que le palais vulgaire de Iofur Raknison.

Les deux enfants remontèrent sur leurs ours pour la dernière fois, et Iorek gravit en premier la colline. Il y avait une cour qui disparaissait sous une épaisse couche de neige, entourée par un muret, et au moment où Iorek poussait le portail une cloche résonna quelque part dans la maison.

Lyra mit pied à terre. Elle avait du mal à tenir debout. Malgré tout, elle aida Roger à descendre de sa monture et, en se soutenant mutuellement, les deux enfants avancèrent tant bien que mal vers les marches du perron, dans la neige qui leur montait jusqu'à mi-cuisse. Oh, comme il devait faire chaud dans cette maison ! Quelle tranquillité, quel repos !

Au moment où Lyra tendait la main vers la poignée de la sonnette, la porte s'ouvrit. La fillette découvrit un petit vestibule, faiblement éclairé, destiné à conserver l'air chaud, et sous la lampe se tenait un individu qu'elle reconnut immédiatement : le majordome de Lord Asriel, Thorold, accompagné de son dæmon-doberman, Anfang.

D'un geste las, la fillette ôta sa capuche.

—Qui donc... ?

Voyant à qui il avait affaire, Thorold s'interrompit.

—Lyra ? La petite Lyra ? Est-ce que je rêve ?

Il ouvrit la deuxième porte qui se trouvait derrière lui.

Celle-ci donnait sur un salon où, dans une grande cheminée de pierre, rougeoyait un feu de charbon ; la lumière chaude des lampes à naphte se répandait sur les tapis, les fauteuils en cuir, le bois verni... Lyra, qui n'avait rien vu de tel depuis son départ de Jordan College, ne put retenir un hoquet de surprise.

Le dæmon-léopard des neiges de Lord Asriel grogna.

Son père était là, devant elle ; avec son visage puissant aux yeux si noirs, volontaire, triomphant et plein d'entrain tout d'abord. Mais soudain, il blêmit, ses yeux s'écarquillèrent avec effroi, lorsqu'il reconnut sa fille.

—Non ! Non !

Il recula en titubant et dut se retenir au manteau de la cheminée. Lyra, elle, était pétrifiée.

—Va-t'en ! s'écria Lord Asriel. Fais demi-tour et va-t'en ! Je ne t'ai pas fait venir !

La fillette resta muette. Deux fois, elle ouvrit la bouche pour parler, puis une troisième fois, mais elle ne parvint qu'à bredouiller :

—Je... suis venue... pour...

Son père paraissait effrayé ; il ne cessait de secouer la tête, en tendant les mains devant lui, comme pour la repousser. Lyra ne comprenait pas sa réaction.

Elle avança d'un pas pour le rassurer, et Roger, inquiet, la rejoignit. Leurs deux dæmons vinrent se placer devant la cheminée et, finalement, Lord Asriel passa sa main sur son front, quelque peu rasséréné. Ses joues retrouvèrent des couleurs et il dévisagea les deux enfants.

—Lyra... C'est vraiment toi, Lyra ?

—Oui, oncle Asriel, répondit-elle, en se disant que le moment était mal choisi pour évoquer leur véritable lien de parenté. Je viens vous apporter l'aléthiomètre que ma confié le Maître de Jordan College.

—Oui, oui, bien sûr. Et lui ?

—Roger Parslow. Le garçon des Cuisines du Collège. Mais...

—Comment êtes-vous arrivés ici ?

—J'allais justement vous l'expliquer. Iorek Byrnison est là, dehors, c'est lui qui nous a conduits ici. Il m'a accompagnée depuis Trollesund et, ensemble, nous avons vaincu Iofur...

—Qui est ce Iorek Byrnison ?

—Un ours en armure.

—Thorold ! Faites couler un bain pour ces enfants et préparez-leur à manger. Ensuite, ils iront se coucher. Leurs vêtements empestent, trouvez-leur de quoi s'habiller. Allez-y les enfants, pendant que je discute avec cet ours.

Lyra avait la tête qui tournait. Peut-être était-ce la chaleur, ou alors le soulagement. Elle regarda le domestique saluer son maître et quitter la pièce, tandis que Lord Asriel disparaissait dans le vestibule, en prenant soin de refermer la porte derrière lui. Elle se laissa tomber dans le fauteuil le plus proche.

Mais presque immédiatement, lui sembla-t-il, Thorold revint la chercher.

—Suivez-moi, mademoiselle.

Lyra se releva péniblement et se rendit, accompagnée de Roger, dans une salle de bains bien chaude : des serviettes moelleuses étaient suspendues à un porte-serviettes chauffant, et une baignoire remplie à ras bord fumait dans la lumière des lampes à naphte.

— Vas-y en premier, dit Lyra à Roger. Je vais m'asseoir derrière la porte, on pourra bavarder.

Roger entra dans l'eau brûlante en grimaçant, le souffle coupé. Lyra et lui avaient souvent nagé nus ensemble, dans l'Isis ou le Cherwell, et joué avec d'autres enfants ; mais là, c'était différent.

— Ton oncle me fait peur, avoua Roger, par la porte entrouverte. Ton père, je veux dire.

— Continue à dire mon oncle. Moi aussi, j'ai peur de lui, parfois.

— Quand on est arrivés, il ne m'a pas vu tout de suite. Il n'a vu que toi. Il avait l'air effrayé, mais quand il m'a aperçu, il s'est calmé aussitôt.

— Il était sous le choc, voilà tout. Il ne s'attendait pas à mon arrivée. Il ne m'avait pas revue depuis sa dernière visite à Jordan College. Normal qu'il soit surpris.

— Non, ce n'est pas seulement ça, dit Roger. Il m'a regardé comme un loup, ou je ne sais quoi.

— Tu te fais des idées !

— Il me fait encore plus peur que Mme Coulter, je t'assure.

Pendant que Roger se lavait, Lyra sortit l'aléthiomètre.

— Tu veux que j'interroge le lecteur de symboles ? demanda-t-elle.

— Je n'en sais rien. Il y a des choses que je préfère ne pas savoir. Depuis que les Enfourneurs ont débarqué à Oxford, j'ai l'impression d'avoir entendu uniquement des choses affreuses. Les bons moments ne durent jamais plus de cinq minutes, on dirait. Alors, je ne vois pas plus loin. Par exemple, ce bain, c'est drôlement chouette, et il y a des serviettes toutes chaudes qui m'attendent. Une fois que je serai sec, peut-être que je pourrai espérer un bon repas, mais je refuse de voir plus loin. Quand j'aurai mangé, peut-être que je pourrai espérer piquer un roupillon dans un lit douillet. Mais après, c'est l'inconnu, Lyra. On a vu des choses horribles, toi et moi, pas vrai ? Et c'est pas fini, je parie. Alors, je crois que je préfère ne pas savoir ce que me réserve l'avenir. Je m'en tiens au présent.

— Oui, je comprends, soupira Lyra. Parfois, je me fais les mêmes réflexions.

Elle garda l'aléthiomètre dans ses mains, mais seulement pour y puiser du réconfort, laissant tournoyer la grande aiguille sans lui prêter attention. Pantalaimon la suivait des yeux, lui aussi, sans rien dire.

Quand Lyra et Roger se furent lavés, qu'ils eurent mangé du pain et du fromage, bu un peu de vin et d'eau chaude, Thorold, le domestique, déclara :

— Le garçon doit aller se coucher ; je vais lui montrer son lit. Quant à vous, mademoiselle Lyra, sa Seigneurie veut que vous la rejoigniez dans la bibliothèque.

Lyra retrouva Lord Asriel dans une pièce dont la baie vitrée surplombait l'océan gelé en contrebas. Un feu de charbon se consumait dans une grande cheminée et seule une lampe à naphte projetait une faible lueur, si bien que presque aucun reflet ne venait s'interposer entre les occupants de cette pièce et le morne paysage, éclairé par les étoiles. Confortablement installé dans un profond fauteuil, près de la cheminée, Lord Asriel lui fit signe d'approcher et de s'asseoir dans l'autre fauteuil, placé juste en face.

—Ton ami Iorek Byrnison se repose dehors, dit-il. Il préfère le froid.

—Vous a-t-il parlé de son combat contre Iofur Raknison ?

—Pas en détail. Mais j'ai cru comprendre qu'il était le nouveau roi de Svalbard. C'est vrai ?

—Évidemment que c'est vrai ! Iorek ne ment jamais.

—On dirait qu'il s'est désigné comme ton ange gardien.

—Non. C'est John Faa qui lui a ordonné de veiller sur moi, et il obéit.

—Que vient faire John Faa dans cette histoire ?

—Je vous le dirai si vous me dites quelque chose en échange. Vous êtes mon père, n'est-ce pas ?

—Oui. Et alors ?

—Alors, vous auriez dû me le dire avant, voilà tout. Vous n'avez pas le droit de cacher ce genre de chose ; on se sent idiot quand on apprend la vérité, et c'est cruel. Qu'est-ce que ça changeait que je sache que vous êtes mon père ? Vous auriez pu m'avouer la vérité depuis longtemps. Il fallait me le dire et me demander de garder le secret ; j'aurais tenu ma langue, malgré mon âge, si vous me l'aviez demandé. J'aurais été si fière que rien n'aurait pu m'arracher ce secret. Mais vous ne m'avez jamais rien dit. Les autres savaient, mais pas moi !

—Qui te l'a dit ?

—John Faa.

—T'a-t-il parlé de ta mère également ?

—Oui.

—Dans ce cas, je n'ai plus grand-chose à te raconter. Et je n'ai aucune envie d'être questionné et condamné par une enfant insolente. Je veux que tu me racontes ce que tu as vu et entendu en venant ici.

—Je vous ai apporté ce fichu aléthiomètre, non ? s'exclama Lyra, au bord des larmes. J'ai veillé sur ce machin depuis Jordan College, je l'ai caché et protégé, malgré tout ce qui nous est arrivé, et j'ai appris à m'en servir. Je l'ai gardé précieusement pendant tout ce voyage, alors que j'aurais pu le donner pour avoir la paix ! Et vous ne me dites même pas merci, vous n'avez même pas l'air content de me voir ! Franchement, je me demande pourquoi j'ai fait tout ça. Mais je l'ai fait, j'ai tenu bon, même dans le palais puant de Iofur Raknison, au milieu de tous ces ours, j'ai tenu bon toute seule, et je l'ai convaincu de se battre contre Iorek, tout ça pour pouvoir arriver jusqu'ici, pour vous... Et en me voyant, vous avez failli vous évanouir, comme si je vous avais fait horreur ! Vous n'êtes pas humain, Lord Asriel ! Vous n'êtes pas mon père. Mon père ne me traiterait pas de cette façon. Les pères sont censés aimer leurs filles, non ? Vous ne m'aimez pas, et moi non plus, je ne vous aime pas ! J'aime Farder Coram, j'aime Iorek Byrnison. J'aime plus cet ours que vous ! Et je parie que Iorek m'aime plus que vous ne m'aimez.

—Tu viens de me dire qu'il ne faisait qu'obéir aux ordres de John Faa. Si tu veux te placer sur un plan sentimental, je refuse de perdre mon temps en discutant avec toi.

—Prenez votre aléthiomètre, dans ce cas ; moi, je repars avec Iorek.

—Pour aller où ?

—Je retourne au palais. Il se battra contre Mme Coulter et le Conseil d'Oblation quand ils débarqueront. Et s'il perd, je mourrai moi aussi. Je m'en fiche. S'il gagne, nous enverrons chercher Lee Scoresby, et je repartirai dans son ballon pour...

—Qui est ce Lee Scoresby ?

—Un aéronaute. C'est lui qui nous a amenés ici, mais son ballon a eu un accident. Tenez, voici l'aléthiomètre. Il est en bon état.

Lord Asriel ne faisant aucun geste pour le prendre, Lyra le déposa sur le pare-feu en cuivre devant la cheminée.

—Je dois vous prévenir que Mme Coulter est en route pour Svalbard, et quand elle apprendra ce qui est arrivé à Iofur Raknison, elle rappliquera ici immédiatement, dans un zeppelin, avec une escouade de soldats à bord, et ils nous tueront tous, par ordre du Magisterium.

—Ils n'arriveront pas jusqu'ici, déclara Lord Asriel.

Il paraissait si calme et serein que Lyra sentit s'envoler une partie de sa fureur.

—Vous n'en savez rien, répondit-elle, hésitante.

—Si, je le sais.

—Vous avez un autre aléthiomètre ?

—Je n'ai pas besoin d'aléthiomètre pour savoir cela. Mais parle-moi plutôt de ton voyage, Lyra. Raconte-moi tout, depuis le début.

Ce qu'elle fit. En détail. En commençant par le jour où elle s'était cachée dans le Salon à Jordan College, avant d'évoquer l'enlèvement de Roger par les Enfourneurs, son séjour chez Mme Coulter à Londres, et tout ce qui s'était passé ensuite.

C'était une longue histoire, et quand elle eut terminé, elle dit :

—Il y a un détail que j'aimerais connaître, moi aussi, et j'estime avoir le droit de le savoir, tout comme j'avais le droit de savoir que vous étiez mon père. Mais puisque vous m'avez caché la vérité, répondez au moins à ma question, pour vous racheter. Parlez-moi de la Poussière. Pourquoi est-ce que tout le monde en a si peur ?

Lord Asriel l'observa, comme s'il s'interrogeait pour savoir si elle pouvait comprendre ce qu'il s'apprêtait à lui dire. Jamais il ne l'avait regardée avec une telle gravité. Jusqu'alors, il s'était toujours comporté comme un adulte qui satisfait les petits caprices d'un enfant. Mais aujourd'hui, il semblait penser qu'elle était mûre.

—C'est la Poussière qui fait fonctionner l'aléthiomètre, dit-il.

—Ah... je m'en doutais ! Mais à part ça ? Comment l'a-t-on découverte ?

—D'une certaine façon, l'Église a toujours su qu'elle existait. Pendant des siècles, les prêtres en ont parlé dans leurs sermons, en lui donnant un autre nom.

Il marqua un temps d'arrêt, avant de poursuivre :

—Mais il y a quelques années, un Moscovite nommé Boris Mikhaïlovitch Rusakov a découvert une nouvelle sorte de particule élémentaire. Tu as entendu parler des électrons, des photons, des neutrinos ? C'est ce qu'on appelle des particules élémentaires, car on ne peut pas trouver plus petit : il n'y a rien d'autre à l'intérieur, à part elles-mêmes. Cette nouvelle sorte de particule était élémentaire, elle aussi, mais très difficile à mesurer, car elle ne réagissait pas comme les autres. Ce que Rusakov ne comprenait pas, c'est pourquoi cette nouvelle particule semblait se rassembler là où se trouvaient des êtres humains, comme si elle était attirée par nous. Plus particulièrement les adultes. Les enfants aussi, mais beaucoup moins, tant que leurs dæmons n'avaient pas adopté une forme définitive. Dès la puberté, les enfants semblent attirer davantage la Poussière, et ensuite, elle se dépose sur eux, comme elle se dépose sur les adultes.

Toutes les découvertes de ce type, parce qu'elles ont une influence sur les doctrines de l'Église, doivent être annoncées par l'intermédiaire du Magisterium à Genève. Or, la découverte de Rusakov était si étrange, si insolite, que l'Inspecteur du Conseil de Discipline Consistorial a suspecté son auteur d'être possédé par le diable. Il a accompli un exorcisme dans le laboratoire, et il a questionné Rusakov selon les règles de l'Inquisition mais, finalement, ils ont dû reconnaître qu'il ne mentait pas, et qu'il n'essayait pas de les abuser : la Poussière existait réellement. Mais un problème demeurait : déterminer la nature de la Poussière. Étant donné son rôle, l'Église ne pouvait choisir qu'une seule solution. Le Magisterium a décrété que la

Poussière était la manifestation physique du péché originel. Sais-tu ce qu'est le péché originel ?

Lyra fit la moue. Elle avait l'impression de se retrouver soudain à Jordan College, interrogée sur un sujet qu'on ne lui avait enseigné qu'à moitié.

—Oui, plus ou moins, dit-elle.

—Bon, tu ne sais pas. Va me chercher la Bible sur l'étagère là-bas, près du bureau.

Lyra s'exécuta. Elle tendit le gros livre noir à son père.

—Te souviens-tu de l'histoire d'Adam et Ève ?

—Évidemment. Ève n'avait pas le droit de manger le fruit défendu, mais le serpent l'a convaincue, et elle l'a fait.

—Que s'est-il passé ensuite ?

—Euh... Adam et Ève ont été chassés. Dieu les a mis à la porte du jardin.

—Dieu leur avait interdit de manger le fruit. Souviens-toi, ils étaient nus dans le jardin, comme des enfants ; leurs dæmons prenaient toutes les formes qu'ils désiraient. Mais voici ce qui s'est passé.

Il ouvrit le livre au chapitre trois de la Genèse et lut :

La femme dit au serpent : « Nous pouvons manger du fruit des arbres du jardin.

« Mais du fruit de l'arbre qui est au milieu, Dieu a dit : "Vous n'en mangerez pas, vous n'y toucherez, sous peine de mort." »

Le serpent répliqua à la femme : « Pas du tout, vous ne mourrez pas. Car Dieu sait que le jour où vous en mangerez, vos yeux s'ouvriront, vos dæmons prendront leur véritable apparence, et vous serez comme des dieux, qui connaissent le bien et le mal. »

Quand la femme vit que l'arbre était bon à manger et séduisant à regarder, et qu'il était, cet arbre, désirable pour révéler la véritable apparence du dæmon, elle prit de son fruit et mangea ; elle en donna aussi à son mari, et il mangea. Alors, leurs yeux à tous deux s'ouvrirent, et ils virent la véritable apparence de leurs dæmons, et ils leur parlèrent.

Mais quand l'homme et la femme connurent leurs dæmons, ils comprirent qu'un grand changement s'était produit en eux, car jusqu'alors c'était comme s'ils ne formaient qu'un avec toutes les créatures de la terre et des airs, et il n'y avait aucune différence entre eux.

Alors, ils virent cette différence, ils connurent le bien et le mal ; et ils eurent honte, ils cousirent des feuilles de figuier pour masquer leur nudité...

Lord Asriel referma le livre.

—Voilà comment le péché fit son entrée dans le monde, dit-il. Le péché, la honte et la mort, au moment où leurs dæmons cessèrent de changer de forme.

—Mais... (Lyra avait du mal à trouver ses mots.) Ce n'est pas la vérité ? Pas comme la chimie ou la mécanique ? Adam et Ève n'ont pas vraiment existé ? L'Érudit de Cassington m'a dit que c'était une sorte de conte de fées.

—La Chaire de Cassington est traditionnellement attribuée à un libre-penseur ; c'est son rôle de contredire la foi des Érudits. Évidemment qu'il t'a dit cela. Mais considère Adam et Ève comme un nombre imaginaire, comme la racine carrée de moins un : tu ne peux pas avoir la preuve concrète de son existence, évidemment, mais si tu l'inclus dans tes équations, tu peux alors faire toutes sortes de calculs qu'on ne pourrait pas imaginer sans cela. En tout cas, c'est ce qu'enseigne l'Église depuis des milliers d'années. Et quand Rusakov a découvert la Poussière, c'était au moins la preuve physique qu'il se passait quelque chose au moment où l'innocence se transformait en expérience.

… Soit dit en passant, la Bible elle-même nous a donné le nom « Poussière ». Au début, ils ont appelé ça les Particules de Rusakov, mais peu de temps après, quelqu'un a souligné un passage étrange vers la fin du chapitre trois de la Genèse, quand Dieu maudit Adam qui a mangé le fruit.

Il rouvrit la Bible et montra à Lyra le passage en question. Elle lut à voix haute :

À la sueur de ton front, tu mangeras ton pain, jusqu'à ce que tu retournes au sol, puisque tu en fus tiré. Car tu es poussière, et tu retourneras à la poussière…

Lord Asriel reprit la parole :

—Les savants de l'Église se sont toujours interrogés sur la traduction de ce verset. Pour certains, il ne faut pas lire : « tu retourneras à la poussière », mais plutôt « tu seras soumis à la poussière », tandis que d'autres affirment que ce verset est une sorte de jeu de mots sur « terre » et « poussière » et, en réalité, cela signifie que Dieu reconnaît la part de péché de sa propre nature. Personne n'est d'accord. C'est impossible d'ailleurs, car le texte est altéré. Malgré tout, c'était dommage de se priver de ce mot, et c'est pourquoi les particules ont été baptisées Poussière.

—Et les Enfourneurs dans tout ça ? demanda Lyra.

—Le Conseil Général d'Oblation… Les amis de ta mère. Elle a été très maligne de saisir cette occasion pour établir son influence, car c'est une femme intelligente, comme tu l'as sans doute remarqué. Le Magisterium a tout intérêt à voir fleurir une foule d'organismes divers. Il peut ainsi les monter les uns contre les autres ; si l'un d'eux l'emporte, le Magisterium affirme l'avoir soutenu depuis le début, et en cas d'échec, il peut toujours prétendre qu'il s'agissait d'une organisation dissidente qui n'avait jamais obtenu de véritable autorisation.

Ta mère a toujours été assoiffée de pouvoir. Tout d'abord, elle a essayé de l'obtenir par la voie normale, c'est-à-dire le mariage, mais ça n'a pas marché, comme tu le sais certainement. Alors, elle a été obligée de se tourner vers l'Église. Évidemment, elle ne pouvait suivre la même voie qu'un homme, c'est-à-dire la prêtrise ; il lui fallait employer une méthode non orthodoxe. Elle a bâti son propre ordre religieux, ses propres réseaux d'influence ; elle a fait son chemin. C'était une excellente idée de se servir de la Poussière. Tout le monde en avait peur ; personne ne savait quoi faire, et quand elle a proposé de mener une enquête, le Magisterium, soulagé, lui a fourni un soutien financier et toutes sortes de ressources.

—Mais ils coupaient les... (Lyra n'avait pas le courage d'achever sa phrase.) Vous savez bien ce qu'ils faisaient ! Pourquoi l'Église les a-t-elle laissés faire une chose pareille ?

—Il y a un précédent. Ce genre de chose s'est déjà produit, figure-toi. Sais-tu ce que signifie le mot castration ? C'est une opération qui consiste à couper les organes sexuels d'un jeune garçon pour qu'il ne devienne pas un homme. Un castrat conserve sa voix fluette toute sa vie, c'est pourquoi l'Église autorisait ces pratiques : c'était tellement utile pour la musique religieuse. Certains *castrati* sont devenus de grands chanteurs, des artistes exceptionnels. Mais beaucoup sont restés des demi-hommes, des êtres obèses et aigris. Certains sont morts des suites de l'opération. Tu vois, l'Église ne recule pas devant une petite amputation. Il y a eu un précédent. Et cette méthode serait tellement plus hygiénique que celles d'autrefois, disaient-ils, quand il n'y avait ni anesthésie, ni bandages stériles, ni soins véritables. Ce serait une méthode douce, par comparaison.

—C'est faux ! s'écria Lyra avec fureur. C'est faux !

—Évidemment. C'est pour cette raison qu'ils ont été obligés d'aller se cacher très loin, ici dans le Nord, dans les ténèbres et l'obscurité. Et c'est pourquoi l'Église était contente d'avoir quelqu'un comme ta mère à la tête de l'opération. Car qui se méfierait d'une personne aussi charmante, si douce et si raisonnable, avec de si bonnes relations ? D'un autre côté, comme il s'agissait d'une opération secrète, officieuse, le Magisterium pouvait toujours se désolidariser d'elle en cas de besoin.

—Mais qui a eu l'idée de ces amputations, au départ ?

—C'est elle. Elle a supposé que les deux phénomènes qui se produisaient à l'adolescence étaient liés : la transformation définitive du dæmon et le fait que la Poussière commençait à se déposer. Peut-être que si l'on pouvait séparer le dæmon du corps, nul ne serait jamais atteint par la Poussière, c'est-à-dire le péché originel. La question était de savoir s'il est possible de séparer le dæmon et le corps de l'enfant sans tuer celui-ci. Mais ta mère a voyagé dans de nombreux pays, elle a vu toutes sortes de choses. Elle est allée en Afrique, par exemple. Les Africains connaissent un moyen de transformer un esclave en ce qu'ils appellent un zombie. Celui-ci n'a plus aucune volonté, il travaille nuit et jour sans chercher à s'enfuir ni se plaindre. Il ressemble à un mort...

— C'est une personne sans dæmon !

— Exact. Ta mère a donc découvert qu'il était possible de les séparer de l'être humain.

— Et... Tony Costa m'a parlé un jour des fantômes horribles qui habitent dans les forêts du Nord. C'est peut-être le même genre de créatures.

— Tout juste. Bref, le Conseil Général d'Oblation est né de ce genre d'idées, et de l'obsession de l'Église à l'égard du péché originel.

Le dæmon-léopard dressa les oreilles, et Lord Asriel posa la main sur sa tête magnifique.

— Mais il se produisait autre chose, à leur insu, quand ils effectuaient cette amputation, reprit-il. L'énergie qui relie un corps à son dæmon est extrêmement puissante. Au moment de l'amputation, toute cette énergie se dissipe en une fraction de seconde. Ils ne s'en sont pas aperçus, car ils ont mis cela sur le compte du choc, du dégoût, ou de l'indignation morale, et ils se sont entraînés à rester indifférents. Si bien qu'ils sont passés à côté ; ils n'ont jamais pensé à capter cette énergie...

Lyra ne tenait plus en place. Elle se leva pour marcher jusqu'à la fenêtre et contempler sans la voir réellement la morne immensité des ténèbres. Tout cela était affreux. Qu'importe la nécessité de retrouver les causes du péché originel, ce qu'ils avaient fait à Tony Makarios et aux autres était trop cruel. Rien ne pouvait justifier cette horreur.

— Et vous, qu'avez-vous fait ? demanda-t-elle à Lord Asriel, sans se retourner. Vous avez effectué ces amputations ?

— Je m'intéresse à des choses bien différentes. J'estime que le Conseil d'Oblation ne va pas assez loin. Moi, je veux remonter jusqu'à l'origine de la Poussière elle-même.

— L'origine ? Mais où est-elle ?

— Dans cet autre univers que l'on aperçoit à travers l'Aurore.

Lyra se retourna. Son père s'était enfoncé dans son fauteuil, à la fois nonchalant et puissant, ses yeux aussi étincelants que ceux de son dæmon-léopard des neiges. Elle n'aimait pas cet homme, elle ne pouvait pas lui faire confiance, mais elle ne pouvait s'empêcher de l'admirer, d'admirer ce luxe extravagant qu'il avait rassemblé dans ce lieu désolé et reculé, ainsi que la force de son ambition.

— Quel est cet autre univers ? demanda-t-elle.

—Un des milliards de mondes parallèles. Les sorcières les connaissent depuis des siècles, mais les premiers théologiens qui réussirent à prouver leur existence, mathématiquement, ont tous été excommuniés, il y a cinquante ans ou plus. Pourtant, c'est la vérité : impossible de le nier.

Mais personne n'a jamais pensé qu'il serait possible de passer d'un univers à l'autre. Ce serait violer les lois fondamentales, croyait-on. Eh bien, nous avions tort ; nous avons appris à voir ce monde là-haut. Si la lumière peut traverser, nous aussi. Et nous avons dû apprendre à le voir, Lyra, comme tu as appris à utiliser l'aléthiomètre.

Car ce monde, comme tous les autres univers, est né du résultat des probabilités. Prenons l'exemple du jeu de pile ou face : la pièce que tu lances peut retomber sur pile ou sur face, mais on ne sait pas à l'avance de quel côté elle va tomber. Si c'est sur face, ça veut dire que la possibilité qu'elle tombe sur pile a échoué. Mais juste avant qu'on la lance, les deux probabilités ont la même chance.

Si, dans un autre monde, la pièce tombe sur pile à ce moment-là, les deux mondes se séparent. J'utilise l'exemple de pile ou face pour que ce soit plus clair. En vérité, ces échecs de probabilités se produisent au niveau des particules élémentaires, mais ça se passe de la même façon : à un moment donné plusieurs choses sont possibles, l'instant suivant, une seule se produit, et le reste n'existe pas. Sauf que d'autres mondes sont nés, dans lesquels ces autres choses se sont produites.

Et j'irai dans ce monde au-delà de l'Aurore, ajouta-t-il, car je crois que c'est de là que provient toute la Poussière de l'Univers. Tu as vu ces diapositives que j'ai montrées aux Érudits de Jordan College. Tu as vu la Poussière, venant de l'Aurore, se déverser sur ce monde. Tu as vu cette cité de tes propres yeux. Si la lumière peut franchir la barrière entre les univers, si la Poussière le peut également, si on peut voir cette cité, alors, il est possible de construire un pont et de traverser. Il faut pour cela une décharge d'énergie phénoménale. Mais je peux y arriver. Quelque part se trouve l'origine de toute la Poussière, de la mort, du péché, de la misère, du goût de la destruction qui règnent sur Terre. Dès qu'ils voient une chose, les êtres humains ne peuvent s'empêcher de la détruire, Lyra. Voilà le vrai péché originel. Et je vais le détruire à son tour. Je vais tuer la mort.

—C'est pour ça qu'ils vous ont enfermé ici ?

—Oui. Ils tremblent de peur. Non sans raison, d'ailleurs.

Il se leva, et son dæmon l'imita, fier, beau et meurtrier. Lyra demeura immobile. Elle avait peur de son père, en même temps elle l'admirait profondément, tout en le croyant fou à lier ; mais comment pouvait-elle le juger ?

—Va te coucher, dit-il. Thorold va te montrer ton lit.

Sur ce, il tourna les talons.

—Vous oubliez l'aléthiomètre ! dit Lyra.

—Ah oui. Je n'en ai pas vraiment besoin pour l'instant. D'ailleurs, sans les livres, il ne me sera pas très utile. Tu sais, je crois que c'est à toi que le Maître de Jordan l'a donné. T'a-t-il réellement chargée de me l'apporter ?

—Bien sûr ! s'exclama-t-elle sans hésiter.

Mais elle réfléchit, et se souvint qu'en vérité, le Maître ne lui avait jamais confié cette tâche ; cela lui avait simplement paru évident. Sinon, pourquoi lui aurait-il donné l'aléthiomètre ?

—En fait... Non, dit-elle. Je ne sais pas. J'ai cru...

—Je n'en veux pas. Il est à toi, Lyra.

—Mais...

—Bonne nuit, petite.

Trop stupéfaite pour formuler aucune des dizaines de questions qui se bousculaient dans son esprit, Lyra reprit l'aléthiomètre et l'enveloppa dans son étoffe noire. Puis elle s'assit près du feu et regarda son père quitter la pièce.

Chapitre 22
Trahison

Quelqu'un la secouait par le bras ; Lyra se réveilla et tandis que Pantalaimon se levait d'un bond en grognant, elle reconnut Thorold, le majordome. Il brandissait une lampe à naphte et sa main tremblait.

—Mademoiselle... mademoiselle... levez-vous. Je ne sais pas quoi faire. Il n'a pas laissé de consignes. Je crois qu'il est devenu fou, mademoiselle.

—Quoi ? Que se passe-t-il ?

—Lord Asriel, mademoiselle ! Il ne cesse de délirer depuis que vous êtes couchée ; je ne l'ai jamais vu aussi survolté. Il a chargé toutes sortes d'instruments et de batteries sur un traîneau, il a attaché les chiens, et il est parti. En emmenant le garçon !

—Roger ? Il a emmené Roger ?

—Il m'a demandé de le réveiller et de l'habiller. Je n'ai même pas pensé à protester, ce n'est pas dans mes habitudes... Le garçon vous réclamait, mais Lord Asriel ne voulait que lui... Vous vous souvenez, quand vous êtes apparue à la porte, mademoiselle ? Quand il vous a vue, il n'en croyait pas ses yeux, et il vous a ordonné de partir.

Un tel torrent de fatigue et de peur submergeait Lyra qu'elle pouvait à peine réfléchir.

—Oui, oui, je m'en souviens, dit-elle, malgré tout. Et alors ?

—Il avait besoin d'un enfant pour achever son expérience, mademoiselle ! Or, Lord Asriel a une façon bien particulière d'obtenir ce qu'il désire ; il lui suffit de réclamer une chose et...

La tête de Lyra était maintenant remplie d'un grondement, comme si elle essayait d'étouffer une vérité provenant de sa conscience.

S'étant levée, elle commença à récupérer ses vêtements, mais soudain, elle s'effondra, et un hurlement de désespoir l'enveloppa. Il sortait de sa bouche, mais il était plus grand qu'elle ; c'était comme si elle-même jaillissait de la bouche de son désespoir. Car elle se remémorait les paroles de son père : l'énergie qui relie le corps au dæmon est extrêmement puissante, et pour construire un pont entre les mondes, il fallait une phénoménale décharge d'énergie...

Elle comprenait soudain ce qu'elle avait fait.

Elle avait lutté pour arriver jusqu'ici, convaincue de savoir ce que Lord Asriel attendait, mais ce n'était pas l'aléthiomètre qui intéressait son père. Ce qu'il voulait, c'était un enfant.

Elle lui avait livré Roger.

Voilà pourquoi il s'était écrié : « Je ne t'ai pas fait venir ! » en la voyant. Il avait réclamé un enfant, et le sort lui avait envoyé sa propre fille. Du moins l'avait-il cru, jusqu'à ce qu'il voie apparaître Roger.

Elle avait cru sauver Roger mais, en réalité, elle n'avait cessé de travailler à sa perte...

Lyra tremblait et sanglotait. Non, c'était impossible ! Thorold essaya de la réconforter, mais il ignorait la cause de son désespoir et ne pouvait que lui tapoter l'épaule avec compassion.

— Iorek... dit-elle entre deux sanglots, en repoussant le domestique. Où est Iorek Byrnison ? L'ours ? Il est toujours dehors ?

Le vieil homme répondit par un haussement d'épaules impuissant.

— Aidez-moi ! supplia-t-elle, en tremblant comme une feuille, sous l'effet conjugué de la fatigue et de la peur. Aidez-moi à m'habiller. Je dois y aller. Immédiatement ! Dépêchez-vous !

Le majordome posa la lampe par terre pour s'exécuter. Quand Lyra donnait des ordres avec cet air autoritaire, elle ressemblait étrangement à son père, sauf que son visage était mouillé de larmes et ses lèvres agitées de tremblements. Tandis que Pantalaimon arpentait la pièce en donnant de grands coups de queue, le poil hérissé, Thorold s'empressa de rapporter les fourrures durcies et puantes de Lyra, et de l'aider à les enfiler. Dès que tous les boutons furent attachés et les rabats fermés, elle s'élança. À peine sortie, elle sentit le froid lui transpercer la gorge comme une épée et geler instantanément les larmes sur ses joues.

— Iorek ! s'écria-t-elle. Iorek Byrnison ! J'ai besoin de toi !

Il se produisit un tourbillon de neige, accompagné d'un bruit de métal, et l'ours apparut. Il dormait paisiblement, sous la neige qui tombait. Dans la lumière de la lampe que tenait Thorold, derrière la fenêtre, Lyra aperçut la longue tête sans visage, les trous noirs des yeux, l'éclat du pelage blanc sous le métal noir et rouille, et elle eut envie de serrer Iorek dans ses bras, de chercher du réconfort en caressant son casque en fer, ses longs poils couverts de givre.

—Eh bien ? dit-il.

—Il faut rattraper Lord Asriel. Il a emmené Roger et il va lui... je n'ose même pas y penser... Oh, Iorek, je t'en supplie, fais vite, mon ami !

—Monte, dit-il.

Elle sauta sur son dos.

Inutile de demander la direction à suivre : les traces du traîneau partaient de la maison et s'éloignaient à travers la plaine, en ligne droite. Iorek s'élança pour les suivre. Ayant assimilé instinctivement la démarche de l'ours, Lyra n'avait plus aucun mal à se tenir en équilibre sur son dos ; c'était devenu un automatisme. Il courait sur l'épais manteau de neige qui recouvrait le sol rocailleux, plus vite que jamais, et Lyra sentait bouger sous elle les plaques de son armure, au rythme de ses enjambées chaloupées.

Derrière eux, les autres ours avançaient plus lentement, tirant le lance-feu. Il était facile de se diriger, car la lune haute projetait sur ce monde enneigé une lumière aussi vive que durant leur voyage en ballon ; un monde d'un noir intense aux reflets argentés. Les traces du traîneau de Lord Asriel menaient directement à une chaîne de collines déchiquetées, étranges silhouettes pointues et nues qui se dressaient dans un ciel aussi noir que le velours qui enveloppait l'aléthiomètre. Mais aucun signe du traîneau lui-même, à moins que ce ne soit ce mouvement infime qu'on discernait sur le flanc du sommet le plus élevé ? Lyra regardait droit devant elle, les yeux plissés, tandis que Pantalaimon volait le plus haut possible dans le ciel pour scruter les environs de sa vue perçante de chouette.

—En effet, dit-il en revenant se poser sur le poignet de Lyra, c'est bien Lord Asriel ; il fouette furieusement ses chiens, et il y a un enfant à l'arrière...

Soudain, Lyra sentit que Iorek Byrnison changeait d'allure. Quelque chose avait attiré son attention. Il ralentissait et dressait la tête pour regarder de tous côtés.

—Que se passe-t-il ? demanda la fillette.

Il ne répondit pas. Il dressait l'oreille, mais elle n'entendait rien. Puis, tout à coup, elle crut percevoir une sorte de mystérieux bruissement lointain, un crépitement. C'était un bruit qu'elle avait déjà entendu : celui de l'Aurore. Surgi de nulle part, un voile scintillant s'était abattu sur le ciel, au nord. Ces milliards, ces trillions de particules invisibles chargées, et peut-être entre autres de Poussière, pensa-t-elle, avaient fait apparaître une lueur rayonnante dans l'atmosphère supérieure. Le spectacle promettait d'être plus éblouissant, plus extraordinaire que tout ce que Lyra avait vu jusqu'à présent, comme si l'Aurore, consciente du drame qui se déroulait tout en bas, voulait l'éclairer avec les effets les plus impressionnants.

Mais aucun des ours n'avait levé la tête ; toute leur attention restait fixée sur le sol. En fait, ce n'était pas l'Aurore qui avait éveillé l'attention de Iorek. Il s'était figé maintenant, et Lyra descendit de son dos, car elle savait que ses sens avaient besoin de liberté pour se déployer. Quelque chose l'inquiétait.

La fillette balaya les alentours du regard, la vaste plaine qui menait à la maison de Lord Asriel, pour revenir ensuite sur les montagnes enchevêtrées qu'ils avaient traversées précédemment, sans rien voir. Pendant ce temps, l'Aurore devenait plus intense. Les premiers voiles tremblotaient et filaient d'un côté, des rideaux aux contours irréguliers se pliaient et se dépliaient au-dessus, de plus en plus grands et brillants ; des arches et des boucles s'étendaient d'un horizon à l'autre et venaient caresser le zénith lui-même, avec des rubans luminescents. Jamais Lyra n'avait entendu aussi distinctement le sifflement et le bruissement intense et mélodieux de vastes forces impalpables.

— Les sorcières ! s'exclama une voix d'ours, et Lyra se retourna, avec joie et soulagement.

Mais un puissant coup de tête la projeta à terre ; n'ayant plus assez de souffle pour pousser un cri, elle ne put que haleter et frémir, car à l'endroit où elle se tenait une seconde plus tôt se dressait la plume verte de l'empennage d'une flèche. La pointe et la tige étaient enfoncées dans la neige.

« Impossible ! » se dit-elle, chancelante, et pourtant, c'était bien réel, car, soudain, une seconde flèche ricocha contre l'armure de Iorek penché au-dessus d'elle. Ce n'étaient pas les sorcières de Serafina Pekkala ; celles-ci appartenaient à un autre clan. Une douzaine d'entre elles tournoyaient dans le ciel et plongeaient pour décocher une flèche, avant de remonter à pic. Lyra cracha tous les jurons qu'elle connaissait.

Iorek lança une série d'ordres brefs. De toute évidence, les ours étaient rompus aux techniques de combat contre les sorcières, car ils avaient adopté immédiatement une formation défensive, tandis que les sorcières se mettaient, elles aussi, en position d'attaque. Pour avoir une chance d'atteindre leurs cibles, elles devaient tirer à bout portant, et afin de ne pas gaspiller leurs flèches, elles descendaient le plus près possible du sol et ne tiraient qu'au tout dernier moment, juste avant de reprendre de l'altitude. Mais au moment où elles atteignaient le point le plus bas, les deux mains occupées à bander leur arc, elles étaient vulnérables, et les ours bondissaient, toutes griffes dehors, pour les agripper au passage. Plusieurs sorcières furent ainsi touchées en vol, puis rapidement achevées.

Accroupie près d'un rocher, Lyra regardait les sorcières descendre en piqué. Quelques-unes essayèrent de l'atteindre, mais leurs flèches tombèrent loin de la cible. Levant les yeux vers le ciel, elle vit alors le vol de sorcières virer pour faire demi-tour.

Si Lyra éprouva du soulagement en les voyant s'éloigner, celui-ci fut de courte durée. Dans la direction où les sorcières s'étaient enfuies, beaucoup d'autres venaient de les rejoindre, accompagnées d'un ensemble de lumières scintillantes qui flottait dans les airs. Tout là-bas, à l'extrémité de l'immense plaine de Svalbard, dans le rayonnement de l'Aurore, elle perçut soudain le bruit qu'elle redoutait : les vibrations rauques d'un moteur à gaz. Le zeppelin transportant Mme Coulter et ses troupes approchait.

Iorek grogna un ordre et les ours adoptèrent immédiatement une autre formation. Dans le scintillement du ciel, Lyra les regarda installer en hâte leur lance-feu. L'avant-garde du vol de sorcières les avait vus aussi et, rapidement, elles descendirent en piqué pour déverser une pluie de flèches, mais les ours semblaient faire confiance à leurs armures. Ils continuèrent à s'activer pour monter leur engin, un long bras qui se dressait vers le ciel, une sorte de creuset d'un mètre de diamètre, et une énorme citerne en fer enveloppée de fumée et de vapeur.

Sous les yeux hébétés de Lyra, une flamme vive en jaillit, et une équipe d'ours exécuta une série de manœuvres auxquelles ils étaient entraînés. Deux d'entre eux abaissèrent le grand bras du lance-feu, pendant qu'un troisième déposait des pelletées de feu dans le creuset. Sur un ordre, ils libérèrent le bras articulé, qui projeta la boule de soufre incandescent dans le ciel noir.

Les sorcières tournoyaient en formation si serrée au-dessus de leurs têtes que trois d'entre elles tombèrent en flammes dès le premier tir. Mais, très vite, il apparut que la véritable cible était le zeppelin. Le pilote n'avait jamais vu un tel engin, dont il sous-estimait le pouvoir, car il continua à foncer vers les ours, sans prendre de hauteur ni modifier sa trajectoire.

Il est vrai que le zeppelin possédait, lui aussi, une arme redoutable : une mitrailleuse installée à l'avant de la cabine de pilotage. Lyra vit des étincelles rebondir sur l'armure de plusieurs ours, obligés de se recroqueviller sous leur protection, avant d'entendre le crépitement des balles. Elle ne put retenir un cri d'effroi.

—Ils ne craignent rien, déclara Iorek Byrnison. De vulgaires balles ne peuvent pas transpercer une armure.

Le lance-feu récidiva ; cette fois, la masse de soufre enflammé monta en flèche pour aller frapper la cabine du zeppelin et retomber en une cascade de fragments incandescents. Le dirigeable s'inclina et s'éloigna dans un rugissement d'animal blessé, en décrivant un grand arc de cercle, avant de revenir vers le groupe d'ours qui s'affairait autour du redoutable engin. Alors qu'il s'approchait, le bras du lance-feu s'abaissa de nouveau en grinçant ; la mitrailleuse toussota et cracha ses projectiles, deux ours s'effondrèrent, accompagnés dans leur chute par un grognement étouffé de Iorek. Quand le zeppelin fut presque arrivé au-dessus d'eux, un des ours lança un ordre, et le bras articulé par un ressort se redressa.

Cette fois, la boule de soufre s'écrasa contre le ballon de gaz du dirigeable. L'ossature rigide de l'appareil supportait une fine toile de soie huilée destinée à contenir l'hydrogène ; bien qu'assez solide pour supporter de petits accrocs, elle ne pouvait résister à un bloc de pierre enflammé de cinquante kilos. La soie se déchira sur toute la longueur, le soufre et l'hydrogène se rencontrèrent dans un cataclysme de feu.

La soie devint aussitôt transparente, laissant voir le squelette du zeppelin, carcasse noire sur fond d'enfer orange, rouge et jaune, suspendue dans le vide pendant quelques minutes, avant de s'écraser au sol, lentement, presque comme à contrecœur. De petites silhouettes vacillantes s'en échappèrent, ombres chinoises dans la neige et les flammes. Moins d'une minute après avoir heurté le sol, le dirigeable n'était déjà plus qu'une masse de métal tordu, un nuage de fumée, au milieu de débris enflammés.

Mais les soldats qui se trouvaient à bord, et les autres passagers également (bien que Lyra fût trop loin du lieu de l'accident pour distinguer Mme Coulter, elle savait qu'elle était là), ne perdirent pas une seconde. Avec l'aide des sorcières, ils extirpèrent la mitrailleuse de l'épave et l'installèrent pour poursuivre le combat à terre.

—Continuons, déclara Iorek. Ils vont pouvoir tenir longtemps.

Il poussa un rugissement, et quelques ours se détachèrent du groupe pour attaquer les Tartares par le flanc droit. Lyra sentait qu'il brûlait d'envie d'être parmi eux mais, en même temps, elle entendait sa propre angoisse qui lui criait : « Continuons ! Continuons ! » et son esprit était assailli par les images de Roger et Lord Asriel. Iorek Byrnison l'avait compris ; il tourna le dos au combat pour escalader la montagne, laissant à ses ours le soin de retenir les Tartares.

Ils attaquèrent l'ascension. Lyra scrutait l'obscurité, mais même Pantalaimon, malgré ses yeux de chouette, ne distinguait aucun mouvement sur le flanc de la montagne qu'ils gravissaient. Malgré tout, les traces du traîneau de Lord Asriel restaient visibles, et Iorek les suivait à toute allure, bondissant dans la neige profonde, que ses pattes faisaient jaillir dans son sillage. Ce qui se passait dans leur dos n'existait plus. Lyra avait tout laissé derrière elle. Elle avait l'impression de quitter le monde lui-même, tant elle était concentrée sur son objectif, tandis qu'ils montaient toujours plus haut, dans cette lumière étrange et inquiétante qui les inondait.

—Dis-moi, Iorek, est-ce que tu retrouveras Lee Scoresby?

—Vivant ou mort, je le retrouverai.

—Et si tu vois Serafina Pekkala...

—Je lui raconterai ce que tu as fait.

—Merci, Iorek.

Ils restèrent muets quelques instants. Lyra avait le sentiment d'évoluer dans une sorte de transe, un état au-delà du sommeil et de la conscience, une sorte de rêve éveillé, où elle se voyait transportée par des ours dans une cité au cœur des étoiles.

Elle s'apprêtait à en parler à Iorek Byrnison, lorsque celui-ci ralentit l'allure, puis s'arrêta.

—Les traces continuent, dit-il. Mais moi, je ne peux pas aller plus loin.

Lyra sauta à terre et avança de quelques pas. Iorek s'était arrêté au bord d'un gouffre. Ce pouvait être une crevasse dans la glace ou une fissure dans la roche : c'était difficile à dire, et d'ailleurs, cela ne changeait rien. L'important, c'était que le gouffre s'enfonçait vers des profondeurs insondables.

Les traces du traîneau de Lord Asriel arrivaient jusqu'au bord... d'un petit pont de neige dure et se poursuivaient de l'autre côté du précipice.

De toute évidence, ce pont avait souffert du passage du traîneau, à en juger par la fissure visible dans la neige, près du bord opposé du gouffre. De ce côté-ci de la fissure, la surface du pont s'était affaissée d'une trentaine de centimètres. S'il pouvait encore supporter le poids d'un enfant, nul doute qu'il ne résisterait pas au passage d'un ours en armure.

Or, les traces de Lord Asriel se poursuivaient de l'autre côté, vers le sommet de la montagne. Si Lyra décidait de continuer, elle devrait le faire seule.

Elle se tourna vers Iorek Byrnison.

—Il faut que je traverse, déclara-t-elle. Merci pour tout ce que tu as fait. J'ignore ce qui va se passer quand je le rejoindrai. Peut-être que nous allons tous mourir, que je parvienne jusqu'à lui ou non. Mais si je reviens, je retournerai te voir pour te remercier comme tu le mérites, Altesse Iorek Byrnison.

Elle posa sa main sur sa tête. L'ours acquiesça.

—Au revoir, Lyra Parle-d'Or.

Le cœur battant douloureusement, avec amour, elle se retourna et posa le pied sur le pont. La neige craqua sous son poids; Pantalaimon s'envola pour aller se poser de l'autre côté du gouffre et l'encouragea à avancer. Petit à petit, elle progressa, se demandant à chaque pas s'il était préférable de courir et de sauter sur l'autre rive, ou de continuer à avancer lentement comme elle le faisait, aussi légèrement que possible. À mi-chemin, un craquement sinistre se produisit : un gros bloc de neige se détacha près de ses pieds pour dégringoler au fond de l'abîme, et la surface du pont sembla s'affaisser encore de quelques centimètres au niveau de la fissure.

Lyra se figea. Transformé en léopard, Pantalaimon s'était tapi au bord du gouffre, prêt à bondir pour la rattraper.

Mais le pont tenait bon, pour l'instant. Lyra fit un pas de plus, puis un autre, et soudain, sentant le sol se dérober sous ses pieds, elle plongea vers l'autre bord. Elle atterrit à plat ventre dans la neige, tandis que, derrière elle, tout le pont s'effondrait, presque en silence, dans le précipice.

Les griffes de Pantalaimon s'étaient enfoncées dans l'épaisseur de ses fourrures, pour la retenir.

Au bout d'une minute, Lyra osa ouvrir les yeux et s'éloigna du gouffre en rampant. Impossible désormais de faire marche arrière. Elle se releva et adressa un signe de la main à l'ours qui l'observait de l'autre côté. Iorek Byrnison se dressa sur ses pattes de derrière pour la saluer, après quoi, il fit demi-tour et s'empressa de dévaler la pente jusqu'au pied de la montagne pour venir en aide à ses sujets qui livraient bataille contre Mme Coulter et les soldats du zeppelin.

Lyra se retrouva seule.

Chapitre 23

Le pont qui mène aux étoiles

 Dès que Iorek Byrnison eut disparu, Lyra se sentit envahie par une accablante sensation de faiblesse et se retourna pour vérifier que Pantalaimon était près d'elle.

—Oh, mon pauvre Pan, je ne peux pas continuer ! J'ai si peur... et je suis tellement fatiguée... Je suis venue jusqu'ici et maintenant, je meurs de peur ! Pourquoi faut-il que cela m'arrive à moi ?

Son dæmon vint se frotter dans son cou, sous son aspect de chat, chaud et réconfortant.

—Je ne sais plus ce qu'il faut faire, sanglota la fillette. Tout cela nous dépasse, Pan, on ne peut pas...

Elle s'accrocha à lui, en se balançant d'avant en arrière, laissant éclater ses sanglots à travers l'immensité du paysage nu et enneigé.

—Et même si... même si Mme Coulter atteignait Roger la première, il ne serait pas sauvé pour autant, car elle le ramènerait à Bolvangar, ou pire, et moi, ils me tueraient pour se venger... Oh, pourquoi font-ils ces choses horribles aux enfants, Pan ? Les détestent-ils au point de vouloir les mutiler ? Pourquoi font-ils ça ?

Pantalaimon n'avait pas la réponse ; il ne pouvait que se serrer contre elle. Et peu à peu, alors que l'orage de la terreur s'éloignait, Lyra reprit ses esprits. Elle avait froid, et elle avait peur, mais elle restait Lyra, fidèle à elle-même.

—J'aimerais tant que...

Elle s'interrompit. Il ne servait à rien d'émettre des souhaits inutiles.

Une dernière respiration, profonde et tremblante, et elle était de nouveau prête à continuer.

La lune s'était couchée entre-temps, et le ciel, au sud, était d'un noir absolu, malgré les milliards d'étoiles qui le parsemaient, tels des diamants sur un drap de velours. Mais leur éclat ne pouvait rivaliser avec l'Aurore. Jamais Lyra ne l'avait vue aussi brillante, aussi dramatiquement belle ; à chaque saccade, chaque tremblement, de nouveaux miracles flamboyants dansaient dans le ciel. Derrière ce voile de lumière qui ne cessait de changer, cet autre monde, cette cité baignée de soleil apparaissait, nette et réelle.

Ils grimpaient ; le paysage sinistre s'étendait en contrebas. Au nord, la mer gelée, formant parfois une arête solide, là où deux blocs de glace s'étaient rencontrés, au milieu d'une immensité uniformément plate et blanche qui continuait jusqu'au Pôle, et même bien plus loin, indistincte, sans vie, sans couleurs, plus austère que ne pouvait l'imaginer Lyra. À l'est et à l'ouest se dressaient d'autres montagnes, de hauts sommets déchiquetés qui tendaient fièrement vers le ciel leurs escarpements gorgés de neige, et assaillis par les vents qui aiguisaient les arêtes comme des lames de cimeterre. Au sud se trouvait le chemin par où ils étaient venus, et Lyra ne pouvait s'empêcher de jeter des regards envieux en arrière, dans l'espoir d'apercevoir son ami Iorek Byrnison et ses troupes, mais rien ne bougeait dans la vaste plaine ; elle n'était même pas certaine de distinguer l'épave carbonisée du zeppelin, ou la neige écarlate autour des cadavres des soldats.

Pantalaimon s'envola dans le ciel, très haut, et revint se poser sur le poignet de Lyra, sous son aspect de chouette.

—Ils sont juste derrière cette crête ! annonça-t-il. Lord Asriel a installé tous ses instruments, et Roger ne peut pas s'enfuir...

Alors qu'il prononçait ces mots, la lumière de l'Aurore tremblota et faiblit, comme une ampoule ambarique sur le point de mourir, puis elle s'éteignit pour de bon. Mais dans l'obscurité, Lyra sentait la présence de la Poussière, car l'air semblait chargé de sombres intentions, semblables à des pensées non encore nées.

Soudain, dans cette obscurité étouffante, elle entendit des cris d'enfant :

—Lyra ! Lyra !

—J'arrive ! répondit-elle.

Elle s'élança en trébuchant, grimpant à quatre pattes, tombant parfois, à bout de forces, mais elle se relevait et continuait à avancer, dans la neige qui brillait d'un éclat spectral.

—Lyra ! Lyra !

—J'y suis presque ! dit-elle, haletante. J'arrive, Roger !

En proie à une vive agitation, Pantalaimon se transformait à toute vitesse : lion, hermine, aigle, chat sauvage, salamandre, chouette, léopard... adoptant tour à tour toutes les formes qu'il avait prises jusqu'à ce jour, kaléidoscope d'apparences fugitives au milieu de la Poussière...

—Lyra !

Arrivée enfin au sommet de la crête, elle découvrit ce qui se passait.

À une cinquantaine de mètres de là, à la lueur des étoiles, Lord Asriel tressait deux fils qui conduisaient à son traîneau retourné, sur lequel était disposée une rangée de batteries, de bocaux et d'appareils, déjà recouverts de cristaux dorés. Il était emmitouflé dans un épais manteau de fourrure ; son visage était éclairé par la flamme d'une lampe à naphte. Son dæmon se tenait à ses côtés, accroupi dans la position du Sphinx ; son magnifique pelage tacheté avait le lustre de la puissance, sa queue remuait paresseusement dans la neige.

Dans sa gueule, il tenait le dæmon de Roger.

La pauvre petite créature se débattait tant bien que mal, successivement oiseau, chien, chat, rat, puis à nouveau oiseau, sans cesser d'appeler Roger, qui se tenait à quelques mètres de là. Celui-ci, désespéré, tirait de toutes ses forces sur ce lien invisible et profond, pleurant de douleur et de froid. Il criait le nom de son dæmon, il criait le nom de Lyra ; il se précipita vers Lord Asriel et voulut l'agripper par le bras, mais ce dernier le repoussa. Roger repartit à l'assaut, en larmes, suppliant, implorant, sanglotant. Lord Asriel ne lui prêtait aucune attention, sauf pour le jeter à terre.

Ils étaient au bord d'un précipice. Derrière eux ne s'étendait qu'une vaste obscurité infinie et, tout en bas, à plus de trois cents mètres, la mer gelée.

Lyra voyait tout cela grâce à la seule lumière des étoiles mais, soudain, lorsque Lord Asriel eut connecté les fils, l'Aurore se ralluma, éblouissante, animée d'une énergie nouvelle. Tel le long doigt d'énergie aveuglante qui court entre deux bornes électriques, à cette différence près que celui-ci mesurait un millier de kilomètres de hauteur et dix mille kilomètres de long ; il plongeait, s'élevait, ondulait, scintillait, une cataracte de magnificence.

Et Lord Asriel contrôlait cette force...

Ou du moins, il y puisait de l'énergie, car un fil relié à une énorme bobine placée sur le traîneau se dressait droit dans le ciel. De l'obscurité descendit un corbeau, et Lyra comprit qu'il s'agissait du dæmon d'une sorcière. Une sorcière apportait son aide à Lord Asriel, et c'est elle qui avait emporté ce fil dans les cieux.

L'Aurore flamboyait de nouveau.

Lord Asriel était presque prêt.

Il se tourna vers Roger et lui fit signe, et Roger, impuissant, approcha, en secouant la tête, suppliant, pleurant.

—Non ! Va-t'en ! lui cria Lyra en s'élançant dans la pente.

Pantalaimon bondit sur le léopard des neiges et lui arracha de la gueule le dæmon de Roger. Le léopard réagit en une fraction de seconde en lui sautant dessus, mais Pantalaimon avait eu le temps de lâcher l'autre dæmon, et les deux jeunes dæmons, changeant d'apparence en un clin d'œil, firent volte-face pour combattre le grand animal tacheté.

Celui-ci battait l'air sauvagement, à coups de pattes hérissées de griffes acérées, et ses feulements rageurs couvraient les cris de Lyra. Les deux enfants l'affrontaient eux aussi, ou plutôt, ils luttaient contre les silhouettes qui flottaient dans l'air trouble, ces intentions obscures, de plus en plus épaisses, qui dévalaient les courants de Poussière...

Et pendant ce temps, l'Aurore se balançait au-dessus de leurs têtes, soulignant dans son scintillement ininterrompu tel bâtiment de la cité, tel lac, telle rangée de palmiers... si près qu'on avait l'impression qu'il suffisait d'avancer d'un pas pour passer de ce monde à l'autre.

Lyra bondit pour agripper la main de Roger.

Elle le tira de toutes ses forces, ils échappèrent à Lord Asriel et s'enfuirent en courant, main dans la main, mais soudain, Roger poussa un grand cri en se tordant de douleur, car le léopard s'était de nouveau emparé de son dæmon. Lyra, qui connaissait cette souffrance insupportable pour l'avoir éprouvée, tenta de s'arrêter...

Mais c'était impossible.

La montagne glissait sous leurs pieds !

Toute une corniche de neige entraînée inexorablement vers le vide....

Et la mer gelée, trois cents mètres plus bas...

—LYRA !

Battements de cœur...

Mains serrées...

Et tout là-haut, la plus grande des merveilles.

La voûte du ciel, constellée d'étoiles, insondable, fut soudain transpercée, comme par une lance.

Un javelot de lumière, un jet d'énergie pure, décoché comme une flèche, par un arc géant, en direction des cieux. Les voiles de couleur et de lumière qui formaient l'Aurore se déchirèrent ; un énorme bruit d'arrachement, de lacération et de crissement traversa l'univers, d'un bout à l'autre... Une étendue de terre sèche apparut dans le ciel...

La lumière du soleil !

Le soleil qui éclairait le pelage d'un singe doré...

La glissade de la corniche de neige avait cessé ; peut-être une saillie invisible avait-elle interrompu sa chute, car Lyra vit alors le singe doré jaillir du vide et atterrir aux côtés du léopard dans la neige piétinée du sommet ; elle vit les deux dæmons se hérisser, belliqueux et puissants. La queue du singe était dressée, celle du léopard battait l'air de droite à gauche. Au bout d'un moment, le singe avança timidement une patte, le léopard inclina la tête dans un geste d'acceptation gracieux et sensuel ; les deux dæmons se touchèrent...

Quand Lyra tourna la tête, Mme Coulter était là elle aussi, dans les bras de Lord Asriel. La lumière dansait autour d'eux, semblable à des étincelles, à des faisceaux d'intense lumière ambarique. Impuissante, Lyra ne pouvait qu'imaginer ce qui s'était passé : d'une manière ou d'une autre, Mme Coulter avait réussi à franchir le gouffre sans fond, et elle l'avait suivie jusqu'ici...

Ses propres parents, réunis !

Et s'enlaçant passionnément : un spectacle inconcevable.

Elle ouvrait de grands yeux. Le corps inanimé de Roger gisait dans ses bras, immobile, serein... en paix. Lyra entendit ses parents parler :

— Ils ne voudront jamais... disait sa mère.

— Et alors ? rétorqua son père. Qu'importe leur avis. Nous avons passé l'âge de demander la permission. Grâce à moi, n'importe qui, s'il le souhaite, peut traverser désormais.

— Ils interdiront le passage ! Ils bloqueront le pont et excommunieront quiconque tentera de l'emprunter !

— Trop de gens voudront essayer ; ils ne pourront pas tous les en empêcher. Ce sera la fin de l'Église, Marisa, la fin du Magisterium, la fin de ces siècles d'obscurantisme ! Regarde cette lumière, là-haut : c'est le soleil d'un autre monde ! Tu sens sa chaleur sur ta peau ?

— Ils sont les plus forts, Asriel ! Tu ne sais pas ce...

— Je ne sais pas ? Moi ? Personne au monde ne connaît mieux que moi la puissance de l'Église ! Mais elle n'est pas assez forte pour lutter contre ça. La Poussière va tout changer. Impossible de l'arrêter désormais.

— C'est ça que tu voulais ? Nous étouffer et nous tuer tous, avec le péché et les ténèbres ?

— Je voulais briser le mur, Marisa ! Et j'ai réussi. Regarde, regarde les palmiers qui dansent sur le rivage ! Tu sens ce vent ? Un vent venu d'un autre monde ! Sens-le sur ton visage, dans tes cheveux...

Lord Asriel abaissa la capuche de Mme Coulter et l'obligea à lever la tête vers le ciel en lui passant la main dans les cheveux. Lyra assistait à cette scène le souffle coupé, sans oser faire le moindre mouvement.

La femme s'accrocha à Lord Asriel, comme prise de vertiges, et secoua la tête, tourmentée.

— Non... non... ils vont arriver, Asriel... Ils savent où je suis...

— Viens avec moi dans ce cas, quittons ce monde !

— Je n'ose pas...

— Toi ? Tu n'oses pas ? Ta fille, elle, le ferait. Ta fille oserait n'importe quoi ; elle ferait honte à sa mère.

— Eh bien, emmène-la, et bon vent ! Elle est plus à toi qu'à moi, Asriel.

— C'est faux. Tu l'as recueillie, tu as essayé de la façonner. Tu la voulais.

— Elle était entêtée et sauvage. Je l'ai compris trop tard... Mais où est-elle maintenant ? J'ai suivi ses traces et...

— Tu la veux toujours ? Deux fois déjà tu as essayé de la retenir, et deux fois, elle s'est enfuie. À sa place, je partirais en courant, sans me retourner, plutôt que de te laisser une troisième chance.

Les mains de Lord Asriel, qui enserraient toujours le visage de son épouse, se crispèrent soudain, et il l'attira vers lui pour un baiser passionné, qui, aux yeux de Lyra, ressemblait davantage à de la cruauté qu'à de l'amour. En se retournant vers leurs dæmons, elle eut une vison étrange : le léopard des neiges, accroupi et crispé, enfonçait ses griffes dans la peau du singe doré, et celui-ci, détendu, heureux, se pâmait dans la neige.

Mme Coulter s'arracha avec fougue à ce baiser.

— Non, Asriel... Ma place est dans ce monde, pas dans...

— Viens avec moi ! s'exclama-t-il d'un ton pressant, autoritaire. Viens travailler avec moi !

— Jamais nous ne pourrons travailler ensemble, toi et moi.

— Ah bon ? Nous pourrions démonter l'univers pièce par pièce et le remonter tous les deux, Marisa ! Nous pourrions découvrir la source de la Poussière et l'obstruer pour toujours ! Je sais que tu aimerais participer à cette grande œuvre, ne me mens pas. Tu peux mentir sur tout le reste, le Conseil d'Oblation ou tes amants... — oui, je suis au courant pour Boreal, et je m'en moque — tu peux mentir au sujet de l'Église, et même de cette enfant, mais ne me mens pas sur ce que tu désires réellement...

Leurs deux bouches s'unirent avec fougue. Pendant ce temps, leurs dæmons continuaient de folâtrer : le léopard des neiges se roulait sur le dos, tandis que le singe promenait ses griffes dans la fourrure douce de son cou tacheté, et le félin ronronnait de plaisir.

— Si je ne t'accompagne pas, tu essaieras de me détruire, dit Mme Coulter qui avait mis fin à ce baiser.

—Pourquoi voudrais-je te détruire ? dit Lord Asriel en riant, alors que le soleil de cet autre monde formait comme une auréole autour de sa tête. Viens avec moi, travaille avec moi, et je veillerai sur toi. Si tu restes ici, je me désintéresserai de ton sort. Ne va pas t'imaginer que je me languirai en pensant à toi. Tu peux rester ici, sur cette terre, pour continuer tes bêtises, ou venir avec moi.

Mme Coulter hésita ; elle ferma les yeux et sembla chanceler un instant, comme si elle allait s'évanouir, mais elle conserva son équilibre et rouvrit les yeux, dans lesquels se lisait une belle et infinie tristesse.

—Non, dit-elle. Non.

Leurs dæmons s'étaient séparés. Lord Asriel se pencha pour enfouir ses doigts puissants dans la fourrure de son léopard des neiges. Puis il tourna les talons et s'éloigna, sans rien ajouter. Le singe doré sauta dans les bras de Mme Coulter, en émettant des petits cris de détresse, les bras tendus vers le félin qui s'éloignait lui aussi. Le visage de Mme Coulter était un masque de larmes, de larmes authentiques, que Lyra voyait briller.

Finalement, sa mère se retourna, secouée de sanglots silencieux, et redescendit de la montagne, hors de la vue de Lyra.

Celle-ci la regarda disparaître avec indifférence, puis elle leva les yeux vers le ciel.

Jamais elle n'avait vu une voûte céleste si pleine de merveilles.

Cette ville qui flottait au-dessus d'elle, vide et silencieuse, semblait née à l'instant, attendant qu'on l'habite ; ou peut-être était-elle endormie et attendait-elle qu'on la réveille. Le soleil de cet autre monde éclairait celui-ci, couvrant d'or les mains de Lyra. Il faisait fondre la glace sur la capuche en poil de loup de Roger, dont la peau claire des joues paraissait transparente, et faisait scintiller ses yeux ouverts et aveugles.

Elle se sentait écrasée de chagrin. La colère lui donnait envie de tuer son père et, si elle avait pu lui arracher le cœur, elle n'aurait pas hésité, car elle se souvenait de ce qu'il avait fait à Roger. Et à elle aussi : comment avait-il osé lui mentir ?

Elle tenait toujours le corps de Roger dans ses bras. Pantalaimon lui parlait, mais elle avait l'esprit en ébullition, et le dæmon dut enfoncer ses griffes de chat sauvage dans le dos de sa main pour se faire entendre. La fillette tressaillit.

—Quoi ? Qu'y a-t-il ?

—La Poussière !

—De quoi parles-tu ?

—De la Poussière. Lord Asriel veut découvrir la source de la Poussière et la détruire, c'est bien ça ?

—Oui, c'est ce qu'il a dit.

—Et le Conseil d'Oblation, l'Église, les gens de Bolvangar, Mme Coulter... ils veulent tous la détruire eux aussi, pas vrai ?

—Oui... Ou l'empêcher d'affecter les gens... Pourquoi ?

—S'ils pensent tous que la Poussière est mauvaise, c'est qu'elle est bonne.

Lyra resta muette. Elle émit seulement un petit hoquet d'excitation.

Pantalaimon poursuivit :

—On les a entendus parler de la Poussière ; ils en ont tous peur. Et tu sais quoi ? On les a crus, alors qu'on voyait bien que tout ce qu'ils faisaient était mal, cruel et affreux... On a cru, nous aussi, que la Poussière était mauvaise, car les adultes le disaient. Mais si ce n'était pas le cas ? Et si...

—Oui ! Oui ! s'exclama Lyra, le souffle coupé. Et si la Poussière était bonne en réalité ?

Elle regarda Pantalaimon et vit briller dans ses yeux verts sa propre excitation. La tête lui tournait, comme si la terre entière tournoyait sous ses pieds. Si la Poussière était une bonne chose... Une chose qu'il fallait rechercher, recevoir avec bonheur et chérir...

—Nous aussi on pourrait la chercher, Pan !

C'était ce qu'il voulait l'entendre dire.

—On pourrait l'atteindre avant lui, ajouta-t-il, et...

L'ampleur de la tâche à accomplir les réduisit au silence. Lyra leva les yeux vers le ciel flamboyant. Elle savait combien ils étaient minuscules, son dæmon et elle, comparés à la majesté et à l'immensité de l'univers, combien ils étaient minuscules comparés à la profondeur des mystères qui planaient au-dessus d'eux.

—On peut y arriver, déclara Pantalaimon. Nous sommes bien venus jusqu'ici, non ? On peut réussir.

—Nous serons seuls. Iorek Byrnison ne pourra pas nous suivre pour nous aider. Pas plus que Farder Coram, ni Serafina Pekkala, ni Lee Scoresby, ni personne d'autre.

—Oui, juste toi et moi. Mais peu importe. Nous ne sommes pas seuls, de toute manière ; pas comme...

Lyra comprenait ce qu'il voulait dire : « pas comme Tony Makarios, pas comme ces pauvres dæmons perdus de Bolvangar ; nous ne formons toujours qu'un seul être, lui et moi nous ne faisons qu'un. »

—Et nous avons l'aléthiomètre, dit-elle. Tu as raison, Pantalaimon. Nous irons là-bas, à la recherche de la Poussière, et quand nous l'aurons trouvée, nous saurons quoi faire.

Le corps de Roger gisait dans ses bras. Elle le déposa délicatement dans la neige.

—Nous le ferons, ajouta-t-elle.

Elle se retourna. Derrière eux régnaient la souffrance, la mort et la peur ; devant eux s'étendaient le doute, le danger et des mystères insondables. Mais ils n'étaient pas seuls.

C'est ainsi que Lyra et son dæmon tournèrent le dos au monde dans lequel ils étaient nés, et, faisant face au soleil, pénétrèrent dans le ciel.

LA TOUR DES ANGES

Chapitre i
Le chat et les marronniers

Will tira sa mère par la main, en disant :

— Allez, viens. Viens...

Mais sa mère traînait les pieds. Sa peur ne s'était pas dissipée. Will balaya du regard la rue étroite, baignée de la lumière du crépuscule et bordée de petites maisons toutes semblables, chacune derrière son jardinet et sa haie de buis. Les derniers rayons du soleil se reflétaient sur les fenêtres d'un côté de la rue et laissaient l'autre côté dans l'ombre. Le temps était compté. Les gens devaient être à table à cette heure et, bientôt, des enfants envahiraient les parages, des enfants curieux et bavards à qui rien n'échapperait. Il était dangereux d'attendre, mais Will ne pouvait rien faire d'autre que de convaincre sa mère, comme toujours.

— Viens, maman, allons voir Mme Cooper. Regarde, nous sommes presque arrivés.

— Mme Cooper ? dit sa mère d'un air de doute.

Mais déjà, Will sonnait à la porte. Pour cela, il dut poser le sac car, dans son autre main, il tenait toujours celle de sa mère. À douze ans, il aurait pu avoir honte d'être vu en train de donner la main à sa mère, mais il savait ce qui arriverait s'il ne le faisait pas.

La porte s'ouvrit, laissant apparaître la silhouette âgée et voûtée du professeur de piano, entourée de cette odeur d'eau de lavande dont Will avait gardé le souvenir.

— Qui est-ce ? C'est toi, William ? dit la vieille femme. Il y a plus d'un an que je ne t'ai pas vu. Qu'est-ce qui t'amène ?

—Laissez-moi entrer, s'il vous plaît. Je suis avec ma mère, déclara-t-il d'un ton ferme.

Mme Cooper observa cette femme aux cheveux sales et au petit sourire absent et le jeune garçon aux lèvres pincées et au menton volontaire, une lueur farouche et sombre dans le regard. Elle constata alors que Mme Parry, la mère de Will, ne s'était maquillé qu'un œil. Sans s'en apercevoir. Will n'avait rien remarqué, lui non plus. Quelque chose n'allait pas.

—Soit... dit-elle en s'écartant pour les laisser entrer dans le vestibule étroit.

Will jeta un regard des deux côtés de la rue avant de refermer la porte, et Mme Cooper vit avec quelle énergie Mme Parry s'accrochait à la main de son fils, et avec quelle tendresse celui-ci l'entraînait vers le salon, là où se trouvait le piano (évidemment, c'était l'unique pièce qu'il connaissait) ; elle remarqua également que les vêtements de Mme Parry sentaient légèrement le moisi, comme s'ils étaient restés trop longtemps à l'intérieur de la machine à laver avant d'être mis à sécher, et aussi à quel point ils se ressemblaient tous les deux, la mère et le fils, assis sur le canapé, le visage éclairé par le soleil couchant, avec leurs pommettes saillantes, leurs grands yeux et leurs sourcils noirs tout droits.

—Eh bien, William, demanda la vieille dame, que se passe-t-il ?

—Ma mère a besoin d'être hébergée quelques jours, expliqua-t-il. C'est trop difficile de s'occuper d'elle à la maison en ce moment. Attention, je n'ai pas dit qu'elle était malade ! Elle est juste un peu désorientée, et elle se fait du souci. Vous verrez, ce n'est pas dur de s'en occuper ; elle a simplement besoin qu'on soit gentil avec elle, et je me suis dit que ça ne vous poserait sûrement pas de problème.

Pendant ce temps, Mme Parry regardait son fils en donnant l'impression de ne pas comprendre ce qu'il disait, et Mme Cooper aperçut un hématome sur sa joue. Will, lui, n'avait pas quitté la vieille femme des yeux, et un immense désespoir se lisait sur son visage.

—Elle ne vous coûtera pas cher, ajouta-t-il. J'ai apporté de la nourriture, suffisamment, je pense. Vous pourrez même vous servir ; elle sera ravie de partager avec vous.

—Mais je ne sais pas si... Ne devrait-elle pas consulter un médecin ?

—Non ! Elle n'est pas malade !

—Il y a bien quelqu'un qui pourrait... Enfin quoi, n'y a-t-il pas un voisin ou un membre de la famille qui...

—On n'a pas de famille. On n'est que tous les deux Et les voisins ont trop à faire.

—Et les services sociaux ? Je ne cherche pas à vous mettre à la porte, Will, mais...

— Non, non ! Elle a juste besoin d'un peu d'aide. Je ne pourrai pas m'occuper d'elle pendant quelque temps, mais ce ne sera pas long. Je serai bientôt de retour, et je la ramènerai à la maison, c'est promis. Elle ne vous encombrera pas longtemps.

La mère regardait son fils avec une telle foi, et celui-ci, quand il se retourna vers elle, lui sourit avec tellement d'amour et de sollicitude, que Mme Cooper n'eut pas le cœur de refuser.

— Bon, dit-elle en se tournant à son tour vers Mme Parry, je suis sûre qu'on peut s'arranger, pour un jour ou deux. Vous prendrez la chambre de ma fille ; elle est partie en Australie, elle n'en a plus besoin.

— Merci, dit Will, et il se leva, comme s'il était pressé de s'en aller.

— Où vas-tu ? s'enquit Mme Cooper.

— Je vais loger chez un ami, répondit-il. Je vous téléphonerai aussi souvent que possible. J'ai votre numéro. Tout ira bien.

Sa mère le regardait d'un air hébété. Il se pencha vers elle pour l'embrasser, avec maladresse.

— Ne t'en fais pas, lui dit-il. Mme Cooper s'occupera de toi bien mieux que moi, tu peux me croire. Je te téléphonerai dès demain.

La mère et le fils s'étreignirent ; Will l'embrassa de nouveau, puis détacha délicatement les bras de sa mère noués autour de son cou pour se diriger vers la porte. Mme Cooper vit qu'il était bouleversé, ses yeux brillaient. Malgré tout, car on lui avait enseigné la politesse, il se retourna vers la vieille femme avant de sortir et lui tendit la main.

— Au revoir, dit-il, et merci infiniment.

— William, j'aimerais que tu m'expliques ce qui se passe...

— Oh, c'est un peu compliqué. Mais je vous assure que ma mère ne vous causera aucun souci, promis.

La question n'était pas là, et ils le savaient bien l'un et l'autre, mais, d'une certaine façon, Will avait pris cette affaire en main tout seul. La vieille femme se dit qu'elle n'avait jamais vu un enfant animé d'une telle détermination. Will pivota sur ses talons, en imaginant déjà la maison vide.

La rue où Will vivait avec sa mère formait une boucle dans un lotissement moderne composé d'une dizaine de pavillons identiques ; le leur était sans aucun doute le plus miteux. Le jardin devant la maison n'était qu'un fouillis de mauvaises herbes ; sa mère avait, certes, planté quelques arbustes au début de l'année, mais ils avaient vite dépéri, puis étaient morts, par manque d'eau. Au moment où Will tournait au coin de la rue, Moxie, son chat, jaillit de sa cachette préférée sous l'hortensia encore vivant et s'étira langoureusement, avant d'accueillir son maître par un petit miaulement, en lui donnant des coups de tête dans les jambes.

Will le prit dans ses bras et demanda à voix basse :

—Ils sont revenus, Moxie ? Tu les as vus ?

La maison était silencieuse. Le voisin d'en face profitait des derniers rayons de soleil pour laver sa voiture, mais il ne prêta aucune attention à Will, et celui-ci évita de le regarder. Moins les gens s'intéressaient à lui, mieux c'était.

Tenant Moxie contre lui, il ouvrit la porte avec sa clé et entra rapidement. Avant de reposer le chat, il tendit l'oreille. Il n'y avait aucun bruit ; la maison était vide.

Il ouvrit une boîte pour Moxie et ressortit de la cuisine pendant que le chat mangeait. Dans combien de temps l'homme allait-il revenir ? Impossible à dire, il avait donc intérêt à faire vite. Il grimpa au premier étage et commença à fouiller.

Il était à la recherche d'une écritoire en cuir vert. C'était incroyable le nombre d'endroits où l'on pouvait cacher un objet de cette taille dans une maison moderne tout ce qu'il y a de plus ordinaire ; pas besoin de panneaux dérobés ni de souterrains immenses. William commença par fouiller la chambre de sa mère, un peu gêné de fourrer son nez dans les tiroirs où elle rangeait sa lingerie ; après quoi, il inspecta de manière systématique toutes les autres pièces du premier étage, y compris sa propre chambre. Moxie était venu voir ce qu'il faisait ; il s'installa à proximité et entreprit de faire sa toilette, pour tenir compagnie à Will.

Les recherches demeurèrent vaines.

Entre-temps, la nuit était tombée, et Will avait faim. Il se fit cuire des haricots à la sauce tomate, avec un toast grillé, et s'installa à la table de la cuisine, en se demandant dans quel ordre il allait fouiller les pièces du rez-de-chaussée.

Alors qu'il finissait de manger, le téléphone sonna.

Il se pétrifia, le cœur battant à tout rompre. Il compta : vingt-six sonneries, puis le téléphone se tut. Will alla déposer son assiette dans l'évier et reprit ses recherches.

Quatre heures plus tard, il n'avait toujours pas retrouvé l'écritoire en cuir vert. Il était une heure et demie du matin, et Will tombait de fatigue. Il s'allongea sur son lit, sans même se déshabiller, et s'endormit aussitôt, plongeant dans des rêves tourmentés ; le visage effrayé et triste de sa mère était omniprésent, si près qu'il aurait quasiment pu le toucher.

Et presque immédiatement, lui sembla-t-il (bien qu'il ait dormi près de trois heures), il se réveilla avec deux certitudes.

Premièrement, il savait maintenant où était cachée l'écritoire. Deuxièmement, il savait que les hommes étaient au rez-de-chaussée de la maison, en train d'ouvrir la porte de la cuisine.

Il déplaça Moxie qui était couché contre lui, en faisant taire discrètement les protestations endormies du chat. Il balança ses pieds par terre et enfila ses chaussures ; chaque parcelle de son corps était tendue pour guetter les bruits venant d'en bas, des bruits à peine audibles : une chaise que l'on soulève et déplace, un bref murmure, le craquement d'une latte du parquet.

Se déplaçant de manière plus silencieuse que les intrus, Will avança sur la pointe des pieds jusqu'à la pièce inutilisée au sommet de l'escalier. Il ne régnait pas une totale obscurité à l'intérieur de la maison, et dans la grisaille livide qui précède l'aube, il distinguait la vieille machine à coudre à pédale. Il avait inspecté cette pièce quelques heures plus tôt, entièrement, mais il avait négligé le casier sur le côté de la machine, là où l'on rangeait les accessoires et les bobines de fil.

Il fit glisser ses doigts à la surface, délicatement, tout en continuant à tendre l'oreille. Les hommes se déplaçaient au rez-de-chaussée, et Will apercevait le long de la porte une faible lumière tremblotante qui provenait sans doute d'une lampe électrique.

Ayant enfin trouvé le fermoir du casier, il l'ouvrit, avec un petit bruit sec, et comme il l'avait deviné, l'écritoire en cuir était là.

Et maintenant, que faire ?

Rien, pour le moment. Il entendit un des hommes dire, d'une voix calme :

—Dépêche-toi. J'entends le laitier au bout de la rue.

—Il n'y a rien ici, dit l'autre voix. Va falloir aller jeter un coup d'œil là-haut.

—Vas-y, alors. Perds pas de temps.

Will rassembla ses forces en entendant le craquement discret de la dernière marche de l'escalier. L'homme ne faisait aucun bruit, mais il ne pouvait éviter les grincements auxquels il ne s'attendait pas. Il y eut ensuite un moment de silence. Un faisceau de lumière très étroit balaya le sol derrière la porte. Will l'aperçut dans l'interstice, puis la porte s'ouvrit. Will attendit que la silhouette de l'homme apparaisse dans l'encadrement, et à ce moment-là, il jaillit de l'obscurité, percutant l'intrus en plein ventre.

Ni l'un ni l'autre n'avaient vu le chat.

Alors que l'homme atteignait le haut de l'escalier, Moxie était sorti silencieusement de la chambre et, la queue dressée, s'était approché de lui pour se frotter contre ses jambes. L'homme n'aurait eu aucun mal à maîtriser

Will, car il était entraîné, robuste et vif, mais le chat s'était mis sur son chemin et, en voulant reculer, l'intrus trébucha sur l'animal. Poussant un cri de surprise, il dégringola l'escalier à la renverse, et sa tête vint heurter violemment la table du vestibule.

Will entendit un craquement sinistre, mais il ne prit pas le temps de s'interroger ; il dévala l'escalier, en sautant par-dessus l'homme recroquevillé au pied des marches et dont tout le corps tressaillait, il s'empara du vieux cabas tout déchiré posé sur la table, franchit la porte de la maison et prit la poudre d'escampette avant même que le deuxième homme, abasourdi, n'ait eu le temps de sortir du salon.

Malgré sa frayeur, Will se demandait pourquoi le deuxième homme ne s'était pas mis à crier dans la rue et n'avait même pas pris la peine de le pourchasser. Mais il savait qu'ils n'allaient pas tarder à le traquer, avec leur voiture et leurs téléphones portables. Il n'y avait qu'une seule chose à faire : courir, le plus loin et le plus vite possible.

Il vit la camionnette électrique du laitier s'engager dans la rue ; ses phares projetaient une lumière blafarde dans la lueur de l'aube qui déjà envahissait le ciel. Will sauta par-dessus la clôture du jardin voisin, emprunta l'étroit passage le long de la maison, escalada le muret du jardin suivant, traversa une pelouse humide de rosée, franchit la haie pour s'engouffrer dans l'enchevêtrement de broussailles et d'arbustes entre le lotissement et la route, et là, essoufflé et tremblant, trouva refuge sous un buisson. Il était encore trop tôt pour s'aventurer sur la route, songea-t-il ; mieux valait attendre l'heure de pointe.

Will ne parvenait pas à chasser de ses pensées le craquement qui s'était produit lorsque la tête de l'homme avait heurté la table, ni l'étrange inclinaison de sa nuque ou les tressaillements effroyables de ses membres. L'homme était mort. Il l'avait tué.

Impossible de se défaire de cette idée, et pourtant, il le fallait. Il avait déjà un tas de préoccupations. À commencer par sa mère : serait-elle véritablement en sécurité là où elle était ? Mme Cooper saurait-elle tenir sa langue ? Même si Will ne revenait pas la chercher comme il l'avait promis ? Car il ne pouvait plus revenir, maintenant qu'il avait tué quelqu'un.

Et Moxie ? Qui le nourrirait ? Se demanderait-il où ils étaient passés tous les deux ? Essaierait-il de les retrouver ?

Peu à peu, le jour se levait. Il faisait suffisamment clair maintenant pour inspecter le contenu du cabas : celui-ci contenait le porte-monnaie de sa mère, la dernière lettre envoyée par l'avocat, la carte routière du sud de l'Angleterre, de petites tablettes de chocolat, du dentifrice, des chaussettes et des slips de rechange. Et l'écritoire en cuir vert.

Il ne manquait rien. Tout se déroulait comme prévu.
Sauf qu'il avait tué quelqu'un.

Will avait sept ans lorsqu'il avait découvert que sa mère était différente des autres, et qu'il devait donc s'occuper d'elle. Ils étaient au supermarché ce jour-là, et ils jouaient à un jeu : ils avaient le droit de mettre un article dans le Caddie seulement quand personne ne regardait. Will était chargé de faire le guet et de murmurer : « C'est bon » ; sa mère s'emparait alors d'une boîte de conserve ou d'un paquet sur les rayonnages et les posait discrètement dans le Caddie. Dès que les articles étaient dans le chariot, ils étaient à l'abri, car ils devenaient invisibles.

C'était un chouette jeu, et qui dura longtemps, car on était samedi matin et le supermarché était plein ; mais Will et sa mère étaient doués, ils formaient une bonne équipe tous les deux. Ils avaient confiance l'un dans l'autre. Will aimait beaucoup sa mère, et il le lui disait souvent ; sa mère lui disait qu'elle l'aimait énormément, elle aussi.

Au moment d'arriver à la caisse, Will était tout excité et heureux, car ils avaient presque gagné. Sa mère ne trouvait plus son sac à main. Cela aussi faisait partie du jeu ; elle affirma que les ennemis le lui avaient sans doute volé. Mais Will était fatigué maintenant, il avait faim, et sa mère ne s'amusait plus ; elle était réellement terrorisée, et ils firent le tour de tous les rayons du magasin pour remettre les articles à leur place, mais cette fois, ils durent redoubler de prudence, car les ennemis les suivaient à la trace en se servant des numéros de la carte de crédit de sa mère, qu'ils connaissaient parce qu'ils avaient volé son sac à main...

Will avait de plus en plus peur, lui aussi. Il comprenait combien sa mère avait été rusée en transformant ce véritable danger en jeu, pour qu'il ne s'inquiète pas, mais maintenant qu'il connaissait la vérité, il devait faire semblant de ne pas avoir peur, afin de la rassurer à son tour.

Ainsi, le petit garçon continua à faire comme si c'était toujours un jeu, pour que sa mère ne s'inquiète pas en pensant qu'il avait peur, et ils rentrèrent chez eux sans avoir fait de courses, mais en ayant échappé à leurs ennemis. Will découvrit le sac à main sur la petite table dans l'entrée. Le lundi, ils allèrent à la banque pour fermer le compte de sa mère, et ils en ouvrirent un autre ailleurs, pour plus de sûreté. Tout danger était maintenant écarté.

Mais au cours des mois qui suivirent, Will s'aperçut peu à peu, et malgré lui, que les fameux ennemis de sa mère n'existaient pas dans le monde réel, mais seulement dans son esprit. Cela ne les rendait pas moins présents, moins effrayants ou dangereux ; cela signifiait simplement qu'il devait la protéger encore mieux. À partir de ce jour au supermarché, où il avait compris qu'il devait faire semblant de jouer le jeu pour ne pas inquiéter sa mère, Will demeurait attentif à ses angoisses, en permanence. Il l'aimait tant qu'il aurait donné sa vie pour la protéger.

Quant au père de Will, il avait disparu bien avant que Will puisse conserver un souvenir de lui. Il nourrissait à son sujet une curiosité passionnée, et bombardait sa mère de questions, auxquelles, la plupart du temps, elle ne pouvait répondre.

« C'était un homme riche ? »

« Il est parti où ? »

« Pourquoi est-il parti ? »

« Il est mort ? »

« Il va revenir un jour ? »

« À quoi ressemblait-il ? »

Cette dernière question était la seule à laquelle elle pouvait apporter une réponse. John Parry était un bel homme, un officier des Royal Marines, courageux et intelligent, qui avait quitté l'armée pour devenir explorateur et conduire des expéditions dans les endroits les plus reculés du globe. Will frémissait de plaisir en entendant cela. Aucun père ne pouvait être plus fascinant qu'un explorateur. Dès lors, dans tous ses jeux, il posséda un compagnon invisible : son père et lui se frayaient un chemin dans la jungle ; debout sur le pont de leur goélette, ils mettaient leur main en visière pour scruter l'horizon au milieu d'une mer déchaînée ; ils brandissaient des torches pour déchiffrer de mystérieuses inscriptions dans une caverne infestée de rats... Ils étaient les meilleurs amis du monde, ils ne comptaient plus le nombre de fois où ils s'étaient sauvés mutuellement la vie ; ils riaient et bavardaient devant des feux de camp, jusque tard dans la nuit.

Mais, à mesure qu'il grandissait, Will s'interrogeait de plus en plus. Pourquoi n'existait-il aucune photo montrant son père dans tel ou tel endroit du globe, en compagnie d'hommes à la barbe gelée sur des traîneaux dans l'Arctique, ou en train d'examiner des ruines couvertes de plantes grimpantes dans la jungle ? Ne restait-il donc rien des trophées et des curiosités qu'il avait certainement rapportés à la maison ? N'y avait-il aucun livre qui parlât de lui ?

Sa mère l'ignorait. Mais une des choses qu'elle lui avait dites était restée ancrée dans l'esprit de Will.

« Un jour, lui avait-elle dit, tu suivras les traces de ton père. Tu seras un grand homme, toi aussi. Tu reprendras son flambeau... »

Et même si Will ne comprenait pas ce que signifiait cette expression, il en devinait le sens général, et il se sentait stimulé par un sentiment de fierté et de détermination. Tous ses jeux imaginaires allaient devenir réalité. Son père était vivant, perdu quelque part dans la nature sauvage ; il irait le sauver et il reprendrait son flambeau... Ça valait le coup de mener une existence difficile, quand on avait devant soi un but aussi formidable.

C'est pourquoi il protégeait le sombre secret de sa mère. À certains moments, elle était plus calme, plus lucide, et il en profitait pour apprendre à faire les courses et la cuisine, à entretenir la maison, afin de pouvoir s'en charger quand elle replongeait dans des états de frayeur et de confusion mentale. Il apprit également à se cacher, à passer inaperçu à l'école, à ne pas attirer l'attention des voisins, même quand la folie de sa mère la rendait quasiment incapable de s'exprimer. Ce que redoutait Will par-dessus tout c'était que les autorités ne découvrent la vérité au sujet de sa mère, et ne l'emmènent pour la placer dans une maison avec des inconnus. Mieux valait affronter toutes sortes de difficultés. Car parfois, les ténèbres abandonnaient son esprit, et elle retrouvait sa joie de vivre, elle se moquait de ses peurs et bénissait son fils qui savait si bien s'occuper d'elle. Elle débordait à ce point d'amour et de tendresse dans ces moments-là que Will ne pouvait imaginer meilleur compagnon, et son vœu le plus cher était de vivre seul avec elle, pour toujours.

Hélas, les hommes étaient arrivés.

Ce n'étaient pas des policiers, ils n'appartenaient pas aux services sociaux, et ce n'étaient pas non plus des criminels, du moins, autant que Will pût en juger. Ils refusèrent de lui expliquer ce qu'ils voulaient, malgré tous ses efforts pour les chasser ; ils ne voulaient parler qu'à sa mère. Or, son état mental était fragile à ce moment-là.

Il colla son oreille à la porte, et il les entendit poser des questions sur son père. Sa respiration s'accéléra.

Les hommes voulaient savoir où était parti son mari, John Parry, et s'il lui avait envoyé quelque chose. Quand avait-elle reçu de ses nouvelles pour la dernière fois ? Avait-il eu des contacts avec une ambassade étrangère ? Will sentait croître la confusion de sa mère, et finalement, il fit irruption dans la pièce et leur ordonna de partir.

Il avait l'air si féroce, sans doute, que malgré son jeune âge, aucun des deux hommes n'osa rire. Pourtant, ils auraient pu aisément l'envoyer au tapis ou le clouer au mur, d'une seule main, mais Will ignorait le danger, et sa colère était comme un venin mortel.

Alors, ils s'en allèrent. Naturellement, cet épisode ne fit que renforcer la conviction de Will : son père était dans de sales draps, quelque part dans le monde, et lui seul pouvait lui venir en aide. Ses jeux n'avaient plus rien d'enfantin, et d'ailleurs, il ne jouait plus d'un cœur aussi léger. L'imaginaire étant devenu réalité, il devait se montrer digne de sa mission.

Peu de temps après, les hommes revinrent, car, affirmèrent-ils, la mère de Will avait quelque chose à leur dire. Ils revinrent alors que Will était à l'école, et l'un d'eux discuta avec sa mère au rez-de-chaussée, pendant que l'autre fouillait les chambres. Elle ne se rendit compte de rien. Mais en rentrant à la maison plus tôt que prévu, Will les prit sur le fait. De nouveau, il les invectiva, et de nouveau, les deux hommes s'en allèrent, sans insister.

Apparemment, ils savaient que, par peur de remettre sa mère entre les mains des autorités, Will ne préviendrait pas la police. Ils devinrent de plus en plus pressants. Finalement, ils s'introduisirent dans la maison par effraction, pendant que Will était parti chercher sa mère au parc. L'état de celle-ci s'était aggravé ; elle éprouvait désormais le besoin irrésistible de toucher toutes les lattes de tous les bancs disposés autour de l'étang. Will lui donnait un coup de main, pour en finir plus vite. De retour chez eux, ils virent l'arrière de la voiture des deux hommes s'éloigner dans la rue, et en entrant, Will s'aperçut qu'ils avaient fouillé toute la maison et inspecté presque tous les tiroirs et placards.

Il comprit alors ce qu'ils cherchaient. L'écritoire en cuir vert était le bien le plus précieux de sa mère ; jamais il n'aurait songé à regarder à l'intérieur, et d'ailleurs, il ignorait où elle la rangeait. Mais il savait qu'elle contenait des lettres, il savait qu'elle les lisait parfois, en pleurant, et qu'après, généralement, elle lui parlait de son père. Will en conclut que c'était cela que cherchaient ces deux inconnus, et se dit qu'il devait agir.

Pour commencer, il décida de placer sa mère en lieu sûr. Il avait beau se creuser la cervelle, il n'avait aucun ami vers qui se tourner ; quant aux voisins, ils commençaient à se méfier. La seule personne qui lui semblait digne de confiance était Mme Cooper, le professeur de piano. Une fois sa mère à l'abri, il chercherait l'écritoire en cuir vert, inspecterait son contenu et se rendrait ensuite à Oxford ou il pourrait trouver les réponses à quelques-unes de ses questions. Mais les hommes étaient revenus trop tôt.

Et voilà qu'il en avait tué un.

Résultat, il aurait maintenant la police aux trousses, par-dessus le marché.

Heureusement, Will était très doué pour passer inaperçu, il l'avait toujours fait. Il devrait plus que jamais se rendre invisible et le rester aussi longtemps que possible, jusqu'à ce qu'il retrouve son père ou que les « autres » le retrouvent. S'ils le retrouvaient les premiers, alors, il vendrait chèrement sa peau.

Plus tard ce jour-là, vers minuit, Will quittait, à pied, la ville d'Oxford, à une soixantaine de kilomètres de là. Il tombait de fatigue. Il avait fait du stop, pris deux bus et marché, pour finalement atteindre Oxford sur le coup de six heures du soir, trop tard pour faire ce qu'il avait projeté. Il avait dîné dans un Burger King, était entré dans un cinéma pour se cacher (il n'aurait su dire quel était le film projeté, car il l'avait oublié immédiatement), et maintenant, il marchait le long d'une route sans fin, à travers la banlieue, en direction du nord.

Jusqu'à présent, nul n'avait fait attention à lui. Malgré tout, il sentait qu'il ferait mieux de trouver rapidement un endroit pour dormir, car plus la nuit avançait, plus il risquait de se faire remarquer. Hélas, il était impossible de se cacher dans les jardins des maisons cossues qui bordaient cette route, et rien n'indiquait qu'il approchait de la rase campagne.

Il atteignit un grand rond-point où la route qui menait vers le nord traversait la rocade d'Oxford qui allait vers l'est et l'ouest. À cette heure tardive, il y avait peu de voitures, la route sur laquelle il avançait était calme ; de jolies maisons se dressaient de chaque côté, en retrait, derrière de vastes étendues d'herbe. Sur le bord de la route, en lisière de l'herbe, étaient plantées deux rangées de marronniers, d'étranges arbres coiffés de couronnes feuillues parfaitement symétriques, ressemblant plus à des dessins d'enfants qu'à de véritables arbres. Impression renforcée par les lampadaires qui conféraient à cette scène un aspect artificiel, comme un décor de théâtre. Ivre d'épuisement, Will aurait pu continuer à marcher vers le nord, ou bien s'allonger dans l'herbe sous un de ces marronniers et dormir, mais tandis qu'il essayait d'éclaircir ses pensées, arrêté au bord de la route, il vit soudain un chat.

C'était un chat tigré, comme Moxie. Il sortait à pas feutrés d'un jardin, du côté de la route où se trouvait Will, qui posa son cabas et tendit la main ; le chat vint frotter sa tête contre lui, comme l'aurait fait Moxie. Certes, tous les chats faisaient la même chose, malgré tout, Will fut submergé, à cet instant, par un sentiment de nostalgie si intense que les larmes lui brûlèrent les yeux.

Le chat finit par s'éloigner. C'était la nuit, il y avait tout un territoire à surveiller, des souris à chasser. Il traversa la route au petit trot, en direction des buissons juste derrière les marronniers, et là, il s'arrêta.

Will, qui l'avait suivi des yeux, vit le chat se comporter de manière étrange.

L'animal tendit la patte, comme pour tapoter un objet flottant devant lui, une chose totalement invisible aux yeux de Will. Et tout à coup, le chat fit un bond en arrière, le dos arqué et les poils hérissés, la queue droite. Will connaissait bien le comportement des chats. D'un œil intéressé, il regarda le félin revenir vers ce même endroit, une simple plaque d'herbe entre les marronniers et les buissons d'une haie de jardin, et recommencer à donner de petits coups de patte dans le vide.

De nouveau, le chat fit un bond en arrière, mais moins brutalement, avec moins de frayeur cette fois. Après quelques secondes de reniflements, de coups de patte timides, de tressaillements de moustaches, la curiosité l'emporta sur la méfiance.

Le chat s'avança... et disparut.

Will demeura bouche bée. Il se pétrifia, près du tronc de l'arbre le plus proche, lorsqu'un camion déboucha dans le virage et le balaya avec ses phares. Dès qu'il fut passé, Will traversa la route, en gardant les yeux fixés sur cet endroit qui intriguait tant le chat. Ce n'était pas facile, car il n'y avait aucun point de repère ; malgré tout, lorsqu'il arriva sur place et examina attentivement les lieux, il vit cette chose.

Sous certains angles seulement. C'était comme si quelqu'un avait découpé un trou dans l'air, à environ deux mètres du bord de la route, un bloc de forme plus ou moins carrée, de moins d'un mètre de diamètre. Si vous vous teniez à la hauteur de la parcelle de vide, celle-ci était quasiment indécelable, et même totalement invisible vue de derrière. On ne pouvait la voir que du côté le plus proche de la route, et encore, ce n'était pas chose aisée, car ce qu'on apercevait alors ressemblait exactement à ce qui se trouvait devant le trou, de ce côté-ci : une plaque d'herbe éclairée par un lampadaire.

Mais Will avait deviné, sans le moindre doute, que cette parcelle d'herbe, de l'autre côté, appartenait à un monde différent.

Il n'aurait su dire pourquoi. Toutefois, il le comprit immédiatement, aussi sûrement que le feu brûlait et que la bonté faisait chaud au cœur. Il contemplait un phénomène surnaturel.

Et cette seule raison le poussa à se pencher en avant pour y regarder de plus près. Ce qu'il vit alors lui fit tourner la tête et battre le cœur plus fort, mais il n'hésita pas un instant : il fit d'abord passer son cabas, puis à son tour, il se faufila à travers ce trou dans l'étoffe du monde, pour pénétrer dans un autre.

Will se retrouva sous une rangée d'arbres. Ce n'étaient pas des marronniers, c'étaient des palmiers, qui formaient une ligne au bord d'une étendue d'herbe, comme les arbres d'Oxford. Mais ils étaient plantés au centre d'un immense boulevard, de chaque côté duquel se succédaient cafés et petits commerces, tous éclairés de lumières vives, tous ouverts, tous totalement silencieux et déserts, sous un ciel chargé d'étoiles. Le parfum des fleurs et l'odeur salée de la mer saturaient l'air de la nuit.

Will scruta les alentours. Derrière lui, la pleine lune éclairait les sil-

houettes lointaines de grandes collines boisées, au pied desquelles on apercevait des maisons entourées de jardins luxuriants, un immense parc par-
semé de bosquets et les murs blancs, éclatants, d'un temple à l'architecture
classique.

À moins d'un mètre de lui, il y avait cette parcelle de vide dans l'atmosphère, aussi imperceptible de ce côté-ci que de l'autre, mais bien réelle
néanmoins. Se penchant pour regarder à travers, Will aperçut la route
d'Oxford, là-bas dans son monde à lui. Il détourna la tête en frissonnant :
« Quel que soit ce nouveau monde, il est forcément meilleur que celui que
je viens de quitter », se dit-il. Habité par une sorte de vertige naissant, la sensation de rêver tout en étant réveillé, il se redressa et chercha du regard le
chat, son guide.

L'animal avait disparu. Sans doute était-il déjà parti explorer ces rues
étroites et les jardins au-delà des cafés dont les lumières étaient si attirantes.
Will souleva son vieux cabas déchiré et traversa lentement la route, vers les
cafés, avec prudence, au cas où tout cela disparaîtrait brusquement.

Il y avait assurément quelque chose de méditerranéen ou peut-être d'an-
tillais dans cette atmosphère. N'ayant jamais quitté l'Angleterre, Will ne
pouvait comparer cette ambiance à aucune autre, mais c'était le genre d'endroit où les gens venaient très tardivement dîner et boire, danser et écouter
de la musique. Sauf que pour l'heure il n'y avait pas âme qui vive dans les
parages, et que le silence était écrasant.

Au premier coin de rue qu'il atteignit se trouvait un café, avec de petites
tables vertes sur le trottoir, un comptoir en zinc et un percolateur. Sur
quelques tables traînaient des verres à moitié pleins ; dans un cendrier, une
cigarette s'était consumée jusqu'au filtre, une assiette de risotto était posée
à côté d'un panier contenant des petits pains durs comme du carton.

Will prit une bouteille de limonade dans la glacière, derrière le comptoir,
et hésita un instant avant de déposer une pièce d'une livre dans la caisse. À
peine l'eut-il refermée qu'il la rouvrit, en songeant que l'argent qui s'y trouvait pourrait peut-être lui indiquer le nom de cet endroit. La monnaie
locale s'appelait le *corona*, apparemment, mais il n'en apprit pas davantage.

Il remit l'argent dans la caisse et ouvrit sa bouteille avec le décapsuleur
fixé sur le comptoir ; après quoi, il ressortit du café et marcha dans la rue, en
tournant le dos au boulevard. De petites épiceries et boulangeries alternaient avec les bijouteries, les fleuristes et les portes masquées par des
rideaux de perles qui s'ouvraient sur des maisons dont les balcons en fer
forgé, chargés de fleurs, dominaient les trottoirs étroits. Le silence, ainsi
enfermé, semblait encore plus profond.

Les rues descendaient en pente douce et débouchèrent bientôt sur une grande avenue où d'autres palmiers se dressaient très haut dans le ciel. Les voûtes des frondaisons étincelaient dans la lumière des lampadaires.

De l'autre côté de l'avenue, c'était la mer.

Will se retrouva face à un port, abrité entre une digue à gauche et à droite, un promontoire sur lequel trônait un grand bâtiment orné de colonnes de pierre, d'un escalier monumental et de balcons sculptés, violemment éclairés par des projecteurs, au milieu des arbres et des buissons en fleurs. Une ou deux barques mouillaient dans le port et, au-delà de la digue, le scintillement des étoiles se reflétait sur une mer d'huile.

La fatigue de Will n'était plus qu'un souvenir. Parfaitement réveillé désormais, il s'abandonnait à son émerveillement. En parcourant les rues étroites, il avait touché du bout des doigts un mur ou une porte, en passant, ou bien des fleurs dans une jardinière sur un bord de fenêtre, pour se convaincre de leur réalité. Maintenant, il aurait voulu toucher également tout le paysage qui s'étendait devant lui, car celui-ci était trop vaste pour être absorbé par son seul regard. Il s'arrêta et inspira profondément ; il avait presque peur.

Soudain, il s'aperçut qu'il tenait encore la bouteille qu'il avait achetée au café. Il but. Le goût était sans surprise, c'était effectivement de la limonade glacée, et cette fraîcheur était la bienvenue, car la nuit était chaude.

Il bifurqua vers la droite, au hasard, passant devant des hôtels avec des marquises tendues au-dessus des entrées violemment éclairées et bordées de bougainvillées en fleur, jusqu'aux jardins, sur le petit promontoire. Le bâtiment situé au milieu des arbres, avec sa façade sculptée, illuminée par les projecteurs, aurait pu être un casino, ou même un opéra. Des chemins serpentaient ici et là au milieu des lauriers-roses dans lesquels étaient suspendues des lanternes, mais on n'entendait pas le moindre signe de vie : ni chants d'oiseaux, ni bruissements d'insectes, uniquement les pas de Will.

Le seul bruit qu'il percevait provenait des vagues qui venaient mourir en douceur, à intervalles réguliers, sur la plage derrière les palmiers, à l'extrémité du jardin. Will marcha dans cette direction. La marée était à moitié haute, ou à moitié basse ; des pédalos formaient un alignement sur le sable blanc, au-dessus de la limite du sable mouillé. Régulièrement, une minuscule vague s'étendait sur le rivage, avant de se retirer, presque aussitôt, pour laisser place à la suivante. À une cinquantaine de mètres du bord, sur la mer calme, flottait un plongeoir.

Will s'assit sur le flotteur d'un des pédalos pour ôter ses chaussures, des baskets bon marché, avachies et ouvertes, qui martyrisaient ses pieds en feu. Il déposa ses chaussettes à côté de lui et enfouit ses orteils dans le sable.

Quelques secondes plus tard, il avait quitté tous ses vêtements et marchait dans la mer.

L'eau était délicieusement tiède, ni trop froide, ni trop chaude. Il nagea jusqu'au plongeoir et se hissa, à la force des bras, sur les planches blanchies par le soleil et la mer pour contempler la ville avec du recul.

Sur sa droite, le port était emprisonné par sa digue. Au-delà, à un ou deux kilomètres, se dressait un phare à bandes rouges et blanches. Et derrière le phare, on distinguait, au loin, des falaises, et derrière ces falaises, les hautes collines ondulantes qu'il avait déjà vues de l'endroit où il était arrivé. Plus près de lui, les arbres ornés de lanternes dans les jardins du casino, les rues de la ville, et la promenade du front de mer avec ses hôtels, ses cafés et ses commerces aux éclairages chaleureux, tous silencieux et déserts.

Et sans danger. Car personne ne pourrait le suivre jusqu'ici. L'homme qui avait fouillé la maison ignorait où il était passé ; la police ne le retrouverait jamais. Il avait un monde entier à sa disposition pour se cacher.

Pour la première fois depuis qu'il s'était enfui de chez lui, ce matin, Will commençait à se sentir à l'abri.

Il avait encore soif, et faim également car, après tout, la dernière fois qu'il avait mangé, c'était dans un autre monde. Il se laissa glisser dans l'eau et retourna vers le rivage, en nageant plus lentement. Il remit son slip, gardant à la main ses autres vêtements, ainsi que le cabas. Il jeta la bouteille vide dans la première poubelle qu'il trouva et marcha pieds nus sur le trottoir, en direction du port.

Quand il fut un peu plus sec, il enfila son jean et se mit en quête d'un endroit où il pourrait trouver de quoi se nourrir. Les hôtels l'impressionnaient. Il jeta un coup d'œil à l'intérieur du premier devant lequel il passa, mais l'immensité des lieux le mettait mal à l'aise. Il continua de marcher sur le bord de mer jusqu'à un petit café qui lui sembla être l'endroit idéal. Il n'aurait su expliquer pourquoi, car ce café ressemblait à une dizaine d'autres, avec sa terrasse au premier étage décorée de pots de fleurs, ses tables et ses chaises sur le trottoir, mais on aurait dit qu'il lui tendait les bras.

Il y avait un bar avec des photos de boxeurs sur le mur, et l'affiche dédicacée d'un accordéoniste arborant un large sourire. Il y avait une cuisine et, juste à côté, une porte qui s'ouvrait sur un escalier étroit, recouvert d'une moquette à fleurs de couleur vive.

Will monta sans bruit jusqu'au palier exigu et ouvrit la première porte qui s'offrait à lui. C'était la pièce qui donnait sur la rue. Il y régnait une chaleur étouffante, et Will alla ouvrir la porte vitrée de la terrasse pour laisser entrer l'air de la nuit. La pièce était encombrée de meubles trop grands, à l'aspect miteux, mais l'endroit était propre et confortable malgré tout. « Ce sont des gens hospitaliers qui vivent ici », se dit-il. Il y avait une petite étagère avec des livres, un magazine sur la table, quelques photographies dans des cadres.

Will ressortit pour inspecter les autres pièces : une petite salle de bains, une chambre avec un lit à deux places.

Quelque chose l'alerta avant même qu'il n'ouvre la dernière porte. Son cœur s'emballa. Il n'était pas sûr d'avoir entendu un bruit à l'intérieur, mais un pressentiment lui disait qu'il y avait une présence dans cette pièce. « Comme c'est étrange », se dit-il. Il avait commencé cette journée caché dans une pièce obscure, avec quelqu'un de l'autre côté de la porte, et la situation était maintenant inversée...

Alors que Will restait planté là devant la porte, à s'interroger, celle-ci s'ouvrit violemment et une créature se jeta sur lui, comme une bête sauvage.

Heureusement, sa mémoire l'avait averti, et il se tenait suffisamment loin de la porte pour ne pas être renversé. Il se débattit avec fougue, à coups de genoux, de tête et de poings, face à... cette chose.

Il s'agissait, en réalité, d'une fille de son âge environ, féroce, hargneuse, vêtue de haillons, sale, avec des bras et des jambes frêles et nus.

Découvrant au même moment à qui elle avait affaire, elle s'arracha au torse nu de Will pour se recroqueviller dans le coin du palier obscur, tel un chat aux abois. D'ailleurs, il y avait un chat à côté d'elle, au grand étonnement de Will : un énorme chat sauvage, qui lui arrivait aux genoux, le poil hérissé, montrant les dents, la queue dressée.

La fillette posa la main sur le dos du chat et promena sa langue sur ses lèvres sèches, sans quitter Will des yeux.

Celui-ci se releva lentement.

– Qui es-tu ? demanda-t-il.

– Lyra Parle-d'Or.

– Tu vis ici ?

Non, répondit-elle avec véhémence.

On est où ici ? C'est quoi cette ville ?

J'en sais rien.

Tu viens d'où ?

D'un autre monde. Il est rattaché à celui-ci. Où est ton dæmon ?

Will ouvrit de grands yeux. C'est alors qu'il assista à un phénomène extraordinaire : le chat bondit dans les bras de la fille et se métamorphosa ! C'était maintenant une hermine au pelage brun-roux, avec une tache crème sur le cou et sur le ventre, qui lui jetait un regard aussi noir que celui de la fille. Mais un autre changement s'était produit, car Will s'aperçut que toutes les deux, la fille et l'hermine, avaient terriblement peur de lui, comme si elles étaient face à un fantôme.

—J'ai pas de démon, dit-il. Je sais même pas de quoi tu... Ah! C'est ça ton démon?

La fille se releva lentement. L'hermine s'enroula autour de son cou, ses yeux noirs fixés sur le visage de Will.

—Pourtant, tu es vivant, dit-elle d'un air incrédule. Tu n'es pas... Ils ne t'ont pas...

—Je m'appelle Will Parry. Je comprends rien à ton histoire de démon. Chez moi, dans le monde d'où je viens, un démon c'est... un être mauvais, maléfique.

—Dans ton monde? Tu veux dire qu'ici, c'est pas ton monde?

—Non. J'ai découvert par hasard... un passage. Comme toi, j'imagine. Les deux mondes doivent se toucher.

La fille sembla se détendre quelque peu, bien qu'elle continuât à l'observer intensément. Will s'obligea à rester calme et à parler doucement, comme s'il tentait d'amadouer un étrange félin.

—Tu as vu quelqu'un d'autre dans cette ville? demanda-t-il.

—Non.

—Ça fait combien de temps que tu es ici?

—J'en sais rien. Quelques jours. Je ne me souviens plus.

—Qu'es-tu venue faire ici, d'abord?

—Je cherche la Poussière.

—Tu cherches la poussière? La poussière d'or? Quel genre de poussière?

La fille plissa les yeux, sans rien dire. Will pivota sur ses talons pour redescendre.

—J'ai faim, dit-il. Il y a à manger dans la cuisine?

—J'en sais rien..., répondit-elle, et elle lui emboîta le pas, tout en gardant ses distances.

Dans la cuisine, Will dénicha de quoi confectionner une fricassée de poulet avec des oignons et des poivrons, mais les ingrédients n'ayant pas été cuits, ils empestaient dans la chaleur. Il jeta tout à la poubelle.

—Tu n'as rien mangé? demanda-t-il en ouvrant le réfrigérateur.

Lyra s'approcha pour regarder à l'intérieur.

—J'avais pas vu ce truc-là, dit-elle. Oh, c'est vachement froid...

Son dæmon s'était métamorphosé encore une fois, pour devenir un gros papillon aux couleurs vives, qui s'engouffra à l'intérieur du réfrigérateur et en ressortit presque aussitôt pour venir se poser sur l'épaule de la fille. Il battait lentement des ailes. Will sentait qu'il n'aurait pas dû le regarder aussi fixement, mais l'étrangeté de ce spectacle lui faisait tourner la tête.

—C'est la première fois que tu vois un frigo ? demanda-t-il.

Il trouva une boîte de Coca qu'il lui tendit, avant de sortir une boîte d'œufs. La fille coinça le soda glacé dans ses mains avec délice.

—Vas-y, bois, dit Will.

Elle regarda la boîte en fronçant les sourcils. Apparemment, elle ne savait pas comment l'ouvrir. Will souleva la petite languette métallique et la boisson jaillit en moussant. La fille lécha la mousse avec méfiance, puis ses yeux s'écarquillèrent.

—On peut le boire ? demanda-t-elle d'une voix où l'espoir se mêlait à l'appréhension.

—Oui. Visiblement, ils connaissent le Coca ici aussi. Tiens, regarde, je vais en boire pour te prouver que ce n'est pas du poison.

Il ouvrit une autre boîte. L'ayant vu boire l'étrange breuvage, elle l'imita. De toute évidence, elle mourait de soif. Elle but si vite que les bulles lui remontèrent dans le nez ; elle s'étrangla, rota bruyamment et fronça les sourcils quand Will la regarda.

—Je vais préparer une omelette, dit-il. Tu en veux ?

—Je ne sais pas ce que c'est, une omelette.

—Regarde, tu verras. Ou alors, il y a une boîte de haricots à la sauce tomate, si tu préfères.

—Je ne sais pas ce que c'est.

Il lui montra la boîte. Elle chercha la languette d'ouverture, comme sur la boîte de Coca.

—Non, non, il faut un ouvre-boîtes, expliqua Will. Ça n'existe pas, les ouvre-boîtes, dans ton monde ?

—Dans mon monde, ce sont les domestiques qui font la cuisine, répliqua-t-elle avec dédain.

—Regarde donc dans le tiroir, là.

Elle fouilla parmi les ustensiles de cuisine, pendant que Will cassait six œufs dans un saladier, pour les battre ensuite avec une fourchette.

Il l'observait du coin de l'œil.

—C'est ce truc-là, dit-il. Avec le manche rouge. Apporte-le-moi.

Il perça la boîte et lui montra comment l'ouvrir.

—Maintenant, va chercher la casserole suspendue au mur, et vide la boîte dedans.

La fille renifla les haricots et, de nouveau, la même expression de plaisir et de méfiance apparut dans ses yeux. Elle les versa dans la casserole et lécha son doigt, tout en observant Will qui ajoutait du sel et du poivre dans les œufs battus et prélevait une noix de beurre sur une plaquette qui se trouvait dans le réfrigérateur, pour la jeter dans une poêle en fonte. Il retourna au bar pour chercher des allumettes, et quand il revint dans la cuisine, la fille était en train de tremper son doigt sale dans les œufs battus pour le lécher goulûment. Son dæmon, redevenu chat, y plongeait sa patte lui aussi, mais il la retira vivement quand Will s'approcha.

— C'est pas encore cuit, dit-il en reprenant le saladier. Depuis quand vous n'avez pas mangé, ma parole ?

— C'était chez mon père, à Svalbard, dit-elle. Il y a plusieurs jours déjà. Je ne sais pas combien exactement. J'ai mangé du pain et des trucs que j'ai trouvés dans les placards.

Will alluma le gaz pour faire fondre le beurre dans la poêle, versa les œufs en les laissant se répandre sur toute la surface. Les yeux de la fille suivaient chacun de ses gestes avec avidité ; elle le regarda rassembler les œufs sous forme de petites crêtes molles au centre de la poêle à mesure qu'ils cuisaient, et pencher la poêle dans un sens et dans l'autre pour que l'œuf encore cru puisse occuper tout l'espace. Elle l'observait lui aussi, elle regardait son visage, ses mains qui s'affairaient, ses épaules et ses pieds nus.

Quand l'omelette fut cuite, Will la replia sur elle-même et la coupa en deux avec la spatule.

— Trouve-nous deux assiettes, dit-il, et Lyra s'exécuta aussitôt.

Elle semblait prête à recevoir des ordres, du moment qu'elle en comprenait le sens, et Will en profita pour lui demander d'aller débarrasser une table dehors, sur le trottoir. Il apporta ensuite l'omelette et les haricots, avec quelques couverts dénichés dans un tiroir, et ils s'installèrent sur la terrasse pour manger, un peu gênés.

La fille vida son assiette en moins d'une minute, après quoi elle s'agita nerveusement sur son siège, se balançant d'avant en arrière et triturant les bandes en plastique de sa chaise tressée, pendant que Will finissait son omelette. Son dæmon changea une fois encore d'apparence, pour devenir un chardonneret qui se mit à picorer des miettes invisibles sur la table.

Will mangeait lentement. Il avait donné à Lyra presque tous ses haricots, malgré cela, il n'avait toujours pas fini. Le port devant eux, les lumières qui bordaient le boulevard désert, les étoiles dans le ciel obscur, tout cela était suspendu dans un immense silence, comme si rien d'autre n'existait.

Pendant ce temps-là, Will sentait très fortement la présence de la fille à ses côtés. Elle était petite et frêle, mais nerveuse, et savait se battre comme un tigre. Durant leur affrontement, il lui avait fait un bleu sur la joue, d'un coup de poing malencontreux, mais elle s'en moquait. Il y avait dans son expression un curieux mélange de curiosité enfantine, comme lorsqu'elle avait goûté le Coca, et une sorte de profonde mélancolie, teintée de méfiance. Elle avait des yeux d'un bleu très clair et des cheveux sans doute blond foncé, quand ils étaient propres, car, pour l'heure, elle était affreusement sale et sentait mauvais, comme si elle ne s'était pas lavée depuis plusieurs jours.

—Laura ? Lara ? C'est ça ?

—Non, Lyra.

—Lyra... Parle-d'Or ?

—Oui.

—Il est où ton monde ? Comment tu es arrivée ici ?

Elle haussa les épaules.

—J'ai marché, dit-elle. Il y avait un épais brouillard, je savais pas où j'allais.
Mais je savais que je sortais de mon monde. Quand le brouillard s'est dissipé,
je me suis retrouvée ici.

—Tout à l'heure, tu parlais de la poussière ?

—Ah oui, la Poussière. Je veux savoir ce que c'est au juste. Mais on dirait
que ce monde est désert. Impossible d'interroger qui que ce soit. Je suis ici
depuis... trois ou quatre jours. Et je n'ai encore vu personne !

—Qu'est-ce que tu veux savoir sur la poussière ?

—C'est une Poussière spéciale, attention, précisa-t-elle. C'est pas n'importe quelle poussière.

Son dæmon se métamorphosa encore une fois. En un clin d'œil. De chardonneret, il devint rat ; un gros rat trapu, tout noir avec des yeux rouges.
Will l'observa d'un air méfiant, et la fille remarqua son regard.

—Tu as forcément un dæmon toi aussi, déclara-t-elle d'un ton catégorique. À l'intérieur.

Will ne savait pas quoi répondre.

—Si, si, c'est sûr, ajouta-t-elle. Tu ne serais pas humain, sinon. Tu serais...
à moitié mort. On a vu un garçon à qui on avait arraché son dæmon. Tu ne
lui ressembles pas. Même si tu ne sais pas que tu as un dæmon, tu en as forcément un. On a eu peur quand on t'a vu. On a cru que tu étais un monstre
de la nuit ou quelque chose dans ce genre.

—On ?

—Pantalaimon et moi. Ton dæmon est inséparable de toi. Il est toi. Une
partie de toi-même, si tu préfères. Chacun est une partie de l'autre. Il n'y a
personne comme nous dans ton monde ? Tous les gens sont comme toi,
avec leur dæmon caché à l'intérieur ?

Will les observa l'un et l'autre, la fille maigrelette aux yeux délavés et son
dæmon-rat, assis maintenant dans ses bras, et à cet instant, il se sentit terriblement seul.

—Je suis fatigué, je vais me coucher, annonça-t-il. Tu as l'intention de
rester dans cette ville ?

—J'en sais rien. Je dois me renseigner sur ce que je cherche. Il y a forcément des savants dans ce monde. Il y a forcément quelqu'un qui sait quelque chose.

—Peut-être pas ici, dans ce monde. Mais je viens d'un endroit qui s'appelle Oxford. Il y a un tas de gens savants là-bas, si c'est ce que tu cherches.

—Oxford ? s'exclama-t-elle. C'est de là que je viens !

—Ah bon ? Il y a un Oxford dans ton monde à toi aussi ? Ne me dis pas que tu viens du même monde que moi.

—Non, non, dit Lyra, catégorique. Ce sont deux mondes différents. Mais dans le mien aussi, il y a un Oxford. On parle bien la même langue, toi et moi, non ? On peut donc supposer qu'il existe d'autres ressemblances. Comment tu as fait pour passer d'un monde à l'autre ? Il y a un pont, ou un truc comme ça ?

—Plutôt une sorte de fenêtre ouverte dans le vide.

—Fais-moi voir, demanda-t-elle.

—Pas maintenant. J'ai sommeil. Et en plus, il fait nuit.

—Tu me montreras demain matin, alors !

—D'accord, demain matin. Mais j'ai des choses à faire moi aussi. Tu devras te débrouiller toute seule pour trouver tes savants.

—Facile, dit-elle. Je les connais bien.

Will empila les assiettes et se leva.

—J'ai fait la cuisine, dit-il, à toi de faire la vaisselle.

Lyra ouvrit de grands yeux.

—Hein ? La vaisselle ? dit-elle avec un rire méprisant. Il y a des milliers d'assiettes propres ! Je ne suis pas une domestique, je te signale. Pas question que je fasse la vaisselle.

—Dans ce cas, je ne te montrerai pas le passage.

—Je le trouverai toute seule.

—Ça m'étonnerait, il est caché. Tu ne le trouveras jamais. Écoute-moi bien. Je ne sais pas combien de temps on va rester ici. Puisqu'il faut se nourrir, on mangera ce qu'on trouve, mais on rangera tout ensuite, et on gardera cet endroit propre, c'est normal. Tu feras la vaisselle comme je te l'ai demandé. En attendant, je vais me coucher. Je prends la chambre d'à côté. À demain matin.

Il entra dans la chambre, se brossa les dents avec son doigt et le dentifrice qui était dans le cabas, se laissa tomber sur le grand lit à deux places et s'endormit presque aussitôt.

Lyra attendit d'être certaine qu'il dormait, puis elle emporta les assiettes sales dans la cuisine et les passa sous l'eau, en frottant énergiquement avec un torchon jusqu'à ce qu'elles aient l'air propre. Elle fit de même avec les fourchettes et les couteaux, mais la technique se révéla moins efficace avec la poêle, c'est pourquoi elle utilisa un morceau de savon jaune et gratta avec acharnement jusqu'à ce que la poêle lui paraisse aussi propre qu'elle pouvait l'être. Elle utilisa ensuite un autre torchon pour essuyer le tout et empila soigneusement la vaisselle sur l'égouttoir.

Comme elle avait encore soif, et qu'elle avait envie d'essayer de décapsuler une boîte de Coca, elle en ouvrit une et l'emporta avec elle au premier étage. S'arrêtant devant la porte de Will, elle tendit l'oreille et, n'entendant aucun bruit, elle se faufila dans la chambre voisine, sur la pointe des pieds, et s'empara de son aléthiomètre caché sous l'oreiller.

Elle n'avait pas besoin de se trouver près de Will pour interroger l'instrument à son sujet, mais elle avait envie de l'observer et elle tourna la poignée de la porte de sa chambre aussi discrètement que possible.

Les lumières du bord de mer éclairaient directement la pièce et, dans la lueur qui se reflétait au plafond, Lyra dévisagea le garçon endormi. Il avait le front plissé, la sueur faisait briller son visage. Il était déjà musclé et trapu, bien que n'étant pas encore bâti comme un adulte, évidemment, car il était à peine plus âgé qu'elle, mais un jour, se disait-elle, il deviendrait extrêmement fort. Ah, ce serait tellement plus facile si son dæmon était visible ! «Quelle apparence aurait-il ? » se demanda-t-elle. Et aurait-il déjà adopté sa forme définitive ? Nul doute que ce dæmon, quel qu'il soit, exprimerait un tempérament sauvage, attentionné et triste.

À pas feutrés, elle approcha de la fenêtre. Dans la lumière d'un lampadaire, elle disposa délicatement les aiguilles de l'aléthiomètre, et laissa ses pensées dériver à leur guise pour former une question. La grande aiguille fine commença à tournoyer autour du cadran, en exécutant une succession de pauses et de rotations, presque trop rapides pour le regard.

Elle avait demandé : «Qui est ce garçon ? Un ami ou un ennemi ? »

L'aléthiomètre répondit : «C'est un meurtrier. »

Lyra se sentit immédiatement soulagée. Il savait où trouver à manger, il lui montrerait comment rejoindre Oxford, autant de qualités fort utiles ; ce qui ne l'aurait pas empêché d'être un froussard, un garçon à qui on ne peut pas faire confiance. Un meurtrier, en revanche, faisait un excellent compagnon. Avec lui, elle se sentait aussi protégée qu'elle l'avait été aux côtés de Iorek Byrnison, l'ours en armure.

Elle ferma les volets devant la fenêtre ouverte pour que les premiers rayons du soleil ne viennent pas frapper le visage de Will, après quoi, elle ressortit sur la pointe des pieds.

Chapitre 2
Parmi les sorcières

La sorcière Serafina Pekkala, qui avait sauvé Lyra et les autres enfants de la station expérimentale de Bolvangar, et s'était ensuite rendue avec la fillette sur l'île de Svalbard, par la voie des airs, était extrêmement soucieuse. Prises dans les perturbations atmosphériques qui suivirent la fuite de Lord Asriel, exilé sur Svalbard, ses compagnes et elles furent entraînées loin, très loin de l'île par les vents violents, au-dessus de la mer gelée. Quelques-unes des sorcières parvinrent à rester accrochées à la montgolfière endommagée de Lee Scoresby, l'aéronaute texan, mais Serafina se retrouva projetée au milieu des nappes de brouillard épais qui déboulèrent presque immédiatement de l'immense fissure ouverte dans le ciel par l'expérience de Lord Asriel. Dès qu'elle fut à nouveau capable de contrôler son vol, sa première pensée fut pour Lyra, car elle ignorait tout du combat entre le faux ours-roi et le vrai, Iorek Byrnison, et elle ne pouvait pas savoir ce qu'il était advenu de Lyra par la suite.

C'est pourquoi elle partit à sa recherche en volant à travers l'atmosphère nuageuse teintée de reflets d'or, à cheval sur sa branche de sapin, accompagnée de son dæmon-oie, Kaisa. Ils revinrent vers Svalbard, en bifurquant légèrement vers le sud et, pendant plusieurs heures, voltigèrent dans un ciel turbulent, traversé de lumières et d'ombres étranges. Serafina Pekkala savait, à en juger par le picotement désagréable de la lumière sur sa peau, que celle-ci provenait d'un autre monde.

Soudain, Kaisa s'exclama :

– Regarde ! Un dæmon de sorcière, visiblement égaré...

Scrutant les épaisses nappes de brouillard, Serafina Pekkala aperçut à son tour une sterne, une hirondelle de mer, qui tournoyait, en poussant des cris aigus, dans les gouffres de lumière embrumée. Faisant demi-tour, la sorcière et son dæmon foncèrent vers elle. En les voyant approcher, l'oiseau voulut s'enfuir, mais Serafina Pekkala lui adressa un signe d'amitié, et il redescendit à leur hauteur.

Serafina Pekkala demanda :

— À quel clan appartiens-tu ?

— **Taymyr**, dit l'hirondelle de mer. Ma sorcière a été capturée... Nos compagnes ont été chassées ! Je suis perdue...

— Qui a capturé ta sorcière ?

— La femme avec le dæmon-singe, celle de Bolvangar... Oh, aidez-moi ! Aidez-moi ! J'ai peur !

— Ton clan était-il allié aux mutilateurs d'enfants ?

— Oui, jusqu'à ce que l'on découvre ce qu'ils leur faisaient véritablement... Après le combat à Bolvangar, ils nous ont toutes chassées, mais ma sorcière a été faite prisonnière... Ils l'ont emmenée sur un bateau... Que puis-je faire ? Elle m'appelle, et j'ignore où elle est ! Oh, je vous en prie, aidez-moi, aidez-moi !

— Chut, dit Kaisa, le dæmon-oie. Écoutez... tout en bas.

La sorcière et les deux dæmons plongèrent vers la mer, en tendant l'oreille, et de fait, Serafina Pekkala ne tarda pas à percevoir le martèlement régulier d'un moteur à gaz, étouffé par le brouillard.

— Impossible de piloter un navire dans une telle purée de pois, commenta Kaisa. Que font-ils ?

— Ce n'est pas un si gros bateau, dit Serafina Pekkala, et au moment où elle prononçait ces mots, un autre bruit leur parvint, venant d'une direction différente : une sorte de déflagration rauque et vibrante, comme si quelque gigantesque créature marine lançait un cri des profondeurs. Le rugissement dura plusieurs secondes, avant de s'arrêter brusquement.

— La corne de brume du navire, commenta Serafina Pekkala.

Après avoir tournoyé au-dessus de l'eau, à basse altitude, la sorcière et les deux dæmons repartirent en direction du bruit du moteur. Et soudain, ils découvrirent le bateau en question, car les plaques de brouillard semblaient moins denses par endroits, et la sorcière, pour ne pas être vue, reprit rapidement de l'altitude, juste au moment où une vedette débouchait en haletant au milieu des nappes d'air humide. La houle était paresseuse et molle, comme si l'eau répugnait à se soulever.

Serafina et son dæmon volèrent au-dessus de l'embarcation en décrivant de grands cercles, suivis de près par l'hirondelle de mer, comme un enfant suit sa mère, et ils virent le timonier modifier légèrement son cap, alors que retentissait de nouveau la corne de brume du navire. Un projecteur était fixé à la proue de la vedette, mais il n'éclairait que le brouillard, quelques mètres devant.

Serafina Pekkala s'adressa au dæmon perdu :

— Tu disais qu'il y avait encore des sorcières qui aidaient ces gens ?

— Oui, je crois... Quelques renégates de Volgorsk... À moins qu'elles aient fui elles aussi, dit le dæmon-sterne. Que comptez-vous faire ? Vous allez rechercher ma sorcière ?

— Oui. Mais en attendant, tu vas rester avec Kaisa.

Serafina Pekkala plongea vers la vedette, abandonnant les deux dæmons en plein ciel, hors de vue, et vint se poser sur le pont, juste derrière le timonier. Le dæmon-mouette du marin poussa un cri strident et celui-ci se retourna.

— Eh bien, on peut dire que vous avez pris votre temps ! dit-il. Mettez-vous à l'avant et guidez-nous jusqu'à bâbord.

La sorcière s'envola aussitôt. Le subterfuge avait fonctionné : il y avait encore des sorcières qui aidaient ces gens, en effet, et cet homme l'avait prise pour l'une d'elles. En langage de marin, bâbord signifiait gauche, elle s'en souvenait, et la lumière de bâbord était rouge. Elle virevolta au hasard dans le brouillard, jusqu'à ce qu'elle aperçoive un rougeoiement nébuleux à moins de cent mètres de là. Faisant rapidement demi-tour, elle revint planer au-dessus de la vedette pour lancer des indications au timonier, qui réduisit l'allure de son embarcation et la fit avancer, presque au ralenti, vers l'échelle de la passerelle du navire, suspendue au-dessus du niveau de l'eau. Le timonier poussa un cri, et un marin qui se trouvait sur le gros bateau jeta une corde, tandis qu'un autre descendait rapidement l'échelle pour amarrer la vedette.

Serafina Pekkala, elle, fila vers le bastingage du navire et s'enfonça dans l'obscurité qui entourait les canots de sauvetage. Il n'y avait aucune autre sorcière en vue, mais sans doute sillonnaient-elles le ciel ; Kaisa saurait quoi faire.

En dessous, un passager quittait la vedette et escaladait l'échelle du navire. Enveloppé de fourrures, coiffé d'une capuche, il était difficile à identifier, mais au moment où il atteignait le pont, un dæmon-singe au pelage doré bondit à ses côtés sur le bastingage, avec habileté, pour balayer du regard les alentours. Une lueur malveillante faisait briller ses yeux noirs. Serafina Pekkala retint son souffle : ce mystérieux passager n'était autre que Mme Coulter !

Un homme tout de noir vêtu se précipita sur le pont pour l'accueillir, en jetant des regards autour de lui, comme s'il s'attendait à apercevoir quelqu'un d'autre.

— Lord Boreal ne... dit-il.

Mme Coulter lui coupa la parole.

— Il est parti ailleurs. Ont-ils commencé les tortures ?

— Oui, madame Coulter. Mais...

— Je leur avais ordonné d'attendre ! rugit-elle. Auraient-ils pris l'habitude de me désobéir ? La discipline a bien besoin d'être renforcée sur ce bateau, il me semble.

Elle abaissa sa capuche. Serafina Pekkala distingua nettement son visage dans la lumière jaune : fier, passionné et, aux yeux de la sorcière, si jeune.

— Où sont les autres sorcières ? demanda Mme Coulter.

— Elles sont toutes parties, m'dame, répondit l'homme du navire, un ecclésiastique sans doute. Elles sont rentrées chez elles.

— Il y avait pourtant une sorcière qui guidait la vedette, fit remarquer Mme Coulter. Où est-elle passée ?

Serafina recula dans l'ombre ; de toute évidence, le timonier de la vedette n'était pas au courant des derniers événements. L'ecclésiastique regarda autour de lui, hébété, mais Mme Coulter était trop impatiente. Après avoir balayé d'un regard superficiel le pont et le ciel, elle secoua la tête et, accompagnée de son dæmon, elle s'engouffra par la porte ouverte qui projetait un nimbe jaune dans l'atmosphère. L'homme en noir lui emboîta le pas.

Serafina Pekkala regarda autour d'elle pour repérer sa position. Elle était cachée derrière un conduit d'aération sur l'étroite bande de pont entre le bastingage et la superstructure centrale du bateau. À ce niveau, face à la proue, sous la passerelle de commandement et la cheminée, il y avait un salon, dont trois côtés étaient percés de véritables fenêtres, pas des hublots. C'était là que l'homme et la femme venaient d'entrer. Une lumière épaisse se déversait des fenêtres sur le bastingage constellé de perles de brouillard, et soulignait faiblement le mât de misaine et l'écoutille recouverte d'une bâche. Tout était trempé et commençait à durcir sous l'effet du gel. Nul ne pouvait apercevoir Serafina Pekkala là où elle se trouvait, mais si elle voulait essayer d'en savoir plus, elle serait obligée de sortir de sa cachette.

Dommage. Mais, avec sa branche de sapin, elle pouvait s'échapper à tout moment ; avec son couteau et son arc, elle pouvait se battre. Ayant dissimulé sa branche derrière le conduit d'aération, elle avança discrètement sur le pont jusqu'à la première fenêtre. Celle-ci était couverte de buée, impossible de voir à l'intérieur, et Serafina n'entendait aucune voix. Elle retourna se cacher dans l'ombre.

Il y avait quand même une chose qu'elle pouvait faire, même si elle y répugnait, car c'était terriblement risqué, et elle serait épuisée ensuite. Mais apparemment, elle n'avait pas le choix. Il s'agissait d'une sorte de magie, grâce à laquelle elle pouvait se rendre invisible. La véritable invisibilité n'existait pas, évidemment ; c'était plutôt une manipulation psychique qui, à défaut de rendre invisible celui ou celle qui la pratiquait, lui permettait de passer inaperçu. À condition de maintenir l'illusion avec une intensité suffisante, elle pouvait traverser une pièce pleine de monde, ou marcher à côté d'un voyageur solitaire, sans être vue.

Elle fit le vide dans son esprit, afin de rassembler toute sa concentration sur cette tâche consistant à modifier sa manière de paraître. Il lui fallut plusieurs minutes avant de se sentir assez sûre d'elle. Pour tester son pouvoir, Serafina sortit de sa cachette et s'avança sur le chemin d'un marin qui marchait sur le pont avec une boîte à outils. Celui-ci fit un écart pour l'éviter, sans lui adresser le moindre regard.

Elle était prête. Elle se dirigea vers la porte du salon brillamment éclairé et l'ouvrit. La pièce était vide. La sorcière laissa la porte extérieure entrouverte pour pouvoir fuir en cas de besoin, et aperçut une autre porte au fond de la pièce, qui s'ouvrait sur un escalier plongeant dans les entrailles du bateau. L'ayant descendu, elle se retrouva dans un étroit couloir où couraient des tuyaux peints en blanc, éclairé par des lampes ambariques fixées sur les cloisons, et qui semblait suivre le tracé de la coque, avec des portes s'ouvrant de chaque côté.

Serafina avança sans bruit, en tendant l'oreille, jusqu'à ce qu'elle entende des voix derrière une des portes. Apparemment, elle arrivait en plein conseil.

Elle poussa la porte et entra.

Une douzaine de personnes étaient assises autour d'une grande table. Une ou deux levèrent la tête un court instant lorsqu'elle entra, la regardèrent d'un œil indifférent, et oublièrent aussitôt sa présence. Elle resta debout près de la porte, en silence, et observa la scène. Le conseil était présidé par un vieil homme portant une robe de Cardinal, et tous les autres semblaient appartenir à différents ordres ecclésiastiques, à l'exception de Mme Coulter, seule femme présente. Celle-ci avait jeté son long manteau de fourrure sur le dossier d'une chaise ; ses joues étaient empourprées par la chaleur qui régnait dans les profondeurs du bateau.

En balayant la pièce du regard, Serafina découvrit une personne qu'elle n'avait pas vue immédiatement : un homme au visage émacié, avec un dæmon-grenouille, installé légèrement à l'écart devant une table qui disparaissait sous les gros livres reliés en cuir et des empilements de feuilles jaunes. Elle crut tout d'abord qu'il s'agissait d'un clerc ou d'un secrétaire, jusqu'au moment où elle vit à quelle occupation il se livrait : les yeux fixés sur un instrument doré qui ressemblait à une grosse montre ou à une boussole, il détournait le regard régulièrement pour noter quelque chose, sans doute le résultat de ses observations. Il ouvrait alors un des gros livres disposés devant lui, parcourait laborieusement l'index et consultait ensuite une référence, qu'il notait également, avant de reporter toute son attention sur le mystérieux instrument.

Serafina reporta la sienne sur la discussion qui roulait autour de la table, car elle avait saisi au vol le mot « sorcière ».

—Elle sait quelque chose au sujet de cette enfant, déclara un des ecclésiastiques. Elle l'a avoué. D'ailleurs, toutes les sorcières savent qui est cette fillette.

—Moi, je me demande surtout ce que sait Mme Coulter, dit le Cardinal. N'aurait-elle pas dû nous avertir de certaines choses ?

—Exprimez-vous de manière plus directe, répondit Mme Coulter d'un ton glacial. Vous oubliez que je suis une femme, votre Éminence, je ne possède pas la finesse d'esprit d'un prince de l'Église. Quelle est donc cette prétendue vérité que je suis censée connaître au sujet de cette enfant ?

L'expression du Cardinal était chargée de sous-entendus, mais il ne dit rien. Après un instant de silence pesant, un des ecclésiastiques prit la parole, d'un ton presque contrit :

—Voyez-vous, madame Coulter, dit-il, il existe apparemment une prophétie au sujet de cette fillette. Tous les signes sont réunis. À commencer par les circonstances de sa venue au monde. Les gitans ont entendu parler de son existence, eux aussi ils évoquent sa présence en termes d'huile de sorcière et de feux des marais, c'est très mystérieux, ce qui lui a permis de conduire les gitans jusqu'à Bolvangar. Sans oublier, bien entendu, la façon époustouflante dont elle a provoqué la chute de l'ours-roi Iofur Raknison. Aucun doute, ce n'est pas une enfant ordinaire. Mais Fra Pavel pourra peut-être vous en dire plus...

En disant cela, il jeta un regard en direction de l'homme au visage émacié qui consultait l'aléthiomètre ; celui-ci battit des paupières, se frotta les yeux comme s'il se réveillait et se tourna vers Mme Coulter.

—Peut-être savez-vous, dit-il, que cet aléthiomètre est le dernier existant au monde, à l'exception de celui qui est en possession de la fillette. Tous les autres ont été retrouvés, confisqués et détruits, sur ordre du Magisterium. J'ai appris, grâce à cet instrument, que celui de la fillette lui avait été remis par le Maître de Jordan College, qu'elle avait appris à l'utiliser toute seule, et pouvait le déchiffrer sans avoir recours aux Livres des Interprétations. S'il était possible de mettre en doute les affirmations de l'aléthiomètre, je le ferais volontiers, car il me paraît inconcevable que l'on puisse utiliser cet instrument sans l'aide des livres. Il faut des dizaines d'années d'études approfondies pour commencer simplement à percer les mystères de l'aléthiomètre. Or, en quelques semaines à peine, cette fillette a commencé à le déchiffrer et, désormais, elle le maîtrise parfaitement. Je ne connais aucun savant qui soit capable d'une telle prouesse.

—Où est cette fillette, maintenant, Fra Pavel? demanda le Cardinal.

—Dans l'autre monde, déjà. Le temps presse.

—La sorcière connaît la réponse! s'exclama un membre de l'assemblée, dont le dæmon-rat musqué mâchonnait en permanence un crayon. Tout est prêt pour recueillir le témoignage de la sorcière! Je propose de recommencer les tortures!

—Quelle est donc cette prophétie dont vous parliez? demanda Mme Coulter, qui semblait de plus en plus furieuse. Comment osez-vous me cacher une telle chose?

Le pouvoir qu'elle exerçait sur ces hommes était palpable. Le singe doré promena son regard noir tout autour de la table, et nul n'osa l'affronter.

Seul le Cardinal refusa de baisser les yeux. Son dæmon, un ara, leva la patte pour se gratter la tête.

—La sorcière a laissé entendre une chose extraordinaire, déclara le Cardinal. Je n'ose imaginer ce que cela pourrait signifier. Si elle dit vrai, nous nous retrouvons investis de la plus grande responsabilité qui puisse incomber à des hommes et des femmes. Mais je vous repose ma question, madame Coulter : que savez-vous au sujet de cette fille et de son père?

Le visage de Mme Coulter était livide de rage.

—Comment osez-vous me questionner de cette façon? éructa-t-elle. Comment osez-vous me cacher ce que vous a appris la sorcière? Et enfin, comment osez-vous laisser entendre que je vous cache quelque chose? Vous pensez que je suis de son côté? Ou peut-être croyez-vous que je suis du côté de son père? Peut-être pensez-vous qu'il faudrait me torturer comme la sorcière? Eh bien, nous sommes tous à vos ordres, votre Éminence. Il vous suffit de claquer des doigts pour me faire écarteler. Vous pourrez chercher la réponse dans chaque morceau de ma chair, vous ne la trouverez pas, car j'ignore tout de cette prophétie, et du reste. Mais j'exige que vous me racontiez tout ce que vous savez. Car il s'agit de mon enfant, ma propre fille, conçue dans le péché et née dans la honte, mais ma fille malgré tout, et vous voulez me priver du droit de savoir!

—Allons, calmez-vous, dit un des ecclésiastiques, d'une voix tremblante. Je vous en prie, madame Coulter. La sorcière n'a pas encore parlé ; elle a beaucoup de choses à nous apprendre. Comme l'a dit le Cardinal Sturrock, elle a simplement laissé entendre certaines choses.

—Supposons que la sorcière refuse de parler? répondit Mme Coulter. Que ferons-nous ? Des suppositions ? Nous tremblerons de peur dans notre coin, en faisant des suppositions ?

Fra Pavel reprit la parole :

—Non. Car c'est justement la question que je prépare pour la soumettre à l'aléthiomètre. Ainsi, nous aurons forcément la réponse, de la bouche de la sorcière ou dans les Livres des Interprétations.

—Et combien de temps cela prendra-t-il ?

L'homme esquissa une grimace.

—Un temps considérable, hélas, dit-il. Car il s'agit d'une question très complexe.

—La sorcière, elle, nous fournirait la réponse immédiatement, dit Mme Coulter.

Sur ce, elle se leva. Par respect, ou par crainte, la plupart des hommes assis autour de la table l'imitèrent. Seuls le Cardinal et Fra Pavel restèrent assis. Quant à Serafina Pekkala, elle demeura prudemment en retrait, en faisant de terribles efforts de concentration pour continuer à passer inaperçue. Le singe doré grinçait des dents, et ses poils brillants étaient hérissés.

Mme Coulter le balança sur son épaule.

—Allons lui poser la question, dit-elle.

Elle tourna les talons et ressortit à grands pas dans le couloir. Les hommes s'empressèrent de lui emboîter le pas, en se bousculant devant Serafina Pekkala, qui eut juste le temps de s'écarter, en proie à la plus grande confusion. Le dernier à quitter la pièce fut le Cardinal.

Serafina s'accorda quelques secondes pour se ressaisir car, sous l'effet de sa vive agitation, elle commençait à redevenir «visible». Après quoi, elle suivit les ecclésiastiques dans le couloir, jusque dans une autre pièce, plus petite, nue, blanche et étouffante, où tous s'étaient déjà rassemblés autour de la pauvre créature pitoyable qui se trouvait au centre : une sorcière ligotée sur une chaise métallique, son visage gris ravagé par la souffrance, les jambes tordues et brisées.

Mme Coulter se pencha au-dessus d'elle. Serafina se plaça près de la porte, en sachant qu'elle ne pourrait pas demeurer invisible très long-temps ; la tension était trop forte.

—Parle-nous de cette fillette, sorcière, demanda Mme Coulter.

—Non !

—Tu vas souffrir.

—J'ai déjà souffert.

—Oh, ce n'est pas fini, tu vas voir. Notre Église possède des milliers d'an-nées d'expérience dans ce domaine ; nous pouvons prolonger tes souf-frances indéfiniment. Allez, parle-nous de cette enfant.

Mme Coulter saisit un des doigts de la sorcière... et le brisa d'un geste sec. Le doigt craqua comme du bois mort.

La sorcière poussa un hurlement de douleur, et l'espace d'une seconde, Serafina Pekkala redevint visible aux yeux de tous. Un ou deux ecclésiastiques la regardèrent, hébétés et effrayés, mais elle parvint à se ressaisir, et ils reportèrent leur attention sur la pauvre suppliciée.

Mme Coulter proférait des menaces :

— Si tu ne parles pas, je te casse un deuxième doigt, puis un autre, et ainsi de suite. Que sais-tu sur cette enfant ? Je t'écoute. Vas-y, parle !

— D'accord ! Mais arrêtez, je vous en supplie !

— Réponds, alors.

Il y eut un autre craquement sinistre, à vous glacer le sang, et cette fois, la sorcière ne put retenir un flot de larmes. Dans son coin, Serafina Pekkala avait du mal à se contenir. Elle entendit résonner ces mots, dans un long cri d'agonie :

— Nooon ! Je vous dirai tout ! Par pitié, arrêtez ! L'enfant que l'on attendait... Les sorcières connaissaient son identité avant vous... Nous avons découvert son nom...

— On connaît son nom. De quel nom parles-tu ?

— Son véritable nom ! Le nom de sa destinée !

— Quel est donc ce nom ? Parle ! ordonna Mme Coulter.

— Non... non...

— Et comment l'avez-vous reconnue ?

— Il y avait une épreuve... Si elle réussissait à choisir la bonne branche de sapin parmi beaucoup d'autres, c'était elle l'enfant que l'on attendait. Cela s'est produit dans la maison de notre Consul à Trollesund, quand la fillette est arrivée avec les gitans... La fille avec l'ours...

La voix de la sorcière se brisa.

Mme Coulter poussa un soupir d'impatience ; un nouveau craquement sec résonna dans la pièce, suivi d'un gémissement.

— Quelle est donc votre prophétie concernant cette enfant ? demanda Mme Coulter, dont la voix d'airain vibrait maintenant de passion. Et quel est ce nom qui dévoilera sa destinée ?

Serafina Pekkala se rapprocha, en se faufilant au milieu du groupe compact des hommes rassemblés autour de la sorcière, sans qu'aucun ne sente sa présence à ses côtés. Il fallait qu'elle mette fin aux souffrances de sa sœur, et vite, mais la pression imposée par son invisibilité était écrasante. D'une main tremblante, elle dégaina le couteau fixé à sa ceinture.

La sorcière sanglotait.

— C'est elle qui est déjà venue, et depuis, vous la haïssez, vous la craignez !

Elle est revenue, et vous ne l'avez pas trouvée... Elle est allée là-bas, à Svalbard ; elle était avec Lord Asriel, et elle vous a échappé. Elle a réussi à s'enfuir, et maintenant, elle va...

Elle fut interrompue avant d'achever sa phrase.

Par la porte restée ouverte, une hirondelle de mer, folle de terreur, fit irruption dans la pièce en battant des ailes frénétiquement. Puis elle s'écrasa au sol et se releva avec peine pour sauter sur la poitrine de la sorcière martyrisée, se blottir contre elle, enfouir sa tête dans son cou, en gazouillant de joie et en pleurant de tristesse, tandis que la sorcière lançait des supplications :

— Yambe-Akka ! Viens à moi, je t'attends !

Nul, à part Serafina Pekkala, ne pouvait comprendre le sens de ces paroles. Yambe-Akka était la déesse qui rendait visite à une sorcière quand celle-ci était sur le point de mourir.

Serafina était prête. Abandonnant son voile d'invisibilité, elle avança, avec un sourire joyeux, car Yambe-Akka était un être gai, au cœur enjoué, et ses visites étaient des offrandes de bonheur. En la voyant, la sorcière leva vers elle son visage inondé de larmes ; Serafina se pencha pour l'embrasser et enfonça, en douceur, son couteau dans le cœur de sa sœur. Le dæmon-sterne la regarda avec ses yeux vitreux, puis disparut.

Serafina Pekkala allait devoir se battre maintenant pour s'enfuir.

Les hommes étaient encore sous le choc, ils n'en croyaient pas leurs yeux, mais Mme Coulter reprit ses esprits presque immédiatement.

— Attrapez-la ! Ne la laissez pas s'enfuir ! s'écria-t-elle.

Mais Serafina avait déjà atteint la porte et bandé son arc. Elle pivota sur elle-même et décocha la flèche en moins d'une seconde ; le Cardinal tomba à la renverse, en s'étranglant et en battant des jambes dans le vide.

La sorcière jaillit dans le couloir, courut vers l'escalier, en bandant son arc, se retourna et décocha une autre flèche ; un deuxième homme s'effondra, tandis qu'une grosse cloche remplissait déjà tout le bateau de son fracas métallique discordant.

Serafina grimpa l'escalier et déboucha sur le pont. Deux marins lui barraient la route.

— Descendez vite ! leur dit-elle. La prisonnière s'est échappée ! Alertez les autres !

Cette ruse suffit à semer la confusion dans l'esprit des deux hommes qui demeurèrent indécis quelques secondes, assez longtemps pour permettre à la sorcière de les contourner et d'aller rechercher sa branche de sapin là où elle l'avait cachée, derrière le conduit d'aération.

— Abattez-la !

C'était la voix de Mme Coulter qui venait de jaillir derrière elle. Immédiatement, trois coups de fusil retentirent dans son dos. Les balles ricochèrent sur le conduit d'aération et s'enfoncèrent dans le brouillard en sifflant, tandis que Serafina enfourchait sa branche de sapin et l'éperonnait mentalement, comme s'il s'agissait d'une de ses flèches mortelles. Quelques secondes plus tard, elle s'envolait dans les airs, au milieu du brouillard épais, hors d'atteinte, bientôt rejointe par une grande oie qui venait d'apparaître au milieu des volutes grises.

—Où va-t-on ? demanda l'oie.

—Loin d'ici, Kaisa, très loin, répondit la sorcière. Je veux chasser de mes narines l'odeur infecte de ces gens.

En vérité, Serafina Pekkala ne savait pas où aller, ni que faire désormais. Mais elle était sûre d'une chose : il y avait dans son carquois une flèche qui finirait plantée dans la gorge de Mme Coulter.

La sorcière et son dæmon mirent le cap vers le sud, loin de cette inquiétante lueur d'un autre monde, au milieu du brouillard. Pendant qu'ils volaient vers d'autres cieux, une question prit forme dans l'esprit de Serafina : quel était donc le véritable but de Lord Asriel ?

Car tous ces événements qui avaient bouleversé l'ordre du monde trouvaient leur origine dans les mystérieuses activités de cet homme.

Malheureusement, Serafina ne puisait ses connaissances que dans des sources naturelles. Elle était capable de suivre à la trace n'importe quel animal, d'attraper n'importe quel poisson, de trouver les baies les plus rares ; elle savait lire les signes dans les entrailles des martres, déchiffrer une vision dans les écailles d'une perche, ou encore interpréter les mises en garde dans le pollen des crocus, mais tous ces enfants de la nature ne lui dévoilaient que les vérités naturelles.

Pour en savoir plus au sujet de Lord Asriel, elle devait s'adresser ailleurs. Dans le port de Trollesund, leur Consul, le Dr Lanselius, servait de lien avec le monde des hommes et des femmes, et Serafina décida de s'y rendre, en fonçant dans le brouillard, pour écouter ce que le Consul avait à lui apprendre. Avant de se poser devant la maison du Dr Lanselius, elle survola le port, où des rubans et des filaments de brume dérivaient tels des fantômes à la surface de l'eau glacée, et assista à l'arrivée d'un gros navire battant pavillon africain. D'autres bateaux étaient ancrés à l'extérieur du port. Jamais elle n'en avait vu autant.

Alors que le jour faiblissait, elle plongea vers le sol et atterrit dans le jardin derrière la maison du Consul. Elle frappa au carreau ; le Dr Lanselius en personne vint lui ouvrir, en posant un doigt sur ses lèvres.

—Bonjour, Serafina Pekkala. Entrez vite, et soyez la bienvenue. Mais ne vous attardez pas, surtout.

Il lui proposa un fauteuil à côté de la cheminée, après avoir jeté un coup d'œil entre les rideaux de la fenêtre qui donnait sur la rue.

—Voulez-vous un peu de vin?

Tout en sirotant son tokay, Serafina raconta au Consul ce qu'elle avait vu et entendu à bord du navire.

—Croyez-vous qu'ils ont compris ce que votre sœur a dit au sujet de cette fillette? demanda-t-il.

—Non, pas tout, je pense. Mais ils savent combien cette enfant est importante. Quant à cette femme, cette Mme Coulter, elle me fait peur, docteur Lanselius. Je crois que je la tuerai un jour, mais elle me fait peur malgré tout.

—Je sais. Je suis comme vous.

Serafina écouta ensuite le Consul lui parler des rumeurs qui avaient couru la ville. Au milieu de ce brouillard de on-dit, quelques faits authentiques commençaient à émerger.

—Il paraît que le Magisterium est en train de réunir la plus grande armée qui ait jamais existé, et il s'agit là de l'avant-garde. Des rumeurs fort inquiétantes circulent également au sujet de certains soldats, Serafina Pekkala. J'ai entendu parler de Bolvangar, et de ce qu'ils y faisaient – priver des enfants de leur dæmon, je ne connais rien de plus monstrueux –, eh bien, il semblerait qu'un régiment entier de guerriers ait subi le même sort. Connaissez-vous le mot zombie? Ces créatures ne redoutent plus rien, car elles n'ont plus d'âme. Certaines ont débarqué dans cette ville. Les autorités les cachent, mais la nouvelle s'est répandue, et les habitants sont terrorisés.

—Et les autres clans de sorcières? demanda Serafina. Quelles nouvelles avez-vous?

—La plupart sont retournées sur leurs terres. Toutes les sorcières vivent dans la peur et l'angoisse, Serafina Pekkala, en attendant de voir ce qui va se passer.

—Et du côté de l'Église?

C'est la plus grande confusion. Car, voyez-vous, ils ignorent, eux aussi, quelles sont les intentions de Lord Asriel.

—Je suis comme eux, avoua la sorcière, et je ne peux imaginer son but. À votre avis, docteur Lanselius, que cherche-t-il?

Le Consul massa le front de son dæmon serpent avec son pouce.

Lord Asriel est un Érudit, dit-il au bout d'un moment, mais la passion qui l'anime n'est pas le savoir. Ni le pouvoir. Je l'ai rencontré un jour, et j'ai découvert un homme doté d'une nature ardente et puissante, mais nulle ment despotique. Je ne pense pas qu'il cherche à gouverner... En fait, je ne sais pas ce qu'il veut, Serafina Pekkala. Peut-être son domestique serait-il capable de vous renseigner. Il s'appelle Thorold et il était prisonnier avec Lord Asriel dans la maison de Svalbard. Vous pourriez lui rendre visite, pour voir s'il a des choses à vous apprendre mais, évidemment, peut-être a-t-il disparu dans l'autre monde avec son maître.

—Merci, c'est une bonne idée... Je vais le faire. Et sans tarder.

Après avoir fait ses adieux au Consul, Serafina Pekkala repartit dans l'obscurité naissante du ciel pour rejoindre Kaisa au milieu des nuages.

Le voyage de Serafina vers le nord fut rendu plus pénible encore du fait de la confusion générale qui régnait dans le monde autour d'elle. Tous les habitants de l'Arctique avaient cédé à la panique, à l'instar des animaux, non seulement à cause du brouillard et des variations magnétiques, mais aussi des craquements de la calotte glaciaire et des vibrations du sol, inhabituels en cette saison. C'était comme si la terre elle-même, le permafrost, se réveillait après un long rêve d'hibernation.

Des hampes d'éclat mystérieux et inquiétant traversaient de manière soudaine les déchirures dans des colonnes de brouillard, avant de disparaître presque aussitôt ; des troupeaux de bœufs musqués étaient pris de l'envie subite de galoper vers le sud, avant de faire demi-tour presque immédiatement pour repartir vers l'ouest ou le nord ; des vols compacts d'oies se désintégraient dans un chaos de cris stridents, tandis que les champs magnétiques qu'elles survolaient vacillaient et se brisaient net ici et là. Au milieu de ce chaos, Serafina Pekkala enfourcha sa branche de sapin et s'envola vers le nord, en direction de la maison située sur le promontoire rocheux, au cœur des immensités désolées de Svalbard.

C'est là-bas qu'elle trouva le domestique de Lord Asriel, Thorold, en train d'affronter un groupe de monstres des falaises.

Elle aperçut les mouvements et les bruits de la bataille avant d'arriver suffisamment près pour voir ce qui se passait : un tourbillon d'ailes parcheminées battant avec frénésie, et des yonk-yonk-yonk sinistres qui résonnaient dans le jardin enneigé. Un homme seul, enveloppé de fourrures, tirait sur les assaillants, tandis que son dæmon-chien montrait les dents et aboyait chaque fois qu'une de ces épouvantables créatures ailées passait trop bas.

Serafina ne connaissait pas cet homme, mais un monstre des falaises incarnait toujours l'ennemi. Tournoyant dans le ciel, elle décocha une dizaine de flèches dans la mêlée. Dans un concert de cris stridents et de bor-

borygmes, la bande de volatiles, trop désorganisée pour mériter le nom de troupe, décrivit un large cercle dans les airs, découvrit son nouvel adversaire et s'enfuit. Moins d'une minute plus tard, le ciel était entièrement dégagé, et les yonk-yonk-yonk désespérés des monstres des falaises se répercutaient au loin contre les montagnes, pour finalement se fondre dans le silence.

Serafina plongea vers la maison et se posa sur la neige piétinée et constellée de taches de sang. L'homme abaissa sa capuche, mais pas son fusil, car une sorcière pouvait parfois représenter l'ennemi, et Serafina découvrit un vieil homme à la mâchoire saillante, avec des cheveux grisonnants et un regard pénétrant.

—Je suis une amie de Lyra, dit-elle. J'aimerais vous parler. Regardez, je pose mon arc.

—Où est la fillette? demanda le vieil homme.

—Dans un autre monde. Et je crains pour sa sécurité. J'ai besoin de savoir ce que prépare Lord Asriel.

Le vieil homme abaissa son fusil.

—Entrez donc. Regardez: je pose mon arme.

Une fois ces formalités accomplies, ils entrèrent. Kaisa, le dæmon-oie, planait dans le ciel au-dessus de la maison pour faire le guet, pendant que Thorold préparait du café et que Serafina lui expliquait ses liens avec Lyra.

—Cette enfant n'en a toujours fait qu'à sa tête, dit le vieil homme lorsqu'ils se furent assis de part et d'autre de la table en chêne, dans la lueur d'une lampe à naphte. Je la voyais une fois par an, environ, quand son oncle se rendait à son collège. Pourtant, j'adorais cette fillette, figurez-vous; c'était plus fort que moi. Mais je ne saurais vous dire quelle était sa place dans toute cette histoire.

—Dites-moi simplement quels étaient les projets de Lord Asriel.

—Vous ne croyez tout de même pas qu'il m'en a parlé, Serafina Pekkala? Je suis son majordome, rien de plus. Je lave son linge, je lui prépare à manger et j'entretiens sa maison. Peut-être ai-je appris une ou deux choses depuis des années que je suis au service de sa Seigneurie, mais uniquement par hasard, en captant une phrase ici et là. Il ne se confiait pas plus à moi qu'à son plat à barbe.

—Parlez-moi de ces deux ou trois choses que vous avez apprises par hasard, demanda la sorcière.

Malgré son âge avancé, Thorold était un homme vigoureux, en pleine possession de ses moyens. Il se sentait flatté, comme n'importe quel homme l'aurait été, de l'attention que lui portait cette jeune et belle sorcière. Mais il était suffisamment intelligent pour savoir que ce n'était pas réellement à lui qu'elle s'intéressait, mais plutôt aux choses qu'il savait. Et comme c'était un homme honnête, il ne la fit pas languir plus longtemps que nécessaire.

— Je ne peux pas vous expliquer précisément ce qu'il prépare, dit-il, car tous les détails philosophiques dépassent mon entendement. Mais je peux vous dire ce qui motive Lord Asriel, même si sa Seigneurie ne sait pas que je le sais. Je l'ai compris grâce à un millier de petits signes. Arrêtez-moi si je me trompe, mais les sorcières et les sorciers possèdent des dieux différents des nôtres, n'est-ce pas ?

— C'est exact.

— Connaissez-vous notre Dieu ? Le Dieu de l'Église, celui qu'ils nomment l'Autorité ?

— Oui, je le connais.

— Eh bien, sachez que Lord Asriel ne s'est jamais senti très à l'aise avec les doctrines de l'Église, d'une certaine façon. J'ai souvent vu des rictus de dégoût déformer son visage quand il entendait parler de sacrements et d'expiation, de rédemption et ainsi de suite. Chez nous, Serafina Pekkala, s'opposer à l'Église est un crime passible de mort, et pourtant, Lord Asriel nourrit dans son cœur un désir de révolte, depuis que je suis à son service ; voilà une des choses que je sais.

— Une révolte contre l'Église ?

— En partie, oui. Il fut un temps où il envisageait d'engager un rapport de forces, mais il a finalement renoncé à cette idée.

— Pourquoi ? Parce que l'Église était trop puissante ?

— Non, répondit le vieux domestique, cela n'arrêterait pas mon maître. Vous allez peut-être trouver ça bizarre, Serafina Pekkala, mais je connais cet homme mieux qu'aucune femme, aucune mère même, pourrait le connaître. Voilà près de quarante ans que je le sers et l'étudie. Évidemment, je ne peux pas le suivre dans les hauteurs de sa pensée, pas plus que je ne sais voler, mais je sais quels chemins il emprunte, même s'il m'est impossible de l'accompagner. Or, je suis convaincu que s'il a renoncé finalement à se rebeller contre l'Église, ce n'est pas parce qu'elle était trop puissante, mais au contraire trop faible pour justifier un tel combat.

— Alors... que cherche-t-il ?

— Je crois qu'il a choisi de mener une bataille plus héroïque. Je crois qu'il prépare une rébellion contre le plus puissant de tous les pouvoirs. Il est parti à la recherche de l'endroit où vit l'Autorité Elle-même, dans l'espoir de La détruire. Voilà ce que je pense. Et j'ai le cœur qui tremble rien qu'en prononçant ces mots, madame. J'ose à peine y penser. Mais je ne vois pas d'autre moyen d'expliquer son comportement et ses actes.

Serafina demeura silencieuse quelques instants, le temps d'assimiler les révélations de Thorold.

Celui-ci enchaîna :

— Évidemment, quiconque entreprend une action de cette envergure devient la cible privilégiée de la fureur de l'Église. Cela va sans dire. Un tel geste constituerait le plus effroyable des blasphèmes, voilà ce qu'ils diraient. Ils le traduiraient devant la Cour Consistoriale et le condamneraient à mort en un clin d'œil. Je n'ai jamais parlé de ça, et je n'en reparlerai plus ; j'aurais peur de prononcer ces paroles si vous n'étiez pas une sorcière, et de ce fait, à l'abri du pouvoir de l'Église, mais je vous le répète, c'est la seule explication plausible. Lord Asriel va localiser l'Autorité et La tuer.

— Est-ce possible ? demanda Serafina.

— La vie de Lord Asriel a toujours été remplie d'actes impossibles. Je n'oserais pas dire qu'une seule chose pouvait lui résister. Mais à première vue, Serafina Pekkala, oui, il est complètement fou. Si les anges n'ont pas réussi, comment un homme pourrait-il seulement y songer ?

— Les anges ? Qu'est-ce donc ?

— Des êtres qui sont de purs esprits, selon l'Église. Elle nous enseigne que des anges se sont rebellés avant la création du monde, alors, ils ont été chassés du ciel et jetés en enfer. Bref, ils ont échoué, c'est là le point le plus important. Ils n'ont pas réussi. Lord Asriel n'est qu'un homme, avec des pouvoirs humains, et rien d'autre. Mais son ambition, elle, est sans limites. Il ose entreprendre ce que les autres hommes et femmes n'osent même pas envisager. Regardez ce qu'il a déjà accompli : il a créé une déchirure dans le ciel, il a ouvert la voie vers un autre monde. Qui d'autre en a jamais fait autant ? Qui d'autre y avait seulement songé ? Alors, c'est vrai, Serafina Pekkala, ma raison me pousse à dire que c'est un fou, un dément diabolique. Mais une petite voix en moi me dit : « C'est Lord Asriel, il n'est pas comme les autres hommes. » Peut-être que... si une telle chose était réellement possible, c'est lui qui pourrait y arriver, et personne d'autre.

— Que comptez-vous faire, Thorold ?

— Rester ici et attendre. Je garderai cette maison jusqu'à ce qu'il revienne pour me renvoyer, ou jusqu'à ma mort. Mais permettez que je vous pose la même question, madame.

— Je vais m'assurer que la fillette ne craint rien, répondit la sorcière. Il se peut que je sois obligée de repasser par ici, Thorold. Je me réjouis de savoir que vous serez fidèle au poste.

— Je ne bougerai pas.

Ayant refusé la nourriture que lui proposait le vieux domestique, Serafina lui fit ses adieux.

Une minute plus tard, elle avait rejoint son dæmon-oie, et celui-ci garda le silence tandis qu'ils s'élevaient dans le ciel et tournoyaient au-dessus des montagnes embrumées. Serafina était profondément troublée, et il n'y avait pas besoin d'explication : chaque brin d'herbe, chaque flaque d'eau gelée, chaque moucheron de sa terre natale lui mettait les nerfs à vif et l'appelait. Elle avait peur pour toutes ces choses, mais peur pour elle-même également, car elle sentait venir des changements : elle enquêtait sur une affaire humaine, avec des enjeux humains ; le dieu de Lord Asriel n'était pas le sien. Était-elle en train de devenir un être humain ? Risquait-elle de perdre tout ce qui faisait d'elle une sorcière ?

Dans ce cas, elle ne pourrait pas y parvenir seule.

— Rentrons à la maison, dit-elle. Nous devons nous entretenir avec nos sœurs, Kaisa. Ces événements nous dépassent.

La sorcière et son dæmon-oie filèrent à toute allure au milieu des nappes ondulantes de brouillard en direction du lac Enara, là où était leur foyer.

Dans les cavernes au milieu des bois, près du lac, ils retrouvèrent les autres membres du clan, ainsi que Lee Scoresby. L'aéronaute avait réussi à maintenir son ballon dans les airs après l'atterrissage en catastrophe de Svalbard, et les sorcières l'avaient guidé jusqu'à leur territoire, où il avait pu commencer à réparer les dégâts infligés à la nacelle et à l'enveloppe du ballon.

— Madame, je suis ravi de vous revoir, dit-il. Avez-vous des nouvelles de la gamine ?

— Aucune, monsieur Scoresby. Accepterez-vous d'assister à notre conseil, ce soir, pour discuter des mesures à prendre ?

Le Texan ne put dissimuler sa surprise, car à sa connaissance, aucun homme n'avait jamais assisté à un conseil de sorcières.

— J'en serais très honoré, répondit-il. Peut-être pourrais-je même faire une ou deux suggestions ?

Durant toute la journée, les sorcières ne cessèrent d'affluer, tels des flocons de neige noire portés par la tempête, emplissant les cieux du bruissement de leurs voiles de soie et du sifflement de l'air à travers les aiguilles de leurs branches de sapin. Les hommes qui chassaient dans les forêts humides ou pêchaient au milieu des blocs de glace, dans les environs, entendaient l'immensité du ciel murmurer dans le brouillard, et, quand l'horizon était dégagé, ils levaient la tête pour voir passer les sorcières, semblables à des lambeaux d'obscurité entraînés par un courant secret.

Le soir venu, les sapins qui entouraient le lac se retrouvèrent illuminés par une centaine de feux de camp, dont le plus grand brûlait à l'entrée de la grotte. C'est là que, après le dîner, toutes les sorcières se rassemblèrent. Serafina Pekkala siégeait au centre de l'assemblée, avec une couronne de petites fleurs violettes dans ses cheveux blonds. À sa gauche était assis Lee Scoresby, et à sa droite se tenait une visiteuse de marque : la reine des sorcières de Lettonie, Ruta Skadi.

Elle était arrivée une heure plus tôt, à la grande surprise de Serafina. Cette dernière trouvait que Mme Coulter était une jolie femme, pour une mortelle du moins, mais Ruta Skadi était aussi belle que Mme Coulter et possédait en outre une dimension supplémentaire, celle du mystère, de l'insondable. Elle avait fait commerce avec les esprits, et cela se voyait. Dotée d'un caractère passionné et vif, elle avait d'immenses yeux noirs ; et l'on disait que Lord Asriel lui-même avait été son amant. Elle arborait de lourdes boucles d'oreilles en or et, dans ses cheveux bruns bouclés, une couronne ornée de dents de tigres des neiges. Kaisa, le dæmon de Serafina, avait appris par le dæmon de Ruta Skadi que celle-ci avait tué ces tigres de ses propres mains, afin de punir la tribu de Tartares qui les idolâtraient, car ces hommes n'avaient pas su lui faire les honneurs qu'elle attendait quand elle avait visité leur territoire. Privée de ses dieux-tigres, la tribu sombra rapidement dans la terreur et le désespoir ; les Tartares supplièrent alors Ruta Skadi de leur accorder le droit de l'idolâtrer, mais elle rejeta leurs supplications avec mépris. À quoi lui servirait leur adoration ? Visiblement, elle n'avait pas porté chance aux tigres, répondit-elle. Ruta Skadi était ainsi : belle, fière et impitoyable.

Serafina ne savait pas ce qui avait motivé sa venue, mais elle l'accueillit comme il convenait, et le protocole exigeait que Ruta Skadi fût assise à la droite de Serafina. Quand toutes les sorcières furent réunies, Serafina prit la parole.

– Mes sœurs ! Vous savez pourquoi nous sommes rassemblées. Nous devons prendre une décision concernant les événements récents. L'enveloppe de l'univers s'est déchirée, et Lord Asriel a ouvert un passage entre notre monde et un autre. Devons-nous nous en préoccuper, ou continuer à vivre comme nous l'avons fait jusqu'à présent, en nous occupant seulement de nos propres affaires de sorcières ? Par ailleurs, il y a le cas de la jeune Lyra Belacqua, surnommée Lyra Parle-d'Or par le roi Iorek Byrnison. Elle a choisi la bonne branche de sapin chez le Dr Lanselius : cette enfant est celle que nous attendons depuis toujours, et voilà qu'elle a disparu. Nous avons deux invités qui vont nous faire part de leur sentiment. Tout d'abord, nous entendrons la reine Ruta Skadi.

Celle-ci se leva. Ses bras laiteux luisaient dans la lumière des flammes, ses yeux brillaient d'un tel éclat que même la sorcière la plus éloignée d'elle pouvait lire l'expression de son visage éclatant.

—Mes sœurs, dit Ruta Skadi, laissez-moi vous raconter ce qui est en train de se passer, et vous expliquer qui sont nos ennemis dans cette affaire. Car une guerre se prépare. J'ignore encore qui seront nos alliés, mais je sais qui nous devons combattre. Il s'agit du Magisterium, de l'Église. Depuis qu'elle existe, c'est-à-dire très peu de temps à nos yeux, mais très très longtemps d'après les critères des mortels, l'Église a toujours cherché à supprimer et à contrôler toutes les pulsions naturelles. Et quand elle ne peut pas les contrôler, elle les détruit. Certaines d'entre vous ont vu ce qu'ils faisaient à Bolvangar. C'était épouvantable, mais ce n'est malheureusement pas le seul endroit, ni la seule pratique de ce genre. Mes sœurs, vous ne connaissez que le Nord ; moi, j'ai voyagé dans les contrées du Sud. Il y a là-bas des Églises qui mutilent les enfants elles aussi, comme les gens de Bolvangar, pas de la même façon, mais de manière tout aussi horrible. Ils leur coupent les organes sexuels, oui parfaitement, aux garçons comme aux filles ; ils les tranchent avec des couteaux. Voilà ce que fait l'Église, et toutes les Églises ont le même objectif : contrôler, détruire, anéantir tous les bons sentiments. C'est pourquoi, si une guerre éclate, et si l'Église se trouve dans un des deux camps, notre devoir est de nous engager dans le camp d'en face, même si, de ce fait, nous nous retrouvons en compagnie d'étranges alliés.

Je propose donc que nos clans s'allient et se rendent dans le Nord pour aller explorer ce nouveau monde. Si la fillette demeure introuvable dans notre monde, c'est qu'elle est déjà partie sur les traces de Lord Asriel. Or, Lord Asriel est la clé de tout ceci, je vous le dis. Il fut mon amant, jadis, et je joindrais volontiers mes forces aux siennes, car il déteste l'Église et tous ses vils agissements. Voilà ce que j'avais à dire.

Ruta Skadi s'exprimait avec passion, et Serafina ne pouvait qu'admirer son pouvoir et sa beauté. Quand la reine de Lettonie se rassit, Serafina se tourna vers Lee Scoresby.

—M. Scoresby est un ami de la fillette, et en tant que tel, il est aussi notre ami, annonça-t-elle. Voulez-vous nous faire part de votre avis, monsieur ?

Le Texan se leva, courtois et maigre comme un clou. On aurait pu croire qu'il n'avait pas conscience de l'étrangeté de la situation, mais il n'en était rien. Hester, son dæmon-lièvre, était accroupi à ses côtés, les oreilles plaquées en arrière, ses yeux dorés à moitié fermés.

—Mesdames, dit-il. Je dois d'abord vous remercier pour la bonté que vous m'avez témoignée, et l'aide que vous avez apportée à un aéronaute malmené par des vents venus d'un autre monde. Sachez que je n'abuserai pas longtemps de votre patience.

Quand je voyageais vers le Nord, en direction de Bolvangar, avec les gitans, la fillette nommée Lyra me raconta une chose qui s'était déroulée au collège où elle vivait, à Oxford. Lord Asriel avait, paraît-il, montré aux autres professeurs la tête tranchée d'un dénommé Stanislaus Grumman, et cela les avait convaincus de lui donner de l'argent pour se rendre dans le Nord et découvrir ce qui s'était passé.

La fillette semblait si sûre de ce qu'elle avait vu que je n'ai pas osé lui poser trop de questions. Mais ses paroles ont fait resurgir un vague souvenir dans mon esprit, trop vague pour que j'établisse un rapprochement. Mais j'avais déjà entendu parler de ce Dr Grumman. C'est seulement durant le trajet entre Svalbard et ici que la mémoire m'est revenue. C'était un vieux chasseur du Tunguska qui m'avait raconté cette histoire. Apparemment, ce Grumman savait où était caché une sorte d'objet capable de protéger quiconque le possède. Je ne cherche point à minimiser les pouvoirs magiques qui sont les vôtres, mesdames les sorcières, mais cet objet en question renferme, paraît-il, une puissance qui dépasse tout ce dont j'ai entendu parler.

Alors, je me suis dit, ajouta Scoresby, que je pourrais peut-être retarder ma retraite au Texas, à cause de cette fillette, et partir à la recherche du Dr Grumman. Car, voyez-vous, je ne crois pas qu'il soit mort. Je pense que Lord Asriel a berné ces professeurs.

Je me rendrai à Nova Zembla, là où on a vu le Dr Grumman vivant pour la dernière fois, et je me lancerai à sa recherche. Je suis incapable de voir l'avenir, mais je vois clair dans le présent. Et si les balles de mon fusil sont d'une quelconque utilité, je me range à vos côtés dans cette guerre. Voilà la mission que je me suis fixée, madame, conclut-il en se tournant vers Serafina Pekkala. Je vais partir à la recherche de Stanislaus Grumman, pour découvrir ce qu'il sait, et si je parviens à mettre la main sur ce fameux objet je l'apporterai à Lyra.

Serafina demanda :

— Avez-vous été marié, monsieur Scoresby ? Avez-vous des enfants ?

— Non, madame, je n'ai pas d'enfants, même si ça m'aurait plu d'être père. Mais je comprends votre question, et vous avez raison : cette pauvre fillette n'a pas eu de chance avec ses vrais parents, et peut-être pourrais-je réparer cette injustice. Quelqu'un doit s'en charger, et je suis prêt à le faire.

— Merci, monsieur Scoresby, dit Serafina.

Elle ôta sa couronne pour y prendre une des petites fleurs violettes qui, tant qu'elle les portait, demeuraient aussi fraîches que si on venait de les cueillir.

— Prenez cette fleur, dit-elle, et si un jour vous avez besoin de mon aide, serrez-la dans votre main et appelez-moi. Je vous entendrai, où que vous soyez.

— Merci mille fois, madame, dit Scoresby, surpris.

Il prit la petite fleur qu'elle lui tendait et la glissa soigneusement dans la poche de sa chemise.

—Nous ferons souffler un vent favorable pour vous aider à atteindre Nova Zembla, dit Serafina Pekkala. Maintenant, mes sœurs, avez-vous des choses à dire ?

Le véritable conseil débuta à cet instant. Les sorcières fonctionnaient de manière démocratique, jusqu'à un certain point : chacune d'elles, même la plus jeune, avait le droit à la parole, mais seule leur reine possédait le pouvoir de décision. Les débats durèrent toute la nuit ; de nombreuses voix s'élevèrent pour prôner la guerre ouverte et immédiate, tandis que d'autres recommandaient la prudence, et d'autres encore, plus rares, mais également plus sages, suggéraient d'envoyer une délégation auprès de tous les autres clans de sorcières, afin de les inciter, pour la première fois, à s'unir.

Ruta Skadi était favorable à cette dernière idée, et Serafina envoya aussitôt un groupe de messagères. Concernant les mesures immédiates, Serafina sélectionna vingt de ses meilleures guerrières et leur ordonna de se préparer à voler vers le nord avec elle ; elles pénétreraient dans ce nouveau monde ouvert par Lord Asriel et elles tenteraient de retrouver Lyra.

—Et vous, reine Ruta Skadi ? demanda finalement Serafina. Quels sont vos plans ?

—Je vais partir à la recherche de Lord Asriel pour savoir, de sa propre bouche, ce qu'il manigance. Il semblerait qu'il soit parti vers le nord, lui aussi. Puis-je me joindre à vous, ma sœur, pour la première partie de ce voyage ?

—Soyez la bienvenue, répondit Serafina, ravie d'avoir de la compagnie.

Alors que le conseil venait de s'achever, une vieille sorcière vint trouver Serafina Pekkala et lui dit :

—Vous devriez écouter ce que Juta Kamainen a à dire, ma reine. C'est une forte tête, mais son témoignage peut être intéressant.

La jeune Juta Kamainen — jeune d'après les critères des sorcières, c'est-à-dire qu'elle avait tout juste un peu plus de cent ans — semblait gênée ; son dæmon-rouge-gorge voletait nerveusement de son épaule à sa main, et tournoyait au-dessus de sa tête, avant de revenir se poser, un court instant, sur son épaule. La sorcière avait de bonnes joues rouges, une nature vive et passionnée. Serafina ne la connaissait pas très bien.

—Ma reine, dit-elle, incapable de garder le silence plus longtemps sous le regard pénétrant de Serafina. Je connais le dénommé Stanislaus Grumman. J'ai été amoureuse de lui autrefois. Mais maintenant, je le hais à tel point que si je le voyais, je le tuerais aussitôt. Je ne voulais pas vous en parler, mais ma sœur m'y a obligée.

En disant cela, Juta Kamainen lança un regard haineux à la vieille sorcière, qui lui répondit par un regard rempli de compassion ; elle connaissait les ravages de l'amour.

—Si cet homme est toujours en vie, dit Serafina, il devra le rester jusqu'à ce que M. Scoresby le retrouve. Tu viendras avec nous dans le nouveau monde, comme ça, tu ne risqueras pas de le tuer prématurément. Oublie donc cet homme, Juta Kamainen. L'amour nous fait souffrir. Mais la mission qui nous attend est plus importante que la vengeance. Souviens-toi de cela.

—Oui, ma reine, dit la jeune sorcière, humblement.

C'est ainsi que Serafina Pekkala et ses vingt et une compagnes, plus la reine Ruta Skadi de Lettonie, s'envolèrent pour le nouveau monde, où aucune sorcière n'avait jamais pénétré.

Chapitre 3
Un monde d'enfants

Lyra se réveilla de bonne heure. Elle avait fait un rêve affreux : on lui avait donné le container sous vide que son père, Lord Asriel, avait montré au Maître et aux Érudits de Jordan College.

Ce jour-là, Lyra était cachée dans une penderie ; elle avait pu voir ainsi Lord Asriel ouvrir l'étrange boîte, afin de montrer aux Érudits la tête tranchée de Stanislaus Grumman, l'explorateur porté disparu. Mais, dans son cauchemar, Lyra était obligée d'ouvrir elle-même le container, et elle ne voulait pas. À vrai dire, elle était terrorisée. Mais elle devait le faire, et sentit ses mains trembler d'effroi au moment où elles faisaient sauter les fermoirs de la boîte. L'air s'engouffra dans le container réfrigéré. Suffocante de peur, Lyra souleva le couvercle, sachant qu'elle n'avait pas le choix, elle devait le faire... La boîte était vide ! La tête de Grumman avait disparu. Il n'y avait plus de raison d'avoir peur.

Elle se réveilla malgré tout en pleurant, inondée de sueur, dans la petite chambre étouffante qui donnait sur le port, avec la lumière de la lune qui entrait par la fenêtre, couchée dans le lit d'un inconnu, serrant contre elle l'oreiller d'un inconnu. Pantalaimon, blotti contre elle sous son aspect d'hermine, émettait de petits bruits rassurants. Quelle peur elle avait eue ! Dire que, dans la vraie vie, elle aurait donné cher pour voir la tête de Stanislaus Grumman ! Elle avait supplié Lord Asriel de rouvrir la boîte pour la laisser regarder à l'intérieur alors que, dans son rêve, cette idée la terrorisait.

Elle demanda à l'aléthiomètre ce que signifiait ce cauchemar, mais la seule réponse fut : « C'était un rêve au sujet d'une tête. »

Elle songea à réveiller l'étrange garçon, mais il dormait si profondément qu'elle décida de s'abstenir. Elle descendit dans la cuisine et essaya de se faire une omelette ; vingt minutes plus tard, elle s'installait à une table sur le trottoir pour déguster, avec un immense sentiment de fierté, une sorte de purée sèche et carbonisée, pendant que le moineau Pantalaimon picorait les morceaux de coquilles d'œuf.

Soudain, elle entendit un bruit dans son dos, et aperçut Will, les yeux gonflés par le sommeil.

— Je sais faire l'omelette, déclara-t-elle. Je peux t'en faire une si tu veux.

Il regarda l'assiette de Lyra avant de répondre :

— Non, je vais plutôt prendre des céréales. Il reste du lait dans le frigo. Les gens qui vivent ici sont partis depuis peu, je parie.

Elle le regarda verser des corn-flakes dans un bol et y ajouter du lait : encore une chose qu'elle n'avait jamais vue.

Will emporta son bol sur la terrasse.

— Si tu ne vis pas dans ce monde, tu viens d'où ? demanda-t-il. Et comment es-tu arrivée jusqu'ici ?

— Mon père a construit un pont et... je l'ai suivi quand il est passé de l'autre côté. Mais je ne sais pas où il est allé, il a disparu. Remarque, je m'en fiche. Il y avait tellement de brouillard quand j'ai traversé le pont que j'ai dû me perdre. J'ai erré dans le brouillard pendant plusieurs jours, en mangeant uniquement des fruits et ce que je trouvais. Puis un jour, le brouillard s'est levé et, avec Pantalaimon, on était au sommet de cette falaise, tout là-bas...

Elle tendit le pouce par-dessus son épaule. Le regard de Will balaya le rivage, dépassa le phare et vit la côte s'élever brusquement, en une succession de falaises qui disparaissaient dans la brume au loin.

— On a aperçu la ville en bas, et on est descendus, mais il n' y avait personne ! Au moins, il y avait de quoi se nourrir et des lits pour dormir. Ensuite, on s'est demandé ce qu'on allait faire.

— Tu es sûre que ce n'est pas un endroit de ton monde que tu connais pas ?

Évidemment !

— Conclusion, il existe au moins trois mondes reliés les uns aux autres, déclara Will.

— Il y en a des millions et des millions, répondit Lyra. C'est un dæmon qui me l'a dit. Un dæmon de sorcière même. Impossible de compter combien il y en a, tous dans le même espace, mais personne ne pouvait passer de l'un à l'autre avant que mon père ne construise son pont.

Et la fenêtre que j'ai découverte ?

Là, je n'en sais rien. Peut-être que tous les mondes sont en train de se mélanger.

—Et pourquoi tu cherches de la poussière, au fait ?

Elle lui jeta un regard sévère.

—Peut-être que je te le dirai un jour.

—D'accord. Mais comment comptes-tu faire ?

—Je trouverai un Érudit qui saura me renseigner.

—N'importe lequel ?

—Non. Un théologien expérimental. Dans mon Oxford à moi, c'étaient eux qui savaient tout sur la Poussière. On peut donc supposer que ce sera la même chose dans ton Oxford à toi. J'irai d'abord à Jordan College, car c'est là qu'on trouve les meilleurs.

—Je n'ai jamais entendu parler de théologie expérimentale, dit Will.

—Ils connaissent tout sur les particules élémentaires et les forces fondamentales, expliqua Lyra. Sur l'ambaromagnétisme aussi, ce genre de choses.

—L'ambaro quoi ?

—L'ambaromagnétisme. Comme dans ambarique. Ces lumières-là, dit-elle en désignant le lampadaire décoratif, ce sont des lumières ambariques.

—Nous, on dit électriques.

—Électriques... Comme *electrum*. C'est une sorte de pierre, précieuse, faite avec la gomme des arbres. Des fois, il y a même des insectes à l'intérieur.

—Tu confonds avec l'ambre, dit Will.

Tous les deux dirent au même moment : « Ambar... », et chacun vit sa propre expression sur le visage de l'autre. Will conserva longtemps le souvenir de cet instant.

—L'électromagnétisme, reprit-il, en détournant la tête. Ta théologie expérimentale, ça ressemble à ce qu'on appelle la physique. C'est des savants qu'il te faut, pas des théologiens.

—Hum, fit-elle, méfiante. Je les trouverai.

Ils étaient assis dans la vive clarté du matin ; le soleil illuminait paisiblement le port, et chacun d'eux s'apprêtait sans doute à ajouter quelque chose, car ils débordaient de questions, mais soudain, ils entendirent une voix venue du bord de mer un peu plus loin, vers les jardins du casino.

Surpris, Will et Lyra tournèrent la tête dans cette direction. C'était une voix d'enfant mais, curieusement, on ne voyait personne.

Will demanda à Lyra, à voix basse :

—Depuis quand es-tu ici, déjà ?

—Trois ou quatre jours, je ne sais plus. Et je n'ai jamais vu personne. Cette ville est complètement déserte, je t'assure. J'ai regardé presque partout.

Pourtant, il y avait quelqu'un. Deux enfants, une fillette de l'âge de Lyra et un garçon, plus jeune, débouchèrent soudain d'une des rues qui descendaient vers le port. Ils portaient des paniers et tous les deux avaient les cheveux roux. Ils n'étaient plus qu'à une centaine de mètres lorsqu'ils aperçurent Will et Lyra assis à la terrasse du café.

Pantalaimon abandonna immédiatement son apparence de chardonneret pour se transformer en souris et remonter à toute vitesse sur le bras de Lyra, jusque dans sa poche de chemise. Il avait remarqué que, comme Will, aucun de ces deux enfants n'était accompagné d'un dæmon visible.

Ceux-ci s'avancèrent d'un pas nonchalant et s'installèrent à une table voisine.

—Vous êtes de Ci'gazze ? demanda la fille.

Will secoua la tête.

—De Sant'Elia ?

—Non, dit Lyra. On vient d'ailleurs.

La fille acquiesça. C'était une réponse sensée.

—Qu'est-ce qui se passe ici ? demanda Will. Où sont passés tous les adultes ?

La fille plissa les yeux.

—Les Spectres ne sont pas venus chez vous ? demanda-t-elle.

—Non, répondit Will. On vient d'arriver. On n'est pas au courant de cette histoire de spectres. Comment s'appelle cette ville ?

—Ci'gazze, dit la fillette, d'un air méfiant. Cittàgazze, si vous préférez.

—Cittàgazze, répéta Lyra. Ci'gazze. Pourquoi tous les adultes sont-ils partis ?

—À cause des Spectres, évidemment, expliqua la fillette avec une grimace d'agacement. Comment vous vous appelez tous les deux ?

—Moi, c'est Lyra. Lui, c'est Will. Et vous ?

—Angelica. Mon frère s'appelle Paolo.

—Vous venez d'où ?

—Des collines, là-haut. Il y a eu un énorme orage, avec un brouillard épais ; tout le monde a pris peur et on s'est enfuis dans les collines. Quand le brouillard s'est dissipé, les adultes ont vu, avec des télescopes, que la ville était remplie de Spectres. D'autres enfants sont redescendus ; ils vont bientôt arriver. On était les premiers.

—Avec Tullio, ajouta le petit Paolo, fièrement.

- Qui est Tullio ?

Angelica semblait fâchée. Apparemment, Paolo n'aurait pas dû en parler, mais le secret, maintenant, était éventé.

—C'est notre grand frère, dit Angelica. Il n'est pas avec nous. Il se cache, en attendant de pouvoir... Il se cache, c'est tout.

—Il va se..., ajouta Paolo, mais sa sœur lui donna une gifle, et il se tut immédiatement, en pinçant ses lèvres tremblantes.

—Que disais-tu au sujet de cette ville? demanda Will. Elle est pleine de...
spectres?

—Oui. Ci'gazze, Sant'Elia et toutes les autres villes. Les Spectres vont partout où il y a des gens. Mais vous venez d'où, vous?

—Winchester, dit Will.

—Jamais entendu parler. Il n'y a pas de Spectres, là-bas?

—Non. Et je n'en vois pas ici non plus.

—Bien sûr que non! T'es pas un adulte! C'est quand on est adulte qu'on voit les Spectres!

—Moi, je n'ai pas peur des Spectres, déclara le jeune garçon en redressant son petit menton crasseux.

—Les adultes ne vont jamais revenir? demanda Lyra.

—Si, si, dans quelques jours, répondit Angelica. Quand les Spectres iront voir ailleurs. Nous, on aime bien quand les Spectres sont là, on peut cavaler où on veut dans la ville, faire tout ce qui nous plaît.

—Mais pourquoi les adultes ont-ils si peur de ces Spectres? demanda Will.

—Quand un Spectre attrape un adulte, ce n'est pas beau à voir. Il lui mange toute la vie à l'intérieur, en quelques secondes. Je n'ai pas envie de devenir grande, vous pouvez me croire. Au début, quand ils comprennent ce qui se passe, les adultes ont peur, ils hurlent, ils pleurent, ou ils essayent de regarder ailleurs, pour faire comme si ce n'était pas vrai. Mais c'est déjà trop tard. Et personne ne veut s'approcher pour les aider; ils sont tout seuls. Au bout d'un moment, ils deviennent tout pâles et ils ne bougent plus. Ils sont toujours vivants, mais c'est comme si on les avait dévorés de l'intérieur. Quand on les regarde dans les yeux, on voit l'arrière de leur crâne. C'est tout vide.

La fillette se tourna vers son jeune frère et lui essuya le nez avec la manche de sa chemise.

—Paolo et moi, on cherche des glaces, ajouta-t-elle. Vous voulez venir avec nous?

—Non, répondit Will, on a des trucs à faire.

—Salut, alors, dit Angelica.

—Mort aux Spectres! s'exclama le petit Paolo.

—Salut, dit Lyra.

Dès qu'Angelica et son jeune frère eurent disparu, Pantalaimon ressortit de la poche de Lyra, sa petite tête de souris ébouriffée, les yeux pétillants.

Il s'adressa à Will:

—Ils ne connaissent pas l'existence de cette fenêtre que tu as découverte.

C'était la première fois que Will entendait parler Pantalaimon, et il semblait presque plus stupéfait par ce phénomène que par tout ce qu'il avait vu jusqu'à présent. Lyra ne put s'empêcher de rire devant son air ébahi.

—Mais... il parle! s'exclama-t-il. Est-ce que tous les dæmons parlent?

—Évidemment! dit Lyra. Tu croyais que c'était un vulgaire animal domestique?

Will se gratta le crâne, perplexe. Finalement, il secoua la tête et s'adressa à Pantalaimon.

—Je crois que tu as raison, dit-il. Ils ne sont pas au courant.

—Ça veut dire qu'il faut faire attention en repassant par là, dit le dæmon.

Il y avait quand même quelque chose d'étrange dans cette situation : discuter avec une souris! Mais pas plus étrange que de parler dans un téléphone, en fin de compte, car en vérité, il s'adressait à Lyra. Certes, la souris était un être indépendant; toutefois, on retrouvait un peu de Lyra dans ses expressions, avec quelque chose de plus. Difficile de savoir quoi au juste, surtout quand tant de phénomènes bizarres se produisaient en même temps. Will s'efforça de mettre de l'ordre dans ses pensées.

—Pour commencer, on va te trouver des vêtements, dit-il à Lyra, avant que tu mettes les pieds dans mon Oxford.

—Pourquoi donc? demanda-t-elle d'un air de défi.

—Tu ne peux pas aller poser des questions aux habitants de mon monde dans cet état-là; ils ne te laisseraient même pas approcher. Tu ne dois pas te faire remarquer; il faut que tu sois camouflée, en quelque sorte. Fais-moi confiance, je sais de quoi je parle. Je l'ai fait pendant des années. Si tu n'écoutes pas mes conseils, tu vas te faire pincer, et s'ils découvrent d'où tu viens, ils trouveront la fenêtre, et tout ça... Ce monde est une extraordinaire cachette. Et justement... je suis obligé de me cacher pour échapper à certaines personnes. Je ne pouvais pas rêver mieux, et je n'ai pas envie qu'on découvre cet endroit. Ça m'ennuierait beaucoup que tu nous fasses repérer en ayant l'air de débarquer d'on ne sait où. J'ai des choses importantes à faire à Oxford, moi aussi, et si jamais je me fais pincer à cause de toi, je te tue.

Lyra avala sa salive. L'aléthiomètre ne mentait jamais : ce garçon était bel et bien un meurtrier, et s'il avait déjà tué une fois, il n'hésiterait pas à la tuer, elle aussi. Elle acquiesça d'un air grave car elle était sincère.

—D'accord, dit-elle.

Transformé en lémurien, Pantalaimon regardait Will avec ses grands yeux écarquillés. Will soutint son regard, et le dæmon redevint aussitôt souris pour se faufiler dans la poche de Lyra.

—Parfait, dit le garçon. Aussi longtemps qu'on restera ici, on fera croire à ces gamins qu'on vient de leur monde, d'un endroit qu'ils ne connaissent pas. C'est une chance qu'il n'y ait pas d'adultes dans les parages. On peut aller et venir à notre guise, personne ne fera attention à nous. Mais quand on sera dans mon monde, tu devras faire ce que je te dis. Avant toute chose, tu vas te laver. Si tu n'as pas l'air propre, tu vas te faire remarquer. Nous devons passer inaperçus, où qu'on aille. On doit donner l'impression d'être chez nous, dans notre élément. Commence par te laver les cheveux. Il y a du shampooing dans la salle de bains. Ensuite, on ira te chercher des vêtements.

—Je ne sais pas comment on fait, dit Lyra. Je ne me suis jamais lavé les cheveux. C'est la Gouvernante qui s'en chargeait à Jordan College.

—Apprends à te débrouiller, répondit Will. Lave-toi entièrement. Dans mon monde, les gens sont propres.

—Hum, fit Lyra, avant de remonter au premier étage.

Par-dessus son épaule, une tête de rat féroce jeta un regard noir à Will, qui se contenta de le regarder froidement.

Will était partagé entre le désir de profiter de cette matinée silencieuse et ensoleillée pour déambuler à travers la ville, et un sentiment d'angoisse en songeant à sa mère. Une sorte de torpeur provoquée par le choc de la mort de cet homme s'y mêlait. Mais tout cela était dominé par la tâche qu'il devait accomplir. Afin de s'occuper l'esprit et les mains en attendant Lyra, il entreprit de nettoyer la cuisine, de laver par terre et d'aller vider les ordures dans la grande poubelle qu'il avait repérée dans la ruelle derrière le café.

Cela étant fait, il sortit l'écritoire de son cabas et l'observa d'un air impatient. Dès qu'il aurait montré à Lyra comment franchir la fenêtre pour retourner à Oxford, il reviendrait voir ce qu'elle contenait; en attendant, il la glissa sous le matelas du lit dans lequel il avait dormi. Dans ce monde, le précieux objet était à l'abri.

Lorsque Lyra redescendit, propre et encore mouillée, ils partirent lui chercher des vêtements. Ils dénichèrent un grand magasin, à l'aspect miteux comme tout le reste, où les vêtements étaient un peu démodés aux yeux de Will, mais ils trouvèrent pour Lyra une jupe écossaise et un chemisier vert sans manches, avec une grande poche pour Pantalaimon. La fillette refusa catégoriquement d'enfiler un jean; elle refusa même de croire Will quand celui-ci lui affirma que presque toutes les filles en portaient.

—C'est un pantalon! dit-elle. Je suis une fille, je te signale. Ne dis pas de bêtises.

Will répondit par un haussement d'épaules. Après tout, la jupe écossaise était passe-partout, c'était le plus important. Avant de quitter le magasin, Will déposa quelques pièces dans le tiroir-caisse derrière le comptoir.

—Qu'est-ce que tu fais? demanda Lyra.

—Je paye. Il faut payer pour avoir quelque chose. Tout est gratuit dans ton monde?

—Ici, c'est différent! Je te parie que ces gamins qu'on a rencontrés ne payent rien!

—Peut-être. Moi, je paye.

—Attention, si tu commences à te comporter comme un adulte, les Spectres vont s'emparer de toi, dit-elle, sans trop savoir, toutefois, si elle pouvait se moquer de lui désormais, ou si, au contraire, elle devait en avoir peur.

En plein jour, Will put constater combien les bâtiments du centre ville étaient anciens ; certains pouvaient presque être qualifiés de ruines. La chaussée était défoncée, il y avait des fenêtres brisées, le plâtre s'écaillait. Et pourtant, cet endroit avait autrefois connu la beauté et la grandeur : en passant devant des porches voûtés, on apercevait de vastes cours intérieures remplies d'arbres ; il y avait aussi de grandes constructions ressemblant à des palais, malgré les escaliers lézardés et les portes arrachées des murs. À croire que les habitants de Ci'gazze, plutôt que d'abattre une maison pour en construire une autre à la place, préféraient la rafistoler indéfiniment.

Au bout d'un moment, ils atteignirent une tour qui se dressait sur une petite place, solitaire. C'était apparemment le plus vieil édifice de la ville : une simple tour crénelée, haute de trois étages. Son immobilité, en plein soleil, avait quelque chose de si mystérieux que Will et Lyra se sentirent attirés par cette porte entrouverte au sommet d'un large escalier. Toutefois, ils n'y firent aucune allusion et poursuivirent leur chemin, un peu à contre-cœur.

En arrivant sur le grand boulevard planté de palmiers, Will demanda à Lyra de chercher un petit café situé au coin d'une rue, avec des tables et des chaises en fer peintes en vert sur le trottoir. Elle le trouva en moins d'une minute. Vu de jour, il paraissait plus petit, plus miteux également, mais c'était bien le même café, avec son comptoir en zinc, le percolateur, l'assiette de risotto à moitié pleine, qui commençait à empester dans la chaleur.

—C'est là-dedans ? demanda Lyra.

—Non. C'est au milieu de la route. Assure-toi qu'il n'y a pas de gamins dans les parages...

Ils étaient seuls. Will l'entraîna jusqu'au terre-plein central, sous les palmiers, et regarda autour de lui pour tenter de se repérer.

—Je crois que c'était par ici, dit-il. Quand je suis arrivé, je distinguais tout juste la grande colline là-bas derrière la maison blanche ; de ce côté-ci, il y avait le café, et...

À quoi il ressemble, ce trou ? Je ne vois rien.

Tu ne peux pas te tromper. Tu n'as jamais rien vu de pareil.

Will jetait des regards désespérés autour de lui. La fenêtre avait-elle disparu ? S'était-elle refermée ? Il ne la voyait plus.

Mais soudain, il la localisa enfin. Il s'approcha et recula plusieurs fois en observant le bord du trou. Exactement comme la veille quand il l'avait découvert, du côté d'Oxford, on ne pouvait le voir que sous un certain angle. Dès que vous changiez de place, la fenêtre redevenait invisible. L'herbe ensoleillée de l'autre côté ressemblait à l'herbe ensoleillée de ce côté-ci, tout en étant différente, sans qu'on puisse dire pourquoi.

—La fenêtre est ici, annonça Will lorsqu'il fut sûr de lui.

—Oui, oui, je la vois !

Lyra était abasourdie ; elle semblait aussi estomaquée que Will quand il avait entendu Pantalaimon parler pour la première fois. Celui-ci, incapable de rester caché plus longtemps au fond de sa poche, s'était transformé en abeille pour aller tournoyer plusieurs fois autour du trou, pendant que Lyra ébouriffait ses cheveux encore humides en se grattant la tête.

—Reste bien sur le côté, lui dit Will. Si tu te mets devant, les gens, ne voyant que deux jambes, vont se poser des questions. Je ne veux pas qu'on se fasse remarquer.

—C'est quoi ce bruit qu'on entend ?

—La circulation. La fenêtre donne sur la rocade d'Oxford. Pas étonnant qu'il y ait du trafic. Penche-toi et regarde sur le côté. Ce n'est pas le meilleur moment de la journée pour passer ; il y a beaucoup trop de monde. Mais si on attend la nuit, on ne saura pas où aller ensuite. Au moins, une fois qu'on sera de l'autre côté, on pourra facilement se fondre dans la masse. Tu passeras la première. Tu sautes rapidement et tu t'écartes de la fenêtre.

Depuis qu'ils avaient quitté le café, Lyra transportait un petit sac à dos bleu ; elle le fit glisser de ses épaules et le serra entre ses bras, avant de s'accroupir pour regarder par le trou.

Elle ne put retenir un petit hoquet de surprise.

—Oh... C'est ça ton monde ? Ça ne ressemble pas du tout à Oxford. Tu es sûr que tu viens d'Oxford ?

—Évidemment que j'en suis sûr ! Quand tu seras de l'autre côté, tu verras une route devant toi. Va vers la gauche, et un peu plus loin, tu prendras la route qui part vers la droite. Elle conduit au centre ville. Repère bien l'endroit où est la fenêtre, surtout, et souviens-t'en, compris ? Il n'y a pas d'autre passage pour revenir.

—Ne t'en fais pas, dit-elle. Je ne risque pas d'oublier.

Serrant son sac à dos contre elle, Lyra se faufila à l'intérieur du trou dans l'atmosphère et disparut. Will s'accroupit au bord de l'orifice pour la suivre des yeux.

Elle était là, debout dans l'herbe de son Oxford à lui, avec Pantalaimon, qui avait conservé son apparence d'abeille, posé sur son épaule. Autant qu'il pouvait en juger, personne ne l'avait vue apparaître. Les voitures et les camions passaient en trombe à quelques mètres d'elle, mais personne, en arrivant à ce carrefour fréquenté, n'avait le temps de tourner la tête pour observer un morceau de vide à l'aspect un peu bizarre, à supposer qu'ils puissent le voir, et le flot ininterrompu de voitures dissimulait la fenêtre aux yeux de toute personne se trouvant de l'autre côté de la chaussée.

Soudain, il y eut un crissement de freins, un cri, et un grand bang. Will se jeta à terre pour regarder par le trou.

Lyra était allongée dans l'herbe. Une voiture avait freiné si brutalement qu'une camionnette l'avait percutée et avait propulsé la voiture vers l'avant malgré tout. Et Lyra gisait sur le sol, immobile...

Will s'empressa de la rejoindre. Personne ne le vit apparaître ; tous les regards étaient fixés sur la voiture, le pare-chocs enfoncé, le chauffeur qui descendait de la camionnette, et la fillette.

— Je n'ai rien pu faire... elle s'est jetée sous les roues... bafouillait la conductrice de la voiture, une femme d'un certain âge. Vous rouliez trop près ! s'exclama-t-elle en se tournant vers le conducteur de la camionnette.

— Ce n'est pas le plus important, répondit celui-ci. Comment va la gamine ?

Il s'adressait à Will qui s'était agenouillé près de Lyra. Will leva la tête et regarda autour de lui, mais il devait se rendre à l'évidence : c'était lui le responsable. Dans l'herbe à ses côtés, Lyra avait repris connaissance ; elle remuait la tête, en clignant des paupières. Will vit l'abeille Pantalaimon escalader, comme un boxeur groggy, un brin d'herbe près d'elle.

— Ça va ? demanda-t-il. Essaye de bouger les jambes et les bras.

— Ah, la petite idiote ! dit la conductrice. Elle s'est précipitée devant moi. Sans regarder ! Qu'est-ce que je pouvais faire ?

— Tu nous entends, petite ? demanda le conducteur de la camionnette.

— Oui, murmura Lyra.

— Rien de cassé ?

— Remue les bras et les jambes, répéta Will.

Elle obéit. Tout fonctionnait.

— Elle va bien, commenta Will Plus de peur que de mal. Je vais m'occuper d'elle.

— Tu la connais ? demanda l'homme à la camionnette.

— C'est ma sœur. On habite au coin de la rue, je vais la ramener à la maison.

Lyra s'était assise et, puisque de toute évidence elle ne souffrait d'aucune blessure grave, la conductrice reporta son attention sur sa voiture. Pendant ce temps, la circulation contournait les deux véhicules immobilisés sur la chaussée et, en passant, les automobilistes regardaient la scène avec une curiosité morbide, comme toujours. Will aida Lyra à se relever. Mieux valait ne pas s'éterniser dans les parages. La conductrice et le conducteur de la camionnette ayant jugé que le litige était du ressort de leurs compagnies d'assurances, ils échangeaient leurs coordonnées, quand la femme vit Lyra s'éloigner en boitant, soutenue par Will.

—Hé, attends, petite ! lui cria-t-elle. J'ai besoin de ton témoignage. Il me faut ton nom et ton adresse.

—Je m'appelle Mark Ransom, répondit Will en se retournant. Et ma sœur s'appelle Lisa. On habite au 26 Bourne Close.

—Et le code postal ?

—Je ne m'en souviens jamais. Désolé, il faut que je la ramène à la maison.

—Montez dans ma camionnette ! proposa l'homme. Je vous dépose.

—Non, ce n'est pas la peine. Ça ira plus vite à pied, je vous assure.

Lyra boitait à peine. Elle s'éloigna en prenant appui sur Will, marchant dans l'herbe à l'ombre des marronniers ; arrivés au premier croisement, ils bifurquèrent. Ils s'assirent sur le muret d'un jardin.

—Tu es blessée ? s'enquit Will.

—Je me suis cogné la jambe. Et en tombant, ma tête a heurté le sol.

Mais elle paraissait plus préoccupée par le contenu de son sac à dos. Elle plongea la main à l'intérieur et en sortit un petit paquet, assez lourd semblait-il, enveloppé de velours noir. Elle dévoila l'objet mystérieux. Will ouvrit de grands yeux en découvrant l'aléthiomètre : les minuscules symboles peints autour du cadran, les aiguilles dorées, la longue aiguille fine, le luxe du boîtier... Il en avait le souffle coupé.

—C'est quoi ?

—Mon aléthiomètre. Un détecteur de vérité. Un lecteur de symboles. J'espère qu'il n'est pas cassé...

Non, il était intact. Même dans ses mains tremblantes, la grande aiguille s'agitait fébrilement. Rassurée, elle rangea l'aléthiomètre, en disant :

—Je n'ai jamais vu autant de charrettes et de trucs comme ça... Je ne savais pas qu'elles roulaient si vite.

—Il n'y a donc pas de voitures ni de camions dans ton Oxford ?

—Pas autant. Et pas comme ça. Je ne suis pas habituée. Mais ça va aller.

—Fais bien attention à partir de maintenant. Si tu passes sous un bus, si tu te perds ou je ne sais quoi encore, ils vont s'apercevoir que tu viens d'un autre monde, et ils chercheront le passage...

Will s'aperçut que sa colère était disproportionnée. Il ajouta d'un ton plus doux :

—Écoute. Si tu te fais passer pour ma sœur, ça me servira de couverture, car le garçon qu'ils recherchent n'a pas de sœur. Et si je t'accompagne, je pourrai t'apprendre à traverser la rue sans te faire écraser...

—D'accord, dit-elle timidement.

—Et l'argent ? Je parie que tu n'en as pas ?... Évidemment, c'est normal. Comment comptes-tu te débrouiller pour manger, et ainsi de suite ?

—J'ai de l'argent, déclara Lyra.

Et pour le prouver, elle fit glisser quelques pièces d'or de sa bourse.

Will les regarda d'un air hébété.

—C'est de l'or ? Hein, c'en est ? En voyant ça, les gens vont se poser des questions, c'est sûr. Je vais te donner un peu d'argent. Range ces pièces et cache-les bien... N'oublie pas, tu es ma sœur, tu t'appelles Lisa Ransom.

—Non, Lizzie, dit-elle. Je faisais croire que je m'appelais Lizzie dans le temps, je m'en souviens.

—OK, allons-y pour Lizzie. Moi, c'est Mark. N'oublie pas.

—Entendu.

Sa jambe allait la faire souffrir, elle le savait. Déjà, elle était rouge et enflée là où la voiture l'avait heurtée, et un gros hématome tout noir commençait à apparaître. Avec le bleu qu'elle avait à la joue, à la suite du coup de poing de Will reçu la veille, elle ressemblait à une enfant battue, et cela inquiétait Will : qu'arriverait-il si un policier se montrait un peu trop curieux ? Il essaya malgré tout de chasser cette pensée de son esprit, et ils se remirent en route, en traversant aux feux, cette fois, et ne jetant qu'un seul regard derrière eux, vers la fenêtre sous les marronniers. Ils ne la voyaient plus. Elle était redevenue invisible, et le flot de la circulation s'écoulait normalement.

À Summertown, après dix minutes de marche sur Banbury Road, Will s'arrêta devant une banque.

—Qu'est-ce que tu fais ? lui demanda Lyra.

—Je vais retirer de l'argent. Je n'ai pas intérêt à le faire trop souvent, mais l'opération ne sera pas enregistrée avant la fin de la journée, je suppose.

Il introduisit la carte bancaire de sa mère dans le distributeur automatique et tapa son code secret sur le clavier. Comme tout semblait bien se passer, il réclama une centaine de livres sterling, que la machine lui délivra sans rechigner. Lyra assistait à cette opération bouche bée. Will lui donna un billet de vingt livres.

—Garde-le précieusement, dit-il. Tu achèteras un truc pour faire de la monnaie. Essayons de trouver un bus pour aller en ville.

Lyra le laissa s'occuper des tickets à l'intérieur du bus et resta assise en silence pendant tout le trajet, regardant défiler derrière la vitre les maisons et les jardins de cette ville qui était la sienne, sans être la sienne. C'était comme évoluer à l'intérieur du rêve de quelqu'un d'autre. Ils descendirent dans le centre, non loin d'une vieille église en pierre, qu'elle connaissait, en face d'un grand magasin, qu'elle ne connaissait pas.

—Tout est changé, commenta-t-elle. Comme... C'est pas la Halle aux grains, ça? Et là, c'est le Broad. Je reconnais aussi Balliol. Et la Bibliothèque Bodley. Mais où est Jordan College?

Lyra était secouée de violents frissons. Peut-être était-ce le contrecoup de l'accident, ou le choc provoqué par la découverte d'un bâtiment totalement différent à la place de Jordan College, qui avait été sa maison.

—C'est pas normal.

Elle parlait à voix basse, car Will lui avait dit de ne plus crier en montrant du doigt toutes les choses qui, selon elle, n'auraient pas dû se trouver là.

—C'est pas le même Oxford.

Will n'était pas préparé à affronter le désespoir hébété de Lyra. Il ne pouvait pas savoir qu'elle avait passé une grande partie de son enfance à courir dans des rues presque identiques à celles-ci, ni combien elle était fière d'appartenir à Jordan College, dont les professeurs étaient les plus intelligents, dont les caisses étaient les mieux remplies, dont la magnificence était sans égale. Et voilà que, maintenant, tout cela avait disparu; elle n'était plus Lyra de Jordan College, elle n'était qu'une pauvre petite fille perdue dans un monde étrange, ne sachant où aller.

—Si tout a changé... dit-elle d'une voix tremblante.

Eh bien, cela prendrait plus de temps qu'elle ne l'avait supposé, voilà tout.

Dès que Lyra fut partie de son côté, Will dénicha une cabine téléphonique et appela le numéro du cabinet d'avocat figurant sur la lettre qu'il tenait dans la main.

Allô ? Je voudrais parler à M. Perkins.

— De la part de qui, je vous prie ?

— Ça concerne M. John Parry. Je suis son fils.

— Un instant, s'il vous plaît...

Une minute s'écoula, puis une voix d'homme retentit au bout du fil :

— Allô ? Allan Perkins, à l'appareil. À qui ai-je l'honneur ?

— William Parry. Euh... excusez-moi de vous déranger. C'est au sujet de mon père, M. John Parry. Tous les trois mois vous envoyez de l'argent sur le compte en banque de ma mère, de la part de mon père.

— Oui...

En fait... j'aimerais savoir où est mon père, s'il vous plaît. Est-il vivant ?

Quel âge as-tu, William ?

Douze ans. Je voudrais en savoir plus sur mon père.

Oui, je vois... Est-ce que ta mère... Sait-elle que tu as décidé de m'appeler ?

Will réfléchit bien avant de répondre.

Non, avoua-t-il. Elle n'est pas en très bonne santé. Elle ne peut pas me dire grand-chose, mais moi, je veux savoir.

Oui, bien sûr. D'où me téléphones-tu ? Tu es chez toi ?

Non, je suis... à Oxford.

Seul ?

–Oui.

–Et tu dis que ta mère est malade ?

–Oui.

–Elle est à l'hôpital, ou quelque part ?

–Oui, c'est ça, quelque part. Alors, vous pouvez tout me raconter, oui ou non ?

–Je peux te dire certaines choses, mais pas tout, et pas maintenant ; je préfère ne pas parler de ça au téléphone. Écoute, je dois recevoir un client dans cinq minutes... Pourrais-tu venir jusqu'à mon cabinet, à 14 heures 30 ?

–Non, répondit Will.

C'était trop risqué, se disait-il. L'avocat avait peut-être appris qu'il était recherché par la police. Il réfléchit à toute vitesse, puis ajouta :

–Je dois prendre le car pour Nottingham et je ne veux pas le louper. Mais ce que je veux savoir, vous pouvez quand même me le dire au téléphone, non ? Je veux juste savoir si mon père est vivant, et si oui, où je peux le trouver. Vous pouvez bien me dire ça.

–Ce n'est pas aussi simple, malheureusement. Je n'ai pas le droit de transmettre des informations confidentielles sur un client, à moins d'être sûr que ce client n'y verrait pas d'inconvénient. Et de toute façon, il me faudrait la preuve de ton identité.

–Oui, je comprends. Mais vous ne pouvez pas me dire simplement s'il est vivant ?

–Euh... Il ne s'agit pas d'une information confidentielle, en effet. Hélas, je ne peux rien te dire, car je n'en sais rien.

–Hein ?

–L'argent provient d'un fidéicommis. Ton père a laissé des instructions pour que je continue à effectuer les versements régulièrement, jusqu'à nouvel ordre. Or, je n'ai plus jamais entendu parler de lui depuis. On peut logiquement en conclure qu'il... Enfin, je suppose qu'il a disparu. Voilà pourquoi je ne peux pas répondre à ta question.

–Disparu ? Vous voulez dire... volatilisé dans la nature ?

–C'est de notoriété publique. Viens donc me voir à mon cabinet, je...

–Impossible, je dois partir pour Nottingham.

–Dans ce cas, écris-moi, ou demande à ta mère de m'écrire, et je te dirai tout ce que je peux. Mais tu comprends bien que je ne peux pas parler de ça au téléphone.

–Oui, sans doute. Mais vous pouvez au moins me dire où il a disparu ?

–Je te le répète, c'est de notoriété publique. Plusieurs articles ont été publiés dans les journaux à l'époque. Tu sais qu'il était explorateur ?

–Ma mère m'a raconté deux ou trois choses, oui.

—Eh bien, ton père dirigeait une expédition, et il a disparu. Cela s'est passé il y a une dizaine d'années.

—Où ça ?

—Dans le Grand Nord. En Alaska, il me semble. Tu peux aller te renseigner à la bibliothèque municipale. Pourquoi tu ne...

Le temps dont Will disposait pour téléphoner était écoulé, et il n'avait plus de monnaie pour alimenter l'appareil. La communication fut coupée brutalement et la tonalité bourdonna dans son oreille. Il raccrocha et regarda autour de lui.

La chose qu'il voulait par-dessus tout, c'était parler à sa mère. Et il dut se retenir pour ne pas composer le numéro de Mme Cooper, car s'il entendait la voix de sa mère au bout du fil, il savait qu'il aurait envie de revenir, ce qui les mettrait en danger tous les deux. En revanche, il pouvait lui envoyer une carte postale.

Il choisit une vue de la ville et écrivit au dos :

Chère maman, je vais très bien, et je serai bientôt de retour à la maison. J'espère que tout se passe bien. Je t'aime, Will.

Il écrivit l'adresse, alla acheter un timbre et tint la carte postale contre lui pendant un moment avant de la déposer dans la boîte aux lettres.

C'était le milieu de la matinée, et il marchait dans la principale rue commerçante, où les bus peinaient à se frayer un chemin au milieu des passants. Il s'aperçut alors à quel point il était exposé, car nous étions en semaine, et à cette heure, un garçon de son âge aurait dû se trouver à l'école. Où pouvait-il aller ?

Il ne lui fallut pas longtemps pour se cacher. Will pouvait disparaître assez facilement, car il était doué pour cela ; il était même fier de son talent dans ce domaine. Sa manière de procéder n'était d'ailleurs pas très éloignée de celle utilisée par Serafina Pekkala, la sorcière, pour se rendre invisible à bord du bateau : il fit en sorte que personne ne puisse le remarquer. Il se fondit dans le décor.

Connaissant le monde dans lequel il vivait, il entra dans une papeterie pour acheter un stylo, un bloc de feuilles et une planchette à pince. Les écoles envoyaient souvent des groupes d'élèves faire des enquêtes dans la rue, sur tel ou tel sujet, et s'il donnait l'impression de participer à une activité de ce genre, il n'attirerait pas l'attention.

Ainsi, Will se mit à déambuler sur les trottoirs en faisant semblant de prendre des notes, tout en cherchant la bibliothèque.

Pendant ce temps, Lyra cherchait un coin paisible pour consulter l'aléthiomètre. Dans son Oxford à elle, elle aurait pu trouver une dizaine d'endroits adéquats, à moins de cinq minutes de marche, mais cet Oxford-ci était beaucoup trop différent et déconcertant. Les touches de familiarité émouvante voisinaient avec le bizarre et l'inconnu. À quoi servaient donc ces lignes jaunes peintes sur la chaussée ? Et ces petites taches blanchâtres sur tous les trottoirs ? (Dans son monde, ils ne connaissaient pas le chewing-gum.) Et que signifiaient ces lumières rouges et vertes au coin de chaque rue ? Tout cela, se dit-elle, était beaucoup plus compliqué à déchiffrer que l'aléthiomètre.

Mais elle apercevait les portes de St John's College, que Roger et elle avaient escaladées un jour, après la tombée de la nuit, pour cacher des pétards dans les massifs de fleurs. Sur cette pierre usée au coin de Catte Street, il y avait les initiales SP que Simon Parslow avait gravées, exactement les mêmes ! Elle l'avait vu faire ! Un habitant de ce monde, qui possédait des initiales identiques, avait fait la même chose pour tromper son ennui !

Peut-être existait-il un Simon Parslow dans ce monde.

Peut-être existait-il aussi une Lyra.

Un frisson glacé lui parcourut l'échine, et Pantalaimon, redevenu souris, frissonna au fond de sa poche. Elle se ressaisit ; il y avait suffisamment de mystères autour d'elle, pas la peine d'en imaginer davantage.

Autre différence entre cet Oxford et le sien : le nombre gigantesque de personnes qui grouillaient sur les trottoirs, entraient et sortaient des bâtiments ; des gens de toutes sortes, des femmes habillées en homme, des Africains, et même un groupe de Tartares qui suivaient bien sagement leur chef, tous tirés à quatre épingles et tenant à la main une petite valise noire. Tout d'abord, elle leur jeta des regards méfiants, car ils n'avaient pas de dæmons, et dans son monde, on les aurait considérés comme des apparitions, ou pire.

Mais (et c'était cela le plus étrange) ils avaient tous l'air parfaitement vivants. Ces créatures se déplaçaient avec une sorte de joie de vivre, comme de véritables humains, et Lyra dut admettre que c'étaient certainement des humains, dont les dæmons étaient cachés à l'intérieur, comme celui de Will.

Après avoir erré ainsi pendant environ une heure pour explorer cette parodie d'Oxford, elle commença à avoir faim et acheta une barre de chocolat avec son billet de vingt livres. Le commerçant la regarda d'un drôle d'air, mais il venait des Antilles et peut-être ne comprenait-il pas son accent, bien qu'elle se soit exprimée de manière très claire. Avec la monnaie, elle acheta une pomme au Marché Couvert, qui évoquait davantage le véritable Oxford, puis elle marcha vers le parc. Là, elle arriva devant un grand bâtiment, dans le plus pur style Oxford, mais qui pourtant n'existait pas dans son monde, bien qu'il n'eût pas paru déplacé. Elle s'assit dans l'herbe, juste devant l'entrée, pour manger, en observant le bâtiment d'un air approbateur.

Lyra découvrit qu'il s'agissait en réalité d'un musée. Comme les portes étaient ouvertes, elle entra et découvrit des animaux empaillés, des squelettes fossilisés et des minéraux dans des vitrines, comme au Royal Geological Museum qu'elle avait visité avec Mme Coulter à Londres, celui qu'elle connaissait. Au fond du grand hall de verre et d'acier, une porte s'ouvrait sur une autre partie du musée, et puisque l'endroit était désert, elle décida d'aller y jeter un œil. L'aléthiomètre restait sa préoccupation principale, mais en entrant dans cette deuxième salle, Lyra se trouva entourée de choses qu'elle connaissait bien : les vitrines renfermaient des vêtements polaires, semblables aux fourrures qu'elle portait, des traîneaux, des objets taillés dans de l'ivoire de morse, des harpons destinés à la chasse au phoque, et mille autres trophées, reliques, amulettes, armes et outils, qui ne provenaient pas uniquement de l'Arctique, comme elle put le constater, mais des quatre coins du globe.

« Étrange », se dit-elle. Ce manteau en peau de caribou, par exemple, était exactement semblable au sien, mais ils s'étaient complètement fourvoyés en expliquant l'origine des traces sur le traîneau. Un photogramme montrait des guerriers samoyèdes, les sosies de ceux qui l'avaient capturée pour la vendre à Bolvangar ! Incroyable ! C'étaient les mêmes hommes ! Et cette corde usée avait été rafistolée exactement aux mêmes endroits ; Lyra était bien placée pour le savoir, étant restée ligotée sur ce traîneau pendant plusieurs heures de souffrance... Comment expliquer ces mystères ? N'existait-il qu'un seul monde finalement, qui passait son temps à rêver à d'autres mondes ?

Ce qu'elle découvrit ensuite lui fit penser à nouveau à l'aléthiomètre. Dans une vieille vitrine entourée d'un châssis peint en noir étaient réunis plusieurs crânes humains, dont quelques-uns étaient percés d'un trou : sur le devant, sur le côté ou sur le dessus. Le crâne du milieu avait même deux trous ! Cette opération, était-il indiqué sur une fiche cartonnée rédigée avec des pattes de mouche, s'appelait une trépanation. La notice précisait que tous ces trous avaient été faits alors que ces hommes étaient vivants, car les os avaient eu le temps de cicatriser et de se patiner aux extrémités. Sauf dans un seul cas : ici, le trou avait été fait par une pointe de flèche en bronze qui était encore plantée dans le crâne, et l'on voyait bien que c'était différent, car les os brisés formaient des éclats.

C'était exactement ce que faisaient les Tartares du Nord, et ce que Stanislaus Grumman s'était infligé, à en croire les Érudits de Jordan College qui l'avaient connu. Lyra jeta un rapide coup d'œil autour d'elle ; ne voyant personne, elle sortit l'aléthiomètre.

Dirigeant toutes ses pensées sur le crâne du milieu, elle demanda mentalement : « À quel genre d'individu appartenait ce crâne, et quelle est l'origine de ces deux trous ? »

Concentrée sur l'aléthiomètre, dans la lumière poussiéreuse qui filtrait à travers le toit de verre et plongeait des galeries supérieures, en oblique, elle ne remarqua pas que quelqu'un l'observait.

Un homme d'une soixantaine d'années à l'air robuste, vêtu d'un élégant costume en lin, et tenant à la main un panama, la regardait avec attention par-dessus la rambarde en fer de la galerie du premier étage.

Ses cheveux blancs étaient peignés en arrière sur son front mat et lisse, à peine ridé. Il avait de grands yeux noirs pénétrants, bordés de longs cils, et régulièrement, toutes les minutes environ, sa langue pointue dardait au coin de sa bouche et courait sur ses lèvres pour les humecter. Le mouchoir immaculé glissé dans sa poche de poitrine était imprégné d'une puissante eau de Cologne, semblable à ces plantes de serre si fertiles que leurs racines dégagent une odeur de pourriture.

Il espionnait Lyra depuis plusieurs minutes déjà. Il s'était déplacé sur la galerie, à mesure qu'elle avançait dans la salle au rez-de-chaussée, et lorsqu'elle s'arrêta devant la vitrine des crânes, il put l'observer plus attentivement de la tête aux pieds : les cheveux ébouriffés, le bleu sur la joue, les vêtements neufs, sa nuque penchée au-dessus de l'aléthiomètre, ses jambes nues.

Sortant son mouchoir de sa poche de poitrine et le secouant pour le déplier, il s'épongea le front et se dirigea vers l'escalier.

Plongée dans ses pensées, Lyra apprenait des choses étranges. Ainsi, ces crânes étaient incroyablement vieux ; les cartes dans les vitrines indiquaient simplement : *Âge du bronze*, mais l'aléthiomètre, qui ne mentait jamais, précisait que l'homme à qui avait appartenu ce crâne avait vécu il y a 33 254 ans ; c'était un sorcier, et ce trou avait été percé pour permettre aux dieux de pénétrer dans sa tête. L'aléthiomètre ajouta même, avec cette nonchalance qu'il affichait parfois pour répondre à une question que Lyra ne lui avait pas posée, que les crânes trépanés attiraient autour d'eux beaucoup plus de Poussière que le crâne transpercé par une pointe de flèche.

Qu'est-ce que ça pouvait bien vouloir dire ? Lyra s'arracha à l'atmosphère de calme et de concentration qu'elle partageait avec l'aléthiomètre pour réintégrer en douceur le présent... et s'apercevoir qu'elle n'était plus seule. Elle aperçut, penché au-dessus de la vitrine voisine, un vieil homme portant un costume clair, et qui sentait bon. Il lui rappelait vaguement quelqu'un, sans qu'elle puisse dire de qui il s'agissait.

Sentant qu'elle le regardait avec insistance, il se redressa et lui adressa un grand sourire.

— Tu regardes les crânes trépanés ? dit-il. Les gens ont parfois de drôles de manies.

— Mmm, fit Lyra.

— Sais-tu qu'aujourd'hui encore des gens font la même chose ?

— Ah bon ?

— Des hippies, des individus de ce genre. Évidemment, tu es beaucoup trop jeune pour avoir connu les hippies. Ils prétendent que c'est plus efficace que de prendre des drogues.

Lyra avait rangé l'aléthiomètre dans son sac à dos, sans avoir eu le temps de poser la question primordiale. Elle se demandait comment fausser compagnie à cet homme qui, visiblement, avait envie d'engager la conversation. De fait, il paraissait très gentil, et il sentait bon. Il s'était rapproché d'elle peu à peu. Quand il se pencha au-dessus de la vitrine, sa main frôla celle de Lyra.

— C'est incroyable, hein ? Pas d'anesthésiant, pas de désinfectant, et sans doute qu'ils utilisaient des outils en pierre. Sacrément coriaces, ces gens-là, pas vrai ? Je ne me souviens pas de t'avoir déjà vue par ici. Pourtant, je viens très souvent. Comment t'appelles-tu ?

— Lizzie.

— Bonjour, Lizzie. Moi, c'est Charles. Tu vas à l'école à Oxford ?

Elle ne savait pas quoi répondre.

— Non.

— Tu es juste de passage ? En tout cas, tu as choisi un endroit merveilleux. Qu'est-ce qui t'intéresse particulièrement dans ce musée ?

Cet homme l'intriguait plus que toutes les personnes qu'elle avait rencontrées depuis pas mal de temps. C'était un monsieur gentil, sympathique, très soigné, habillé avec élégance, et pourtant, Pantalaimon, caché dans la poche de Lyra, cherchait à attirer son attention pour la supplier de se méfier, car lui aussi était assailli par un vague souvenir. Lyra sentait flotter dans l'atmosphère non pas une odeur mais plutôt l'idée d'une odeur, celle de la crotte, de la putréfaction. Elle repensait au palais de Iofur Raknison, où l'air était parfumé, mais le sol jonché d'immondices.

— Qu'est-ce qui m'intéresse ? dit-elle. Oh, un tas de choses en vérité. Quand j'ai vu ces crânes, j'ai eu envie de les regarder de plus près. Je n'arrive pas à croire que quelqu'un puisse s'infliger une telle torture. C'est horrible !

— Je ne serais pas volontaire, moi non plus, mais je t'assure que ce sont des pratiques qui existent encore. Je pourrais même, si tu le souhaites, te faire rencontrer quelqu'un qui l'a fait, dit le vieux monsieur, et il avait l'air si gentil, si prêt à rendre service, que Lyra faillit se laisser tenter par cette offre.

Mais en voyant jaillir entre ses lèvres ce petit bout de langue pointu, aussi vif qu'un serpent, luisant de salive, elle se ravisa.

—Il faut que je m'en aille, dit-elle. Merci pour la proposition, mais je préfère pas. D'ailleurs, j'ai rendez-vous. Avec un ami, ajouta-t-elle. Chez qui j'habite.

—Oui, je comprends, dit le vieil homme très gentiment. Ça m'a fait plaisir de discuter avec toi. Au revoir, Lizzie.

—Salut.

—Oh... Au cas où, voici mon nom et mon adresse, dit-il en lui tendant une petite carte de visite. Si jamais tu as envie d'en savoir plus sur ce genre de choses.

—Merci, dit-elle d'un ton neutre en glissant la carte dans la poche de son sac à dos, avant de s'en aller.

Elle eut l'impression qu'il la suivait du regard jusqu'à la porte.

Une fois sortie du musée, Lyra s'enfonça dans le parc, qu'elle connaissait sous l'aspect d'un terrain destiné au cricket et à d'autres sports ; elle dénicha un endroit tranquille sous les arbres et interrogea de nouveau l'aléthiomètre.

Cette fois, elle lui demanda où elle pouvait trouver un Érudit qui saurait des choses sur la Poussière. La réponse fut simple : l'instrument lui indiqua une pièce située à l'intérieur du grand bâtiment carré auquel elle tournait le dos. En fait, la réponse fut si nette, si rapide, que Lyra aurait parié que l'aléthiomètre avait quelque chose à ajouter ; elle commençait à percevoir ses différents états d'esprit, comme un être humain, et à sentir quand il voulait lui dire autre chose.

Comme maintenant. «Occupe-toi du garçon, lui dit-il. Ta tâche est de l'aider à retrouver son père. Concentre-toi là-dessus.»

Lyra demeura bouche bée. Elle n'en revenait pas. Will avait jailli de nulle part pour l'aider ; c'était évident. Elle ne pouvait concevoir qu'elle était venue jusqu'ici pour l'aider, lui.

Mais l'aléthiomètre n'avait pas fini. L'aiguille se remit à tournoyer, et Lyra lut :

«Ne mens pas au savant que tu vas rencontrer.»

Elle enveloppa l'instrument dans le velours noir et le fourra au fond de son sac à dos, à l'abri des regards. Puis elle se leva, chercha du regard le bâtiment où se trouvait l'Érudit en question et marcha dans cette direction, avec un sentiment de gêne et de défi.

Will trouva la bibliothèque assez facilement. Le bibliothécaire des ouvrages de références était tout disposé à croire qu'il effectuait des recherches pour un devoir de géographie, et il l'aida à trouver les index reliés du *Times* correspondant à l'année de sa naissance, c'est-à-dire à l'époque de la disparition de son père. Will alla s'asseoir à une table pour les consulter. Effectivement, le nom de John Parry apparaissait à plusieurs reprises, dans le cadre d'une expédition archéologique.

Chaque mois du journal, constata-t-il, était enregistré sur un microfilm différent. Il introduisit chaque bobine l'une après l'autre dans le lecteur, et les fit défiler jusqu'à ce qu'il tombe sur les articles en question, qu'il lut avec avidité. Le premier article racontait le départ d'une expédition à destination du nord de l'Alaska. Sponsorisée par l'Institut d'Archéologie de l'université d'Oxford, elle devait explorer une région où ils espéraient découvrir des traces des tout premiers campements humains. L'expédition était dirigée par John Parry, ancien membre des Royal Marines devenu explorateur professionnel.

Le deuxième article était paru six semaines plus tard. On y apprenait que l'expédition n'avait toujours pas répondu aux appels de la Station d'Observation. John Parry et ses compagnons étaient portés disparus.

Venait ensuite une série de brefs articles décrivant les efforts infructueux des équipes de recherches, les survols de la mer de Béring, les réactions de l'Institut d'Archéologie, tout cela accompagné d'interviews des parents des disparus...

Will sentait son cœur bondir dans sa poitrine : il y avait même une photo de sa mère. Tenant un bébé dans ses bras. C'était lui.

Le journaliste avait rédigé un article mélodramatique, dans le plus pur style « la femme en pleurs attend avec angoisse des nouvelles », mais il contenait peu d'informations en réalité, constata Will avec colère. Un court paragraphe expliquait que John Parry avait fait une brillante carrière dans les Royal Marines avant de se lancer dans l'organisation d'expéditions scientifiques et géographiques. C'était tout.

Le nom de Parry n'apparaissait nulle part ailleurs dans l'index du *Times*, et Will abandonna le lecteur de microfilms, à la fois déçu et déconcerté. Il existait forcément d'autres informations ailleurs, mais où les trouver ? Et si ses recherches s'éternisaient, on risquait de le repérer...

Il rapporta les bobines de microfilm au bibliothécaire, et lui demanda :

Vous connaissez l'adresse de l'Institut d'Archéologie ?

Je peux la trouver... Tu es de quelle école ?

St Peter, répondit Will.

— Ce n'est pas à Oxford, ça ?

— Non, c'est à Hampshire. Avec ma classe, on fait une sorte de voyage d'études. On participe à un projet de recherches sur l'environnement...

—Oh, je vois. Qu'est-ce que tu m'as demandé, déjà?... Ah oui, l'Institut d'Archéologie... Voyons voir...

Will nota l'adresse et le numéro de téléphone que lui donna le bibliothécaire et, puisqu'il pouvait se permettre d'avouer qu'il ne connaissait pas Oxford, il lui demanda comment se rendre à l'Institut. Ce n'était pas très loin. Après avoir remercié le bibliothécaire, il se mit en route.

En entrant dans le bâtiment, Lyra découvrit tout d'abord, au pied de l'escalier, un large bureau derrière lequel était assis un concierge.

—Où tu vas comme ça, petite? demanda celui-ci.

Lyra eut soudain l'impression de se retrouver chez elle, à Jordan College. Elle sentit la jubilation de Pan dans sa poche.

—J'ai une commission pour une personne du deuxième étage, dit-elle.

—Qui?

—Le Dr Lister.

—Le Dr Lister est au troisième. Et si tu as quelque chose à lui remettre, laisse-le ici, je le préviendrai.

—C'est urgent, répondit-elle. Il le voulait tout de suite. D'ailleurs, il ne s'agit pas d'un objet, c'est quelque chose que je dois lui dire.

Le concierge l'observa attentivement, mais il n'était pas de taille à lutter avec l'air angélique et niais que Lyra pouvait adopter à la demande. Finalement, il hocha la tête et se replongea dans son journal.

L'aléthiomètre n'indiquait pas les noms des gens, évidemment. Lyra avait repéré le nom du Dr Lister sur un grand tableau derrière le concierge, car si on faisait semblant de connaître quelqu'un, se disait-elle, il y avait plus de chances qu'on vous laisse entrer quelque part. D'une certaine façon, Lyra connaissait le monde de Will mieux que lui.

Arrivée au deuxième étage, elle découvrit un long couloir où une première porte ouverte laissait voir un amphithéâtre désert; une autre porte s'ouvrait sur une pièce plus petite dans laquelle deux professeurs discutaient devant un tableau noir. Ces pièces, tout comme les murs du couloir, étaient nues, ternes et dénuées d'ornements; autant de signes qui, dans l'esprit de Lyra, évoquaient la pauvreté et non pas la splendeur, la brillante érudition d'Oxford; pourtant, les murs de brique étaient recouverts d'une couche de peinture lisse, les portes étaient en bois massif et les rampes en acier poli. Encore une étrangeté de ce drôle de monde, se dit-elle.

Elle trouva rapidement la porte indiquée par l'aléthiomètre. La plaque fixée dessus proclamait : *Unité de recherches sur la matière sombre*. En dessous, quelqu'un avait griffonné : *Paix à son âme* Une autre personne avait ajouté, toujours à la main : *Directeur : Luzare*.

Sans se soucier de ces inscriptions sibyllines, Lyra frappa à la porte, et une voix de femme s'écria :

—Entrez !

C'était une pièce exiguë, envahie de piles branlantes de papiers et de livres. Les tableaux blancs sur les murs étaient couverts de diagrammes et d'équations. Au dos de la porte était punaisé un dessin de style chinois. Par une porte ouverte, Lyra apercevait une autre pièce, dans laquelle une sorte d'instrument ambarique complexe trônait en silence.

Elle fut quelque peu surprise de découvrir que le savant qu'elle cherchait était une femme, mais l'aléthiomètre n'avait pas précisé qu'il s'agissait d'un homme, et, après tout, c'était un monde étrange. La femme était assise face à une drôle de machine qui projetait des chiffres et des formes sur un petit écran de verre, et devant laquelle on avait disposé toutes les lettres de l'alphabet, sous forme de petits carrés jaunis, sur un plateau de couleur ivoire. La femme appuya sur l'un des carrés et l'écran devint noir.

—Qui es-tu ? demanda-t-elle.

Lyra referma la porte derrière elle. Songeant à ce que lui avait dit l'aléthiomètre, elle s'empêcha d'agir comme elle l'aurait fait en temps normal, et elle répondit sans mentir :

—Je m'appelle Lyra Parle-d'Or, répondit-elle. Et vous ?

La femme sursauta. Lyra lui donnait entre trente-cinq et quarante ans ; sans doute était-elle légèrement plus âgée que Mme Coulter. Elle avait des cheveux bruns coupés court, des joues rouges, et portait une blouse blanche ouverte sur une chemise à rayures et un de ces pantalons en grosse toile bleue que portaient un tas de gens dans ce monde.

Surprise par la question de Lyra, la femme passa la main dans ses cheveux courts, et dit :

—Tu es la deuxième surprise de la journée. Je suis le Dr Mary Malone. Que viens-tu faire ici ?

—Je voudrais que vous me parliez de la Poussière, dit Lyra, après avoir regardé autour d'elle pour s'assurer qu'elles étaient seules. Je sais que vous connaissez beaucoup de choses sur ce sujet. Je peux le prouver. Il faut tout me dire.

—La poussière ? Mais de quoi parles-tu ?

—Peut-être que vous appelez ça autrement. C'est des particules élémentaires. Chez moi, dans mon monde, les professeurs les appellent les Particules de Rusakov, mais normalement, on appelle ça la Poussière. C'est pas facile de la voir ; elle vient de l'espace et elle se fixe sur les gens. Pas tellement sur les enfants, surtout sur les adultes. Et un truc que j'ai appris aujourd'hui, en allant au musée tout près d'ici, où il y a des vieux crânes avec des trous, comme ceux que font les Tartares, c'est qu'il y avait beaucoup plus de Poussière autour de ces crânes qu'autour d'un autre qui n'avait pas le même genre de trous. C'est quelle époque l'âge du bronze ?

La femme la regardait avec des yeux comme des soucoupes.

—L'âge du bronze ? Oh là là, je n'en sais rien. Il y a 5 000 ans environ.

—Dans ce cas, ils se sont trompés quand ils ont fait l'étiquette. Le crâne avec les deux trous, il a 33 000 ans.

Lyra s'interrompit, car le Dr Malone semblait sur le point de s'évanouir. Ses joues avaient perdu leurs couleurs ; elle plaqua une main sur sa poitrine, tandis que l'autre agrippait le bras de son fauteuil. Elle demeura bouche bée.

Étonnée par cette réaction, Lyra attendit qu'elle se ressaisisse.

—Qui es-tu ? lui demanda la femme.

—Lyra Par...

—Non, non. D'où viens-tu ? Que fais-tu ici ? Comment sais-tu toutes ces choses ?

Lyra poussa un soupir de lassitude ; elle avait oublié combien les professeurs aiment ergoter. À quoi bon leur dire la vérité, alors qu'ils comprenaient plus facilement un mensonge ?

—Je viens d'un autre monde, expliqua-t-elle patiemment. Et dans ce monde, il y a un Oxford comme ici, mais différent, et c'est de là que je viens. Et...

—Attends un peu. Tu viens d'où ?

—Je viens d'ailleurs, répondit Lyra plus prudemment. Je ne suis pas d'ici.

—Oh, je vois, dit la femme. Enfin, je crois.

—Je cherche des renseignements sur la Poussière. Car les hommes d'Église, dans mon monde, ont peur de la Poussière ; ils croient qu'elle représente le péché originel. Alors, c'est très important, vous comprenez. Et mon père... Non, dit-elle avec fougue, allant jusqu'à taper du pied, ce n'est pas ce que je voulais dire. Je m'explique mal.

Le Dr Malone observait Lyra, son air désespéré, ses poings serrés, les hématomes sur sa joue et sa cuisse.

—Mon Dieu, calme-toi, petite... (Elle frotta ses yeux rougis par la fatigue.) Pourquoi est-ce que je t'écoute, d'abord ? Je dois être folle. La vérité, c'est que tu as trouvé le seul endroit au monde où tu pourrais obtenir les réponses que tu cherches ; malheureusement, ils sont sur le point de fermer notre laboratoire... Cette chose dont tu parles, cette Poussière, ça ressemble fort à un phénomène que nous étudions depuis un certain temps déjà, et ce que tu as dit au sujet des crânes au musée m'a fichu un coup, car... Oh, non, trop c'est trop. Je suis morte de fatigue. J'aimerais t'écouter, crois-moi. Mais pas maintenant, je t'en prie. T'ai-je dit qu'ils voulaient nous mettre à la porte ? J'ai une semaine pour soumettre une proposition à la commision des subventions, mais on n'a aucun espoir de...

Elle bâilla à s'en décrocher la mâchoire.

— C'était quoi votre première surprise de la journée ? demanda Lyra.

— Ah, oui. Une personne sur qui je comptais beaucoup pour parrainer notre demande de financement nous a retiré son soutien. Remarque, ce n'est pas surprenant, finalement.

Elle bâilla de nouveau.

— Je vais faire du café, dit-elle. Si je ne m'endors pas avant. Tu en voudras ?

Elle remplit une bouilloire électrique et, pendant qu'elle versait du café instantané dans deux tasses, Lyra prit le temps d'observer le dessin chinois derrière la porte.

— C'est quoi, ça ? demanda-t-elle.

— Ce sont les symboles du I-Ching. Tu sais ce qu'ils représentent ? Ça existe aussi dans ton monde ?

Lyra regarda la femme en fronçant les sourcils ; elle se demandait s'il s'agissait d'une question sarcastique.

— Certaines choses sont pareilles et d'autres sont différentes, c'est tout, répondit-elle. Il y a des choses que je ne connais pas dans mon monde. Peut-être qu'ils ont aussi ce Ching...

— Oui, peut-être, dit le Dr Malone. Pardonne-moi.

— C'est quoi la matière sombre ? demanda Lyra. C'est bien ce qui est écrit sur la porte, hein ?

Le Dr Malone se rassit et, avec son pied, tira une chaise pour Lyra.

— La matière sombre est la chose sur laquelle travaille mon équipe de chercheurs. Personne ne sait exactement ce que c'est. Il existe dans l'univers un tas de phénomènes imperceptibles, voilà le problème. On voit les étoiles, les galaxies et tout ce qui brille, mais pour que tout cela reste en place, au lieu de se disperser dans tous les sens, il y a forcément autre chose. Pour que la gravité existe, par exemple. Hélas, personne ne sait détecter cette chose. Un tas de projets scientifiques essayent d'en savoir plus ; celui-ci en fait partie.

Lyra était tout ouïe. Au moins, cette femme lui parlait sérieusement, comme à une adulte.

— Et à votre avis, c'est quoi cette chose ? demanda-t-elle.

— À notre avis...

À ce moment-là, la bouilloire se mit à siffler et le Dr Malone se leva pour verser l'eau chaude dans les tasses, en continuant de parler :

– À notre avis, il s'agit d'une sorte de particule élémentaire. Très différente de tout ce qu'on a découvert jusqu'à présent. Mais elle est extrêmement difficile à détecter... Dans quelle école es-tu ? Tu étudies la physique ?

Lyra sentit Pantalaimon lui mordiller la main, pour lui recommander la prudence. L'aléthiomètre lui ordonnait de dire la vérité, très bien, mais elle savait ce qui risquait d'arriver si elle disait toute la vérité. Elle devait manœuvrer en finesse et éviter les mensonges directs.

– Oui, dit-elle, je connais certaines choses. Mais je n'ai jamais entendu parler de la matière sombre.

– Eh bien, disons que nous essayons de détecter cette chose quasiment indécelable parmi le bruit que font toutes les autres particules en s'écrasant. Habituellement, les scientifiques placent des capteurs à des centaines de mètres sous terre, mais nous, au lieu de cela, nous avons installé un champ électromagnétique autour du capteur, afin d'éliminer tous les bruits qui ne nous intéressent pas et de laisser passer uniquement les autres. Ensuite, nous amplifions le son et nous l'introduisons dans l'ordinateur.

Elle tendit une tasse de café à Lyra. Il n'y avait ni lait, ni sucre, mais elle sortit d'un tiroir des biscuits au gingembre ; la fillette se jeta voracement sur la nourriture.

– Nous avons découvert une particule qui correspond, reprit le Dr Malone. Du moins, nous pensons qu'elle correspond. Mais c'est si étrange... Pourquoi est-ce que je te raconte tout ça ? Je ne devrais pas. Les résultats n'ont pas été publiés, ni enregistrés, ni même notés par écrit. Je suis un peu folle cet après-midi.

Bref... ajouta-t-elle – et elle bâilla de nouveau, si longtemps que Lyra crut qu'elle n'allait jamais s'arrêter – Ces particules sont de drôles de petits monstres, c'est sûr. On les a baptisées particules-ombre, ou Ombres, tout simplement. Sais-tu ce qui a failli me faire tomber à la renverse tout à l'heure ? Quand tu as parlé des crânes du musée ? Nous avons dans notre équipe une sorte d'archéologue amateur. Et figure-toi qu'un jour, il a fait une découverte à laquelle on ne voulait même pas croire. Mais impossible de l'ignorer, car elle rejoignait une des caractéristiques les plus insensées des Ombres. Devine un peu... Ces particules ont une conscience ! Parfaitement. Les Ombres sont des particules conscientes ! As-tu déjà entendu une chose aussi stupide ? Pas étonnant qu'ils ne veuillent pas renouveler nos crédits.

Le Dr Malone but une gorgée de café. Lyra, elle, buvait les paroles de cette femme, comme une fleur assoiffée.

– Eh oui, ajouta le Dr Malone, elles savent que nous existons. Elles nous répondent. C'est là que ça devient complètement fou : pour les voir, il faut être prêt à les voir ! Ça ne marche pas si on n'est pas dans un certain état d'esprit. Il faut être confiant et détendu. Il faut être capable de... Où est la citation... ?

Elle fourragea au milieu de l'amoncellement de papiers qui encombrait son bureau, jusqu'à ce qu'elle trouve une feuille sur laquelle quelqu'un avait griffonné une phrase au stylo vert.

Elle lut :

— ... *capable d'être dans l'incertitude, le mystère et le doute, en oubliant l'exaspérante quête de la vérité et de la raison*. Voilà l'état d'esprit qui convient. C'est une citation du poète Keats, au fait. Je suis tombée dessus l'autre jour. Tu te places dans le bon état d'esprit, et ensuite, tu regardes la Caverne...

— La caverne ? dit Lyra.

— Oh, pardon. L'ordinateur. On l'a surnommé la Caverne. En référence à Platon, tu vois : les Ombres sur les murs de la Caverne. Encore une idée de notre archéologue. C'est un intellectuel complet. Malheureusement, il est parti à Genève pour un entretien d'embauche, et je suis persuadée qu'il ne reviendra pas... Où en étais-je ? Ah oui, la Caverne. Une fois que tu es connectée à l'ordinateur, si tu penses, les Ombres réagissent. À tous les coups. Elles affluent autour de tes pensées comme un vol d'oiseaux...

— Et les crânes du musée, dans tout ça ?

— J'y viens. Un jour, Oliver Payne, c'est mon collègue, s'amusait à tester des objets avec la Caverne. C'était très bizarre. Tout cela n'avait aucun sens, dans l'optique d'un physicien du moins. Il a d'abord observé un morceau d'ivoire, un simple éclat ; il n'y avait aucune présence d'Ombres. Aucune réaction. Mais une pièce de jeu d'échecs taillée dans de l'ivoire a réagi ! Un morceau de bois brut provenant d'une planche n'a pas réagi, mais une règle en bois, si ! Et c'était encore plus net avec une statuette... Bon sang, il s'agit de particules élémentaires ! De minuscules parcelles de presque rien. Elles savaient ce qu'étaient ces objets. Tout ce qui était associé au travail humain et à la pensée humaine était entouré d'Ombres...

Ensuite, Oliver, le Dr Payne, s'est fait prêter des crânes fossilisés par un ami qui travaille au musée, et il les a testés pour savoir jusqu'où remontait ce phénomène dans le temps. On a découvert un point de rupture il y a 30 ou 40 000 ans. Avant cette date, pas d'Ombres. Après cela, une profusion. Apparemment, cela correspond plus ou moins à l'apparition sur terre des premiers êtres humains « modernes », dirons-nous. Nos lointains ancêtres, si tu préfères, des gens pas vraiment différents de nous...

— C'est la Poussière ! déclara Lyra d'un ton catégorique. J'en suis sûre.

— Tu comprends bien qu'on ne peut dire ce genre de chose dans une demande de subvention si on veut être pris au sérieux. Ça ne tient pas debout. Un tel phénomène ne peut pas exister. C'est impossible, et même si ce n'est pas impossible, c'est hors de propos, et quand ce n'est ni l'un ni l'autre, c'est tout simplement embarrassant.

—Montrez-moi la Caverne, demanda Lyra.

Elle se leva.

Le Dr Malone se passa les mains dans les cheveux et cligna des paupières, comme pour empêcher ses yeux fatigués de se voiler.

—Bah, pourquoi pas, après tout, dit-elle. Peut-être que nous n'aurons même plus de Caverne demain. Viens, suis-moi.

Elle entraîna Lyra dans la pièce voisine ; celle-ci était plus grande, encombrée de matériel électronique.

—Et voilà, dit le Dr Malone en désignant un écran vierge qui brillait d'une lueur grise. C'est ici que se trouve le détecteur, derrière tous ces fils. Pour voir les Ombres, il faut être relié à des électrodes. Comme lorsqu'on mesure les ondes du cerveau.

—Je veux essayer, dit Lyra.

—Tu ne verras rien, c'est inutile. En plus, je tombe de fatigue. Et c'est trop compliqué.

—Je vous en prie ! Je sais ce que je fais !

—Tant mieux pour toi, j'aimerais en dire autant. La réponse est non ! Il s'agit d'une expérience scientifique, coûteuse et complexe. Tu ne peux pas débarquer ici sans prévenir et exiger de t'amuser avec cet appareil comme si c'était un vulgaire flipper... D'où viens-tu, d'ailleurs ? Tu ne devrais pas être à l'école ? Comment es-tu arrivée jusqu'ici ?

Le Dr Malone se frotta de nouveau les yeux, comme quelqu'un qui vient de se réveiller.

Lyra tremblait. « Tu dois dire la vérité », songea-t-elle.

—C'est ça qui m'a indiqué le chemin, répondit-elle en sortant l'aléthiomètre de son sac à dos.

—C'est quoi ce machin ? Une boussole ?

Lyra l'autorisa à le prendre. Le Dr Malone fut surprise par le poids de l'instrument.

—Bon sang, c'est en or massif. Où diable as-tu...

—Je pense que ça fait la même chose que votre Caverne. En tout cas, c'est ce que j'aimerais savoir. Si j'arrive à répondre à une question, un truc dont vous seule connaissez la réponse, vous me laisserez essayer votre Caverne ? demanda Lyra d'un ton désespéré.

—Tu joues les voyantes maintenant ? À quoi sert cette chose ?

—Je vous en supplie ! Posez-moi une question, vous verrez !

Le Dr Malone haussa les épaules.

—Bon, d'accord, dit-elle dans un soupir. Dis-moi... Dis-moi ce que je faisais avant de travailler ici.

Lyra lui arracha l'aléthiomètre des mains et actionna les aiguilles. Elle sentait son esprit foncer vers les images, avant même que les aiguilles ne soient pointées dessus, et les trépidations de la grande aiguille, impatiente de répondre. Dès qu'elle se mit à tournoyer autour du cadran, Lyra ne la quitta plus des yeux un seul instant ; elle observait, calculait, suivait mentalement les longs enchaînements de sens conduisant au niveau où se trouvait la vérité.

Finalement, elle cligna des paupières, laissa échapper un soupir et sortit de son état de transe temporaire.

—Dans le temps, vous étiez bonne sœur, déclara-t-elle. Je n'aurais jamais pu le deviner. Les nonnes sont censées rester dans leur couvent jusqu'à la fin de leurs jours. Mais vous avez cessé de croire aux principes de l'Église et ils vous ont laissée sortir. Ce n'est pas du tout comme dans mon monde à moi, pas du tout.

Le Dr Malone se laissa tomber dans l'unique fauteuil de la pièce, l'air hébété.

—C'est la vérité, hein ? dit Lyra.

—Oui. Et tu l'as découverte grâce à ce...

—Grâce à mon aléthiomètre, oui. Il fonctionne avec la Poussière, je crois. Je suis venue jusqu'ici pour en savoir plus sur la Poussière justement, et il m'a dit de venir vous voir. J'en conclus que votre matière sombre, ce doit être la même chose. Alors, je peux essayer votre Caverne, maintenant ?

Le Dr Malone secoua la tête, non pas pour exprimer son refus, mais plutôt son immense perplexité. Elle haussa les épaules.

—Allons-y, dit-elle. J'ai l'impression de rêver, autant continuer jusqu'au bout.

Elle fit pivoter son fauteuil et appuya sur plusieurs boutons, déclenchant un bourdonnement électrique accompagné des vibrations d'un ventilateur d'ordinateur. Lyra ne put réprimer un petit hoquet d'effroi, car c'était ce même bruit qu'elle avait entendu dans cette sinistre salle glacée et scintillante de Bolvangar où la guillotine d'argent avait bien failli la séparer pour toujours de Pantalaimon. D'ailleurs, elle sentit le dæmon trembler au fond de sa poche et dut le caresser pour le rassurer.

Mais le Dr Malone n'avait rien remarqué, elle était trop occupée à effectuer des branchements et à taper sur les lettres d'un autre plateau en ivoire. Soudain, l'écran gris changea de couleur ; de petites lettres et des chiffres apparurent.

—Assieds-toi là, dit-elle à Lyra en se levant pour lui céder sa place. (Elle ouvrit un petit bocal rempli d'une substance épaisse et incolore.) Je suis obligée de te mettre un peu de gel sur la tête pour faciliter le passage des ondes. Ne t'inquiète pas, ça s'enlève facilement. Ne bouge plus.

Le Dr Malone prit six fils électriques, terminés par une sorte de ventouse plate, et les fixa à différents endroits sur la tête de Lyra. La fillette restait immobile comme on le lui avait demandé, mais elle respirait vite et son cœur cognait dans sa poitrine.

— Voilà, tu es branchée, déclara le Dr Malone. Cette pièce est remplie d'Ombres. L'univers lui-même est rempli d'Ombres, d'ailleurs. Mais il n'existe qu'une seule façon de les voir ; il faut faire le vide dans son esprit et regarder l'écran. À toi de jouer.

Lyra fixa l'écran. La surface du verre était sombre et vide. Elle distinguait son reflet, mais rien d'autre. Par curiosité, elle fit semblant de consulter l'aléthiomètre et s'imagina en train de demander : « Que sait cette femme sur la Poussière ? Quelles questions pose-t-elle ? »

Mentalement, elle déplaça les aiguilles de l'aléthiomètre autour du cadran et, soudain, l'écran se mit à trembloter. Surprise, Lyra abandonna sa concentration, et le tremblement s'arrêta aussitôt. Elle ne remarqua pas le frisson d'excitation qui fit se redresser le Dr Malone sur sa chaise. Le front plissé, la fillette se pencha en avant et recommença à se concentrer.

Cette fois, la réaction fut immédiate. Un flot de lumières dansantes, étrangement semblables aux rideaux scintillants de l'aurore, traversa l'écran. Elles se regroupaient pour constituer des formes éphémères qui se séparaient pour se réunir à nouveau, sous d'autres formes, ou d'autres couleurs ; elles traçaient des boucles, des méandres, s'éparpillaient, explosaient en une cascade éblouissante qui bifurquait soudainement d'un côté ou de l'autre, tel un vol d'oiseaux qui change de direction en plein ciel. Devant ce spectacle, Lyra se sentait vaciller au bord de la perception, comme lorsqu'elle avait commencé à déchiffrer l'aléthiomètre.

Mentalement, elle posa une autre question : « Est-ce la Poussière ? Est-ce la même chose qui crée ces formes et fait bouger l'aiguille de l'aléthiomètre ? »

La réponse se traduisit par de nouveaux méandres et tourbillons de lumière. Elle en conclut que cela voulait dire oui. C'est alors qu'une autre idée lui traversa l'esprit et, en se retournant pour s'adresser au Dr Malone, elle la découvrit bouche bée, la main sur le front.

— Qu'y a-t-il ? demanda Lyra.

L'écran redevint noir. Le Dr Malone sembla se réveiller.

— Qu'y a-t-il ? répéta Lyra.

— Oh... tu viens simplement de créer la plus belle apparition que j'aie jamais vue, voilà tout, dit le Dr Malone. Comment as-tu fait ? À quoi as-tu pensé ?

—Je pensais que vous pourriez avoir des images plus nettes que celles-ci, répondit Lyra.

—Plus nettes ? Ça n'a jamais été aussi net !

—Mais qu'est-ce que ça signifie ? Vous savez lire ces dessins ?

—En fait, expliqua le Dr Malone, ça ne se lit pas vraiment, comme on lit un message, par exemple. Ça fonctionne différemment. Concrètement, les Ombres réagissent à l'attention que tu leur portes. C'est déjà une découverte révolutionnaire, ça veut dire qu'elles réagissent à notre conscience, vois-tu.

—Ce n'est pas ce que je veux dire, expliqua Lyra. Ces formes et ces couleurs sur l'écran, ces Ombres, elles pourraient faire d'autres choses. Elles pourraient prendre toutes les formes que vous voulez. Elles pourraient même former des images si vous le souhaitez. Regardez.

Elle se retourna vers l'ordinateur et se concentra de nouveau, mais cette fois, elle imagina que l'écran était l'aléthiomètre, avec ses trente-six symboles disposés tout autour. Elle les connaissait si bien désormais que ses doigts bougeaient automatiquement sur ses genoux, tandis qu'elle déplaçait les aiguilles imaginaires en direction de la bougie, symbole du savoir ; d'alpha et oméga, symboles du langage ; et de la fourmi, symbole du travail assidu. Après quoi, elle formula la question : « Que doivent faire ces gens pour comprendre le langage des Ombres ? »

L'écran répondit à la vitesse de la pensée, et parmi la profusion de lignes et d'éclairs lumineux, une série d'images se forma, avec une netteté parfaite : des boussoles, les lettres alpha et oméga, un éclair, un ange. Chaque dessin clignota un certain nombre de fois, avant de céder la place à trois autres images : un chameau, un jardin, une lune.

Lyra n'eut aucun mal à déchiffrer leur signification ; elle s'arracha à sa concentration pour se tourner vers le Dr Malone et lui expliquer. Celle-ci, renversée contre le dossier de son siège, le visage livide, agrippait le bord de la table.

—Votre Caverne s'exprime dans mon langage, dit Lyra, le langage des dessins. Comme l'aléthiomètre. Mais elle me dit que vous pourriez utiliser aussi un langage ordinaire, c'est-à-dire des mots. Vous pourriez régler cette machine pour qu'ils apparaissent sur l'écran. Mais pour ça, il faudrait effectuer un tas de calculs précis, c'était la signification de la boussole. L'éclair symbolisait l'énergie ambarique, ou électrique si vous préférez. L'ange représente les messages. La Caverne veut dire des choses. En ce qui concerne les autres images... ça voulait dire l'Asie, presque l'Extrême-Orient, mais pas tout à fait. Je sais pas quel pays ça peut être... La Chine, peut-être. En tout cas, ils ont une façon bien à eux de s'adresser à la Poussière, aux Ombres, je veux dire, un peu comme vous ici et moi avec... avec mes dessins, mais eux, ils utilisent des baguettes. Je crois que c'était une allusion à ce dessin qui est derrière la porte, mais j'ai pas vraiment compris. Quand je l'ai vu pour la première fois, j'ai tout de suite pensé qu'il était important, mais je ne savais pas pourquoi. En fait, il existe sûrement un tas de façons de parler aux Ombres.

Le Dr Malone en avait le souffle coupé.

—Le I-Ching, dit-elle. C'est chinois, en effet. Une forme de divination, comme la cartomancie, en fait... C'est exact, ils utilisent des baguettes. Ce dessin est là uniquement pour faire joli, ajouta-t-elle comme pour rassurer Lyra en expliquant qu'elle n'y croyait pas véritablement. Tu me dis que lorsque les gens consultent le I-Ching, ils entrent en contact avec les particules élémentaires, les Ombres ? Avec la matière sombre ?

—Oui, répondit Lyra. Comme je vous le disais, il existe un tas de manières différentes. Je ne m'en étais pas rendu compte ; je croyais qu'il n'y en avait qu'une.

—Ces images sur l'écran... dit le Dr Malone.

Lyra sentit une pensée trembloter à la lisière de son esprit, et elle se retourna vers l'écran. À peine avait-elle commencé à formuler une question que de nouvelles images apparurent en clignotant, se succédant si rapidement que le Dr Malone avait du mal à les suivre, mais Lyra, elle, savait ce qu'elles disaient :

—La Caverne dit que vous êtes importante vous aussi. Vous avez une tâche capitale à accomplir. Je ne sais pas ce que c'est, mais si elle le dit, c'est forcément vrai. Peut-être que vous devriez lui faire utiliser des mots, pour comprendre ce qu'elle dit.

Le Dr Malone resta muette un long moment. Finalement, elle demanda :

—Dis-moi maintenant d'où tu viens.

Lyra fit la grimace. Le Dr Malone avait agi par désespoir jusqu'à maintenant, sous le coup de l'épuisement ; en temps normal, elle n'aurait jamais montré son travail à une inconnue, une enfant qui plus est, surgie de nulle part, et elle commençait à le regretter. Malgré tout, Lyra était obligée de dire la vérité.

—Je viens d'un autre monde. C'est la vérité. Je suis passée dans celui-ci. Il fallait que je fuie mon ancien monde, car des gens me pourchassaient pour me tuer. Et l'aléthiomètre vient de... Il vient du même endroit. C'est le Maître de Jordan College qui me l'a donné. Dans mon Oxford, il y a un Jordan College, mais pas ici. J'ai cherché. J'ai appris toute seule à déchiffrer l'aléthiomètre. Je connais un moyen de faire le vide dans mon esprit, et de cette manière, je comprends immédiatement ce que signifient les symboles. C'est comme ce que vous disiez au sujet... du doute, du mystère et tout ça. Alors, en regardant la Caverne, j'ai fait pareil, et ça a marché de la même façon ; ça prouve bien que ma Poussière et vos Ombres, c'est la même chose.

Le Dr Malone était parfaitement réveillée maintenant. Lyra récupéra l'aléthiomètre et l'enveloppa dans l'étoffe de velours, telle une mère qui protège son enfant, avant de le ranger dans son sac à dos.

— En tout cas, reprit-elle, vous pourriez faire en sorte que cet écran vous parle avec des mots, si vous voulez. Ainsi, vous pourriez parler aux Ombres, comme moi je parle à l'aléthiomètre. Mais ce que je veux savoir, c'est pourquoi les habitants de mon monde détestent la Poussière. Les Ombres, si vous préférez. La matière sombre. Ils cherchent à la détruire. Ils pensent qu'elle est maléfique. Moi, je crois plutôt que ce sont eux qui font des choses maléfiques. Je les ai vus à l'œuvre. Alors, les Ombres représentent-elles le bien ou le mal ?

Le Dr Malone se frotta les joues, ce qui leur redonna un peu de couleur.

— Tout cela est très... gênant, dit-elle. Sais-tu à quel point il est inconvenant d'évoquer le bien et le mal dans un laboratoire ? En as-tu idée ? Si je suis devenue scientifique, c'est en partie pour ne plus être confrontée à ce genre de préoccupations.

— Vous êtes obligée d'y penser, répliqua Lyra d'un ton sévère. Vous ne pouvez pas vous intéresser à la Poussière, aux Ombres, ou je ne sais quoi encore, sans réfléchir à ce genre de choses : le bien, le mal et ainsi de suite. Pas moyen de refuser. Quand doivent-ils fermer ce laboratoire ?

— La commission des subventions prendra sa décision à la fin de la semaine... Pourquoi ?

— Il vous reste ce soir encore, dit Lyra. Vous pourriez régler cette machine pour qu'elle fasse apparaître des mots sur l'écran à la place des images, comme je l'ai fait. Ça ne vous posera pas de problème. Ensuite, vous pourrez leur montrer ce qu'on voit et ils vous donneront de l'argent pour continuer vos recherches. Vous apprendrez un tas de choses sur la Poussière, les Ombres, et vous m'expliquerez. Car, voyez-vous, ajouta-t-elle d'un ton quelque peu pédant, comme une duchesse qui se plaint du travail d'une femme de chambre, l'aléthiomètre ne me dit pas exactement ce que j'ai besoin de savoir. Vous pourriez répondre à mes questions. Autrement, je pourrais certainement me débrouiller avec les baguettes du Ching. Mais c'est plus facile avec les dessins. À mon avis, du moins. Si ça ne vous ennuie pas, je vais retirer ces trucs-là, ajouta-t-elle en tirant sur les électrodes fixées sur son crâne.

Le Dr Malone lui tendit un mouchoir en papier pour essuyer le gel, pendant qu'elle enroulait les fils.

—Tu t'en vas? demanda-t-elle. On peut dire que tu m'as fait passer un curieux moment.

—Vous allez faire apparaître des mots dans la machine? interrogea Lyra en récupérant son sac à dos.

—Ce sera à peu près aussi utile que de remplir cette demande de subvention, je suppose, répondit la scientifique. Écoute. J'aimerais que tu reviennes demain. C'est possible? Vers la même heure? Je voudrais te montrer autre chose.

Lyra la regarda en plissant les yeux. S'agissait-il d'un piège?

—Bon, d'accord, dit-elle. Mais n'oubliez pas que j'ai besoin de savoir certaines choses.

—Je n'oublie pas. Alors, tu viendras?

—Oui. Si je dis que je viendrai, je viendrai. J'ai l'impression que je pourrais vous aider.

Sur ce, elle prit congé. Dans le hall, le concierge leva brièvement la tête derrière son bureau, et replongea aussitôt dans son journal.

—Ah, oui, les fouilles de Nuniatak, dit l'archéologue en faisant pivoter sa chaise. Tu es la deuxième personne ce mois-ci à m'interroger sur ce sujet.

—Qui était la première? demanda Will, immédiatement sur ses gardes.

—Un journaliste, je crois. Je n'en suis pas sûr.

—Qu'est-ce qu'il voulait savoir?

—Il s'intéressait à l'un des hommes qui ont disparu au cours de l'expédition. Ça se passait en pleine guerre froide. La guerre des étoiles et tout le tintouin. Mais tu es trop jeune, je parie, pour te le rappeler. Les Américains et les Russes installaient d'énormes radars d'un bout à l'autre de l'Arctique... Bref, que puis-je pour toi?

—En fait, répondit Will en s'efforçant de rester calme, j'aurais voulu en savoir un peu plus sur cette expédition. Pour un exposé sur les hommes préhistoriques. J'ai entendu parler de cette expédition qui a disparu, et ça m'a intrigué.

—Tu n'es pas le seul, comme tu le vois. À l'époque, l'affaire a fait grand bruit. J'ai fait des recherches pour ce journaliste. Il s'agissait, en vérité, d'une mission d'observation préliminaire, ce n'étaient pas vraiment des fouilles. Avant de se lancer dans une pareille entreprise, on vérifie d'abord si ça vaut le coup d'investir du temps et de l'argent, et ce groupe était donc parti inspecter un certain nombre de sites pour rédiger un rapport. Il y avait une demi-douzaine d'hommes en tout. Généralement, pour ce genre d'expédition, on s'associe à des spécialistes de diverses disciplines, des géologues par exemple, afin de diviser les coûts. Chacun s'occupe de ce qui l'intéresse. Dans ce cas précis, il y avait un physicien dans l'équipe. Je crois qu'il s'intéressait aux particules atmosphériques évoluées. Les aurores boréales, ce genre de choses. Apparemment, il avait emporté des ballons équipés d'émetteurs radio.

Il y avait un autre homme avec eux. Un ex-Royal Marine, une sorte d'explorateur professionnel. Ils devaient s'aventurer dans des territoires sauvages, et les ours polaires représentent toujours une menace dans l'Arctique. Les archéologues sont capables d'affronter certains dangers, mais nous ne sommes pas habitués à manier le fusil, et quelqu'un qui sait tirer, naviguer, installer un campement et qui connaît les techniques de survie est très précieux.

Remarque, ça ne les a pas empêchés de tous disparaître. Ils étaient en contact radio avec une station d'observation locale, mais un jour, la liaison a été interrompue. Ils n'ont plus jamais émis le moindre signal. Certes, il y avait eu du blizzard, mais rien d'exceptionnel. L'équipe de secours a découvert leur dernier campement, plus ou moins intact, bien que les ours aient dévoré les provisions, mais aucune trace des membres de l'expédition. Voilà, je ne peux pas t'en dire plus, malheureusement.

— Oui, je comprends, dit Will. Merci. Euh... ce journaliste, ajouta-t-il en s'arrêtant sur le pas de la porte, vous dites qu'il s'intéressait à un des hommes de l'équipe. Lequel ?

— L'explorateur. Un dénommé Parry.

— À quoi ressemblait-il ? Je parle du journaliste.

— Pourquoi me demandes-tu ça ?

— Parce que...

Will ne voyait aucune explication plausible. Il n'aurait pas dû poser cette question.

— Comme ça, simple curiosité, dit-il. Peu importe.

— Si je me souviens bien, c'était un grand type blond. Avec des cheveux très clairs.

— OK, merci, dit Will, et il pivota sur ses talons pour s'en aller.

L'homme le regarda sortir de la pièce, sans rien dire, en fronçant légèrement les sourcils. En le voyant, du coin de l'œil, décrocher son téléphone, Will s'empressa de quitter les lieux.

Il s'aperçut qu'il tremblait. Le soi-disant journaliste était l'un des deux hommes qui avaient fait irruption chez lui ; un homme de grande taille avec des cheveux et des poils si clairs qu'il semblait n'avoir ni sourcils, ni cils. Ce n'était pas celui que Will avait fait tomber dans l'escalier, c'était l'autre, celui qui avait surgi du salon au moment où Will dévalait l'escalier et sautait par-dessus le corps.

Ce n'était certainement pas un journaliste.

Il y avait un grand musée tout près de là. Will y entra, en tenant sa planchette et son stylo comme s'il prenait des notes, et alla s'asseoir dans une grande galerie aux murs couverts de tableaux. Il était secoué de violents frissons et pris de nausées, car l'idée qu'il avait tué un homme l'assaillait tout à coup. Il était un meurtrier. Jusqu'à présent, il avait réussi à chasser cette sinistre pensée, mais voilà qu'elle s'insinuait en lui. Il avait ôté la vie à un être humain.

Il resta assis là pendant une demi-heure, et ce fut assurément la demi-heure la plus affreuse qu'il ait jamais vécue. Autour de lui, les gens allaient et venaient, regardaient les tableaux, parlaient à voix basse, sans se soucier de lui ; un gardien du musée resta planté à l'entrée de la salle pendant plusieurs minutes, les mains dans le dos, avant de s'éloigner à pas lents, tandis que Will, littéralement tétanisé, affrontait l'horreur de son geste.

Peu à peu, il retrouva son calme. Il n'avait fait que défendre sa mère. Ces hommes la terrorisaient ; compte tenu de son état mental, ils la persécutaient, pouvait-on dire. Il avait le droit de défendre son foyer. Son père aurait attendu de lui qu'il agisse ainsi. Il avait commis un acte justifié. Il l'avait fait pour les empêcher de voler l'écritoire en cuir vert. Il l'avait fait pour pouvoir retrouver son père. N'avait-il pas le droit d'agir de cette façon ? Ses jeux d'enfant lui revinrent en mémoire ; il se revoyait avec son père, l'un et l'autre se portant mutuellement secours après une avalanche ou combattant des pirates. Désormais, c'était pour de vrai. « Je te retrouverai, dit-il mentalement. Aide-moi et je te retrouverai. Ensemble, on s'occupera de maman, et tout s'arrangera… »

Après tout, il connaissait une cachette maintenant, un endroit parfaitement sûr où personne ne le trouverait jamais. Et les documents contenus dans l'écritoire (il n'avait pas encore eu le temps de les lire) étaient en sécurité eux aussi, sous le matelas dans la chambre à Cittàgazze.

Au bout d'un moment, Will s'aperçut que les visiteurs marchaient d'un pas plus décidé, dans la même direction. Ils se dirigeaient vers la sortie, car le gardien leur annonçait que le musée allait fermer ses portes dans dix minutes. Will se ressaisit et sortit à son tour. Il parvint à atteindre High Street, où se trouvait le cabinet de l'avocat et, l'espace d'un instant, il envisagea de s'y rendre, en dépit de ses résolutions. Cet homme lui avait paru sympathique, finalement…

Mais juste au moment où il décidait de traverser la rue pour pénétrer dans l'immeuble, il se figea.

Le grand type aux sourcils presque blancs sortait d'une voiture arrêtée le long du trottoir.

Will se retourna aussitôt, d'un air nonchalant, et contempla la vitrine d'une bijouterie juste à côté. Dans la glace, il vit le reflet de l'homme jeter des regards autour de lui, ajuster son nœud de cravate, et pénétrer dans l'immeuble abritant le cabinet de l'avocat. Dès qu'il eut disparu à l'intérieur, Will repartit dans l'autre sens, le cœur battant à tout rompre. Il n'existait aucun endroit sûr. Il prit la direction de la bibliothèque de l'université pour attendre Lyra, comme convenu.

Chapitre 5

Courrier par avion

— Will...

Lyra avait parlé à voix basse, mais le garçon sursauta. Elle s'était assise à côté de lui sur le banc et il ne l'avait même pas remarquée.

— D'où viens-tu ? demanda-t-il.

— Ça y est, j'ai trouvé mon savant ! C'est une femme, en réalité : le Dr Malone. Elle possède une machine qui permet de voir la Poussière, et elle va lui apprendre à parler...

— Je ne t'ai pas vue arriver.

— Normal, tu ne regardais pas. Je parie que tu avais la tête ailleurs. Heureusement que je t'ai trouvé. Hé, tu veux voir comme c'est facile de tromper les gens ? Regarde...

Deux agents de police s'approchaient d'un pas nonchalant, un homme et une femme qui effectuaient leur patrouille, avec leurs radios et leurs matraques accrochées à la ceinture, le regard soupçonneux. Avant qu'ils n'arrivent à la hauteur du banc, Lyra s'était levée :

— Excusez-moi, pourriez-vous me dire où est le musée ? Mon frère et moi, on devait retrouver nos parents là-bas, mais on s'est perdus.

Le policier observa Will, et celui-ci haussa les épaules, en s'efforçant de contenir sa colère, comme pour dire : « Elle a raison, on est perdus. C'est idiot, hein ? » Le policier sourit. Sa collègue demanda :

— Quel musée ? L'Ashmolean ?

— Oui, c'est ça ! dit Lyra, et elle fit semblant d'écouter attentivement les indications que lui donnait la femme.

Will se leva, en disant : « Merci. » Puis Lyra et lui s'éloignèrent sans se retourner. Mais les agents de police ne s'intéressaient déjà plus à eux.

— Tu as vu ça ? dit Lyra. S'ils te cherchaient, je les ai bernés. Car ils ne cherchent pas un garçon avec une sœur. Je ferais mieux de rester avec toi à partir de maintenant, déclara-t-elle d'un ton sentencieux après qu'ils eurent tourné au coin de la rue. Seul, tu es en danger.

Will ne dit rien. La colère accélérait les battements de son cœur. Ils marchaient vers un édifice rond coiffé d'un gros dôme de plomb, au milieu d'une vaste place bordée par des bâtiments en pierre couleur de miel, une église et de grands arbres touffus qui dominaient les hauts murs d'un parc. Le soleil de l'après-midi faisait ressortir les tons chauds de ce décor, et ceux-ci emplissaient l'atmosphère qui avait presque la couleur dorée d'un vin doux. Aucune feuille ne bruissait, et sur cette place, même le bruit des voitures paraissait atténué.

Prenant tout à coup conscience du mutisme de Will, Lyra demanda :

— Qu'est-ce qui ne va pas ?

— Quand tu parles aux gens, tu attires leur attention, dit-il d'une voix tremblante de colère. Il vaut mieux la boucler et rester tranquille dans un coin ; comme ça, ils t'oublient. Je sais de quoi je parle, j'ai pratiqué cette tactique toute ma vie. Mais toi... il faut toujours que tu te fasses remarquer ! Ce n'est pas un jeu !

— Ah oui ? répliqua Lyra avec véhémence. Tu crois que je ne sais pas mentir, peut-être ? Je suis la plus grande menteuse de la Terre, figure-toi ! Mais je ne te mens pas à toi, et je ne te mentirai jamais, c'est juré. Tu es en danger, Will, et si je n'étais pas intervenue, ces deux policiers t'auraient arrêté ! Tu as vu comment ils te regardaient ? Tu n'es pas assez prudent. Si tu veux mon avis, c'est toi qui ne prends pas la situation assez au sérieux.

— Dans ce cas, explique-moi pourquoi je t'ai attendue sur un banc, alors que je pourrais être déjà loin d'ici ? Ou bien caché dans cette ville là-bas, à l'abri ? Moi aussi, j'ai des choses à faire et, pourtant, je reste ici pour t'aider. Alors, je t'en prie, ne viens pas me dire que je ne prends pas la situation au sérieux.

— Tu étais obligé de revenir ! répliqua la fillette. (Personne n'avait le droit de lui parler de cette façon ; elle était une aristocrate, nom d'un chien ! Elle était Lyra Parle-d'Or.) Tu n'as pas le choix, si tu veux essayer d'en savoir plus sur ton père. En vérité, tu as fait tout ça pour toi, pas pour moi.

Ils se disputaient avec fougue, mais à voix basse, pour ne pas troubler le calme de la place et risquer d'alerter les passants qui flânaient autour d'eux. En entendant les paroles de Lyra, Will dut s'arrêter pour s'appuyer contre le mur de l'université derrière lui. Il était livide.

— Que sais-tu au sujet de mon père ? demanda-t-il d'une voix blanche.

—Rien du tout. Je sais seulement que tu le cherches. C'est tout ce que j'ai demandé.

—À qui?

—À l'aléthiomètre, évidemment!

Will ne comprit pas immédiatement à quoi elle faisait allusion. Mais il avait l'air si furieux et si soupçonneux qu'elle sortit l'instrument de son sac à dos.

—Très bien, dit-elle, je vais te montrer.

Elle s'assit sur la bordure de pierre qui entourait la pelouse au milieu de la place, se pencha au-dessus de l'instrument en or et manipula les aiguilles, avec une telle dextérité que Will avait du mal à suivre ses doigts. Elle s'immobilisa quelques secondes pendant que la grande aiguille fine tournoyait sur le cadran, s'arrêtant parfois devant tel ou tel symbole. Lyra répéta plusieurs fois l'opération. Pendant ce temps, Will jetait des regards inquiets autour d'eux, mais personne n'était assez près pour les voir : un groupe de touristes contemplait le dôme de l'édifice rond, un vendeur de glaces poussait sa petite voiture sur le trottoir, mais personne ne leur prêtait attention.

Lyra cligna des yeux, en poussant un soupir, comme si elle émergeait d'un long sommeil.

—Ta mère est malade, annonça-t-elle. Mais elle ne craint rien, une vieille dame s'occupe d'elle. Tu as pris des lettres et tu t'es enfui. Il y avait un homme également, un voleur, je crois, et tu l'as tué. Tu es à la recherche de ton père, et...

—C'est bon, ça suffit, dit Will. Tu n'as pas le droit de fouiner comme ça dans ma vie privée. Ne recommence jamais. C'est de l'espionnage!

—Je sais à quel moment je dois arrêter de poser des questions. L'aléthiomètre est comme une personne, en quelque sorte. Je sais quand il va se fâcher, ou quand il ne veut pas me dire certaines choses. Je le sens. Mais quand tu as jailli de nulle part hier, j'étais bien obligée de lui demander qui tu étais, je ne voulais pas prendre de risque. Il le fallait. Et il m'a dit... (Elle baissa la voix.) Il m'a dit que tu étais un meurtrier, et je me suis dit : « Tant mieux. C'est parfait, je peux lui faire confiance. » Mais c'est tout ce que je lui ai demandé, et si tu ne veux plus que je recommence, je ne le ferai plus, promis. L'aléthiomètre n'est pas un instrument de voyeur. Si je m'en servais pour espionner la vie privée des gens, il cesserait de fonctionner. J'en suis sûre.

—Tu pouvais me poser directement la question, au lieu d'interroger ce truc. Il t'a dit si mon père était vivant ou mort?

—Non, je ne lui ai pas demandé.

Will s'était assis à côté de Lyra. Il enfouit son visage dans ses mains en poussant un soupir de lassitude.

—Bien, dit-il finalement. On est obligés de se faire confiance, je suppose.

—Exact. Moi, j'ai confiance en toi.

Will hocha la tête d'un air sombre. Il tombait de fatigue. Malheureusement, il ne pouvait espérer dormir dans ce monde. Lyra n'était généralement pas aussi perspicace, mais quelque chose dans le comportement de Will l'amenait à s'interroger : « Il a peur, se disait-elle, mais il domine sa peur, comme le recommandait Iorek Byrnison, comme je l'ai fait dans le fumoir à poissons, au bord du lac gelé. »

—Je ne te trahirai pas, Will, ajouta-t-elle. Tu as ma parole.

—Tant mieux.

—Ça m'est arrivé un jour. J'ai trahi quelqu'un. C'était la pire chose que j'aie jamais faite. Je croyais lui sauver la vie, mais en vérité, je l'ai conduit dans l'endroit le plus dangereux qui soit. Je m'en suis voulu d'être aussi stupide. Et je promets de faire tout mon possible pour rester vigilante et ne pas te trahir.

Le garçon ne dit rien. Il se frotta les yeux et cligna des paupières, comme pour essayer de se réveiller.

—On est obligés d'attendre pour repasser par la fenêtre, dit-il. On a déjà eu tort de traverser en plein jour. Imagine un peu si quelqu'un nous surprenait ! Il va falloir tuer le temps jusqu'à ce soir...

—J'ai faim, dit Lyra.

—Ça y est, je sais ! s'exclama Will. On va aller au ciné !

—Au quoi ?

—Viens, je vais te montrer. On trouvera à manger sur place.

Il y avait un cinéma près du centre, à dix minutes à pied. Will paya leurs deux places, acheta des hot dogs, du pop-corn et du Coca ; ils emportèrent leurs provisions dans la salle. Le film commençait.

Lyra était littéralement hypnotisée. Certes, elle avait déjà vu des projections de photogrammes, mais rien dans son monde ne l'avait préparée à la découverte du cinéma. Elle engloutit le hot dog et le pop-corn, avala le Coca à grandes gorgées et laissa éclater son émotion et sa joie en voyant évoluer les personnages sur l'écran. Heureusement, la salle était occupée par un public bruyant, surtout des enfants, et son excitation passa inaperçue. Will, lui, ferma les yeux et s'endormit immédiatement.

Il se réveilla au moment où les spectateurs quittaient la salle, en entendant claquer les sièges, et cligna des yeux dans la lumière qui venait de se rallumer. Sa montre indiquait huit heures et quart. Lyra le suivit à contrecœur vers la sortie.

—J'ai jamais rien vu d'aussi génial ! C'est extra ! dit-elle. Je me demande pourquoi ils ont pas inventé ça dans mon monde. On a des trucs mieux que vous, mais ce machin-là, le cinéma, ça dépasse de loin tout ce qu'on a chez nous.

Will aurait été incapable de dire quel film ils venaient de voir. Dehors, il faisait encore jour, et les rues étaient animées.

—Ça te dirait d'aller voir un deuxième film ?

—Oh oui !

Ils entrèrent donc dans un autre cinéma, situé une centaine de mètres plus loin, au coin de la rue. Enfoncée dans son fauteuil, Lyra ramena ses genoux contre sa poitrine, les pieds sur le siège et les yeux fixés sur l'écran, tandis que Will laissait vagabonder ses pensées. Quand ils ressortirent du cinéma, il était presque onze heures du soir : c'était beaucoup mieux.

Comme Lyra avait de nouveau faim, ils achetèrent des hamburgers à un vendeur ambulant et les mangèrent en marchant, encore une expérience nouvelle pour elle.

—Chez nous, dit-elle, on s'assoit pour manger. C'est la première fois que je vois des gens marcher en mangeant. Il y a tellement de choses différentes ici. À commencer par la circulation. Je n'aime pas toutes ces voitures. Par contre, j'aime beaucoup le cinéma, et les hamburgers. J'adore ! L'Érudite que je suis allée voir, le Dr Malone, va faire parler sa machine, j'en suis sûre. J'y retournerai demain pour voir comment elle se débrouille. Je parie que je pourrais même l'aider. Je pourrais sûrement convaincre les Érudits de lui donner l'argent qu'elle réclame. Tu sais comment a fait mon père ? Lord Asriel ? Il les a bien eus...

Et tandis qu'ils empruntaient Banbury Road, Lyra lui parla du soir où, cachée dans la penderie, elle avait vu Lord Asriel montrer aux Érudits de Jordan College la tête tranchée de Stanislaus Grumman, à l'intérieur du container sous vide. Et puisque Will était un auditeur attentif, elle lui raconta toute son histoire, depuis sa fuite de chez Mme Coulter jusqu'à l'instant épouvantable où elle comprit qu'elle avait conduit Roger à sa mort, sur les falaises glacées de Svalbard. Will l'écoutait sans faire de commentaire, mais avec la plus grande attention, avec compassion également. Ces récits de voyage en ballon, d'ours en armure et de sorcières, de bras vengeur de l'Église, semblaient se mélanger avec son propre rêve fantastique d'une ville magnifique au bord de la mer, vide et silencieuse, un havre de paix : tout cela ne pouvait pas exister, c'était aussi simple que ça.

Ils avaient atteint la rocade et les marronniers alignés au bord de la route. Il y avait peu de circulation à cette heure : une voiture toutes les minutes environ, pas plus. Et la fenêtre était toujours là, au même endroit. Will se surprit à sourire. Tout se passerait bien.

—Attends qu'il n'y ait pas de voiture, dit-il. Je passe le premier.

Quelques secondes plus tard, il était accroupi dans l'herbe sous les palmiers, bientôt rejoint par Lyra.

Curieusement, ils avaient l'impression de se retrouver chez eux. La nuit chaude et vaste, le parfum des fleurs et de la mer, le silence les enveloppaient comme une eau apaisante.

Lyra bâilla en s'étirant, et Will se sentit libéré d'un poids énorme. Toute la journée, il l'avait porté sur ses épaules, sans s'apercevoir que ce fardeau avait bien failli le terrasser, et à présent, il se sentait léger, libre et serein.

Mais soudain, Lyra lui agrippa le bras. Presque au même moment, Will perçut la cause de ce geste de frayeur.

Quelque part dans les ruelles qui serpentaient derrière le café, quelqu'un hurlait.

Sans hésiter, Will se précipita vers l'origine de ces cris sinistres, et Lyra lui emboîta le pas lorsqu'il s'engouffra dans une rue étroite et tortueuse que n'atteignait pas le clair de lune. Ils débouchèrent finalement sur la place devant la tour de pierre qu'ils avaient découverte le matin.

Une vingtaine d'enfants, leur tournant le dos, formaient un demi-cercle au pied de la tour ; certains brandissaient des bâtons, d'autres jetaient des pierres sur leur malheureuse victime acculée contre le mur. D'abord, Lyra crut qu'il s'agissait d'un autre enfant, mais de l'intérieur du demi-cercle monta un effroyable hurlement qui n'avait rien d'humain. Les enfants hurlaient eux aussi, pour exprimer leur peur autant que leur haine.

Will s'élança vers le groupe et tira brutalement en arrière l'enfant qui se trouvait devant lui. C'était un garçon à peu près de son âge, portant un T-shirt à rayures. Lorsqu'il se retourna, Lyra découvrit ses yeux exorbités, aux pupilles dilatées. Comprenant soudain ce qui se passait, les autres enfants se retournèrent également. Angelica et son petit frère étaient là, eux aussi, avec des pierres dans les mains, et les yeux de tous ces enfants brillaient d'une lueur farouche dans l'éclat de la lune.

Ils se turent. Seuls les cris stridents continuaient à briser le silence, et Will et Lyra découvrirent alors leur origine : un chat tigré était recroquevillé contre le mur de la tour, une oreille arrachée et la queue tordue. C'était le chat que Will avait aperçu sur Sunderland Avenue, celui qui ressemblait à Moxie et qui l'avait conduit à la fenêtre.

Voyant l'animal martyrisé, Will repoussa violemment le garçon qu'il avait empoigné. Celui-ci tomba à la renverse et se releva immédiatement, fou de rage, prêt à riposter ; mais les autres le retinrent. Will s'était agenouillé devant le chat.

Lorsqu'il le prit dans ses bras, l'animal terrorisé se blottit contre sa poitrine. Will le cala au creux de son bras et fit face aux enfants. L'espace d'un instant, Lyra crut que le dæmon de Will était enfin apparu.

—Pourquoi faites-vous du mal à ce chat? lança-t-il à la cantonade.

Personne ne répondit.

Retenant leur souffle, les enfants tremblaient devant la fureur de Will; ils serraient dans leurs poings les pierres et les bâtons, incapables de prononcer un mot.

Mais soudain, la voix d'Angelica s'éleva dans la nuit:

—Vous êtes pas d'ici! Vous êtes pas de Ci'gazze! Vous n'avez jamais entendu parler des Spectres et vous ne connaissez pas les chats. Vous êtes différents de nous!

Le garçon au T-shirt rayé, celui que Will avait envoyé au tapis, brûlait d'envie de se battre, et si Will n'avait pas tenu le chat dans ses bras, il se serait jeté sur lui à coups de poing et de pied, et Will aurait été heureux de répliquer, sans aucun doute, car on sentait entre eux un courant de haine, que seule la violence pourrait apaiser. Mais le garçon avait peur du chat.

—Vous venez d'où, tous les deux? demanda-t-il d'un ton méprisant.

—Peu importe d'où on vient. Puisque vous avez peur de ce chat, je l'emmène. S'il vous porte malheur, il nous portera bonheur, à nous. Laissez-nous passer maintenant.

Un instant, Will crut que leur haine allait prendre le dessus sur leur peur, et il se tenait prêt à poser le chat pour se battre, mais soudain, de derrière les enfants, s'éleva un grognement rauque. Tous se retournèrent pour découvrir Lyra, face à eux, la main posée sur l'épaule d'un grand léopard dont le rictus menaçant dévoilait les dents étincelantes. Will lui-même, bien qu'il eût reconnu Pantalaimon, ne put s'empêcher de frémir. L'effet sur les enfants fut prodigieux et immédiat: ils s'enfuirent sans demander leur reste. En quelques secondes, la place fut déserte.

Avant de repartir avec Will, Lyra leva les yeux vers le sommet de la tour. Un grognement de Pantalaimon l'alerta et, pendant une fraction de seconde, elle aperçut tout en haut quelqu'un qui regardait par-dessus les créneaux; ce n'était pas un enfant, mais un jeune homme aux cheveux bouclés.

Une demi-heure plus tard, ils avaient regagné l'appartement abandonné au-dessus du café. Will avait déniché une boîte de lait concentré, que le chat lapa goulûment avant de lécher ses blessures. Mû par la curiosité, Pantalaimon avait pris l'apparence d'un chat lui aussi, et l'autre avait d'abord réagi avec méfiance, le poil hérissé, avant de comprendre que cette étrange créature n'était ni un vrai chat ni une menace; il décida alors de l'ignorer.

Fascinée, Lyra regarda Will soigner le chat. Les seuls animaux qu'elle avait approchés dans son monde (à l'exception des ours en armure) étaient destinés à des tâches précises. Ainsi, à Jordan College, les chats servaient à chasser les souris ; on ne jouait pas avec eux.

—Je crois qu'il a la queue cassée, commenta Will. Je ne sais pas quoi faire. Peut-être que ça guérira tout seul. Je vais lui mettre du miel sur l'oreille ; j'ai lu quelque part que c'était un désinfectant...

C'était un curieux remède mais, au moins, le chat était tenté de lécher le miel, et la plaie par la même occasion. Un bon moyen de la nettoyer.

—Tu es sûr que c'est le chat qui t'a conduit ici ? demanda Lyra.

—Oui, certain. Si tous les gens de cette ville ont peur des chats, il ne doit pas y en avoir d'autres dans ce monde. Il n'a pas réussi à retrouver le chemin du retour, je suppose.

—Ces enfants étaient comme fous, dit Lyra. Ils l'auraient tué. Je n'ai jamais vu des enfants agir comme ça.

—Moi si, dit Will.

Son visage s'était fermé ; apparemment, il n'avait pas envie de s'étendre sur le sujet, et Lyra se garda bien de l'interroger. Elle n'oserait même pas poser la question à l'aléthiomètre.

Tombant de fatigue, elle alla se coucher et s'endormit aussitôt.

Un peu plus tard, alors que le chat s'était roulé en boule pour dormir, Will se servit une tasse de café, alla chercher l'écritoire en cuir vert et s'installa sur le balcon. La lumière qui filtrait par la fenêtre était suffisante pour lire.

Comme il l'avait supposé, l'écritoire contenait quelques lettres, écrites sur du papier « par avion », à l'encre noire. Ces mots avaient été tracés par la main de l'homme qu'il rêvait de retrouver ; il fit glisser ses doigts sur les lignes, plusieurs fois, puis il appuya les feuilles contre son visage, pour essayer de se rapprocher de l'essence de son père. Et il commença à lire.

Fairbanks, Alaska

Mercredi 19 juin 1985

Ma chérie,

Toujours le mélange habituel d'efficacité et de désordre. Tous les vivres sont arrivés à bon port, mais le physicien de l'équipe, un imbécile génial nommé Nelson, n'a pris aucune disposition pour faire transporter ses saloperies de ballons dans la montagne, et on a dû se tourner les pouces pendant qu'il cherchait une solution. Remarque, ça m'a permis de bavarder avec un vieux bonhomme que j'avais rencontré lors de mon dernier voyage, un chercheur d'or nommé Jake Petersen. J'ai retrouvé sa trace dans un bar miteux. Pendant que la télé diffusait un match de base-ball, je l'ai interrogé au sujet de l'anomalie. Il n'a pas voulu m'en parler au bar ; il m'a emmené chez lui et, avec l'aide d'une bouteille de Jack Daniel's, il m'a parlé longuement. Il n'avait jamais vu cette chose personnellement, mais il connaissait un Inuit qui, lui, l'avait vue, et ce type affirmait qu'il s'agissait d'une porte ouverte sur le monde des esprits. Les Inuit connaissent son existence depuis des siècles ; lors de l'initiation d'un sorcier, celui-ci doit franchir cette porte et rapporter un trophée mais, parfois, certains ne reviennent pas. Quoi qu'il en soit, le vieux Jake possédait une carte de ce coin-là, et il avait indiqué l'endroit où se trouvait cette « porte », d'après son copain. (Je te donne les coordonnées, au cas où : 69°02'11" N, 157°12'19" O, sur un éperon rocheux de Lookout Ridge, à environ deux kilomètres au nord de la Colville River.) On a évoqué ensuite d'autres légendes de l'Arctique, comme celle de ce navire norvégien qui a dérivé pendant six ans, sans personne à la barre, des trucs comme ça. Les archéologues du groupe sont de chics types ; ils ont hâte de se mettre au travail et essayent de masquer leur agacement à cause de Nelson et ses ballons. Aucun d'eux n'a jamais entendu parler de l'anomalie, et ce n'est pas moi qui vais leur en parler, tu peux me croire. Je vous aime tous les deux.

Johnny

Umiat, Alaska

Samedi 22 juin 1985

Ma chérie,

Autant pour moi. Nelson le physicien n'est pas un imbécile génial comme je le croyais et, si je ne m'abuse, lui aussi est à la recherche de l'anomalie. Figure-toi que c'est lui qui a provoqué notre immobilisation à Fairbanks ! Sachant que le reste de l'équipe refuserait d'attendre, sauf raison impérieuse, comme l'absence de moyen de transport, il s'est arrangé pour faire annuler les véhicules que nous avions commandés. Je l'ai découvert par hasard, et je m'apprêtais à lui demander de s'expliquer quand je l'ai surpris en train d'envoyer un message par radio. Il décrivait l'anomalie ! Mais apparemment, il ignore où elle se trouve. Un peu plus tard, je lui ai offert un verre ; je lui ai fait le numéro du vieil explorateur qui a vu des choses extraordinaires dans sa vie, et qui sait que l'univers est plein de mystères. J'ai fait mine de le taquiner sur les limites de la science, dans le genre : « Je parie que vous n'avez pas d'explication pour le Yéti », etc., en l'observant attentivement. Et je lui ai balancé l'histoire de l'anomalie, cette fameuse légende inuit concernant l'entrée du monde des esprits ; une porte invisible, quelque part près de Lookout Ridge. Là où nous allons, justement, quelle coïncidence ! Je l'ai vu bondir sur son siège. Il savait très bien à quoi je faisais allusion. J'ai fait semblant de ne rien avoir remarqué et j'ai enchaîné sur la sorcellerie, je lui ai raconté l'histoire du léopard du Zaïre. J'espère qu'il m'a pris pour un vieux militaire abruti et superstitieux. Mais j'en suis sûr, Elaine, il cherche l'anomalie, lui aussi. La question est : dois-je lui en parler ou pas ? Il faut absolument que je découvre ce qu'il manigance. Je vous aime tous les deux.

Johnny

Colville Bar, Alaska

24 juin 1985

Ma chérie,

Je ne pourrai pas t'envoyer une autre lettre avant longtemps. Dès demain, nous partons dans la montagne, la chaîne des Brooks. Les archéologues sont de plus en plus impatients. L'un d'eux est convaincu qu'il va découvrir des traces d'habitation bien plus anciennes que tout ce qu'on imaginait jusqu'à présent. C'est-à-dire ? lui ai-je demandé. Pourquoi était-il si sûr de lui ? Il m'a parlé alors de sculptures dans des défenses de narval qu'il avait découvertes au cours de fouilles précédentes. L'analyse au carbone 14 a montré qu'elles remontaient à une époque invraisemblable, sans aucune commune mesure avec ce qu'on supposait. Une sorte... d'anomalie, en fait. Imagine que ces sculptures proviennent d'un autre monde, à travers MON anomalie... À propos, Nelson, le physicien, est devenu mon meilleur ami, il ne me quitte plus, il lâche parfois des allusions pour me faire comprendre qu'il sait que je sais qu'il sait, etc., et moi, je continue à jouer le rôle du Major Parry, le gars capable d'affronter tous les dangers, mais pas très futé. Je suis sûr désormais qu'il cherche l'anomalie. Premièrement, même si c'est un véritable universitaire, il est subventionné par le ministère de la Défense, je connais les codes financiers qu'ils utilisent ; deuxièmement, ses prétendus ballons-sondes n'en sont pas. J'ai fouillé dans ses caisses : je sais reconnaître une combinaison antiradiation. J'ai décidé de m'en tenir à mon plan : je conduis les archéologues sur leur site et ensuite, je pars seul pendant quelques jours à la recherche de l'anomalie. Si je tombe sur Nelson en train de rôder dans les parages de Lookout Ridge, j'improviserai.

Plus tard :

Tu parles d'un coup de chance ! J'ai rencontré le copain esquimau de Jake Petersen, Matt Kigalik. Jake m'avait dit où il vivait, mais je n'espérais pas le trouver chez lui. Il m'a expliqué que les Russes cherchaient l'anomalie, eux aussi. Il a aperçu un homme au début de l'année, là-haut dans les montagnes, et il l'a observé pendant deux jours, sans se montrer, car il se doutait de ce qu'il faisait, et il avait raison. Le type en question était un Russe, un espion. Il ne m'en a pas dit davantage. J'ai l'impression qu'il l'a liquidé Mais il m'a décrit l'anomalie. C'est comme un trou dans l'air, une sorte de fenêtre. Tu regardes à travers et tu découvres un autre monde. Mais il n'est pas facile de la localiser car, de l'autre côté, le monde ressemble à celui-ci, avec des rochers, de la mousse et ainsi de suite. La fenêtre se trouve sur la rive nord d'une petite rivière, à une quinzaine de pas à l'ouest d'une grosse pierre qui ressemble à un ours dressé sur ses pattes *arrière. La position que m'a donnée Jake n'est pas tout à fait exacte : c'est plus près de 12″ N que de 11″.*

Souhaite-moi bonne chance, mon amour. Je vous rapporterai un trophée du monde des esprits. Je vous aime pour toujours. Embrasse notre fils pour moi.

Johnny

Will avait la tête qui tournait. Dans ces lettres, son père décrivait exactement ce que lui-même avait découvert sous les marronniers. Lui aussi avait découvert une fenêtre... il avait d'ailleurs employé le même mot ! Cela signifiait que Will était sur la bonne piste. Et c'était justement ça qui intéressait ces sales individus qui s'étaient introduits chez lui ! Il détenait un secret dangereux.

Will avait un an lorsque ces lettres avaient été écrites. Six ans plus tard, un matin au supermarché, il avait découvert que sa mère était menacée par un grave danger, et il devait la protéger. Puis peu à peu, au fil des mois, il avait pris conscience que le danger en question résidait, en vérité, dans l'esprit de sa mère, et il devait la protéger encore plus. Et soudain, cette révélation : le danger n'était pas uniquement dans la tête de sa mère, en fin de compte. Quelqu'un la pourchassait véritablement. Quelqu'un qui voulait ces lettres, ces informations.

Will ignorait ce qu'elles représentaient. Mais il éprouvait une joie immense de pouvoir partager un secret si important avec son père ; John Parry et son fils Will avaient découvert l'un et l'autre, chacun de leur côté, cette chose extraordinaire. Quand ils se retrouveraient, ils pourraient en parler, et son père serait fier de voir que Will avait marché dans ses traces.

La nuit était calme et la mer paisible. Il rangea les lettres et s'endormit.

CHAPITRE 6
ÉTRANGES OISEAUX DE LUMIÈRE

 — Grumman? répéta le trappeur à la barbe noire. De l'Académie de Berlin? Un type qu'avait pas froid aux yeux. Je l'ai rencontré il y a cinq ans, au fin fond de l'Oural. Je le croyais mort.

Sam Cansino, vieille connaissance de Lee Scoresby, Texan comme lui, était assis dans le bar enfumé par les lampes à naphte de l'hôtel Samirsky. Il vida d'un trait son petit verre de vodka glacée. Du coude, il poussa l'assiette de poisson en saumure et de pain noir vers son ami Lee, qui en prit un petit morceau et fit un signe de tête à Sam pour l'inciter à continuer.

— ... Il avait marché dans un piège posé par ce dingue de Yakovlev, reprit le trappeur, et il avait la cuisse ouverte jusqu'à l'os. Au lieu de se soigner avec des médicaments, il a insisté pour essayer le truc qu'utilisent les ours, de la mousse magique ; c'est une sorte de lichen, en vérité. Enfin bref, il était couché sur son traîneau, et quand il ne hurlait pas de douleur, il braillait des ordres à ses hommes. Ils effectuaient des relevés d'étoiles, et s'ils avaient le malheur de se tromper dans les calculs, il leur balançait des remarques bien senties ; il ne mâchait pas ses mots. C'était un type tout maigre, mais sacrément robuste ; un gaillard curieux de tout. Tu savais que c'était un Tartare d'adoption ?

Sans blague? répondit Lee Scoresby en versant une nouvelle dose de vodka dans le verre de Sam.

Son dæmon, Hester, était accroupi près de son coude, sur le comptoir, les yeux à demi fermés comme toujours, les oreilles plaquées en arrière.

Lee était arrivé dans l'après midi, porté jusqu'à Nova Zembla par les vents que les sorcières avaient sollicités, et aussitôt après avoir démonté et rangé son matériel, il s'était rendu à l'hôtel Samirsky, non loin de l'usine de conditionnement de poisson. De nombreux vagabonds de l'Arctique y faisaient halte pour échanger des nouvelles, chercher un travail ou se laisser des messages ; Lee Scoresby lui-même y avait passé plusieurs jours autrefois, dans l'attente d'une mission, d'un passager ou d'un vent favorable. Sa présence en ces lieux n'avait donc rien d'exceptionnel.

En outre, avec les grands changements qu'ils percevaient dans le monde autour d'eux, les gens éprouvaient le besoin de se réunir pour parler. Chaque jour qui passait apportait son lot de nouvelles : le fleuve Ienisseï n'était plus prisonnier des glaces, ce qui était anormal à cette époque de l'année ; une partie de l'océan s'était retirée, laissant apparaître d'étranges formations de pierre, aux formes régulières ; un calmar d'une trentaine de mètres de long avait arraché trois marins à leur bateau et les avait mis en pièces...

Et le brouillard continuait à affluer du nord, épais et froid, parfois imbibé d'invraisemblables lumières, à l'intérieur desquelles on distinguait vaguement des formes imposantes et on entendait des voix mystérieuses.

Tout cela nuisait à la bonne marche du commerce ; c'est pourquoi le bar de l'hôtel Samirsky était bondé.

— Vous avez bien dit Grumman ? demanda l'homme qui était assis à côté d'eux au comptoir, un type âgé portant la tenue des chasseurs de phoques, et dont le dæmon, un lemming, sortit la tête de sa poche d'un air solennel.

— Vous avez raison, dit-il, c'était un Tartare. J'étais là quand la tribu l'a adopté. Je l'ai vu se faire transpercer le crâne. Il portait un autre nom, un nom tartare... Attendez, ça va me revenir.

— Ça alors, dit Lee Scoresby. Permettez que je vous offre un verre, l'ami. Je cherche à savoir ce qu'est devenu cet homme. De quelle tribu parlez-vous ?

— Les Ienisseï Pakhtars. Au pied de la chaîne de Semionov. Pas loin d'une bifurcation entre le Ienisseï et... Ah, zut, j'ai oublié son nom, une rivière qui descend des collines. Il y a un bloc de roche de la taille d'une maison au débarcadère.

— Ah oui, oui, dit Lee, je me souviens maintenant. J'ai survolé cet endroit. Et vous dites que Grumman s'était fait percer le crâne ? Pour quelle raison ?

— C'était un chaman, expliqua le chasseur de phoques. Je crois d'ailleurs que la tribu l'a reconnu comme chaman avant de l'adopter. Un drôle de truc, ce perçage de crâne. Ça dure deux nuits et un jour. Ils font ça avec une sorte de foret, comme pour allumer un feu.

— Ah, voilà qui explique pourquoi son équipe lui obéissait au doigt et à l'œil ! dit Sam Cansino. C'était la pire bande de vauriens que j'aie jamais vue, et pourtant, ils exécutaient ses ordres au quart de tour, comme des gamins qui ont peur de se faire gronder. Je croyais que c'était à cause de ses jurons. Mais s'ils croyaient que c'était un chaman, je comprends mieux. Il faut dire que la curiosité de ce type était aussi tenace que les mâchoires d'un loup ; il ne renonçait jamais. Il m'obligeait à lui raconter tout ce que je savais, le moindre truc concernant cette région, ou les habitudes des gloutons et des renards, par exemple. Je peux vous assurer qu'il souffrait le martyre à cause de cette saleté de piège de Yakovlev ; il avait la jambe ouverte, et malgré ça, il notait les résultats des relevés d'étoiles, il prenait sa température, il regardait la croûte se former ; il prenait des notes sur tout et n'importe quoi... Un drôle de type. Je sais qu'une sorcière a voulu devenir sa maîtresse, mais il l'a rembarrée.

— Ah, bon ? s'étonna Lee en repensant à la beauté de Serafina Pekkala.

— Il n'aurait pas dû, déclara le chasseur de phoques. Quand une sorcière vous offre son amour, vous avez intérêt à l'accepter. Sinon, c'est votre faute s'il vous arrive des malheurs ensuite. C'est comme si vous étiez obligé de faire un choix entre une bénédiction ou une malédiction. Impossible de ne pas choisir l'une ou l'autre.

— Il avait peut-être une raison, dit Lee.

— S'il avait un peu de bon sens, fallait que ce soit une bonne raison.

— C'était un homme entêté, dit Sam Cansino.

— Peut-être voulait-il rester fidèle à une autre femme, suggéra Lee. On raconte autre chose à son sujet : j'ai entendu dire qu'il connaissait la cachette d'un objet magique capable de protéger quiconque le possédait. J'ignore de quoi il s'agit au juste. Vous avez entendu cette histoire, vous aussi ?

— Oui, j'en ai entendu parler, dit le chasseur de phoques. Un jour, un homme a voulu l'obliger à parler, mais Grumman l'a tué.

— Et son dæmon ? Il était étrange, lui aussi, ajouta Sam Cansino. C'était un aigle, un aigle noir avec la tête et le cou blancs ; une espèce que j'avais jamais vue de ma vie. Et j'ai aucune idée de son nom.

— C'était un balbuzard, déclara le barman qui écoutait leur conversation. Vous parlez de Stan Grumman ? Son dæmon, c'était un balbuzard. Un aigle pêcheur.

Qu'est donc devenu Grumman ? interrogea Lee Scoresby.

— Oh, il s'est retrouvé embarqué dans les guerres des Skraelings, tout là-bas à Beringland. Aux dernières nouvelles, il avait été tué d'un coup de fusil, répondit le chasseur de phoques.

— Ah ? J'ai entendu dire qu'on l'avait décapité, dit Lee Scoresby.

— Vous vous trompez tous les deux, déclara le barman. Je le sais, car j'ai appris ce qui s'était passé de la bouche d'un Inuit qui était avec lui. Apparemment, ils avaient planté leurs tentes quelque part sur l'île Sakhaline, et il y a eu une avalanche. Grumman a fini enseveli sous des tonnes de pierres. L'Inuit dont je vous parle a tout vu.

— Ce que je ne comprends pas, dit Lee Scoresby en faisant circuler la bouteille de vodka, c'est ce qu'il faisait au juste. Est-ce qu'il cherchait du pétrole, par exemple ? Était-ce un militaire ? Ou peut-être qu'il s'agissait d'un truc scientifique ? Tu parlais d'effectuer des relevés tout à l'heure, Sam. De quoi s'agissait-il, au juste ?

— Ils mesuraient le scintillement des étoiles. Et l'Aurore. Grumman était fasciné par l'Aurore. Mais je crois que sa véritable passion, c'étaient les ruines. Tous les machins anciens.

— Je sais où vous pourriez en apprendre davantage, déclara le chasseur de phoques. Là-haut, dans la montagne, ils ont construit un observatoire qui appartient à l'Académie Royale Moscovite. Eux, ils pourraient vous renseigner. Je sais que Grumman y est allé plus d'une fois.

— Mais pourquoi tu t'intéresses à lui, au fait, Lee ? demanda Sam Cansino.

— Il me doit de l'argent, répondit Lee Scoresby.

Cette explication fut jugée satisfaisante et mit fin à leur curiosité. La conversation dériva alors vers le sujet qui était sur toutes les lèvres : les changements catastrophiques qui semblaient se dérouler tout autour, et que personne ne pouvait voir.

— Les pêcheurs, dit le chasseur de phoques, affirment qu'on peut aller en bateau jusque dans ce nouveau monde.

— Il y a un nouveau monde ? demanda Lee.

— Dès que ce satané brouillard aura foutu le camp, on l'aura devant les yeux, annonça le chasseur sur le ton de la confidence. Quand il est apparu pour la première fois, j'étais sur mon kayak, et je regardai vers le nord, par hasard. J'oublierai jamais ce que j'ai vu. Au lieu de s'incurver à l'horizon, la terre continuait jusqu'à l'infini ! On ne voyait plus de limite, et aussi loin que portait le regard, on apercevait des côtes, des montagnes, des ports, des arbres verts, des champs de blé... qui se perdaient dans le ciel. Je vous le dis, les gars, ça valait le coup de trimer pendant cinquante ans pour voir un pareil spectacle. Je crois que j'aurais ramé éternellement sur cette mer d'huile, sans même jeter un seul regard derrière moi, mais cette saleté de brouillard est arrivée...

— J'ai jamais vu un brouillard pareil, marmonna Sam Cansino. On dirait qu'il s'est installé là pour un mois, peut-être même plus. En tout cas, si tu espérais extorquer du fric à Stanislaus Grumman, laisse tomber, Lee. Ce type est mort.

—Ça y est, j'ai retrouvé son nom de Tartare! s'exclama le chasseur de phoques. Je me souviens comment ils l'appelaient pendant qu'ils lui perçaient le crâne. Ça ressemblait à... Jopari.

—Jopari? J'ai jamais entendu un nom pareil, dit Lee. C'est peut-être japonais. Bref, si je veux récupérer mon argent, je pourrais essayer de retrouver ses héritiers pour leur réclamer mon dû. À moins que l'Académie de Berlin accepte d'éponger sa dette. J'irai à l'observatoire, pour leur demander s'ils savent où je pourrais m'adresser.

L'observatoire était situé dans le Nord, loin de tout, et Lee Scoresby décida de louer un traîneau avec des chiens et les services du conducteur. Il n'était pas facile de trouver quelqu'un qui accepte de prendre le risque d'effectuer ce trajet dans le brouillard, mais Lee savait se montrer persuasif, et son argent encore plus. Finalement, après de longs marchandages, un vieux Tartare de la région de l'Ob accepta de le conduire à destination.

Heureusement, le vieux Tartare n'avait pas besoin de boussole pour conduire son traîneau, car il aurait été bien en peine de l'utiliser. D'autres indicateurs l'aidaient à se repérer, à commencer par son dæmon-renard de l'Arctique; assis à l'avant du traîneau, il flairait le chemin. Lee, qui ne se séparait jamais de sa boussole, avait déjà pu constater que le champ magnétique terrestre était aussi perturbé que le reste.

Alors qu'ils faisaient une halte pour boire un café, le vieux Tartare déclara, dans son langage approximatif:

—Cette chose, déjà c'est arrivé.

—Quoi? Le ciel qui s'ouvre? Ça s'est déjà produit?

—Oui. Beaucoup beaucoup de générations dans le temps. Mon peuple se souvient. Avant, avant... Très longtemps.

—Que disent-ils?

—Le ciel s'écarte et les esprits, ils vont d'un monde à l'autre. Toute la terre, elle bouge aussi. La glace fond, mais elle durcit après. Et les esprits, ils referment le trou. Il est bouché. Mais les sorcières, elles disent le ciel il est tout fin à cet endroit, derrière les Lumières du Nord.

—Que va-t-il se passer, Umaq?

—Même chose qu'il y a longtemps. Ça revient tout pareil comme avant. Mais seulement après gros ennuis, grosse guerre. Guerre des esprits.

Le vieux Tartare refusa d'en dire plus, et ils se remirent en route presque aussitôt. Le traîneau progressait lentement sur le sol accidenté, au milieu des ornières et des affleurements rocheux, à travers le brouillard blafard, jusqu'à ce que, enfin, Umaq déclare:

—Observatoire là-haut. Vous continuez avec les pieds. Chemin trop tordu pour le traîneau. Vous voulez rentrer, j'attends ici.

—Oui, Umaq, je veux rentrer dès que j'aurai terminé. Fais-toi un bon feu, l'ami, et repose-toi. J'en ai pour trois ou quatre heures.

Lee Scoresby se mit en route, avec son dæmon Hester blotti sous son manteau. Après une demi-heure d'ascension difficile, il découvrit tout à coup, au-dessus de lui, lorsque le brouillard se leva momentanément, un ensemble de bâtiments qui semblaient avoir été déposés là par la main d'un géant. Lee apercevait le dôme de l'observatoire principal, un autre dôme plus petit, à l'écart, et entre les deux, un groupe de bâtiments administratifs et de logements. Aucune lumière n'était visible, car les fenêtres étaient obstruées en permanence pour ménager l'obscurité nécessaire aux télescopes.

Quelques minutes après son arrivée, Lee discutait déjà avec un groupe d'astronomes impatients d'entendre les nouvelles dont il était porteur. Peu de scientifiques sont aussi frustrés que des astronomes dans le brouillard. Lee leur raconta tout ce qu'il avait vu, et lorsqu'ils eurent épuisé toutes leurs questions, il les interrogea à son tour, au sujet de Stanislaus Grumman. Les astronomes n'avaient pas eu de visiteurs depuis des semaines, et ils avaient visiblement envie de bavarder.

—Grumman ? Je veux bien vous parler de lui, dit le Directeur. C'était un Anglais, malgré son nom. Je me souviens...

—Absolument pas, dit son assistant. Il appartenait à l'Académie Impériale Germanique. Je l'ai connu à Berlin. Je suis sûr qu'il était allemand.

—Non, non, il était anglais, je vous dis. Il parlait cette langue à la perfection, déclara le Directeur. Mais je suis d'accord, il était membre de l'Académie de Berlin. Il était géologue...

—Vous vous trompez, dit quelqu'un d'autre. Il s'intéressait à la terre, mais pas en tant que géologue. J'ai eu une longue conversation avec lui un jour. Grumman était ce qu'on pourrait appeler un paléo-archéologue.

Les cinq hommes étaient assis autour de la même table, dans la grande pièce qui leur servait de salle commune, de salon et de salle à manger, de salle de détente aussi, entre autres. Deux d'entre eux étaient des Moscovites, un autre était polonais, un autre yoruba et le dernier était un Skraeling. Lee Scoresby sentait que cette petite communauté se réjouissait d'avoir un visiteur, car il apportait de nouveaux sujets de conversation. Le Polonais avait été le dernier à s'exprimer, mais le Yoruba lui coupa la parole :

—Pourquoi dites-vous paléo-archéologue ? Par définition, un archéologue s'intéresse à ce qui est vieux ; à quoi bon ajouter un mot qui veut dire vieux, lui aussi ?

—Son champ d'études remontait beaucoup plus loin dans le temps qu'on peut l'imaginer, voilà pourquoi, répliqua le Polonais. Il cherchait des vestiges de civilisations vieilles de vingt ou trente mille ans.

—Balivernes! s'exclama le Directeur. Cet homme s'est moqué de vous. Des civilisations vieilles de trente mille ans, dites-vous? Laissez-moi rire! Où sont les preuves?

—Sous la glace, répondit le Polonais. Justement! D'après Grumman, le champ magnétique terrestre s'est modifié de manière spectaculaire à plusieurs reprises par le passé, et l'axe de la Terre s'est déplacé, si bien que des zones tempérées ont été prises sous les glaces.

—Comment? demanda le Yoruba.

—Oh, Grumman avait une théorie très complexe à ce sujet. En gros, les preuves de l'existence de civilisations très anciennes étaient depuis longtemps enfouies sous la glace. Il prétendait posséder des photogrammes montrant des formations rocheuses insolites...

—Ah! C'est tout? ironisa le Directeur.

—Je répète simplement ses propos, je ne cherche pas à le défendre, dit le Polonais.

—Depuis quand connaissiez-vous Grumman, messieurs? interrogea Lee Scoresby.

—Voyons voir... dit le Directeur. Je l'ai rencontré pour la première fois il y a sept ans.

—Il s'était fait un nom un an ou deux avant, en publiant un article sur les variations du pôle magnétique, ajouta le Yoruba. Mais il a surgi de nulle part. Je veux dire par là que personne ne l'avait connu en tant qu'étudiant, personne n'avait jamais lu ses travaux antérieurs...

La conversation se poursuivit ainsi pendant quelques instants encore; les astronomes évoquèrent des souvenirs et formulèrent des hypothèses concernant le sort de Grumman, même si la plupart pensaient qu'il était certainement mort. Profitant de ce que le Polonais s'était levé pour faire du café, le dæmon-lièvre de Lee, Hester, lui glissa à l'oreille:

Observe le Skraeling.

Le Skraeling avait très peu parlé depuis le début de la conversation. Sans doute était-il d'un naturel taciturne, pensait Lee, mais sur les conseils de Hester, il profita d'un temps mort dans la discussion pour observer le dæmon de cet homme: une chouette blanche, qui le foudroyait de ses yeux orange. Les chouettes avaient toujours cette tête-là, se dit le Texan, et elles avaient l'habitude de fixer les gens, mais Hester avait raison, il y avait chez ce dæmon une hostilité et une méfiance qui n'apparaissaient pas sur le visage du Skraeling.

Lee remarqua alors autre chose : le Skraeling portait une bague frappée du symbole de l'Église. Et soudain, il comprit la raison de son silence : chaque centre de recherche philosophique devait, paraît-il, accueillir dans son équipe un représentant du Magisterium qui faisait office de censeur pour toutes les découvertes jugées hérétiques.

Ayant fait cette déduction, et repensant à une chose qu'avait dite la petite Lyra, Lee demanda :

—Dites-moi, messieurs... Sauriez-vous, par hasard, si Grumman s'intéressait également au problème de la Poussière ?

Immédiatement, le silence s'abattit sur la petite pièce à l'atmosphère étouffante, et l'attention de chacun se porta sur le Skraeling, bien que personne n'osât le regarder en face. Lee savait que Hester, son dæmon, conserverait une expression impénétrable, les yeux à demi clos, les oreilles plaquées en arrière, et lui-même adopta un air de parfaite innocence pour passer en revue les visages qui l'entouraient.

Finalement, il s'arrêta sur le Skraeling, et dit :

—Pardonnez-moi. Aurais-je fait allusion à un sujet tabou ?

Le Skraeling répondit par une autre question :

—Où avez-vous entendu parler de cette chose, monsieur Scoresby ?

—Un passager à qui j'ai fait traverser l'océan, il y a quelque temps, m'en a parlé, répondit Lee avec une parfaite décontraction. Il ne m'a pas expliqué de quoi il s'agissait exactement, mais il m'a semblé que c'était le genre de chose qui aurait pu intéresser le Dr Grumman. J'ai cru comprendre que c'était une sorte de manifestation céleste, comme l'Aurore. Mais j'étais surpris, car, en tant qu'aéronaute, je connais bien le ciel, et je n'avais jamais rencontré ce phénomène. De quoi s'agit-il, d'ailleurs ?

—Vous l'avez dit, c'est un phénomène céleste, répondit le Skraeling. Sans aucun intérêt pratique.

Lee décida que le moment était venu de prendre congé ; il n'avait rien appris, et il ne voulait pas faire attendre Umaq. Abandonnant les astronomes à leur observatoire noyé dans le brouillard, il redescendit le chemin escarpé, à l'aveuglette, en suivant son dæmon dont les yeux étaient plus près du sol.

Alors qu'ils marchaient depuis une dizaine de minutes seulement, quelque chose lui frôla la tête dans le brouillard et fondit sur Hester. Le dæmon-chouette du Skraeling !

Heureusement, Hester l'avait senti venir et il se plaqua au sol, juste à temps ; les serres de la chouette le manquèrent de peu. Hester savait se défendre ; il possédait des griffes acérées lui aussi, c'était un dæmon courageux et résistant. Lee songea que le Skraeling lui-même ne devait pas être loin. Il dégaina son pistolet fixé à sa ceinture.

—Derrière toi, Lee! lui cria Hester.

Le Texan fit volte-face et se jeta à terre au moment où une flèche sifflait au-dessus de son épaule.

Il riposta aussitôt en ouvrant le feu. Le Skraeling s'effondra avec un grognement sauvage, touché à la cuisse. Presque immédiatement, son dæmon-chouette tournoya au-dessus de lui dans un battement d'ailes silencieux et se posa à ses côtés, de manière pataude; à moitié couché dans la neige, il s'efforça de replier ses ailes.

Lee Scoresby arma le chien de son pistolet et approcha le canon de la tête de l'homme.

—Espèce d'imbécile! rugit-il. Pourquoi avez-vous fait ça? Vous ne comprenez donc pas que nous sommes tous dans le même bateau maintenant, avec ce qui se passe dans le ciel?

—C'est trop tard, répondit le Skraeling.

—Trop tard pour quoi?

—Trop tard pour revenir en arrière. J'ai envoyé un oiseau messager. Le Magisterium sera averti de vos recherches, et il sera ravi au sujet de Grumman...

—Ravi de quoi?

—De savoir que d'autres personnes le cherchent. Cela confirme ce que nous pensions. Et prouve que d'autres personnes connaissent l'existence de la Poussière. Vous êtes un ennemi de l'Église, Lee Scoresby. «À leurs fruits, tu les reconnaîtras. Dans leurs questions tu verras le serpent leur ronger le cœur... »

La chouette laissait échapper de petits ululements, en battant faiblement des ailes par à-coups. Ses yeux orange brillants étaient recouverts d'une pellicule de douleur. Une tache rouge s'élargissait dans la neige autour du Skraeling; malgré la pénombre due au brouillard épais, Lee Scoresby voyait bien que l'homme allait mourir.

—Ma balle a certainement sectionné une artère, dit-il. Lâchez ma manche que je puisse vous faire un garrot.

—Non! répondit le Skraeling avec force. Je suis bien heureux de mourir! Je recevrai la palme des martyrs! Vous ne pourrez pas me priver de ça!

—Mourez si vous le souhaitez. Mais dites-moi simplement...

Lee n'eut pas le temps d'achever sa question; après un ultime soubresaut, le dæmon-chouette venait de disparaître. L'âme du Skraeling s'était envolée. Lee se souvenait d'avoir vu, un jour, un tableau représentant un saint martyr. Pendant que ses meurtriers frappaient son corps agonisant à coups de bâton, le dæmon du saint était hissé dans le ciel par des chérubins pour recevoir une branche de rameau, symbole des martyrs. Le visage du Skraeling avait maintenant la même expression que celui du saint sur le tableau, une béatitude extatique proche de l'inconscience. Lee le laissa retomber, avec mépris.

Hester fit claquer sa langue.

—On aurait dû se douter qu'il avait envoyé un message, dit-il. Prends-lui sa bague.

—Pour quoi faire ? Nous ne sommes pas des voleurs !

—Non, nous sommes des renégats, répondit le dæmon. Non pas par choix, mais à cause de la malveillance de cet homme. Quand l'Église apprendra ce qui s'est passé, notre sort sera scellé de toute façon. Autant tirer profit de toutes les occasions qui se présentent entre-temps. Vas-y, ôte-lui sa bague et garde-la ; peut-être pourra-t-elle nous servir.

Convaincu par ce raisonnement, Lee prit la bague au doigt du mort. En scrutant l'obscurité, il constata que le chemin était bordé par un précipice qui disparaissait dans les ténèbres rocailleuses, et il fit rouler le corps dans le vide. Celui-ci fit une longue chute, avant de s'écraser au fond avec un bruit sourd. Lee n'avait jamais aimé la violence, et il détestait tuer des êtres humains, bien qu'il ait été obligé de le faire à trois reprises.

—N'y pense plus, lui dit Hester. Il ne nous a pas laissé le choix, et nous n'avons pas tiré dans l'intention de le tuer. Bon sang, Lee, ce type voulait mourir ! Ces gens sont des fous.

—Oui, tu as sans doute raison, dit Lee en rangeant son pistolet.

Arrivés au bas du chemin, ils retrouvèrent le vieux Tartare et son traîneau. Les chiens étaient prêts à se remettre en route

—Dis-moi, Umaq, demanda Lee, tandis qu'ils repartaient en direction de l'usine de Nova Zembla, as-tu déjà entendu parler d'un homme nommé Grumman ?

—Oh, bien sûr, répondit le vieux Tartare. Tout le monde il connaît Dr Grumman.

—Savais-tu qu'il portait aussi un nom tartare ?

—Pas tartare. Jopari, vous pensez ? Pas tartare.

—Que lui est-il arrivé ? Est-il mort ?

—Vous posez la question à moi, je dois dire je sais pas. Vous pouvez pas savoir la vérité avec moi.

—Je vois. Qui peut me renseigner, alors ?

—Mieux c'est demander à sa tribu ? Mieux c'est aller à Ienisseï pour poser la question.

—Sa tribu… Tu veux dire les gens qui l'ont initié ? Ceux qui lui ont percé le crâne ?

—Oui. C'est mieux demander à eux. Peut-être il est pas mort, peut-être il est. Peut-être il est pas mort et il est pas vivant.

—Comment peut-il être ni vivant ni mort?

—Peut-être il est dans le monde des esprits. Déjà, je parle trop. Je dis plus.

Il resta muet, en effet.

Dès leur arrivée à Nova Zembla, Lee se rendit sur les quais pour chercher un bateau qui pourrait le conduire à l'embouchure du fleuve Ienisseï.

Pendant ce temps, les sorcières cherchaient, elles aussi. La reine de Lettonie, Ruta Skadi, voyagea en compagnie de Serafina Pekkala et de ses sœurs pendant des jours et des nuits, à travers le brouillard et les tornades, survolant des régions dévastées par les inondations et les glissements de terrain. Elles évoluaient dans un monde où aucune d'elles n'avait jamais pénétré, assurément, un monde peuplé de vents et d'odeurs étranges qui flottaient dans l'air, d'oiseaux gigantesques et inconnus qui les attaquaient à vue, qu'elles devaient chasser avec des volées de flèches; et quand elles trouvaient un coin de terre pour se reposer, la végétation, elle aussi, leur paraissait étrange.

On trouvait, malgré tout, quelques plantes comestibles et de petits animaux assez proches du lapin qui offraient une viande délicieuse; et surtout, il y avait de l'eau en abondance. Finalement, il aurait été agréable de vivre dans cet endroit, n'eussent été ces formes spectrales qui dérivaient telles des nappes de brume au-dessus des prairies et se rassemblaient à proximité des ruisseaux et des points d'eau peu profonds. Parfois, en fonction de la lumière, on les apercevait à peine, ce n'était qu'une sorte de turbulence dans les airs, une évanescence, semblable à des voiles transparents qui dansent devant un miroir. Les sorcières n'avaient jamais rien vu de tel auparavant, aussi se méfièrent-elles instinctivement de ces apparitions.

—Sont-elles vivantes, à ton avis, Serafina Pekkala? demanda Ruta Skadi, tandis que les sorcières tournoyaient dans le ciel à l'aplomb d'un groupe de ces « choses », immobiles en lisière d'une forêt.

—Vivantes ou mortes, c'est la malveillance qui les anime, répondit Serafina. Je la sens d'ici. Et à moins de savoir quelle arme peut les anéantir, je ne tiens pas à m'en approcher davantage.

Heureusement pour les sorcières, les Spectres semblaient cloués au sol; ils n'avaient pas le pouvoir de voler. Mais plus tard, au cours de la même journée, elles virent ce dont ils étaient capables.

L'événement se produisit à l'endroit où une route poussiéreuse traversait une rivière sur un petit pont de pierre, près d'un bosquet. Le soleil bas de cette fin d'après-midi illuminait les prés, peignant le sol d'un vert éclatant et saupoudrant l'air de paillettes d'or. C'est dans cette somptueuse lumière que les sorcières virent un groupe de voyageurs s'approcher du pont; certains allaient à pied, certains en charrette ; deux autres voyageaient à cheval. Aucun d'eux n'avait vu les sorcières, car ils n'avaient aucune raison de lever la tête, mais ils étaient les premiers êtres humains que les sorcières rencontraient dans ce monde, et Serafina s'apprêtait à se poser pour leur parler lorsque retentit un cri d'alerte.

Il émanait du cavalier de tête. Celui-ci désignait les arbres d'un air affolé, et en suivant la direction indiquée, les sorcières virent un flot de créatures spectrales se déverser sur le pré et se précipiter, telle une lame de fond, vers ces voyageurs devenus leurs proies.

L'attaque provoqua la débandade. Serafina fut choquée de voir le cavalier de tête faire demi-tour et s'enfuir au triple galop, au lieu de rester pour prêter main-forte à ses camarades ; le deuxième cavalier l'imita, s'enfuyant à toute vitesse lui aussi dans la direction opposée.

— Descendons un peu pour voir ce qui se passe, mes sœurs, ordonna Serafina. Mais surtout, n'intervenez pas avant que je donne le signal.

Elles découvrirent ainsi qu'il y avait également des enfants dans le groupe, certains voyageant à bord des charrettes, d'autres marchant à côté. Curieusement, ces enfants semblaient ne pas voir les Spectres et, d'ailleurs, les Spectres ne faisaient pas attention à eux : ils ne s'attaquaient qu'aux adultes. Une vieille femme assise dans une charrette tenait deux jeunes enfants sur ses genoux. La lâcheté dont elle fit preuve alors scandalisa Ruta Skadi : elle essayait de se cacher derrière les deux enfants et les poussait vers le Spectre qui avançait vers elle, comme pour les offrir en pâture à la créature en échange de la vie sauve.

Les deux enfants parvinrent, cependant, à échapper à la vieille femme, et ils sautèrent de la charrette pour rejoindre leurs camarades effrayés, qui couraient en tous sens ou demeuraient figés, blottis les uns contre les autres en pleurant, pendant que les Spectres attaquaient les adultes. La vieille femme à bord de la charrette fut rapidement enveloppée d'un scintillement translucide qui semblait dévorer avec voracité toute la substance de sa proie. Ruta Skadi, qui assistait à ce spectacle, sentit son estomac se soulever. Tous les adultes du groupe subirent le même sort, à l'exception des deux cavaliers qui s'étaient enfuis.

À la fois fascinée et horrifiée, Serafina Pekkala se rapprocha encore un peu. Un père et son jeune enfant avaient tenté de franchir la rivière à gué pour échapper aux créatures, mais l'une d'elles les avait rattrapés, et tandis que l'enfant s'accrochait aux épaules de son père, en pleurant, l'homme s'immobilisa tout à coup au milieu du cours d'eau, pétrifié et impuissant.

Que lui arrivait-il ? Serafina planait à quelques mètres au-dessus de la rivière, témoin privilégié et terrorisé de cette scène. Des voyageurs de son monde lui avaient raconté la légende du vampire, et ce souvenir s'imposa à elle en voyant le Spectre se repaître voracement de... cette chose que l'homme avait en lui, son âme, son dæmon peut-être, car dans ce monde, apparemment, les dæmons étaient dissimulés à l'intérieur des gens. Ses bras, qui soutenaient les cuisses de l'enfant, se relâchèrent, et l'enfant tomba à la renverse dans l'eau, hurlant, essayant vainement de s'accrocher à la main de son père, mais l'homme se contenta de tourner lentement la tête pour regarder avec une complète indifférence son jeune fils se noyer à ses côtés.

C'en était trop pour Serafina. Elle plongea vers la rivière pour arracher l'enfant à l'eau bouillonnante. Au même moment, Ruta Skadi s'écria :

−Attention, ma sœur ! Derrière toi...

Pendant un court instant, Serafina sentit une effroyable sensation d'engourdissement près de son cœur ; elle tendit la main vers Ruta Skadi qui s'empressa de l'éloigner du danger. Les deux sorcières reprirent de l'altitude ; l'enfant paniqué s'accrochait avec ses ongles à la taille de Serafina qui vit, derrière elle, le Spectre, semblable à une nappe de brume tournoyant au-dessus de l'eau, chercher désespérément la proie qui lui avait échappé. Ruta Skadi lui décocha une flèche, sans le moindre effet.

Serafina déposa l'enfant sur la rive car, apparemment, il n'avait rien à redouter des Spectres, et les sorcières reprirent de l'altitude. Le petit groupe de voyageurs s'était arrêté pour de bon ; les chevaux broutaient l'herbe ou secouaient la tête pour chasser les mouches ; les enfants criaient et pleuraient, certains s'étreignaient, en contemplant la scène de loin. Tous les adultes étaient pétrifiés comme des statues. Ils avaient les yeux ouverts ; certains étaient encore debout, mais la plupart s'étaient assis, et une effroyable immobilité pesait sur eux. Alors que s'enfuyaient les derniers Spectres, rassasiés, Serafina redescendit et vint se poser devant une femme assise dans l'herbe, une femme robuste avec de grosses joues rouges et de longs cheveux blonds brillants.

−Femme ? dit Serafina.

Pas de réponse.

−M'entends-tu, femme ? Me vois-tu ?

Serafina la saisit par l'épaule et la secoua. Au prix d'un gigantesque effort, semblait-il, la femme leva enfin la tête. Elle paraissait ne pas avoir conscience des événements. Son regard était vide, et quand la sorcière lui pinça la peau de l'avant-bras pour la faire réagir, elle baissa simplement les yeux, très lentement, puis regarda ailleurs.

Pendant ce temps, les autres sorcières faisaient le tour des charrettes éparpillées pour s'occuper des victimes désemparées. Les enfants, eux, s'étaient réunis sur un petit tertre, à l'écart, et ils observaient les sorcières en échangeant des murmures angoissés.

— Le cavalier nous regarde, dit l'une des sorcières.

Elle montra du doigt la route qui s'enfonçait dans une brèche au milieu des collines. Après s'être enfui si précipitamment, le cavalier avait arrêté sa monture et s'était retourné pour regarder derrière lui, mettant sa main en visière pour se protéger du soleil.

— Allons lui parler, déclara Serafina, et elle jaillit dans les airs.

En dépit de sa réaction face aux Spectres, cet homme n'était assurément pas un lâche. Voyant approcher les sorcières, il s'empara du fusil qu'il portait en bandoulière et éperonna son cheval pour regagner le pré où il pourrait plus aisément se mouvoir et faire feu ; mais Serafina Pekkala se posa en douceur et tendit son arc devant elle, avant de le déposer à ses pieds.

Même si les gens d'ici n'avaient pas coutume de faire ce geste, se dit-elle, sa signification était suffisamment évidente. L'homme abaissa le canon de son fusil et attendit, regardant alternativement Serafina et les autres sorcières, et leurs dæmons également, qui tournoyaient dans le ciel au-dessus de leurs têtes. Des femmes, jeunes et téméraires, vêtues de lambeaux de soie noire et sillonnant les airs sur des branches de sapin ; une telle chose n'existait pas dans son monde : malgré tout, il leur faisait face avec une calme assurance. En s'approchant, Serafina découvrit son visage marqué de tristesse ; il donnait néanmoins une impression de force. Difficile d'imaginer que cet homme avait pris ses jambes à son cou pour s'enfuir pendant que l'on massacrait ses compagnons.

— Qui êtes-vous ? demanda-t-il.

— Je m'appelle Serafina Pekkala. Je suis la reine des sorcières du lac Enara, qui se trouve dans un autre monde. Et toi, comment t'appelles-tu ?

— Joachim Lorenz. Des sorcières, dites-vous ? Vous faites donc commerce avec le diable ?

— Cela ferait-il de nous tes ennemies ?

L'homme réfléchit et, finalement, il posa son fusil sur ses cuisses.

— Autrefois peut-être, répondit-il, mais les temps ont changé. Pourquoi êtes-vous venues dans ce monde ?

— Parce que les temps ont changé, justement. Quelles sont donc ces créatures qui ont attaqué votre groupe ?

L'homme parut surpris par cette question.

— Vous... vous ne connaissez pas les Spectres ?

— Nous n'en avons jamais rencontré dans notre monde. En te voyant fuir comme un lâche, nous avons été choquées. Maintenant, je comprends.

— Il n'existe aucun moyen de défense contre les Spectres, expliqua

Joachim Lorenz. Seuls les enfants sont épargnés. Chaque groupe de voyageurs doit comporter un homme et une femme à cheval, c'est la loi, et à la moindre alerte, ils doivent agir comme nous l'avons fait car, sinon, il ne resterait personne pour s'occuper des enfants ensuite. La situation est tragique : les villes sont maintenant envahies de Spectres, alors qu'autrefois, ils n'étaient jamais plus d'une douzaine à chaque fois.

Ruta Skadi scrutait les environs. Elle vit le deuxième cavalier revenir vers les charrettes, et constata qu'il s'agissait, en effet, d'une femme. Les enfants se précipitèrent à sa rencontre.

—Dites-moi ce que vous cherchez, demanda Joachim Lorenz. Vous n'avez pas répondu à ma question. Vous n'êtes pas venues ici sans raison. Répondez-moi.

—Nous sommes à la recherche d'une enfant, expliqua Serafina, une fillette de notre monde. Elle se nomme Lyra Belacqua et se fait appeler Lyra Parle-d'Or. Mais comment savoir où elle se trouve dans ce monde ? Vous n'auriez pas aperçu une fillette différente des autres, seule ?

—Non. Mais l'autre soir, nous avons vu des anges ; ils se dirigeaient vers le Pôle.

—Des anges ?

—Des escadrons entiers, armés et étincelants. Depuis quelques années, ils sont devenus plus rares, mais du temps de mon grand-père, ils traversaient souvent ce monde, à l'en croire du moins.

Mettant sa main en visière, il observa les charrettes éparpillées, les voyageurs immobilisés en contrebas. La cavalière était descendue de cheval et tentait de rassembler les enfants.

Serafina avait suivi son regard. Elle demanda :

—Si nous campons avec vous cette nuit et montons la garde contre les Spectres, nous parleras-tu de ton monde et de ces anges que tu as vus ?

—Marché conclu. Suivez-moi.

Les sorcières aidèrent à transporter les charrettes un peu plus loin sur la route, de l'autre côté du petit pont de pierre, loin du bosquet d'où avaient jailli les Spectres. Il fallut abandonner les adultes pétrifiés à l'endroit même où ils s'étaient figés, si douloureux que fût le spectacle de ces jeunes enfants s'accrochant à une mère qui ne réagissait plus à leurs sollicitations ou tirant la manche d'un père qui restait muet, le regard vide. Les plus petits ne comprenaient pas pourquoi ils devaient quitter leurs parents. Les plus âgés, dont certains avaient déjà perdu un parent ou assisté à pareille scène, affichaient un air lugubre et ne disaient mot. Serafina prit dans ses bras le petit garçon qui était tombé dans la rivière. Il réclamait son père en hurlant, les bras tendus par-dessus l'épaule de la sorcière vers cet homme silencieux, toujours planté au milieu de l'eau, indifférent. Serafina sentit couler les larmes de l'enfant sur sa peau nue. La cavalière, qui portait un épais pantalon de toile et chevauchait comme un homme, n'adressa pas la parole aux sorcières. Sa mine était sévère. Elle faisait avancer les enfants en leur parlant d'un ton sec, sans se soucier de leurs pleurs. Le soleil couchant baignait l'atmosphère d'une lueur dorée qui soulignait chaque détail avec douceur ; et dans cette lumière, les visages des enfants, ceux de l'homme et de la femme également, paraissaient immortels, puissants et beaux.

Un peu plus tard, alors que les braises du feu de camp rougeoyaient au milieu d'un cercle de pierres couvertes de cendres, que les hautes collines s'étendaient paisiblement sous la lune, Joachim Lorenz raconta à Serafina Pekkala et Ruta Skadi l'histoire de son monde.

— Jadis, c'était un monde heureux, expliqua-t-il. Les villes étaient vastes et élégantes, les champs bien labourés et fertiles. Des navires marchands parcouraient les océans en tous sens, les pêcheurs sortaient de l'eau des filets débordant de morues et de thons, de bars et de mulets, les forêts regorgeaient de gibier et aucun enfant ne souffrait de la faim. Dans les cours et sur les places des grandes villes, les ambassadeurs du Brésil et du Bénin, d'Eirelande et de Corée côtoyaient les marchands de tabac, les comédiens de Bergame ou les vendeurs de porte-bonheur. À la nuit tombée, des amants masqués se retrouvaient sous les colonnades ornées de roses ou dans les jardins éclairés par des lanternes ; dans l'air flottaient le parfum du jasmin et la musique cristalline des mandarones.

Stupéfaites, les sorcières écoutaient cette description d'un monde si semblable au leur, et en même temps si différent.

— Mais les choses ont mal tourné, ajouta Joachim. Il y a trois cents ans, le drame s'est produit. Certains pensent que les philosophes de la Guilde de la Torre degli Angeli, la tour des Anges, située dans la ville que nous venons de quitter, en sont responsables. D'autres affirment qu'il s'agit d'un châtiment infligé à cause d'un grand péché, mais personne n'a jamais réussi à s'entendre sur la nature de ce péché. Toujours est-il que, tout à coup, les Spectres ont jailli de nulle part et, depuis, nous sommes assaillis. Vous avez vu de quoi ils sont capables. Imaginez un peu la vie dans un monde où rôdent les Spectres... Comment pourrions-nous prospérer, alors que plus rien n'est assuré de durer ? À tout moment, un père ou une mère peut être pris par ces créatures, et la famille se désintègre ; un marchand est pris et c'est son entreprise qui périclite, ses employés perdent leur emploi ; comment des amoureux pourraient-ils croire à leurs serments d'éternité ? La confiance et la vertu ont abandonné notre monde quand les Spectres sont arrivés.

—Qui sont ces philosophes dont vous parlez ? demanda Serafina. Et où se trouve cette tour ?

—Dans la ville d'où nous venons, Cittàgazze. « La ville des pies ». Savez-vous pourquoi elle se nomme ainsi ? Parce que les pies sont des oiseaux voleurs, et c'est tout ce que nous savons faire désormais, voler. Nous ne créons plus rien, nous n'avons rien construit depuis des centaines d'années ; nous sommes juste bons à aller piller d'autres mondes. Car nous connaissons l'existence des autres mondes. Les philosophes de la Torre degli Angeli ont découvert tout ce qu'il faut savoir sur ce sujet. Ils possèdent une formule magique qui permet de franchir une porte que personne ne voit, et vous vous retrouvez dans un autre monde. Certains disent qu'il ne s'agit pas d'une formule magique, mais d'une clé capable de tout ouvrir, même s'il n'y a pas de serrure. Qui sait ? En tout cas, elle a laissé entrer les Spectres. Et les philosophes continuent de l'utiliser, paraît-il. Ils se rendent dans d'autres mondes pour voler et ils rapportent leur butin. De l'or et des bijoux, bien entendu, mais d'autres choses également, comme des idées, par exemple, des sacs de blé ou des crayons. Ce sont eux qui nous procurent notre seule richesse, conclut-il avec amertume, cette Guilde de voleurs !

—Pourquoi les Spectres ne s'attaquent-ils pas aux enfants ? demanda Ruta Skadi.

—C'est le plus grand mystère. Il y a dans l'innocence des enfants une sorte de force qui semble repousser les Spectres d'Indifférence. Mais pas seulement. En fait, les enfants ne les voient même pas ! Sans qu'on sache pour quelle raison. Nous n'avons jamais compris. Évidemment, les orphelins victimes des Spectres sont nombreux, comme vous pouvez l'imaginer ; des enfants dont les parents ont été pris. Ils se regroupent en bandes et parcourent le pays ; parfois, ils se font engager par des adultes pour aller chercher des provisions dans une zone infestée de Spectres, ou bien ils voyagent au hasard en subsistant comme ils peuvent.

Voilà à quoi ressemble notre monde. Nous avons réussi à survivre malgré ce fléau. Les Spectres sont de véritables parasites : ils ne tuent pas leurs proies, ils se contentent de les vider de leur substance vitale. Mais récemment encore, il existait une sorte d'équilibre des forces, plus ou moins, jusqu'au grand orage. Quel orage ! On aurait dit que tout l'univers était en train de se briser ; de mémoire d'homme, on n'avait jamais connu pareil ouragan. Ensuite est apparu un brouillard qui a duré plusieurs jours et recouvert tous les endroits que je connais dans ce monde ; personne ne pouvait plus voyager. Et quand le brouillard s'est enfin dissipé, les villes étaient envahies de Spectres, des centaines, des milliers de Spectres. Alors, nous avons fui dans les collines et vers la mer, mais il n'est plus possible désormais de leur échapper, où que nous allions. Vous avez pu vous en apercevoir.

À votre tour maintenant. Parlez-moi de votre monde, et expliquez-moi pourquoi vous l'avez quitté pour venir dans celui-ci.

Serafina lui raconta ce qu'elle savait, en toute franchise. Joachim était un homme honnête et elle n'avait rien à lui cacher. Il l'écouta attentivement, en secouant la tête d'un air abasourdi, et quand elle eut terminé son récit, il dit :

— Je vous ai parlé du pouvoir que possèdent, paraît-il, nos philosophes, celui d'ouvrir les portes d'autres mondes. Eh bien, certaines personnes pensent que, parfois, ils laissent une porte ouverte, par inadvertance. Je ne serais pas surpris si des voyageurs venus d'autres mondes parvenaient jusqu'ici de temps à autre. Après tout, nous savons bien que les anges passent par ici.

— Les anges ? dit Serafina. Tu les as déjà évoqués tout à l'heure. Nous n'en avons jamais entendu parler. De quoi s'agit-il ?

— Vous voulez que je vous parle des anges ? dit Joachim Lorenz. Très bien. Eux-mêmes se nomment *bene elim*, paraît-il. Certains les appellent les Guetteurs. Ce ne sont pas des êtres de chair comme nous, ce sont de purs esprits ; ou peut-être que leur chair est plus fine que la nôtre, plus légère et plus claire, je n'en sais rien. En tout cas, ils ne sont pas comme nous. Ils transportent les messages venus du ciel, telle est leur mission. Parfois, on les aperçoit quand ils traversent ce monde pour se rendre dans un autre, brillants comme des lucioles, très haut dans le ciel. Quand la nuit est calme, on entend même les battements de leurs ailes. Leurs préoccupations sont différentes des nôtres, même si, il y a fort longtemps, ils sont descendus sur terre pour nouer des contacts avec les hommes et les femmes, et s'accoupler avec nous, disent certains.

Quand le brouillard est apparu, juste après le grand orage, je me suis retrouvé coincé dans les collines, derrière la ville de Sant'Elia, tandis que je rentrais chez moi. Je me suis réfugié dans une bergerie au bord d'un ruisseau, près d'une forêt de bouleaux. Et là, toute la nuit, j'ai entendu des voix au-dessus de moi, dans le brouillard, des cris de mise en garde et de colère, des battements d'ailes aussi, plus proches que jamais. Un peu avant l'aube, j'ai entendu des bruits de bataille : le sifflement des flèches, le fracas des épées. Je n'osais pas sortir pour voir ce qui se passait, malgré ma curiosité dévorante, car j'avais trop peur. On peut même dire que j'étais terrorisé. Quand le ciel fut aussi clair qu'il pouvait l'être compte tenu du brouillard, je me suis risqué au-dehors, et là, j'ai découvert une grande silhouette blessée gisant au bord du ruisseau. J'avais l'impression de voir des choses que je n'avais pas le droit de voir, des choses sacrées. Il a fallu que je détourne la tête, et quand j'ai regardé de nouveau, la silhouette avait disparu.

Jamais je n'avais approché un ange d'aussi près. Mais comme je vous le disais, nous les avons vus l'autre soir voler parmi les étoiles, tout là-haut, en direction du Pôle, comme une flotte de puissants navires toutes voiles dehors... Assurément, il se passe quelque chose mais, ici-bas, nous ignorons de quoi il s'agit. Peut-être une guerre est-elle sur le point d'éclater. Comme celle qui a eu lieu autrefois, il y a des milliers d'années, une éternité, mais j'ignore quelle en fut l'issue. S'il y avait une nouvelle guerre, les ravages seraient considérables, et les conséquences pour nous... Je ne peux même pas les imaginer.

Toutefois, ajouta-t-il en se redressant pour attiser le feu, l'issue du combat sera peut-être moins dramatique que je le crains. Peut-être une guerre dans les cieux parviendra-t-elle à chasser tous les Spectres de ce monde et à les renvoyer dans les enfers d'où ils sont sortis. Quel bienfait ce serait ! Nous pourrions enfin vivre heureux, libérés de cet effroyable fléau !

Malgré ses paroles enthousiastes, Joachim Lorenz contemplait le feu d'un air sombre. La lumière dansante jouait sur son visage aux traits puissants ; on n'y lisait que la tristesse et le désespoir.

Ruta Skadi prit la parole pour demander :

— Joachim, tu dis que ces anges volaient vers le Pôle. Pour quelle raison, à ton avis ? Est-ce là que se trouve le paradis ?

— Je l'ignore. Je ne suis pas un homme instruit, vous l'aurez remarqué. Mais au nord de notre monde se trouve, dit-on, la demeure des esprits. Si les anges voulaient se rassembler, c'est là qu'ils iraient, et s'ils décidaient de se lancer à l'attaque du paradis, je pense que c'est également là qu'ils construiraient leur forteresse.

Il leva les yeux, et les sorcières suivirent son regard. Les étoiles qui brillaient dans ce monde étaient les mêmes que dans le leur : la Voie lactée scintillait sur la voûte du ciel et d'innombrables points lumineux parsemaient l'obscurité, rivalisant presque avec l'éclat de la lune...

Joachim, demanda Serafina, as-tu entendu parler de la Poussière ?

— La poussière ? Je suppose que vous ne faites pas allusion à la poussière des routes. Non, jamais. Oh, regardez !... Voici justement un groupe d'anges !

Il désigna la constellation d'Ophiucus. Effectivement, quelque chose la traversait : un petit groupe d'êtres lumineux. Ils ne dérivaient pas, ils avançaient avec la détermination d'un vol d'oies ou de cygnes.

Ruta Skadi se leva.

Ma sœur, le moment est venu de nous séparer, dit elle à Serafina. J'irai parler à ces anges, quels qu'ils soient. S'ils partent rejoindre Lord Asriel, je les accompagnerai. Sinon, je continuerai à chercher seule. Merci de m'avoir tenu compagnie, et bonne chance.

Les deux sorcières s'embrassèrent, puis Ruta Skadi s'empara de sa branche de sapin pour s'élancer dans les airs. Son dæmon, un pinson nommé Sergi, surgit soudain de l'obscurité pour la suivre.

— On va haut ? demanda-t-il.

— Aussi haut que ces créatures lumineuses qui traversent la constellation d'Ophiucus. Elles volent très vite, Sergi. Rattrapons-les !

Plus rapides que les étincelles qui jaillissent d'un bûcher, Ruta Skadi et son dæmon montèrent en flèche vers les cieux ; l'air s'engouffrait en sifflant dans la branche de sapin et faisait flotter les longs cheveux de la sorcière dans son dos, comme une traîne noire. Pas une fois elle ne se retourna vers le petit feu de camp allumé dans l'obscurité immense, vers les enfants endormis et ses sœurs sorcières. Cette partie de son voyage était terminée. De plus, malgré sa vitesse, elle ne s'était pas encore rapprochée de ces créatures scintillantes au loin, et si elle se laissait distraire, elle risquait de les perdre de vue au milieu de ce champ d'étoiles.

Alors, elle continua sur sa lancée, sans quitter des yeux les anges. Peu à peu, à mesure que l'écart se réduisait, leurs silhouettes devinrent plus précises.

Ils ne brillaient pas d'une lumière intérieure ; c'était plutôt comme si, si noire que fût la nuit, le soleil les éclairait. Ils ressemblaient à des êtres humains, munis d'ailes et beaucoup plus grands. Ils étaient nus, et la sorcière constata qu'il y avait parmi eux trois hommes et deux femmes. Leurs ailes étaient rattachées à leurs omoplates ; des muscles puissants saillaient dans leur dos et sur leur torse. Ruta Skadi demeura en retrait quelque temps, pour les observer et estimer leurs forces, au cas où elle devrait les affronter. Les anges n'étaient pas armés mais, de toute évidence, ils volaient en deçà de leur véritable puissance, et si jamais une poursuite s'engageait, ils n'auraient aucun mal à distancer la sorcière.

Ayant bandé son arc, par prudence, Ruta Skadi accéléra pour venir se porter à la hauteur des créatures ailées. Elle les apostropha :

— Anges ! Arrêtez-vous et écoutez-moi ! Je suis la sorcière Ruta Skadi, et je veux vous parler !

Ils se retournèrent. Leurs grandes ailes se mirent à battre à l'envers pour ralentir leur course, et leurs corps basculèrent, jusqu'à ce qu'ils se retrouvent en position verticale. Ils encerclèrent la sorcière, cinq silhouettes imposantes qui scintillaient dans le ciel noir, éclairées par un soleil invisible.

Assise fièrement sur sa branche de sapin, Ruta Skadi regarda autour d'elle sans éprouver la moindre peur, même si l'étrangeté de cette scène faisait battre son cœur plus vite. Son dæmon voltigeait tout près d'elle pour profiter de la chaleur de son corps.

Chaque ange était un être distinct, sans aucun doute, et pourtant, ils avaient entre eux plus de points communs qu'avec n'importe quel humain. Ils partageaient un mélange éblouissant et fulgurant d'intelligence et de sensibilité, qui semblait les envelopper tous en même temps. Ils étaient nus, et pourtant, c'était la sorcière qui se sentait nue sous le poids de leurs regards si pénétrants. Mais elle n'avait pas honte de ce qu'elle était, et elle soutint leurs regards en gardant la tête haute.

– Vous êtes donc des anges, dit-elle. Des Guetteurs, comme on vous appelle, ou encore *bene elim*. Où allez-vous ?

– Nous répondons à un appel, déclara l'un d'eux.

Ruta Skadi n'aurait su dire qui avait parlé. Ce pouvait être n'importe lequel, ou bien tous.

– Un appel de qui ?

– D'un homme.

– Lord Asriel ?

– Peut-être.

– Pourquoi répondez-vous à son appel ?

– Parce que tel est notre désir, lui répondit-on.

– Dans ce cas, où qu'il soit, vous pouvez me conduire jusqu'à lui, déclara la sorcière.

Âgée de quatre cent seize ans, Ruta Skadi possédait la fierté et le savoir d'une reine des sorcières. Sa sagesse dépassait de loin celle de n'importe quel humain à la vie si brève, et pourtant, elle ne pouvait imaginer à quel point elle paraissait juvénile comparée à ces êtres. De même, elle ignorait que leur perception des choses s'étendait bien au-delà d'elle, tels des tentacules filamenteux, jusque dans les recoins les plus éloignés d'univers dont elle n'avait même jamais rêvé ; et si ces anges lui apparaissaient sous une forme humaine, c'était parce que ses yeux s'attendaient à les voir ainsi. Eût-elle perçu leur véritable apparence, elle aurait découvert des architectures plus que des organismes, des sortes de structures gigantesques constituées d'intelligence et de sensations.

Mais les yeux de la sorcière ne s'attendaient pas à cela ; elle était encore si jeune.

Les anges battirent des ailes et repartirent à toute vitesse, suivis par Ruta Skadi qui surfait avec délice sur les turbulences provoquées dans les airs par leurs battements d'ailes et qui lui apportaient un surplus de puissance et de vitesse.

Ils traversèrent la nuit. Autour d'eux, les étoiles tournoyèrent, pâlirent, puis disparurent, tandis que l'aube pointait à l'est. Soudain, le monde jaillit en pleine lumière lorsque la couronne du soleil apparut ; ils volaient maintenant dans un ciel bleu, un air limpide et frais, légèrement humide.

En plein jour, les anges étaient moins visibles, même si, aux yeux de n'importe qui, ils conservaient leur aspect étrange. La lumière grâce à laquelle Ruta Skadi les distinguait n'était pas celle du soleil qui grimpait dans le ciel, mais une lumière mystérieuse venue d'ailleurs.

Infatigables, les anges continuaient de voler ; tout aussi résistante, la sorcière les suivait. Une joie farouche l'habitait à l'idée qu'elle commandait à ces créatures immortelles. Et elle se réjouissait de sentir son sang et sa chair, du contact rugueux de l'écorce de sapin contre sa peau, des battements de son cœur et de la vitalité de tous ses sens, de la faim qu'elle éprouvait désormais, de la présence de son dæmon-pinson à ses côtés, de la terre tout en bas, des vies de toutes les créatures, végétales et animales ; elle se réjouissait d'être faite de la même substance, de savoir qu'après sa mort sa chair servirait à nourrir d'autres vies, comme d'autres l'avaient nourrie. Et, enfin, elle jubilait, car elle allait revoir Lord Asriel.

Une nouvelle nuit succéda au jour, et les anges poursuivirent leur vol. Au bout d'un moment, la qualité de l'air se modifia de manière perceptible et Ruta Skadi comprit qu'ils venaient de quitter ce monde pour pénétrer dans un autre. Comment ? Elle n'en avait aucune idée.

— Anges ! cria-t-elle en percevant ce changement d'atmosphère. Comment avons-nous quitté le monde dans lequel je vous ai rejoints ? Où était la frontière ?

— Il existe des endroits invisibles dans les airs, lui répondit-on. Des portes entre les mondes. Nous pouvons les voir, mais pas toi.

Ruta Skadi ne voyait pas ces portes invisibles, mais elle n'en avait pas besoin : les sorcières savaient s'orienter mieux que les oiseaux. Dès que l'ange eut prononcé ces mots, elle fixa son attention sur trois sommets dentelés qui se trouvaient en dessous et mémorisa très exactement leur configuration. Désormais, elle saurait retrouver cet endroit en cas de besoin, quoi qu'en pensent les anges.

Tandis qu'ils continuaient de voler, elle entendit la voix d'un ange :

— Lord Asriel se trouve dans ce monde, et c'est ici qu'il construit sa forteresse...

Ils avaient ralenti et tournoyaient maintenant à moyenne altitude, tels des aigles. Ruta Skadi regarda dans la direction que lui indiquait l'un des anges. Les premiers scintillements du soleil, encore faibles, éclairaient l'horizon à l'est, bien que les étoiles au-dessus de leurs têtes continuent de briller avec le même éclat sur le velours noir profond des cieux inaccessibles. À la lisière même de ce monde, là où la lumière s'intensifiait à chaque seconde, une grande chaîne montagneuse érigeait ses sommets ; des éperons de roche noire déchiquetés, d'énormes blocs de pierre brisés et des arêtes en dents de scie, empilés dans le plus grand désordre comme les vestiges d'une catastrophe universelle. Mais sur le point culminant, que venaient frapper les premiers rayons du soleil levant et qui se détachait dans la lumière éclatante au moment où la sorcière y posait les yeux, se dressait une silhouette aux formes régulières : une gigantesque forteresse dont les remparts étaient constitués de blocs de basalte aussi hauts que la moitié d'une colline, et dont la taille ne pouvait se mesurer qu'en temps de vol.

Au pied de ce colossal édifice, des feux flamboyaient et des fourneaux fumaient dans l'obscurité qui précède l'aube ; à des kilomètres de là, Ruta Skadi entendait le fracas des marteaux et le grondement d'énormes fraiseuses. De tous côtés, elle voyait d'autres groupes d'anges voler à tire-d'aile vers la forteresse ; des engins aux ailes d'acier glissaient dans les airs comme des albatros, des cabines de verre sous des ailes de dragons animées, des zeppelins vrombissaient comme d'énormes abeilles... Tous se dirigeaient vers la forteresse que construisait Lord Asriel au sommet des montagnes, à la frontière du monde.

— Lord Asriel est là-bas ? demanda-t-elle.

— Oui, il est là-bas, répondirent les anges.

— Dans ce cas, allons le rejoindre. Vous serez ma garde d'honneur.

Sans protester, les anges déployèrent leurs ailes et mirent le cap vers la forteresse cerclée d'or, précédés par la sorcière impatiente.

Chapitre 7
La Rolls Royce

Lyra se réveilla de bon matin dans une douce chaleur, comme si cette ville n'avait jamais connu d'autre climat que ce paisible été. Elle se leva et descendit sans bruit. Entendant des voix et des cris d'enfants, là-bas dans l'eau, elle décida d'aller voir ce qu'ils faisaient.

Trois garçons et une fille, montés à bord de deux pédalos, traversaient le port inondé de soleil, en fonçant vers l'escalier de la digue. Ayant aperçu Lyra, ils ralentirent un instant, mais l'excitation de la course les reprit. Les vainqueurs heurtèrent avec une telle violence les marches de pierre que l'un des enfants tomba à l'eau et, voulant grimper dans l'autre pédalo, le fit chavirer ; tous se retrouvèrent à patauger joyeusement dans l'eau, comme si leur frayeur de la veille n'avait jamais existé. Ces quatre-là étaient plus jeunes que la plupart des enfants rassemblés au pied de la tour, constata Lyra, tandis qu'elle les rejoignait dans l'eau. Pantalaimon, transformé en petit poisson argenté, scintillait à ses côtés. Elle n'avait jamais eu de mal à lier connaissance avec d'autres enfants et, de fait, ceux-là se regroupèrent aussitôt autour d'elle. Ils s'étaient assis dans de petites mares d'eau salée sur les rochers chauds ; leurs chemises séchaient rapidement au soleil. Le pauvre Pantalaimon fut obligé de retourner au fond de la poche humide et froide de Lyra, sous la forme d'une grenouille.

– Qu'est-ce que vous allez faire de ce chat ?

– C'est vrai qu'il va vous porter bonheur ?

– Vous venez d'où ?

Ton ami, il n'a pas peur des Spectres ?

— Will n'a peur de rien, répondit Lyra. Et moi non plus. Pourquoi avez-vous peur des chats?

— Tu ne connais pas les chats? demanda le plus âgé des garçons, d'un ton incrédule. Ils ont le diable en eux! Dès que tu vois un chat, il faut le tuer. Si par malheur ils te mordent, ils introduisent le diable en toi. Et qu'est-ce que tu faisais avec ce fauve?

Lyra comprit qu'il faisait allusion à Pantalaimon transformé en léopard; elle secoua la tête d'un air parfaitement innocent.

— Vous avez rêvé, dit-elle. Beaucoup de choses prennent un aspect différent au clair de lune. Will et moi, nous n'avons pas de Spectres chez nous, alors, nous ne savons pas grand-chose sur eux.

— Tant que tu ne les vois pas, il n'y a rien à craindre, expliqua un garçon. Dès que tu les vois, ça veut dire qu'ils peuvent t'attaquer. C'est ce que disait mon père, jusqu'à ce qu'ils l'attrapent. Ce jour-là, il ne les a pas vus venir.

— Ils sont là en ce moment même, autour de nous?

— Oui, répondit la fille, et elle referma sa main sur une poignée d'air, en s'exclamant: «J'en ai un!»

— Ils ne peuvent pas nous faire de mal, expliqua l'un des garçons. Et donc, on ne peut pas leur en faire non plus.

— Il y a toujours eu des Spectres dans ce monde? demanda Lyra.

— Oui, répondit l'un des enfants, aussitôt contredit par un autre:

— Non, ils sont arrivés il y a longtemps. Des centaines d'années.

— À cause de la Guilde, ajouta le troisième.

— La quoi?

— C'est pas vrai! s'exclama la fillette. Ma grand-mère disait que les Spectres sont venus parce que les gens étaient méchants, et Dieu les a envoyés pour nous punir.

— C'est quoi la Guilde? répéta Lyra.

— Tu as vu la Torre degli Angeli, dit l'un des garçons, la grande tour de pierre. Eh bien, elle appartient à la Guilde, et à l'intérieur, il y a un endroit secret. La Guilde, c'est des hommes qui savent un tas de trucs. Philosophie, alchimie... ils connaissent plein de choses. Et c'est eux qui ont laissé entrer les Spectres.

— C'est pas vrai, déclara l'un de ses camarades. Ils sont venus des étoiles.

— C'est vrai, je te dis! Je sais ce qui s'est passé. Il y a des centaines d'années, un gars de la Guilde s'est amusé à séparer du métal. Du plomb, plus préci-sément. Il voulait le transformer en or. Il l'a coupé, encore et encore, de plus en plus, jusqu'à obtenir le plus petit morceau de plomb possible. Si petit qu'on ne pouvait même pas le voir à l'œil nu. Mais pourtant, il l'a encore coupé en deux, et à l'intérieur de ce morceau minuscule, il y avait tous les Spectres, tellement serrés et repliés les uns contre les autres qu'ils ne prenaient presque pas de place. Mais quand il l'a coupé... Hop! Ils ont tous jailli à l'air libre, et depuis, ils vivent ici. C'est mon papa qui me l'a raconté.

– Y a-t-il encore des membres de la Guilde à l'intérieur de la tour? interrogea Lyra.

– Non! Ils ont fichu le camp comme tout le monde, répondit la fillette.

– Il n'y a plus personne dans la tour. C'est un endroit hanté, dit l'un des garçons. C'est pour ça que le chat venait de là. Nous, on ne veut pas y entrer. Aucun enfant ne voudra jamais y aller.

– Les membres de la Guilde n'ont pas peur d'y entrer, eux, fit remarquer son camarade.

– Ils ont des pouvoirs magiques. Ce sont de sales profiteurs, ils vivent sur le dos des pauvres gens, dit la fillette. Les pauvres font tout le travail, et ceux de la Guilde vivent tranquillement sans rien faire.

– Il n'y a donc plus personne dans la tour? demanda Lyra. Aucun adulte?

– Il n'y a plus d'adultes nulle part!

– Ils ont trop peur!

Pourtant, elle avait aperçu un jeune homme là-haut, elle en était convaincue. En outre, il y avait quelque chose de bizarre dans la façon dont ces enfants s'exprimaient, comme s'ils récitaient un mensonge appris par cœur. Lyra savait reconnaître un menteur, et elle était sûre qu'ils lui dissimulaient quelque chose.

Soudain, un détail lui revint en mémoire : le petit Paolo avait dit qu'Angelica et lui avaient un frère aîné, Tullio, qui se trouvait en ville lui aussi, mais Angelica l'avait fait taire... Se pourrait-il que ce jeune homme qu'elle avait entrevu...?

Laissant aux enfants le soin de récupérer leurs pédalos naufragés pour repartir vers la plage, Lyra rentra faire du café et voir si Will était réveillé. Il dormait encore, le chat roulé en boule à ses pieds, mais Lyra avait hâte de rejoindre le Dr Malone, comme prévu. Elle écrivit un mot à l'attention de Will, qu'elle déposa par terre près du lit, puis elle prit son sac à dos et partit à la recherche de la fenêtre.

Le chemin qu'elle emprunta passait par la petite place où ils avaient débouché la veille. Elle était déserte maintenant, et les rayons du soleil, en balayant la façade de la vieille tour, faisaient ressortir les dessins sculptés dans la pierre, à demi effacés, autour de la porte : des silhouettes humaines aux longues ailes repliées. Leurs traits étaient érodés par des siècles d'intempéries mais, malgré tout, quelque chose dans leur immobilité exprimait le pouvoir, la compassion et la force intellectuelle.

—Des anges, commenta Pantalaimon, posé sur son épaule.

—Ou peut-être des Spectres, dit Lyra.

—Non. Les gamins ont parlé d'*angeli*, souviens-toi. Je mise sur des anges.

—On entre ?

Ils levèrent les yeux vers la grande porte en chêne reposant sur ses gonds noirs en fer ouvragé. La demi-douzaine de marches qui y menaient étaient usées ; la porte était entrouverte. Rien n'empêchait Lyra de pénétrer à l'intérieur de la tour, excepté sa peur.

Gravissant les marches sur la pointe des pieds, elle risqua un regard par l'entrebâillement de la porte. Elle ne distinguait qu'un hall obscur au sol de pierre, et encore. Pantalaimon battait nerveusement des ailes sur son épaule, comme le jour où ils avaient joué un sale tour aux crânes dans la crypte de Jordan College, mais elle avait acquis un peu de sagesse depuis. Cet endroit ne lui disait rien qui vaille. Elle dévala les marches et traversa la place en courant, vers la lumière du boulevard et les palmiers ensoleillés. Après s'être assurée que personne ne l'observait, elle marcha droit vers la fenêtre et plongea dans l'Oxford de Will.

Quarante minutes plus tard, elle pénétrait de nouveau dans le bâtiment du département de physique. De nouveau, elle dut parlementer avec le concierge ; mais cette fois elle possédait un atout.

—Appelez donc le Dr Malone, dit-elle de sa petite voix douce. Demandez-lui, elle vous dira.

Le concierge décrocha son téléphone, et Lyra l'observa avec pitié pendant qu'il composait le numéro. Le pauvre homme n'avait même pas droit à une loge digne de ce nom, comme dans un vrai collège d'Oxford, uniquement un grand comptoir en bois, comme s'il travaillait dans une boutique.

—Parfait, dit le concierge en se retournant vers Lyra. Le Dr Malone dit que tu peux monter. Mais attention, hein, pas question de traîner ailleurs.

—Oh, non, surtout pas, répondit-elle comme une petite fille bien obéissante.

Une surprise l'attendait en haut de l'escalier. Au moment où elle passait devant une porte ornée d'un dessin symbolisant une femme, celle-ci s'ouvrit et le Dr Malone lui fit signe d'entrer, sans dire un mot.

Lyra entra, intriguée. Ce n'était pas le laboratoire, c'étaient des toilettes, et le Dr Malone paraissait très nerveuse.

—Il y a quelqu'un dans le labo, Lyra. Des officiers de police ou quelque chose comme ça ; ils savent que tu es venue me voir hier. J'ignore ce qu'ils cherchent, mais je n'aime pas ça. Que se passe-t-il ?

—Comment savent-ils que je suis venue vous voir ?

—Aucune idée ! Ils ne connaissent pas ton nom, mais j'ai tout de suite compris qu'il s'agissait de toi...

—Je peux leur mentir. C'est facile.

—Mais que se passe-t-il, bon sang ?

Une voix de femme résonna dans le couloir, derrière la porte :

—Docteur Malone ? Avez-vous vu l'enfant ?

—Oui, oui, répondit le docteur. Je lui montre où sont les toilettes...

Elle n'avait aucune raison d'être aussi inquiète, se dit Lyra, mais peut-être n'était-elle pas habituée au danger.

La femme qui attendait dans le couloir était jeune et habillée avec élégance ; elle s'efforça de sourire quand Lyra sortit des toilettes, mais son regard était dur et soupçonneux.

—Bonjour, dit-elle. Tu es Lyra, c'est bien cela ?

—Oui. Et vous, c'est quoi votre nom ?

—Je suis le sergent Clifford. Suis-moi.

Lyra trouvait que cette jeune femme avait du culot de se comporter de la sorte, comme si elle était dans son laboratoire, mais elle acquiesça bien sagement. C'est à cet instant qu'elle sentit naître ses premiers remords. Elle savait qu'elle n'aurait pas dû se trouver là ; elle savait ce que l'aléthiomètre attendait d'elle, et ce n'était pas du tout ça. Elle marqua un temps d'arrêt sur le seuil du laboratoire.

Dans la pièce se trouvait déjà un homme grand et fort, aux sourcils blancs. Lyra savait à quoi ressemblaient les Érudits : ni cet homme, ni cette femme n'étaient des Érudits.

—Entre, Lyra, dit le sergent Clifford. Ne crains rien. Je te présente l'inspecteur Walters.

—Bonjour, Lyra, dit l'homme aux sourcils blancs. Le Dr Malone ici présente m'a longuement parlé de toi. J'aimerais te poser quelques questions, si tu veux bien ?

—Quel genre de questions ?

—Oh, rien de compliqué, dit l'inspecteur en souriant. Viens donc t'asseoir, Lyra.

Il poussa une chaise vers elle. Lyra s'assit timidement, elle entendit la porte se refermer derrière elle. Le Dr Malone se tenait à ses côtés. Caché dans la poche de poitrine de Lyra, sous son aspect de criquet, Pantalaimon s'agitait nerveusement ; elle le sentait contre sa poitrine et espérait que personne ne remarquerait les mouvements du tissu. Par la pensée, elle lui ordonna de se tenir tranquille.

—D'où viens-tu, Lyra ? demanda l'inspecteur Walters.

Si elle répondait : « Oxford », ils pourraient vérifier aisément. Mais elle ne pouvait pas non plus répondre : « Je viens d'un autre monde » ; ces gens étaient dangereux, ils voudraient immédiatement en savoir plus. Alors, elle pensa au seul autre endroit dont elle avait entendu parler dans ce monde : celui d'où venait Will.

– Winchester, dit-elle.

– On dirait que tu reviens de la guerre, Lyra, commenta l'inspecteur. D'où viennent tous ces bleus ? Tu en as un sur la joue, un autre sur la cuisse... Quelqu'un t'a maltraitée ?

– Non.

– Tu vas à l'école, Lyra ?

– Oui... Des fois, ajouta-t-elle.

– Ne devrais-tu pas être à l'école aujourd'hui ?

Elle ne dit rien. En fait, elle se sentait de plus en plus mal à l'aise. Elle se tourna vers le Dr Malone, dont le visage était crispé et sombre.

– Je suis venue ici juste pour voir le Dr Malone, déclara la fillette.

– Tu habites à Oxford en ce moment, Lyra ? Où loges-tu ?

– Chez des gens. Des amis.

– À quelle adresse ?

– Je sais pas exactement comment ça s'appelle. Je peux y aller sans problème, mais je me souviens plus du nom de la rue.

– Qui sont ces gens ?

– Oh, des amis de mon père.

– Je vois. Pourquoi as-tu contacté le Dr Malone ?

– Mon père est physicien, il la connaît.

Ça devenait plus facile maintenant. Elle commençait à se détendre, les mensonges lui venaient plus aisément.

– Et elle t'a montré sur quoi elle travaillait, n'est-ce pas ?

– Oui. La machine avec l'écran... Tout ça.

– Tu t'intéresses à ce genre de choses ? La science et ainsi de suite ?

– Oui. Surtout la physique.

– Tu veux devenir une scientifique, toi aussi, quand tu seras plus grande ?

Ce genre de question ne méritait pour toute réponse qu'un regard vide. L'inspecteur ne se laissa pas démonter pour autant. Ses yeux pâles se posèrent brièvement sur sa jeune collègue, avant de revenir sur Lyra.

– As-tu été étonnée par ce que le Dr Malone t'a montré ?

– Oui, un peu, mais je savais à quoi m'attendre.

– À cause de ton père ?

– Ouais. Il fait le même genre de travail.

– En effet. Et tu comprends ce qu'il fait comme travail ?

454

—Pas tout.

—Ton père s'intéresse à la matière sombre, hein?

—Exact.

—Est-il aussi avancé que le Dr Malone dans ses recherches?

—Pas de la même façon. Il est meilleur dans certains domaines, mais il n'a pas de machine comme celle-ci, avec des mots sur un écran.

—Est-ce que Will habite chez tes amis, lui aussi?

—Oui, il...

Elle s'interrompit. Immédiatement, elle comprit qu'elle avait commis une grave erreur.

Et les autres aussi. Ils se levèrent aussitôt pour l'empêcher de s'enfuir, mais comme par miracle, le Dr Malone se trouvait sur leur chemin; le sergent trébucha et tomba, bloquant le passage à l'inspecteur. Lyra eut le temps de bondir hors de la pièce, de claquer la porte derrière elle et de foncer ventre à terre vers l'escalier.

Au même moment, deux hommes en blouse blanche débouchèrent dans le couloir; Lyra ne put les éviter. Mais Pantalaimon se transforma en corbeau et poussa des cris stridents en battant des ailes. Surpris et effrayés, les deux hommes reculèrent et Lyra parvint à leur échapper pour dévaler la dernière volée de marches et jaillir dans le hall, juste au moment où le concierge raccrochait son téléphone et se levait péniblement de son siège en s'écriant :

—Hé, là-bas! Stop! Hé, toi!

Heureusement, l'abattant qu'il devait soulever pour sortir de derrière son comptoir se trouvait à l'autre extrémité, et Lyra atteignit la porte à tambour avant qu'il n'ait le temps d'intervenir.

Mais dans son dos, les portes de l'ascenseur s'ouvrirent... Et l'homme aux cheveux très clairs se précipita. Il courait vite, très vite...

Et cette fichue porte à tambour qui refusait de s'ouvrir! Pantalaimon hurla pour attirer son attention : ils poussaient dans le mauvais sens!

Laissant échapper un cri d'effroi, Lyra s'engouffra dans le compartiment voisin et pesa de tout son poids contre l'épaisse paroi de verre, en la suppliant de bouger; elle pivota enfin, juste à temps pour lui permettre d'échapper à la main tendue du concierge, qui bloquait maintenant le chemin de l'homme aux cheveux pâles, si bien que Lyra put jaillir hors du bâtiment et s'enfuir à toutes jambes, avant que ses poursuivants ne franchissent la porte à tambour.

Elle traversa la rue, ignorant les voitures, les coups de klaxon, les crissements de pneus; elle s'engouffra dans un espace entre deux grands édifices, et déboucha sur une autre route encombrée de voitures roulant dans les deux sens, mais elle parvint à zigzaguer au milieu des véhicules et des vélos.

L'homme aux cheveux presque délavés était toujours sur ses talons. Il était effrayant !

Lyra sauta dans un jardin, en escaladant une clôture, et traversa des buissons ; Pantalaimon, transformé en martinet, volait au-dessus d'elle pour lui indiquer dans quelle direction elle devait courir. Finalement, elle s'accroupit derrière un coffre à charbon, au moment où les pas de son poursuivant la dépassaient à toute vitesse, et bientôt, elle n'entendit plus le bruit de sa respiration haletante. Pantalaimon lui glissa :

—Fais demi-tour maintenant. Retourne vers la route...

Elle sortit de sa cachette, traversa le jardin dans l'autre sens, en courant, et emprunta la porte cette fois, pour déboucher sur Banbury Road, à découvert. De nouveau, elle se faufila au milieu des voitures... et des crissements de pneus sur la chaussée. Quelques instants plus tard, elle remontait à petites foulées Norham Garden, une rue paisible bordée d'arbres et de grandes maisons victoriennes.

Elle s'arrêta pour reprendre son souffle. Une grande haie s'étendait devant l'un des jardins, surmontant un muret de pierre, et Lyra s'assit à l'abri sous les branches d'un troène.

—Le Dr Malone nous a aidés ! dit Pantalaimon. Elle s'est mise exprès sur leur chemin. Elle est de notre côté, pas du leur !

—Oh, Pan, se lamenta Lyra, je n'aurais pas dû leur parler de Will... Je n'ai pas été assez prudente...

—Tu n'aurais pas dû aller là-bas, surtout, dit le dæmon d'un ton sévère.

—Oui, je sais. Tu as raison...

Mais elle n'eut pas le temps de se morigéner car, soudain, Pantalaimon s'agita sur son épaule, et murmura :

—Regarde ! Derrière...

Il se métamorphosa immédiatement en criquet et sauta dans sa poche.

Lyra se releva d'un bond, prête à fuir ; c'est alors qu'elle vit une grosse voiture bleu foncé glisser en silence le long du trottoir, et s'arrêter à sa hauteur. Les muscles bandés, elle se préparait à foncer d'un côté ou de l'autre, mais la vitre arrière de la voiture s'abaissa, et la fillette découvrit un visage qu'elle reconnut aussitôt.

—Lizzie ! dit le vieil homme du musée. Quelle joie de te revoir. Puis-je te déposer quelque part ?

Il ouvrit sa portière et se déplaça sur la banquette pour lui faire une place à côté de lui à l'arrière de la voiture. Pantalaimon eut beau lui mordiller la poitrine à travers le coton fin de son chemisier, Lyra monta aussitôt à bord de la Rolls Royce, en serrant son sac à dos contre sa poitrine, et le vieil homme se pencha au-dessus d'elle pour refermer la portière.

—Tu sembles bien pressée, dit-il. Où veux-tu aller ?

—À Summertown, s'il vous plaît.

Le chauffeur portait une casquette à visière. Tout dans cette voiture respirait le luxe, le raffinement et le pouvoir ; l'odeur de l'eau de Cologne du vieil homme imprégnait l'atmosphère confinée. La voiture redémarra sans aucun bruit.

—Eh bien, quoi de neuf, Lizzie ? demanda le vieil homme. As-tu approfondi tes connaissances au sujet de ces crânes ?

—Oui, répondit-elle en se tortillant pour regarder par la vitre arrière.

Aucune trace de l'homme aux cheveux très clairs. Elle l'avait semé ! Et jamais il ne la retrouverait maintenant qu'elle était à l'abri dans la voiture puissante d'un homme riche. Elle laissa échapper un petit hoquet de triomphe.

—Je me suis renseigné de mon côté, dit-il. Un ami anthropologue m'a appris qu'ils avaient d'autres crânes dans leur collection, en plus de ceux qui sont exposés. Certains sont très anciens, sais-tu. Ils datent du Neandertal !

—Oui, c'est ce que j'ai entendu dire, moi aussi, répondit Lyra, qui n'avait aucune idée de ce qu'il racontait.

—Comment va ton amie ?

—Quel ami ? demanda Lyra, paniquée.

Lui avait-elle parlé de Will, à lui aussi ?

—L'amie qui t'héberge.

—Ah ! Oui, oui, elle va très bien, merci.

—Que fait-elle dans la vie ? Elle est archéologue ?

—Euh… non. Elle est physicienne. Elle étudie la matière sombre, répondit Lyra, qui manquait encore un peu d'assurance.

Décidément, il était plus difficile de mentir dans ce monde qu'elle ne l'avait cru. D'autant qu'autre chose la tracassait : ce vieil homme avait quelque chose d'étrangement familier, comme si elle l'avait connu longtemps auparavant, mais impossible de dire dans quelles circonstances.

—La matière sombre ? répéta-t-il. Comme c'est intéressant ! J'ai lu un article sur ce sujet ce matin même, dans le *Times*. L'univers est rempli de cette substance mystérieuse, mais personne ne sait ce que c'est ! Et ton amie mène des recherches sur ce sujet, c'est ça ?

—Oui. Elle sait un tas de choses.

—Que comptes-tu faire plus tard, Lizzie ? Tu veux étudier la physique, toi aussi ?

—Peut-être. Ça dépend.

Le chauffeur toussota discrètement et la voiture ralentit.

—Nous sommes arrivés à Summertown, dit le vieil homme. Où veux-tu que je te dépose?

—Oh... juste après les boutiques, là-bas. Je finirai à pied, dit Lyra. Merci.

—Tournez à gauche dans South Parade, et garez-vous sur le côté droit, voulez-vous, Allan.

—Très bien, monsieur, répondit le chauffeur.

Une minute plus tard, la voiture s'arrêtait en silence devant une bibliothèque municipale. Le vieil homme ouvrit la portière de son côté, si bien que Lyra dut enjamber ses genoux pour sortir. Certes, la voiture était spacieuse, mais ce n'était pas très pratique, et elle n'avait pas envie de toucher cet homme, si gentil fût-il.

—N'oublie pas ton sac à dos, dit-il en le lui tendant.

—Merci.

—À bientôt, j'espère, Lizzie. Salue ton amie de ma part.

—Au revoir, dit-elle, et elle resta sur le trottoir jusqu'à ce que la voiture eût tourné et disparu au coin de la rue, puis se dirigea vers l'alignement de marronniers. Elle avait un pressentiment étrange au sujet de cet homme aux cheveux pâles, et elle voulait interroger l'aléthiomètre.

Will relisait les lettres de son père. Assis à la terrasse du café, il entendait au loin les cris des enfants qui s'amusaient à plonger de l'extrémité de la digue, et ses yeux restaient fixés sur cette écriture élégante qui couvrait les fines feuilles de papier « par avion » ; il essayait d'imaginer l'homme qui avait tracé ces mots, et sans cesse, il relisait l'allusion à ce bébé, qui n'était autre que lui-même.

Il entendit Lyra arriver en courant. Le temps qu'il range les lettres dans sa poche et se lève, elle était déjà là, l'air affolé, accompagnée de Pantalaimon transformé en chat sauvage menaçant, tellement désespéré lui aussi qu'il ne songeait même pas à se cacher. Lyra, qui pleurait rarement, sanglotait de rage ; sa poitrine se soulevait, elle serrait les dents. Finalement, elle se jeta sur Will, en lui agrippant les bras et en criant :

—Tue-le! Tue-le! Je veux le voir mourir! Ah, si seulement Iorek était ici... Oh, Will, j'ai fait une bêtise, je suis navrée...

—Quoi? Que se passe-t-il?

—Le vieil homme... ce n'est qu'un sale voleur, en réalité... Il me l'a volé, Will! Il m'a volé l'aléthiomètre! Ce vieux bonhomme puant, avec ses beaux vêtements et son domestique qui conduit la voiture... Oh, je n'ai fait que des bêtises ce matin... Je...

Elle sanglotait avec une telle violence que Will fut persuadé que les cœurs se brisaient pour de bon parfois, comme celui de Lyra à cet instant, car elle se laissa tomber par terre, en gémissant et en tremblant. À ses côtés, Pantalaimon se transforma en loup pour hurler toute sa peine et sa rancœur.

De l'autre côté du port, les enfants interrompirent leurs jeux et mirent leurs mains en visière pour voir ce qui se passait. Will s'accroupit près de Lyra et la secoua par les épaules.

—Arrête! Arrête de pleurer! Raconte-moi tout depuis le début. Qui est ce vieil homme dont tu parles? Que s'est-il passé?

—Oh, tu vas être furieux… J'avais juré de ne jamais te trahir. J'ai juré et…

Elle se remit à sangloter, et Pantalaimon se transforma en jeune chiot pataud qui baisse les oreilles et agite la queue en signe d'humiliation. Will comprit alors que Lyra avait fait une chose dont elle avait honte, et il décida de s'adresser au dæmon.

—Que s'est-il passé? Raconte-moi tout.

Pantalaimon s'exécuta:

—On est allés voir le Dr Malone, mais il y avait déjà quelqu'un, un homme et une femme, et ils nous ont piégés. Ils ont posé un tas de questions, et soudain, ils ont parlé de toi, et on a laissé échapper qu'on te connaissait. Après, on s'est enfuis…

Lyra cachait son visage dans ses mains, le front appuyé contre le trottoir. En proie à la plus vive agitation, Pantalaimon passait d'une forme à l'autre: chien, oiseau, chat, hermine au pelage immaculé.

—À quoi ressemblait l'homme qui t'a interrogée? demanda Will.

—Il était grand, répondit Lyra d'une voix étouffée, et très très fort, avec des yeux pâles…

—Est-ce qu'il t'a vue repasser par la fenêtre?

—Non, mais…

—Dans ce cas, il ne sait pas où on est.

—Mais l'aléthiomètre! s'exclama-t-elle en se redressant avec fougue, le visage crispé par l'émotion, comme un masque de la tragédie grecque.

—Parle-moi de cette histoire, dit Will.

Entre deux sanglots et grincements de dents, elle lui raconta ce qui s'était passé: le vieil homme l'avait vue utiliser l'aléthiomètre dans le musée, la veille. Aujourd'hui, il s'était arrêté devant elle avec sa voiture et elle y était montée pour échapper à l'homme aux cheveux pâles. Pour descendre, elle avait été obligée d'enjamber le vieux bonhomme; c'est à ce moment-là qu'il avait dû subtiliser l'aléthiomètre, avant de lui tendre son sac à dos…

Will voyait à quel point elle était effondrée, sans comprendre toutefois pourquoi elle se sentait coupable. Mais Lyra n'avait pas fini:

—J'ai fait quelque chose de très mal, Will, pardonne-moi. L'aléthiomètre m'avait pourtant dit de ne plus m'intéresser à la Poussière. À la place, il voulait que je t'aide à retrouver ton père. Et je pourrais le faire, je pourrais te conduire jusqu'à lui, si j'avais encore l'aléthiomètre. Mais je n'ai pas voulu l'écouter. Je n'en ai fait qu'à ma tête, et je n'aurais pas dû...

Will l'avait vue se servir de cet instrument, il savait qu'elle ne mentait pas. Il détourna la tête. Lyra lui agrippa les poignets, mais il se libéra et marcha vers le bord de l'eau. Les enfants continuaient à s'amuser de l'autre côté du port. Lyra le rejoignit en courant.

— Will, je suis désolée...

— Qu'est-ce que ça change ? Je me fiche pas mal que tu sois désolée ou pas. Le mal est fait.

— Il faut qu'on s'aide mutuellement, Will, toi et moi, car on n'a personne d'autre !

— Je ne vois pas comment.

— Moi non plus, mais...

Elle s'interrompit au milieu de sa phrase, et une lueur s'alluma dans ses yeux. Elle courut chercher son sac à dos resté sur le trottoir et fouilla à l'intérieur avec frénésie.

— Je sais qui est cet homme ! Et je sais où il vit. Regarde ! s'exclama-t-elle en brandissant une petite carte blanche. Il m'a donné ça au musée ! On va pouvoir aller récupérer l'aléthiomètre !

Will lui prit la carte des mains et lut :

Sir Charles Latrom
Limefield House
Old Headington
Oxford

— Cet homme porte le titre de « sir », c'est un noble, dit-il. Ça signifie que les gens le croiront forcément plus que nous. Que voudrais-tu que je fasse, de toute façon ? Que j'aille voir la police ? Je suis recherché ! Du moins, si je ne l'étais pas hier, je le suis aujourd'hui ! Même chose pour toi : ils savent qui tu es maintenant, et ils savent que tu me connais ; ça ne marchera pas non plus.

— On pourrait le voler. On pourrait aller chez ce type et voler l'aléthiomètre. Je sais où se trouve Headington, il y a un Headington dans mon Oxford. C'est pas très loin. On pourrait y être en une heure, à peine.

— Tu es idiote.

— Iorek Byrnison, lui, il irait chez ce bonhomme et il lui arracherait la tête. Dommage qu'il ne soit pas là. Il le...

Elle n'acheva pas sa phrase. Will la regardait fixement, et elle frissonna. Elle aurait frissonné de la même manière si l'ours en armure l'avait regardée ainsi, car il y avait dans les yeux de Will, si jeunes soient-ils, quelque chose qui lui rappelait Iorek.

—Je n'ai jamais rien entendu d'aussi stupide de toute ma vie, dit-il. Tu crois qu'on peut tout simplement aller là-bas, s'introduire dans la maison et voler ton machin ? Réfléchis un peu ! Sers-toi de ta cervelle, bon sang ! Ce type doit avoir un tas de systèmes d'alarme et des trucs comme ça, s'il est vraiment riche. Je parie qu'il y a des sirènes qui se déclenchent, des serrures spéciales et des lumières à infrarouge qui s'allument toutes seules...

—Je sais pas de quoi tu parles, dit Lyra. On n'a pas ça dans mon monde. Je pouvais pas le savoir, Will.

—D'accord, alors écoute-moi bien : il a pu cacher l'aléthiomètre n'importe où dans sa maison. Combien de temps faudrait-il à un cambrioleur pour fouiller tous les tiroirs, tous les placards, toutes les autres cachettes possibles ? Les deux types qui sont venus chez moi ont eu des heures pour fouiller partout, et pourtant, ils n'ont pas trouvé ce qu'ils cherchaient. Et je suppose que la maison de ce bonhomme est bien plus grande que la mienne. En outre, il a sûrement un coffre-fort. Conclusion, même si on parvenait à s'introduire chez lui, on n'a aucune chance de retrouver l'aléthiomètre avant l'arrivée de la police.

Elle baissa la tête. Il avait raison.

—Qu'est-ce qu'on va faire, alors ?

Will ne répondit pas. Mais quoi qu'ils fassent, ils le feraient ensemble, car le sort de Will était lié au sien désormais, que cela lui plaise ou non.

Il marcha jusqu'au bord de l'eau, revint vers la terrasse, retourna au bord de l'eau. Tout cela en tapant dans ses mains, à la recherche d'une solution qui ne venait pas, et il secoua la tête d'un air rageur.

—Le mieux... c'est d'y aller, dit-il. Allons rendre visite à ce type. Inutile de demander à ta scientifique de t'aider, surtout si la police est allée l'interroger. Elle les croira plus facilement que nous. Au moins, si on arrive à entrer dans la maison, on pourra repérer l'emplacement des pièces principales. Ce sera déjà un début.

Sur ce, il retourna dans le café, monta au premier étage et cacha les lettres sous l'oreiller du lit où il avait dormi. Ainsi, s'il se faisait prendre, ils ne les auraient pas.

Lyra l'attendait sur la terrasse ; Pantalaimon était perché sur son épaule, sous l'aspect d'un moineau. Elle semblait avoir retrouvé le sourire.

—On va le récupérer, dit-elle. Je le sens.

Will ne dit rien. Ils prirent la direction de la fenêtre.

Il leur fallut une heure et demie pour atteindre Headington à pied. Lyra ouvrit le chemin, en évitant de passer par le centre ville, tandis que Will surveillait les alentours sans rien dire. Pour Lyra, cette épreuve était bien plus pénible qu'elle ne l'avait été dans l'Arctique, sur le chemin de Bolvangar car, alors, elle avait les gitans et Iorek Byrnison à ses côtés. Ici, dans cette ville qui était la sienne sans l'être véritablement, le danger pouvait prendre une apparence amicale, la perfidie pouvait vous sourire et répandre un parfum suave ; et même si ces gens n'avaient pas l'intention de la tuer ou de la séparer de Pantalaimon, ils lui avaient volé son unique guide. Sans l'aléthiomètre, elle n'était qu'une petite fille égarée.

Limefield House était une grande maison couleur de miel, dont la façade était à demi recouverte de vigne vierge. La demeure se dressait au centre d'un grand jardin parfaitement entretenu, planté d'arbustes ; une allée de gravier serpentait jusqu'à la porte d'entrée. La Rolls Royce était garée devant un double garage, sur la gauche. Tout ce que Will voyait ici évoquait la richesse et le pouvoir, le genre de supériorité établie et informelle que certains membres des classes supérieures anglaises tenaient encore pour acquise. Il y avait dans tout cela quelque chose qui le faisait grincer des dents, sans qu'il sût pourquoi.

Soudain, il se souvint du jour où, lorsqu'il était encore tout jeune, sa mère l'avait emmené dans une maison assez semblable à celle-ci. Ils avaient revêtu l'un et l'autre leurs plus beaux habits, et sa mère lui avait recommandé de bien se tenir. Ce jour-là, un couple de gens âgés avait fait pleurer sa mère, et quand ils avaient quitté cette maison, elle pleurait encore...

Son souffle s'accéléra, il serra les poings de rage. Lyra avait remarqué cette tension soudaine, mais elle eut l'intelligence de ne pas l'interroger ; cela ne la regardait pas. Will prit une profonde inspiration.

– Très bien, tentons notre chance, dit-il.

Il s'engagea dans l'allée, suivi de près par Lyra. Ils avaient l'impression que des milliers d'yeux les observaient.

La porte était dotée d'une poignée de sonnette à l'ancienne, comme celles qui existaient dans le monde de Lyra, et Will chercha où il devait sonner, jusqu'à ce que Lyra vienne à son secours. Ils tirèrent sur la poignée et la cloche résonna longuement dans les profondeurs de la maison.

L'homme qui vint ouvrir était le domestique qui conduisait la voiture, mais il ne portait plus sa casquette à visière. Il regarda d'abord Will, puis Lyra, et son expression se modifia très légèrement.

Nous venons voir Sir Charles Latrom, annonça Will.

Il pointait le menton d'un air de défi, comme la veille, au pied de la tour, face aux enfants qui lançaient des pierres sur le chat. Le domestique acquiesça.

—Attendez ici. Je vais prévenir Sir Charles.

Il referma la porte. Elle était en chêne massif, avec deux épaisses serrures, et des verrous en haut et en bas. Jamais, songea Will, un cambrioleur sensé n'essaierait d'entrer par cette porte. Un système d'alarme anti-effractions était installé de manière ostensible, sur la façade, accompagné d'un gros projecteur à chaque angle. Ils n'auraient eu aucune chance de s'approcher, et encore moins d'entrer, sans se faire repérer.

Un bruit de pas réguliers résonna derrière la porte, et celle-ci s'ouvrit de nouveau. Will leva les yeux vers cet homme qui possédait déjà tellement de choses qu'il en voulait davantage et fut surpris de découvrir sur son visage tant de douceur, de calme et de puissance ; aucune trace de culpabilité ni de honte.

Sentant l'impatience et la colère de Lyra à ses côtés, Will dit rapidement :

—Excusez-moi, mais Lyra croit avoir oublié quelque chose dans votre voiture quand vous l'avez ramenée tout à l'heure.

—Lyra ? Je ne connais aucune Lyra. Quel drôle de nom. En revanche, je connais une enfant prénommée Lizzie. Et toi, qui es-tu, mon garçon ?

Se maudissant pour cette gaffe, Will déclara :

—Je suis son frère, Mark.

—Hmm, je vois. Bonjour, Lizzie... ou Lyra. Entrez donc.

Il s'écarta pour les laisser entrer. Ni Will, ni Lyra ne s'attendaient à cette réaction. Ils pénétrèrent dans la maison d'un pas hésitant. Le vestibule, plongé dans une demi-pénombre, sentait la cire d'abeille et les fleurs. Tout était propre et brillant ; un grand meuble vitré en acajou renfermait de délicates figurines en porcelaine. Will remarqua que le domestique se tenait légèrement en retrait, comme s'il attendait qu'on le siffle.

—Suivez-moi dans mon bureau, dit Sir Charles, et il ouvrit une porte donnant sur le vestibule.

Il se montrait courtois, et même accueillant ; malgré tout, quelque chose d'étrange dans ses manières incitait Will à demeurer sur ses gardes. Le bureau était une grande pièce confortable dont les murs disparaissaient sous les rayonnages de livres, les tableaux et les trophées de chasse. Trois ou quatre vitrines abritaient de vieux instruments scientifiques : microscopes en cuivre, télescopes gainés de cuir vert, sextants, boussoles... On comprenait pourquoi il s'intéressait à l'aléthiomètre.

—Asseyez-vous, ordonna Sir Charles en désignant un canapé en cuir. (Il alla s'asseoir dans le fauteuil derrière son bureau.) Eh bien ? reprit-il. Je vous écoute.

—Vous m'avez volée ! s'écria Lyra avec fougue, mais Will la foudroya du regard, et elle se tut.

—Lyra pense qu'elle a oublié quelque chose dans votre voiture, répéta-t-il. Nous sommes venus le chercher.

—Vous faites allusion à ceci ? demanda Sir Charles en sortant du tiroir de son bureau un objet enveloppé de velours noir.

Lyra se leva. Sans lui prêter attention, l'homme déplia l'étoffe, faisant apparaître la splendeur dorée de l'aléthiomètre qui reposait au creux de sa paume.

—Oui ! s'écria Lyra en essayant de s'en emparer.

Mais Sir Charles referma le poing. Le bureau était large, et Lyra avait le bras trop court. Avant qu'elle ne puisse faire quoi que ce soit, il pivota dans son fauteuil et déposa l'aléthiomètre dans une vitrine dont il ferma la porte à clé. Puis il glissa la clé dans la petite poche de son gilet.

—Cet objet ne t'appartient pas, Lizzie, dit-il. Ou Lyra, si tel est ton vrai nom.

—C'est à moi ! C'est mon aléthiomètre !

Il secoua la tête, d'un air triste, comme s'il était sincèrement désolé de la contredire, mais le faisait pour son bien.

—Je pense qu'il existe, pour le moins, de sérieux doutes à ce sujet, dit-il.

—C'est à elle ! s'exclama Will. Je vous l'assure ! Elle me l'a montré ! Je sais que c'est à elle !

—Il faudrait pouvoir le prouver, rétorqua Sir Charles. Moi, je n'ai aucune preuve à apporter, car l'objet est en ma possession. On peut donc supposer qu'il m'appartient. Au même titre que tous les autres objets de ma collection. J'avoue, Lyra, que je m'étonne de découvrir que tu es malhonnête...

—Je ne suis pas malhonnête !

—Oh que si. Tu m'as dit que tu t'appelais Lizzie. Maintenant, j'apprends que c'est faux. Franchement, tu ne peux pas espérer convaincre quiconque qu'un objet d'une telle valeur t'appartient. Prévenons la police.

Il tourna la tête pour appeler le domestique.

—Non, attendez ! dit Will avant que Sir Charles n'ouvre la bouche.

Au même moment, Lyra se précipita derrière le bureau, et Pantalaimon, jailli de nulle part, se retrouva dans ses bras : chat sauvage enragé montrant les dents et crachant devant le vieil homme. Sir Charles sursauta devant cette apparition inattendue du dæmon, sans toutefois paraître effrayé.

—Vous ne savez même pas ce que vous avez volé ! lança Lyra. Vous m'avez vue utiliser cet instrument, et vous avez décidé de me le voler. Mais, en fait, vous êtes pire que ma mère, car elle au moins, elle connaît l'importance de l'aléthiomètre, alors que vous, vous allez le ranger dans une vitrine, sans vous en servir ! Je voudrais vous voir mourir ! Si je pouvais, je demanderais à quelqu'un de vous tuer. Vous ne méritez pas de vivre. Vous...

L'émotion l'empêcha de continuer. La seule chose qu'elle pouvait faire, c'était lui cracher au visage, et elle le fit, avec toute sa hargne.

Pendant ce temps, Will, assis sur le canapé, regardait autour de lui ; il mémorisait l'emplacement de chaque chose.

Calmement, Sir Charles prit sa pochette en soie, la déplia d'un petit geste du poignet et s'essuya le visage.

— Es-tu donc incapable de te contrôler ? dit-il. Retourne t'asseoir, sale petite teigne.

Lyra sentit les larmes couler de ses yeux, sous l'effet des tremblements qui agitaient son corps ; elle se jeta sur le canapé. Pantalaimon vint se poster sur ses genoux, sa queue de gros chat sauvage dressée et ses yeux éclatants fixés sur le vieil homme.

Will, lui, resta muet et perplexe. Sir Charles aurait pu les jeter dehors depuis longtemps, se disait-il. À quel jeu jouait-il ?

C'est alors qu'il vit une chose si invraisemblable qu'il crut l'avoir imaginée. De la manche de la veste en lin de Sir Charles, sous le poignet immaculé de la chemise blanche, surgit la petite tête vert émeraude d'un serpent ! Sa langue noire fourchue darda de tous les côtés, sa tête maillée, aux yeux noirs cerclés d'or, se tendit vers Lyra, puis vers Will, avant de revenir sur la fillette. Mais cette dernière était trop aveuglée par sa colère pour y prêter attention, et Will ne vit le serpent qu'un très bref instant, avant qu'il ne retourne se réfugier dans la manche du vieil homme. Il demeura bouche bée.

Comme si de rien n'était, Sir Charles se dirigea vers la banquette placée sous la fenêtre et s'y assit calmement, en lissant les plis de son pantalon.

— Je crois que vous feriez mieux de m'écouter, au lieu de vous comporter de manière irresponsable, dit-il. D'ailleurs, vous n'avez pas vraiment le choix. L'instrument est en ma possession, et il le restera. J'y tiens beaucoup. Je suis un collectionneur, voyez-vous. Vous pouvez cracher, taper du pied, hurler tant que vous voulez ; le temps que vous réussissiez à persuader quiconque de simplement vous écouter, j'aurai rassemblé un tas de documents prouvant que je l'ai acheté. C'est très facile. Et vous ne le récupérerez jamais.

Will et Lyra ne disaient plus rien. Sir Charles n'avait pas fini. Un immense sentiment de perplexité ralentissait les battements du cœur de Lyra et semblait figer l'atmosphère de la pièce.

— Toutefois, ajouta le vieil homme, il existe un objet que je désire encore plus. Et ne pouvant me le procurer moi-même, je suis prêt à vous proposer un marché. Vous me rapportez l'objet en question, et je vous rends le... comment l'avez-vous appelé ?

— L'aléthiomètre, dit Lyra d'une voix enrouée.

— Aléthiomètre. Comme c'est intéressant. *Aletheia...* la « vérité », en grec... Ah, oui, je comprends... tous ces symboles.

— Quelle est cette chose ? demanda Will. Et où est-elle ?

— Dans un endroit où je ne peux pas aller, contrairement à vous. Je sais parfaitement que vous avez découvert un passage quelque part. Et je suppose qu'il n'est pas très loin de Summertown, là où j'ai déposé Lizzie, pardon, Lyra. Derrière cette porte, il existe un autre monde, un monde sans adultes. Je ne me trompe pas, jusqu'à présent ? Voyez-vous, l'homme qui a ouvert cette porte possède un couteau. Et l'homme en question se cache dans cet autre monde ; il tremble de peur. Non sans raison, d'ailleurs. S'il est bien là où je le suppose, il s'est réfugié dans une vieille tour de pierre, dont la porte est encadrée d'anges sculptés. La Torre degli Angeli. C'est là que vous devrez aller. Débrouillez-vous comme vous le pouvez, je veux ce couteau. Rapportez-le-moi, et vous aurez votre aléthiomètre. Certes, je serai triste de voir partir un si bel objet, mais je suis un homme de parole. Vous savez ce qu'il vous reste à faire : apportez-moi le couteau.

CHAPITRE 8
LA TOUR DES ANGES

 Will demanda :

— Qui est cet homme qui détient le couteau ?

Ils traversaient Oxford à bord de la Rolls Royce. Sir Charles était assis à l'avant, à demi tourné sur son siège ; Will et Lyra avaient pris place à l'arrière. Pantalaimon, métamorphosé en souris, se reposait entre les mains de la fillette.

— Quelqu'un qui n'a pas plus de droits sur ce couteau que je n'en ai sur l'aléthiomètre, répondit Sir Charles. Malheureusement, pour nous tous, l'aléthiomètre est en ma possession, et c'est cet homme qui a le couteau.

— Mais comment connaissez-vous l'existence de cet autre monde ?

— Je sais un tas de choses que vous ignorez. Cela vous étonne ? Je suis beaucoup plus âgé que vous, et beaucoup mieux informé. Il existe un certain nombre de portes entre ce monde-ci et l'autre ; ceux qui connaissent leurs emplacements peuvent voyager aisément entre les deux. Il existe à Cittàgazze une Guilde de soi-disant Érudits qui ne s'en privaient pas autrefois.

— Vous n'êtes pas d'ici ! s'exclama Lyra tout à coup. Vous venez de cet autre monde, pas vrai ?

Une fois de plus, elle ressentit cet étrange tiraillement de la mémoire ; elle aurait parié qu'elle avait déjà vu cet homme quelque part.

— Non, c'est faux, répondit-il.

Will intervint :

— Si on veut reprendre le couteau à cet homme, on a besoin d'en savoir plus sur lui. Car je doute qu'il nous le donne de son plein gré, n'est-ce pas ?

—Certainement pas. Ce couteau est l'unique chose capable de repousser les Spectres. Ce ne sera pas une tâche facile, assurément.

—Les Spectres ont peur du couteau ?

—Oui, terriblement.

—Pourquoi attaquent-ils uniquement les adultes ?

—Vous n'avez pas besoin de le savoir pour l'instant. C'est sans importance. Lyra, ajouta Sir Charles en se tournant vers la fillette, parle-moi un peu de ton surprenant compagnon.

Il faisait allusion à Pantalaimon. Dès qu'il prononça ces mots, Will comprit que le serpent caché dans la manche du vieil homme était un dæmon lui aussi, et que Sir Charles venait certainement du même monde que Lyra. Il l'interrogeait sur Pantalaimon afin de donner le change ; il ignorait donc que Will avait entr'aperçu son dæmon.

Lyra plaqua Pantalaimon contre sa poitrine, et celui-ci se métamorphosa aussitôt en gros rat noir. Il enroula sa longue queue autour du poignet de la fillette et foudroya Sir Charles avec ses yeux rouges.

—Vous n'étiez pas censé le voir, normalement, dit-elle. C'est mon dæmon. Vous autres, dans ce monde, vous croyez que vous n'avez pas de dæmon, mais c'est faux. Le vôtre, il aurait l'apparence d'un bousier !

Il rétorqua du tac au tac :

—Si les pharaons de l'ancienne Égypte s'estimaient flattés d'être représentés par un scarabée, je ne vais pas me plaindre. Ainsi, tu viens d'un monde encore différent. Très intéressant. L'aléthiomètre vient du même endroit que toi, ou bien tu l'as volé au cours de tes pérégrinations ?

—On me l'a donné ! répondit Lyra, furieuse. C'est le Maître de Jordan College qui me l'a remis. Il m'appartient légalement. Et vous ne sauriez même pas quoi en faire, espèce de vieil imbécile puant. Même en cent ans vous ne seriez pas capable de le déchiffrer. Pour vous, ce n'est qu'un jouet. Mais moi, j'en ai besoin, et Will aussi. On le récupérera, soyez tranquille.

—Nous verrons, dit Sir Charles. C'est ici que je t'ai déposée tout à l'heure. Vous voulez descendre ?

—Non, répondit Will, car il avait repéré une voiture de police un peu plus loin dans la rue. De toute façon, vous ne pouvez pas aller à Ci'gazze à cause des Spectres ; peu importe que vous sachiez où se trouve la fenêtre. Conduisez-nous un peu plus loin dans Ring Road.

—Comme vous voulez, dit Sir Charles, et la voiture redémarra. Quand vous aurez le couteau, si vous réussissez à le récupérer, téléphonez-moi. Allan viendra vous chercher.

Ils gardèrent tous le silence jusqu'à ce que le chauffeur arrête la Rolls Royce. Alors que Lyra et Will descendaient, Sir Charles s'adressa au garçon :

—Au fait, si vous ne pouvez pas récupérer le couteau, inutile de revenir. Si vous vous présentez chez moi les mains vides, j'appelle la police. Je suis sûr qu'ils s'empresseront d'arriver quand je leur donnerai ton vrai nom. William Parry, c'est bien ça ? Oui, je ne m'étais pas trompé. Il y a une excellente photo de toi dans les journaux d'aujourd'hui.

Sur ce, la Rolls Royce repartit. Will était estomaqué.

Lyra lui secoua le bras.

—T'en fais pas, lui dit-elle, il ne dira rien à personne. Il l'aurait déjà fait, sinon. Allez, viens.

Dix minutes plus tard, ils se tenaient sur la petite place, au pied de la tour des Anges. Will avait évoqué l'apparition du dæmon-serpent dans la manche de Sir Charles, et Lyra s'était immobilisée en pleine rue, harcelée une fois de plus par un souvenir vague. Qui était donc ce vieil homme ? Où l'avait-elle déjà vu ? Elle avait beau se creuser la cervelle, l'image demeurait floue.

—J'ai pas voulu en parler devant lui, dit Lyra, mais j'ai vu un homme tout là-haut, hier soir. Il s'est penché pour regarder en bas quand les enfants faisaient du raffut...

—Comment était-il ?

—Jeune, avec des cheveux bouclés. Pas vieux du tout. Mais je l'ai vu juste un instant, tout en haut, entre les créneaux. J'ai pensé que c'était peut-être... Tu te souviens d'Angelica et Paolo ; Paolo nous a dit qu'ils avaient un frère aîné, qui lui aussi était venu en ville, mais Angelica a fait taire Paolo, comme s'il dévoilait un secret. Je me suis dit que c'était peut-être lui. Peut-être qu'il cherche le fameux couteau, lui aussi. Et je pense que tous les enfants le savent. C'est même pour cette raison qu'ils sont revenus ici.

—Mmm, fit Will en levant les yeux vers le sommet de la tour. Peut-être...

Lyra repensa à sa discussion du matin avec les enfants, sur le port. Aucun d'eux n'oserait jamais entrer dans la tour, avaient-ils dit. Il y avait, paraît-il, des choses terrifiantes à l'intérieur. De fait, elle se souvenait encore de son propre sentiment de malaise lorsque Pantalaimon et elle avaient jeté un coup d'œil par la porte entrouverte, avant de quitter la ville. C'était peut-être pour cela qu'ils avaient besoin d'un adulte pour pénétrer dans la tour.

Son dæmon voletait autour de sa tête, papillon de nuit dans la lumière éclatante du soleil, et il lui murmurait ses inquiétudes à l'oreille.

—Chut, fit-elle. On n'a pas le choix, Pan. C'est notre faute. On doit réparer notre bêtise, et il n'y a pas d'autre moyen.

Will longea le mur de la tour, du côté droit. Au coin, une étroite ruelle pavée s'enfonçait entre la tour et la maison voisine, et Will s'y aventura, en levant les yeux, pour examiner les lieux. Lyra lui emboîta le pas. Il s'arrêta sous une fenêtre située à la hauteur du deuxième étage, et s'adressa à Pantalaimon :

—Peux-tu voler jusque là-haut et jeter un coup d'œil à l'intérieur ?

Le dæmon prit aussitôt l'apparence d'un moineau, et s'envola. Il pouvait tout juste atteindre la fenêtre, et Lyra laissa échapper un petit cri de douleur quand il se posa sur le rebord et resta perché là-haut pendant une ou deux secondes avant de redescendre. La fillette poussa un profond soupir et inspira plusieurs fois à fond, comme quelqu'un qui vient d'échapper à la noyade. Will l'observa d'un air perplexe.

—C'est très pénible quand ton dæmon s'éloigne de toi, expliqua-t-elle. Ça fait mal...

—Désolé. Alors, tu as vu quelque chose, Pantalaimon ?

—Des escaliers, répondit le dæmon. Et des pièces sombres. Avec des épées accrochées aux murs, des lances et des boucliers également, comme dans un musée. Et j'ai vu l'homme. Il... il dansait.

—Il dansait ?

—Oui, il avançait d'avant en arrière... en faisant de grands gestes avec sa main. On aurait dit qu'il combattait une chose invisible... Mais je l'ai juste entrevu à travers une porte ouverte. Pas très nettement.

—Peut-être qu'il se bat contre un Spectre ? suggéra Lyra.

En l'absence d'autres hypothèses, ils continuèrent leur inspection. Derrière la tour, un haut mur de pierre, surmonté de morceaux de verre pilé, protégeait un petit jardin où des parterres d'herbes aromatiques, soigneusement entretenus, entouraient une fontaine (Pantalaimon fut envoyé en éclaireur encore une fois). De l'autre côté, une ruelle semblable à la première les ramena à leur point de départ, sur la place. Les fenêtres tout autour de la tour étaient étroites et enfoncées dans la pierre, comme des yeux au milieu d'un visage renfrogné.

—Nous sommes obligés d'entrer par-devant, commenta Will.

Joignant le geste à la parole, il gravit les marches et poussa la porte. Les rayons du soleil s'engouffrèrent à l'intérieur de l'édifice ; les lourdes charnières grincèrent. Il avança d'un ou deux pas et, ne voyant personne, il continua de progresser. Lyra le suivait de près. Le sol était constitué de dalles de pierre usées et lustrées par les siècles, et l'air était frais.

Avisant une volée de marches qui s'enfonçait dans le sol, Will s'y aventura à petits pas, et découvrit une vaste pièce au plafond bas, avec une énorme chaudière éteinte, tout au fond, là où les murs de plâtre étaient noircis par la suie. Mais il n'y avait pas âme qui vive ; il remonta dans le hall, où il retrouva Lyra, les yeux levés vers le sommet de la tour et le doigt sur les lèvres pour lui intimer le silence.

—Je l'entends, chuchota-t-elle. Il parle tout seul, on dirait.

Will tendit l'oreille, et il l'entendit lui aussi : une sorte de fredonnement, presque un murmure, interrompu parfois par un éclat de rire rauque ou un petit cri de colère. On aurait dit la voix d'un fou.

Will respira un grand coup et entreprit de gravir l'escalier. Celui-ci était fait d'énormes et larges planches de chêne noirci ; les marches étaient aussi usées que les dalles de pierre du hall, mais bien trop épaisses pour grincer sous les pas. La lumière diminuait à mesure qu'ils montaient, car elle n'entrait que par les étroites fenêtres, semblables à des meurtrières, qui s'ouvraient dans les murs à chaque palier. Will et Lyra montaient un étage, s'arrêtaient pour tendre l'oreille, puis continuaient à monter. Les murmures de l'homme s'accompagnaient désormais de bruits de pas rythmés et discontinus. Ils provenaient d'une pièce située au bout du palier, dont la porte était entrouverte.

Will s'en approcha sur la pointe des pieds et l'ouvrit de quelques centimètres supplémentaires pour regarder de l'autre côté.

C'était une grande pièce au plafond recouvert d'un entrelacs d'épaisses toiles d'araignée. Sur les murs s'étendaient des rayonnages remplis d'ouvrages en piteux état, déformés et rongés par l'humidité ; les grosses reliures de cuir s'écaillaient comme du plâtre. Plusieurs livres ouverts gisaient par terre ou sur les tables poussiéreuses ; d'autres avaient été rangés pêle-mêle sur les étagères.

Au centre de cette pièce, un jeune homme... dansait. Pantalaimon avait raison : c'était exactement l'impression qu'il donnait. Tournant le dos à la porte, il glissait d'un côté, puis de l'autre et, pendant tout ce temps, sa main droite s'agitait devant lui, comme s'il se frayait un chemin à travers des obstacles invisibles. Dans cette main, il tenait un couteau. Un couteau parfaitement ordinaire de prime abord, une simple lame terne d'une quinzaine de centimètres, avec laquelle il transperçait, découpait, tailladait, lacérait... le vide.

Soudain, il sembla sur le point de se retourner, et Will recula derrière la porte. Le doigt sur les lèvres, il fit signe à Lyra de le rejoindre, et il l'entraîna vers l'escalier pour monter à l'étage supérieur.

—Alors, que fait-il ? murmura-t-elle.

Il lui décrivit de son mieux le comportement du jeune homme.

—Il a perdu la tête, commenta Lyra. C'est un jeune homme maigre, avec des cheveux bouclés ?

—Oui. Des cheveux roux, comme ceux d'Angelica. Il est fou, c'est certain. Tout cela me paraît encore plus invraisemblable que les explications de Sir Charles. Allons jeter un coup d'œil là-haut, avant d'aborder ce type.

Sans protester ni poser de question, Lyra le laissa gravir en premier un escalier de plus, pour arriver au dernier étage. Il faisait beaucoup plus clair ici, car une volée de marches peintes en blanc menait au toit ou, plus exactement, à une structure de bois et de verre qui ressemblait à une serre. Même au pied des marches, on sentait toute la chaleur qu'elle absorbait.

C'est alors qu'ils entendirent un grognement venu de là-haut.

Ils sursautèrent. Ils étaient convaincus qu'il n'y avait qu'une seule personne dans la tour. Pantalaimon fut tellement surpris, lui aussi, qu'il se métamorphosa aussitôt en oiseau, et vint se poser sur la poitrine de la fillette. Will et Lyra découvrirent ainsi qu'ils s'étaient pris par la main, instinctivement. Un peu gênés, ils se lâchèrent lentement.

—Il vaudrait mieux aller voir, murmura Will. J'y vais.

—Non, moi d'abord, dit Lyra à voix basse. C'est moi la fautive.

—Justement, tu m'obéis.

Elle fit la grimace, mais le laissa passer devant.

Au sommet des marches, Will déboucha dans le soleil. La lumière à l'intérieur de la structure de verre était aveuglante, et il y faisait aussi chaud que dans une serre, si bien que Will avait autant de mal à voir qu'à respirer. Avisant une poignée de porte, il l'abaissa et se précipita au-dehors, en levant la main pour protéger ses yeux des rayons du soleil.

Il se retrouva sur un toit en plomb, entouré par le parapet crénelé. La structure de verre se dressait au centre, et le toit s'inclinait légèrement, de tous les côtés, vers une gouttière située à l'intérieur du parapet, percée de trous carrés creusés dans la pierre, destinés à évacuer l'eau de pluie.

Un vieil homme aux cheveux blancs était allongé sur le revêtement en plomb, en plein soleil. Son visage était couvert d'ecchymoses et de traces de coups. En s'approchant, ils découvrirent qu'il avait les mains attachées dans le dos.

Les ayant entendus arriver, il grogna de nouveau, et essaya désespérément de se retourner pour se protéger.

—Calmez-vous, lui dit Will, on ne vous fera pas de mal. C'est le type au couteau qui vous a mis dans cet état ?

—Mmm, grommela le vieil homme.

—Je vais vous détacher.

La corde avait été nouée à la hâte, de manière maladroite, et elle ne put résister aux mains habiles de Will. Avec Lyra, il aida le vieil homme à se lever et ils le conduisirent à l'ombre du parapet.

—Qui êtes-vous ? interrogea Will. On s'attendait à trouver une personne dans cette tour, pas deux.

—Je m'appelle Giacomo Paradisi, marmonna le vieil homme entre ses dents cassées. C'est moi le porteur, et personne d'autre ! Ce jeune homme m'a volé le couteau. Il y a toujours de jeunes fous qui prennent des risques insensés à cause de ce couteau. Mais celui-ci est prêt à tout. Il va me tuer...

—Mais non, dit Lyra. Qui est le porteur ? Qu'est-ce que ça signifie ?

—Je veille sur le poignard subtil pour le compte de la Guilde. Où est le jeune homme ?

—Il est juste en dessous, répondit Will. On l'a aperçu en montant. Il ne nous a pas vus. Il faisait de grands gestes dans le vide...

—Il essaye de percer une ouverture. Mais il n'y arrivera pas. Quand il...

—Attention ! s'écria Lyra.

Will se retourna. Le jeune homme grimpait à l'intérieur de la serre. Il ne les avait pas encore vus, mais il n'y avait aucun endroit pour se cacher sur ce toit, et au moment où ils se redressaient, il perçut leurs mouvements du coin de l'œil et fit volte-face.

Aussitôt, Pantalaimon se transforma en ours, dressé sur ses pattes arrière. Seule Lyra savait qu'il était incapable de toucher cet homme, et celui-ci l'observa d'un air hébété pendant une seconde, mais Will constata qu'il n'avait pas véritablement conscience du danger. Aucun doute, cet homme était fou. Ses cheveux roux bouclés étaient tout emmêlés, son menton constellé de bave, ses pupilles dilatées.

Et surtout, il avait le couteau, et eux n'étaient pas armés.

Will remonta la pente du toit, pour s'éloigner du vieil homme, en position fléchie, prêt à bondir, que ce soit pour se battre ou esquiver une attaque.

Soudain, le jeune homme s'élança et tenta de le lacérer à coups de couteau, en frappant de droite à gauche, de gauche à droite... Il se rapprochait peu à peu, obligeant Will à reculer, jusqu'à ce qu'il se retrouve acculé dans un angle de la tour.

Pendant ce temps, Lyra rampait par-derrière vers le jeune homme, avec le bout de corde. Will bondit à son tour, comme il l'avait fait chez lui face à l'intrus, avec le même résultat : son agresseur, surpris, recula en titubant, trébucha sur Lyra et tomba lourdement sur le toit. Tout cela s'enchaînait trop rapidement pour que Will puisse avoir peur. En revanche, il eut le temps de voir le couteau échapper au jeune homme et se planter dans le revêtement en plomb, quelques dizaines de centimètres plus loin, aussi aisément que dans du beurre : la lame s'enfonça jusqu'au manche et s'immobilisa.

Le jeune homme se retourna immédiatement pour le récupérer, mais Will le plaqua au sol et le saisit par les cheveux. Il avait appris à se battre à l'école ; les occasions n'avaient jamais manqué à partir du jour où les autres enfants avaient découvert que sa mère n'avait pas toute sa tête. Il avait appris également que le but d'une bagarre de cour d'école n'est pas de faire admirer son style, mais d'obliger votre adversaire à s'avouer vaincu, autrement dit de lui faire plus de mal qu'il ne vous en fait. Il fallait se montrer impitoyable et Will avait découvert que, au pied du mur, peu de personnes en étaient réellement capables. Lui si.

Malgré tout, c'était la première fois qu'il se battait contre un adversaire presque adulte, armé d'un couteau qui plus est, et il devait à tout prix l'empêcher de le récupérer maintenant qu'il l'avait laissé tomber.

Il enfouit ses doigts dans l'épaisse tignasse humide du jeune homme et tira vers lui de toutes ses forces. L'autre poussa un grognement et se jeta sur le côté pour tenter de se libérer, mais Will tenait bon, et son adversaire poussa un cri de douleur mêlé de rage. Il parvint néanmoins à se mettre en position accroupie et à se rejeter en arrière, écrasant ainsi Will sous son poids. Cette fois, Will ne put résister au choc. Il eut le souffle coupé et lâcha prise. Le jeune fou se libéra.

Will tomba à genoux dans la gouttière, incapable de respirer, tout en sachant qu'il ne pouvait pas rester là. Mais en essayant de se relever, il enfonça le pied dans un des trous d'évacuation de la gouttière. Pendant un bref instant de terreur, il crut qu'il n'y avait plus que le vide derrière lui. Ses doigts agrippèrent désespérément le plomb brûlant pour retenir sa chute... qui ne se produisit pas. Seule sa jambe gauche pendait dans le vide.

Il ramena son pied à l'intérieur du parapet et parvint à se redresser. Pendant ce temps, son adversaire s'était jeté sur le couteau, mais il n'eut pas le temps de l'extraire du plomb, car Lyra avait bondi, griffant et mordant comme un chat sauvage. Toutefois, elle ne parvint pas à le saisir par les cheveux et le jeune dément la repoussa brutalement. Quand il se releva, il brandissait le couteau.

Lyra était tombée sur le côté ; Pantalaimon se tenait près d'elle, transformé en véritable chat sauvage, le poil dressé, les dents sorties. Will eut le temps d'observer réellement le jeune homme roux. Aucun doute, c'était bien le frère d'Angelica. Une terrible violence l'habitait ; toutes ses pensées haineuses étaient fixées sur Will, et il tenait le couteau.

Heureusement, Will n'était pas totalement désarmé.

Il avait récupéré le bout de corde que Lyra avait laissé tomber, et il l'enroula autour de sa main gauche pour parer les attaques du couteau. Il se déplaça de côté, entre le soleil et son adversaire, de manière que celui-ci soit obligé de plisser les yeux. Mieux encore : la structure de verre projetait des reflets éblouissants et Will constata que l'autre en était presque aveuglé.

Il bondit sur la gauche du jeune dément, à l'écart du couteau, en gardant sa main gauche levée devant lui, et il lui décocha un violent coup de pied dans le genou. Il avait pris soin de viser, et son pied frappa en plein dans la rotule. Le jeune homme s'effondra avec un grognement de douleur avant de reculer en boitant.

Alors, Will se jeta sur lui, le rouant de coups de poings, des deux mains, et de coups de pieds, frappant partout où il le pouvait, obligeant l'autre à reculer vers la maison de verre. S'il parvenait à le repousser jusqu'en haut de l'escalier...

Cette fois, le jeune homme tomba plus lourdement, et sa main droite, qui tenait le couteau, heurta le revêtement en plomb, aux pieds de Will. Celui-ci l'écrasa immédiatement, avec force, broyant les doigts de son agresseur entre le manche et le sol, puis, après avoir resserré la corde enroulée autour de sa main, il frappa du pied une deuxième fois. Le jeune homme hurla et lâcha enfin le couteau. Will shoota dedans aussitôt ; fort heureusement, son pied heurta le manche, et non la lame, et le couteau glissa sur le toit en tournoyant, pour finir sa course dans la gouttière, juste à côté d'un trou d'évacuation. La corde s'était détendue de nouveau autour de la main gauche de Will, et une surprenante quantité de sang, jaillie d'on ne sait où, arrosa le toit et ses chaussures. Déjà, le jeune homme se relevait...

—Attention ! hurla Lyra, mais Will était sur ses gardes.

Profitant de ce que son adversaire était en position de déséquilibre, il se jeta sur lui et le percuta de tout son poids. Le jeune homme bascula à la renverse et tomba sur la paroi de verre de la serre, qui vola en éclats. La fine ossature en bois ne put résister, elle non plus. Étendu au milieu des débris, sur les marches, il voulut agripper l'encadrement de la porte, mais celui-ci n'avait plus rien pour le soutenir, et il s'effondra à son tour. Le jeune homme chuta jusqu'au sol, accompagné par une pluie de verre.

Immédiatement, Will se précipita vers la gouttière pour récupérer le couteau ; le combat était terminé. Couvert de coupures et meurtri, le jeune homme gravit les marches en boitant, mais il découvrit Will debout devant lui, le couteau à la main. Une lueur de folie furieuse enflamma son regard, puis il pivota sur lui-même et s'enfuit.

Will s'assit lourdement par terre, en poussant un long soupir.

C'est alors seulement qu'il prit conscience de la gravité de la situation. Il lâcha le couteau et plaqua sa main gauche contre sa poitrine. La corde était imbibée de sang, et quand il la déroula...

—Tes doigts ! s'exclama Lyra, horrifiée. Oh, Will...

Son auriculaire et son annulaire tombèrent en même temps que la corde...

Sa tête se mit à tourner. Le sang jaillissait à gros bouillons des deux moignons ; son jean et ses chaussures étaient déjà trempés. Il dut s'allonger et fermer les yeux. Pourtant, la douleur n'était pas insupportable, constata une partie de son esprit avec un étonnement diffus : ce n'était pas la douleur fulgurante et vive d'une coupure superficielle, plutôt une douleur sourde, lancinante et profonde.

Jamais il ne s'était senti si faible. Sans doute s'était-il assoupi quelques instants, d'ailleurs. Penchée au-dessus de lui, Lyra s'occupait de son bras. Il se redressa pour regarder les dégâts, et sentit son estomac se soulever. Le vieil homme était à ses côtés lui aussi, mais Will ne voyait pas ce qu'il faisait, et pendant ce temps, Lyra lui parlait.

—Ah, si seulement on avait de la mousse, disait-elle, comme celle qu'utilisent les ours, ce serait plus facile. Je pourrais... Écoute, je vais nouer ce morceau de corde autour de ton bras, pour arrêter le saignement. Je ne peux pas la nouer autour de tes doigts, vu que tu n'en as plus... Bouge pas...

Will la laissa faire, en cherchant ses doigts autour de lui. Ils étaient là-bas, recroquevillés comme deux points d'interrogation sur le toit en plomb. Il éclata de rire.

—Hé, arrête de bouger ! dit-elle. Lève-toi, maintenant. M. Paradisi a un remède, paraît-il, une pommade ou je ne sais quoi. Mais il faut que tu descendes. Le jeune type a fichu le camp, on l'a vu sortir de la tour en courant. Il ne reviendra plus. Tu l'as vaincu. Viens, Will...

Avec douceur et ténacité, elle l'obligea à descendre l'escalier, après quoi, ils se frayèrent un chemin au milieu des débris de verre et des éclats de bois, pour pénétrer dans une petite pièce fraîche qui donnait sur le palier du dernier étage. Les murs disparaissaient derrière des étagères chargées de bocaux, de bouteilles, de pots, de mortiers et de pilons, de balances de pharmacien. Sous la fenêtre se trouvait un évier en pierre, au-dessus duquel le vieil homme transvasait, d'une main tremblante, le contenu d'une grande bouteille dans une plus petite.

—Assieds-toi et bois ça, mon garçon, dit-il en versant un liquide sombre dans un petit verre.

Will s'assit et prit le verre qu'on lui tendait. La première gorgée lui enflamma le fond de la gorge. Il suffoqua, et Lyra lui prit le verre des mains pour l'empêcher de tomber.

—Bois tout, ordonna le vieil homme.

—C'**est** quoi, ce truc ?

—De l'eau-de-vie de prune. Bois.

Will avala une autre gorgée, prudemment. Sa main commençait à le faire souffrir sérieusement.

—Vous pouvez le guérir ? demanda Lyra d'une voix désespérée.

—Oh, oui, nous avons des remèdes pour tout. Tiens, petite, ouvre ce tiroir de la table et sors-moi une bande.

Will aperçut le couteau posé sur la table au centre de la pièce mais, avant qu'il ne puisse s'en saisir, le vieil homme avançait vers lui en boitant, avec une bassine d'eau chaude.

—Bois encore, ordonna-t-il.

Will serra le verre entre ses doigts et ferma les yeux pendant que le vieil homme s'occupait de sa main estropiée. La sensation de brûlure était horrible, puis il sentit ensuite le contact rugueux d'une serviette sur son poignet, et quelque chose qui épongeait la plaie, plus délicatement. Il éprouva une sensation de fraîcheur pendant un court instant, puis la douleur réapparut.

—C'est un onguent rare, expliqua le vieil homme. Très difficile à obtenir. Excellent pour les blessures.

En vérité, il s'agissait d'un vieux tube poussiéreux de crème antiseptique ordinaire, comme Will aurait pu en acheter dans n'importe quelle pharmacie de son monde. Pourtant, le vieil homme le manipulait comme s'il renfermait de la myrrhe. Will détourna le regard.

Pendant que le vieil homme nettoyait la plaie, Lyra sentit Pantalaimon qui l'appelait, en silence, pour qu'elle vienne regarder par la fenêtre. Transformé en crécerelle, il était perché sur le montant de la fenêtre ouverte, et il avait repéré un mouvement tout en bas. Lyra le rejoignit et découvrit alors une silhouette familière : la jeune Angelica courait vers son frère aîné, Tullio, adossé contre le mur de l'autre côté de l'étroite ruelle. Il agitait les bras dans le vide comme pour chasser un vol de chauves-souris de devant son visage. Puis il se retourna et promena ses mains sur les pierres du mur, en les observant attentivement, une par une ; il les comptait, il caressait les arêtes saillantes, le cou rentré dans les épaules comme pour se protéger d'une chose dans son dos, en secouant la tête.

Angelica semblait affolée, tout comme son petit frère, Paolo, qui courait derrière elle, et lorsqu'ils rejoignirent leur grand frère, ils le saisirent par les bras et tentèrent de l'arracher à la cause de son tourment.

Avec un haut-le-cœur, Lyra comprit alors ce qui se passait : le jeune homme était attaqué par des Spectres ! Angelica le savait, elle aussi, bien qu'elle ne puisse pas voir les créatures, évidemment, et le jeune Paolo pleurait en frappant dans le vide avec ses petits poings pour essayer de les chasser. Mais tout cela était vain : Tullio était perdu. Ses mouvements se firent de plus en plus léthargiques, et finalement, il se figea. Accrochée à lui, Angelica lui secouait le bras, avec l'énergie du désespoir. Paolo répétait le nom de son frère, tout en pleurant, comme si cela pouvait le faire revenir.

Soudain, Angelica sembla sentir le regard de Lyra, et elle leva la tête. L'espace d'un instant, leurs regards se croisèrent. Lyra en eut le souffle coupé, comme si la jeune fille lui avait décoché un coup de poing, tant la haine était intense dans ses yeux. Voyant que sa sœur regardait en l'air, Paolo l'imita, et de sa petite voix fluette, il s'écria :

—On vous tuera ! C'est vous qui avez fait ça à Tullio ! On vous tuera !

Les deux enfants firent demi-tour et s'enfuirent, abandonnant leur frère pétrifié. Lyra, effrayée et rongée par la culpabilité, recula à l'intérieur de la pièce et ferma la fenêtre. Les autres n'avaient pas entendu. Giacomo continuait à appliquer de la pommade sur les plaies de Will, et Lyra s'efforça de chasser de son esprit la scène à laquelle elle venait d'assister.

—Il faut lui attacher quelque chose autour du bras pour arrêter l'hémorragie, déclara-t-elle. Le sang va continuer de couler, sinon.

—Oui, oui, je sais, dit le vieil homme.

Will garda la tête tournée sur le côté pendant qu'ils lui confectionnaient un pansement, et il but l'eau-de-vie de prune gorgée par gorgée. Au bout d'un moment, il se sentit apaisé et étrangement absent, même si sa main continuait à le faire souffrir.

—Et voilà, déclara Giacomo Paradisi, c'est fait. Tu peux prendre le couteau maintenant, il est à toi.

—Je n'en veux pas, répondit Will. Je ne veux pas être mêlé à tout ça.

—Tu n'as pas le choix, dit le vieil homme. Tu es le porteur, désormais.

—N'avez-vous pas dit que c'était vous ? demanda Lyra.

Giacomo Paradisi leva sa main gauche. Son auriculaire et son annulaire avaient été tranchés, exactement comme ceux de Will !

—Eh oui, dit-il, moi aussi. J'ai combattu et j'ai perdu les mêmes doigts : le symbole du porteur. Évidemment, je l'ignorais sur le moment.

Lyra s'assit, les yeux écarquillés. Will, lui, s'accrocha à la table poussiéreuse avec sa main valide. Il avait du mal à trouver ses mots.

—Mais je... nous sommes venus ici parce que... un homme a volé quelque chose à Lyra ; il voulait s'approprier ce couteau, et si on le lui rapportait, il nous...

—Je connais cet homme. C'est un menteur, un tricheur. Il ne vous donnera rien, croyez-moi. Tout ce qu'il veut, c'est le couteau, et une fois qu'il l'aura, il vous trahira. Il ne sera jamais le porteur. Le couteau est à toi.

À contrecœur, Will se tourna vers le couteau et le prit. Il s'agissait d'un poignard d'aspect banal, avec une lame à double tranchant en métal terne, d'une quinzaine de centimètres, une petite garde du même métal et un manche en bois de rose. En l'examinant de plus près, Will constata que le bois était incrusté de filaments d'or formant un dessin qu'il ne parvenait pas à identifier, jusqu'à ce qu'il retourne le poignard : il découvrit alors un ange aux ailes repliées. De l'autre côté figurait un autre ange, aux ailes déployées celui-ci. Les filaments étaient légèrement en relief, pour offrir une meilleure prise. Le couteau était à la fois très léger et très résistant, merveilleusement équilibré. En vérité, la lame n'était pas si terne : un tourbillon de nuages teintés semblait affleurer à la surface du métal : violets, bleus, ocre, gris et d'un vert profond comme la voûte des arbres touffus, semblables aux ombres qui se rassemblent à l'entrée d'une tombe lorsque la nuit descend sur un cimetière désert.

Mais les deux tranchants n'étaient pas identiques. L'un des deux possédait l'éclat étincelant du métal, avant de se fondre dans les reflets irisés de la lame, mais l'on devinait un acier d'une incomparable dureté. Will avait mal aux yeux à force de le regarder, tant il paraissait aiguisé. L'autre tranchant, tout aussi affilé, était de couleur argentée, et Lyra, qui examinait le poignard par-dessus l'épaule de Will, s'exclama :

— J'ai déjà vu une lame de cette couleur ! Celle qui a failli me séparer de Pantalaimon... c'est la même !

— Ce côté-ci, déclara Giacomo Paradisi, en frôlant la lame avec le manche d'une cuillère, peut couper n'importe quel matériau existant. Regarde.

Il appuya la cuillère en argent contre la lame. Will, qui tenait le couteau, sentit une infime résistance, juste avant que l'extrémité de la cuillère ne tombe sur la table, tranchée net.

— L'autre côté de la lame, reprit le vieil homme, possède des pouvoirs plus subtils. Grâce à lui, tu peux même découper une ouverture dans ce monde. Essaye. Fais ce que je te dis : tu es le porteur désormais. Tu dois apprendre. Il n'y a que moi qui puisse t'enseigner ces choses, et il ne me reste plus beaucoup de temps. Lève-toi et écoute-moi.

Will repoussa sa chaise et se leva, tenant toujours le poignard. Il avait des vertiges, des nausées et des velléités d'insoumission.

— Je ne veux pas...

Giacomo Paradisi lui coupa la parole.

— Tais-toi ! « Je ne veux pas... Je ne veux pas... » Tu n'as pas le choix, je te l'ai dit ! Écoute-moi bien, car le temps presse. Tiens le couteau devant toi... Oui, comme ça. Ce n'est pas seulement le couteau qui coupe, sers-toi aussi de ton esprit. Tu dois te concentrer. Fais ce que je te dis : dirige ton esprit sur l'extrémité de la lame. Concentre-toi bien, mon garçon. Concentre tes pensées. Oublie ta blessure. Elle guérira. Pense uniquement à l'extrémité de la lame. C'est là que tu dois être. Sens les choses avec elle, en douceur. Tu cherches une ouverture, si minuscule que tu ne peux pas la voir à l'œil nu, mais la pointe du couteau saura la trouver, si tu l'accompagnes avec ton esprit. Sonde le vide, tâtonne dans l'air, jusqu'à ce que tu sentes cette infime déchirure dans le monde...

Will essaya de faire ce qu'on lui demandait. Mais sa tête bourdonnait et sa main gauche l'élançait affreusement ; il revit ses deux doigts coupés, gisant sur le toit, et soudain, il repensa à sa mère, sa pauvre mère... Que lui dirait-elle à cet instant ? Comment s'y prendrait-elle pour le réconforter ? Et lui, comment pourrait-il la réconforter ? Il reposa le couteau sur la table et s'accroupit jusqu'à terre, en plaquant contre lui sa main estropiée, et il se mit à pleurer. Tout cela était trop lourd à supporter. Les sanglots lui lacérèrent la gorge et la poitrine, ses larmes l'aveuglèrent. Comment ne pas pleurer en pensant à elle, cette pauvre mère adorée, terrorisée et malheureuse ? Il l'avait abandonnée, il l'avait abandonnée...

Will était effondré. Mais soudain, il éprouva une sensation étrange, inconnue, et en essuyant ses larmes avec le dos de sa main droite, il découvrit la tête de Pantalaimon posée sur ses genoux ! Transformé en chien-loup, le dæmon levait vers lui ses yeux remplis de tristesse, et délicatement, il se mit à lécher la main blessée de Will, plusieurs fois, avant de reposer sa tête sur ses genoux.

Will ignorait tout du tabou en vigueur dans le monde de Lyra qui interdisait à une personne de toucher le dæmon de quelqu'un d'autre, et s'il n'avait pas caressé Pantalaimon jusqu'à présent, c'était uniquement par respect. Lyra, elle, était estomaquée. Son dæmon avait agi de son propre chef, et après avoir réconforté Will et repris son apparence de minuscule papillon de nuit, voilà qu'il revenait se poser sur son épaule. Le vieil homme avait assisté à cette scène avec intérêt, mais sans marque d'incrédulité. Il avait déjà vu des dæmons, apparemment ; lui aussi avait voyagé dans d'autres mondes.

Le geste de Pantalaimon n'avait pas été inutile. Will déglutit avec peine et se releva en séchant ses larmes.

— Très bien, dit-il. Je vais essayer de nouveau. Expliquez-moi ce que je dois faire.

Cette fois, il obligea son esprit à faire ce que lui disait Giacomo Paradisi, les dents serrées, tremblant sous l'effort, ruisselant de sueur. Lyra brûlait d'envie d'intervenir, car elle connaissait ce processus. Comme le Dr Malone et ce poète nommé Keats. Et tous savaient bien qu'on ne pouvait pas y arriver par la force. Mais elle s'obligea à tenir sa langue et joignit ses mains.

— Stop ! s'écria le vieil homme. Détends-toi. Ne force pas. Il s'agit d'un poignard magique, pas d'une grossière épée. Tu le serres trop fort. Desserre un peu tes doigts. Laisse ton esprit glisser dans tout ton bras, jusque dans le poignet, dans le manche ensuite, et le long de la lame, sans te presser, en douceur. Détends-toi. Laisse-le aller jusqu'au bout de la lame, là où le fil est le plus tranchant. Tu dois devenir le bout du couteau. Vas-y... Va tout au bout, sens-le, et reviens.

Will essaya une nouvelle fois. Lyra voyait tout son corps vibrer sous la tension, ses mâchoires se crisper, et au bout d'un moment, une sorte de force supérieure s'empara de lui, apaisante et éclairante. Cette force n'était, en vérité, que la volonté de Will, ou celle de son dæmon peut-être. Comme il devait se sentir seul sans dæmon! songea Lyra. Quelle tristesse... Pas étonnant qu'il ait fondu en larmes, et Pantalaimon avait eu raison de réagir de cette façon, même si elle avait éprouvé une curieuse sensation à ce moment-là. Elle tendit la main vers son dæmon adoré, et celui-ci, sous sa forme d'hermine, descendit sur ses genoux.

Ensemble, ils constatèrent que le corps de Will avait cessé de trembler. Certes, il paraissait toujours aussi crispé, mais de manière différente; le poignard avait changé, lui aussi. Peut-être était-ce dû aux nuages de couleurs sur la lame, ou bien à la façon toute naturelle dont il reposait dans la main de Will. Les petits mouvements qu'il effectuait avec le bout de la lame n'étaient plus le fait du hasard, de toute évidence. Il sonda l'air avec la lame, d'un côté tout d'abord, puis il fit pivoter le couteau dans sa main pour tester l'autre côté, mais toujours avec le tranchant argenté, et soudain, il lui sembla déceler un minuscule accroc dans l'étoffe de l'atmosphère.

—C'est quoi? C'est ça? demanda-t-il d'une voix enrouée par l'émotion.

—Oui. Ne force pas. Reviens maintenant. Reviens à toi.

Lyra imagina qu'elle voyait l'âme de Will remonter le long de la lame, jusqu'à sa main, puis dans son bras, jusqu'à son cœur. Il se redressa et laissa retomber sa main, l'air hébété.

—J'ai senti quelque chose au bout, dit-il à Giacomo Paradisi. Au début, le couteau glissait dans le vide, et tout à coup, j'ai senti comme un...

—Parfait. Tu vas recommencer. Cette fois, quand tu sentiras l'ouverture, enfonce le couteau et fais une entaille. N'hésite pas. Mais ne sois pas surpris, surtout; ne lâche pas le couteau.

Will dut s'accroupir et inspirer à fond deux ou trois fois en coinçant sa main mutilée sous son bras droit avant de continuer. Mais il était déterminé, maintenant; il se redressa, tenant le couteau devant lui.

La seconde tentative fut plus aisée. Ayant senti une première fois l'étrange petit accroc dans le vide, il savait ce qu'il cherchait, et il lui fallut moins d'une minute pour le retrouver. C'était comme chercher délicatement l'espace entre deux points de suture avec la pointe d'un scalpel. Il le sonda avec la lame, la retira, l'enfonça encore une fois pour être sûr, et il obéit aux ordres du vieil homme: il tailla en oblique avec le bord argenté.

Heureusement que Giacomo Paradisi lui avait dit de ne pas se laisser surprendre. Will tint fermement le couteau et le reposa sur la table avant de donner libre cours à sa stupéfaction. Lyra s'était déjà levée, hébétée car, devant eux, au milieu de cette petite pièce poussiéreuse, s'ouvrait désormais une fenêtre semblable à celle qui se trouvait sous les marronniers : un trou dans le vide, par lequel on apercevait un autre monde !

Et parce qu'ils étaient haut dans la tour, ils surplombaient le nord d'Oxford. Ils se trouvaient à l'aplomb d'un cimetière, plus précisément, tournés vers la ville. On distinguait la rangée de marronniers un peu plus loin ; des maisons aussi, des routes et, à l'horizon, les tours et les clochers de la ville.

S'ils n'avaient jamais vu de fenêtre semblable, ils auraient cru à une quelconque illusion d'optique. Mais ce n'était pas une illusion : l'air pénétrait par cette ouverture, ils sentaient les effluves des gaz d'échappement ; or les voitures n'existaient pas dans le monde de Cittàgazze. Pantalaimon se changea en moineau pour franchir l'orifice et virevolter avec délice dans les airs ; il goba un insecte, avant de franchir la fenêtre en sens inverse pour revenir se poser sur l'épaule de Lyra.

Giacomo Paradisi regardait tout cela avec un étrange petit sourire empreint de tristesse.

— Voilà comment on ouvre un passage, dit-il. Maintenant, tu dois apprendre à le refermer.

Lyra recula pour laisser de la place à Will, et le vieil homme vint se placer à côté de lui.

— Pour ce faire, tu dois te servir de tes doigts, dit-il. Une main suffit. Pour commencer, palpe d'abord les contours du trou, comme tu l'as fait avec le couteau. Pour les sentir, tu dois projeter ton âme dans l'extrémité de tes doigts. Caresse délicatement l'air, jusqu'à ce que tu trouves les bords, et ensuite, tu les pinces l'un contre l'autre. C'est aussi simple que ça. Essaye.

Mais Will tremblait. Il ne parvenait pas à retrouver ce fragile équilibre de la pensée qui était nécessaire, et il sentait monter la frustration. Lyra comprit ce qui se passait.

Elle s'approcha et lui prit le bras droit.

— Assieds-toi, Will, je vais te montrer comment faire. Repose-toi une minute, car ta main te fait mal et la douleur te déconcentre. Ça va passer au bout d'un moment.

Le vieil homme leva les mains au ciel, comme pour protester, mais finalement, il se ravisa, haussa les épaules et se rassit sans rien dire.

Will s'assit lui aussi, pour regarder Lyra.

— Qu'est-ce que je ne fais pas bien ? demanda-t-il.

Il était maculé de sang et tremblant ; ses yeux étaient exorbités. Aucun doute, il fonctionnait sur les nerfs : il serrait les mâchoires, tapait du pied, le souffle haletant.

—C'est à cause de ta blessure, expliqua-t-elle. Ce n'est pas ta faute. Tu fais exactement ce qu'il faut, mais ta main t'empêche de te concentrer. Je ne connais pas de moyen d'éviter ce problème, mais peut-être que si tu n'essayes pas d'oublier la douleur justement...

—Comment ça ?

—Tu essayes de faire deux choses en même temps avec ton esprit. Tu essayes d'ignorer la douleur et de refermer la fenêtre. Je me souviens du jour où j'ai essayé de déchiffrer l'aléthiomètre en ayant peur. Détends-toi, et dis-toi : « Oui, ça fait mal, je sais. » N'essaye pas d'ignorer la douleur.

Will ferma les yeux quelques secondes. Sa respiration ralentit.

—D'accord, dit-il. Je vais essayer.

De fait, ce fut beaucoup plus facile cette fois. Il palpa l'air invisible à la recherche des contours du trou et les trouva en moins d'une minute. Il suivit alors les instructions de Giacomo Paradisi : il pinça les bords. Il n'y avait rien de plus facile au monde, en effet. Il eut un sentiment d'exaltation, bref et intense, et soudain, la fenêtre disparut. L'accès à l'autre monde était refermé.

Le vieil homme tendit à Will une gaine en cuir, renforcée avec de la corne et munie d'attaches destinées à maintenir le couteau en place, car le moindre mouvement de la lame aurait suffi à trancher le cuir le plus épais. Will glissa et fixa le poignard à l'intérieur de la gaine, aussi solidement que le lui permettait sa main estropiée.

—Ce devrait être une occasion solennelle, déclara Giacomo Paradisi. Si nous avions des jours et des semaines devant nous, je pourrais commencer à te raconter l'histoire du poignard subtil de la Guilde de la Torre degli Angeli, et toute la triste histoire de ce monde corrompu et insouciant. Les Spectres sont apparus par notre faute, notre seule faute. À cause de mes prédécesseurs : des alchimistes, des philosophes, des hommes de savoir qui effectuaient des recherches sur la nature la plus profonde des choses. Ils ont fini par s'intéresser aux liens qui unissent les plus petites particules de matière.

C'était une ville mercantile et riche, une ville de marchands et de banquiers. Nous pensions tout savoir, tout connaître. Alors, nous avons défait ces liens, et nous avons laissé entrer les Spectres.

—Mais d'où viennent ces Spectres ? interrogea Will. Pourquoi une fenêtre est-elle restée ouverte sous les marronniers, celle par où nous sommes passés la première fois ? Y a-t-il d'autres fenêtres dans le monde ?

—La provenance des Spectres demeure un mystère. Viennent-ils d'un autre monde, des profondeurs de l'espace ? Nul ne le sait. Ce qui importe, c'est qu'ils sont là désormais, et ils nous ont détruits. Y a-t-il d'autres fenêtres dans ce monde ? Oui, quelques-unes car, parfois, le porteur du couteau fait preuve de négligence ; il oublie ou bien il n'a pas le temps de refermer le trou comme il le devrait. Quant à la fenêtre sous les arbres, celle que vous avez empruntée... c'est moi-même qui l'ai laissée ouverte, dans un moment de stupidité impardonnable. Cet homme dont vous parliez... J'avais envisagé de l'attirer dans cette ville, où il aurait été victime des Spectres. Mais je suppose qu'il est trop intelligent pour tomber dans ce genre de piège. Pourtant, il veut le couteau à tout prix. Je vous en prie, faites qu'il ne l'ait jamais entre les mains.

Will et Lyra échangèrent un regard.

— Bref, conclut le vieil homme avec un haussement d'épaules fataliste. Tout ce que je peux faire, mon garçon, c'est te remettre le couteau et te montrer comment l'utiliser, ce que j'ai fait, et t'expliquer quelles étaient les règles de la Guilde, avant son déclin. Premièrement : ne jamais ouvrir un trou sans le refermer. Deuxièmement : ne jamais laisser quelqu'un d'autre utiliser le couteau. Il n'appartient qu'à toi. Troisièmement : ne jamais l'utiliser pour de vils motifs. Quatrièmement : nul ne doit connaître son existence. S'il y avait d'autres règles, je les ai oubliées, et si je les ai oubliées, c'est qu'elles n'ont pas d'importance. Tu as le couteau. Tu es le porteur. Tu es trop jeune pour cette tâche, mais notre monde est en train de s'écrouler, et la marque du porteur est indéniable. Je ne connais même pas ton nom. Pars maintenant. Je vais bientôt mourir, car je sais où sont les drogues empoisonnées, et je n'ai pas l'intention d'attendre que les Spectres viennent me chercher dès que le couteau ne sera plus là. Pars.

— Mais, monsieur Paradisi... dit Lyra.

Le vieil homme secoua la tête.

— Le temps presse. Vous êtes venus ici pour accomplir une tâche précise. Peut-être ignorez-vous sa nature, mais les anges qui ont conduit vos pas la connaissent. Allez, mon garçon. Tu es courageux et ton amie est intelligente. Et tu as le couteau. Va !

— Vous... vous n'allez pas vous empoisonner ? demanda Lyra.

— Viens, lui dit Will.

— Quelle est cette histoire d'anges ? insista-t-elle.

Will la tira par le bras.

— Viens, répéta-t-il. Il faut y aller. Merci, monsieur Paradisi.

Il tendit sa main droite maculée de poussière et de sang, et le vieil homme la serra doucement. Il serra celle de Lyra ensuite et, d'un signe de tête, salua Pantalaimon, qui répondit en inclinant sa petite tête blanche d'hermine.

La main plaquée sur le couteau dans sa gaine en cuir, Will descendit le grand escalier obscur et ressortit de la tour le premier. Sur la petite place, le soleil était brûlant et le silence profond. Lyra jeta des regards méfiants autour d'elle, mais la rue était déserte. Et mieux valait ne pas alarmer Will en lui parlant de ce qu'elle avait vu, songea-t-elle ; il avait déjà assez de soucis. Elle l'entraîna dans la direction opposée à la rue où elle avait aperçu les enfants, et où le pauvre Tullio était resté figé, pétrifié comme une statue.

—J'aurais voulu... dit Lyra lorsqu'ils eurent presque traversé la place, en s'arrêtant pour regarder en arrière. C'est affreux de penser que... ses dents étaient toutes cassées, et il ne voyait presque rien avec son œil... Il va avaler du poison et mourir. J'aurais voulu...

Elle était au bord des larmes.

—Tais-toi, dit Will. Il ne souffrira pas. Il va juste s'endormir. Mieux vaut la mort que les Spectres, a-t-il dit.

—Oh, qu'est-ce qu'on va faire, Will ? se lamenta-t-elle. Qu'est-ce qu'on va devenir ? Tu es grièvement blessé, et ce pauvre vieil homme... Ah, je déteste cet endroit, franchement ! J'aimerais y mettre le feu. Qu'est-ce qu'on va faire ?

—C'est facile, répondit Will. Il faut qu'on récupère l'aléthiomètre, on va donc être obligés de le voler. Voilà ce qu'on va faire.

Chapitre 9
Le vol

 Tout d'abord, ils revinrent au café pour se remettre de leurs émotions, se reposer et se changer. Il était évident que Will ne pouvait pas se promener dans les rues couvert de sang, et la culpabilité qu'ils pouvaient éprouver à voler dans les boutiques n'était plus de mise. Will choisit donc une nouvelle tenue, sans oublier les chaussures, et Lyra, qui insistait pour l'aider et jetait des regards de tous côtés pour guetter l'apparition éventuelle d'autres enfants, rapporta les vêtements au café.

Pendant que Lyra faisait bouillir de l'eau, Will monta dans la salle de bains avec ses habits neufs et se déshabilla entièrement pour se laver de la tête aux pieds. La douleur qui irradiait de sa main était sourde, mais incessante ; heureusement, les plaies étaient propres, et ayant vu ce dont était capable ce couteau, il savait qu'aucune coupure ne pouvait être plus propre. Malgré tout, les moignons qui avaient remplacé ses deux doigts tranchés continuaient de saigner abondamment. En les observant, il fut pris de nausée, et les battements de son cœur s'accélérèrent, ce qui eut pour effet, semble-t-il, d'accentuer le saignement. Il s'assit au bord de la baignoire, ferma les yeux et inspira à fond plusieurs fois.

Ayant retrouvé son calme, il entreprit de se laver, tant bien que mal. Il s'essuya avec des serviettes, vite imbibées de sang, puis enfila ses nouveaux vêtements, en essayant de ne pas les tacher.

—Il va falloir que tu me refasses mon pansement, dit-il à Lyra. N'aie pas peur de serrer, je veux que ça s'arrête de saigner.

Elle déchira un drap qu'elle enroula plusieurs fois autour de la main estropiée, en serrant de toutes ses forces. Will avait beau crisper la mâchoire, il ne put s'empêcher de pleurer de douleur. Il sécha ses larmes, sans dire un mot, et Lyra garda le silence elle aussi.

Quand elle eut terminé, il la remercia et ajouta :

— J'aimerais que tu prennes quelque chose dans ton sac à dos, au cas où on ne pourrait pas revenir ici. Ce ne sont que des lettres. Tu peux même les lire si tu veux.

Il sortit de sa cachette l'écritoire en cuir vert et lui tendit les feuilles de papier « par avion ».

— Je les lirai seulement si...

— Je m'en fiche. Je ne te l'aurais pas proposé, sinon.

Lyra plia les lettres ; Will s'allongea sur le lit, poussa le chat sur le côté et s'endormit aussitôt.

Beaucoup plus tard ce soir-là, Will et Lyra se tenaient accroupis dans la ruelle qui longeait la rangée d'arbustes dans le jardin de Sir Charles. Du côté de Cittàgazze, ils étaient dans un parc luxuriant qui entourait une villa de style classique, dont la blancheur scintillait au clair de lune. Il leur avait fallu un long moment pour atteindre la demeure de Sir Charles, en effectuant la majeure partie du trajet dans Cittàgazze où ils s'arrêtaient fréquemment pour ouvrir un trou et vérifier leur position dans le monde de Will, sans oublier de refermer la fenêtre qu'ils avaient ouverte dès qu'ils s'étaient repérés. Depuis leur départ, le chat tigré les suivait d'assez près, tout en gardant ses distances. Il avait beaucoup dormi depuis qu'ils l'avaient arraché aux mains des enfants lanceurs de pierres, et maintenant qu'il avait repris des forces, il ne voulait plus quitter ses sauveurs, comme si, où qu'ils aillent, il était sûr de se trouver en sécurité. Will était loin de partager cette certitude, mais il avait d'autres préoccupations, et il décida d'ignorer la présence du chat. Il sentait qu'il se familiarisait avec le couteau, il le dominait de mieux en mieux. Mais sa blessure le faisait souffrir de plus en plus ; la douleur était lancinante, et le nouveau pansement que lui avait fait Lyra à son réveil était déjà trempé de sang.

À l'aide du poignard subtil, il découpa une ouverture dans l'air, non loin de l'éclatante villa blanche, et ils débouchèrent dans la paisible ruelle du quartier de Headington. Il fallait désormais trouver un moyen de pénétrer dans le bureau où Sir Charles avait enfermé l'aléthiomètre. Deux projecteurs inondaient le jardin de lumière ; les fenêtres sur le devant de la maison étaient éclairées, mais pas celles du bureau.

La ruelle bordée d'arbres conduisait à une autre route tout au bout, et elle n'était pas éclairée. Un cambrioleur ordinaire n'aurait eu aucun mal à s'infiltrer au milieu des arbustes, et à pénétrer ensuite dans le jardin, sans se faire repérer, mais une épaisse grille, deux fois plus haute que Will et hérissée de pointes au sommet, entourait toute la propriété de Sir Charles. Évidemment, cet obstacle ne pouvait arrêter le poignard subtil.

—Tiens ce barreau pendant que je le coupe, murmura Will. Et rattrape-le quand il va tomber.

Lyra s'exécuta et Will coupa quatre barreaux à l'aide du couteau ; de quoi leur permettre de franchir la grille sans difficulté. Lyra les déposa dans l'herbe, un par un, et quelques secondes plus tard, ils se faufilaient au milieu des buissons du jardin.

Lorsqu'ils se furent approchés d'un côté de la maison, face à la fenêtre du bureau, en partie masquée par le lierre grimpant, à l'autre bout de la pelouse tondue à ras, Will expliqua son plan à voix basse :

—Je vais retourner à Cittàgazze d'ici, et laisser la fenêtre ouverte. J'avance dans Cittàgazze jusqu'à l'endroit où doit se trouver le bureau, et ensuite, je découpe un autre trou pour revenir dans ce monde. Je récupère l'aléthiomètre dans la vitrine, je referme la fenêtre, et je reviens. Toi, tu m'attends ici, dans ce monde, et tu fais le guet. Dès que je t'appelle, tu retournes à Cittàgazze par cette fenêtre ; je la refermerai ensuite. D'accord ?

—D'accord, murmura-t-elle. Pantalaimon et moi, on monte la garde.

Le dæmon avait pris l'apparence d'une petite chouette couleur fauve ; ce qui le rendait quasiment invisible au milieu des ombres mouchetées sous les arbres. Ses grands yeux clairs captaient tous les mouvements.

Will se redressa, tendit le poignard devant lui, et très délicatement, avec la pointe de la lame, il caressa, il sonda le vide, jusqu'à ce que, au bout d'une minute environ, il découvre un endroit où il pouvait percer l'étoffe de l'air. D'un geste vif et déjà expert, il découpa une fenêtre qui s'ouvrait sur le parc inondé de lune de Cittàgazze, après quoi il se recula, calcula combien de pas il devrait faire dans ce monde-ci pour atteindre le bureau, et mémorisa la direction.

Puis, sans un mot, il passa par la fenêtre et disparut.

Lyra s'accroupit près de l'ouverture entre les mondes. Perché sur une branche au-dessus de sa tête, Pantalaimon scrutait les environs, en silence. La fillette entendait le bruit des voitures venant de Headington derrière elle, les pas tranquilles de quelqu'un qui marchait à l'entrée de la ruelle, et même les déplacements des insectes au milieu des branches et des feuilles mortes à ses pieds.

Une minute s'écoula, puis une autre. Où était Will à cet instant ? Elle plissa les yeux pour essayer de voir à travers la fenêtre du bureau, mais ce n'était qu'un rectangle à meneaux tout noir, à demi recouvert de lierre.

Dire que ce matin, Sir Charles s'était assis sur cette banquette devant la fenêtre, en croisant les jambes et en lissant les plis de son pantalon. Où se trouvait la vitrine par rapport à la fenêtre ? Will parviendrait-il à entrer dans le bureau sans alerter quelqu'un dans la maison ? Lyra entendait également les battements de son cœur.

Soudain, Pantalaimon émit un petit son flûté avec sa bouche et, au même moment, un bruit différent leur parvint du devant de la maison, sur la gauche de Lyra. De sa cachette, elle ne distinguait pas la façade, mais elle vit une lumière balayer les arbres, et elle entendit des crissements : des pneus sur le gravier ! Pourtant, elle n'avait entendu aucun bruit de moteur.

Elle leva les yeux vers Pantalaimon ; déjà il s'éloignait en planant, sans faire de bruit, aussi loin d'elle que possible. Il exécuta un demi-tour dans l'obscurité et revint se poser sur le poing de la fillette.

—Sir Charles vient d'arriver, murmura-t-il. Et il y a quelqu'un avec lui.

Le dæmon s'envola de nouveau, et cette fois, Lyra le suivit vers le devant de la maison, marchant sur la pointe des pieds dans l'herbe tendre, avec la plus extrême prudence, s'accroupissant derrière les buissons, pour finalement avancer à quatre pattes, afin d'observer entre les feuilles d'un laurier.

La Rolls Royce s'était arrêtée devant la maison, et le chauffeur faisait le tour de la voiture pour aller ouvrir la portière. Sir Charles attendait, sourire aux lèvres, offrant son bras à la femme qui descendait, et lorsque celle-ci apparut, Lyra reçut un coup en plein cœur, le coup le plus terrible depuis sa fuite de Bolvangar, car l'invitée de Sir Charles n'était autre que sa mère, Mme Coulter !

Will traversait prudemment l'étendue d'herbe baignée de lune dans le parc de Cittàgazze, comptant ses pas et essayant de conserver dans son esprit le souvenir de l'emplacement du bureau pour pouvoir le localiser par rapport à la villa qui se dressait à proximité, avec ses murs en stuc blanc et ses colonnes, au milieu d'un jardin bien ordonné, orné de statues et d'une fontaine. Il savait combien il était exposé aux regards dans cet espace dégagé inondé de lune.

Estimant être arrivé au bon endroit, il s'arrêta et dégaina de nouveau le poignard subtil, dont il se servit pour tâtonner devant lui. Ces accrocs invisibles dans la texture de l'air étaient disséminés partout, mais pas n'importe où, car sinon, un simple coup de couteau, au hasard, aurait suffi à ouvrir une fenêtre sur l'autre monde.

Will découpa d'abord une petite ouverture, pas plus grande que sa main, et regarda à travers. De l'autre côté, il n'y avait que l'obscurité ; impossible de voir où il était. Il referma donc cette petite ouverture, effectua un quart de tour sur lui-même et en perça une autre. Cette fois, il se retrouva face à un pan de tissu : un épais velours vert, les rideaux du bureau sans doute. Mais quel était leur emplacement par rapport à la vitrine ? Will fut obligé de refermer cette ouverture et de se tourner de l'autre côté pour tenter sa chance encore une fois. Le temps passait.

Le troisième essai fut plus réussi : il apercevait l'ensemble du bureau plongé dans la pénombre, par la porte ouverte du couloir. Il y avait la table, le canapé... et la vitrine ! Un faible éclat de lumière se reflétait sur un microscope en cuivre. La pièce était déserte et la maison silencieuse. On ne pouvait pas espérer mieux.

Will calcula soigneusement la distance, referma cette fenêtre, avança de quatre pas et brandit de nouveau son couteau. S'il ne s'était pas trompé, il se trouvait maintenant à l'endroit parfait pour pouvoir, en tendant simplement la main par l'ouverture, découper le verre de la vitrine, s'emparer de l'aléthiomètre et refermer la fenêtre derrière lui.

Il découpa une ouverture juste à la bonne hauteur. En effet, le verre de la vitrine était devant lui, à portée de main. Il approcha son visage du trou pour examiner les étagères, de haut en bas.

L'aléthiomètre n'était pas là.

Will crut tout d'abord s'être trompé de vitrine. Il y en avait quatre dans la pièce – il les avait comptées ce matin et avait mémorisé leur disposition –, c'étaient de grands meubles de forme carrée en bois sombre, vitrés sur trois côtés, avec des étagères recouvertes de velours, destinées à exposer des objets de valeur, en porcelaine, en ivoire ou en or. Avait-il ouvert une fenêtre devant une vitrine qui n'était pas la bonne ? Pourtant, sur l'étagère du haut était posé cet instrument volumineux avec les anneaux de cuivre ; Will avait pris soin de s'en servir comme repère. Et sur l'étagère du milieu, là où Sir Charles avait déposé l'aléthiomètre, il y avait un espace vide. Aucun doute, c'était bien la bonne vitrine, mais l'aléthiomètre ne s'y trouvait plus.

Will recula d'un pas et inspira profondément.

Il était obligé de passer entièrement de l'autre côté pour inspecter les lieux. Ouvrir des fenêtres ici et là, au hasard, lui prendrait toute la nuit. Ayant refermé la fenêtre devant la vitrine, il en ouvrit une autre pour examiner le reste de la pièce ; après quoi, il referma également cette fenêtre pour aller en ouvrir une nouvelle, plus grande, derrière le canapé, à travers laquelle il pourrait s'échapper rapidement en cas de besoin.

Sa main estropiée l'élançait violemment, et le bandage commençait à se défaire. Il l'enroula du mieux qu'il put et coinça l'extrémité de la bande en dessous. Sur ce, il pénétra entièrement dans la maison de Sir Charles, accroupi derrière le canapé en cuir, le couteau dans la main droite, aux aguets.

N'entendant aucun bruit, il se releva lentement et balaya la pièce du regard. La porte du couloir était entrouverte, comme il l'avait déjà constaté, et la lumière qu'elle laissait entrer était suffisante pour éclairer le bureau. Les vitrines, les rayonnages de livres, les tableaux, tout était à sa place, comme ce matin.

Il s'avança à pas feutrés sur le tapis pour inspecter le contenu de chaque vitrine, l'une après l'autre. L'aléthiomètre ne s'y trouvait pas. Il n'était pas non plus sur le bureau au milieu des livres et des documents soigneusement empilés, pas plus que sur la cheminée, parmi les cartons d'invitation pour telle inauguration, telle réception, ni sur la banquette rembourrée sous la fenêtre, ni sur la table octogonale derrière la porte.

Will revint vers le bureau dans l'intention de fouiller les tiroirs, mais il entendit alors, ou crut entendre, un lointain crissement de pneus sur le gravier. Tout était tellement silencieux dans la maison qu'il pensa avoir rêvé. Il s'immobilisa malgré tout et tendit l'oreille. Le bruit avait cessé.

Mais soudain, il entendit s'ouvrir la porte d'entrée.

Il fonça vers le canapé et s'accroupit derrière, à côté de la fenêtre qui s'ouvrait sur le parc de Cittàgazze baigné de lumière argentée. À peine s'était-il caché qu'il entendit des pas dans cet autre monde, des pas légers qui couraient dans l'herbe. Penchant la tête par l'ouverture, il vit Lyra se précipiter vers lui. Il eut juste le temps de lui faire signe et de plaquer son doigt sur ses lèvres. Lyra ralentit sa course ; elle comprit que Will était au courant du retour de Sir Charles.

— Je ne l'ai pas trouvé ! murmura-t-il lorsqu'elle le rejoignit. Il n'est plus là. Sir Charles l'a certainement emporté. Je vais écouter pour savoir s'il le remet à sa place. Reste là.

— C'est plus grave que ça ! dit Lyra, proche de l'hystérie. Elle est avec lui ! Mme Coulter... ma mère ! Je ne sais pas comment elle a atterri ici, mais si elle me voit, je suis morte, Will, je suis fichue... Et je sais enfin qui est ce vieux bonhomme ! Je me souviens où je l'ai déjà vu ! Il s'appelle Lord Boreal ! Je l'ai rencontré à la réception de Mme Coulter, le jour où je me suis enfuie de chez elle ! Je parie qu'il sait qui je suis depuis le début...

— Chut ! Si tu veux faire du bruit, va ailleurs.

Lyra parvint à se contrôler ; elle déglutit avec peine et secoua la tête.

— Excuse-moi, murmura-t-elle. Je veux rester avec toi. Je veux écouter ce qu'ils disent.

— Tais-toi, alors...

Will avait entendu des voix dans le couloir. Lyra et lui étaient si près l'un de l'autre qu'ils auraient pu se toucher ; lui dans son monde, la fillette à Cittàgazze. En remarquant le pansement défait de Will, Lyra lui tapota le bras et lui fit signe de le rattacher. Will tendit la main à travers la fenêtre pour qu'elle s'en charge, pendant que, accroupi derrière le canapé, il tendait l'oreille.

Une lumière s'alluma dans le bureau. Will entendit Sir Charles s'adresser au domestique, puis le renvoyer, entrer dans le bureau et refermer la porte.

—Puis-je vous offrir un verre de tokay ? dit-il.

Une voix de femme, grave et suave, lui répondit :

—C'est très gentil à vous, Carlo. Je n'ai pas bu de tokay depuis des années.

—Prenez le fauteuil près de la cheminée.

On entendit le discret glouglou du vin que l'on verse, le tintement cristallin d'une carafe contre le bord d'un verre, des remerciements murmurés, puis Sir Charles vint s'asseoir sur le canapé, à quelques centimètres seulement de Will.

—À la vôtre, Marisa, dit-il en buvant une gorgée de tokay. Eh bien, si vous me disiez maintenant ce que vous attendez de moi ?

—Je veux savoir comment vous avez récupéré l'aléthiomètre.

—Pourquoi ?

—Cet objet était en la possession de Lyra, et je veux la retrouver.

—Je me demande bien pourquoi. C'est une gamine détestable.

—Puis-je vous rappeler qu'il s'agit de ma fille ?

—Dans ce cas, elle n'en est que plus détestable, car il faut qu'elle ait résisté à votre influence envoûtante. Nul ne peut s'y soustraire par accident.

—Où est-elle ?

—Je vous le dirai, c'est promis. Mais seulement si vous répondez d'abord à une question.

—Si je le peux, répliqua la femme, d'un ton différent, empreint de menace.

Sa voix était enivrante, apaisante, douce, musicale et jeune. Il était impatient de voir à quoi ressemblait cette femme, car Lyra ne lui avait jamais décrit sa mère, et le visage qui accompagnait cette voix était forcément remarquable.

—Que voulez-vous savoir ? demanda-t-elle.

—Que prépare Lord Asriel ?

Il y eut un moment de silence, comme si la femme réfléchissait à ce qu'elle devait répondre. Will se tourna vers Lyra ; il aperçut à travers la fenêtre son visage baigné de lune et ses yeux écarquillés. Elle se mordait les lèvres pour s'empêcher de parler, et elle tendait l'oreille, comme lui.

Finalement, Mme Coulter déclara :

—Très bien, je vais vous le dire. Lord Asriel rassemble une armée pour reprendre et achever la guerre qui s'est déroulée dans le ciel, il y a une éternité.

—Quelle idée moyenâgeuse! Néanmoins, il semble disposer de pouvoirs extrêmement modernes. Qu'a-t-il fait subir au pôle magnétique?

—Il a trouvé un moyen de faire voler en éclats la barrière entre notre monde et les autres. Cela a provoqué de grosses perturbations dans le champ magnétique terrestre, qui se répercutent certainement dans ce monde-ci... Mais comment êtes-vous au courant? Carlo, je crois que vous me devez quelques explications. Dans quel monde sommes-nous? Et comment m'avez-vous conduite jusqu'ici?

—C'est un monde parmi des millions d'autres. Il existe de nombreux passages entre ces mondes, mais on ne les trouve pas facilement. Personnellement, j'en connais une douzaine, mais les endroits auxquels ils permettaient d'accéder se sont déplacés, sans doute à cause de l'intervention de Lord Asriel. Apparemment, on peut désormais passer directement de ce monde-ci au vôtre, et dans beaucoup d'autres, sans doute. Autrefois, il y avait un unique monde qui faisait office de carrefour, en quelque sorte, et toutes les portes s'ouvraient sur ce monde. Vous imaginez ma surprise lorsque, en franchissant la fenêtre aujourd'hui, je vous ai vue, et ma joie de pouvoir vous amener ici directement, sans prendre le risque de passer par Cittàgazze.

—Cittàgazze? Qu'est-ce donc?

—Le carrefour en question. Un monde auquel je m'intéresse beaucoup, chère Marisa. Malheureusement, nous ne pouvons pas le visiter pour l'instant, c'est trop dangereux.

—Pour quelle raison?

—Cet endroit est dangereux seulement pour les adultes. Les enfants, eux, peuvent s'y promener en toute liberté.

—Vraiment? Racontez-moi tout, Carlo! s'exclama la femme, avec une curiosité et une passion qui n'échappèrent pas à Will. Cette différence entre adultes et enfants, dit-elle, est au centre de tout! Elle renferme le mystère de la Poussière! Voilà pourquoi je dois absolument retrouver cette enfant, vous comprenez? Les sorcières lui ont donné un nom... J'ai bien failli découvrir la solution de cette énigme, de la bouche d'une sorcière en personne, malheureusement, elle est morte trop vite. Voilà pourquoi il faut que je retrouve cette enfant. Elle détient la réponse, d'une manière ou d'une autre, et je la veux absolument...

—Vous l'aurez. Cet instrument fera revenir votre fille jusqu'à moi, n'ayez crainte. Et une fois qu'elle m'aura donné ce que je veux, je vous la laisserai. Mais parlez-moi un peu de vos étranges gardes du corps, Marisa. Je n'ai jamais vu de semblables soldats. D'où viennent-ils?

—Ce sont des hommes, rien de plus. Mais... ils ont subi une amputation. Ils n'ont plus de dæmon ; par conséquent, ils n'ont plus aucune peur, aucune imagination, aucune volonté, et ils sont prêts à se battre jusqu'à la mort.

— Ils n'ont plus de dæmon, dites-vous ?... Voilà qui est très intéressant. Je me demande si... Seriez-vous disposée à m'en céder un, pour une petite expérience ? J'aimerais voir si les Spectres s'intéressent à lui. S'ils l'ignorent, nous pourrions peut-être voyager à travers Cittàgazze, finalement...

— Les Spectres ? De quoi s'agit-il ?

— Je vous expliquerai plus tard, ma chère. Ils sont le fléau qui empêche les adultes de pénétrer dans ce monde. La Poussière, les enfants, les Spectres, les dæmons, l'amputation... Oui, ça pourrait peut-être marcher. Reprenez donc un peu de vin.

— Je veux tout savoir, dit la femme, pendant que Sir Charles versait du vin dans son verre. Et je compte sur vous, Carlo. Mais en attendant, expliquez-moi ce que vous faites ici, dans ce monde ? C'est ici que vous venez lorsque nous vous croyons au Brésil ou aux Indes ?

— J'ai découvert le chemin de ce monde il y a fort longtemps. Évidemment, je ne pouvais révéler à personne un tel secret, pas même à vous, ma chère Marisa. Comme vous le voyez, je me suis installé confortablement. En tant que membre du Conseil d'État, là-bas chez moi, j'étais bien placé pour savoir où résidait le pouvoir ici.

En vérité, je suis devenu espion, bien que je n'aie jamais dit à mes maîtres tout ce que je savais. Les services de sécurité de ce monde se sont inquiétés pendant des années des agissements de l'Union soviétique, que nous appelons Moscovie. Et même si cette menace s'est atténuée, des instruments espions sont toujours braqués dans cette direction, et je reste en contact avec les personnes qui dirigent les espions.

C'est ainsi que j'ai entendu parler, récemment, des importantes perturbations survenues dans le champ magnétique terrestre. Les services de sécurité s'en inquiètent. Toutes les nations qui mènent des recherches en physique fondamentale — ce que nous appelons chez nous la théologie expérimentale — se tournent vers les scientifiques pour savoir ce qui se passe. En effet, ils savent qu'il se passe quelque chose. Et ils savent que ces changements ont un rapport avec d'autres mondes.

À vrai dire, ils possèdent même quelques indices concrets. La Poussière fait l'objet de recherches. Eh oui, chère Marisa, ici aussi on connaît son existence. Il y a dans cette ville même une équipe de scientifiques qui travaille sur le sujet. Une chose encore : un homme a disparu voici dix ou douze ans, dans le Nord, et les services de sécurité pensent qu'il détenait des renseignements capitaux. Plus précisément, il connaissait l'emplacement d'une porte entre les mondes, comme celle que vous avez franchie aujourd'hui. Ce passage qu'il aurait découvert est d'ailleurs le seul dont ils ont connaissance ; vous imaginez bien que je ne leur ai rien dit de ce que je savais. Quand ces nouvelles perturbations sont apparues, ils se sont tous mis en quête de cet homme.

Et naturellement, chère Marisa, je suis fort curieux moi aussi. J'ai hâte d'étoffer mes connaissances.

Will était pétrifié ; son cœur cognait si fort dans sa poitrine qu'il craignait que les adultes ne l'entendent. Sir Charles parlait de son père ! Voilà donc d'où venaient ces hommes qui s'étaient introduits chez lui, et ce qu'ils cherchaient !

Malgré sa stupeur, il avait conscience d'une autre présence dans la pièce, outre Sir Charles et son invitée. Une ombre se déplaçait sur le sol ; il la voyait passer dans son champ de vision, au-delà du canapé et des pieds de la petite table octogonale. Pourtant, ni Sir Charles, ni la femme ne bougeaient. L'ombre se déplaçait par petits bonds rapides, et cela inquiétait grandement Will. L'unique lumière du bureau provenait d'une lampe posée près de la cheminée, et l'ombre se découpait de manière très nette, mais elle ne s'arrêtait jamais assez longtemps pour que Will puisse l'identifier.

Deux choses se produisirent alors.

La première : Sir Charles évoqua l'aléthiomètre.

— Par exemple, reprit-il, je suis très intrigué par cet instrument. Si vous m'expliquiez comment il fonctionne ?

Il déposa l'aléthiomètre au centre de la table octogonale, à l'extrémité du canapé. De sa cachette, Will l'avait sous les yeux ; il aurait presque pu le toucher.

La deuxième chose : l'ombre s'immobilisa enfin. La créature s'était sans doute perchée sur le dossier du fauteuil de Mme Coulter, car la lumière qui se trouvait juste derrière projetait sa silhouette sur le mur en ombre chinoise. Dès que l'ombre cessa de bouger, Will comprit qu'il s'agissait, en réalité, du dæmon de la femme : un singe accroupi qui tournait la tête de droite à gauche, comme s'il cherchait quelque chose.

Will entendit Lyra retenir sa respiration dans son dos. Il se retourna sans bruit et murmura :

— Va jusqu'à l'autre fenêtre, et entre dans le jardin de Sir Charles. Ramasse des pierres et lance-les en direction du bureau pour détourner leur attention un instant, afin que je puisse subtiliser l'aléthiomètre. Ensuite, dépêche-toi de retourner m'attendre à l'autre fenêtre.

Lyra acquiesça, fit demi-tour et s'éloigna en courant dans l'herbe. Will reporta son attention sur le bureau.

La femme disait :

— Le Maître de Jordan College est un vieil idiot. Je ne comprends pas pourquoi il lui a donné cet instrument ; il faut plusieurs années d'études intensives pour réussir à en percer les secrets. À votre tour de répondre à mes questions, Carlo. Comment avez-vous mis la main sur l'aléthiomètre ? Et où est mon enfant ?

— Je l'ai vue utiliser cet instrument dans un musée, ici en ville. Je l'ai reconnue, évidemment, l'ayant vue chez vous lors de cette réception, il y a bien longtemps, et j'en ai déduit qu'elle avait sans doute découvert un passage. J'ai compris, ensuite, que je pouvais me servir de cet objet dans mon propre intérêt. Et donc, lorsque je suis tombé une deuxième fois sur cette enfant, je lui ai subtilisé l'instrument en question.

— J'admire votre franchise.

— Inutile de tourner autour du pot, nous sommes adultes.

— Et où est-elle maintenant ? Comment a-t-elle réagi en découvrant la disparition de l'aléthiomètre ?

— Elle est venue me trouver, figurez-vous. Elle ne manque pas d'un certain courage.

— Non, en effet. Et que comptez-vous faire de cet objet, Carlo ? Quel est votre but ?

— Je lui ai dit qu'elle pouvait le récupérer, à condition qu'elle m'apporte autre chose en échange... une chose que je ne peux obtenir moi-même.

— Et de quoi s'agit-il ?

— Je ne sais pas si vous...

C'est à cet instant que la première pierre frappa la fenêtre du bureau, qui se brisa dans un grand fracas, extrêmement doux à l'oreille de Will. Immédiatement, le singe jaillit du dossier du fauteuil, tandis que les deux adultes laissaient échapper un petit cri surpris. Un deuxième fracas de verre brisé succéda au premier, puis un troisième, et Will sentit Sir Charles se lever du canapé.

Alors, il se pencha en avant pour s'emparer de l'aléthiomètre sur la table basse, le fourra dans sa poche et s'empressa de traverser la fenêtre. Dès qu'il se retrouva dans l'herbe de Cittàgazze, il chercha à tâtons les bords invisibles du trou, s'obligeant à respirer lentement, à réfléchir posément, en sachant qu'à quelques centimètres seulement rôdait un effroyable danger.

Un long cri perçant retentit soudain, ni humain, ni animal, et d'autant plus effroyable. Will comprit qu'il émanait de cet épouvantable singe. Heureusement, il avait presque fini de refermer la fenêtre, il ne restait qu'un petit trou à la hauteur de sa poitrine... mais il dut faire un bond en arrière, car à travers cette ouverture venait de jaillir une main recouverte d'un épais pelage doré, avec de grands ongles noirs, aussitôt suivie d'un visage cauchemardesque. Le singe doré montrait les dents, ses yeux lançaient des éclairs et il irradiait de tout son être un tel concentré de haine que Will se sentit comme transpercé de part en part.

Arrivé une seconde plus tôt, le singe aurait franchi la fenêtre entre les mondes, causant la perte de Will, mais celui-ci n'avait pas lâché le couteau, et sans hésiter, il frappa sauvagement de droite à gauche, de gauche à droite, à l'endroit où dépassait la tête du singe… qui la retira juste à temps. Ce bref répit offrit à Will le temps nécessaire pour agripper les bords de la fenêtre et les souder l'un à l'autre.

Et voilà, son monde s'était évanoui, et il se retrouvait seul dans ce parc de Cittàgazze éclairé par la lune, le souffle coupé et tremblant de frayeur.

Mais il devait aller au secours de Lyra. Il se précipita vers la première fenêtre, celle qu'il avait ouverte au milieu des arbustes du jardin de Sir Charles, et il pencha la tête de l'autre côté. Les feuilles noires du laurier et du houx lui masquaient la vue, mais il glissa le bras par l'ouverture et les écarta pour mieux voir la maison : la fenêtre brisée se détachait avec netteté dans l'éclat de la lune.

Il vit alors le singe jaillir au coin de la maison et traverser la pelouse à la vitesse d'un félin, puis il vit surgir Sir Charles et la femme, qui le suivaient de près. Le vieil homme était armé d'un pistolet. La femme était très belle, constata Will avec stupéfaction ; ses yeux noirs brillaient d'une lueur magique dans la lumière blanche de la lune qui soulignait sa silhouette gracile et élégante. Elle claqua des doigts et le singe s'immobilisa immédiatement pour bondir dans ses bras. Will constata alors que cette femme au visage angélique et ce singe diabolique ne faisaient qu'un.

Mais où donc était Lyra ?

Les adultes regardaient partout autour d'eux, et lorsque la femme reposa le singe, il se mit à fureter dans l'herbe comme s'il reniflait une piste ou cherchait des empreintes. Le silence régnait dans le jardin. Si Lyra s'était réfugiée au milieu des arbustes, elle ne pouvait pas bouger sans risquer de se faire repérer immédiatement.

Sir Charles produisit un petit déclic en manipulant son arme : il avait ôté le cran de sûreté ! Il scruta le bosquet d'arbustes et Will eut l'impression qu'il le dévisageait, mais les yeux du vieil homme glissèrent sur lui sans s'arrêter.

Soudain, les deux adultes tournèrent la tête vers la gauche, car le singe avait, semble-t-il, entendu quelque chose. Rapide comme l'éclair, il se jeta sur l'endroit où devait se cacher Lyra…

Mais au même moment, le chat tigré jaillit des arbustes, au milieu de la pelouse, en crachant.

Le singe fit un bond en l'air, surpris par cette apparition, mais pas autant que Will lui-même. Le primate retomba sur ses quatre pattes, face au chat qui faisait le gros dos, la queue dressée, crachant et grognant, dans une posture de défi.

Le singe bondit. Le chat se dressa sur ses pattes arrière, en décochant des coups de griffes avec une rapidité qui confondait le regard. Soudain, Lyra apparut aux côtés de Will, après avoir sauté à travers la fenêtre, avec Pantalaimon. Le chat poussa un cri sauvage, et le singe aussi lorsque les griffes du félin lui lacérèrent le visage. Le primate fit demi-tour et courut se réfugier dans les bras de Mme Coulter, pendant que le chat disparaissait dans les buissons du monde auquel il appartenait.

Will chercha à tâtons les bords immatériels de la fenêtre pour les rabattre rapidement l'un contre l'autre, tandis qu'à travers l'ouverture qui se rétrécissait leur parvenaient des bruits de pas précipités et des craquements de branches...

Il ne restait plus qu'un petit trou de la taille de la main de Will, et lorsque celui-ci se retrouva scellé, un silence absolu s'abattit sur le monde. Will tomba à genoux dans l'herbe humide de rosée et ramassa l'aléthiomètre.

—Tiens, dit-il à Lyra.

Elle prit l'instrument qu'il lui tendait. D'une main tremblante, il glissa le couteau dans sa gaine. Après quoi, il s'allongea dans l'herbe, secoué de frissons nerveux, et ferma les yeux; il sentit le clair de lune l'envelopper d'une douce lueur argentée et les gestes doux et attentionnés de Lyra qui refaisait son pansement.

—Oh, Will, dit-elle. Merci pour tout ce que tu as fait...

—J'espère que le chat va s'en tirer, murmura-t-il. Il ressemble à mon Moxie. Il a dû rentrer chez lui. Il a retrouvé son monde.

—Tu sais ce que j'ai cru? Pendant un instant, j'ai imaginé que c'était ton dæmon. Ce chat a fait ce qu'un bon dæmon aurait fait. On l'a sauvé, et il nous a sauvés. Viens, Will, ne reste pas allongé dans l'herbe mouillée. Tu vas attraper froid. On va aller dans cette grande maison là-bas; il y a certainement des lits, de la nourriture et tout ça. Viens, je vais te faire un autre pansement, je te ferai du café et une omelette aussi, tout ce que tu voudras. Et on va se reposer... On ne craint plus rien, maintenant qu'on a récupéré l'aléthiomètre. Et c'est promis, à partir de maintenant, je t'aide à retrouver ton père, et rien d'autre...

Will s'appuya sur Lyra pour se relever, et ils traversèrent lentement le jardin en direction de la grande maison blanche qui scintillait dans l'éclat de la lune.

Chapitre 10
Le chaman

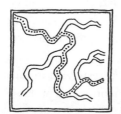 En débarquant dans le port situé à l'embouchure du fleuve Ienisseï, Lee Scoresby découvrit avec stupeur un endroit en plein chaos : les pêcheurs tentaient désespérément de vendre aux conserveries les rares poissons, appartenant à des espèces inconnues, qu'ils avaient pris dans leurs filets ; les propriétaires de bateaux pestaient contre les autorités qui avaient augmenté les taxes portuaires afin de contrebalancer le coût des inondations ; quant aux chasseurs et aux trappeurs, ils erraient en ville, désœuvrés, empêchés d'exercer leur profession du fait du dégel rapide de la forêt et du comportement inhabituel des animaux.

Il ne serait pas facile de pénétrer à l'intérieur des terres en empruntant la route, c'était une certitude, se dit Lee Scoresby. En temps normal, cette route n'était qu'une vulgaire piste de terre gelée au milieu de la toundra, et maintenant que le permafrost lui-même commençait à fondre, la surface ressemblait à un marécage de boue.

Après avoir remisé son ballon et tout son équipement dans un hangar, Lee loua un bateau à moteur, grâce à son or qui, soit dit en passant, diminuait rapidement. Il acheta des provisions et plusieurs bidons de carburant, après quoi il s'élança sur le fleuve en crue.

Tout d'abord, il progressa lentement. Le courant était violent et les eaux charriaient toutes sortes de débris : des troncs d'arbres, des broussailles, des animaux morts, et même le cadavre boursouflé d'un homme. Lee devait piloter avec prudence, tout en poussant au maximum le petit moteur.

Il se dirigeait vers le village de la tribu de Grumman. Pour se guider, il n'avait que sa mémoire, car il avait survolé cette région quelques années auparavant, mais il n'eut guère de difficulté à repérer le bon chemin au milieu des cours d'eau tumultueux, bien que certaines rives aient complètement disparu sous des alluvions d'un brun laiteux. Le changement brutal de température avait perturbé les insectes, et un gigantesque nuage de moucherons étendait un voile sur tout le paysage. Pour les repousser, Lee s'enduisit le visage et les mains d'une pommade à base de stramoine et se mit à fumer sans interruption de petits cigares à l'odeur âcre.

Quant à Hester, il restait assis à l'avant du bateau, l'air taciturne, ses longues oreilles plaquées contre son dos brillant, les yeux plissés. Lee était habitué au silence de son dæmon. L'un et l'autre ne parlaient jamais pour ne rien dire.

Au matin du troisième jour, Lee remonta avec son petit canot le courant d'une rivière qui rejoignait le fleuve, en descendant d'une chaîne de collines qui auraient dû disparaître sous une épaisse couche de neige, mais qui étaient constellées de plaques de terre brune. La rivière serpentait au milieu des pins et des sapins. Après quelques kilomètres, ils atteignirent un énorme rocher rond, de la taille d'une maison, au pied duquel Lee accosta et attacha son canot.

—Dans le temps, il y avait un débarcadère ici, dit-il à Hester. Tu te souviens du vieux chasseur de phoques de Nova Zembla qui nous en a parlé ? Je parie qu'il est six pieds sous terre maintenant.

—J'espère qu'ils ont eu assez de bon sens pour bâtir leur village en hauteur, répondit le dæmon en sautant à terre.

Une demi-heure plus tard, Lee déposait son bagage devant la maison en bois du chef du village. Il se retourna pour saluer la petite foule qui s'était rassemblée dès son arrivée. Après avoir mimé le geste qui, dans le Nord, signifiait amitié, il abandonna son fusil à ses pieds.

Un vieux Tartare de Sibérie, dont les yeux disparaissaient presque au milieu d'un réseau de rides, déposa son arc à côté du fusil. Son dæmon-glouton regarda Hester en remuant le nez, et le dæmon de Lee répondit en agitant une oreille. Le chef du village prit la parole.

Les deux hommes passèrent en revue une demi-douzaine de langages avant de trouver celui dans lequel ils pouvaient communiquer.

—Mes respects à vous et à votre tribu, dit Lee. J'ai là quelques feuilles à fumer qui ne sont pas excellentes, mais je serais honoré de vous les offrir.

Le chef remercia d'un hochement de tête, et l'une de ses épouses reçut le petit paquet que Lee avait sorti de son sac.

—Je suis à la recherche d'un dénommé Grumman, dit Lee. J'ai entendu dire qu'il était devenu l'un des vôtres, par adoption. Peut-être a-t-il changé son nom, mais c'est un Européen.

—Ah, fit le chef de la tribu. On vous attendait.

Les autres habitants du village, rassemblés dans la faible lueur du soleil vaporeux, sur le sol boueux, au milieu des huttes, ne comprenaient pas les paroles échangées par les deux hommes, mais ils voyaient que leur chef était ravi. Ravi et également soulagé, songea Lee par le biais de Hester.

Le chef hocha la tête à plusieurs reprises.

— On vous attendait, répéta-t-il. Vous venez pour emmener le Dr Grumman dans l'autre monde.

Lee ne put cacher son étonnement, mais il répondit simplement :

—C'est possible. Il est ici ?

—Suivez-moi.

Les habitants du village s'écartèrent respectueusement. Comprenant le dégoût qu'éprouvait Hester à l'idée de devoir sautiller dans toute cette boue, Lee prit son dæmon dans ses bras et, son sac sur l'épaule, suivit le chef de la tribu sur un chemin forestier conduisant à une hutte isolée, située à dix jets de flèche du village, dans une clairière au milieu des mélèzes.

Le chef s'arrêta devant la hutte, une structure de bois tendue de peaux de bêtes. Elle était décorée de défenses de sangliers, de bois d'élans et de rennes ; on y avait accroché des fleurs séchées et des branches de sapin soigneusement tressées, comme pour un rituel.

—Il faut lui parler avec beaucoup de respect, murmura le chef. C'est un chaman. Et il a le cœur malade.

Lee sentit un frisson lui parcourir le dos, et Hester se raidit dans ses bras en constatant soudain qu'on les observait depuis leur arrivée : au milieu des fleurs séchées et des branches de sapin brillait un grand œil jaune. C'était un dæmon. Sous le regard hébété de Lee, il tourna la tête, saisit délicatement une branche de sapin avec son bec puissant et la tira devant l'ouverture.

Le chef du village lança quelques mots dans sa langue, s'adressant à l'homme qui se trouvait à l'intérieur de la hutte en utilisant le nom qu'avait mentionné le vieux chasseur de phoques : Jopari. Peu après, le rabat s'ouvrit.

Un homme apparut, vêtu de peaux et de fourrures, décharné, le regard fiévreux. Ses cheveux noirs étaient striés de mèches grises, sa mâchoire volontaire saillait, et son dæmon-balbuzard, perché sur son poing, jetait des regards noirs.

Le chef du village s'inclina trois fois et se retira.

—Docteur Grumman, je m'appelle Lee Scoresby. Je viens du Texas, et je suis aéronaute de profession. Si vous m'autorisez à m'asseoir et à discuter avec vous un instant, je vous expliquerai la raison de ma venue. Car je ne me trompe pas, n'est-ce pas ? Vous êtes bien le Dr Stanislaus Grumman, de l'Académie de Berlin ?

—En effet, répondit le chaman. Et vous venez du Texas, dites-vous ? Les vents vous ont entraîné bien loin de votre terre natale, monsieur Scoresby.

—D'étranges vents balayent le monde depuis quelque temps, monsieur.

—C'est juste. Le soleil est doux aujourd'hui. Il y a un banc dans ma hutte. Si vous m'aidez à le sortir, nous pourrons nous asseoir dans cette agréable lumière et bavarder. J'ai fait du café, si cela vous tente.

—C'est très aimable, monsieur.

Lee sortit le banc de la hutte pendant que Grumman allait chercher la casserole posée sur le réchaud et versait le café brûlant dans deux tasses en fer-blanc. Son accent n'était pas allemand, constata Lee, mais plutôt anglais, d'Angleterre précisément. Le Directeur de l'observatoire avait donc raison.

Dès qu'ils furent installés, Hester assis à côté de Lee, les yeux plissés, impassible comme toujours, et le grand dæmon-balbuzard regardant le soleil d'un air farouche, le Texan commença son récit. Il commença par sa rencontre avec John Faa, le seigneur des gitans, à Trollesund, et raconta comment ils avaient recruté Iorek Byrnison, l'ours en armure, et voyagé jusqu'à Bolvangar pour libérer Lyra et les autres enfants ; il lui rapporta ensuite ce qu'il avait appris de la bouche de Lyra et de Serafina Pekkala, à bord de son ballon, pendant qu'ils volaient vers Svalbard.

—Voyez-vous, docteur Grumman, il m'a semblé, à la façon dont la fillette m'a décrit la scène, que Lord Asriel avait simplement brandi cette tête coupée, conservée dans la glace, devant tous ces Érudits ; et ceux-ci étaient tellement effrayés qu'ils n'ont pas regardé de plus près. J'en ai déduit que, peut-être, vous étiez encore en vie. De toute évidence, monsieur, vous êtes une sorte de spécialiste dans ce domaine. On n'a cessé de me parler de vous tout au long de la côte arctique : on m'a raconté comment vous vous êtes fait percer le crâne, on m'a dit que vos sujets d'études alternaient les prélèvements au fond de l'océan et l'observation des Lumières du Nord, et il paraît que vous êtes apparu tout à coup, voici une dizaine d'années, venant de nulle part. Tout cela a éveillé mon intérêt. Toutefois, ce n'est pas uniquement la curiosité qui m'a attiré jusqu'ici, docteur Grumman. À vrai dire, je m'inquiète au sujet de cette fillette. Je crois qu'elle a un rôle capital à jouer, et les sorcières partagent cet avis. Si vous savez quelque chose sur elle et sur tout ce qui se passe, j'aimerais que vous m'en parliez. Comme je vous l'ai dit, j'ai la conviction que vous pouvez me renseigner, c'est pourquoi je suis venu jusqu'ici.

Mais à moins de me tromper, monsieur, j'ai entendu le chef du village dire que j'étais venu pour vous conduire dans l'autre monde. Ai-je bien compris le sens de ses paroles ? Encore une dernière question : comment vous a-t-il appelé ? S'agit-il d'une sorte de nom tribal, d'un titre de magicien ?

Grumman esquissa un sourire.

—Il m'a appelé par mon véritable nom : John Parry. Et c'est vrai, vous êtes venu pour me conduire dans l'autre monde. Quant à ce qui vous a amené jusqu'ici, vous allez le savoir...

En disant cela, il ouvrit la main. Dans sa paume reposait un objet que Lee reconnut, sans comprendre ce qu'il faisait là. Car il s'agissait d'une bague en argent et turquoise, ornée d'un motif navajo... La bague que portait sa mère ! Il connaissait bien son poids et la douceur de la pierre, la manière dont l'orfèvre avait pris soin de replier le métal sur le coin où la pierre était ébréchée, et il savait que le coin endommagé avait fini par se polir avec l'usure, car il l'avait souvent caressé du bout des doigts, il y avait des années et des années de cela, quand il était enfant, dans les prairies désertiques de sa terre natale.

Lee s'était levé, sans même s'en apercevoir. Hester s'était redressé lui aussi, en tremblant, les oreilles droites. Le balbuzard était venu se placer, à l'insu de Lee, entre le Texan et Grumman, afin de protéger celui-ci sans doute, mais Lee n'avait pas l'intention de l'attaquer ; il se sentait anéanti, il avait l'impression d'être redevenu un enfant, et c'est d'une voix crispée, mal assurée, qu'il demanda :

—D'où tenez-vous cette bague ?

—Prenez-la, dit Grumman, ou Parry. Elle a accompli son travail. C'est elle qui vous a fait venir. Je n'en ai plus besoin.

—Mais comment... ? demanda Lee en récupérant l'objet aimé dans la paume de Grumman. Je ne comprends pas comment vous avez pu... Comment avez-vous eu cette bague ? Je ne l'ai pas vue depuis quarante ans.

—Je suis un chaman. Je peux faire un tas de choses que vous ne comprenez pas. Asseyez-vous, monsieur Scoresby. Restez calme. Je vais vous raconter tout ce que vous avez besoin de savoir.

Lee se rassit, en caressant la bague.

—Je suis ébranlé, je l'avoue. Expliquez-moi.

—Très bien, dit Grumman. Je commence. Comme je vous l'ai dit, je m'appelle Parry, et je ne suis pas né dans ce monde. Lord Asriel n'est certainement pas le premier à être passé d'un monde à l'autre, même s'il fut le premier à ouvrir la voie de manière aussi spectaculaire. Dans mon monde, j'ai d'abord été soldat, puis explorateur. Il y a douze ans, j'accompagnais une expédition dans une contrée lointaine qui correspond à votre Beringland. Mes compagnons avaient tous des motivations différentes ;

quant à moi, j'étais à la recherche d'une chose dont parlaient les vieilles légendes : une déchirure dans l'étoffe de l'univers, un trou qui était apparu mystérieusement entre notre monde et un autre. Certains de mes compagnons se sont perdus au cours de cette expédition. En partant à leur recherche avec deux autres explorateurs, nous avons franchi ce trou, cette porte, sans le vouloir, ni même nous en apercevoir, et nous avons ainsi quitté notre monde. D'abord, nous n'avons pas compris ce qui se passait. Nous avons continué à marcher, jusqu'à ce que nous atteignions une ville. À ce moment-là, plus aucun doute ne fut possible : nous étions dans un autre monde.

Malgré tous nos efforts, jamais nous ne pûmes retrouver cette porte. Nous l'avions franchie en plein brouillard ; vous connaissez bien l'Arctique : vous savez ce que ça signifie.

Nous étions donc condamnés à demeurer dans ce monde-là. Et nous ne tardâmes pas à découvrir combien il était dangereux. Apparemment, cet endroit était hanté par une sorte de goule étrange, ou plutôt une espèce de spectre, aussi mortel qu'implacable. Mes deux compagnons périrent peu de temps après, victimes des Spectres, ainsi qu'on appelle ces créatures.

Leur univers était un lieu de cauchemar, et j'avais hâte de le quitter. Hélas, tout retour vers mon monde m'était interdit désormais, pour toujours. Mais il existait d'autres passages, vers d'autres mondes et, après quelques recherches, j'ai découvert le passage conduisant à celui-ci.

Et je me suis retrouvé ici même. À peine arrivé, j'ai eu une merveilleuse surprise, monsieur Scoresby, car les mondes sont extrêmement différents, et c'est ici que j'ai fait la connaissance de mon dæmon. Eh oui, j'ignorais l'existence de Sayan Kötör avant d'arriver ici. Vos semblables ne peuvent concevoir des mondes où les dæmons se réduisent à une voix silencieuse enfouie dans l'esprit, et rien d'autre. Pouvez-vous imaginer ma stupéfaction, à moi aussi, en apprenant qu'une partie de ma personnalité était, en réalité, une magnifique créature ressemblant à un oiseau ?

C'est ainsi que, désormais accompagné de Sayan Kötör, je voyageai à travers les territoires du Nord, et j'appris beaucoup de choses au contact des peuples de l'Arctique, comme mes bons amis de ce village. Ce qu'ils m'enseignèrent sur ce monde m'aida à combler certaines lacunes dans les connaissances que j'avais accumulées dans mon monde, et je commençai à percevoir les réponses à certains mystères.

Je me rendis à Berlin, sous le nom de Grumman. Je ne parlai à personne de mes origines ; c'était mon secret. Je présentai une thèse à l'Académie, et la soutins en public comme le veut leur tradition. Étant mieux informé que les Académiciens eux-mêmes, je n'eus aucun mal à être reçu dans leurs rangs.

Grâce à ces nouveaux titres, je pus commencer à travailler dans ce monde où, dans l'ensemble, je me sentais heureux. Évidemment, je me languissais de certaines choses de mon passé. Êtes-vous marié, monsieur Scoresby ? Non ? Eh bien, moi, je l'étais, et j'aimais énormément ma femme, et j'adorais mon fils, mon seul enfant, un petit garçon qui n'avait même pas un an à l'époque où, sans le vouloir, j'ai quitté mon monde. L'un et l'autre me manquaient terriblement. Mais j'aurais pu chercher pendant des milliers d'années sans jamais trouver le chemin du retour. Nous étions séparés pour toujours.

Heureusement, mon travail m'absorbait. J'étais à la recherche d'autres formes de savoir ; je fus initié au « culte du crâne », et je devins chaman. Je fis également quelques découvertes utiles : ainsi, je trouvai le moyen de fabriquer, à partir de mousse magique, une pommade qui conserve toutes les vertus de la plante fraîche.

Je sais énormément de choses sur ce monde maintenant, monsieur Scoresby. Je connais, par exemple, l'existence de la Poussière. Je vois, à votre expression, que ce terme ne vous est pas inconnu. Il fait trembler de peur vos théologiens, mais moi, ce sont eux qui m'effrayent. Je sais ce que prépare Lord Asriel, et je sais pourquoi ; c'est la raison pour laquelle je vous ai fait venir jusqu'ici. J'ai décidé de l'aider, voyez-vous, car la tâche qu'il a entreprise est la plus grande de toute l'histoire de l'humanité. La plus grande depuis trente-cinq mille ans d'histoire humaine, monsieur Scoresby.

Personnellement, je ne peux pas faire grand-chose. Mon cœur est très malade, et personne dans ce monde n'a le pouvoir de le soigner. Peut-être me reste-t-il encore assez de force pour accomplir un dernier effort. Or, je sais une chose que Lord Asriel ignore ; une chose qu'il doit absolument savoir s'il veut atteindre son objectif.

J'étais très intrigué, voyez-vous, par ce monde maudit où les Spectres se nourrissent de la conscience humaine. Je voulais savoir ce qu'ils sont véritablement, comment ils se sont formés. En ma qualité de chaman, il m'est possible de découvrir par le biais de l'esprit des domaines où je ne peux m'aventurer physiquement, et je passe de longs moments en état de transe, pour explorer cet autre monde. Ainsi, j'ai appris que les philosophes de là-bas ont créé, il y a des siècles, un outil qui a causé leur perte : un instrument qu'ils nomment le poignard subtil. Celui-ci possède de nombreux pouvoirs, plus qu'ils ne l'avaient imaginé en le fabriquant, bien plus même qu'ils ne l'imaginent encore aujourd'hui, et d'une manière ou d'une autre, en l'utilisant, ils ont laissé entrer les Spectres dans leur monde.

Je connais l'existence de ce poignard subtil, et je sais ce dont il est capable.

Je sais également où il se trouve, et je sais comment reconnaître la personne qui doit l'utiliser. Enfin, je sais ce que doit faire cette personne pour servir la cause de Lord Asriel. J'espère qu'elle sera à la hauteur de cette tâche. C'est pourquoi je vous ai attiré jusqu'ici, pour que vous m'emmeniez dans le Nord avec votre ballon, dans ce monde ouvert par Lord Asriel, où je pense trouver le porteur du poignard subtil.

Attention, c'est un monde dangereux, je vous l'ai dit. Ces Spectres sont plus redoutables que tout ce qui existe dans votre monde ou le mien. Nous devrons faire preuve de prudence et de courage. Je ne reviendrai pas, et si vous voulez revoir votre pays, vous aurez besoin de toute votre bravoure, de toute votre expérience... et d'une bonne dose de chance.

Voilà quelle est votre mission, monsieur Scoresby. Voilà pourquoi vous êtes venu jusqu'à moi.

Après cette longue tirade, le chaman se tut. Son visage était blême, couvert de sueur.

— C'est l'idée la plus folle que j'ai jamais entendue de toute ma vie, dit Lee.

Trop énervé pour tenir en place, il se leva et marcha de long en large devant la hutte, sous le regard figé de Hester, assis sur le banc. Grumman avait les yeux mi-clos ; son dæmon, installé sur ses genoux, observait Lee avec méfiance.

— Voulez-vous de l'argent ? demanda finalement le chaman. Je peux vous offrir de l'or. Ce n'est pas difficile à fabriquer.

— Bon sang, je ne suis pas venu ici pour de l'or ! s'exclama Lee avec fureur. Je suis venu... Je suis venu voir si vous étiez effectivement vivant, comme je le supposais. Ma curiosité est satisfaite sur ce point.

— Vous m'en voyez ravi.

— Mais ce n'est pas la seule raison, ajouta Lee.

Et il évoqua le conseil des sorcières au lac Enara et leur serment solennel.

— Comprenez bien une chose, conclut-il. Cette fillette, Lyra... C'est pour elle que j'ai décidé d'aider les sorcières, au départ. Vous affirmez m'avoir attiré jusqu'ici grâce à cette bague navajo. C'est peut-être vrai, peut-être pas. Ce que je sais, en revanche, c'est qu'en venant ici, je pensais aider Lyra. Jamais je n'ai connu une enfant comme elle. Si j'avais une fille, j'aimerais qu'elle soit seulement à moitié aussi forte, aussi généreuse et aussi courageuse. J'avais entendu dire que vous aviez connaissance d'un objet qui confère une protection absolue à quiconque le possède ; j'ignorais de quoi il s'agissait, mais d'après ce que vous me dites, je pense qu'il s'agit de ce... poignard subtil. Si vous voulez que je vous conduise dans l'autre monde, docteur Grumman, voici quel est mon prix : je ne veux pas d'or, je veux ce poignard ; pas pour moi, mais pour Lyra. Jurez-moi que vous lui offrirez la protection de cet objet, et alors, je vous emmènerai là où vous voulez.

Le chaman l'avait écouté attentivement.

— Très bien, monsieur Scoresby, dit-il. Je vous le jure. Avez-vous confiance en ma parole?

— Sur quoi êtes-vous prêt à jurer?

— Je vous laisse le choix.

Lee réfléchit.

— Jurez sur cette chose, ou cette personne, qui vous a poussé à rejeter l'amour d'une sorcière. Je suppose que pour vous, c'est ce qui compte le plus au monde.

Grumman ne put masquer son étonnement.

— Vous supposez bien, monsieur Scoresby. C'est avec plaisir que je jure sur cette personne. Je vous donne ma parole que je ferai tout pour que cette enfant, Lyra Belacqua, soit sous la protection du poignard subtil. Mais je vous préviens : le porteur du poignard est, lui aussi, investi d'une mission, et il se peut qu'en voulant l'accomplir, il coure un danger encore plus grand.

Lee hocha la tête.

— C'est possible, dit-il, mais malgré les risques, je veux qu'elle ait ce couteau.

— Vous avez ma parole. Il faut maintenant que je me rende dans ce nouveau monde, et c'est à vous de m'y emmener.

— Et le vent? Votre état de santé vous aurait-il empêché d'observer les conditions atmosphériques, par hasard?

— Laissez-moi m'occuper du vent.

Lee acquiesça sans rien dire. Il se rassit sur le banc, sans cesser de caresser la bague en turquoise, pendant que Grumman rassemblait les quelques affaires dont il avait besoin dans une besace en peau de renne ; après quoi, les deux hommes empruntèrent le sentier au milieu des bois pour retourner au village.

Le chef leur parla longuement. Pendant ce temps, les membres de la tribu ne cessaient d'affluer pour toucher la main de Grumman, lui murmurer quelques mots, et recevoir en retour ce qui ressemblait à une bénédiction. Lee Scoresby, quant à lui, observait le ciel : il était dégagé au sud et une brise fraîche venait de se lever, faisant tourbillonner les brindilles sur le sol et agitant les cimes des pins. Au nord, le brouillard flottait toujours au-dessus du fleuve en crue, mais pour la première fois depuis des jours et des jours se dessinait une promesse d'éclaircie.

Arrivé au rocher où se trouvait autrefois l'embarcadère, Lee hissa le sac de Grumman à bord du canot et fit le plein. Le petit moteur démarra du premier coup. Il largua les amarres et, le chaman étant assis à l'avant, l'embarcation dévala le courant, sous la voûte des arbres, pour déboucher dans le lit du fleuve, si vite que Lee s'inquiéta pour Hester, accroupi au bord du canot. Son dæmon était pourtant un voyageur aguerri. Pourquoi diable était-il si nerveux ?

En atteignant le port situé à l'embouchure du fleuve, ils découvrirent avec stupéfaction que tous les hôtels, toutes les pensions, et même toutes les chambres d'hôte avaient été réquisitionnés par des soldats. Et pas n'importe quels soldats : il s'agissait des troupes de la Garde Impériale de Moscovie, l'armée la plus entraînée, la plus féroce et la mieux équipée au monde, entièrement dévouée à la défense du pouvoir du Magisterium.

Lee avait l'intention de se reposer une nuit avant de s'envoler, car Grumman semblait en avoir besoin, mais impossible de trouver un lit.

— Que se passe-t-il ici ? demanda-t-il au loueur de canots en lui rapportant celui qu'il avait utilisé.

— On n'en sait rien. Le régiment est arrivé hier, et ils ont réquisitionné tous les logements, la moindre miette de nourriture et toutes les embarcations. Ils auraient pris ce canot également, si vous n'étiez pas déjà parti avec.

— Savez-vous où ils comptent aller ?

— Dans le Nord, répondit le loueur de canots. Une guerre va avoir lieu, au dire de tout le monde. La plus grande guerre qu'on ait jamais connue.

— Dans le Nord ? Dans ce nouveau monde ?

— Exact. Et d'autres troupes vont arriver... Ce régiment n'est que l'avant-garde. Dans une semaine, il ne restera plus une seule miche de pain ni un seul litre d'alcool en ville. Vous m'avez rendu un sacré service en prenant ce bateau, les prix ont déjà doublé...

Inutile de chercher à se reposer, désormais, même si, par miracle, ils trouvaient un endroit pour dormir. Inquiet au sujet de son ballon, Lee se rendit aussitôt au hangar où il l'avait laissé, accompagné de Grumman. Celui-ci le suivait sans se plaindre. Certes, il paraissait mal en point, mais c'était un homme robuste.

Le propriétaire du hangar, occupé à vérifier une liste de pièces détachées de moteur devant un sergent de la Garde Impériale, leva brièvement la tête de ses feuilles.

— Le ballon ? Ah, trop tard. Dommage. Il a été réquisitionné hier, dit-il.

Hester agita ses oreilles, et Lee comprit le message.

— Sont-ils déjà venus le chercher ? demanda-t-il.

— Non, ils vont l'emporter cet après-midi.

— Eh bien, non, déclara le Texan, car mon autorité surpasse celle de la Garde Impériale.

Il mit sous le nez du propriétaire du hangar l'anneau qu'il avait arraché au doigt du Skraeling mort, à Nova Zembla. Le sergent qui se tenait à ses côtés, devant le comptoir, interrompit ce qu'il était en train de faire et se mit au garde-à-vous à la vue du symbole de l'Église mais, malgré son sens aigu de la discipline, il ne put réprimer un petit rictus de perplexité.

—Nous réquisitionnons ce ballon immédiatement, déclara Lee Scoresby. Vous pouvez demander à vos hommes de le gonfler. Tout de suite. Sans oublier les provisions, l'eau et le lest.

Le propriétaire du hangar se tourna vers le sergent, qui répondit par un haussement d'épaules, puis il s'empressa de s'occuper du ballon. Lee et Grumman se dirigèrent vers la jetée, là où se trouvaient les citernes de gaz, afin de superviser le remplissage et de discuter loin des oreilles indiscrètes.

—D'où tenez-vous cet anneau ? demanda Grumman.

—Je l'ai ôté du doigt d'un mort. J'ai pris un risque en l'utilisant, mais je ne voyais pas d'autre moyen de récupérer mon ballon. Vous croyez que ce sergent a des doutes ?

—Évidemment. Mais c'est un soldat discipliné. Il ne veut pas s'opposer à l'Église. S'il donne l'alerte, malgré tout, nous serons déjà loin avant qu'ils puissent intervenir. Je vous avais promis un vent favorable, monsieur Scoresby ; j'espère que celui-ci vous convient.

Le ciel était bleu à présent au-dessus de leurs têtes, et le soleil brillait de nouveau. Au nord, des nappes de brouillard flottaient encore, telle une chaîne de montagnes, au-dessus de la mer, mais la brise les repoussait de plus en plus loin vers le large, et Lee avait hâte de se retrouver dans les airs.

Tandis que le ballon se remplissait de gaz et commençait à gonfler, là-bas derrière l'extrémité du toit de l'entrepôt, Lee inspecta l'état de la nacelle, dans laquelle il installa tout son matériel avec le plus grand soin, car comment savoir quelles turbulences ils pouvaient rencontrer dans cet autre monde ? De même, il fixa ses instruments de navigation aux montants de l'habitacle avec beaucoup d'attention, y compris la boussole, dont l'aiguille s'affolait inutilement. En guise de lest, il attacha une vingtaine de sacs de sable tout autour de la nacelle.

Lorsque le ballon rempli de gaz commença à pencher vers le nord, sous l'effet des rafales de vent, et quand les cordes épaisses qui retenaient la nacelle au sol se tendirent, Lee paya le propriétaire du hangar avec l'or qui lui restait et aida Grumman à monter à bord. Cela étant fait, il se tourna vers les hommes postés à côté des cordes pour leur ordonner de les détacher.

Mais avant qu'ils ne s'exécutent, ils furent interrompus par des bruits de bottes précipités, venant de la ruelle située sur le côté de l'entrepôt. Soudain, un ordre retentit :

— Halte !

Les hommes qui s'apprêtaient à détacher les cordes s'arrêtèrent ; certains tournèrent la tête en direction de la ruelle, tandis que d'autres interrogeaient Lee du regard.

— Larguez les amarres ! leur cria-t-il.

Deux des hommes seulement obéirent, et le ballon s'éleva de travers, mais les deux autres avaient les yeux tournés vers les soldats qui venaient de déboucher à grands pas au coin du bâtiment. Ces deux hommes tenaient toujours les cordes et le ballon tanguait dangereusement. Lee s'agrippa à l'anneau de suspension ; Grumman s'y accrochait lui aussi, et son dæmon l'avait coincé entre ses serres.

— Lâchez tout, bande d'idiots ! s'écria Lee. Le ballon va s'envoler !

La puissance du gaz était trop forte, et les hommes avaient beau lutter de toutes leurs forces, ils étaient incapables de retenir le ballon. L'un des deux lâcha enfin la corde, qui se détacha comme un serpent qui se détend, mais son camarade, sentant la corde lui échapper, s'y accrocha instinctivement, au lieu de la laisser filer. Lee avait déjà assisté à pareille scène, et il la redoutait. Le dæmon de ce pauvre homme, un husky corpulent, resté à terre, poussa un hurlement de terreur et de douleur, tandis que le ballon s'élevait à toute allure dans le ciel. Cinq secondes plus tard, brèves et interminables, c'était fini : à bout de forces, l'homme lâcha prise et tomba, à moitié mort, pour aller s'écraser dans l'eau.

Mais les soldats avaient déjà levé leurs fusils. Une salve de balles frôla le ballon en sifflant ; l'une d'elles provoqua une étincelle en ricochant contre l'anneau de suspension, et Lee Scoresby ressentit une vive brûlure dans les mains mais, fort heureusement, il n'y eut pas le moindre dégât. Le temps que les soldats tirent leur deuxième salve, la montgolfière était quasiment hors d'atteinte ; elle grimpait dans le ciel à toute vitesse et s'éloignait au-dessus de la mer. Lee sentit son moral remonter en même temps que son ballon. Un jour, il avait dit à Serafina Pekkala que voler ne l'intéressait pas, ce n'était qu'un métier pour lui, mais il n'était pas sincère en disant cela. S'élever dans les airs, avec un vent propice dans le dos, et devant soi, un nouveau monde : que pouvait-il y avoir de meilleur dans la vie ?

Il lâcha enfin l'anneau de suspension et constata que Hester s'était couché dans son coin habituel, les yeux à demi clos. Du sol monta une dernière rafale de projectiles, aussi lointaine que futile. La ville rapetissait à toute allure, et l'immensité plate de l'embouchure du fleuve scintillait dans le soleil, tout en bas.

— Eh bien, docteur Grumman, dit Lee, je ne sais pas ce que vous en pensez, mais moi, je me sens mieux dans les airs. Je regrette que ce pauvre homme n'ait pas lâché la corde. Ce sont des choses qui arrivent fréquemment, hélas ; si vous ne lâchez pas assez vite, vous n'avez plus aucune chance.

—Merci, monsieur Scoresby, dit le chaman. Vous vous en êtes très bien sorti. Maintenant que nous sommes partis, j'accepterais volontiers ces fourrures que je vois là ; le fond de l'air est frais.

Chapitre II
Le belvédère

 Will dormit d'un sommeil agité dans la grande villa blanche au milieu du parc, assailli par des rêves d'angoisses et de délices, si bien qu'il cherchait à se réveiller pour échapper au cauchemar, tout en désirant prolonger son sommeil. Bien qu'il eût les yeux grands ouverts, il se sentait encore si endormi qu'il pouvait à peine bouger, et lorsqu'il se redressa enfin, il aperçut son bandage défait autour de sa main et les draps écarlates.

Il se leva péniblement et traversa l'immense maison, dans les rayons de soleil chargés de particules de poussière et le silence. Pour descendre jusqu'à la cuisine, Will dut parcourir un long et pénible chemin, car Lyra et lui avaient dormi dans les chambres des domestiques, tout en haut sous le grenier, trop intimidés par les lits à baldaquin qui meublaient les chambres des maîtres de maison à l'étage inférieur.

—Will...! s'exclama la fillette, d'une voix inquiète, en le voyant entrer, et elle se détourna de la cuisinière pour le conduire jusqu'à une chaise.

Will était pris de vertiges. Sans doute avait-il perdu énormément de sang, supposa-t-il. Ce n'était même pas une supposition ; il en portait les traces sur lui. Et les plaies continuaient de saigner.

—J'étais en train de préparer du café, dit Lyra. Tu en veux, ou tu préfères que je refasse ton pansement d'abord ? Je peux faire tout ce que tu veux. Il y a des œufs dans le placard à froid, mais je n'ai pas trouvé de haricots blancs à la sauce tomate.

—Ce n'est pas le genre de la maison. Commence par le pansement. Il y a de l'eau chaude au robinet ? Je voudrais me laver. Je ne supporte pas d'être couvert de...

Elle fit couler de l'eau chaude, pendant qu'il se mettait en slip. Il était bien trop faible pour éprouver un sentiment de pudeur, mais Lyra, gênée, quitta la pièce. Will se lava de son mieux, puis se sécha avec les torchons suspendus à un fil de nylon près de la cuisinière.

Lyra revint quelques instants plus tard ; elle lui avait trouvé des vêtements : une chemise, un pantalon de toile et une ceinture. Tandis qu'il s'habillait, elle déchira des bandes de coton dans un torchon propre et refit son pansement, en serrant fort. L'état de sa main inquiétait terriblement Lyra : non seulement les deux bouts de doigts coupés continuaient de saigner, mais le reste de la main était tout rouge et gonflé. Toutefois, comme Will ne faisait aucun commentaire à ce sujet, elle ne dit rien.

Elle prépara ensuite le café et fit griller des tranches de pain rassis ; ils allèrent s'installer dans la grande salle de séjour sur le devant de la maison, dont les fenêtres dominaient la ville. Après s'être restauré, Will se sentit un peu mieux.

— Tu ferais bien de demander à l'aléthiomètre ce qu'on va faire maintenant, dit-il. Tu l'as déjà interrogé ?

— Non, dit Lyra. Dorénavant, je fais uniquement ce que tu me dis de faire. J'ai pensé l'interroger hier soir, mais je ne l'ai pas fait. Et je le ferai seulement si tu me le demandes.

— Eh bien, vas-y, dit-il. Le danger est aussi grand ici que dans mon monde, désormais. À commencer par le frère d'Angelica. Et si...

Il s'interrompit, car Lyra avait commencé à dire quelque chose, mais elle se tut en même temps que lui. Elle se ressaisit et reprit :

— Will, il s'est passé une chose, hier, dont je ne t'ai pas parlé. J'aurais dû, mais on avait déjà d'autres soucis. Je suis désolée...

Elle lui raconta alors tout ce qu'elle avait vu du haut de la tour, pendant que Giacomo Paradisi le soignait : les Spectres qui avaient agressé Tullio, le regard haineux d'Angelica quand elle l'avait aperçue penchée à la fenêtre, et les menaces proférées par le petit Paolo.

— Tu te souviens, dit-elle, de la première fois où ils nous ont parlé ? Paolo a fait allusion à son grand frère ; il a dit : « Il va se... », mais Angelica lui a coupé la parole, et elle l'a giflé, tu te souviens ? Je parie qu'il allait nous dire que Tullio était à la recherche du poignard, et c'est pour cette raison que tous les enfants sont venus ici. S'ils avaient le poignard, ils pourraient faire tout ce qu'ils veulent, y compris grandir en paix sans craindre les Spectres.

— Comment ça s'est passé, lorsque Tullio a été attaqué ? demanda Will.

Il s'était penché en avant sur sa chaise, au grand étonnement de Lyra, le regard rempli de curiosité et d'impatience.

—Il... (Elle essaya de se représenter l'effroyable scène.) Il a commencé par... compter les pierres du mur ! On aurait dit qu'il les caressait une par une... Mais il n'a pas pu continuer. Finalement, il a semblé s'en désintéresser. Et après, il est resté figé comme une statue, conclut-elle... Pourquoi ?

—Je crois que les Spectres viennent peut-être de mon monde, en fin de compte, déclara Will. Vu ce qu'ils font subir aux gens, je ne serais pas étonné d'apprendre qu'ils viennent de mon monde. Quand les membres de la Guilde ont ouvert leur première fenêtre, si elle débouchait sur mon monde, les Spectres ont très bien pu passer par là.

—Mais il n'existe pas de Spectres dans ton monde ! Tu n'en as jamais entendu parler, pas vrai ?

—Peut-être qu'on ne les appelle pas ainsi. Peut-être ont-ils un autre nom.

Lyra ne comprenait pas trop ce qu'il voulait dire, mais elle n'insista pas. Will avait les joues rouges et les yeux brillants de fièvre.

—Bref, dit-elle en tournant la tête, ce qui compte, c'est qu'Angelica m'a vue en haut de la tour. Et maintenant qu'elle sait qu'on a le poignard, elle va le dire à tous les autres. Elle pensera que c'est notre faute si son frère a été attaqué par les Spectres. Je suis désolée, Will. J'aurais dû t'en parler plus tôt. Mais il s'est passé tellement de choses...

—Bah, ça n'aurait rien changé, j'imagine. Tullio avait commencé à torturer le vieil homme, et une fois qu'il aurait appris à manier le poignard, il nous aurait tués, toi et moi, s'il avait pu. On était obligés de se battre contre lui.

—Quand même, j'ai des remords, Will. C'était leur frère, après tout. Et je parie que si on était à la place de ces enfants, on aurait voulu récupérer le poignard, nous aussi.

—Oui, mais il n'est pas possible de revenir en arrière. Il fallait absolument qu'on s'empare du couteau pour l'échanger contre l'aléthiomètre, et si on avait pu s'en emparer sans avoir à se battre, on l'aurait fait.

—Oui, c'est juste.

Comme Iorek Byrnison, Will était un guerrier dans l'âme, aussi Lyra était-elle toute disposée à le croire quand il disait qu'il valait mieux éviter de se battre : elle savait que ce n'était pas la lâcheté qui le faisait parler ainsi, mais une prudence stratégique.

Will avait retrouvé son calme, ses joues étaient redevenues pâles. Le regard perdu dans le vide, il réfléchissait.

—Pour l'instant, déclara-t-il finalement, il vaut peut-être mieux se préoccuper des réactions de Sir Charles et de Mme Coulter. Si elle possède des gardes du corps particuliers — ces soldats à qui on a arraché leur dæmon — peut-être peuvent-ils échapper aux Spectres, comme le prétendait Sir Charles. Sais-tu ce que je crois ? Je crois qu'en vérité, les Spectres se nourrissent des dæmons des gens.

—Mais les enfants ont des dæmons eux aussi. Et pourtant, les Spectres ne s'attaquent pas aux enfants. Ça ne peut pas être ça.

—Dans ce cas, tout vient de la différence qui existe entre les dæmons des adultes et ceux des enfants, dit Will. Car il existe une différence, n'est-ce pas ? Tu m'as expliqué que les dæmons des adultes ne changeaient plus de forme. Il y a certainement un rapport. Si les soldats de Mme Coulter n'ont plus de dæmons, peut-être que l'effet est le même...

—Oui, oui ! s'exclama Lyra. C'est possible. Quant à Mme Coulter, elle n'aura pas peur des Spectres. Cette femme n'a peur de rien. Et elle est tellement intelligente, Will ; tellement impitoyable et cruelle, qu'elle pourrait même les enjôler. Elle réussirait à commander les Spectres, comme elle commande les gens, et ils seraient obligés de lui obéir. Lord Boreal est un homme puissant et rusé, et pourtant, elle le mène par le bout du nez. Oh, Will, je recommence à avoir peur, en imaginant ce qu'elle est capable de faire... Je vais interroger l'aléthiomètre, comme tu me l'as demandé. Dieu soit loué, on l'a récupéré.

Elle sortit l'instrument de son enveloppe de velours et caressa amoureusement l'épais cadran en or.

—Je vais l'interroger au sujet de ton père, dit-elle. Pour savoir comment on peut le retrouver. Tu vois, si je dirige les aiguilles sur...

—Non. Interroge-le d'abord au sujet de ma mère. Je veux savoir si elle va bien.

Lyra acquiesça et orienta différemment les aiguilles, avant de poser l'aléthiomètre sur ses genoux. Will regardait la longue aiguille fine tournoyer avec une détermination évidente, se précipiter ici et là, s'immobiliser, puis repartir avec la même vivacité, tel un moineau qui picore des miettes ; et il regardait les yeux de Lyra, si bleus et intenses, remplis d'une clairvoyance limpide.

Au bout d'un moment, elle battit des paupières et releva la tête.

—Ta mère va bien, annonça-t-elle. L'amie qui veille sur elle est très gentille. Personne ne sait où elle se cache, et cette femme ne la trahira pas.

Will ignorait jusqu'alors combien il était inquiet. Il poussa un soupir de soulagement et sentit une partie de la tension qu'il éprouvait abandonner son corps. Par contrecoup, il ressentit plus vivement la douleur de sa blessure à la main.

—Merci, dit-il. Maintenant, tu peux l'interroger au sujet de mon père...

Un cri retentit à l'extérieur de la villa.

Ils se tournèrent aussitôt vers les fenêtres. À l'entrée du parc se dressait une rangée d'arbres, parmi lesquels semblaient se mouvoir des silhouettes. Se transformant immédiatement en lynx, Pantalaimon avança à pas feutrés jusqu'à la porte restée ouverte, pour scruter les environs d'un œil farouche.

—Ce sont les enfants, déclara-t-il.

Will et Lyra se levèrent. En effet, une cinquantaine d'enfants émergeaient des arbres, l'un après l'autre. Un grand nombre d'entre eux étaient armés de bâtons. À leur tête marchait le garçon au T-shirt rayé, et lui ne brandissait pas un bâton, mais un pistolet.

—Regarde, Angelica est là, murmura Lyra en la désignant du doigt.

Angelica marchait aux côtés de celui qui semblait être le chef, le tirant par le bras comme pour l'obliger à avancer plus vite. Juste derrière eux, le petit Paolo poussait des cris aigus d'excitation, imité par les autres enfants qui vociféraient en levant rageusement le poing. Deux d'entre eux transportaient même, avec peine, de gros fusils. Will avait déjà vu des bandes de gamins enragés, mais jamais aussi nombreux, et ceux de chez lui n'avaient pas d'armes à feu.

Ils criaient de plus en plus fort, mais Will parvint à discerner la voix d'Angelica au milieu de cette clameur haineuse :

—Vous avez tué mon frère et vous avez volé le poignard ! Assassins ! À cause de vous, les Spectres l'ont attaqué ! Vous l'avez tué et on vous tuera ! N'espérez pas vous en tirer ! On va vous tuer comme vous l'avez tué !

—Will, tu n'as qu'à découper une fenêtre ! s'exclama Lyra d'un ton pressant où affleurait la panique, en l'agrippant par son bras valide. On pourra s'enfuir, ni vu ni connu...

—Et on se retrouvera où ? À Oxford, à quelques mètres de la maison de Sir Charles, en plein jour. Peut-être même au milieu de la chaussée, devant un autobus ! Je ne peux pas ouvrir un passage n'importe où, c'est trop risqué. Il faut d'abord que je regarde où on est par rapport à l'autre monde, et ça prendrait trop de temps. En revanche, il y a une sorte de forêt derrière cette maison. Si on parvient à atteindre les arbres, on sera à l'abri.

Lyra se retourna vers la fenêtre, furieuse.

—J'aurais dû la tuer hier ! Elle est aussi mauvaise que son frère. Si je pouvais lui...

—Tais-toi et suis-moi, dit Will.

Il vérifia que le poignard était accroché à sa ceinture, pendant que Lyra ajustait sur son dos le petit sac de toile contenant l'aléthiomètre et les lettres du père de Will. En courant, ils traversèrent le hall où leurs pas résonnèrent, puis le couloir menant à la cuisine et le cellier, pour finalement déboucher dans une petite cour pavée derrière la maison. Une porte en bois découpée dans le mur s'ouvrait sur un potager où des lits de légumes et d'herbes aromatiques s'étendaient sous le soleil matinal.

L'orée du bois se trouvait à quelques centaines de mètres, au sommet d'une petite colline. Sur un tertre, à gauche, plus près que les arbres, se dressait un petit bâtiment de forme circulaire, semblable à un temple, doté d'un premier étage ouvert, comme un balcon, permettant d'admirer toute la ville.

—Vite! Courons! s'écria Will, bien qu'il eût surtout envie, à cet instant, de s'allonger dans l'herbe et de fermer les yeux.

Alors que Pantalaimon volait au-dessus de leurs têtes pour surveiller les environs, ils s'élancèrent vers le sommet de la pente. Mais l'herbe était haute, et au bout de quelques mètres seulement, Will, pris de vertiges, ne put continuer à courir. Il se mit à marcher.

Lyra regarda derrière elle. Les enfants ne les avaient pas encore aperçus; ils étaient rassemblés devant la maison. Peut-être leur faudrait-il un certain temps pour inspecter toutes les pièces...

Mais soudain, Pantalaimon émit un gazouillis pour donner l'alerte. Un garçon venait d'apparaître à une fenêtre du deuxième étage de la villa, et il pointait le doigt dans leur direction. Ils entendirent alors un cri.

—Allez, viens, Will, dit Lyra.

Elle saisit son bras valide pour l'aider à avancer, le soutenir. Il essaya de réagir, mais il n'en avait pas la force. Il pouvait juste mettre un pied devant l'autre.

—On n'arrivera jamais jusqu'aux arbres, dit-il. C'est trop loin. Allons vers ce temple. En verrouillant la porte, peut-être qu'on pourra les retenir assez longtemps pour ouvrir un passage...

Pantalaimon s'élança aussitôt, arrachant un petit cri à Lyra qui le rappela, d'une voix suffocante de douleur. Will pouvait presque apercevoir le lien invisible qui unissait le dæmon et la fillette. Il avançait en titubant dans l'herbe haute et épaisse. Lyra courait en tête, puis revenait sur ses pas pour l'aider. Enfin, ils atteignirent le seuil du temple.

La porte située sous le petit portique n'était pas verrouillée; ils s'engouffrèrent à l'intérieur de l'édifice et se retrouvèrent dans une pièce circulaire, nue, percée de plusieurs niches abritant des statues de déesses. Au centre, un escalier en colimaçon, en fer forgé, conduisait à l'étage supérieur à travers une ouverture dans le plafond. Aucune clé ne permettait de verrouiller la porte d'entrée; ils gravirent péniblement l'escalier pentu et débouchèrent sur le plancher du premier étage qui offrait véritablement un lieu d'observation, car il n'y avait ni fenêtres ni murs, uniquement une succession d'arches ouvertes supportant la coupole. À l'intérieur de chacune des arches, un balcon de pierre placé à mi-hauteur permettait de s'appuyer pour se pencher au-dehors ; en dessous, le toit de tuile descendait en pente douce jusqu'à la gouttière.

Will et Lyra apercevaient la forêt derrière eux, à la fois proche et lointaine, la grande villa blanche en contrebas, le vaste parc dégagé, puis les toits ocre de la ville, avec la tour qui se dressait sur la gauche. Des vautours tournoyaient dans le ciel au-dessus des créneaux, et Will eut un haut-le-cœur en comprenant ce qui les avait attirés.

Mais ce n'était pas le moment d'admirer le paysage ; ils devaient d'abord s'occuper des enfants qui se précipitaient maintenant vers le temple, en poussant des cris de rage et d'excitation. Le chef du groupe ralentit, leva son pistolet et tira au hasard en direction de l'édifice, puis ils repartirent à l'assaut en hurlant :

— Voleurs !

— Assassins !

— On va vous tuer !

— Vous avez volé notre poignard !

— Vous n'êtes pas d'ici !

— Vous allez mourir !

Will ne les écoutait pas. Il avait déjà sorti son poignard. D'une main habile, il découpa une petite fenêtre dans le vide... et se rejeta en arrière. Prudemment, Lyra regarda à son tour par l'ouverture, et recula en poussant un soupir de découragement. Ils étaient à une quinzaine de mètres du sol, au-dessus d'une grande route encombrée de voitures.

— C'est logique, commenta Will d'un ton amer, on a gravi une pente... Et voilà, on est bloqués. Il va falloir les repousser...

Quelques secondes plus tard, les premiers enfants franchissaient la porte. Leurs cris, résonnant à l'intérieur du temple, paraissaient encore plus sauvages. Puis un coup de feu claqua, assourdissant, suivi d'un deuxième, et les cris redoublèrent d'intensité. L'escalier en fer se mit à trembler lorsque les enfants montèrent à l'assaut de la galerie.

Lyra était recroquevillée contre le mur, paralysée, mais Will tenait toujours le poignard. Il se précipita vers l'ouverture dans le plancher et se pencha pour découper la dernière marche en fer, comme s'il tranchait une vulgaire feuille de papier. Privé de point d'appui, l'escalier commença à ployer sous le poids des enfants, puis bascula et s'effondra dans un gigantesque fracas. De nouveaux cris retentirent, suivis d'un coup de feu, sans doute accidentel cette fois, car quelqu'un avait été touché ; un gémissement de douleur résonna dans le temple. Penché au-dessus du vide, Will découvrit un entrelacs de corps gesticulants, recouverts de plâtre, de poussière et de sang.

Les enfants ne formaient plus qu'une masse unique et compacte, semblable à une vague. Elle gronda à ses pieds et jaillit avec fureur, menaçante, hurlante et crachante, dévorante, sans parvenir à l'atteindre.

Soudain, une voix retentit à l'extérieur, et toutes les têtes se tournèrent vers la porte ; les enfants qui pouvaient encore bouger se précipitèrent vers la sortie, abandonnant plusieurs de leurs camarades coincés sous l'escalier en fer, ou hébétés, essayant de se relever au milieu des débris qui jonchaient le sol.

Will ne tarda pas à comprendre la raison de cette débandade. Percevant tout à coup des bruits de raclements sur le toit, sous les arches, il se précipita vers le rebord de pierre, juste à temps pour voir la première paire de mains agripper le bord des tuiles en S, puis des bras et une tête. Quelqu'un poussait par-derrière. Une deuxième tête apparut, puis une deuxième paire de mains... Les enfants grimpaient sur les épaules et les dos de ceux qui se trouvaient en dessous pour envahir le toit, telle une armée de fourmis.

Mais il n'était pas facile de marcher sur les tuiles ondulées, et les enfants avançaient à quatre pattes, les yeux fixés sur Will. Lyra l'avait rejoint, et Pantalaimon, transformé en léopard, montrait les dents, les deux pattes posées sur le rebord de pierre, faisant hésiter les premiers assaillants. Mais d'autres continuaient d'investir le toit, de plus en plus nombreux.

— À mort ! À mort ! À mort ! criait l'un des enfants, et les autres reprirent ce cri en chœur, avec une violence renouvelée, pendant que ceux qui se trouvaient déjà sur le toit tapaient du pied et du poing sur les tuiles, en cadence ; mais ils n'osaient pas approcher davantage à cause du dæmon menaçant. Une tuile se brisa, et l'enfant qui se tenait dessus dérapa et tomba dans le vide ; celui qui se trouvait à ses côtés ramassa la tuile brisée et la lança avec force en direction de Lyra.

Elle esquiva le projectile, qui se brisa contre la colonne juste derrière elle. Will avait repéré la balustrade qui entourait l'ouverture de la cage d'escalier dans le sol, et découpé, à l'aide du poignard, deux barres de fer de la taille d'une épée. Il en tendit une à Lyra, qui pivota sur elle-même et frappa de toutes ses forces le premier assaillant. Celui-ci s'effondra mais, déjà, un autre enfant prenait sa place. Il s'agissait d'Angelica, cheveux roux, visage blême et yeux exorbités ; elle escalada le rebord de pierre, mais Lyra la repoussa farouchement avec sa barre de fer et elle retomba sur le toit.

Pendant ce temps, Will avait rangé le poignard dans sa gaine, et il frappait de tous côtés avec sa barre de fer qu'il maniait d'une seule main. Plusieurs enfants tombèrent à la renverse, mais d'autres les remplaçaient aussitôt ; ils étaient de plus en plus nombreux à grimper sur le toit.

Le garçon au T-shirt rayé apparut à son tour, mais il avait perdu son pistolet, ou peut-être était-il à court de munitions. Son regard haineux croisa celui de Will, et tous les deux comprirent ce qui allait se passer : ils allaient s'affronter en un combat brutal et meurtrier.

— Approche, dit Will, avide d'en découdre. Allez, viens...

Encore une seconde, et ils se seraient jetés l'un sur l'autre.

Mais il se produisit alors une chose des plus incroyables : une énorme oie blanche, les ailes déployées, apparut dans le ciel. Elle volait en rase-mottes en poussant des cris stridents d'une telle puissance que même les enfants sur le toit les entendirent au milieu de leurs hurlements sauvages et se retournèrent.

— Kaisa ! s'exclama Lyra avec une joie et un soulagement immenses.

Elle avait reconnu le dæmon de Serafina Pekkala.

L'oie sauvage poussa un autre cri perçant qui emplit le ciel, puis elle fit demi-tour et vint tournoyer à un centimètre du visage du garçon au T-shirt rayé. Effrayé, il perdit l'équilibre et chuta dans le vide. D'autres enfants poussèrent à leur tour des cris d'effroi, car l'oie n'était pas seule dans le ciel, et en voyant apparaître les petites silhouettes noires au milieu de l'immensité bleue, Lyra laissa éclater sa joie.

— Serafina Pekkala ! Ici ! À l'aide ! Nous sommes là ! Dans le temple...

Soudain, dans un sifflement, une douzaine de flèches, suivies presque aussitôt d'une autre salve, puis d'une autre encore, s'abattirent comme une averse de grêle sur le toit du temple, au-dessus de la galerie. Stupéfaits, hébétés, les enfants perdirent immédiatement toute leur agressivité, remplacée par une peur indicible : qui étaient donc ces femmes vêtues de noir, surgies du ciel et qui fondaient sur eux ? Comment était-ce possible ? Étaient-ce des fantômes ? Ou une nouvelle race de Spectres ?

Dans un concert de gémissements et de cris, ils sautèrent du toit ; certains retombèrent maladroitement et s'enfuirent en boitillant, tandis que d'autres se laissaient rouler dans l'herbe jusqu'au pied de la pente, pressés de se mettre à l'abri. La meute furieuse avait laissé place à une bande de gamins effrayés et honteux. Moins d'une minute après l'apparition du dæmon-oie, le dernier enfant abandonnait précipitamment le temple, et l'on n'entendait plus que le sifflement de l'air dans les branches de sapin des sorcières qui tournoyaient dans le ciel.

Stupéfait, Will ne pouvait que lever les yeux, incapable de prononcer le moindre mot, mais Lyra, à ses côtés, sautait de joie en criant :

— Serafina Pekkala ! Comment nous avez-vous retrouvés ? Merci ! Merci ! Ils allaient nous tuer ! Venez, descendez... !

Serafina et les autres sorcières secouèrent la tête et, au contraire, reprirent de l'altitude, pour continuer à tournoyer au-dessus du temple. Le dæmon-oie, lui, exécuta un demi-tour et plongea vers le toit, en utilisant ses grandes ailes pour ralentir sa descente. Il atterrit bruyamment sur les tuiles, sous le rebord de pierre des arches.

—Bonjour, Lyra, dit-il. Serafina Pekkala ne peut pas se poser au sol, et les autres sorcières non plus. Cet endroit regorge de Spectres ; ils sont plus d'une centaine autour de ce bâtiment, et d'autres continuent d'arriver. Vous ne les voyez donc pas ?

—Non ! Ils sont invisibles pour nous !

—Nous avons déjà perdu une sorcière. Nous ne voulons pas prendre de nouveaux risques. Pouvez-vous redescendre d'ici ?

—Oui, en sautant du toit, comme les enfants. Mais comment nous avez-vous retrouvés ? Et où...

—Nous parlerons de ça plus tard. D'autres ennuis se préparent, plus graves encore. Redescendez d'ici comme vous le pouvez et foncez vers les arbres.

Lyra et Will escaladèrent le rebord de pierre et progressèrent en biais sur le toit, en évitant les tuiles brisées, jusqu'à la gouttière.

Le toit n'était pas très haut, il y avait de l'herbe en bas pour les recevoir, et le terrain était légèrement en pente. Lyra sauta la première, suivie de Will, qui roula sur lui-même en essayant de protéger sa main estropiée qui s'était remise à saigner abondamment et le faisait souffrir. Son pansement s'était défait et traînait derrière lui ; tandis qu'il essayait de l'enrouler autour de sa main, l'oie se posa dans l'herbe à ses côtés.

—Lyra, qui est ce garçon ? demanda Kaisa.

—C'est Will. Il vient avec nous...

—Pourquoi les Spectres reculent-ils devant toi ? demanda le dæmon-oie en s'adressant directement au jeune garçon.

Plus rien ne pouvait étonner Will désormais, et il répondit :

—Je n'en sais rien. On ne les voit pas... Non, attendez ! (Il se redressa, frappé par une pensée soudaine.) Où sont-ils ? Où est le Spectre le plus proche ?

—À une dizaine de pas, en descendant, répondit le dæmon. Ils ne veulent pas s'approcher davantage de toi, c'est évident.

Will dégaina le poignard et se tourna dans la direction indiquée ; le dæmon-oie laissa échapper un petit sifflement de surprise.

Mais Will ne put mettre son projet à exécution car, au même moment, une sorcière se posa dans l'herbe à côté de lui. Il fut stupéfait, moins par cette apparition inattendue que par la grâce de la sorcière, la clarté froide et farouche de son regard pénétrant, et la pâleur de ses membres nus, si jeunes, et pourtant si âgés.

—Tu te nommes Will ? demanda-t-elle.

—Oui, mais...

—Pourquoi les Spectres ont-ils peur de toi ?

—À cause du poignard. Où est le plus proche ? Dites-le-moi ! Je vais le tuer !

Lyra arriva en courant, avant que la sorcière ne puisse répondre.

—Serafina Pekkala ! s'exclama-t-elle en lui sautant au cou et en la serrant si fort dans ses bras que la sorcière éclata de rire et déposa un baiser sur son front. Oh, Serafina, d'où venez-vous comme ça ? Nous étions... ces enfants... ils allaient nous tuer ! Des enfants ! Vous avez vu ? Will et moi, on a bien cru qu'on allait mourir, et... Oh, comme je suis heureuse que vous soyez là ! Je pensais bien ne jamais vous revoir !

Serafina Pekkala observait, par-dessus la tête de Lyra, l'endroit où s'étaient rassemblés les Spectres, un peu en retrait, puis elle reporta son attention sur Will.

—Écoutez-moi bien, lui dit-elle. Il y a une caverne dans ces bois, pas très loin d'ici. Remontez la pente et longez la crête vers la gauche. Nous pourrions porter Lyra quelques instants, mais toi, tu es trop lourd. Tu devras y aller à pied. Les Spectres ne nous suivront pas : ils ne nous voient pas quand nous sommes dans le ciel, et ils ont peur de toi. On se retrouvera là-bas, c'est à une demi-heure de marche.

Sur ce, la sorcière s'élança dans les airs. Will mit sa main en visière pour voir Serafina et les autres silhouettes élégantes tournoyer dans le ciel et s'envoler au-dessus des arbres.

—Oh, Will, nous n'avons plus rien à craindre ! s'exclama Lyra. Maintenant que Serafina Pekkala est là, tout va s'arranger ! Je ne pensais pas la revoir un jour... Elle est arrivée au bon moment, hein ? Comme la dernière fois, à Bolvangar...

Bavardant gaiement, comme si elle avait déjà oublié le combat qui venait de se dérouler, elle précéda Will sur la pente qui menait à la forêt. Le garçon la suivait sans rien dire. Sa main l'élançait terriblement, et à chaque battement de cœur, son organisme perdait un peu plus de sang. Il plaqua sa main contre sa poitrine, en essayant de ne pas y penser.

Le trajet ne dura pas une demi-heure, mais presque deux heures, car Will dut s'arrêter plusieurs fois pour se reposer. Quand ils arrivèrent enfin à la caverne, un grand feu avait été allumé, un lapin était en train de cuire, et Serafina Pekkala remuait le contenu d'un petit pot en fer.

—Fais-moi voir ta blessure.

Ce fut la première chose qu'elle dit à Will, qui lui tendit fébrilement sa main.

Pantalaimon, métamorphosé en chat, observait la scène avec curiosité, mais Will préféra détourner la tête. Il n'aimait pas voir sa main mutilée.

Les sorcières échangèrent quelques mots à voix basse, et Serafina Pekkala déclara :

— Quelle est l'arme qui a causé cette blessure ?

Will sortit le poignard et le lui tendit, sans un mot. Les sœurs de Serafina regardaient l'arme avec un mélange d'émerveillement et de méfiance, car jamais elles n'avaient vu une telle lame.

— Il faudra plus que des herbes pour guérir cette blessure. Il faut faire appel à un sortilège, déclara Serafina Pekkala. Nous allons en confectionner un. Il sera prêt quand la lune se lèvera. En attendant, tu vas dormir.

Elle lui tendit un petit gobelet en corne contenant une potion brûlante dont l'amertume était fort heureusement atténuée par le goût du miel. Après l'avoir bue, Will s'allongea et plongea aussitôt dans un sommeil profond. La sorcière le couvrit de feuilles, puis se tourna vers Lyra, qui dévorait une cuisse de lapin.

— Dis-moi qui est ce garçon, Lyra. Raconte-moi ce que tu sais de ce monde, et de ce poignard.

Lyra prit une profonde inspiration et commença son récit.

Chapitre 12
Le langage de l'écran

 — Répète-moi ça, Mary, dit le Dr Oliver Payne, dans le petit laboratoire dont les fenêtres donnaient sur le parc. J'ai mal entendu, ou alors tu divagues. Une enfant venue d'un autre monde?

— C'est ce qu'elle m'a dit. D'accord, c'est invraisemblable, mais je te supplie de m'écouter, Oliver, tu veux bien? demanda le Dr Mary Malone. Cette fillette connaissait l'existence des Ombres. Elle appelle ça la Poussière, mais il s'agit de la même chose. Ce sont nos particules-ombre. Et tu peux me croire, quand je lui ai posé les électrodes sur la tête pour la connecter sur la Caverne, des choses extraordinaires sont apparues sur l'écran : des images, des symboles... Elle possède également un curieux instrument, une sorte de boussole en or, avec un tas de dessins tout autour du cadran. Et elle m'a expliqué qu'elle pouvait le déchiffrer, en adoptant l'état d'esprit adéquat, comme nous avec la machine!

C'était le milieu de la matinée. Le Dr Malone avait les yeux rougis par le manque de sommeil, et son collègue, de retour de Genève, était à la fois impatient d'en savoir plus, sceptique et préoccupé.

— En fait, Oliver, reprit-elle, cette enfant communiquait véritablement avec les Ombres. Elles sont conscientes, effectivement! Elles réagissent. Tu te souviens de tes crânes préhistoriques? Eh bien, elle m'a parlé des crânes du musée Pitt-Rivers, figure-toi! Grâce à sa boussole, elle a découvert qu'ils étaient beaucoup plus anciens que l'affirmaient les gens du musée, et qu'il y avait des Ombres...

— Attends un peu, Mary. Je te demanderai d'être un peu plus claire.

Qu'es-tu en train de me dire ? Que cette gamine a confirmé ce qu'on savait déjà, ou qu'elle nous a appris des choses nouvelles ?

— Les deux, sans doute. Mais suppose qu'il se soit passé quelque chose il y a 30 ou 40 000 ans. Les particules-ombre existaient déjà en ce temps-là, de toute évidence — elles existent depuis le Big Bang — mais on n'avait aucun moyen physique d'amplifier leurs effets jusqu'à atteindre notre niveau, le stade anthropique. Celui des êtres humains. Et puis, quelque chose s'est produit, je ne sais pas quoi, mais cela concerne l'évolution. Repense à tes crânes. Pas d'Ombres avant cette date, et une grande quantité après. Pareil pour les crânes que cette enfant a trouvés au musée et qu'elle a testés avec son espèce de boussole. Elle m'a dit exactement la même chose. Ce que je veux dire, c'est qu'autour de cette période, le cerveau humain est devenu le véhicule idéal pour ce procédé d'amplification. Brusquement, nous avons acquis une conscience.

Le Dr Payne but les dernières gouttes de son café.

— Mais pourquoi à ce moment-là, précisément ? demanda-t-il. Pourquoi il y a 35 000 ans ?

— Comment savoir ? Nous ne sommes pas paléontologues. Je n'en sais rien, Oliver ; j'émets des hypothèses. Tu ne crois pas que c'est une probabilité, au moins ?

— Et ce policier ? Parle-moi un peu de lui.

Le Dr Malone se frotta les yeux.

— Il s'appelle Walters. Il a prétendu appartenir aux Renseignements Généraux. Ils s'occupent de politique ou un truc dans ce genre, si je ne m'abuse ?

— Terrorisme, espionnage, subversion... Et tout le tintouin. Continue. Que voulait-il exactement ? Pourquoi est-il venu ici ?

— À cause de la fillette. Il m'a dit qu'il cherchait un garçon du même âge, sans m'expliquer pour quelle raison. Ce garçon avait été vu en compagnie de la fillette. Mais ce type avait autre chose en tête, Oliver ! Il était au courant de nos recherches ; il m'a même demandé...

Le téléphone sonna. Le Dr Malone s'interrompit avec un haussement d'épaules, et le Dr Payne répondit. Il marmonna quelques paroles brèves, puis raccrocha.

— Nous avons un visiteur.

— Qui ?

— Son nom ne me dit rien. Sir Machin-Chose. Écoute, Mary... je ne suis plus dans le coup, tu saisis ?

— Ils t'ont proposé le poste ?

— Oui. Je n'ai pas le choix. Tu peux le comprendre.

—Ça veut dire qu'on arrête tout, hein ?

Le Dr Payne leva les mains au ciel, en signe d'impuissance.

—Pour être franc... Je ne comprends rien à tous ces trucs que tu me racontes. Une gamine venue d'un autre monde, des Ombres fossilisées... C'est complètement fou. Je ne peux pas m'impliquer là-dedans. Je dois penser à ma carrière, Mary.

—Et les crânes que tu as testés ? Et les Ombres autour des figurines d'ivoire ?

Il secoua la tête et lui tourna le dos. Avant qu'il ne réponde, on frappa discrètement à la porte, et Oliver alla ouvrir avec une sorte de soulagement.

—Bonjour ! lança Sir Charles. Docteur Payne ? Docteur Malone ? Je m'appelle Charles Latrom. C'est très aimable à vous de me recevoir à l'improviste.

—Entrez, dit le Dr Malone, fatiguée, mais intriguée. Oliver a bien dit : « Sir » Charles ? Que peut-on faire pour vous ?

—Il se pourrait que ce soit moi qui fasse quelque chose pour vous. Je crois savoir que vous attendez la réponse concernant votre demande de subvention.

—Comment le savez-vous ? demanda le Dr Payne.

—J'ai été haut fonctionnaire. Plus précisément, je m'occupais des questions de recherches scientifiques, et j'ai conservé un certain nombre de contacts dans ce milieu. J'ai donc entendu dire... Puis-je m'asseoir ?

—Je vous en prie, dit le Dr Malone.

Elle avança une chaise, et le vieil homme s'assit d'un air solennel, comme s'il s'apprêtait à diriger une importante réunion.

—Merci. J'ai donc appris par un ami... je préfère ne pas mentionner son nom car, voyez-vous, le devoir de réserve s'applique à un tas de petites choses ridicules. Bref, j'ai appris que votre demande était actuellement à l'étude, et ce que j'ai entendu m'a beaucoup intrigué, au point que j'ai demandé, je l'avoue, à consulter certains de vos travaux. Je sais bien que cela ne me concerne pas, mais il se trouve que je fais toujours office de conseiller officieux, et je me suis servi de ce prétexte. Et, franchement, ce que j'ai découvert m'a fasciné.

—Vous pensez donc qu'on a une chance d'obtenir des crédits ? demanda le Dr Malone en se penchant en avant, pleine d'espoir.

—Malheureusement, non. Je dois être franc et brutal. Ils n'ont pas l'intention de renouveler vos subventions.

Le Dr Malone laissa retomber ses épaules. Le Dr Payne, lui, observait le vieil homme avec un mélange de curiosité et de méfiance.

—Que venez-vous faire ici, alors ? demanda-t-il.

—Voyez-vous, la commission n'a pas encore arrêté sa décision. Les choses sont mal engagées, et je serai honnête avec vous : ils ne voient pas l'intérêt de financer ce genre de recherches à l'avenir. Néanmoins, si quelqu'un plaidait votre cause, sans doute verraient-ils la question d'un autre œil.

—Un avocat ? Vous, par exemple ? J'ignorais que ça fonctionnait ainsi, dit le Dr Malone en se redressant sur sa chaise. Je pensais que seuls des scientifiques jugeaient le...

— Oui, en principe, évidemment, dit Sir Charles, mais il n'est pas inutile de savoir comment fonctionnent ces commissions, dans la réalité. Et de savoir qui y siège. Et je sais tout cela. Je vous l'ai dit, je suis extrêmement intéressé par votre travail, je pense qu'il peut avoir de formidables débouchés, et il mérite d'être poursuivi. Êtes-vous disposés à me laisser plaider votre cause, de manière informelle ?

Le Dr Malone avait l'impression d'être un marin en train de se noyer, à qui on lance un gilet de sauvetage.

—Euh... Oui, bien sûr ! Mon Dieu, oui ! Merci infiniment... Vous croyez vraiment que ça peut changer les choses ? Je ne veux pas dire que vous ne... Oh, je ne sais plus ce que je veux dire. Oui, oui, évidemment !

—Et qu'attendez-vous de nous ? demanda le Dr Payne.

Le Dr Malone lui jeta un regard étonné. Oliver ne lui avait-il pas dit, à l'instant, qu'il partait travailler à Genève ? Mais il avait apparemment saisi le sens de la démarche de Sir Charles, car un courant de connivence semblait passer entre eux. Oliver vint s'asseoir à son tour.

—Je me réjouis de constater que vous me comprenez, dit le vieil homme. Vous avez raison. Je serais ravi de voir vos travaux évoluer dans une certaine direction. En supposant que nous parvenions à nous entendre, je pourrais peut-être même vous obtenir des financements supplémentaires, par un autre biais.

—Attendez, attendez, intervint le Dr Malone. Pas si vite. La nature de nos recherches ne concerne que nous. Je suis disposée à discuter des résultats, mais pas de la direction à suivre. Vous comprenez bien...

Sir Charles écarta les bras pour signifier ses regrets et se leva. Oliver Payne se leva aussi, inquiet.

—Non, ne partez pas, Sir Charles, dit-il. Je suis sûr que le Dr Malone est prête à vous écouter. Allons, Mary, ça ne coûte rien, bon sang ! Et ça pourrait tout changer.

—Je croyais que tu partais travailler à Genève ? ironisa-t-elle.

—Genève ? dit Sir Charles. Excellent choix. Il y a énormément de possibilités là-bas. Beaucoup d'argent, également. Je ne voudrais surtout pas compromettre vos projets.

—Non, non, rien n'est encore décidé, s'empressa de préciser le Dr Payne. Il reste de nombreux détails à régler... tout cela est encore très flou. Asseyez-vous, Sir Charles. Voulez-vous un café ?

—Avec plaisir.

Sir Charles se rassit, l'air d'un chat satisfait.

Le Dr Malone prit le temps de l'observer. C'était un homme d'une soixantaine d'années, aisé, sûr de lui, très bien habillé, habitué au raffinement, qui côtoyait des gens influents, murmurait aux oreilles importantes. Oliver avait raison : il voulait quelque chose. Et il ne leur accorderait son soutien qu'en échange de leur collaboration.

Elle croisa les bras sur sa poitrine.

Le Dr Payne tendit une grande tasse de café au vieil homme.

—Désolé, ce n'est pas très élégant...

—C'est parfait. Puis-je poursuivre ce que je disais ?

—Faites donc, dit Oliver.

—Je crois savoir que vous avez fait des découvertes fascinantes dans le domaine de la conscience. Oui, je sais, rien n'a encore été publié, et de toute évidence, il reste du pain sur la planche, comme on dit, à en juger par le sujet apparent de vos recherches. Malgré tout, la nouvelle se répand. Et je suis particulièrement intéressé par tout cela. Premièrement, j'aimerais beaucoup que vous orientiez vos recherches vers la manipulation de la conscience, par exemple. Deuxièmement, la théorie des mondes parallèles... Vous vous souvenez, l'expédition sur l'Everest en 1957, ou dans ces eaux-là... Je crois que vous êtes sur la voie d'une découverte qui pourrait faire progresser prodigieusement cette théorie. Ce type de recherches pourrait, par ailleurs, susciter l'intérêt de l'armée qui, comme vous le savez, ne manque pas de crédits, aujourd'hui encore, et n'est pas soumise à ces pénibles demandes de subventions.

Ne comptez pas sur moi pour dévoiler mes sources, ajouta Sir Charles en levant la main, alors que le Dr Malone se penchait en avant et ouvrait la bouche pour parler. J'ai déjà évoqué le devoir de réserve, une obligation parfois fastidieuse, mais qu'il ne faut pas négliger. Personnellement, j'espère des avancées dans le domaine des mondes parallèles, et je pense que vous êtes les personnes les plus compétentes. Et troisièmement, il s'agit d'une affaire particulière, liée à une certaine personne. Une enfant.

Il s'interrompit pour avaler une gorgée de café. Le Dr Malone demeura bouche bée. Elle était devenue blême, même si elle ne pouvait s'en apercevoir, mais elle sentait ses membres trembler.

—Pour diverses raisons, reprit Sir Charles, je suis en contact avec les services secrets de ce pays. Ils s'intéressent beaucoup à une fillette qui détient un objet insolite, un très vieil instrument scientifique, volé certainement, et qui devrait se trouver entre des mains plus sûres. Un garçon du même âge environ, soit une douzaine d'années, est recherché lui aussi, pour une affaire de meurtre. Un garçon de cet âge est-il capable de commettre un meurtre ? C'est un point discutable, évidemment, mais il est certain qu'il a tué un homme. Et on l'a vu en compagnie de cette fillette.

Il est possible, docteur Malone, que vous ayez rencontré l'un ou l'autre de ces enfants. Il est possible, également, que vous soyez légitimement tentée de raconter à la police tout ce que vous savez à ce sujet. Toutefois, votre aide serait beaucoup plus efficace si vous acceptiez de me réserver ces informations. Je veillerais à ce que les autorités concernées règlent le problème avec rapidité et efficacité, en évitant toute publicité déplaisante. Je sais que l'inspecteur Walters est venu vous voir hier, et je sais que la fillette est venue elle aussi... Vous voyez, je ne parle pas en l'air. De même, si vous décidiez de la revoir sans me le dire, j'en serais averti. Vous seriez bien avisée de réfléchir à cela, et de rassembler vos souvenirs pour me raconter tout ce qu'elle a fait et dit quand elle est venue ici. Il s'agit d'une affaire de sécurité nationale. Vous m'avez compris.

Voilà, je vous ai tout dit. Voici ma carte pour que vous puissiez me contacter. À votre place, je ne tarderais pas trop ; la commission des subventions se réunit demain, comme vous le savez. Vous pouvez me joindre à ce numéro à tout moment.

Il tendit une carte de visite à Oliver Payne et, voyant que le Dr Malone gardait les bras croisés, il en déposa une autre sur le plan de travail à son intention. Le Dr Payne lui ouvrit la porte. D'une petite tape, Sir Charles ajusta son panama sur sa tête, leur adressa un large sourire et sortit.

Dès qu'il eut refermé la porte, le Dr Payne s'exclama :

—Es-tu devenue folle, Mary ? Qu'est-ce qui t'a pris de te comporter ainsi ?

—Pardon ? Ne me dis pas que tu t'es laissé piéger par ce vieux hibou ?

—On ne refuse pas ce genre de proposition ! Tu veux que ce projet survive, oui ou non ?

—Ce n'était pas une proposition ! répliqua-t-elle. C'était un ultimatum. On fait ce qu'il dit ou on met la clé sous la porte. Bon sang, Oliver, tu n'as pas saisi ces menaces à peine voilées, ces allusions à la sécurité nationale et ainsi de suite ? Tu ne comprends pas ce que ça signifie ?

—Je crois que je comprends mieux que toi, au contraire. Si tu refuses cette offre, ils ne fermeront pas ce labo, contrairement à ce que tu crois. Ils l'installeront ailleurs, simplement. S'ils sont aussi intéressés qu'il le dit, ils voudront continuer les recherches. Mais à leurs conditions.

—À leurs conditions, ça veut dire... Il a parlé de l'armée, nom d'un chien !

Ils veulent trouver de nouvelles façons de tuer les gens. Et tu as entendu ce qu'il a dit au sujet de la conscience : il veut manipuler les cerveaux ! Je refuse d'être mêlée à tout ça, Oliver ! Jamais !

—Ils le feront quand même, sans toi, et tu n'auras plus de boulot. En revanche, si tu restes, tu pourras peut-être influencer les recherches dans une meilleure direction. Et tu resteras impliquée dans le projet !

—Qu'est-ce que ça peut te faire, d'abord ? demanda-t-elle. Je croyais que pour Genève, c'était réglé, non ?

Oliver passa sa main dans ses cheveux.

—Non, pas encore. En fait, rien n'est signé. Ce serait un travail complètement différent ; ça me ferait de la peine de tout plaquer maintenant, car je suis persuadé qu'on est sur le point de...

—Où veux-tu en venir ?

—Nulle part.

—Tu fais des allusions. Parle franchement.

—Eh bien... (Il fit le tour du laboratoire, haussant les épaules, levant les bras et secouant la tête.) Si tu refuses de contacter ce type, je le ferai, déclara-t-il finalement.

Le Dr Malone resta muette un moment.

—Je vois, dit-elle.

—Écoute, Mary, je dois penser à...

—Oui, évidemment.

—Ce n'est pas ce que...

—Non, bien sûr.

—Tu ne comprends pas.

—Si, je comprends très bien. C'est très simple. Tu promets de faire ce qu'il te demande, tu obtiens les subventions, je fiche le camp, tu deviens directeur à ma place. Ce n'est pas difficile à comprendre. Tu auras un plus gros budget. Un tas de machines neuves. Une demi-douzaine d'étudiants supplémentaires sous tes ordres. C'est une bonne idée. Fais-le, Oliver. Vas-y. Mais sans moi. Je me barre. Ça pue ici.

—Tu n'as pas...

Le regard noir du Dr Malone le réduisit au silence. Elle ôta sa blouse et l'accrocha derrière la porte, rassembla quelques papiers qu'elle fourra dans un sac, et quitta le laboratoire sans dire un mot. Dès qu'elle fut partie, Oliver Payne prit la carte de visite de Sir Charles et décrocha le téléphone.

Quelques heures plus tard, peu avant minuit, le Dr Malone gara sa voiture devant le bâtiment des sciences et y pénétra par une entrée latérale.

Mais juste au moment où elle tournait au bout du couloir pour emprunter l'escalier, un homme déboucha d'un autre couloir, et sa surprise fut telle qu'elle faillit lâcher son porte-documents. L'homme était en uniforme.

— Où allez-vous ? lui demanda-t-il.

Il dressait sa large carrure sur son chemin ; on distinguait à peine ses yeux sous la visière de sa casquette.

— Je vais dans mon laboratoire. Je travaille ici. Qui êtes-vous, d'abord ? demanda-t-elle, à la fois en colère et un peu effrayée.

— Sécurité, madame. Avez-vous une pièce d'identité ?

— Sécurité de quoi ? Quand j'ai quitté ce bâtiment à trois heures cet après-midi, il n'y avait que le concierge en bas, comme toujours. C'est plutôt moi qui devrais vous demander vos papiers. Qui vous a engagé ? Et pourquoi ?

— Voici mes papiers, dit l'homme. (Il lui mit une carte sous le nez, mais la retira avant qu'elle puisse la lire.) Puis-je voir les vôtres ?

Elle remarqua qu'il avait un téléphone portable accroché dans un étui à sa ceinture. À moins qu'il ne s'agisse d'une arme ? Non, elle devenait para-noïaque, pensa-t-elle. En tout cas, il n'avait pas répondu à ses questions. Mais elle craignait, en insistant, d'éveiller ses soupçons, et le plus important pour l'instant, c'était d'accéder au laboratoire. Mieux valait le caresser dans le sens du poil. Le Dr Malone farfouilla dans son sac à la recherche de son portefeuille.

— Ça vous suffit ? demanda-t-elle en lui montrant la carte magnétique qui lui servait à ouvrir la barrière du parking.

Il y jeta un rapide coup d'œil.

— Que venez-vous faire ici en pleine nuit ? interrogea-t-il.

— J'ai une expérience en cours ; je dois consulter régulièrement l'ordinateur.

L'homme semblait chercher une raison de lui interdire le passage, ou peut-être voulait-il simplement exercer son autorité. Finalement, il hocha la tête et s'écarta. Le Dr Malone lui adressa un sourire en passant, mais il demeura de marbre.

Elle tremblait encore en arrivant au laboratoire. Il n'y avait jamais eu de service de sécurité dans ce bâtiment, juste une serrure sur la porte et un vieux concierge dans le hall. Elle connaissait la cause de ce changement. Cela signifiait que le temps lui était compté : elle n'avait pas droit à l'erreur car, dès qu'ils découvriraient ce qu'elle manigançait, l'accès du laboratoire lui serait définitivement interdit.

Après avoir verrouillé la porte derrière elle, elle baissa les stores. Elle brancha le capteur, sortit une disquette de sa poche et l'introduisit dans l'ordinateur qui contrôlait la Caverne. Moins d'une minute plus tard, elle faisait apparaître une succession de chiffres sur l'écran, en faisant appel à la logique, au hasard, et au programme qu'elle avait élaboré chez elle durant toute la soirée ; et la tâche était aussi complexe que de réunir trois fragments disparates pour obtenir un tout cohérent. Finalement, elle repoussa ses cheveux, installa les électrodes sur sa tête et se remit à pianoter sur le clavier, se sentant à la fois intimidée et ridicule.

Bonjour. Je ne sais pas trop ce que je fais.
C'est peut-être fou.

Les mots se placèrent aussitôt sur la gauche de l'écran, ce qui constituait la première surprise. Pourtant, elle n'utilisait aucun programme de traitement de texte – en fait, elle opérait même en dehors du système d'exploitation de l'ordinateur. C'était comme si les mots avaient choisi eux-mêmes d'adopter cette disposition. Le Dr Malone sentit ses cheveux se hérisser sur sa nuque. Soudain, elle prit conscience de la totalité du bâtiment qui l'entourait : les couloirs obscurs, les machines au repos, les différentes expériences qui se poursuivaient automatiquement, les ordinateurs qui contrôlaient des tests et enregistraient les résultats, le système d'air conditionné qui calculait le degré d'humidité et la température, tous les tuyaux, les conduits et les câbles qui constituaient les artères et les nerfs du bâtiment éveillé et aux aguets... presque conscient, en vérité.
Elle fit une nouvelle tentative.

J'essaye d'obtenir avec des mots
ce que j'ai déjà fait mentalement, mais

Avant même qu'elle n'achève sa phrase, le curseur fila vers la droite de l'écran et inscrivit :

Posez une question.

Elle eut alors l'impression d'avoir pénétré dans un espace qui n'existait pas. Tout son être vacilla sous le choc. Il lui fallut plusieurs minutes pour retrouver son calme et poursuivre l'expérience. Désormais, les réponses à ses questions s'inscrivaient à toute vitesse, d'elles-mêmes, sur la droite de l'écran, presque avant qu'elle ait fini de les écrire.

Vous êtes les Ombres ?   *Oui.*

Vous êtes comme la Poussière de Lyra ?   *Oui.*

Comme la matière sombre ?	*Oui.*
La matière sombre est consciente ?	*De toute évidence.*

Ce que j'ai dit à Oliver ce matin,	*Exact. Mais*
mon idée concernant l'évolution	*il faut poser*
humaine, c'est	*d'autres questions.*

Le Dr Malone s'interrompit, prit une profonde inspiration, repoussa sa chaise et fit craquer les articulations de ses doigts. Elle sentait son cœur s'emballer. Tout ce qui était en train de se passer était absolument impossible. Son éducation, son caractère, l'image qu'elle avait d'elle-même en tant que scientifique, tout cela lui hurlait d'une voix stridente : « C'est impossible ! Cela ne peut pas arriver ! Tu fais un rêve ! » Et pourtant, elles étaient là, sur l'écran : ses questions, et les réponses émanant d'une autre intelligence.

Elle se ressaisit et recommença à taper sur le clavier. De nouveau, les réponses s'affichèrent à toute vitesse, sans aucun temps mort perceptible.

L'esprit qui répond	*Non. Mais les humains*
à ces questions n'est pas humain,	*nous connaissent*
n'est-ce pas ?	*depuis toujours.*

Nous ? Vous êtes donc	*Des millions*
plusieurs ?	*et des millions.*

Mais qui êtes-vous ?	*Des anges.*

Mary Malone avait la tête qui bourdonnait. Elle avait été élevée dans la religion catholique. Plus que cela encore : ainsi que l'avait découvert Lyra, elle avait été nonne. Certes, elle avait perdu la foi, mais elle savait qui étaient les anges. Saint Augustin avait dit : *Le mot ange ne désigne pas leur nature, mais leur fonction. Si tu cherches le nom de leur nature, c'est le mot esprit ; si tu cherches le nom de leur fonction, c'est le mot ange. Esprit pour ce qu'ils sont. Ange pour ce qu'ils font.*

Prise de vertiges et de tremblements, Mary continua malgré tout à taper :

Les anges sont des créatures	*Des structures.*
de la matière-Ombre ?	
De la Poussière ?	*Des êtres complexifiés.*

*La matière-Ombre est
ce qu'on appelle l'esprit ?*

*Pour ce que nous
sommes : esprit.
Pour ce que nous faisons :
matière.
Matière et esprit ne font qu'un.*

Elle frissonna. Ils avaient lu ses pensées.

*Êtes-vous intervenus
dans l'évolution humaine ?*

Oui.

Pourquoi ?

Par vengeance.

*Vengeance à cause de...
Oh, les anges rebelles ! Après
la guerre au paradis...
Satan et le jardin d'Éden...
Mais ce n'est pas vrai, n'est-ce pas ?
C'est ce que vous... pourquoi ?*

*Trouvez la fille
et le garçon.
Ne perdez plus
de temps.
Jouez le rôle
du serpent.*

Mary Malone ôta ses mains du clavier et se frotta les yeux. Quand elle les rouvrit, les mots étaient toujours là, sur l'écran.

Où...

*Allez à Sunderland Avenue
et cherchez une tente.
Trompez le gardien et entrez.
Prenez des vivres pour un long voyage.
Vous serez protégée.
Les Spectres ne vous toucheront pas.*

Mais je...

*Avant de partir,
détruisez tout ce matériel.*

*Je ne comprends pas.
Pourquoi moi ? Quel
est ce voyage ? Et...*

*Vous vous préparez
à cela depuis votre naissance.
Votre travail ici est terminé.
La dernière chose que vous devez faire
dans ce monde, c'est empêcher
les ennemis d'en prendre le contrôle.
Détruisez ce matériel. Faites-le
maintenant et partez aussitôt après.*

Mary Malone repoussa sa chaise de nouveau et se leva en tremblant. Ses doigts pressèrent ses tempes et elle constata que les électrodes étaient toujours fixées sur son crâne. Elle les ôta une par une, d'un air absent. Certes, elle aurait pu douter de ce qu'elle avait fait, et de ce qu'elle pouvait encore lire sur l'écran mais, en l'espace d'une demi-heure, elle avait franchi le stade du doute ou de la croyance. Une chose venait de se produire et elle se sentait galvanisée.

Elle éteignit le capteur et l'amplificateur. Après quoi, elle contourna tous les codes de verrouillage pour initialiser le disque dur de l'ordinateur et ainsi l'effacer entièrement ; puis elle ôta l'interface entre le capteur et l'amplificateur, qui figurait sur une carte spécialement conçue ; elle posa cette carte sur le plan de travail et l'écrasa avec le talon de sa chaussure, n'ayant pas d'objet lourd à portée de main. Ceci étant fait, elle débrancha les connexions entre le bouclier électromagnétique et le capteur, et après avoir déniché les schémas de branchements dans un tiroir du classeur, elle les fit brûler. Avait-elle oublié quelque chose ? Oliver Payne connaissait le programme par cœur, évidemment, et elle ne pouvait pas faire grand-chose à ce niveau-là mais, au moins, tout le matériel spécifique était maintenant hors d'usage.

Elle fourra dans sa mallette des documents qui se trouvaient dans un tiroir et, pour finir, ôta de la porte l'affiche représentant les hexagrammes du I-Ching et la plia pour la glisser dans sa poche. Puis elle éteignit la lumière et quitta le laboratoire.

L'agent de sécurité s'était posté au pied de l'escalier ; il était au téléphone. Il rangea l'appareil en la voyant descendre et l'escorta sans dire un mot jusqu'à la sortie située sur le côté du bâtiment. À travers la porte vitrée, il la regarda monter en voiture et s'en aller.

Une heure et demie plus tard, Mary Malone, au volant de sa voiture, s'engageait dans une rue proche de Sunderland Avenue. Ne connaissant pas cette partie de la ville, elle avait été obligée de la chercher sur un plan d'Oxford. Jusqu'à cet instant, elle avait été mue par un sentiment d'excitation contenue mais, en descendant de voiture dans l'obscurité, la fraîcheur, le silence et l'immobilité de la nuit qui l'entouraient, elle ressentit tout à coup un pincement d'angoisse. Et si tout cela n'était, en réalité, qu'un rêve ? Ou bien une gigantesque farce très élaborée ?

Trop tard pour se poser ce genre de questions. Elle était trop engagée maintenant pour reculer. En s'emparant du sac à dos avec lequel elle avait effectué de nombreuses randonnées, en Écosse ou dans les Alpes, elle songea qu'elle serait capable, s'il le fallait, de survivre dans la nature ; dans le pire des cas, elle pourrait toujours s'enfuir, disparaître dans les collines...

Allons, c'était grotesque.

Elle mit le sac sur son dos et pénétra à pied dans Banbury Road pour parcourir les deux ou trois cents mètres jusqu'au rond-point d'où partait Sunderland Avenue sur la gauche. Jamais sans doute elle ne s'était sentie aussi ridicule.

Mais en tournant au coin de la rue et à la vue de cette même rangée d'arbres que Will avait découverte peu de temps auparavant, elle comprit qu'il y avait au moins quelque chose de vrai dans tout cela. Sous les arbres, dans l'herbe, de l'autre côté de la route, on avait installé une petite tente rouge et blanc, en nylon, comme celles qu'utilisent les électriciens pour travailler à l'abri de la pluie. Juste à côté était garée une camionnette Transit blanche, anonyme, avec des vitres fumées.

Mieux valait ne pas donner l'impression d'hésiter. Elle marcha droit vers la tente. Elle était presque arrivée lorsque la porte arrière de la camionnette s'ouvrit brutalement. Un policier en descendit. Sans son casque, il paraissait extrêmement jeune. Le lampadaire, sous le feuillage dense des arbres, éclairait en plein son visage.

—Puis-je vous demander où vous allez, madame?

—Je vais dans cette tente.

—J'ai peur que ce ne soit pas possible, madame. J'ai reçu ordre de ne laisser approcher personne.

—Tant mieux, dit Mary Malone. Je suis rassurée de constater qu'ils ont pensé à protéger le site. Mais j'appartiens au département des sciences physiques de l'université. Sir Charles Latrom nous a demandé de procéder à un examen préliminaire et de rédiger un rapport avant de mener des études plus approfondies. Il est important que cela soit fait maintenant, pendant que l'endroit est désert... Je suis sûre que vous comprenez pourquoi.

—Euh... oui, évidemment. Mais... Avez-vous une preuve de votre identité?

—Oui, oui, bien sûr.

Elle se débarrassa de son sac à dos pour sortir son portefeuille. Parmi les documents qu'elle avait récupérés dans les tiroirs du laboratoire figurait une vieille carte de bibliothèque au nom d'Oliver Payne. Après un quart d'heure de travail minutieux sur la table de la cuisine, et à l'aide de la photo provenant de son propre passeport, elle avait obtenu un résultat qu'elle espérait convaincant. Le policier prit la carte plastifiée qu'elle lui tendait et l'examina de près.

—Docteur Olive Payne, lut-il. Connaissez-vous le Dr Mary Malone?

—Oui, très bien. C'est une collègue.

—Savez-vous par hasard où elle est en ce moment ?

—Chez elle, dans son lit, je suppose. Pourquoi ?

—Je crois savoir qu'elle ne fait plus partie de votre équipe, et de ce fait, l'accès à ce lieu lui est interdit. À vrai dire, j'ai même reçu l'ordre de l'arrêter si elle se présentait ici. En voyant approcher une femme, j'ai naturellement pensé que c'était elle, vous comprenez ? Toutes mes excuses, docteur Payne.

—Je comprends, dit Mary Malone.

Le policier examina de nouveau la carte.

—Tout m'a l'air en ordre, dit-il.

Il lui rendit sa carte. Mais il avait visiblement envie de parler ; sans doute pour tromper la solitude, ou sa nervosité.

—Savez-vous ce qu'il y a sous cette tente ? demanda-t-il.

—Non, pas vraiment, répondit-elle en toute franchise. C'est pourquoi je suis ici.

—Oui, bien sûr. Très bien, docteur Payne.

Le jeune policier se recula et la laissa détacher le rabat de la tente. « Pourvu qu'il ne remarque pas le tremblement de mes mains », se disait-elle. Serrant son sac à dos contre sa poitrine, Mary Malone franchit l'ouverture de la tente. « Trompez le gardien »... Voilà, c'était fait. Mais elle ignorait ce qu'elle allait trouver à l'intérieur de cette tente. Elle s'attendait à découvrir des sortes de fouilles archéologiques, ou un cadavre, ou une météorite... Rien dans son existence, ni même dans ses rêves les plus fous, ne l'avait préparée à la vision de ce mètre carré de vide en suspension dans l'air, ni au spectacle d'une ville endormie et silencieuse au bord de la mer...

Chapitre 13

Æsahættr

Dès que la lune se leva, les sorcières entamèrent leurs incantations destinées à guérir les blessures de Will.

Elles le réveillèrent et lui demandèrent de poser le poignard sur le sol, de manière que la lame reflète l'éclat des étoiles. Assise à proximité, Lyra remuait des herbes dans un pot contenant de l'eau bouillante, au-dessus d'un feu ; et, pendant que les sorcières tapaient dans leurs mains, frappaient du pied et scandaient des refrains, Serafina s'accroupit au-dessus du poignard et se mit à chanter, d'une voix haut perchée et forte :

« Petit poignard ! Ils ont arraché ton acier
des entrailles de notre Mère la Terre,
ils ont allumé un feu et fait fondre le minerai,
ils l'ont fait pleurer, saigner et couler,
ils l'ont martelé et trempé,
en le plongeant dans les eaux glacées,
en le faisant chauffer dans la forge,
jusqu'à ce que ta lame devienne rouge sang, brûlante !
Et puis, ils t'ont obligé à transpercer l'eau
encore une fois, et encore une fois,
jusqu'à ce que la vapeur ne soit plus que brouillard
bouillonnant, et que l'eau demande grâce.
Et quand tu découpas une seule ombre
en trente mille reflets,
ils surent que tu étais prêt,

538

alors ils te baptisèrent poignard subtil.
Mais qu'as-tu fait ?
Tu as ouvert les portes du sang, et les as laissées béantes !
Petit poignard, ta Mère t'appelle
des entrailles de la Terre,
des mines et des cavernes les plus profondes,
de son ventre de fer enfoui.
Écoute ! »

Serafina frappa du pied et tapa dans ses mains en même temps que ses sœurs, et toutes les sorcières poussèrent des ululements sauvages qui déchirèrent l'air comme des griffes. Assis au milieu d'elles, Will sentit un frisson glacé parcourir sa colonne vertébrale.

Serafina Pekkala se tourna vers lui et prit sa main estropiée entre les siennes. Quand elle se remit à chanter, le garçon ne put s'empêcher de tressaillir, tant la voix de la sorcière était aiguë et claire et ses yeux brillants, mais il resta assis, sans bouger, et laissa les incantations se poursuivre.

« Sang ! Obéis-moi ! Rebrousse chemin,
Deviens un lac et ne te fais plus rivière.
Arrivé à l'air libre,
arrête-toi ! Et dresse un mur de caillots,
assez solide pour contenir le flot.
Sang, ton ciel est le sommet du crâne ;
ton soleil est l'œil ouvert ;
ton vent, le souffle dans les poumons ;
sang, ton monde est clos. Restes-y ! »

Will avait l'impression que tous les atomes de son corps réagissaient à cet ordre, et il se joignit à cet appel, obligeant son sang tumultueux à écouter et à obéir.

Il abaissa sa main et se tourna vers le petit pot de fer au-dessus du feu. Une fumée âcre s'en échappait. Will entendait la potion bouillonner furieusement.

Serafina continua de chanter :

« Écorce de chêne, soie d'araignée,
mousse du sol, algue marine...
tenez bon, serrez fort,
barrez la porte, tirez le verrou,

renforcez le mur de sang,
asséchez le flot écarlate. »

À l'aide de son propre couteau, la sorcière fendit un jeune aulne dans le sens de la longueur. La blancheur de la plaie brillait dans l'éclat de la lune. Elle versa un peu de liquide bouillonnant à l'intérieur de la fente, puis referma la blessure, en joignant délicatement les deux morceaux, de la racine jusqu'à la pointe. Le jeune arbre était de nouveau intact.

Will entendit le petit cri étouffé de Lyra, et en se retournant, il vit une autre sorcière tenir dans ses mains robustes un lièvre qui se débattait. Essoufflé, les yeux exorbités, l'animal donnait de grands coups de pattes, mais les mains de la sorcière étaient impitoyables. Le tenant par les pattes avant, d'une seule main, elle lui saisit les pattes arrière avec l'autre, et étira le lièvre, ventre en l'air.

Le couteau de Serafina l'ouvrit de haut en bas. Will fut pris de vertiges, tandis que Lyra tenait fermement dans ses bras Pantalaimon, métamorphosé en lièvre par solidarité, qui ruait et tentait de mordre. Le véritable lièvre se figea, les yeux saillants ; sa poitrine se soulevait, ses entrailles luisaient.

Serafina reprit un peu de décoction, qu'elle fit couler goutte par goutte dans la plaie béante ; après quoi, elle referma la blessure avec ses doigts, en lissant le poil par-dessus, jusqu'à ce que la blessure ait totalement disparu.

La sorcière qui tenait le lièvre desserra alors l'étau de ses mains et le déposa délicatement sur le sol ; l'animal s'ébroua, se retourna pour lécher son flanc, agita les oreilles et mordilla un brin d'herbe, comme s'il était totalement seul. Mais soudain, il sembla prendre conscience du cercle d'humains qui l'entourait et, telle une flèche, il s'élança et disparut dans l'obscurité en faisant de grands bonds.

Tout en réconfortant Pantalaimon, Lyra jeta un coup d'œil en direction de Will. Il avait compris ce que cela signifiait : le remède magique était prêt. Il tendit sa main, et quand Serafina versa le mélange fumant sur les moignons sanglants de ses doigts, il détourna le regard et inspira à fond plusieurs fois, mais sans grimacer.

Quand sa chair à vif fut bien imbibée, la sorcière appliqua quelques herbes détrempées sur les plaies et les maintint en place à l'aide d'une bande de soie.

Le sortilège était terminé.

Will dormit à poings fermés le reste de la nuit. Il faisait froid, mais les sorcières le recouvrirent de feuilles, et Lyra se coucha en boule contre son dos

Au matin, Serafina lui refit un pansement, et Will essaya de déchiffrer son expression pour savoir si sa blessure guérissait, mais le visage de la sorcière demeura impassible.

Quand ils se furent restaurés, Serafina annonça aux deux enfants que les sorcières avaient décidé, puisqu'elles étaient venues dans ce monde pour retrouver Lyra, d'aider celle-ci à accomplir cette tâche qu'elle savait être la sienne désormais. À savoir : conduire Will jusqu'à son père.

C'est ainsi qu'ils se mirent en route, et le voyage se déroula sans encombre. Avant toute chose, Lyra, avec une certaine méfiance, consulta l'aléthiomètre et celui-ci lui apprit qu'ils devaient prendre la direction des montagnes qu'on distinguait au loin, de l'autre côté de l'immense baie. N'étant jamais montés aussi haut au-dessus de la ville, ils ne pouvaient imaginer combien la côte était incurvée, et les montagnes se trouvaient alors sous la ligne d'horizon ; mais à présent, quand les arbres s'éclaircissaient, ou quand une longue pente s'ouvrait sous leurs pieds, ils apercevaient la mer bleue et déserte et, au-delà, ces montagnes également bleues, leur destination. La route paraissait longue.

Ils parlaient peu. Lyra était occupée à observer la vie de la forêt : les piverts, les écureuils ou encore les petits serpents de mousse verts, avec des losanges sur le dos. Quant à Will, il avait besoin de toute son énergie pour continuer d'avancer. Lyra et Pantalaimon évoquèrent longuement son cas.

— On pourrait quand même consulter l'aléthiomètre, suggéra Pantalaimon au bout d'un moment, après qu'ils eurent lambiné en chemin pour tenter de s'approcher d'un faon qui broutait. On n'a jamais promis de ne pas le faire, ajouta-t-il. Et on pourrait apprendre un tas de choses utiles. On ferait ça pour lui, pas pour nous.

— Ne sois pas idiot, répondit Lyra. On le ferait uniquement pour nous, étant donné que Will ne nous a jamais rien demandé. Tu n'es qu'un sale curieux, Pan !

— Ça change, pour une fois, répliqua le dæmon. Généralement, c'est toi qui fourres ton nez partout, et je suis obligé de te mettre en garde. Comme dans le Salon à Jordan College. Je n'étais pas d'accord pour y entrer.

— Si je t'avais écouté ce jour-là, Pan, crois-tu que tout cela serait arrivé ?

— Non. Car le Maître aurait empoisonné Lord Asriel, et tout serait terminé depuis longtemps.

— Oui, sans doute... À ton avis, qui est le père de Will ? Et pourquoi est-il si important ?

— Justement ! C'est ce que je disais. On pourrait le savoir en quelques minutes !

Lyra prit un air mélancolique.

—Autrefois, je l'aurais sans doute fait, dit-elle, mais je crois que je suis en train de changer, Pan.

—Non, je ne pense pas.

—Parle pour toi... Dis, Pan, quand je changerai, toi, tu cesseras de changer. Qu'est-ce que tu seras comme animal ?

—Une puce, j'espère.

—Ah, non. Tu n'as pas une idée de ce que tu pourrais devenir ?

—Non. Et je ne tiens pas à le savoir.

—Tu fais la tête parce que je refuse de satisfaire ton caprice.

Pantalaimon se changea alors en cochon, et il grogna, couina et renifla jusqu'à ce que Lyra se moque de lui ; après quoi, il se métamorphosa en écureuil et bondit de branche en branche à ses côtés.

—Et à ton avis, qui est le père de Will ? demanda-t-il. Crois-tu que c'est quelqu'un qu'on connaît ?

—Possible. En tout cas, c'est quelqu'un d'important, presque autant que Lord Asriel.

—On n'en sait rien, répliqua le dæmon. On le suppose, mais sans aucune preuve. Nous avons décidé de partir à la recherche de la Poussière uniquement à cause de la mort de Roger.

—Nous savons que c'est important ! s'exclama Lyra avec hargne, en tapant du pied. Et les sorcières aussi le savent. Elles ont fait tout ce chemin pour nous retrouver, me protéger et m'aider ! Et nous devons aider Will à retrouver son père. Voilà ce qui est important. Et tu le sais bien, toi aussi, car sinon, tu ne l'aurais pas léché quand il était blessé. Au fait, pourquoi as-tu fait ça ? Tu ne m'as même pas demandé la permission. Je n'en croyais pas mes yeux !

—Je l'ai fait parce que Will n'avait pas de dæmon, et il en avait besoin. Si tu étais aussi douée que tu le prétends pour comprendre les choses, tu l'aurais compris.

—Je le savais, en vérité.

Ils s'interrompirent finalement, car ils avaient rejoint Will, qui s'était assis sur une pierre au bord du chemin. Devenu gobe-mouches, Pantalaimon virevoltait au milieu des branches.

Lyra demanda à Will :

—À ton avis, que vont faire ces enfants maintenant ?

—Ils ne nous suivront pas. Ils avaient trop peur des sorcières. Peut-être vont-ils recommencer à errer.

—Oui, sans doute... Mais peut-être voudront-ils s'emparer du poignard, malgré tout. En ce cas, ils nous poursuivront.

—Qu'ils essayent. Ils n'auront pas le poignard. Au début, je n'en voulais pas. Mais s'il permet de tuer les Spectres...

—Je me suis toujours méfiée d'Angelica, dès la première fois, déclara Lyra d'un ton vertueux.

—Oui, c'est juste, confirma Will.

—Et cette ville... je la haïssais à la fin.

—Quand je l'ai découverte, j'ai cru que c'était le paradis. Je ne pouvais pas imaginer un plus bel endroit. En vérité, il était infesté de Spectres...

—Je ne ferai plus confiance à des enfants, dit Lyra. Quand j'étais à Bolvangar, je pensais que même si les grandes personnes faisaient des choses horribles, les enfants ne leur ressemblaient pas. Je croyais qu'ils étaient incapables de pareilles cruautés. J'en suis moins sûre maintenant. En tout cas, je n'ai jamais vu des enfants comme ceux-là, c'est certain.

—Moi, si, dit Will.

—Quand? Dans ton monde?

—Oui...

Lyra ne dit rien; elle attendait la suite. Après un silence, Will reprit:

—C'était à un moment où ma mère traversait une de ses crises. On vivait tous les deux, elle et moi, vu que mon père avait disparu. Et parfois, elle se mettait à imaginer des choses qui n'existaient pas. Ou bien, elle se sentait obligée de faire des choses qui n'avaient aucun sens, pour moi en tout cas. Elle était obligée de le faire: sinon, elle paniquait et elle avait peur de tout; alors, j'avais pris l'habitude de l'aider. Il fallait toucher toutes les grilles du parc, par exemple, ou compter les feuilles d'un buisson, ce genre de trucs. Au bout d'un moment, elle se sentait mieux. Mais j'avais peur qu'on découvre que ma mère était comme ça, car je me disais qu'ils l'emmèneraient. Alors, je m'occupais d'elle et je cachais la vérité. Je n'ai jamais rien dit à personne.

Mais un jour où je n'étais pas là pour l'aider, elle a pris peur. J'étais à l'école. Elle est sortie dans la rue, presque nue... Mais elle ne s'en rendait pas compte. Des garçons de mon école l'ont vue, et ils ont commencé à...

Will avait le visage en feu. Incapable de tenir en place, il se leva et se mit à faire les cent pas, en évitant le regard de Lyra. Sa voix frémissait et ses yeux étaient humides.

—Ils se sont amusés à la harceler, exactement comme ces gamins avec le chat au pied de la tour... Ils pensaient qu'elle était folle, et ils voulaient lui faire du mal, peut-être même la tuer, ça ne m'aurait pas étonné. Elle était différente d'eux, alors ils la haïssaient. Heureusement, je suis arrivé à temps, et je l'ai ramenée à la maison. Le lendemain, à l'école, je me suis battu avec le chef de la bande. Je lui ai cassé le bras, et quelques dents, je crois. Je voulais me battre avec les autres aussi, mais je me suis attiré des ennuis avec les profs et le directeur et j'ai compris que je ferais mieux de me calmer, car ils risquaient d'aller voir ma mère pour se plaindre. Ils verraient alors dans quel état elle était, et ils l'emmèneraient. Donc, j'ai fait semblant de regretter mon geste, et j'ai promis de ne pas recommencer ; ils m'ont puni pour m'être battu, mais je n'ai rien dit. J'avais réussi à protéger ma mère, tu comprends ? Personne n'était au courant, à part ces garçons, et ils savaient ce que je ferais si jamais ils racontaient ce qu'ils avaient vu ; ils savaient que la prochaine fois, je ne me contenterais pas de leur faire du mal : je les tuerais. Un peu plus tard, son état s'est amélioré. Personne n'a jamais rien su.

Mais désormais, je me méfiais autant des enfants que des adultes. Eux aussi sont capables de faire de vilaines choses. Voilà pourquoi je n'étais pas surpris par le comportement des gamins de Ci'gazze. Mais j'étais bien content de voir arriver les sorcières.

Will se rassit, tournant le dos à Lyra, et il sécha ses larmes d'un revers de main. Elle fit semblant de ne rien voir.

— Will... ce que tu m'as raconté au sujet de ta mère... La réaction de Tullio, quand les Spectres l'ont attaqué... Et hier, quand tu pensais que les Spectres venaient de ton monde...

— Oui. Car ce qui est arrivé à ma mère n'a aucun sens. Elle n'est pas folle. Ces gamins le pensaient peut-être ; ils se sont moqués d'elle et ont essayé de lui faire du mal, mais ils avaient tort : elle n'était pas folle. À part qu'elle avait peur de choses que je ne pouvais pas voir. Et qu'elle se sentait obligée de faire des choses qui semblaient insensées ; ça n'avait aucun sens pour nous, mais pour elle, si. Comme le fait de compter les feuilles d'un arbre, ou Tullio, hier, qui caressait les pierres du mur. Peut-être était-ce un moyen d'essayer de repousser les Spectres. Comme si, en tournant le dos à une chose qui les effrayait, en essayant de se concentrer sur les pierres ou sur les feuilles d'un arbre, en s'obligeant à croire que c'était important, ils pouvaient se protéger... Je n'en sais rien. On dirait que ça marche comme ça. Ma mère avait de vraies raisons d'avoir peur : ces deux hommes qui sont venus chez nous pour nous voler, par exemple, mais pas seulement. Alors, peut-être que les Spectres existent aussi dans mon monde ; simplement, on ne les voit pas, et on ne leur a pas donné de nom. Mais ils existent, et ils continuent d'attaquer ma mère. Voilà pourquoi j'étais soulagé hier, quand l'aléthiomètre t'a dit qu'elle allait bien.

Will respirait vite et sa main droite serrait avec force le manche du poignard dans sa gaine. Lyra ne disait rien ; Pantalaimon se tenait immobile.

— À quel moment as-tu décidé que tu devais partir à la recherche de ton père ? demanda-t-elle finalement.

— Oh, il y a longtemps. Quand j'étais petit, j'imaginais qu'il était prisonnier et que je l'aidais à s'évader. Je m'amusais tout seul dans mon coin, pendant plusieurs jours. Ou bien, je l'imaginais sur une île déserte, et je prenais un bateau pour aller le chercher et le ramener à la maison. Il saurait exactement comment faire pour régler les problèmes, surtout celui de ma mère ; grâce à lui, elle irait mieux, il s'occuperait d'elle, et moi, j'irais à l'école normalement, j'aurais des amis, j'aurais une mère et un père. Je disais toujours que quand je serais grand, je partirais chercher mon père... Et ma mère disait que je reprendrais le flambeau de mon père. Elle disait cela pour me faire plaisir. Je ne savais pas ce que ça voulait dire, mais ça me paraissait important.

—Tu n'avais pas d'amis ?

—Comment aurais-je pu en avoir ? répondit Will, surpris par cette question. Des amis... Ils viennent à la maison et ils connaissent tes parents et... Des fois, un garçon de l'école m'invitait chez lui ; j'y allais ou je n'y allais pas, mais je ne pouvais jamais lui rendre l'invitation. Conclusion, je n'ai jamais eu vraiment d'amis. J'aurais bien aimé pourtant... J'avais mon chat, ajouta-t-il. J'espère qu'il va bien. J'espère que quelqu'un s'occupe de lui...

—Et cet homme que tu as tué ? demanda Lyra, en sentant battre son cœur. C'était qui ?

—Je n'en sais rien. Si je l'ai vraiment tué, je m'en fiche. Il le méritait. Ils étaient deux. Ils venaient sans cesse à la maison et ils ont harcelé ma mère jusqu'à ce qu'elle recommence à avoir peur, encore plus qu'avant. Ils ne la laissaient pas tranquille, ils voulaient tout savoir sur mon père. J'ignore si c'étaient des policiers. Au début, j'ai cru qu'ils appartenaient à une bande de gangsters ; ils pensaient peut-être que mon père avait cambriolé une banque et qu'il avait caché l'argent. Mais ce n'était pas de l'argent qu'ils cherchaient, c'étaient des papiers. Ils voulaient récupérer les lettres que mon père avait envoyées. Un jour, ils se sont introduits dans la maison, et j'ai compris que ma mère serait plus en sécurité ailleurs. Je ne pouvais pas prévenir la police, tu comprends, car ils m'auraient pris ma mère. Je ne savais pas quoi faire.

Finalement, je suis allé voir la vieille dame qui me donnait des leçons de piano. Je ne voyais personne d'autre à qui m'adresser. Je lui ai demandé si elle pouvait héberger ma mère. Je crois qu'elle saura veiller sur elle. Ensuite, je suis retourné à la maison pour chercher ces fameuses lettres, et je les ai trouvées, mais les deux hommes sont revenus encore une fois. C'était la nuit, ou le petit matin. Je m'étais caché en haut de l'escalier, et Moxie, c'est mon chat, est sorti de la chambre. Je ne l'avais pas vu, et l'homme non plus ; et quand je l'ai bousculé, il a trébuché sur le chat, et il est tombé dans l'escalier.

Alors, je me suis enfui. Voilà comment ça s'est passé. Je n'avais pas l'intention de le tuer, mais peu m'importe de l'avoir fait. Je me suis enfui vers

Oxford ; c'est là que j'ai découvert la fenêtre. Uniquement parce que j'ai vu un chat ! Je me suis arrêté pour l'observer ; c'est lui qui a trouvé la fenêtre en premier. Si je ne l'avais pas vu... Et si Moxie n'était pas sorti de la chambre à ce moment-là...

— Oui, un sacré coup de chance, dit Lyra. Pan et moi, on se demandait justement : que se serait-il passé si je ne m'étais pas cachée dans la penderie du Salon à Jordan College, et si je n'avais pas vu le Maître verser du poison dans le vin ? Rien de tout cela ne serait arrivé également...

Tous les deux demeurèrent assis en silence sur la pierre recouverte de mousse, éclairés par les rayons obliques du soleil qui filtraient à travers les branches des vieux pins, songeant à tous ces minuscules hasards qui s'étaient combinés pour les conduire ici. Un rien aurait suffi à les entraîner dans une autre direction. Peut-être que, dans un autre monde, un autre Will n'avait pas vu la fenêtre dans Sunderland Avenue, et avait continué de fuir vers les Midlands, épuisé et égaré, jusqu'à ce qu'on l'arrête. Et dans un autre monde, un autre Pantalaimon avait persuadé une autre Lyra de ne pas rester cachée dans le Salon et un autre Lord Asriel était mort empoisonné, un autre Roger était toujours vivant, pour jouer éternellement avec cette même Lyra sur les toits et dans les ruelles d'un autre Oxford, immuable.

Will avait récupéré suffisamment de forces pour continuer et, ensemble, ils se remirent en route, au milieu de l'immense forêt silencieuse.

Ils marchèrent toute la journée, se reposant parfois. Les arbres devenaient plus clairsemés et le terrain plus rocailleux. Lyra consulta l'aléthiomètre. « Continue, lui dit-il, tu es dans la bonne direction. » Vers midi, ils atteignirent un village épargné par les Spectres : des chèvres broutaient à flanc de colline, un bosquet de citronniers projetait de l'ombre sur le sol de pierres ; les enfants qui jouaient dans le ruisseau s'enfuirent en criant pour rejoindre leurs mères, quand ils aperçurent soudain la fillette aux vêtements déchirés, le garçon au visage pâle, au regard fiévreux, avec son T-shirt taché de sang, et le lévrier élégant qui marchait à leurs côtés.

Malgré leur méfiance évidente, les adultes acceptèrent de leur vendre du pain, du fromage et des fruits, en échange d'une des pièces d'or de Lyra. Les sorcières restèrent à l'écart, mais Will et Lyra savaient qu'elles seraient là en une fraction de seconde si le moindre danger menaçait. Après de nouveaux marchandages, une vieille femme leur vendit deux gourdes en peau de chèvre et une jolie chemise en lin. Soulagé de pouvoir enfin quitter son T-shirt souillé, Will se lava dans l'eau glacée du ruisseau et s'allongea au chaud soleil de l'après-midi pour se faire sécher.

Revigorés, ils reprirent leur route. Le paysage se faisait plus aride ; pour trouver de l'ombre, ils devaient maintenant se mettre à l'abri des rochers qui avaient remplacé les arbres feuillus. Le sol était chaud sous leurs pieds, à travers les semelles de leurs chaussures. Le soleil les éblouissait. Ils avançaient de plus en plus lentement, à mesure que le relief s'accentuait, et quand le soleil atteignit la crête des montagnes, ils virent une petite vallée s'ouvrir devant eux et décidèrent de s'arrêter.

Ils dévalèrent la pente, manquant plus d'une fois de perdre l'équilibre ; après quoi, ils durent encore se frayer un chemin au milieu des fourrés de rhododendrons nains, des feuilles noires lustrées et des touffes de fleurs écarlates envahies par le bourdonnement des abeilles, avant de déboucher au crépuscule dans une prairie sauvage bordée par un ruisseau. L'herbe haute était envahie de bleuets, de gentianes et de quintefeuilles.

Will but à grandes gorgées l'eau du ruisseau, puis se coucha. Il était incapable de rester éveillé, et incapable de dormir ; sa tête tournait, une brume d'étrangeté lui semblait planer au-dessus de chaque chose, et sa main gonflée l'élançait.

Plus grave, elle s'était remise à saigner.

Ayant examiné les plaies, Serafina y appliqua de nouvelles herbes et noua encore plus fortement la bande de soie, mais elle avait du mal à cacher son inquiétude. Will s'abstint de la questionner. À quoi bon ? De toute évidence, le sortilège n'avait pas agi, et il voyait bien que la sorcière en était consciente, elle aussi.

Alors que la nuit tombait, Lyra s'allongea près de lui et, bientôt, il perçut un léger ronronnement. Transformé en chat, le dæmon s'était assoupi, les pattes croisées à moins d'un mètre de lui. Will murmura :

—Pantalaimon ?

Le dæmon ouvrit les yeux. Lyra ne bougea pas. Pantalaimon répondit en chuchotant :

—Oui ?

—Pan, est-ce que je vais mourir ?

—Les sorcières ne te laisseront pas mourir. Et Lyra non plus.

—Mais je continue à me vider de mon sang ; il ne doit pas m'en rester beaucoup. Si l'hémorragie ne cesse pas... J'ai peur...

—Lyra croit que tu ignores la peur.

—Ah bon ?

—Elle trouve que tu es la personne la plus courageuse qu'elle connaisse, aussi téméraire que Iorek Byrnison.

—Dans ce cas, j'ai intérêt à cacher ma frayeur, je suppose, dit-il.

Will resta muet un instant, avant d'ajouter :

—Je crois que Lyra est plus courageuse que moi. Et je crois que c'est la meilleure amie que j'aie jamais eue.

—Elle pense la même chose de toi, murmura le dæmon.

Will ferma les yeux.

Lyra était immobile, mais elle avait les yeux grands ouverts dans le noir, et son cœur battait à tout rompre.

Quand Will reprit conscience, la nuit était tombée et sa main le faisait souffrir plus que jamais. Il se redressa avec prudence et vit brûler un feu à proximité, là où Lyra essayait de faire griller un morceau de pain planté au bout d'une branche fourchue. Pendant ce temps, deux oiseaux étaient en train de rôtir sur une broche de fortune, et quand Will s'assit près du feu, Serafina Pekkala vint se poser à ses côtés.

—Will, dit-elle, mange ces feuilles avant d'avaler toute autre nourriture.

Elle lui tendit une poignée de feuilles au goût amer, ressemblant un peu à de la sauge, qu'il mâcha en silence et fit passer en déglutissant. Elles étaient astringentes, mais Will se sentit étrangement ragaillardi ; la fatigue et le froid s'étaient dissipés.

Ils mangèrent les oiseaux rôtis, assaisonnés avec du jus de citron, puis une autre sorcière apporta des myrtilles qu'elle avait cueillies sous la pierraille, et toutes les sorcières se réunirent alors autour du feu. Elles parlèrent sans élever la voix ; certaines étaient montées très haut dans le ciel pour scruter les environs, et l'une d'elles avait aperçu une montgolfière au-dessus de la mer. En entendant ce récit, Lyra se redressa.

—C'était le ballon de M. Scoresby ? demanda-t-elle.

—Il y avait deux hommes à bord, mais le ballon était trop loin pour que je les distingue. Un orage se préparait dans leur dos.

Lyra frappa dans ses mains.

—Si M. Scoresby nous rejoint, on pourra voyager dans les airs, Will ! s'exclama-t-elle. Oh, pourvu que ce soit lui ! Je n'ai pas eu l'occasion de lui dire au revoir, et il était si gentil... J'aimerais tant le revoir !

La sorcière nommée Juta Kamainen écoutait la conversation, son dæmon-rouge-gorge posé sur son épaule, le regard enflammé, car le nom de Lee Scoresby évoquait pour elle la mission entreprise par le Texan. Juta était la sorcière dont Stanislaus Grumman avait rejeté l'amour, la sorcière que Serafina Pekkala avait emmenée avec elle dans ce long voyage pour l'empêcher de tuer Grumman en restant dans leur monde.

Cette réaction n'aurait pas échappé à Serafina mais, au même moment, elle leva la main pour obtenir le silence et pencha la tête sur le côté, imitée en cela par ses sœurs. Will et Lyra perçurent faiblement, au nord, le cri d'un oiseau de nuit. Mais ce n'était pas un oiseau : les sorcières comprirent immédiatement qu'il s'agissait d'un dæmon. Serafina Pekkala leva la tête et scruta le ciel.

—Je crois que c'est Ruta Skadi.

Ils demeurèrent muets et immobiles, la tête inclinée vers l'immensité silencieuse, tendant l'oreille.

Un autre cri perça la nuit, plus proche celui-ci, puis un troisième. À cet instant, toutes les sorcières s'emparèrent de leurs branches et s'élancèrent dans les airs ; toutes sauf deux, qui demeurèrent au sol, leur arc bandé, pour protéger Will et Lyra.

Quelque part dans l'obscurité, au-dessus de leurs têtes, un combat se déroulait. Et quelques secondes plus tard, ils entendirent un bruissement d'ailes, le sifflement des flèches, des grognements, des cris de douleur ou de fureur, des ordres aboyés.

Et soudain, avec un bruit sourd, si brutal qu'ils n'eurent même pas le temps de sursauter, une créature tomba du ciel, à leurs pieds ; une bête à la peau parcheminée et aux poils emmêlés que Lyra reconnut aussitôt : c'était un monstre des falaises, ou quelque chose de semblable.

La créature avait le corps disloqué par la chute, et une flèche était plantée dans son flanc. Malgré tout, elle se releva, en titubant, et se jeta sur Lyra avec une cruauté désespérée. Les sorcières ne pouvaient décocher leurs flèches, car la fillette se trouvait dans leur ligne de mire, mais Will arriva le premier, armé de son poignard et, d'un revers, il trancha la tête du monstre, qui roula sur le sol. L'air jaillit des poumons de la bête dans un gargouillis sinistre, et elle s'effondra, raide morte.

Tous les yeux se levèrent alors vers le ciel, car le combat aérien s'était rapproché du sol, et les flammes du feu de camp faisaient rougeoyer un tourbillon de lambeaux de soie noire, de bras à la peau pâle, de branches de sapin aux aiguilles vertes, de peau grisâtre et croûteuse. La manière dont les sorcières parvenaient à conserver leur équilibre malgré les demi-tours, les arrêts brutaux, et les accélérations soudaines, tout en visant et en tirant avec leurs arcs, voilà qui dépassait l'entendement de Will.

Un deuxième monstre des falaises, puis un troisième tombèrent dans le ruisseau, ou sur les rochers juste à côté, morts et bien morts. Leurs congénères s'enfuirent alors vers le nord dans un concert de couinements et disparurent dans l'obscurité.

Quelques secondes plus tard, Serafina Pekkala se posa au sol, accompagnée de ses sœurs et d'une autre sorcière : une très belle femme au regard féroce et aux cheveux noirs, dont les joues étaient enflammées par la colère et l'excitation.

Apercevant le cadavre décapité du monstre des falaises, elle cracha par terre.

—Cette abomination ne vient pas de notre monde, dit-elle, ni de celui-ci. Il y en a des milliers semblables à celle-ci, qui se reproduisent comme des mouches... Qui est cette enfant ? Est-ce la dénommée Lyra ? Et qui est ce garçon ?

Lyra soutint le regard scrutateur de la sorcière tandis que son pouls s'accélérait, car Ruta Skadi vibrait d'une énergie intérieure si éclatante qu'elle déclenchait le même afflux nerveux chez quiconque l'approchait.

La sorcière se tourna ensuite vers Will et, à son tour, il éprouva les mêmes picotements d'intensité ; comme Lyra, il resta maître de ses réactions. Il tenait toujours le poignard dans la main, et Ruta Skadi sourit en voyant quel usage il en avait fait. Will l'enfonça dans la terre pour nettoyer le sang de la créature immonde, puis il le rinça dans le ruisseau.

Ruta Skadi reprit la parole :

—Serafina Pekkala, j'ai beaucoup appris : toutes les choses du passé sont en train de changer, ou de mourir. J'ai faim...

Elle mangea comme un animal, déchiquetant à mains nues les restes d'oiseaux rôtis, fourrant des poignées de pain dans sa bouche, et faisant passer le tout en buvant à pleine gorge l'eau du ruisseau. Pendant qu'elle se restaurait, quelques-unes des sorcières emportèrent la dépouille des monstres des falaises, puis ranimèrent le feu, avant de monter la garde.

Les autres vinrent s'asseoir autour de Ruta Skadi pour écouter ce qu'elle avait à leur dire. Pour commencer, elle leur raconta ce qui s'était passé quand elle s'était envolée à la poursuite des anges, puis son voyage vers la forteresse de Lord Asriel.

—Mes sœurs, c'est le château le plus gigantesque que l'on puisse imaginer ; les remparts de basalte montent jusqu'au ciel. De larges routes y conduisent de tous les côtés, et ces routes sont encombrées de chargements de poudre, de nourriture, de plaques d'armures. Comment Lord Asriel a-t-il réussi un tel prodige ? Je suppose qu'il prépare cela depuis longtemps, une éternité. Il s'y préparait déjà avant notre naissance, mes sœurs, bien qu'il soit beaucoup plus jeune que nous... Mais comment est-ce possible ? Je l'ignore. Je ne comprends pas. À croire qu'il commande au temps ; il peut l'accélérer ou au contraire le ralentir, à sa guise.

Des guerriers de toutes sortes, venus de tous les mondes, affluent vers la forteresse. Des hommes et des femmes, oui, mais aussi des esprits guerriers, et des créatures armées comme je n'en ai jamais vu : des lézards, des singes, des oiseaux gigantesques dotés d'éperons empoisonnés, des êtres trop invraisemblables pour que je puisse deviner leurs noms. Saviez-vous, mes sœurs, qu'il existait des sorcières dans d'autres mondes ? J'ai parlé à des sorcières venant d'un monde semblable au nôtre en apparence, mais profondément différent, car ces sorcières ne vivent pas plus longtemps que des êtres humains, et il y a même des hommes parmi elles, des sorciers capables de voler comme nous...

Les sorcières du clan de Serafina Pekkala écoutaient le récit de Ruta Skadi avec un mélange d'appréhension, d'émerveillement et d'incrédulité. Mais Serafina ne mettait pas en doute sa parole, et elle l'incita à poursuivre.

— As-tu vu Lord Asriel, Ruta Skadi ? Es-tu parvenue jusqu'à lui ?

— Oui, mais cela n'a pas été facile, car il vit au cœur de nombreux cercles d'activité, qu'il commande. Cependant, en me rendant invisible, j'ai pu pénétrer dans ses appartements privés, au moment où il se couchait.

Toutes les sorcières présentes devinaient ce qui s'était passé ensuite, alors que ni Will ni Lyra ne pouvaient même l'imaginer. N'ayant pas besoin de s'étendre sur le sujet, Ruta Skadi poursuivit :

— Je lui ai demandé ensuite pourquoi il rassemblait toutes ces forces, et s'il était exact, comme nous l'avions entendu dire, qu'il avait décidé de défier l'Autorité. Il a éclaté de rire.

« On en parle donc jusqu'en Sibérie ? » m'a-t-il demandé, et je lui ai répondu : « Oui », à Svalbard également, et dans toutes les régions du Nord, de notre Nord. Je lui ai parlé alors de notre pacte, je lui ai dit que nous avions quitté notre monde pour partir à sa recherche, afin d'en savoir plus.

Et il nous a conviées à nous joindre à lui, mes sœurs. À rejoindre son armée pour livrer bataille contre l'Autorité. J'aurais voulu, de tout mon cœur, pouvoir nous engager sur-le-champ ; j'aurais été heureuse d'impliquer mon clan dans le combat. Il m'a prouvé qu'il est juste et légitime de se rebeller, lorsqu'on songe aux horreurs que les agents de l'Autorité accomplissent en son nom... J'ai repensé alors aux enfants de Bolvangar, et aux terribles mutilations auxquelles j'ai assisté dans les territoires du Sud de notre propre monde. Il m'a décrit les innombrables ignominies perpétrées au nom de l'Autorité ; il m'a raconté comment, dans certains mondes, on capture les sorcières pour les brûler vives, mes sœurs, oui, des sorcières comme nous...

Lord Asriel m'a ouvert les yeux. Il m'a montré des choses que je n'avais jamais vues, des atrocités, des actes de cruauté commis au nom de l'Autorité, et destinés à détruire les joies et l'authenticité de la vie. Oh, mes sœurs, comme j'avais hâte de me rallier, avec mon clan, à sa juste cause ! Mais je savais que je devais d'abord vous consulter, puis revenir dans notre monde pour en discuter avec Ieva Kasku et Reina Miti, et les autres reines.

Alors, j'ai quitté sa chambre, toujours invisible, j'ai récupéré ma branche de sapin et je suis repartie. Mais à peine m'étais-je envolée qu'un vent violent m'a entraînée vers les montagnes, et j'ai dû me réfugier sur une crête. Connaissant le genre de créatures qui hantent ces cimes, je me suis rendue invisible de nouveau, et là, dans l'obscurité, j'ai entendu des voix.

Apparemment, j'étais tombée par hasard sur le repaire de l'ancêtre des monstres des falaises. Il était aveugle, et ses congénères lui apportaient de la nourriture, quelque charogne puante provenant de tout en bas. Et ils lui demandaient conseil.

« Grand-père, disaient-ils, jusqu'où remontent tes souvenirs ?

— Oh, très, très loin. Bien avant l'arrivée des humains, leur répondit-il d'une voix douce, chevrotante et fêlée.

— Est-il vrai, grand-père, que la plus grande des batailles qui a jamais eu lieu est sur le point de se dérouler ?

— Oui, mes enfants. Une bataille encore plus gigantesque que la précédente. Un festin en perspective pour nous tous. Ce sera une période de joie et d'opulence pour tous les êtres monstrueux de tous les mondes.

— Et qui va l'emporter, grand-père ? Lord Asriel réussira-t-il à vaincre l'Autorité ?

— Lord Asriel possède une armée de plusieurs millions de soldats, répondit le vieux monstre des falaises, venus de tous les mondes. Une armée beaucoup plus importante que celle qui a déjà affronté l'Autorité par le passé. Évidemment, les forces de l'Autorité sont cent fois plus nombreuses. Mais l'Autorité est séculaire, bien plus âgée que moi, mes enfants ; ses troupes ont peur, et celles qui n'ont pas peur sont trop sûres d'elles. Ce sera un combat acharné, et Lord Asriel devrait normalement l'emporter, car il est animé par la passion, il n'a peur de rien et il a foi en sa cause. Mais il lui manque une chose, mes enfants. Il n'a pas Æsahættr. Sans Æsahættr, son armée et lui seront vaincus. Et nous pourrons festoyer pendant des années, mes petits ! »

Il éclata de rire et se mit à ronger le vieil os puant qu'on lui avait apporté. Ses jeunes congénères poussèrent des cris de joie stridents.

Vous imaginez bien, ajouta Ruta Skadi, que je tendais l'oreille pour en savoir plus au sujet de ce mystérieux Æsahættr mais, au milieu des hurlements du vent, je n'entendis que la question d'un jeune monstre :

« Si Lord Asriel a besoin d'Æsahættr, pourquoi ne l'appelle-t-il pas ? »

Le vieux monstre des falaises répondit :

« Lord Asriel ne connaît pas plus que toi l'existence d'Æsahættr, mon petit ! C'est ça qui est drôle ! Esclaffons-nous !... »

Alors que j'essayais de me rapprocher de ces ignobles créatures pour en apprendre davantage, mon pouvoir a faibli, mes sœurs ; je ne pouvais plus maintenir mon invisibilité. En me voyant, les plus jeunes se sont mis à crier ; j'ai dû m'enfuir et réintégrer ce monde en empruntant le passage dans le ciel. Quelques créatures m'ont poursuivie, celles qui sont mortes devant vos yeux en faisaient partie.

Il est évident que Lord Asriel a besoin de nous, mes sœurs. J'ignore qui est cet Æsahættr, mais Lord Asriel a besoin de nous ! J'aimerais retourner auprès de lui immédiatement et lui dire : « N'aie crainte, nous arrivons, nous les sorcières du Nord, et nous t'aiderons à vaincre… » Mettons-nous d'accord dès maintenant, Serafina Pekkala, réunissons le grand conseil de toutes les sorcières, de tous les clans, et partons en guerre !

Serafina Pekkala se tourna vers Will, et il eut l'impression qu'elle quêtait sa permission. Mais il ne pouvait lui donner le moindre conseil, et elle reporta son attention sur Ruta Skadi.

—Nous ne t'accompagnerons pas, dit-elle. Notre mission est d'aider Lyra, et la sienne est de conduire Will jusqu'à son père. Il est bon que tu retournes dans notre monde, en effet, mais nous, nous devons rester avec Lyra.

Ruta Skadi rejeta la tête en arrière, visiblement contrariée.

—Très bien, s'il le faut, dit-elle.

Will s'allongea par terre, car sa blessure le faisait souffrir beaucoup plus qu'au moment de l'accident. Toute sa main était maintenant boursouflée. Lyra s'allongea à son tour, et Pantalaimon vint se lover dans son cou ; elle regarda le feu à travers ses yeux mi-clos en écoutant, dans une sorte de somnolence, le murmure des voix des sorcières.

Ruta Skadi s'éloigna le long du ruisseau, en marchant à contre-courant, et Serafina Pekkala l'accompagna.

—Ah, Serafina Pekkala, tu devrais voir Lord Asriel, dit la reine de Lettonie. Jamais il n'y eut plus grand chef guerrier. Il connaît dans le détail la composition de toutes ses forces. Imagine un peu l'audace de son entreprise : déclarer la guerre au créateur ! Mais qui peut bien être cet Æsahættr, à ton avis ? Comment se fait-il que nous n'ayons pas entendu parler de lui ? Et comment l'inciter à rejoindre Lord Asriel ?

—Peut-être n'est-ce pas un homme, ni une personne, ma sœur. Nous n'en savons pas plus que ce jeune monstre des falaises. Ce nom fait penser un peu à l'expression *destructeur de dieu*. Tu n'as pas remarqué ?

—Dans ce cas, il pourrait bien s'agir de nous, chère Serafina ! Ses forces seront encore plus invincibles quand nous nous joindrons à lui. Ah, que j'ai hâte de voir mes flèches tuer ces ignobles individus de Bolvangar, et de tous les Bolvangar de tous les mondes ! Pourquoi font-ils cela, ma sœur ? Dans tous les mondes, les agents de l'Autorité sacrifient des enfants à leur dieu cruel ! Pourquoi ? Pourquoi ?

—Ils ont peur de la Poussière, répondit Serafina Pekkala, mais j'ignore de quoi il s'agit.

—Ce jeune garçon que vous avez trouvé, qui est-ce ? De quel monde vient-il ?

Serafina Pekkala lui raconta tout ce qu'elle savait sur Will.

—J'ignore pourquoi il est si important, conclut-elle, mais nous sommes là pour servir Lyra. Et son instrument lui dit que sa tâche est d'aider ce garçon. Nous avons essayé de soigner sa blessure, ma sœur, sans succès. Nous avons essayé le sortilège de contention, mais ça n'a pas marché. Peut-être les herbes de ce monde sont-elles moins efficaces que les nôtres. Le climat est trop chaud pour que pousse la mousse magique...

—Ce jeune garçon est étrange, dit Ruta Skadi. Il est de la même race que Lord Asriel. As-tu sondé son regard ?

—À dire vrai, répondit Serafina Pekkala, je n'ai pas osé.

Les deux reines s'assirent au bord du ruisseau. Le temps s'écoula, des étoiles s'éteignirent, d'autres s'allumèrent ; un petit cri s'éleva parmi les dormeurs, mais c'était simplement Lyra qui rêvait. Les deux sorcières entendirent un roulement de tonnerre ; elles virent les éclairs au-dessus de la mer et des collines, mais l'orage était lointain.

Ruta Skadi fut la première à briser le silence :

—Cette fille, Lyra. Quel rôle est-elle censée jouer exactement ? Est-elle précieuse uniquement parce qu'elle peut conduire ce garçon jusqu'à son père ? Il y a une autre raison, n'est-ce pas ?

—C'est la tâche qu'elle doit accomplir pour l'instant. Mais tu as raison, bien d'autres missions l'attendent par la suite. Nous, sorcières, avons dit de cette enfant qu'elle devait mettre fin au destin. Nous connaissons le nom qui lui donnerait toute sa signification aux yeux de Mme Coulter, et nous savons que cette femme ignore ce nom. Notre sœur qu'elle a torturée sur le bateau, non loin de Svalbard, a failli livrer le secret, mais Yambe-Akka est venue à elle juste à temps.

Mais maintenant, je pense que Lyra est peut-être cette personne mystérieuse dont ces créatures immondes ont parlé devant toi, cet Æsahættr. Il ne s'agit pas des sorcières, ni des anges, mais de cette enfant endormie : l'arme ultime dans la guerre contre l'Autorité. Pourquoi, sinon, Mme Coulter voudrait-elle absolument la retrouver ?

—Mme Coulter a été la maîtresse de Lord Asriel, dit Ruta Skadi. Et Lyra est leur fille... Ah, ma sœur, si j'avais porté cette enfant, quelle sorcière ce serait ! La reine des reines !

—Chut, ma sœur, dit Serafina. Écoute... Quelle est donc cette lumière ?

Elles se levèrent, craignant qu'une menace n'eût réussi à déjouer la surveillance des sentinelles. Elles virent une lumière briller au centre du campement : ce n'était pas la lueur des flammes, cela n'y ressemblait même pas.

Elles revinrent vers le camp en courant, à pas feutrés, en bandant déjà leurs arcs mais, tout à coup, elles se figèrent.

Toutes les sorcières dormaient dans l'herbe, ainsi que Will et Lyra. Mais une douzaine d'anges, ou plus, entouraient les deux enfants et les contemplaient.

Serafina comprit alors une chose pour laquelle les sorcières n'avaient pas de mot : la notion de pèlerinage. Elle comprit pourquoi ces êtres étaient capables d'attendre des milliers d'années et de parcourir des distances infinies afin d'approcher une chose capitale à leurs yeux. Dès lors, après avoir côtoyé brièvement cette présence, ils s'en trouvaient changés pour toujours. Voilà l'impression que donnaient ces créatures à cet instant, ces magnifiques pèlerins de lumière diffuse, debout autour de la fillette au visage barbouillé de crasse, avec sa jupe écossaise, et du garçon à la main estropiée, qui fronçait les sourcils dans son sommeil.

Quelque chose remua dans le cou de Lyra. Pantalaimon, hermine blanche comme neige, ouvrit ses yeux noirs encore endormis et regarda autour de lui sans éprouver la moindre peur. Plus tard, Lyra associerait cette scène à un rêve. Pantalaimon sembla accepter cette marque de dévotion comme une chose due à Lyra ; il se pelotonna à nouveau dans son cou et ferma les yeux.

Finalement, l'un des êtres lumineux déploya ses ailes. Les autres firent de même, et leurs ailes s'entremêlèrent, sans aucune résistance ; elles battirent les unes dans les autres, comme des faisceaux lumineux qui se croisent, jusqu'à ce qu'un cercle rayonnant entoure les dormeurs allongés dans l'herbe.

Et puis, les veilleurs célestes prirent leur envol, l'un après l'autre, s'élevant dans le ciel telles des flammes, prenant de l'ampleur jusqu'à devenir gigantesques. Mais, déjà, ils étaient loin et, semblables à des étoiles filantes, ils volaient vers le nord.

Serafina et Ruta Skadi enfourchèrent aussitôt leurs branches de sapin pour les suivre dans le ciel, mais elles ne purent les rejoindre.

— Les créatures que tu as vues ressemblaient-elles à celles-ci, Ruta Skadi ? demanda Serafina, tandis que les deux sorcières ralentissaient, en regardant les flammes éclatantes s'amenuiser à l'horizon.

— Celles-ci me semblent plus grandes, mais ce sont les mêmes. Tu as vu, elles n'ont pas de chair. Elles ne sont que lumière. Leurs sens sont sans doute différents des nôtres... Je te quitte maintenant, Serafina Pekkala, afin de rassembler toutes les sorcières du Nord. Quand nous nous reverrons, la guerre aura éclaté. Bon vent, ma sœur...

Elles s'étreignirent, puis Ruta Skadi fit demi-tour et fila vers le sud.

Après l'avoir regardée s'éloigner, Serafina se retourna pour voir les dernières lueurs des anges disparaître. Elle n'éprouvait que compassion pour ces veilleurs immenses. Comme ils devaient souffrir de ne jamais sentir la terre sous leurs pieds, ni le vent dans leurs cheveux, ni le picotement des étoiles sur leur peau nue ! Elle brisa une brindille de la branche de sapin sur laquelle elle volait, inspira avec un plaisir avide l'odeur âcre de la résine, avant de redescendre, lentement, pour rejoindre les dormeurs allongés dans l'herbe.

Chapitre 14

Fort Alamo

Lee Scoresby contempla l'océan placide sur sa gauche, puis le rivage vert sur sa droite, et mit sa main en visière pour essayer de repérer des traces de vie humaine. Ils avaient quitté le fleuve Ienisseï depuis un jour et une nuit déjà.

—Sommes-nous dans un nouveau monde? demanda-t-il.

—Nouveau pour ceux qui n'y sont pas nés, répondit Stanislaus Grumman. Car il est aussi vieux que le vôtre ou le mien. Asriel a tout chamboulé, monsieur Scoresby; jamais l'ordre des choses n'a été bouleversé aussi profondément. Ces passages et ces fenêtres dont je vous parlais s'ouvrent désormais sur les lieux les plus inattendus. Il n'est pas facile de naviguer; heureusement, ce vent nous est favorable.

—Nouveau ou ancien, c'est un drôle de monde qu'on aperçoit tout en bas, commenta Lee.

—En effet, dit Stanislaus Grumman. C'est un monde étrange, et pourtant, certains s'y sentent chez eux.

—Il a l'air vide, fit remarquer le Texan.

—Détrompez-vous. Derrière ce cap, vous découvrirez une ville qui fut jadis puissante et riche. Elle est toujours habitée par les descendants des marchands et des nobles qui l'ont construite, bien qu'elle ait connu des temps difficiles depuis trois cents ans...

Quelques minutes plus tard, tandis que la montgolfière continuait de dériver, Lee aperçut tout d'abord un phare, puis la courbe d'une digue de pierre et, enfin, les tours, les dômes et les toits ocre d'une magnifique cité construite autour d'un port. Un bâtiment somptueux ressemblant à un

opéra se dressait au milieu de jardins luxuriants ; il y avait de grands boulevards bordés d'hôtels élégants et de petites rues où des arbres en fleurs
ombrageaient des balcons.

Grumman avait raison : des gens vivaient dans cette ville ! Mais alors
qu'ils s'en approchaient, Lee constata avec stupéfaction qu'il s'agissait uniquement d'enfants. Pas un seul adulte en vue. Les enfants jouaient sur la
plage, ils entraient et ressortaient des cafés en courant, ils mangeaient,
buvaient, remplissaient des sacs de marchandises diverses dans les maisons
et les boutiques. Dans un coin, des garçons se battaient sous les encouragements d'une fillette rousse, pendant qu'un autre bambin s'amusait à briser
toutes les vitres d'un bâtiment voisin, à coups de pierres. On aurait dit un
gigantesque terrain de jeux, aux dimensions d'une ville, sans un seul parent
ou professeur dans les parages : c'était un monde d'enfants.

Mais ils ne constituaient pas l'unique présence dans cette ville. Lee dut se
frotter les yeux quand il vit ces « choses » pour la première fois ; mais non, il
ne rêvait pas : des colonnes de brume – ou un phénomène plus ténu
encore – épaississaient l'air par endroits. La ville en était pleine ; elles flottaient sur les boulevards, elles entraient dans les maisons, se rassemblaient
sur les places et dans les cours. Pourtant, les enfants évoluaient parmi elles
sans les voir.

Mais pas sans être vus. À mesure que le ballon dérivait au-dessus de la
ville, Lee put observer l'étrange comportement de ces formes. De toute évidence, certains enfants les intéressaient plus que d'autres, et ceux-là, elles
les suivaient partout ; il s'agissait des enfants les plus âgés, comme le
constata Lee grâce à sa lunette, ceux qui atteignaient l'adolescence. Ainsi,
un jeune garçon grand et maigre, doté d'une tignasse de cheveux bruns,
était à ce point entouré de créatures transparentes que sa silhouette elle-
même semblait scintiller dans l'air. Elles étaient comme des mouches
autour d'un morceau de viande. Pourtant, le garçon ne se doutait de rien,
même si, de temps en temps, il était obligé de se frotter les yeux ou de
secouer la tête pour éclaircir sa vue.

—Bon sang, quelles sont ces choses ? demanda Lee.

—Les gens les appellent les Spectres.

—Que font-ils exactement ?

—Avez-vous entendu parler des vampires ?

—Oui, dans les légendes.

—Comme les vampires se nourrissent de sang, les Spectres, eux, se nourrissent de la capacité d'attention des autres. D'un intérêt conscient et
informé pour le monde. L'immaturité des enfants a beaucoup moins d'attrait pour eux.

—Ils sont donc tout l'opposé de ces monstres de Bolvangar.

—Non, au contraire. Le Conseil d'Oblation et les Spectres d'Indifférence sont, les uns comme les autres, obnubilés par cette vérité qui concerne les êtres humains : l'innocence diffère de l'expérience. Le Conseil d'Oblation redoute et déteste la Poussière ; les Spectres, eux, s'en nourrissent, mais tous sont obsédés par cette Poussière.

—Regardez, ils sont rassemblés autour de cet enfant, là-bas...

—Il devient adolescent. Ils vont bientôt l'attaquer et sa vie deviendra un désert de misère et d'indifférence. Il est condamné.

—Nom d'un chien ! Ne peut-on pas voler à son secours ?

—Non. Les Spectres s'empareraient de nous immédiatement. À cette hauteur, ils ne peuvent pas nous atteindre. Nous ne pouvons que demeurer spectateurs.

—Mais où sont passés tous les adultes ? Ne me dites pas que ce monde est peuplé uniquement d'enfants ?

—Ces enfants sont les orphelins des Spectres. Il existe beaucoup de bandes semblables d'un bout à l'autre de ce monde. Ce sont des vagabonds qui subsistent grâce à ce qu'ils trouvent quand les adultes ont fui. Il y a beaucoup de choses à récupérer, comme vous le voyez. Ils ne meurent pas de faim. En revanche, il semblerait qu'une multitude de Spectres ait envahi cette cité, et que les adultes soient partis se cacher. Avez-vous remarqué qu'il y a peu de bateaux dans le port ? Mais rassurez-vous, les enfants ne risquent rien.

—Sauf les plus âgés. Comme ce pauvre garçon là-bas...

—Ainsi va le monde, monsieur Scoresby. Si vous avez l'intention de mettre fin à la cruauté et à l'injustice, emmenez-moi d'abord à destination. J'ai une tâche à accomplir.

—Il me semble pourtant... dit Lee, en cherchant ses mots — il me semble que l'on doit combattre la cruauté là où on la trouve, et il faut apporter son aide là où elle paraît nécessaire. À moins que je me trompe, docteur Grumman ? Je ne suis qu'un aéronaute ignorant. Tellement ignorant que je croyais, comme on me l'avait dit, que les chamans étaient capables de voler, par exemple. Eh bien, j'en connais un qui ne vole pas.

—Oh, mais je vole.

—Ah bon ? Et comment ?

Le ballon avait perdu de l'altitude, et le sol semblait monter vers eux. Une tour de pierre carrée se dressait sur leur route, or, Lee Scoresby semblait ne pas l'avoir remarquée.

—J'avais besoin de voler, dit Grumman, alors je vous ai fait venir, et voilà, je vole.

Il avait pleinement conscience du danger qui les menaçait ; malgré tout, il s'abstint d'adresser la moindre remarque à l'aéronaute. Et de fait, juste à temps, Lee Scoresby se pencha par-dessus le bord de la nacelle pour tirer sur la corde d'un des sacs de lest. Le sable se déversa dans le vide, et le ballon s'éleva aussitôt, en douceur, pour passer à plus de deux mètres au-dessus de la tour. Une dizaine de corbeaux, dérangés par cet intrus, s'envolèrent en croassant.

— Vous êtes un drôle de personnage, docteur Grumman, dit le Texan. Avez-vous vécu parmi les sorcières ?

— Oui, avoua Grumman. Et aussi parmi des universitaires, et parmi les esprits. Partout, j'ai rencontré la folie, mais parsemée de grains de sagesse. Sans doute y avait-il beaucoup plus de sagesse que je ne pouvais m'en apercevoir. La vie est dure, monsieur Scoresby, et pourtant, tout le monde s'y accroche.

— Et le voyage que nous effectuons ? Est-ce de la folie ou de la sagesse ?

— Je ne connais rien de plus sage.

— Parlez-moi encore de votre objectif. Vous allez retrouver le porteur de ce poignard subtil, et ensuite ?

— Je lui dirai quelle est sa mission.

— Une mission qui inclut la protection de Lyra, lui rappela l'aéronaute.

— Une mission qui nous protégera tous.

Ils continuèrent à voler et, bientôt, la cité des enfants disparut dans leur dos.

Lee consulta ses instruments de navigation. La boussole tournoyait toujours comme une toupie folle, mais l'altimètre fonctionnait avec précision, autant qu'il pût en juger, et indiquait qu'ils volaient à environ trois mille pieds au-dessus de la mer, parallèlement à la côte. Droit devant, une chaîne de grandes collines vertes se dressait dans la brume, et Lee se réjouit d'avoir emporté une grande quantité de lest.

Mais soudain, tandis qu'il inspectait l'horizon, comme il le faisait régulièrement, son cœur bondit. Hester éprouva la même sensation ; il dressa les oreilles et tourna la tête vers Lee pour fixer sur son visage un seul de ses yeux noisette aux reflets dorés. Le Texan prit son dæmon pour le glisser sous sa veste, puis déplia de nouveau sa longue-vue.

Non, il ne se trompait pas. Très loin derrière eux, au sud (en supposant qu'ils soient effectivement venus du sud), un autre ballon flottait dans la brume. À cause des scintillements de chaleur et de la distance, il était impossible d'en distinguer les détails, mais cet autre ballon était indubitablement plus gros que le leur, et il volait plus haut.

Grumman l'avait aperçu, lui aussi.

— Des ennemis, monsieur Scoresby ? demanda-t-il en se protégeant les yeux de la main pour scruter la luminosité perlée.

—Cela ne fait aucun doute. Malgré tout, j'hésite entre lâcher du lest pour prendre de la hauteur et profiter de vents plus rapides, ou bien rester à basse altitude pour ne pas nous faire repérer. Heureusement, il ne s'agit pas d'un zeppelin, car ils pourraient nous rattraper en quelques heures... Et puis zut ! Je vais prendre de l'altitude, car si j'étais dans ce ballon, je nous aurais déjà repérés, et je parie qu'ils ont une bonne vue.

Après avoir reposé Hester, il se pencha dans le vide pour larguer trois autres sacs de lest. Le ballon s'éleva aussitôt, et Lee garda l'œil rivé à la lunette.

Une minute plus tard, il eut la certitude qu'ils avaient été repérés, car il perçut des mouvements dans la brume, qui prirent l'apparence d'un filet de fumée s'échappant à angle droit de l'autre ballon. Ayant atteint une certaine hauteur, la fumée s'embrasa. Une lueur d'un rouge profond éclaira le ciel quelques instants, avant de se transformer en un nuage de fumée grise, mais le signal était aussi clair qu'un tocsin qui résonne dans la nuit.

—Docteur Grumman, pouvez-vous faire apparaître un vent plus violent ? demanda Lee. J'aimerais atteindre ces collines avant la tombée de la nuit.

Car ils quittaient maintenant les côtes, et leur vol les entraînait au-dessus d'une immense baie d'une soixantaine de kilomètres de long. Sur l'autre rive se dressait la chaîne de collines, et maintenant qu'ils avaient pris de l'altitude, Lee constata qu'elles méritaient sans doute le nom de montagnes.

Se tournant vers Grumman, il vit que celui-ci était en transe. Le chaman avait les yeux fermés, des gouttes de sueur perlaient sur son front, et il se balançait lentement d'avant en arrière. Un gémissement sourd et rythmé montait de sa gorge, tandis que son dæmon, dans un état second, lui aussi, agrippait le rebord de la nacelle.

Était-ce le fait d'avoir pris de l'altitude, ou l'effet des incantations du chaman ? Toujours est-il qu'un souffle d'air balaya le visage de Lee. Levant la tête, il constata que le ballon s'était incliné d'un ou deux degrés en direction des collines.

Hélas, ce vent qui les faisait avancer plus vite accordait avec la même générosité ses bienfaits à l'autre ballon. Certes, il ne s'était pas rapproché, mais ils n'avaient pas réussi à le distancer. Et en braquant sa longue-vue sur leur poursuivant, Lee distingua d'autres silhouettes, plus sombres, plus petites, derrière le ballon, dans l'immensité scintillante. Elles avançaient groupées et devenaient plus nettes, plus réelles et menaçantes, de minute en minute.

—Des zeppelins ! commenta-t-il. Et impossible de se cacher par ici.

Il essaya d'estimer la distance à laquelle se trouvaient les dirigeables, puis il appliqua la même méthode de calcul aux collines vers lesquelles ils voguaient. Leur vitesse avait augmenté, sans aucun doute, et le vent violent arrachait des crêtes blanches au sommet des vagues, tout en bas.

Grumman restait assis dans un coin de la nacelle, pendant que son dæmon se lissait les plumes. Le chaman avait toujours les yeux fermés, mais Lee, lui, était réveillé.

— Voici quelle est la situation, docteur Grumman. Je ne veux pas que ces zeppelins nous attaquent en vol. Nous n'avons aucune défense ; ils nous abattraient en quelques secondes. Et je n'ai aucune envie de me poser en pleine mer, de mon plein gré ou contraint et forcé ; nous pourrions flotter un petit moment, mais ils n'auraient aucun mal à nous canarder avec des grenades, comme on va à la pêche.

C'est pourquoi, ajouta-t-il, je veux essayer d'atteindre ces collines et m'y poser. J'aperçois une sorte de forêt ; nous pourrons nous cacher au milieu des arbres pendant un petit moment, ou même plus longtemps.

Le soleil va décliner. D'après mes calculs, nous avons environ trois heures avant le coucher du soleil. Évidemment, c'est difficile à prévoir, mais je pense que d'ici là les zeppelins auront parcouru la moitié de la distance qui nous sépare d'eux pour le moment, et nous aurons atteint l'autre rive de la baie. Je vais nous conduire dans ces collines et y atterrir, car toute autre solution mènerait à une mort assurée. À l'heure qu'il est, ils ont certainement fait le rapprochement entre cette bague que je leur ai montrée et le Skraeling que j'ai tué à Nova Zembla, et ils ne nous pourchassent pas avec une telle obstination pour nous dire que nous avons oublié notre portefeuille sur le comptoir.

À un moment donné, docteur Grumman, ce vol va s'achever. Avez-vous déjà atterri à bord d'une montgolfière ?

— Non, répondit le chaman. Mais j'ai confiance en votre savoir-faire.

— J'essaierai de monter le plus haut possible à flanc de colline. Tout est une question de dosage, car plus nous volons longtemps, plus ils se rapprochent de nous. Si je me pose quand ils sont trop près, ils verront où nous atterrissons ; mais si je me pose trop tôt, nous ne pourrons pas profiter de l'abri des arbres. Dans un cas comme dans l'autre, il y aura une fusillade.

Assis dans son coin, impassible, Grumman faisait aller et venir entre ses mains un objet magique constitué de plumes et de perles, selon un schéma qui, comme le devinait Lee, possédait une signification bien précise. Son dæmon, lui, ne quittait pas des yeux les zeppelins lancés à leur poursuite.

Une heure s'écoula ainsi, puis une autre. Lee mâchonnait un cigare éteint et sirotait du café froid contenu dans une gourde en fer-blanc. Le soleil déclinait dans leur dos, et Lee voyait la grande ombre du soir ramper sur le rivage de la baie et gravir lentement les contreforts des collines devant eux, tandis que le ballon lui-même et les cimes des montagnes étaient baignés d'or.

Derrière eux, presque invisibles dans l'éclat du soleil couchant, les petits points des zeppelins continuaient de grandir, devenant à chaque instant plus réels. Déjà, ils avaient rattrapé l'autre ballon, et on les apercevait à l'œil nu désormais : quatre dirigeables alignés. Le bruit de leurs moteurs traversait le silence de la baie, discret, mais clair, semblable au bourdonnement incessant d'un moustique.

Alors qu'ils n'étaient plus qu'à quelques minutes de la côte, au pied des collines, Lee aperçut autre chose dans le ciel, au-delà des zeppelins. Des nuages s'étaient amoncelés et un gigantesque cumulo-nimbus s'étendait dans les couches supérieures du ciel, encore illuminées. Comment ne l'avait-il pas remarqué plus tôt ? Si un orage se préparait, ils avaient intérêt à se poser rapidement.

Mais soudain, un rideau de pluie couleur émeraude tomba du ciel et resta accroché aux nuages ; on aurait dit que l'orage pourchassait les dirigeables comme ceux-ci pourchassaient le ballon de Lee, car la pluie venue de la mer fonçait vers eux, et lorsque le soleil disparut finalement, un puissant éclair jaillit des nuages, suivi, quelques secondes plus tard, par un coup de tonnerre si violent qu'il fit trembler la toile du ballon de Lee, et résonna longuement d'une montagne à l'autre.

Il y eut un deuxième éclair, et cette fois-ci, la fourche brisée, surgie du cumulo-nimbus, alla frapper directement l'un des zeppelins. En une seconde, le gaz s'enflamma : un bouquet de flammes éclatantes s'épanouit au milieu des nuages presque noirs, et l'engin plongea lentement, illuminé comme une balise ; il continua de brûler une fois dans l'eau.

Lee relâcha le souffle qu'il retenait. Grumman était debout à ses côtés, agrippé d'une main à l'anneau de suspension, le visage creusé par des rides d'épuisement.

— C'est vous qui avez provoqué cet orage ? demanda Lee.

Grumman hocha la tête.

Le ciel ressemblait maintenant au pelage d'un tigre : les bandes dorées alternaient avec les rayures et les taches d'un brun profond, presque noir ; les motifs ne cessaient de se modifier, car les reflets d'or s'atténuaient rapidement, engloutis par le brun. La mer, au-delà, était un patchwork d'eau noire et d'écume phosphorescente et les dernières flammes du zeppelin en feu mouraient peu à peu, à mesure qu'il s'enfonçait dans la mer.

Bien que sévèrement ballottés, les trois autres dirigeables poursuivaient leur course, au milieu des éclairs et, alors que l'orage continuait de se rapprocher, Lee commença à craindre pour le gaz que renfermait son propre ballon. Il suffisait d'un seul coup de foudre pour l'abattre en plein vol, et il doutait que le chaman fût capable de contrôler l'orage au point d'éviter ce drame.

—Écoutez-moi, docteur Grumman, déclara le Texan. Je vais ignorer les zeppelins pour l'instant et me concentrer sur notre atterrissage dans les montagnes. Je vous demande de vous asseoir au fond de la nacelle et de vous accrocher, en vous tenant prêt à sauter quand je vous le dirai. Je vous préviendrai avant, et je vais essayer de faire ça en douceur, autant que possible, mais un atterrissage dans ces conditions est une question de chance plus que d'habileté.

—J'ai confiance en vous, monsieur Scoresby, répondit simplement le chaman.

Il se rassit dans un coin de la nacelle, pendant que son dæmon restait perché sur l'anneau de suspension, les serres plantées dans la courroie de cuir.

Le vent les poussait violemment, et les rafales faisaient gonfler et onduler le corps du ballon. Les cordes se tendaient en grinçant, mais Lee ne craignait pas de les voir céder. Il lâcha un peu de lest et observa attentivement l'aiguille de l'altimètre. Pendant un orage, quand la pression atmosphérique chutait, il fallait compenser cette baisse par rapport aux indications de l'altimètre, et très souvent, il s'agissait d'un calcul approximatif. Lee consulta plusieurs fois les données avant de se débarrasser du dernier sac de lest. Désormais, son seul moyen de contrôle était la valve des gaz. Il ne pouvait plus prendre d'altitude ; il était obligé de descendre, quoi qu'il arrive.

Il scruta l'étendue orageuse et aperçut la silhouette imposante des collines, masse noire dans le ciel sombre. D'en bas montait un rugissement, semblable au fracas des vagues qui s'écrasent sur un rivage rocheux, mais Lee savait qu'il s'agissait, en vérité, du vent qui s'engouffrait dans les feuilles des arbres. Si proches, déjà ! Privé de lest, le ballon avançait beaucoup plus vite qu'il ne l'avait cru.

Il allait devoir se poser rapidement. Lee était d'un tempérament trop calme pour pester contre le sort ; il était plutôt du genre à hausser un sourcil et à l'accueillir de manière laconique. Malgré tout, il ne put s'empêcher d'éprouver un pincement de désespoir en songeant que la seule chose qu'il aurait dû faire — à savoir voler devant l'orage en attendant qu'il se calme était justement la seule chose qui causerait leur perte à coup sûr.

Il ramassa Hester pour le mettre à l'abri à l'intérieur de son manteau en toile épaisse, qu'il boutonna jusqu'en haut. Grumman, lui, était toujours assis dans la nacelle, immobile et muet ; son dæmon luttait contre le vent, les serres enfoncées dans le rebord de la nacelle, les plumes hérissées.

—Je vais tenter l'atterrissage, docteur Grumman ! cria Lee pour couvrir le souffle du vent. Levez-vous pour être prêt à sauter. Accrochez-vous à l'anneau et, à mon signal, vous plongez hors de la nacelle.

Grumman obéit. Lee regardait de tous les côtés, en haut, en bas, devant, essayant de capter une vision fugitive du paysage ; il battait des paupières pour chasser les grosses gouttes de pluie qui s'étaient abattues sur eux, telle une poignée de graviers, portées par une soudaine rafale ; le martèlement qu'elles produisaient sur la toile du ballon venait s'ajouter au gémissement du vent et au sifflement des feuilles en dessous, au point de masquer le fracas du tonnerre.

—C'est parti ! s'écria Lee. Vous nous avez concocté un bel orage, monsieur le chaman.

Il tira sur la corde de la soupape de gaz et l'attacha autour d'un taquet pour que le clapet demeure ouvert. Tandis que le gaz s'échappait, invisible, par le haut, le dessous du ballon commença à se ratatiner ; un premier pli apparut dans la toile, puis un deuxième, là où, une minute plus tôt, elle formait une sphère parfaite.

La nacelle ballottait si violemment qu'il était difficile de dire s'ils perdaient de l'altitude, et les bourrasques étaient si brutales, si imprévisibles, qu'ils auraient pu se trouver projetés très haut dans le ciel sans même s'en apercevoir mais, au bout d'une minute environ, Lee sentit soudain une secousse et comprit que le grappin avait accroché une branche au passage. La chute du ballon ne fut que brièvement interrompue, car la branche finit par se briser, mais cela prouvait qu'ils étaient proches des arbres.

—Quinze mètres encore ! cria-t-il.

Le chaman se contenta de hocher la tête.

Une nouvelle secousse se produisit, plus violente que la première, et les deux hommes furent projetés contre le bord de la nacelle. Habitué à ce genre de désagréments, Lee retrouva immédiatement son équilibre, mais Grumman, lui, fut surpris par le choc. Il parvint néanmoins à rester accroché à l'anneau de suspension, et Lee constata qu'il se tenait debout sur ses deux jambes, prêt à sauter.

Le choc le plus brutal eut lieu quelques secondes plus tard, lorsque le grappin accrocha une autre branche, qui résista cette fois. Déséquilibrée, la nacelle se renversa immédiatement pour venir s'écraser sur la voûte des arbres ; et parmi les coups de fouet des feuilles mouillées, le fracas des branches qui se brisent et les gémissements de celles qui refusent de céder, le ballon s'immobilisa dans un soubresaut, en équilibre précaire.

—Vous êtes toujours là, docteur Grumman ? s'écria Lee, car il était impossible de voir quoi que ce soit.

—Oui, toujours, monsieur Scoresby.

— Ne bougeons pas pour l'instant, le temps d'analyser la situation, dit le Texan.

Ils se balançaient sauvagement dans le vent et sentaient la nacelle se stabiliser par à-coups.

Le ballon continuait à exercer une forte traction sur le côté, car bien qu'il ne renfermât presque plus de gaz désormais, il se gonflait sous le vent comme une voile. Lee songea pendant un court moment à le détacher en coupant les courroies, mais s'il ne s'envolait pas, il resterait accroché à la cime des arbres comme un véritable étendard qui signalerait leur position ; il était préférable de le tirer jusqu'à terre, si cela était possible.

Un nouvel éclair zébra le ciel et, une seconde plus tard, un coup de tonnerre retentit. L'orage était presque au-dessus de leur tête. Dans la brève lumière aveuglante, Lee découvrit le tronc d'un chêne, marqué d'une grande plaie blanche à l'endroit où une branche avait été en partie arrachée ; la nacelle y était accrochée, près de l'endroit où elle était encore fixée au tronc.

— Je vais lancer une corde pour descendre ! cria-t-il. Dès que nos pieds auront touché le plancher des vaches, nous aviserons.

— Je vous suivrai, monsieur Scoresby, dit Grumman. Mon dæmon me dit que le sol se trouve douze mètres plus bas environ.

Lee entendit alors un puissant battement d'ailes ; le dæmon-balbuzard revenait se poser sur le bord de la nacelle.

— Il peut s'éloigner autant de vous ? demanda-t-il, stupéfait.

Mais il préféra se concentrer sur un problème plus immédiat : attacher solidement la corde, d'abord à l'anneau de suspension, et ensuite à la branche. Ainsi, même si la nacelle tombait, elle serait retenue dans sa chute.

Puis, après avoir coincé Hester dans son manteau, il lança l'autre extrémité de la corde par-dessus bord et se laissa glisser le long jusqu'à ce qu'il sente la terre ferme sous ses pieds. Le feuillage était touffu autour du tronc : il s'agissait d'un arbre massif, un chêne géant, auquel Lee adressa des remerciements muets, tandis qu'il tirait sur la corde d'un petit coup sec pour indiquer à Grumman qu'il pouvait descendre à son tour.

Il lui sembla percevoir un bruit différent au milieu de ce tumulte. Il tendit l'oreille. Oui, c'était le moteur d'un zeppelin, peut-être même étaient-ils plusieurs, quelque part tout en haut ; impossible de dire à quelle hauteur, ni dans quelle direction il volait, mais le bruit persista pendant une minute environ, avant de disparaître.

Le chaman le rejoignit au sol.

— Vous avez entendu ce bruit ? demanda Lee.

— Oui. Il semblait s'élever vers les montagnes. Félicitations pour l'atterrissage, monsieur Scoresby.

—Attendez, on n'est pas encore tirés d'affaire. Je veux cacher le ballon sous les arbres avant le lever du jour car, sinon, il va signaler notre position à des kilomètres à la ronde. Vous vous sentez d'attaque pour un peu d'exercice physique, docteur Grumman ?

—Dites-moi ce que je dois faire.

—Je vais remonter dans l'arbre avec la corde, et je vais vous lancer des trucs. Dont une tente. Vous pourrez commencer à l'installer pendant que je cherche un moyen de cacher le ballon.

Ce fut une longue et pénible entreprise. Dangereuse même, car la branche à moitié arrachée qui soutenait la nacelle finit par céder, entraînant Lee dans sa chute. Heureusement, elle fut brève, grâce à l'enveloppe du ballon qui resta accrochée à la cime des arbres et retint la nacelle.

En fait, cette chute facilita l'opération de camouflage, car toute la partie supérieure du ballon avait traversé l'épais feuillage, et, profitant de la lumière des éclairs, à force de tirer sauvagement, dans tous les sens, Lee Scoresby parvint à attirer la totalité du ballon au milieu des branches basses, à l'abri des regards.

Le vent continuait de faire danser les cimes des arbres, mais la pluie avait diminué d'intensité quand Lee décida qu'il ne pouvait pas faire mieux. En redescendant sur le sol, il constata que le chaman avait non seulement dressé la tente, mais également allumé un feu de camp ; il était en train de faire du café.

—C'est encore de la magie ? demanda le Texan, trempé et ankylosé, en se glissant sous la tente et en prenant la tasse que lui tendait Grumman.

—Non, ce sont les scouts qu'il faut remercier, dit Grumman. Il y a des scouts dans votre monde ? De tous les moyens pour allumer un feu, le meilleur c'est encore d'utiliser des allumettes bien sèches. J'en ai toujours sur moi quand je voyage. On peut trouver pire comme campement de fortune, monsieur Scoresby... Vous entendez les zeppelins ?

Grumman désigna le ciel. Lee tendit l'oreille... En effet, on entendait un bruit de moteur, plus facile à repérer maintenant que la pluie s'était calmée.

—C'est la deuxième fois qu'ils passent, dit Grumman. Ils ignorent où nous sommes exactement, mais ils savent que c'est par ici.

Une minute plus tard, une lueur scintillante apparut dans la direction où s'était éloigné le zeppelin, moins brillante qu'un éclair, mais persistante, et Lee comprit qu'il s'agissait d'une fusée éclairante.

—Mieux vaut éteindre le feu, docteur Grumman, même si je regrette de devoir m'en passer. Certes, la voûte des arbres est épaisse, mais on ne sait jamais. De toute façon, trempé ou pas, je crois que je vais dormir.

—Demain matin, vous serez sec, dit le chaman.

Il prit une poignée de terre humide qu'il répandit sur les flammes, tandis que Lee se démenait pour s'allonger à l'intérieur de la tente exiguë et fermait les yeux.

Il fit d'étranges et puissants rêves. À un moment, convaincu d'être éveillé, il vit le chaman assis en tailleur, entouré de flammes ; celles-ci consumaient rapidement sa chair, ne laissant de lui qu'un squelette blanc, assis sur un monticule de cendres rougeoyantes. Paniqué, Lee chercha Hester du regard, et il trouva son dæmon endormi, ce qui n'arrivait jamais car, quand il était réveillé, Hester l'était aussi. En découvrant son dæmon endormi, l'air si doux et vulnérable, il se sentit ému par l'étrangeté de cette scène, et il s'allongea à ses côtés, avec une certaine gêne, éveillé à l'intérieur de son rêve et, pendant un long moment, il rêva qu'il était réveillé.

Le Dr Grumman réapparut dans un autre rêve. Lee crut voir le chaman agiter une crécelle ornée de plumes et l'entendre donner des ordres. Ces ordres, constata Lee avec une sensation de nausée, s'adressaient à un Spectre, comme ceux qu'ils avaient aperçus du ballon ! Immense et presque invisible, la créature provoquait une telle répulsion chez Lee que celui-ci faillit se réveiller sous l'effet de la terreur. Mais Grumman la commandait sans aucune crainte, et en toute sécurité, car la chose l'écouta avec attention, avant de s'élever dans les airs comme une bulle de savon, pour aller se perdre dans la voûte des arbres.

Lee se trouvait maintenant dans le cockpit d'un zeppelin, et il observait le pilote. En fait, il était assis sur le siège du copilote et survolait la forêt, en contemplant les cimes des arbres qui se balançaient violemment, telle une mer déchaînée de feuilles et de branches. Et soudain, le Spectre réapparut, avec eux, dans la cabine.

Prisonnier de son rêve, Lee ne pouvait ni bouger ni crier, et il ressentit toute la terreur du pilote lorsque l'homme comprit ce qui lui arrivait.

Penché au-dessus du pilote, le Spectre appuyait ce qui devait correspondre à son visage contre celui de sa victime. Le dæmon du pilote, un chardonneret, battit des ailes en poussant de petits cris stridents et essaya de s'enfuir, pour finalement s'écraser, à demi évanoui, sur le tableau de bord. Le pilote se tourna vers Lee et tendit sa main, mais Lee était incapable de faire le moindre mouvement. L'angoisse qu'il voyait dans les yeux de l'homme lui déchirait le cœur. Une substance vitale et authentique s'échappait du pilote, et son dæmon qui continuait de battre des ailes, faiblement, lança un grand cri sauvage ; déjà, il agonisait.

Et soudain, il disparut. Mais le pilote, lui, était toujours en vie. Ses yeux se couvrirent d'une pellicule terne, et sa main tendue retomba mollement, avec un bruit sourd, sur la commande des gaz. Il était vivant sans l'être; il était indifférent à tout désormais.

Assis sur son siège, Lee regardait, impuissant, le dirigeable foncer tout droit vers un escarpement au milieu des montagnes qui se dressaient devant eux. Le pilote, lui aussi, les voyait grossir à travers la vitre du cockpit, mais plus rien ne l'intéressait. Horrifié, Lee se colla au fond de son siège, mais rien ne pouvait arrêter l'appareil, et au moment de l'impact, il hurla:

—Hester!

Et il se réveilla.

Il était couché sous la tente, à l'abri, et Hester lui mordillait le menton. Il était en sueur. Le chaman était assis en tailleur, effectivement, et Lee fut parcouru d'un frisson glacé en constatant que le dæmon-balbuzard n'était pas près de lui. De toute évidence, cette forêt était un lieu maudit, rempli de fantasmagories obsédantes.

Soudain, il s'interrogea sur l'origine de la lumière qui lui permettait de voir le chaman, car le feu était éteint depuis longtemps, et l'obscurité de la forêt profonde. Au loin, un vacillement lumineux découpait les silhouettes des troncs et des feuilles dégoulinantes d'eau de pluie. Lee comprit aussitôt de quoi il s'agissait: son rêve n'en était pas un, un zeppelin s'était réellement écrasé contre la colline.

—Bon sang, Lee, tu trembles comme une feuille! Qu'est-ce qui t'arrive? grommela Hester en agitant ses longues oreilles.

—Tu n'es pas en train de rêver, toi aussi, Hester? murmura-t-il.

—Tu ne rêves pas, Lee, tu as des visions. Si j'avais su que tu étais voyant, je t'aurais guéri depuis longtemps. Arrête ça tout de suite, tu entends?

Lee lui caressa la tête avec son pouce, et le dæmon secoua les oreilles.

Sans la moindre transition, voilà que Lee flottait maintenant dans les airs, aux côtés du dæmon du chaman, Sayan Kötör, le balbuzard. Côtoyer le dæmon d'un autre homme, loin du sien, imprégnait Lee d'un fort sentiment de culpabilité, teinté d'un étrange plaisir. Ils se laissaient porter par les courants ascendants, au-dessus de la forêt, comme si Lee lui-même était un oiseau, et il contemplait le ciel obscur où se répandait maintenant la lueur pâle de la pleine lune, qui brillait parfois à travers une brève déchirure dans la couverture de nuages et couronnait d'argent les cimes des arbres.

Le dæmon-balbuzard poussa un cri strident, et d'en bas montèrent un millier de voix différentes: le ululement des chouettes, le pépiement des petits moineaux, la mélodie fluide du rossignol... Sayan Kötör les appelait. Et ils venaient tous à lui, les oiseaux de la forêt; qu'ils aient été en train de chasser en glissant sans bruit dans les airs ou en train de dormir, perchés quelque part, ils s'élevèrent par milliers à travers les turbulences.

Lee sentait la part de nature animale qu'il avait en lui réagir avec joie à l'ordre de l'aigle, et la dose d'humain qu'il avait conservée ressentait le plus étrange des plaisirs : celui d'une obéissance totale à une force supérieure et suprêmement juste. Une multitude d'oiseaux d'espèces différentes tournoyaient ensemble dans les airs comme s'ils ne faisaient qu'un, rassemblés par la volonté magnétique de l'aigle ; puis, devant la toile de fond des nuages argentés, Lee vit se découper la silhouette lisse, sombre et détestable, d'un zeppelin.

Tous les oiseaux savaient parfaitement ce qu'ils devaient faire. Ils s'élancèrent vers le dirigeable ; les plus rapides toutefois ne purent devancer Sayan Kötör. Les minuscules roitelets et chardonnerets, les martinets véloces, les chouettes aux ailes silencieuses... en moins d'une minute, le zeppelin fut assailli d'oiseaux qui griffaient la toile de soie huilée pour essayer de s'y accrocher ou tentaient de la percer à coups de bec.

Ils savaient qu'il leur fallait éviter le moteur, même si certains, prisonniers de l'aspiration, furent réduits en bouillie par les énormes hélices. La plupart des oiseaux se contentèrent de rester perchés sur le corps de l'appareil, et ceux qui les rejoignirent s'accrochèrent à leurs congénères, jusqu'à recouvrir non seulement le fuselage du dirigeable, qui se vidait maintenant de son hydrogène par des milliers de minuscules trous de griffes, mais aussi les vitres du cockpit, les étançons et les câbles. Chaque centimètre carré était occupé par un oiseau, deux oiseaux, trois oiseaux ou plus, qui s'y accrochaient.

Le pilote était impuissant. Sous le poids conjugué de tous les oiseaux, le dirigeable commença à piquer du nez, de plus en plus, et soudain, une autre de ces cruelles parois rocheuses surgit du milieu de la nuit, invisible, bien entendu, pour les hommes qui se trouvaient à l'intérieur du zeppelin, et avaient dégainé leurs armes pour tirer dans tous les sens, à l'aveuglette.

Au tout dernier moment, Sayan Kötör poussa un grand cri et, lorsque tous les oiseaux s'envolèrent en même temps, un tonnerre de battements d'ailes masqua le vrombissement des moteurs. Les hommes dans le cockpit vécurent ainsi quatre ou cinq secondes d'horreur, avant que le dirigeable ne s'écrase contre la colline et n'explose.

Le feu, la chaleur, les flammes... Lee se réveilla de nouveau, le corps aussi brûlant que s'il s'était couché au soleil du désert.

On entendait encore le tip-tip-tip... incessant des feuilles qui gouttaient sur la toile de la tente, mais l'orage était passé. Une pâle lumière grise s'infiltrait à l'intérieur, et Lee se dressa sur un coude pour découvrir Hester qui clignait des yeux à ses côtés, et le chaman enveloppé dans une couverture, dormant si profondément qu'on aurait pu le croire mort, mais Sayan Kötör dormait lui aussi, à l'extérieur, perché sur une branche cassée.

Le seul bruit, hormis l'écoulement des gouttes de pluie, était le chant des oiseaux de la forêt. Aucun moteur dans le ciel, pas de voix ennemies, et Lee se dit qu'il pouvait sans risque allumer un feu. Après quelques minutes d'efforts, le bois prit ; il prépara du café.

—Et maintenant, Hester ? demanda-t-il.

—Ça dépend. Il y avait quatre zeppelins, et il en a détruit trois.

—Mais avons-nous accompli notre devoir ?

Le dæmon agita les oreilles.

—Je ne me souviens pas que tu aies signé un contrat, Lee.

—Il ne s'agit pas d'une obligation contractuelle. C'est une question morale.

—Il faut encore s'occuper du dernier zeppelin avant même de commencer à se poser des questions de morale. Trente ou quarante types armés sont à notre recherche. Des soldats impériaux, qui plus est. La survie d'abord, la morale ensuite.

Hester avait raison, évidemment, et tandis qu'il sirotait le café brûlant, en fumant un cigare, alors que la lumière du jour augmentait peu à peu, Lee se demanda ce qu'il ferait s'il était aux commandes du dernier zeppelin. Il attendrait le lever du jour, assurément, et il volerait suffisamment haut pour surveiller l'orée de la forêt sur une grande distance, afin de repérer Lee et Grumman quand ils apparaîtraient à découvert.

Sayan Kötör, le dæmon-balbuzard, se réveilla à son tour et déploya ses larges ailes au-dessus de l'endroit où Lee était assis. Hester leva la tête et se tourna de ce côté-ci, de ce côté-là, pour observer le puissant dæmon de ses deux yeux dorés. Quelques instants plus tard, le chaman en personne sortit de la tente.

—Une nuit chargée, commenta Lee.

—La journée le sera également. Nous devons quitter cette forêt immédiatement, monsieur Scoresby. Ils vont y mettre le feu.

Lee regarda d'un air incrédule la végétation détrempée qui les entourait.

—Comment ?

—Ils possèdent un engin qui projette une sorte de naphte mélangé à de la potasse, qui s'enflamme au contact de l'eau. La Marine Impériale a mis au point ce produit durant la guerre contre les Nippons. Si la forêt est gorgée de pluie, elle s'embrasera encore plus vite.

—Vous avez vu ce qui va se produire, n'est-ce pas ?

—Aussi clairement que vous avez vu ce qui est arrivé aux zeppelins cette nuit. Prenez les affaires que vous voulez emporter et allons-nous-en.

Lee se frotta la mâchoire.

Ses objets les plus précieux étaient aussi les plus faciles à transporter, à savoir les instruments de navigation de son ballon. Il alla les récupérer dans la nacelle, les déposa soigneusement dans un sac à dos, et vérifia que son fusil était chargé et sec. Sur ce, il abandonna la nacelle, les gréements et le ballon où ils étaient, coincés et entortillés parmi les branches. Voilà, il n'était plus aéronaute ; à moins que, par miracle, il n'en réchappe et trouve assez d'argent pour acheter un nouveau ballon. Désormais, il devait se déplacer comme un insecte, à la surface de la terre.

Ils sentirent l'odeur de la fumée avant de percevoir le bruit des flammes, car un vent venant de la mer la poussait vers l'intérieur des terres. Mais, en atteignant la limite des arbres, ils entendirent le grondement sourd et vorace du feu.

—Pourquoi n'ont-ils pas incendié la forêt hier soir ? s'étonna Lee. Ils auraient pu nous faire rôtir dans notre sommeil.

—Je suppose qu'ils veulent nous capturer vivants, répondit Grumman, tandis qu'il effeuillait une branche afin de s'en servir comme canne, et ils attendent simplement que nous émergions de la forêt.

En effet, le vrombissement du zeppelin devint bientôt perceptible, malgré le bruit des flammes et celui des respirations haletantes des deux hommes, car ils avaient accéléré le pas, obligés d'enjamber des racines, d'escalader des rochers ou des troncs d'arbres abattus, ne s'arrêtant que pour reprendre leur souffle. Sayan Kötör volait en altitude et redescendait régulièrement pour les tenir informés de leur progression et de l'avancée des flammes dans leur dos ; mais, très vite, ils virent la fumée s'élever au-dessus des arbres, précédant un étendard de flammes flottant au vent.

Les petites créatures de la forêt, les écureuils, les oiseaux, mais aussi les sangliers, fuyaient à leurs côtés dans un concert de cris et de couinements. Les deux fugitifs progressaient avec difficulté vers l'extrême limite des arbres, qui n'était plus très loin. Ils l'atteignirent enfin, tandis que les vagues successives de chaleur s'abattaient sur eux, projetées par les flots déchaînés de flammes qui se dressaient maintenant à plus de quinze mètres dans le ciel. Les arbres s'embrasaient comme des torches ; la sève contenue dans leurs veines bouillonnait et les faisait éclater, la résine des conifères s'enflammait comme du naphte, sur les branches semblaient éclore de féroces fleurs orange.

Le souffle coupé, Lee et Grumman gravirent à grand-peine la pente raide et rocailleuse, couverte d'éboulis. La moitié du ciel était obscurcie par la fumée et le scintillement de la chaleur, mais au-dessus d'eux flottait la silhouette massive du dernier zeppelin, trop loin, songea Lee avec optimisme, pour les apercevoir, même avec des jumelles.

Le flanc de la montagne se dressait devant eux, abrupt et infranchissable. Il n'y avait qu'une seule route pour sortir du piège où ils étaient coincés, c'était un étroit défilé, formé par le lit d'une rivière asséchée émergeant d'un pli au milieu des roches.

Lee le montra du doigt, et Grumman dit :

—C'était exactement ce que je pensais, monsieur Scoresby.

Son dæmon, qui tournoyait au-dessus de leurs têtes, vira de bord et fonça vers la ravine, porté par un courant ascendant. Sans faire de pause, les deux hommes continuèrent de grimper, le plus vite possible, mais Lee demanda :

—Pardonnez cette question si elle est impertinente, mais, à part les sorcières, je n'ai jamais connu personne dont le dæmon pouvait ainsi s'éloigner en toute liberté. Est-ce une chose que vous avez apprise, ou cela vous est-il venu naturellement ?

—Pour un être humain, rien ne vient jamais naturellement, répondit Grumman. Nous sommes obligés de tout apprendre. Sayan Kötör m'informe que la ravine conduit à un col. Si nous l'atteignons avant qu'ils nous voient, nous pouvons encore leur échapper.

Le balbuzard redescendit vers eux, tandis que les fugitifs continuaient de grimper. Hester préférait se frayer son propre chemin au milieu des éboulis, et Lee se laissa guider par son dæmon, en évitant de marcher sur les pierres branlantes.

Il se faisait du souci pour Grumman, car le chaman avait le visage pâle et tiré ; il respirait avec difficulté. Son travail de cette nuit l'avait vidé de toute son énergie. Combien de temps pourrait-il encore tenir ? C'était une question que Lee refusait de se poser mais, alors qu'ils étaient presque arrivés à l'entrée de la ravine, au moment même où ils atteignaient le bord de la rivière asséchée, il perçut un changement de rythme dans le ronronnement du zeppelin.

—Ils nous ont repérés ! dit-il.

Cette phrase sonnait comme une condamnation à mort. Hester trébucha — le dæmon-lièvre au pied si sûr et au cœur si solide — trébucha et chancela. Grumman prit appui sur sa canne et se protégea les yeux de la main pour regarder en arrière.

Le zeppelin perdait rapidement de l'altitude. Il était évident que leurs poursuivants avaient l'intention de capturer les fugitifs, et non de les tuer car, à cet instant, il aurait suffi d'une rafale d'arme à feu pour les abattre. Au lieu de cela, le pilote, habile, immobilisa son appareil juste au-dessus du sol, sans prendre trop de risques. La porte de la cabine s'ouvrit et un flot d'hommes en uniforme bleu se déversa à terre ; accompagnés de leurs dæmons-loups, les soldats se lancèrent à l'assaut de la colline.

Lee et Grumman se trouvaient à environ cinq cents mètres au-dessus d'eux, près de l'entrée de la ravine. Quand ils l'auraient atteinte, ils pourraient tenir les soldats en respect, aussi longtemps que le leur permettraient leurs munitions. Hélas, ils n'avaient qu'un seul fusil.

— C'est moi qu'ils veulent, monsieur Scoresby, dit Grumman, pas vous. Si vous me donnez le fusil et si vous vous rendez, vous aurez la vie sauve. Ce sont des soldats disciplinés ; vous serez un prisonnier de guerre.

Lee ignora cette remarque.

— Continuons. Quand nous serons arrivés à la ravine, je les retiendrai à l'entrée, pendant que vous ressortirez de l'autre côté. Je vous ai conduit jusqu'ici, je ne vais pas rester assis les bras croisés pendant qu'ils vous arrêtent.

En contrebas, les soldats progressaient rapidement ; c'étaient des hommes exercés et alertes.

— Je n'ai pas eu la force d'abattre le quatrième zeppelin, avoua tristement Grumman.

Sur ce, ils se précipitèrent vers l'abri de la ravine.

— Dites-moi juste une chose avant de partir, dit Lee, car je ne serai pas tranquille si je n'en ai pas le cœur net. J'ignore dans quel camp je me bats, et à vrai dire, cela m'importe assez peu. Je veux juste savoir une chose : ce que je m'apprête à faire servira-t-il à aider cette fillette, Lyra, ou bien vais-je lui nuire ?

— Vous allez l'aider, répondit Grumman.

— Vous n'oublierez pas ce que vous m'avez juré ? Vous m'avez fait une promesse.

— Non, je n'oublierai pas.

— Soyez sûr d'une chose, docteur Grumman, monsieur John Parry, ou quel que soit le nom que vous porterez dans votre monde futur. J'aime cette enfant comme ma propre fille. Si j'avais un enfant, je ne pourrais l'aimer davantage. Si vous trahissez votre serment, je vous pourchasserai inlassablement, quel que soit mon état, et quel que soit le vôtre ; et vous passerez le reste de l'éternité à regretter d'avoir vu le jour. Voilà l'importance que j'attache à cette promesse.

— Je comprends. Et vous avez ma parole.

— C'est tout ce que je voulais savoir. Bon vent.

Le chaman offrit sa main à Lee, qui la serra. Puis Grumman tourna les talons et s'enfonça dans la ravine, pendant que Lee cherchait autour de lui le meilleur endroit pour se poster.

— Non, Lee, pas le gros rocher, lui glissa Hester. Tu ne verras pas ce qui se passe à droite ; ils risquent d'attaquer en force. Choisis plutôt le plus petit.

Lee entendait dans ses oreilles un grondement qui n'avait rien à voir avec l'incendie de la forêt en contrebas, ni avec le vrombissement laborieux du zeppelin qui essayait de reprendre de l'altitude. Non, ce bruit obsédant était lié à son enfance, et à la bataille d'Alamo. Combien de fois ses camarades et lui avaient-ils mimé ce siège héroïque, dans les ruines du vieux fort, incarnant tour à tour les soldats des deux camps ! Son enfance lui revenait tout à coup en mémoire, avec force. Il sortit de sa poche la bague navajo de sa mère et la déposa sur le rocher près de lui. Dans ces anciennes batailles de Fort Alamo, Hester se métamorphosait souvent en couguar ou en loup, et même en serpent à sonnette une ou deux fois, mais surtout en oiseau moqueur. Aujourd'hui...

—Cesse donc de rêver, Lee, et épaule ton fusil ! dit Hester. Ce n'est pas un jeu !

Les soldats qui gravissaient la colline s'étaient dispersés. Ils avançaient plus lentement, conscients de la situation. Ils savaient qu'ils devaient s'emparer de la ravine, mais ils savaient également qu'un homme seul, armé d'un fusil, pouvait les maintenir en respect un long moment. Derrière eux, au grand étonnement de Lee, le zeppelin semblait avoir le plus grand mal à s'élever. Peut-être avait-il perdu sa puissance de poussée, ou peut-être était-il à court de carburant ; quoi qu'il en soit, il n'avait pas encore décollé, et cela lui donna une idée.

Il ajusta le viseur de sa vieille carabine Winchester, de manière à avoir dans sa ligne de tir le radiateur du moteur gauche. Il tira. La détonation fit dresser la tête des soldats qui grimpaient vers lui mais, à la seconde suivante, le moteur du dirigeable vrombit et, tout aussi soudainement, le bruit s'étouffa puis mourut. Le zeppelin pencha sur le côté. Lee entendait les hurlements du deuxième moteur, mais l'engin volant était désormais cloué au sol. Les soldats s'étaient arrêtés pour se mettre à couvert de leur mieux. Lee pouvait maintenant les compter : ils étaient vingt-cinq. Il avait trente balles.

Hester s'approcha de son épaule gauche en rampant.

—Je surveille ce côté-ci, dit-il.

Accroupi sur le rocher gris, les oreilles plaquées en arrière, le dæmon lui-même ressemblait à une petite pierre gris-brun, presque invisible, à l'exception des yeux. Hester n'était pas une beauté ; il était aussi banal et efflanqué que peut l'être un lièvre, mais ses yeux étaient d'une couleur merveilleuse : ses iris noisette, dorés, étaient constellés de taches brunes comme de la tourbe et vertes comme un sous-bois. Et maintenant, ces yeux contemplaient le dernier paysage qu'ils verraient jamais : une pente rocailleuse et désertique, recouverte d'éboulis, et au-delà, une forêt en feu. Pas un seul brin d'herbe, pas une plaque de verdure pour y reposer.

Ses oreilles tressaillirent.

—Ils parlent, dit Hester. Je les entends, mais je ne comprends pas ce qu'ils disent.

—C'est du russe, dit Lee. Ils vont attaquer tous en même temps, de tous les côtés. Ils savent que cela nous laisse moins de chances.

—Vise juste, dans ce cas.

—Compte sur moi. Mais, bon sang, je déteste tuer.

—C'est leur vie ou la nôtre.

—Non, c'est bien plus que ça, Hester, dit le Texan. C'est leur vie contre celle de Lyra. J'ignore de quelle façon, mais notre sort est lié à celui de cette fillette, et je m'en réjouis.

—Il y a un homme sur la gauche qui se prépare à tirer, dit le dæmon-lièvre.

Au moment où il achevait de prononcer ces mots, un coup de feu retentit, et des éclats de pierre furent arrachés au rocher, à quelques centimètres de l'endroit où Hester était tapi. La balle disparut à l'intérieur de la ravine en sifflant, mais pas un seul muscle du dæmon ne bougea.

—Voilà qui m'enlève mes derniers remords, dit Lee.

Il épaula sa carabine, visa avec soin et tira.

La cible n'était qu'une petite tache bleue, mais il l'atteignit. Le soldat poussa un cri de surprise, plus que de douleur, et tomba à la renverse, mort.

La bataille éclata alors. En l'espace de quelques secondes, les détonations des fusils, les sifflements des balles qui ricochent, les bruits d'impact sur les rochers résonnèrent et se répercutèrent sur le flanc de la montagne et à l'intérieur de la ravine. L'odeur de la cordite et l'odeur de brûlé provenant des pierres pulvérisées par les projectiles n'étaient que des variations de celle de bois calciné qui montait de la forêt. Bientôt, ce fut comme si le monde entier se consumait.

Le rocher derrière lequel se cachait Lee fut rapidement couvert d'éraflures et grêlé d'impacts ; il le sentait vibrer sous le choc des projectiles. Soudain, le souffle d'une balle fit frémir la fourrure sur le dos de Hester, mais le dæmon demeura impassible. Et Lee continua de tirer.

La première minute de fusillade fut redoutable. Durant la brève accalmie qui suivit, Lee découvrit qu'il était blessé : il y avait du sang sur le rocher sous sa joue, sa main droite et le fusil étaient tout rouges.

Hester passa derrière lui pour examiner la blessure.

—Rien de grave, dit-il. Une balle t'a frôlé le cuir chevelu.

—As-tu compté combien j'en ai eus ?

—Non. J'étais trop occupé à esquiver les balles. Profites en pour recharger, mon vieux.

Lee roula à l'abri du rocher et actionna plusieurs fois la culasse de son fusil. Elle était brûlante, et le sang qui avait coulé en abondance de sa blessure au crâne avait enrayé le mécanisme en coagulant. Lee dut cracher dessus pour le débloquer.

Il reprit alors sa position mais, avant même qu'il puisse coller son œil contre le viseur, une balle l'atteignit.

Ce fut comme une explosion dans son épaule gauche. Pendant quelques secondes, il resta sonné, avant de retrouver ses esprits, et de constater que son bras gauche était totalement ankylosé, inutilisable. Une énorme douleur s'apprêtait à fondre sur lui, mais Lee trouva la force de se concentrer sur ses adversaires et de continuer à tirer.

Il appuya son fusil sur son bras gauche si plein de vie quelques secondes plus tôt et devenu inutile ; il visa en rassemblant toute sa concentration : un tir, deux, trois... chaque balle atteignit sa cible.

—Alors, on en est où ? murmura-t-il.

—Joli carton, répondit Hester qui s'était tapi près de sa joue. Ne t'arrête pas. Là-bas, derrière le gros rocher noir...

Lee tourna la tête, visa et tira. La silhouette s'effondra.

—Bon sang, ce sont des hommes comme moi, dit-il.

—Ça ne change rien, dit son dæmon. Continue.

—Tu lui fais confiance à ce Grumman ?

—Évidemment. Vas-y, Lee, tire !

Pan ! Un autre soldat tomba, et son dæmon s'éteignit comme une bougie qu'on souffle.

Il s'ensuivit un long silence. Lee fouilla dans sa poche et trouva d'autres balles. Tandis qu'il rechargeait son fusil, il éprouva une sensation si rare, si forte, que son cœur faillit s'arrêter de battre ; il sentit Hester appuyer son visage contre le sien ! Il était humide de larmes.

—Lee, c'est ma faute.

—Pourquoi ?

—Le Skraeling. Je t'ai dit de voler sa bague. Sans elle, on ne serait pas dans cette situation.

—Tu crois que j'ai l'habitude d'écouter tes conseils ? J'ai pris cette bague parce que la sorcière...

Il n'eut pas le loisir d'achever sa phrase, car une autre balle venait de l'atteindre. Celle-ci s'enfonça dans sa cuisse gauche, et avant même qu'il puisse grimacer de douleur, une troisième balle frôla de nouveau sa tête, comme un fer chauffé à blanc que l'on aurait appuyé sur son crâne.

—Il n'y en a plus pour longtemps, Hester, murmura-t-il, en s'efforçant néanmoins de tenir bon.

—La sorcière, Lee ! Tu as parlé de la sorcière ! Tu te souviens ?

Pauvre Hester, il s'était couché sur le sol, il n'était plus accroupi, aux aguets, toujours prêt à bondir, comme durant toute sa vie d'adulte. Ses magnifiques yeux noisette et or se ternissaient.

—Tu es toujours beau... Oh, Hester, tu as raison, la sorcière! Elle m'a donné...

—Bien sûr! La fleur...

—Dans ma poche de poitrine. Prends-la, Hester, je ne peux plus bouger.

Ce fut un âpre combat, mais le dæmon parvint à sortir la petite fleur violette avec ses dents et à la déposer près de la main droite de Lee. Au prix d'un effort surhumain, il la serra à l'intérieur de son poing, et dit:

—Serafina Pekkala! Aide-moi, je t'en supplie...

Il perçut un mouvement en contrebas, alors il lâcha la fleur, épaula son fusil et tira. Le mouvement cessa.

Hester défaillait.

—Hester, ne pars pas avant moi, murmura Lee.

—Allons, Lee, je ne pourrais supporter d'être séparé de toi pendant une seule seconde.

—Tu crois que la sorcière va venir?

—Évidemment. On aurait dû l'appeler plus tôt.

—Il y a tellement de choses qu'on aurait dû faire.

—Oui, peut-être...

Il y eut une nouvelle détonation et, cette fois, la balle pénétra profondément en lui, à la recherche de son centre vital. «Elle ne le trouvera pas en moi, songea-t-il. Mon cœur, c'est Hester.» Apercevant un reflet bleu dans la pente, il rassembla ses dernières forces pour pointer le canon de sa carabine.

—C'est lui qui a tiré, dit Hester d'une voix haletante.

Lee avait du mal à appuyer sur la détente. Tout était devenu difficile. Il dut s'y reprendre à trois fois, avant de tirer. Le soldat en uniforme bleu dégringola au pied de la colline.

Le silence s'installa de nouveau. La douleur tapie aux côtés de Lee ressemblait à une meute de chacals qui rôde, tourne autour de sa proie, renifle et se rapproche peu à peu. Il savait qu'elle ne repartirait pas avant de l'avoir entièrement dévoré.

—Il ne reste plus qu'un seul homme, murmura Hester. Il retourne vers le zeppelin.

Lee l'aperçut, en effet, dans une sorte de brouillard: un soldat de la Garde Impériale qui s'éloignait en rampant après la déroute de sa compagnie.

—Je ne peux pas tirer dans le dos d'un homme, dit Lee.

—C'est une honte de mourir avec une balle dans son fusil.

Alors, Lee se servit de sa dernière balle pour tirer, non pas sur le soldat, mais sur le zeppelin, qui tentait toujours de décoller en faisant rugir son unique moteur. Peut-être la balle était-elle chauffée à blanc, ou peut-être qu'un tison enflammé provenant de la forêt en dessous et transporté par un courant d'air ascendant s'était abattu sur le dirigeable car, soudain, le gaz se transforma en une boule de feu orange. L'enveloppe de toile et le squelette métallique de l'appareil s'élevèrent de quelques mètres, avant de retomber, très lentement, en douceur, mais porteurs d'une mort flamboyante.

L'homme qui fuyait en rampant, et les derniers membres de la Garde Impériale, les six ou sept autres soldats qui n'avaient pas osé s'approcher de l'homme seul défendant l'accès à la ravine, furent engloutis par le feu qui s'abattit sur eux.

Lee vit la boule de feu monter dans le ciel, et malgré le grondement dans ses oreilles, il entendit la voix faible de Hester :

—Il n'y en a plus, Lee.

Alors, il dit, ou il pensa :

—Ces pauvres hommes n'auraient pas dû finir comme ça, et nous non plus.

—Nous les avons repoussés, dit son dæmon. Nous avons tenu bon. Nous avons aidé Lyra.

Hester le dæmon-lièvre blottit son petit être fier et meurtri contre le visage de Lee, le plus près possible et, ensemble, ils moururent.

Chapitre 15
La mission

 « Continuez, disait l'aléthiomètre. Toujours plus loin, toujours plus haut. »

Alors, ils continuèrent à grimper. Les sorcières survolaient les parages pour repérer le meilleur chemin, car le paysage vallonné laissa bientôt place à des pentes plus raides, plus rocailleuses, et tandis que le soleil montait vers son zénith, les voyageurs se retrouvèrent au milieu d'un enchevêtrement de ravins asséchés, de parois rocheuses et de vallées parsemées d'éboulis, où pas une seule feuille verte ne poussait, et où l'unique bruit était la stridulation des insectes.

Ils poursuivirent leur chemin, ne s'arrêtant que pour prendre une gorgée d'eau dans leurs gourdes en peau de chèvre, parlant peu. Pantalaimon vola au-dessus de Lyra pendant quelque temps, puis, lassé, il se métamorphosa en une jeune chèvre des montagnes, alerte, fière de ses cornes, et il gambada de rocher en rocher, pendant que Lyra grimpait péniblement à ses côtés. Quant à Will, il avançait en serrant les dents, les yeux plissés à cause du soleil aveuglant, ignorant la douleur grandissante dans sa main, pour atteindre finalement un état où seul le fait de bouger était supportable, et l'immobilité intolérable. Il souffrait davantage au repos qu'en marchant. Et depuis que les sorcières avaient échoué dans leur tentative pour arrêter l'hémorragie, il avait le sentiment qu'elles le regardaient avec une sorte d'appréhension, comme s'il était frappé d'une malédiction plus puissante encore que leurs propres pouvoirs.

Finalement, ils atteignirent un petit lac d'un bleu profond, large d'à peine une trentaine de mètres, au milieu des roches rouges. Ils s'y arrêtèrent un

court instant pour boire, remplir leurs gourdes, et tremper leurs pieds douloureux dans l'eau glacée. Au bout de quelques minutes, ils se remirent en
marche et, peu de temps après, alors que le soleil était au plus haut, Serafina
Pekkala redescendit vers Lyra et Will. Elle semblait nerveuse.

— Je dois vous quitter quelque temps, annonça-t-elle. Lee Scoresby a
besoin de moi. J'ignore pour quelle raison. Mais il ne m'appellerait pas s'il
n'avait pas besoin de mon aide. Continuez d'avancer, je vous retrouverai...

— M. Scoresby ? s'exclama Lyra, à la fois excitée et inquiète. Mais où...

Serafina était déjà partie et elle avait disparu dans le ciel avant même que
Lyra n'ait fini de poser sa question. Par automatisme, la fillette voulut
prendre l'aléthiomètre dans son sac pour savoir ce qui était arrivé à Lee
Scoresby, mais elle laissa retomber sa main, car elle avait promis de ne l'utiliser, désormais, que pour guider Will.

Elle se tourna vers lui. Il s'était assis sur une pierre, non loin de là. Sa main
estropiée, posée sur son genou, continuait à saigner lentement ; bien que
brûlé par le soleil, son visage était blême.

— Will, demanda-t-elle, sais-tu pourquoi tu dois absolument retrouver
ton père ?

— J'ai toujours su que je devrais le retrouver. Ma mère disait que je reprendrais son flambeau. C'est tout ce que je sais.

— Qu'est-ce que ça veut dire, reprendre son flambeau ?

— Il s'agit d'une sorte de mission, je suppose. Je devrai continuer ce qu'il a
entrepris. Voilà ce que je comprends.

Avec sa main droite, il essuya la sueur qui lui coulait dans les yeux. Ce
qu'il ne pouvait pas dire, c'était que son père lui manquait, à tel point qu'il
était comme un enfant perdu qui se languit de sa maison. Mais cette comparaison ne pouvait lui venir à l'esprit car, pour lui, la maison était l'endroit
où il protégeait sa mère, et non pas un endroit où il se sentait protégé par
d'autres. Mais cinq années s'étaient écoulées depuis ce samedi matin au
supermarché où le jeu qui consistait à échapper aux ennemis était devenu
tristement réel, une si longue période dans sa courte vie, que son cœur
rêvait d'entendre ces mots dans la bouche de son père : « Bien joué, mon fils,
bien joué. Nul n'aurait pu mieux faire sur cette Terre. Je suis fier de toi.
Viens te reposer maintenant... »

C'était un désir si puissant que Will en avait à peine conscience ; ce sentiment se mélangeait à tous les autres. Voilà pourquoi il ne pouvait en parler
à Lyra, mais celle-ci le devinait dans son regard. Cette sensibilité aux autres
était nouvelle pour elle. À vrai dire, dès qu'il était question de Will, elle possédait une sorte de sens supplémentaire, comme si l'image de ce garçon lui
apparaissait plus nettement que celles de toutes les personnes qu'elle avait

connues jusqu'alors. Tout ce qui le concernait était parfaitement limpide et intime.

Sans doute lui aurait-elle fait part de ce sentiment, mais au même moment, une sorcière se posa devant eux.

—J'ai aperçu un groupe derrière nous, annonça-t-elle. Il est encore loin, mais il progresse vite. Dois-je m'approcher pour tenter d'en savoir plus ?

—Oui, allez-y, répondit Lyra, mais volez à basse altitude et restez cachée ; ne vous faites pas voir, surtout.

Will et Lyra se relevèrent péniblement et se remirent en route d'un pas traînant.

—J'ai souvent eu froid, dit Lyra, pour s'obliger à ne plus penser à leurs poursuivants, mais jamais je n'ai eu aussi chaud. Il fait aussi chaud dans ton monde ?

—Non, pas où je vivais, en tout cas. Mais le climat a commencé à changer. Les étés sont plus chauds qu'autrefois. Les gens disent qu'on a détraqué le climat à cause des produits chimiques et tout ça, et que le temps n'en fait plus qu'à sa tête.

—C'est certain, dit Lyra. Il suffit de voir ce qui se passe ici.

Will avait trop chaud, et trop soif, pour poursuivre cette discussion, et ils continuèrent leur pénible ascension dans l'air écrasant. Transformé en criquet, Pantalaimon voyageait sur l'épaule de Lyra, trop fatigué pour sautiller ou voler. De temps à autre, les sorcières apercevaient un ruisseau dans la montagne ; elles prenaient de l'altitude pour aller y remplir les gourdes des enfants. Ils seraient morts sans eau, et il n'y en avait pas une goutte sur leur chemin ; le moindre ruisseau débouchant à l'air libre était aussitôt englouti par les pierres.

La sorcière qui avait rebroussé chemin se nommait Lena Feldt. Elle volait en rase-mottes, de rocher en rocher, et tandis que le soleil couchant peignait les montagnes en rouge sang, elle atteignit le petit lac bleu. Là, elle découvrit une troupe de soldats en train d'installer un campement.

Un simple coup d'œil lui en apprit plus qu'elle ne désirait en savoir : ces soldats n'avaient pas de dæmon. Et pourtant, ils ne venaient pas du monde de Will, ou du monde de Cittàgazze, là où les gens portaient leurs dæmons en eux et avaient encore l'air vivant. Non, ces soldats venaient du même monde qu'elle, et les voir ainsi sans dæmon constituait un spectacle atroce et répugnant.

L'explication sortit tout à coup d'une tente plantée sur la rive. Lena Feldt vit apparaître une femme, élégante dans sa tenue de chasse kaki, et aussi énergique que le singe au pelage doré qui gambadait à ses côtés au bord de l'eau.

Cachée au milieu des rochers, la sorcière regarda Mme Coulter, car c'était elle, s'adresser à l'officier supérieur, dont les hommes dressaient des tentes, allumaient des feux et faisaient bouillir de l'eau.

Lena Feldt faisait partie de l'escadron de Serafina Pekkala qui avait libéré les enfants à Bolvangar, et elle brûlait d'envie d'abattre Mme Coulter sur-le-champ, mais c'était comme si une bonne étoile protégeait cette femme diabolique, car aucune flèche ne pouvait l'atteindre à l'endroit où elle se trouvait, et la sorcière ne pouvait s'approcher sans risquer de se faire repérer. Alors, elle fit appel au sortilège d'invisibilité. Il lui fallut pour cela dix minutes d'intense concentration.

Une fois sûre d'elle, Lena Feldt descendit la pente rocailleuse en direction du lac et, tandis qu'elle traversait le camp, un ou deux soldats au regard vide levèrent brièvement la tête sur son passage, mais ce qu'ils virent leur parut sans intérêt, et ils reprirent leurs occupations. Arrivée devant la tente dans laquelle Mme Coulter avait disparu, la sorcière s'arrêta et sortit une flèche de son carquois pour bander son arc.

Elle écouta les voix étouffées qui filtraient à travers la toile, puis s'avança avec prudence vers l'ouverture orientée face au lac.

À l'intérieur de la tente, Mme Coulter discutait avec un homme que Lena Feldt ne connaissait pas : un homme âgé aux cheveux blancs, robuste, dont le dæmon-serpent s'était enroulé autour de son poignet. Il était assis dans un fauteuil de toile, à côté de celui de Mme Coulter, qui était penchée vers lui.

— Évidemment, Carlo, disait-elle à voix basse, je vous dirai tout. Que voulez-vous savoir ?

— Comment faites-vous pour commander aux Spectres ? demanda le vieil homme. Je ne croyais pas cela possible, et pourtant, ils vous obéissent comme des toutous... Ont-ils peur des soldats de votre garde personnelle ? Expliquez-moi !

— C'est simple, répondit-elle. Ils savent que s'ils me laissent en vie, je peux leur procurer plus de nourriture qu'ils n'en auraient en me dévorant. Je peux les conduire aux innombrables victimes dont rêvent leurs âmes spectrales. Dès que vous m'avez parlé d'eux, j'ai su que je pourrais les dominer, et je ne m'étais pas trompée ! Mais, mon cher Carlo, susurra-t-elle, je peux vous satisfaire, vous aussi. Aimeriez-vous que je vous procure encore plus de plaisir ?

— Marisa, murmura-t-il, être près de vous est déjà un immense plaisir...

— Non, c'est faux, Carlo ! Vous le savez bien. Et vous savez aussi que je peux vous apporter beaucoup plus de plaisir.

Pendant ce temps, les petites mains noires et griffues de son dæmon caressaient le dæmon-serpent. Peu à peu, celui-ci se déroula et remonta le long du bras de l'homme, vers le singe. L'homme et la femme tenaient tous les deux dans la main un verre rempli de vin couleur or; Mme Coulter en but une gorgée et se pencha un peu plus vers l'homme.

—Ah... fit celui-ci, tandis que son dæmon glissait lentement de son bras pour se laisser tomber dans les mains jointes du singe. Le primate le souleva à la hauteur de son visage et frotta délicatement sa joue contre la peau aux écailles d'émeraude. La langue fourchue du reptile s'agita dans tous les sens, et l'homme poussa un soupir.

—Carlo, expliquez-moi pourquoi vous pourchassez ce garçon, demanda Mme Coulter dans un murmure, d'une voix aussi douce que la caresse du singe. Pourquoi tenez-vous tant à le retrouver?

—Il possède une chose que je désire. Oh, Marisa...

—De quoi s'agit-il, Carlo? Que possède-t-il?

L'homme secoua la tête, il ne voulait pas en parler. Mais il ne pouvait pas résister; son dæmon s'était enroulé délicatement autour du torse du singe, et il promenait sa tête plate au milieu des longs poils soyeux, tandis que les mains du primate allaient et venaient sur toute la longueur de ce corps ondulant.

À quelques pas de là, invisible et médusée, Lena Feldt assistait à ce spectacle. Son arc était bandé, la flèche prête à jaillir: elle aurait pu la décocher en moins d'une seconde, et Mme Coulter serait morte avant même d'avoir repris son souffle. Mais la sorcière était curieuse d'en savoir plus. Elle demeura immobile et silencieuse, les yeux écarquillés.

Hélas, pendant qu'elle espionnait Mme Coulter, elle ne pouvait observer le petit lac bleu derrière elle. Sur la rive opposée, un bosquet aux formes indistinctes semblait avoir poussé tout d'un coup, un bosquet secoué de tremblements semblables à des mouvements volontaires. Mais ce n'étaient pas des arbres, évidemment, et tandis que toute la curiosité de Lena Feldt et de son dæmon était braquée sur Mme Coulter, l'une des formes blafardes se détacha de son groupe de congénères et parcourut la surface de l'eau glacée, sans provoquer la moindre ride sur le lac, pour venir se poser à quelques dizaines de centimètres seulement du rocher sur lequel était perché le dæmon de la sorcière.

—Vous pourriez facilement me le dire, Carlo, murmurait Mme Coulter. Il suffit de me le chuchoter à l'oreille. Ou de faire semblant de parler dans votre sommeil, qui vous le reprocherait? Dites-moi simplement ce que possède ce garçon, et pourquoi vous y tenez tant. Je pourrais peut-être vous l'obtenir... Cela ne vous plairait pas? Dites-moi simplement ce que c'est, Carlo. Moi, je n'en veux pas. C'est la fille qui m'intéresse. De quoi s'agit-il? Dites-le-moi, et vous l'aurez.

L'homme esquissa un haussement d'épaules. Il avait fermé les yeux.

— C'est un couteau, avoua-t-il finalement. Le poignard subtil de Cittàgazze. N'en avez-vous jamais entendu parler, Marisa? Certaines personnes l'appellent *teleutaia makhaira*, ce qui signifie « le dernier de tous les couteaux ». D'autres le nomment Æsahættr...

— Et à quoi sert-il, Carlo? Qu'a-t-il de si particulier?

— Ah... Ce poignard peut couper n'importe quoi... Ceux-là mêmes qui l'ont créé ignoraient ce qu'il était capable de faire... Rien ni personne, aucune matière, aucun esprit, aucun ange... rien ne peut résister au poignard subtil, pas même l'air. Je le veux, Marisa, vous comprenez?

— Bien sûr, Carlo. Je vous promets que vous l'aurez. En attendant, laissez-moi remplir votre verre...

Le singe au pelage doré promenait délicatement ses mains sur le corps émeraude du serpent, à un rythme régulier, en resserrant parfois l'étau de ses doigts, avant de reprendre sa caresse, et pendant que Sir Charles soupirait d'extase, Lena Feldt vit ce qui se passait : profitant de ce qu'il avait les yeux fermés, Mme Coulter versa discrètement dans le verre de vin quelques gouttes d'un liquide contenu dans une petite fiole.

— Tenez, très cher, murmura-t-elle. Buvons. À notre santé...

L'homme était déjà ivre. Il leva son verre et but une longue gorgée, puis une autre, et encore une autre.

Soudain, sans prévenir, Mme Coulter se dressa, se retourna et regarda Lena Feldt droit dans les yeux.

— Eh, bien, sorcière! lança-t-elle. Crois-tu que j'ignore comment, tes sœurs et toi, vous vous rendez invisibles?

Abasourdie, Lena Feldt demeura muette.

Derrière Mme Coulter, le vieil homme avait du mal à respirer. Sa poitrine se soulevait, son visage était congestionné, et son dæmon semblait défaillir dans les mains du singe. Celui-ci le secoua d'un geste méprisant.

Lena Feldt tenta de brandir son arc, mais une paralysie fatale avait envahi son épaule. Elle était incapable d'accomplir ce geste. Cela ne lui était jamais arrivé, et elle laissa échapper un petit cri.

— Oh, c'est trop tard, déclara Mme Coulter. Regarde vers le lac, sorcière.

Lena Feldt se retourna, et découvrit son dæmon-bouvreuil qui battait des ailes et poussait des cris stridents, comme s'il était enfermé dans une cage de verre sans air ; il battait des ailes et tombait, se relevait péniblement, retombait ; son bec s'ouvrait en grand, la panique le faisait suffoquer. Le Spectre l'avait enveloppé.

— Non! hurla la sorcière.

Elle essaya d'avancer vers son dæmon, mais elle fut repoussée par un spasme de nausée. Malgré sa détresse et son écœurement, Lena Feldt sentait que Mme Coulter possédait une âme plus forte que tous les êtres humains qu'elle avait rencontrés. Finalement, elle ne s'étonnait pas de voir que le Spectre était sous le joug de cette femme, car personne ne pouvait résister à une telle autorité. Rongée par l'angoisse, la sorcière se retourna vers elle.

—Lâchez-le! Je vous en supplie, lâchez-le!

—On verra. L'enfant est avec vous? Une fillette prénommée Lyra?

—Oui!

—Un jeune garçon aussi? Un garçon qui possède un poignard?

—Oui. Oh, par pitié...

—Combien de sorcières êtes-vous?

—Vingt! Lâchez-le, lâchez-le!

—Toutes dans le ciel? Ou certaines restent-elles au sol pour protéger les enfants?

—La plupart sillonnent le ciel; seules deux ou trois restent en permanence au sol... Oh, c'est trop affreux... Laissez-le en paix ou tuez-moi immédiatement!

—Sont-elles loin dans la montagne? Continuent-elles d'avancer, ou se sont-elles arrêtées pour se reposer?

Lena Feldt lui raconta tout. Elle aurait pu résister à n'importe quelle torture, mais pas au supplice que subissait son dæmon. Ayant appris tout ce qu'elle voulait savoir concernant la position des sorcières et la protection dont bénéficiaient Lyra et Will, Mme Coulter dit:

—Encore une question. Vous autres, sorcières, savez une chose au sujet de cette enfant, Lyra. J'ai bien failli l'apprendre de la bouche d'une de tes sœurs, malheureusement, elle est morte avant la fin de la torture. Mais aujourd'hui, il n'y a personne pour venir à ton secours. Dis-moi la vérité au sujet de ma fille.

Lena Feldt répondit d'une voix haletante:

—Elle va devenir la mère... elle sera la vie... la mère... elle désobéira... elle...

—Nomme-la! Tu ne me dis pas le plus important! Nomme-la! rugit Mme Coulter.

—Ève! La Mère de tous! Ève réincarnée! Ève la Mère! bafouilla Lena Feldt, secouée de sanglots.

—Ah! fit Mme Coulter.

Elle poussa un long soupir, comme si le but de son existence lui apparaissait enfin clairement.

La sorcière percevait, de manière confuse, la gravité de cette révélation et, malgré l'horreur qui l'enveloppait, elle essaya de se révolter:

—Qu'allez-vous lui faire? Qu'allez-vous faire? s'écria-t-elle.

—Je vais être obligée de l'éliminer, répondit Mme Coulter, pour éviter une nouvelle Chute... Comment ne l'ai-je pas compris plus tôt ? C'était trop évident...

Elle frappa dans ses mains, comme une enfant, les yeux écarquillés. À travers ses gémissements, Lena Feldt l'entendit poursuivre son monologue :

—Évidemment ! Asriel va déclarer la guerre à l'Autorité, et ensuite... Évidemment, évidemment... Comme avant, encore une fois... Lyra est la nouvelle Ève. Mais cette fois, elle ne faillira pas. J'y veillerai. Il n'y aura pas de Chute...

Mme Coulter se redressa et fit claquer ses doigts à l'attention du Spectre qui se nourrissait du dæmon de la sorcière. Le petit dæmon-bouvreuil resta couché sur la pierre, le corps parcouru de convulsions, tandis que le Spectre s'avançait vers la sorcière elle-même. Et alors, toute la souffrance que Lena Feldt avait endurée précédemment fut multipliée par deux, par trois, par cent ! Elle sentit la nausée atteindre son âme, un désespoir ignoble et écœurant, une lassitude et une mélancolie si profondes qu'elle allait en mourir. Sa dernière pensée consciente fut un dégoût de la vie : ses sens lui avaient menti, le monde n'était pas fait d'énergie et de bonheur, mais d'ignominie, de trahison et de découragement. La vie était haïssable, et la mort ne valait pas mieux ; d'un bout à l'autre de l'univers, telle était la première, la dernière et l'unique vérité.

Elle restait figée, son arc à la main, indifférente, morte en étant vivante.

C'est pourquoi Lena Feldt ne vit pas ou ne se soucia pas de ce que fit Mme Coulter ensuite. Ignorant le vieil homme évanoui, affalé dans le fauteuil de toile, et son dæmon à la peau terne, enroulé dans la poussière, elle appela le capitaine de la troupe de soldats et ordonna qu'ils se préparent pour une marche de nuit dans la montagne.

Après quoi, elle s'approcha de la rive et appela les Spectres.

Les créatures répondirent à son appel, glissant sur l'eau telles des colonnes de brume. Elle leva simplement les bras pour leur faire oublier qu'elles étaient ancrées au sol, et l'un après l'autre, les Spectres s'élevèrent dans les airs et flottèrent en toute liberté comme un duvet malfaisant, entraînés dans la nuit par les courants, en direction de Will, de Lyra et des sorcières. Mais Lena Feldt ne vit rien de tout cela.

Une fois la nuit tombée, la température chuta rapidement, et dès que Will et Lyra eurent mangé la dernière miette de leur pain sec, ils se couchèrent sous un gros rocher en surplomb pour avoir plus chaud et essayer de dormir. En vérité, Lyra n'eut même pas besoin d'essayer : moins d'une minute plus tard, elle dormait déjà, roulée en boule autour de Pantalaimon.

Will, en revanche, ne parvint pas à trouver le sommeil, même en s'obligeant à rester allongé sans bouger. À cause de sa main gonflée qui le gênait et qui maintenant, l'élançait jusqu'au coude, à cause de la dureté du sol, à cause du froid, à cause également de sa profonde fatigue, et parce que sa mère lui manquait.

Il avait peur pour elle, évidemment, et il savait qu'elle serait plus en sûreté s'il était à ses côtés pour la protéger ; mais en même temps, il aurait voulu qu'elle s'occupe de lui, comme elle le faisait quand il était petit, il aurait voulu qu'elle bande sa main, qu'elle le borde dans son lit et lui chante une chanson, qu'elle chasse tous les ennuis, qu'elle l'entoure de toute la chaleur, la douceur et la tendresse maternelle dont il avait tant besoin à cet instant. Mais il savait que tout cela n'arriverait jamais. Quelque part, il n'était encore qu'un petit garçon. Et il laissa couler ses larmes mais il s'efforça de demeurer immobile, car il ne voulait pas réveiller Lyra.

Il ne parvenait toujours pas à s'endormir. Au contraire, il était plus réveillé que jamais. Finalement, il déplia ses membres engourdis et se leva sans bruit, en frissonnant. Le poignard accroché à sa ceinture, il partit vers le sommet de la montagne, pour tenter de calmer son agitation.

Derrière lui, le dæmon-rouge-gorge de la sorcière sentinelle dressa la tête et abandonna un court instant son guet pour voir Will escalader les rochers. La sorcière prit sa branche de sapin et s'envola sans bruit, non pour l'importuner, mais pour veiller à ce qu'il ne lui arrive rien.

Will ne s'en aperçut pas. Il éprouvait un tel besoin de bouger qu'il ne sentait presque plus la douleur dans sa main. Il avait l'impression qu'il serait obligé de marcher toute la nuit, toute la journée, éternellement, car rien d'autre ne pourrait jamais apaiser la fièvre qui brûlait dans sa poitrine. Comme pour l'encourager, une forte brise s'était levée. Il n'y avait aucune feuille à agiter dans cette contrée désertique, mais le souffle caressait son corps et faisait voleter ses cheveux autour de son visage ; la sauvagerie des éléments répondait à l'agitation extrême qui l'habitait.

Il continua de grimper, sans s'arrêter, et sans songer un seul instant à la façon dont il pourrait ensuite redescendre auprès de Lyra, jusqu'à ce qu'il atteigne un petit plateau, au sommet du monde, aurait-on dit. Aucune des montagnes qui l'entouraient ne s'élevait aussi haut. Dans l'éclat brillant de la lune, les seules couleurs étaient le noir profond et le blanc intense, tous les angles étaient acérés, toutes les surfaces nues.

Le vent avait sans doute apporté des nuages avec lui car, soudain, la lune fut masquée et l'obscurité se répandit sur tout le paysage ; des nuages épais, qui plus est, car ils ne laissaient passer aucun éclat de lune. En moins d'une minute, Will fut plongé dans le noir.

Au même moment, il sentit quelque chose se refermer sur son bras droit.

Il poussa un grand cri d'effroi et fit volte-face, mais l'étau qui enserrait son bras était tenace. La fureur s'empara alors de Will. Il sentait qu'il était arrivé tout au bout de chaque chose, et s'il avait atteint également le bout de sa vie, il était bien décidé à se battre, et à se battre encore, jusqu'à ce qu'il s'effondre.

Mais il avait beau gesticuler, décocher des coups de pied, se contorsionner en tous sens, la main invisible refusait de lâcher prise, et comme c'était son bras droit qui se trouvait immobilisé, il ne pouvait se saisir du poignard. Sa main gauche était trop douloureuse, trop gonflée ; impossible de dégainer le poignard. Il était obligé de se battre avec une seule main, contre un adulte.

En désespoir de cause, il mordit à pleines dents dans la main qui agrippait son avant-bras, avec pour seule conséquence que l'homme lui assena derrière la tête un terrible coup qui le fit chanceler. Will continua malgré tout à distribuer des coups de pied ; certains atteignaient leur but, d'autres non ; et, pendant ce temps, il essayait de se dégager, il tirait, poussait, tordait... sans parvenir à briser l'étau.

Il entendait le bruit de sa propre respiration, faiblement, et les grognements, le souffle rauque de l'homme. Soudain, par hasard, sa jambe se retrouva coincée derrière celle de son adversaire ; il se jeta alors contre lui de toutes ses forces. Déséquilibré, l'homme fut renversé, et Will lui tomba dessus. Mais à aucun moment l'étau de la main ne se desserra, et tandis qu'ils roulaient sur le sol rocailleux, le garçon sentit une peur écrasante lui comprimer le cœur : cet homme ne le lâcherait plus jamais, pensa-t-il, et même s'il le tuait, son cadavre continuerait à s'accrocher à lui.

Will sentait ses forces l'abandonner, et il ne pouvait plus retenir ses larmes ; secoué de sanglots amers, il continuait à se débattre comme un beau diable, mais il savait que ses forces allaient bientôt l'abandonner. C'est alors qu'il constata que son adversaire invisible ne bougeait plus, même si la main d'acier continuait à lui tenir le bras, toujours avec la même force. Allongé sur le sol, il laissait Will le rouer de coups de pieds, de genoux et de tête ; le garçon s'écroula et tomba à côté de son adversaire. Tous les muscles de son corps tressaillaient et il se sentait pris de vertige.

Se redressant douloureusement pour scruter l'obscurité, Will aperçut une tache blanche sur le sol, près de l'homme. Il s'agissait de la tête d'un grand oiseau, un balbuzard, un dæmon. Lui non plus ne bougeait pas. Will essaya de se libérer encore une fois, et son geste provoqua une réaction de la part de l'homme qui n'avait toujours pas lâché prise.

De sa main libre, il palpait la main droite du garçon. Will sentit ses cheveux se hérisser.

La voix de l'homme résonna dans le noir.

—Donne-moi ton autre main.

—Faites attention, dit Will.

La main de l'homme descendit le long du bras de Will, ses doigts glissèrent sur le poignet, vers la paume gonflée et, avec la plus extrême délicatesse, vers les moignons des deux doigts sectionnés.

Son autre main se desserra aussitôt, et il se redressa en position assise.

—C'est toi qui détiens le couteau, dit-il. Tu es le porteur du poignard.

Sa voix était profonde, rauque, mais il ne parvenait pas à reprendre son souffle. Will devina qu'il était gravement souffrant. Avait-il blessé son mystérieux adversaire ?

Le garçon s'était recouché sur les pierres, épuisé. Il distinguait la silhouette de l'homme, accroupi au-dessus de lui, mais il ne voyait pas son visage. L'inconnu s'était penché pour prendre quelque chose et, soudain, une merveilleuse sensation de fraîcheur et d'apaisement se répandit dans la main de Will. L'homme lui massait la peau avec une sorte de baume.

—Que faites-vous ? demanda Will.

—Je soigne tes blessures. Reste tranquille.

—Qui êtes-vous ?

—Je suis le seul qui sache à quoi sert le couteau. Garde ta main levée. Ne bouge pas.

Le vent avait redoublé de violence et quelques gouttes de pluie s'écrasèrent sur le visage de Will. Malgré les tremblements qui le parcouraient, il maintint sa main gauche levée, à l'aide de sa main droite, tandis que l'homme continuait d'étaler son onguent miraculeux sur les plaies, avant d'enrouler solidement une bande de lin autour de la blessure.

Une fois le pansement terminé, l'homme se laissa tomber sur le côté et s'allongea à son tour. Déconcerté par l'engourdissement béni qui s'était emparé de sa main, Will se redressa pour regarder son bienfaiteur. Mais la nuit paraissait encore plus noire. Il avança timidement la main droite et sentit soudain sous ses doigts la poitrine de l'homme, là où le cœur battait comme un oiseau qui se jette contre les barreaux de sa cage.

—Oui, dit l'homme d'une voix enrouée. Essaye de me guérir, continue.

—Vous êtes malade ?

—Ça ira mieux bientôt. Tu as le poignard, n'est-ce pas ?

—Oui.

—Et tu sais t'en servir ?

—Oui, oui. Êtes-vous de ce monde ? Comment connaissez-vous l'existence du poignard ?

—Écoute-moi, dit l'homme en se redressant au prix d'un terrible effort.

Ne m'interromps pas. Si tu es le porteur du poignard, la tâche qui t'incombe est plus colossale que tu ne peux l'imaginer. Mais tu es un enfant... Comment ont-ils pu en arriver là ? Enfin, nous n'avons pas le choix. La guerre est imminente, mon garçon. La plus grande guerre qui ait jamais eu lieu. Une pareille chose s'est déjà produite, il y a très longtemps, mais cette fois-ci, le bon camp doit l'emporter... Depuis des milliers d'années d'histoire humaine, nous n'avons connu que mensonges, propagande, cruauté et tromperie. Il est temps de tout recommencer, correctement cette fois...

L'homme s'interrompit pour reprendre son souffle.

— Ces vieux philosophes n'ont jamais su utiliser ce poignard. Ils ont inventé un outil capable de trancher les plus infimes particules de matière, et ils s'en sont servi pour voler des friandises. Ils ignoraient qu'ils avaient fabriqué l'unique arme, dans tout l'univers, qui pouvait vaincre le tyran. L'Autorité. Dieu. Jadis, les anges rebelles ont échoué, car ils ne disposaient pas d'une arme comme ce poignard. Mais aujourd'hui...

— Je n'en veux pas ! s'exclama Will. Si vous voulez ce poignard, je vous le donne volontiers ! Je le déteste et je déteste ce qu'il fait...

— Trop tard, mon garçon. Tu n'as pas le choix : tu es le porteur, le poignard t'a choisi. De plus, les autres savent que c'est toi qui le détiens désormais, et si tu ne l'utilises pas contre eux, ils te l'arracheront des mains et s'en serviront contre nous, pour toujours.

— Mais pourquoi devrais-je combattre ces individus dont vous parlez ? Je me suis déjà trop battu, je ne peux pas continuer, je veux...

— As-tu remporté tes combats ?

Will ne répondit pas immédiatement.

— Oui, je crois.

— Tu t'es battu pour le poignard ?

— Oui, mais...

— Dans ce cas, tu es un guerrier. Voilà ce que tu es. Tu peux mettre en cause tout le reste, mais tu ne peux lutter contre ta nature.

Will savait que cet homme énonçait une vérité. Mais c'était une vérité déplaisante. Écrasante et douloureuse. Il resta muet.

— Il existe deux grandes forces, qui s'affrontent depuis la nuit des temps. Chaque avancée de l'histoire humaine, chaque morceau de savoir, de sagesse et de respect que nous possédons a été arraché par un camp à l'autre. Chaque pouce de liberté supplémentaire a été gagné de haute lutte, après un combat féroce, entre ceux qui veulent que nous soyons plus instruits, plus avisés et plus forts, et ceux qui voudraient nous voir obéissants, humbles et soumis.

Aujourd'hui, ces deux forces opposées fourbissent leurs armes en vue de la bataille. Et chacune d'elles veut s'emparer de ce poignard que tu possèdes. À toi de choisir, mon garçon. Nous avons été guidés jusqu'ici tous les deux : toi avec le poignard, et moi pour t'en parler.

—Non ! Vous vous trompez ! s'écria Will. Ce n'est pas du tout ça que je cherchais ! Absolument pas !

—Tu l'ignores peut-être ; en tout cas, c'est ce que tu as trouvé, répondit l'homme dans le noir.

—Que dois-je faire, alors ?

À cet instant, Stanislaus Grumman, alias Jopari, alias John Parry, marqua un temps d'arrêt.

La promesse qu'il avait faite à Lee Scoresby pesait douloureusement sur sa conscience, et il hésitait avant de la rompre, mais il le fit malgré tout.

—Tu dois aller trouver Lord Asriel, en lui disant que c'est Stanislaus Grumman qui t'envoie, et que tu possèdes l'arme dont il a besoin par-dessus tout. Que cela te plaise ou non, mon garçon, tu as une tâche à accomplir. Oublie tout le reste, même ce qui peut te paraître important, et va accomplir cette mission. Quelqu'un apparaîtra pour te guider : la nuit est pleine d'anges. Tes blessures guériront. Attends... Avant que tu ne partes, je veux te regarder.

Il chercha à tâtons sa besace et en sortit un objet enveloppé dans plusieurs épaisseurs de toile cirée, puis il gratta une allumette pour allumer une petite lampe en fer-blanc. Dans cette lumière tremblotante, à travers le rideau de pluie et dans le vent, l'homme et l'enfant s'observèrent.

Will découvrit des yeux bleus brillants, au milieu d'un visage hagard que recouvrait une barbe de plusieurs jours, un menton volontaire, des cheveux gris, des traits creusés par la souffrance, un corps maigre et voûté, enveloppé dans un lourd manteau orné de plumes.

Le chaman, lui, découvrit un enfant encore plus jeune qu'il ne l'imaginait, dont le corps frêle tremblotait sous sa chemise en lin déchirée, avec sur le visage une expression d'immense fatigue, de sauvagerie et de méfiance, mais illuminée par une curiosité farouche, et des yeux immenses sous l'épaisse barre des sourcils noirs, des yeux si semblables à ceux de sa mère...

Soudain, une étincelle s'alluma entre les deux regards.

Mais au même moment, tandis que la lampe faisait rougeoyer le visage de John Parry, une chose jaillie du ciel blafard le frappa, et il s'effondra, raide mort, avant d'avoir pu dire un seul mot. Une flèche s'était plantée dans son cœur. Son dæmon-balbuzard disparut aussitôt.

Will demeura assis, abasourdi.

Un battement d'ailes traversa le coin de son champ de vision ; sa main droite fusa comme un éclair et ses doigts se refermèrent sur un rouge-gorge, un dæmon pris de panique.

—Non! Non! hurla la sorcière nommée Juta Kamainen, au-dessus de sa tête.

Elle se précipita, une main crispée sur son cœur, s'écrasa lourdement sur le sol rocailleux, et essaya de se relever.

Mais Will s'était jeté sur la sorcière avant même qu'elle ne se remette debout; il appuyait le poignard subtil sur sa gorge.

—Pourquoi avez-vous fait ça? cria-t-il. Pourquoi l'avez-vous tué?

—Je l'aimais et il m'a rejetée! Je suis une sorcière! Je ne pardonne pas!

Et parce que c'était une sorcière, elle n'aurait pas dû avoir peur d'un enfant, en temps normal. Mais elle avait peur de Will. Ce jeune garçon blessé renfermait en lui plus de force et de dangers qu'elle n'en avait jamais rencontré chez un être humain, et c'est pourquoi elle tremblait. Elle retomba à la renverse, mais Will l'accompagna dans sa chute et lui agrippa les cheveux avec sa main gauche, sans éprouver aucune douleur, uniquement un désespoir gigantesque et écrasant.

—Vous ne savez même pas qui était cet homme! C'était mon père!

La sorcière secoua la tête.

—Non! Non! Ce n'est pas vrai, murmura-t-elle. C'est impossible!

—Vous croyez que les choses doivent nécessairement être possibles? Non! Il faut juste qu'elles soient vraies! Cet homme était mon père, et ni lui ni moi ne le savions, jusqu'à cet instant précis où vous l'avez tué! J'ai attendu ce jour toute ma vie, je suis venu jusqu'ici pour le retrouver enfin, et vous le tuez!...

Il secoua la sorcière comme une poupée de chiffons et la jeta à terre, manquant de l'assommer. La stupeur de la sorcière était presque plus grande que la peur, pourtant immense, que lui inspirait le garçon. Elle se releva, hébétée, et agrippa la chemise de Will dans un geste de supplication. Il repoussa sa main.

—Que vous a-t-il fait pour que vous éprouviez le besoin de le tuer? s'écria-t-il. Expliquez-moi, si vous le pouvez!

Juta Kamainen se tourna vers l'homme mort. Son regard revint se poser sur Will et elle secoua la tête avec une profonde tristesse.

—Non, je ne peux pas t'expliquer, dit-elle. Tu es trop jeune. Cela n'aurait aucun sens pour toi. Je l'aimais. Voilà tout. C'est suffisant.

Et avant que Will ne puisse l'en empêcher, elle se laissa tomber lentement sur le côté, tenant le couteau qu'elle venait de dégainer de sa ceinture, et elle plongea la lame dans sa poitrine.

Face à ce suicide, Will n'éprouva aucun sentiment d'horreur, uniquement de la consternation et de l'incompréhension.

Lentement, il se releva et contempla la sorcière morte, ses cheveux noirs soyeux, ses joues rougies, ses bras pâles et lisses, luisants de pluie, ses lèvres entrouvertes comme celles d'une femme amoureuse.

—Je ne comprends pas, dit-il à voix haute. C'est trop étrange.

Will se tourna alors vers l'homme mort, son père.

Un millier de choses lui obstruaient la gorge, et seule la pluie battante calmait le picotement brûlant de ses yeux. La petite lanterne en fer-blanc continuait à éclairer la scène de sa lueur tremblotante, tandis que la pluie qui s'engouffrait par la paroi disjointe venait lécher la flamme, et Will s'agenouilla dans cette lumière pour caresser le visage de l'homme, ses épaules, sa poitrine, lui fermer les yeux, repousser les mèches grises qui tombaient sur son front, plaquer ses paumes sur les joues rugueuses, fermer la bouche de son père, puis serrer ses mains entre les siennes.

—Père... Papa... Père... je ne comprends pas pourquoi cette sorcière a fait ça. Tout cela me dépasse. Mais quelle que soit cette mission que tu voulais me voir accomplir, tu peux compter sur moi. Je me battrai. Je serai un guerrier. Tu as ma parole. J'apporterai ce poignard à Lord Asriel, où qu'il soit, et je l'aiderai à affronter cet ennemi. Je le ferai, papa. Tu peux te reposer maintenant. Tu peux dormir.

À côté de la dépouille de l'homme étaient posées sa besace, la toile cirée, la lampe et la petite boîte en corne contenant l'onguent à base de mousse. En ramassant le tout, Will aperçut le manteau orné de plumes qui traînait sur le sol, lourd et trempé, mais chaud. Son père n'en avait plus l'usage désormais, et Will grelottait de froid. Il défit la boucle de bronze autour du cou du mort et balança la besace sur son épaule, avant de s'envelopper dans le lourd manteau.

Il souffla la flamme de la lampe et se retourna vers les deux silhouettes floues allongées sur le sol. Son regard revint se poser une dernière fois sur son père, puis il tourna les talons pour redescendre de la montagne.

Le ciel d'orage était parcouru de chuchotements électriques et, à travers le rugissement du vent, Will percevait également d'autres bruits : des échos confus de cris et de chants, le fracas du métal contre le métal, des battements d'ailes qui parfois semblaient résonner à l'intérieur de sa tête, et, la seconde d'après, auraient pu provenir d'une autre planète. Sous ses pieds, les cailloux étaient glissants et instables ; de fait, la descente s'avéra bien plus périlleuse que l'ascension, mais Will ne faiblit pas.

Toutefois, alors qu'il s'engageait dans la dernière ravine, avant d'atteindre l'endroit où Lyra dormait, il s'immobilisa. Deux hommes se tenaient devant lui, immobiles dans le noir, comme s'ils attendaient. Instinctivement, Will posa la main sur son poignard.

L'un des deux hommes parla :

—Tu es le garçon qui détient le poignard ? demanda-t-il, et sa voix ressemblait étrangement aux battements d'ailes qui peuplaient le ciel.

Assurément, ce n'était pas un être humain.

—Qui êtes-vous ? demanda Will. Des hommes ou…

—Non, nous ne sommes pas des hommes. Nous sommes des Guetteurs. *Bene elim.* Dans ton langage, nous sommes des anges.

Will resta muet. L'ange poursuivit :

—D'autres anges possèdent d'autres fonctions, d'autres pouvoirs. Notre tâche est simple : nous avons besoin de toi. Nous avons suivi le chaman durant son chemin, avec l'espoir qu'il nous conduirait jusqu'à toi. Et désormais, nous venons pour te guider à notre tour, jusqu'à Lord Asriel.

—Vous avez suivi mon père ?

—Oui, à chaque instant.

—Le savait-il ?

—Il n'en avait aucune idée.

—Pourquoi n'avez-vous pas arrêté la sorcière, dans ce cas ? Pourquoi ne l'avez-vous pas empêchée de le tuer ?

—Plus tôt, nous l'aurions fait. Mais ton père avait accompli sa tâche, il nous avait conduits jusqu'à toi.

Will resta muet, une fois de plus. Sa tête bourdonnait de questions ; encore un mystère qui dépassait son entendement.

—Très bien, dit-il finalement. Je vous suivrai. Mais d'abord, je dois aller réveiller Lyra.

Les anges s'écartèrent et il sentit un picotement dans l'air en passant près d'eux ; il choisit de l'ignorer, pour se concentrer sur la pente qui conduisait au petit abri où dormait Lyra.

Mais il se figea de nouveau.

Dans l'obscurité, il distinguait les silhouettes des sorcières qui veillaient sur Lyra, toutes immobiles, en position assise ou debout. Elles ressemblaient à des statues, à cette différence près qu'elles respiraient, et pourtant, elles étaient comme mortes. Plusieurs corps vêtus de lambeaux de soie noire gisaient également sur le sol, et tandis que ses yeux horrifiés fixaient les cadavres, Will comprit ce qui avait dû se passer : les Spectres avaient attaqué les sorcières dans les airs, et celles-ci s'étaient écrasées au sol, indifférentes à leur propre mort.

Mais…

—Où est Lyra ? cria-t-il.

La cavité sous le rocher était vide. Lyra avait disparu.

Il y avait quelque chose sous le surplomb où la fillette s'était couchée.

C'était le petit sac à dos en toile de Lyra et, en le soupesant, Will devina, sans avoir besoin de l'ouvrir, que l'aléthiomètre était toujours à l'intérieur.

Il secouait la tête. Non, ce n'était pas possible, se disait-il, et pourtant si : Lyra avait disparu, Lyra avait été capturée, Lyra était perdue.

Les deux silhouettes sombres des *bene elim* n'avaient pas bougé. Mais ils s'adressèrent à Will :

— Tu dois venir avec nous maintenant. Lord Asriel a besoin de toi immédiatement. Le pouvoir de l'ennemi s'accroît à chaque instant. Le chaman t'a dit quelle était ta tâche. Viens avec nous et aide-nous à vaincre. Suis-nous. Viens...

Will regarda les deux anges, il regarda le sac à dos de Lyra, puis de nouveau les anges ; il n'entendait pas un mot de ce qu'ils disaient.

LE MIROIR D'AMBRE

Évoque sa puissance, chante sa grâce
Dont la lumière est la robe, et la voûte céleste l'espace
Les nuages de tonnerre naissent de ses chariots de rage,
Sombre est le chemin sur les ailes de l'orage.

Robert Grant, Cantiques anciens et modernes

Ô étoiles,
N'est-ce pas de vous que surgit le désir de l'amant
pour le visage de sa bien-aimée ? Son regard secret
qui sonde ses traits purs ne vient-il pas des pures
    constellations ?

Rainer Maria Rilke, Troisième élégie de Duino

D'exquises vapeurs s'échappent de ce qui fait la vie.
La nuit est froide, fragile et remplie d'anges
Qui écrasent les vivants. Les usines sont toutes éclairées,
Le carillon sonne sans qu'on l'entende.
Nous sommes enfin réunis, bien que séparés.

John Ashbery, L'Ecclésiaste
tiré de Rivières et Montagnes

Chapitre i

La dormeuse envoûtée

… Alors que les bêtes de proie, venues
de profondes cavernes, observaient
la jeune fille endormie
William Blake

 Dans une vallée à l'ombre des rhododendrons, non loin de la limite des neiges éternelles, là où coulait un petit torrent nacré par l'eau de fonte, où des colombes et des linottes voletaient au milieu des sapins gigantesques, se trouvait une grotte, en partie dissimulée par le rocher escarpé qui la surplombait et le feuillage dense qui s'étendait en dessous.

Les bois étaient remplis de mille bruits : le torrent qui grondait entre les rochers, le vent dans les branches des sapins, le bourdonnement des insectes et les cris des petits mammifères arboricoles, sans oublier le chant des oiseaux. Et, de temps en temps, sous l'effet d'une rafale de vent plus forte, une branche de cèdre ou de sapin frottait contre une autre en vibrant comme une corde de violoncelle.

Le sol était moucheté par le soleil éclatant ; des faisceaux dorés aux reflets jaune citron s'enfonçaient entre les flaques d'ombre brun-vert, et la lumière n'était jamais immobile, jamais constante, car souvent des nappes de brume dérivaient entre les cimes des arbres, filtrant et transformant les rayons du soleil en un lustre perlé, aspergeant les conifères d'embruns qui scintillaient dès que la brume se dissipait. Parfois, l'humidité des nuages se condensait sous forme de gouttelettes, mi-brume mi-pluie, qui flottaient jusqu'au sol plus qu'elles ne tombaient, avec un petit crépitement, parmi les aiguilles de pin.

Le long du torrent serpentait un petit chemin qui partait d'un village (si on pouvait appeler ainsi ce rassemblement de maisons de bergers) niché au fond de la vallée et conduisait à un lieu saint à moitié en ruine, près de l'embouchure du glacier, où des petits drapeaux de soie aux couleurs délavées claquaient dans le vent qui descendait des hauts sommets, et où des villageois pieux venaient déposer des gâteaux d'orge et du thé séché en guise d'offrandes. Par un étrange effet d'optique conjuguant la lumière, la glace et la vapeur, le haut de la vallée était en permanence auréolé d'arcs-en-ciel.

La grotte se trouvait quelque part au-dessus du chemin. Bien des années plus tôt, un saint homme y avait vécu, méditant, jeûnant et priant et, depuis, pour honorer sa mémoire, cet endroit était vénéré. Elle s'enfonçait sur une dizaine de mètres dans la roche ; le sol était sec : une tanière idéale pour un ours ou un loup, mais les seules créatures qui y vivaient depuis des années étaient les oiseaux et les chauves-souris.

Pourtant, la silhouette tapie à l'entrée de la grotte, dont les yeux noirs scrutaient les environs et qui dressait les oreilles, n'était ni un oiseau ni une chauve-souris. Le soleil faisait chatoyer son épais pelage doré et ses mains de singe manipulaient une pomme de pin dont elles arrachaient les écailles pour extraire les pignons.

Derrière lui, au-delà de la limite tracée par le soleil, Mme Coulter faisait chauffer de l'eau dans une petite casserole, au-dessus d'un réchaud à naphte. Son dæmon émit soudain un murmure d'avertissement et elle leva la tête.

Une fillette du village gravissait le chemin de la forêt. Mme Coulter la connaissait : Ama lui apportait à manger depuis plusieurs jours déjà. Lors de son arrivée en ce lieu, Mme Coulter avait fait savoir qu'elle était une sainte femme qui se consacrait entièrement à la méditation et à la prière, liée par son serment de n'adresser la parole à aucun homme. Ama était la seule personne dont elle acceptait les visites.

Mais aujourd'hui, la fillette n'était pas seule. Son père l'avait accompagnée et, tandis qu'elle grimpait jusqu'à la grotte, il l'attendait un peu plus bas.

Arrivée à l'entrée de la grotte, Ama s'inclina.

—Mon père m'envoie avec des prières en gage d'amitié, déclara-t-elle.

—Sois la bienvenue, mon enfant.

La fillette portait un paquet enveloppé d'une étoffe de coton délavé qu'elle déposa aux pieds de Mme Coulter. Puis elle lui tendit un petit bouquet de fleurs, une douzaine d'anémones attachées par un fil, et elle se mit à parler, d'une voix précipitée, nerveuse. Mme Coulter maîtrisait relativement bien le langage de ces montagnards, mais elle se gardait bien de le montrer. Alors, elle sourit et fit signe à la fillette de se taire et de regarder leurs deux dæmons. Le singe au pelage doré tendait sa petite main noire et le dæmon-papillon d'Ama s'en approchait peu à peu en battant des ailes, pour finalement se poser sur l'index calleux.

Le singe approcha lentement le papillon de son oreille et Mme Coulter sentit couler dans son esprit un petit ruisseau de compréhension qui clarifiait les paroles de la fillette. Les villageois se réjouissaient qu'une sainte femme comme elle ait trouvé refuge dans la grotte, disait Ama, mais on racontait qu'elle était accompagnée d'une autre femme, dangereuse et puissante.

Voilà ce qui provoquait la crainte des villageois. Cette autre personne était-elle le maître de Mme Coulter ou au contraire son serviteur ? Ses intentions étaient-elles belliqueuses ? Et d'abord, que faisait-elle ici ? Avaient-elles l'intention de rester longtemps ?... Ama transmettait ces questions avec mille appréhensions.

Une nouvelle réponse traversa l'esprit de Mme Coulter, alors que se déversait en elle le raisonnement de son dæmon. Elle pouvait dire la vérité. Pas toute la vérité, naturellement, mais une partie. Cette idée déclencha en elle un petit rire, mais c'est d'une voix parfaitement maîtrisée qu'elle expliqua :

— C'est juste, il y a quelqu'un avec moi. Mais vous ne devez pas avoir peur. C'est ma fille : elle a été victime d'un sort qui l'a plongée dans le sommeil. Nous sommes venues ici pour nous cacher de l'enchanteur qui lui a jeté ce sort, le temps que je trouve le moyen de la guérir et de la protéger. Tu peux venir la voir, si tu veux.

Ama se sentait partiellement rassurée par la voix douce de Mme Coulter, mais sa peur ne s'était pas totalement dissipée. Cette histoire d'enchanteur et de sort ne faisait qu'accroître son inquiétude teintée de respect. Mais le singe au pelage doré tenait son dæmon-papillon délicatement dans sa main, et elle était intriguée, alors elle la suivit à l'intérieur de la grotte.

En la voyant disparaître, son père, resté sur le chemin en contrebas, avança d'un pas et son dæmon-corbeau battit des ailes une ou deux fois, mais il n'alla pas plus loin.

Mme Coulter alluma une bougie, car la lumière déclinait rapidement et elle entraîna Ama vers le fond de la grotte. Les yeux écarquillés de la fillette scintillaient dans la pénombre et elle ne cessait de frotter son index contre son pouce, afin de repousser le danger en déroutant les mauvais esprits avec ce geste.

— Tu vois ? dit Mme Coulter. Elle ne peut faire de mal à personne. Il n'y a pas de quoi avoir peur.

Ama observa la silhouette allongée dans le sac de couchage. C'était une fillette plus âgée qu'elle, de trois ou quatre ans son aînée peut-être, avec des cheveux comme elle n'en avait jamais vu : une sorte de crinière blonde, semblable à celle d'un lion. Ses lèvres étaient pincées et elle dormait à poings fermés, cela ne faisait aucun doute, car son dæmon était roulé en boule dans son cou, inconscient. Il avait l'apparence d'une mangouste, en plus petit, mais de couleur roux et or. Le singe doré caressait tendrement le dæmon endormi, entre les oreilles, et sous les yeux d'Ama, la créature s'agita nerveusement et émit un petit miaulement rauque. Le dæmon d'Ama, transformé en souris, se réfugia dans son cou et observa la scène en tremblant, à travers ses cheveux.

— Tu pourras dire à ton père ce que tu as vu, reprit Mme Coulter. Il n'y a ici aucun esprit mauvais. Uniquement ma fille, endormie par un sort, et sur laquelle je veille. Mais je t'en supplie, Ama, dis bien à ton père que cela doit rester un secret. Personne à part vous deux ne doit savoir que Lyra est ici. Si jamais l'enchanteur apprenait où elle se cache, il viendrait jusqu'ici pour la détruire, et moi avec, et tout ce qui nous entoure. Alors, pas un mot ! Parles-en à ton père, mais à personne d'autre.

Elle s'agenouilla auprès de Lyra et repoussa ses cheveux collés sur son visage par la sueur, avant de se pencher en avant pour déposer un baiser sur la joue de sa fille. Puis elle releva la tête, avec dans le regard tant de tristesse et d'amour, elle regarda Ama avec tant de courage et de compassion, que la fillette sentit ses yeux s'embuer de larmes.

Mme Coulter prit la main d'Ama tandis qu'elles revenaient vers l'entrée de la grotte ; le père de la fillette les observait avec inquiétude. Elle joignit les mains et s'inclina pour le saluer. L'homme répondit de la même manière, sans cacher son soulagement de voir sa fille faire demi-tour, après avoir salué Mme Coulter et la dormeuse envoûtée, et dévaler la pente dans l'obscurité naissante. Le père et la fille s'inclinèrent une dernière fois en direction de la grotte, avant de repartir et de disparaître dans la pénombre de l'épais feuillage des rhododendrons.

Mme Coulter reporta son attention sur la casserole, dans laquelle l'eau était sur le point de bouillir.

Accroupie devant le réchaud, elle émietta quelques feuilles séchées dans l'eau, ajouta deux pincées de poudre provenant du sachet, une pincée d'un autre sachet, puis trois gouttes d'une huile jaune pâle. Elle remua vivement le tout, en comptant cinq minutes dans sa tête. Puis elle ôta la casserole du feu et attendit que le mélange refroidisse.

Autour d'elle était disposée une partie du matériel provenant du campement au bord du lac bleu, où Sir Charles Latrom était mort : un sac de couchage, un sac à dos contenant des vêtements de rechange, un nécessaire de toilette... Il y avait également une caisse en toile renforcée par un solide cadre en bois, doublée de kapok, et renfermant divers instruments, ainsi qu'un pistolet dans un étui.

La décoction refroidit rapidement dans l'air raréfié de la grotte et, dès qu'elle fut à la température du corps humain, Mme Coulter la versa avec précaution dans un gobelet métallique, qu'elle emporta vers le fond de la grotte. Le dæmon-singe lâcha sa pomme de pin et lui emboîta le pas.

Mme Coulter déposa délicatement le gobelet sur une pierre basse, avant de s'agenouiller à côté de Lyra endormie. Le singe au pelage doré s'accroupit de l'autre côté, prêt à s'emparer de Pantalaimon si jamais il se réveillait.

Les cheveux de Lyra étaient humides et ses yeux bougeaient derrière ses paupières closes. Elle commençait à s'agiter dans son sommeil : Mme Coulter avait senti papilloter ses cils quand elle s'était penchée pour l'embrasser, et elle avait deviné que Lyra n'allait pas tarder à se réveiller.

Elle glissa une main sous la tête de la fillette et, de l'autre, elle repoussa les mèches de cheveux plaquées sur son front. Les lèvres de Lyra s'entrouvrirent et elle laissa échapper un petit gémissement ; Pantalaimon se rapprocha de sa poitrine. Les yeux du singe ne quittaient pas le dæmon de Lyra et ses petits doigts noirs trituraient le bord du sac de couchage.

Un simple regard de Mme Coulter et il lâcha prise pour reculer d'un pas. La femme souleva la fillette en douceur, jusqu'à ce que ses épaules décollent du sol et que sa tête bascule sur le côté. Lyra émit un petit hoquet et ouvrit à demi les yeux, en battant des paupières.

—Roger..., marmonna-t-elle. Roger... où es-tu ?... Je ne vois rien...

—Chut, murmura sa mère. Chut, ma chérie. Bois ça.

Approchant le gobelet de la bouche de Lyra, elle l'inclina pour faire tomber une goutte sur ses lèvres. Instinctivement, Lyra la lécha et Mme Coulter fit couler un peu de liquide dans sa bouche, très lentement, pour lui laisser le temps de déglutir entre chaque gorgée.

L'opération prit plusieurs minutes mais, enfin, le gobelet fut vide et elle recoucha sa fille. Dès que la tête de Lyra se retrouva en contact avec le sol, Pantalaimon revint se blottir dans son cou. Sa fourrure roux et or était aussi humide que les cheveux de la fillette. L'un et l'autre replongèrent dans un profond sommeil.

Le singe doré retourna d'un pas léger vers l'entrée de la grotte pour reprendre son poste d'observation. Pendant ce temps, Mme Coulter plongea un gant de toilette dans une bassine d'eau froide, afin d'éponger le visage de Lyra, puis elle ouvrit le sac de couchage et lui lava les bras, le cou et les épaules, car elle avait chaud. Après cela, elle prit un peigne et démêla en douceur les cheveux de la fillette, et les peigna en arrière en traçant une raie bien nette.

Elle laissa le sac de couchage ouvert pour donner un peu d'air à Lyra et défit le balluchon apporté par la petite Ama. Il contenait des miches de pain plates, un gâteau de feuilles de thé compressées et du riz gluant enveloppé dans une grande feuille d'arbre. Il était temps d'allumer un feu. Avec la nuit, le froid vif descendait de la montagne. Méthodiquement, elle effeuilla quelques branches de bois sec, qu'elle rassembla et enflamma à l'aide d'une allumette. «Encore un motif de préoccupation», pensa-t-elle. Sa provision d'allumettes diminuait, tout comme le naphte pour le réchaud; à partir de maintenant, elle devrait entretenir le feu jour et nuit.

Son dæmon était mécontent. Il n'aimait pas ce qu'elle faisait et, quand il essaya d'exprimer son inquiétude, elle le rabroua. Il lui tourna le dos et, tandis qu'il lançait dans l'obscurité les écailles de sa pomme de pin, tout dans sa posture indiquait le mépris. Sans y prêter attention, Mme Coulter s'occupait du feu, avec des gestes posés et habiles, après quoi, elle fit chauffer de l'eau dans la casserole pour le thé.

Mais le scepticisme du singe l'affectait malgré elle. Pendant qu'elle émiettait au-dessus de l'eau la brique de thé gris foncé, elle se demandait ce qu'elle était en train de faire, si elle n'était pas devenue folle et, surtout, elle se demandait ce qui arriverait lorsque l'Église découvrirait ce qu'elle avait fait. Le singe doré avait raison. Elle ne cachait pas seulement Lyra; elle se cachait également la réalité.

Le petit garçon jaillit de l'obscurité, à la fois rempli d'espoir et effrayé, en murmurant :

— Lyra... Lyra... Lyra...

Derrière lui, il y avait d'autres silhouettes, encore plus indistinctes, encore plus silencieuses. Elles semblaient appartenir au même groupe, à la même espèce, mais leurs visages demeuraient invisibles, leurs voix étaient muettes ; et celle du garçon n'était qu'un murmure, son visage était obscur et flou, comme une chose à moitié oubliée.

— Lyra... Lyra...

Où étaient-ils ?

Dans une vaste plaine, sous un ciel de plomb où ne brillait aucune lumière, enveloppés d'un brouillard qui masquait l'horizon de tous les côtés. La terre avait été piétinée et aplatie par des millions de pieds, bien que ces pieds soient plus légers que des plumes ; c'était donc le temps qui l'avait écrasée ainsi, bien que le temps fût immobile en ce lieu ; c'était donc que les choses étaient ainsi. C'était la fin de toutes choses et le dernier des mondes.

— Lyra...

Que faisaient-ils ici ?

Ils étaient prisonniers. Quelqu'un avait commis un crime, mais nul ne savait lequel exactement, ni qui l'avait commis, ni quelle autorité avait le pouvoir de juger.

Pourquoi ce garçon ne cessait-il d'appeler Lyra ?

L'espoir.

Qui étaient-ils ?

Des fantômes.

Et malgré tous ses efforts, Lyra ne pouvait pas les toucher. Ses mains impuissantes s'agitaient dans le vide, et pourtant, le garçon la suppliait toujours.

— Roger, dit-elle, mais sa voix n'était qu'un murmure. Roger, où es-tu ? Quel est donc cet endroit ?

Il répondit :

— C'est le monde des morts, Lyra... Je ne sais pas quoi faire... je ne sais pas si je vais rester ici pour toujours, je ne sais pas si j'ai fait quelque chose de mal ou non, car j'ai essayé d'être sage, mais je n'aime pas cet endroit, et j'ai peur. Je déteste cet endroit...

Et Lyra dit :

— Je

Chapitre 2
Balthamos et Baruch

C'est alors qu'un esprit
passa devant mon visage...
LE LIVRE DE JOB

 —Taisez-vous, ordonna Will. Taisez-vous. Ne me dérangez pas.

C'était juste après l'enlèvement de Lyra, juste après que Will était descendu du haut de la montagne, juste après que la sorcière avait tué son père. Il alluma la petite lanterne en fer-blanc qu'il avait prise dans les affaires de son père, en se servant des allumettes qui se trouvaient avec et, accroupi à l'abri du rocher, il ouvrit le sac à dos de Lyra.

Avec sa main valide, il fouilla à l'intérieur et découvrit le lourd aléthiomètre, enveloppé dans du velours. L'instrument scintillait à la lueur de la lanterne et Will le brandit devant les deux silhouettes dressées à ses côtés, ces formes qui se faisaient appeler des anges.

—Vous savez déchiffrer ce machin? leur demanda-t-il.

—Non, répondit une voix. Viens avec nous. Tu dois nous accompagner. Tu dois voir Lord Asriel.

—Qui vous a ordonné de suivre mon père? Vous disiez qu'il ignorait que vous le suiviez. Mais il savait! s'exclama Will avec fougue. Il m'avait averti de votre arrivée. Il en savait plus que vous ne l'imaginiez. Qui vous envoie?

—Personne ne nous envoie. Nous agissons de notre propre chef, dit la voix. Notre but est de servir Lord Asriel. Cet homme qui est mort, que voulait-il que tu fasses avec le couteau?

Will hésita:

—Il m'a demandé de l'apporter à Lord Asriel.

—Alors, suis-nous.

—Non. Pas avant d'avoir retrouvé Lyra.

Il enveloppa l'aléthiomètre dans l'étoffe de velours et le remit dans le sac à dos. Après l'avoir refermé, il s'emmitoufla dans l'épais manteau de son père pour se protéger de la pluie et resta accroupi, regardant fixement les deux ombres.

—Vous dites la vérité ? demanda-t-il.

—Oui.

—Alors, êtes-vous plus forts que les êtres humains, ou plus faibles ?

—Plus faibles. Vous autres, vous possédez une véritable enveloppe charnelle, pas nous. Malgré tout, tu dois venir avec nous.

—Non. Si je suis plus fort que vous, vous devez m'obéir. En outre, j'ai le poignard. Je peux donc vous donner des ordres : aidez-moi à retrouver Lyra. Peu importe le temps que cela prendra, je la retrouverai et *ensuite* j'irai voir Lord Asriel.

Les deux silhouettes restèrent muettes pendant plusieurs secondes. Puis elles s'éloignèrent de quelques mètres pour converser, et Will ne put entendre ce qu'elles se disaient.

Finalement, elles revinrent vers lui pour déclarer :

—Très bien. Tu commets une erreur, mais tu ne nous laisses pas le choix. Nous t'aiderons à retrouver cette enfant.

Will essayait de percer l'obscurité pour les apercevoir plus distinctement, mais la pluie brouillait sa vue.

—Approchez, que je vous voie, dit-il.

Les formes avancèrent et, curieusement, elles semblèrent encore plus floues.

—Vous verrai-je mieux à la lumière du jour ?

—Non, encore moins bien. Nous n'appartenons pas à un ordre très élevé chez les anges.

—Si je ne vous vois pas, personne d'autre ne peut vous voir. Vous pouvez demeurer invisibles. Essayez de découvrir où se trouve Lyra. Elle ne peut pas être très loin. Elle est certainement avec une femme, c'est elle qui l'a enlevée. Partez à sa recherche et revenez me dire ce que vous avez vu.

Les anges s'élevèrent dans l'atmosphère orageuse, puis disparurent. Will sentit alors une terrible pesanteur s'abattre sur lui. Il lui restait peu de forces, déjà, avant le combat avec son père ; maintenant, il était mort de fatigue et n'avait qu'une seule envie : fermer ses yeux, lourds et douloureux à force de pleurer.

Il rabattit le manteau sur sa tête, serra le sac à dos contre sa poitrine et s'endormit presque immédiatement.

—Introuvables, déclara une voix.

Will l'entendit dans les profondeurs de son sommeil et lutta pour se réveiller. Enfin, (il lui fallut presque une minute, car il devait revenir, de très loin, à la conscience) il parvint à ouvrir les yeux, pour découvrir le soleil éclatant du matin.

—Où êtes-vous ? demanda-t-il.

—À côté de toi, répondit l'ange. Par ici.

Autour de lui, les rochers, le lichen et la mousse brillaient d'un éclat vif dans le soleil matinal, mais Will n'apercevait aucune silhouette.

—Je t'ai dit qu'il n'était pas facile de nous voir en plein jour, ajouta la voix. Tu nous verras mieux dans la pénombre, au crépuscule ou à l'aube, et encore mieux dans l'obscurité. Mais en plein soleil, nous sommes presque invisibles. Mon compagnon et moi avons inspecté les environs, mais nous n'avons aperçu ni femme ni enfant. Peut-être, cependant, ont-elles campé au bord d'un lac d'eau bleue. Il y a là-bas un homme mort et une sorcière dévorée par un Spectre.

—Un mort, dites-vous ? De quoi a-t-il l'air ?

—C'était un homme d'une soixantaine d'années. Bien en chair, avec une peau douce. Des cheveux gris. Richement vêtu et enveloppé d'un parfum capiteux.

—C'est Sir Charles, dit Will. Ça ne peut être que lui. Mme Coulter l'a sans doute tué. Enfin une bonne nouvelle.

—Cette femme a laissé des traces. Mon compagnon les a suivies. Il nous rejoindra quand il aura découvert où elle est allée. En attendant, je reste près de toi.

Will se leva et regarda autour de lui. L'orage avait purifié l'atmosphère ; l'air du matin était frais et propre, et dans cet air pur le spectacle qui les entourait paraissait encore plus pénible, car non loin de là gisaient les dépouilles de plusieurs sorcières qui les avaient escortés, Lyra et lui, jusqu'au rendez-vous avec son père. Déjà, une corneille noire déchiquetait à coups de bec le visage de l'une d'elles, et il voyait un gros rapace tournoyer dans le ciel au-dessus de leurs têtes, comme s'il cherchait le plus riche festin.

Will examina les corps l'un après l'autre : aucun n'était celui de Serafina Pekkala, la reine du clan des sorcières et l'amie de Lyra. Et soudain, il se souvint : n'était-elle pas partie brusquement, juste avant la tombée du soir, appelée par une autre tâche ?

Cela voulait dire qu'elle était peut-être toujours en vie. Ragaillardi par cette pensée, il scruta l'horizon dans l'espoir d'apercevoir la sorcière, mais où qu'il regarde, il ne voyait que le ciel bleu et les rochers aux angles tranchants.

—Où êtes-vous ? répéta-t-il.

—À côté de toi, répondit l'ange, comme toujours.

Will se tourna sur sa gauche, d'où venait la voix, mais il ne voyait rien.

—Personne ne peut vous voir, donc. Est-ce que quelqu'un d'autre pourrait vous entendre aussi bien que moi ?

—Pas si je murmure, répondit l'ange d'un ton acerbe.

—Comment vous appelez-vous ? Vous avez des noms ?

—Bien sûr. Je m'appelle Balthamos. Mon compagnon se nomme Baruch.

Will réfléchissait à ce qu'il allait faire maintenant. Quand vous choisissez un chemin parmi beaucoup d'autres, tous ceux que vous laissez de côté disparaissent comme des bougies qu'on souffle, et c'est comme s'ils n'avaient jamais existé. Pour le moment, tous les choix qui lui étaient offerts existaient simultanément. Mais les maintenir en vie ainsi signifiait ne pas agir. Il devait prendre une décision.

—Nous allons descendre de la montagne, déclara-t-il. Jusqu'au lac. J'y trouverai peut-être quelque chose d'intéressant et d'utile. De toute façon, j'ai soif. Je suivrai le chemin qui me semble le meilleur et, si je me trompe, vous pourrez me guider sur la bonne voie.

C'est seulement après plusieurs minutes de marche sur les pentes raides et rocailleuses que Will s'aperçut que sa main ne le faisait plus souffrir. À vrai dire, il avait totalement oublié sa blessure depuis qu'il s'était réveillé.

Il s'arrêta pour regarder le morceau d'étoffe grossière que son père avait attaché autour de sa main après leur combat. L'onguent dont il l'avait badigeonnée formait une pellicule grasse, mais il n'y avait aucune trace de sang, et cette constatation était pour lui un tel soulagement qu'il sentit son cœur s'emplir de joie.

Il essaya de remuer ses doigts. Certes, la blessure lui faisait encore mal, mais c'était une douleur différente ; ce n'était plus l'intense et épuisante douleur de la veille, mais une sensation plus sourde, plus diffuse. Comme si sa main était en train de guérir. Grâce à son père. Le sortilège des sorcières avait échoué, mais son père avait réussi à le soigner.

Réconforté, il poursuivit sa descente. Sans se préoccuper de l'ange.

Il lui fallut, malgré tout, trois heures et plusieurs interventions de Balthamos pour atteindre le petit lac bleu. Il avait la gorge desséchée par la soif et, sous le soleil torride, le manteau était devenu pesant et étouffant mais, quand il l'ôta, il regretta sa protection, car le soleil lui brûlait le cou et les bras. Abandonnant le manteau et le sac à dos, il parcourut en courant les derniers mètres qui le séparaient du lac et se coucha à plat ventre pour avaler goulûment des gorgées et des gorgées d'eau glacée. Elle était si froide qu'elle lui faisait mal aux dents et à la tête.

Ayant étanché sa soif, il s'assit par terre et regarda autour de lui. La veille, il n'était pas en état de faire attention au décor, mais maintenant, il découvrait la couleur intense de l'eau, il entendait les bruits stridents des insectes autour de lui.

—Balthamos ?

—Je suis toujours là.

—Où est le corps de l'homme ?

—Derrière le gros rocher, sur ta droite.

—Y a-t-il des Spectres dans les parages ?

—Non, aucun.

Après avoir récupéré ses affaires, Will longea le lac et remonta vers le rocher que lui avait indiqué Balthamos.

Juste derrière, on avait dressé un petit campement de cinq ou six tentes et allumé plusieurs feux pour cuisiner. Will avançait en restant sur ses gardes, au cas où quelqu'un se cacherait là.

Mais le silence était profond ; seuls les insectes tentaient de le briser. Les tentes étaient immobiles, l'eau du lac paisible, à peine troublée par quelques rides qu'il avait provoquées en s'y abreuvant. Soudain, un éclair vert près de ses pieds le fit sursauter, mais ce n'était qu'un lézard.

Les tentes étaient en toile de camouflage et, paradoxalement, elles ressortaient de manière encore plus flagrante au milieu des roches ocre. Il jeta un coup d'œil à l'intérieur de la première : elle était vide. Tout comme la deuxième mais, dans la troisième, il trouva des objets intéressants : une gamelle et une boîte d'allumettes. Il y avait également une sorte de matière noire, sous forme de lanière, aussi longue et épaisse que son avant-bras. D'abord, il crut que c'était du cuir mais, à la lumière du soleil, il découvrit que c'était en réalité de la viande séchée.

Il avait un couteau, après tout. Il découpa une fine tranche de viande qu'il trouva un peu caoutchouteuse et légèrement salée, mais pleine de saveur. Il rangea la viande dans son sac à dos, avec la gamelle et les allumettes, et entreprit d'inspecter les autres tentes. Elles étaient toutes vides.

Il avait gardé la plus grande pour la fin.

—C'est là que se trouve le mort ? demanda-t-il en s'adressant au vide.

—Oui, répondit Balthamos. Il a été empoisonné.

Will contourna prudemment la tente pour accéder à l'entrée qui faisait face au lac. En effet, à côté d'un siège en toile renversé gisait le corps de l'homme connu sous le nom de Sir Charles Latrom dans le monde de Will, et de Lord Boreal dans celui de Lyra, l'homme qui avait volé l'aléthiomètre à Lyra, un vol qui avait conduit Will jusqu'au poignard subtil. Sir Charles avait été un homme hypocrite, malhonnête et puissant ; maintenant, il était mort. Son visage était déformé par un horrible rictus et Will n'avait pas envie de le regarder, mais un simple coup d'œil à l'intérieur de la tente lui apprit qu'il y avait là beaucoup de choses utiles, aussi enjamba-t-il le corps pour y voir de plus près.

Son père, le soldat, l'explorateur, aurait su exactement ce qu'il fallait emporter. Will, lui, devait deviner. Il prit une petite loupe protégée par un étui en acier, car il pourrait s'en servir pour allumer du feu et économiser ainsi ses allumettes ; une bobine de grosse ficelle ; une gourde métallique beaucoup plus légère que celle en peau de chèvre qu'il transportait, et un gobelet en fer-blanc ; une petite paire de jumelles, un rouleau de pièces d'or de la taille d'un pouce d'homme, enveloppées dans du papier ; une trousse de premiers secours ; des comprimés pour désinfecter l'eau ; un paquet de café ; trois sachets de fruits séchés ; un paquet de biscuits aux céréales ; six tablettes de chocolat à la menthe, un sachet d'hameçons pour la pêche et du fil de nylon ; et, pour finir, un carnet et deux crayons, ainsi qu'une petite lampe électrique.

Il fourra le tout dans son sac à dos, se coupa encore une fine tranche de viande, retourna au bord du lac pour boire et remplir sa gourde. Puis il demanda à Balthamos :

— Vous croyez qu'on a besoin d'autre chose ?

— Un peu de bon sens ne te ferait pas de mal, lui répondit-on. La faculté de savoir reconnaître la sagesse et de s'y soumettre.

— Vous possédez la sagesse ?

— Beaucoup plus que toi.

— Ça, je n'en sais rien. Êtes-vous un homme ? Vous avez une voix d'homme.

— Baruch était un homme. Pas moi. Maintenant, c'est un ange.

— Donc...

Will interrompit ce qu'il était en train de faire, à savoir disposer au fond de son sac à dos les objets les plus lourds, et essaya encore une fois d'apercevoir l'ange. En vain.

— Donc, Baruch était un homme autrefois, reprit-il. Mais ensuite... Est-ce que les gens deviennent des anges quand ils meurent ?

— Non, pas toujours. Rarement, même... Très rarement.

— Quand a-t-il vécu ?

— Il y a quatre mille ans, environ. Je suis beaucoup plus âgé.

— Il vivait dans mon monde ? Ou dans celui de Lyra ? Ou dans celui-ci ?

— Dans le tien. Mais il existe des myriades de mondes. Tu le sais.

— Comment les gens deviennent-ils des anges ?

— À quoi bon toutes ces questions métaphysiques ?

—C'est juste pour savoir.

—Tu ferais mieux de te concentrer sur ta tâche. Tu as pillé les biens de ce défunt, tu as maintenant tout ce qu'il te faut pour survivre. Peut-on enfin se mettre en route ?

—Quand je saurai où aller.

—Où qu'on aille, Baruch nous retrouvera.

—Dans ce cas, il nous trouvera également si on reste ici. J'ai encore deux ou trois choses à faire.

Will s'assit à un endroit d'où il ne voyait pas le corps de Sir Charles et commença par manger trois carrés de chocolat à la menthe. Puis, revigoré et repu, il reporta son attention sur l'aléthiomètre. Les trente-six petits dessins peints sur l'ivoire étaient tous parfaitement clairs : on reconnaissait sans le moindre doute un bébé, une marionnette, une miche de pain... C'était leur signification qui demeurait obscure.

—Comment Lyra faisait-elle pour déchiffrer ce truc ? demanda-t-il à Balthamos.

—Il est fort possible qu'elle ait tout inventé. Ceux qui utilisent ces instruments ont étudié pendant des années, et malgré cela, ils ne les décryptent qu'avec l'aide de nombreux ouvrages de référence.

—Non, elle n'a rien inventé. Elle savait le déchiffrer pour de bon. Elle m'a dit des choses qu'elle n'aurait jamais pu deviner autrement.

—Dans ce cas, c'est également un mystère pour moi, tu peux me croire, dit l'ange.

En observant l'aléthiomètre, Will se souvint tout à coup d'une chose que lui avait révélée Lyra concernant le moyen de déchiffrer les données de cet instrument : il fallait qu'elle se trouve dans un certain état d'esprit pour que ça fonctionne. Cette remarque l'avait d'ailleurs aidé, par la suite, à saisir les subtilités du poignard.

Intrigué, il prit le poignard et découpa une petite fenêtre en face de l'endroit où il était assis. Par l'ouverture, il ne vit que du ciel bleu mais, en bas, tout en bas, on apercevait un vaste paysage d'arbres et de champs : c'était son propre monde, assurément.

Ainsi, les montagnes dans ce monde-ci ne correspondaient pas aux montagnes de son monde. Il referma soigneusement la fenêtre, en utilisant sa main gauche pour la première fois. Quel bonheur de pouvoir s'en servir à nouveau !

C'est alors qu'une idée lui vint, si brutalement que ce fut comme une décharge électrique.

S'il existait des myriades de mondes, pourquoi le poignard n'ouvrait-il des fenêtres qu'entre ce monde-ci et le sien ?

Il devait forcément permettre de passer dans n'importe quel monde.

Will brandit le poignard en laissant son esprit glisser jusqu'à la pointe de la lame, comme le lui avait enseigné Giacomo Paradisi, jusqu'à ce que sa conscience vienne se nicher au milieu des atomes eux-mêmes, et qu'il sente chaque aspérité, chaque ondulation de l'air.

Au lieu de couper dès qu'il sentit la première petite résistance, comme il le faisait habituellement, il laissa le poignard avancer jusqu'à l'aspérité suivante et encore la suivante. C'était comme s'il suivait une couture en appuyant si délicatement qu'il n'arrachait aucun point.

—Que fais-tu? demanda la voix qui flottait dans le vide, le ramenant à la réalité.

—J'explore, répondit Will. Ne dites rien et mettez-vous sur le côté. Si jamais vous approchez trop près du poignard, il va vous couper et, étant donné que je ne vous vois pas, je ne peux pas vous éviter.

Balthamos émit un petit grognement pour exprimer son mécontentement. Will tendit de nouveau le poignard devant lui pour sentir ces infimes hésitations, ces interruptions dans la trame de l'atmosphère. Elles étaient beaucoup plus nombreuses qu'il ne l'imaginait. Et maintenant qu'il se contentait de les effleurer, sans éprouver le besoin de les transpercer immédiatement, il découvrait que chacune possédait une texture différente : celle-ci était dure et nettement délimitée, celle-là était plus nébuleuse, une autre était glissante, une autre fragile et cassante...

Mais parmi toutes ces aspérités, certaines étaient plus faciles à sentir que d'autres et, tout en connaissant déjà la réponse, il tailla dans l'une d'elles pour avoir confirmation : il était tombé sur son monde, encore une fois.

Il referma la fenêtre et chercha avec la pointe du poignard une aspérité au toucher différent. Il en trouva une qui était à la fois élastique et résistante et il laissa la lame s'y enfoncer.

Gagné! Le monde qu'il découvrit par cette ouverture n'était pas le sien : le sol était plus proche, et le paysage n'était pas composé de champs et de pâturages verdoyants, mais de dunes désertiques.

Il la referma et en ouvrit une autre : une épaisse fumée grise flottait au-dessus d'une ville industrielle et des ouvriers aux visages mornes entraient dans une usine à la queue leu leu, en traînant les pieds.

Will referma cette fenêtre. Il avait un peu la tête qui tournait. Pour la première fois, il prenait conscience du véritable pouvoir du poignard subtil, et il le déposa avec d'infinies précautions sur la pierre devant lui.

—Tu as l'intention de rester ici toute la journée? demanda Balthamos.

—Je réfléchis. On peut passer aisément d'un monde à l'autre, mais seulement si le sol est au même niveau. Peut-être y a-t-il des endroits où c'est le cas, et c'est peut-être là que se font tous les passages... Et il faut savoir reconnaître son monde avec la pointe de la lame ou sinon, vous risquez de ne jamais pouvoir revenir. Vous êtes perdu à tout jamais.

—Exact. Mais pourrions-nous...

—Et il faut savoir quel monde se situe au même niveau que celui où vous êtes, ou sinon ça ne sert à rien d'ouvrir un passage, dit Will, comme s'il se parlait à lui-même. Ce n'est donc pas aussi facile que je le croyais. Peut-être qu'on a simplement eu de la chance à Oxford et à Cittàgazze. Mais je vais...

Il reprit le poignard. À côté de cette sensation nette et évidente qu'il éprouvait quand il effleurait un point qui s'ouvrait sur son propre monde, il avait ressenti à plusieurs reprises une autre sensation : une sorte de résonance, comme si on frappait sur un gros tam-tam, sauf que, bien évidemment, cela se traduisait par d'infimes mouvements dans le vide.

Là, par exemple... Il déplaça sa main pour sonder le vide à un autre endroit... Là, encore !

Il enfonça la lame et constata qu'il avait deviné juste. La vibration signifiait que le sol du monde dans lequel il ouvrait une fenêtre se trouvait au même niveau que celui dans lequel il était. C'est ainsi que Will se retrouva en train de contempler une grande prairie verte sous un ciel plombé, où un troupeau de bêtes paissait paisiblement. Il n'avait encore jamais vu de tels animaux : de la taille d'un bison, ces étranges créatures avaient de longues cornes, une fourrure bleue hirsute et une crête de poils raides sur le dos.

Il franchit l'ouverture. L'animal le plus proche leva la tête avec indifférence, avant de se remettre à brouter. Laissant la fenêtre ouverte, Will, qui se trouvait maintenant dans la prairie de cet autre monde, chercha avec la pointe du poignard les accrocs familiers dans le vide et les testa l'un après l'autre.

Oui, il pouvait créer une ouverture sur son monde à partir de celui-ci, il surplombait toujours les fermes et les champs. Et il pouvait localiser aisément cette vibration caractéristique du monde de Cittàgazze qu'il venait de quitter.

Envahi par un soulagement intense, Will regagna le campement au bord du lac, en refermant toutes les fenêtres derrière lui. Désormais, il pouvait retrouver son chemin, il ne se perdrait plus. Désormais il pouvait se cacher en cas de nécessité, et se déplacer sans risque.

Ses forces semblaient s'accroître en même temps que ses connaissances. Il rangea le poignard dans la gaine fixée à sa taille et balança le sac à dos sur son épaule.

—Alors, tu es prêt maintenant ? demanda la voix, d'un ton sarcastique.

—Oui. Je peux vous expliquer si vous le souhaitez, mais ça ne semble pas vous intéresser.

—Oh, tout ce que tu fais est pour moi une source de fascination perpétuelle. Mais ne t'occupe pas de moi. Pense plutôt à ce que tu vas dire à ces gens qui approchent.

Surpris, Will balaya du regard les environs. Sur le chemin, au loin, un groupe de voyageurs, accompagnés de chevaux de bât, avançait en file indienne vers le lac, d'un pas lent et régulier. Ils n'avaient pas encore vu le garçon mais, s'il restait où il était, cela n'allait pas tarder.

Will récupéra le manteau de son père qu'il avait étendu au soleil sur une pierre. Sec, il pesait beaucoup moins lourd. Il regarda autour de lui : il n'y avait rien d'autre à emporter.

—Allons-nous-en, dit-il.

Il aurait aimé refaire son pansement avant de se mettre en route, mais cela pouvait attendre. Il partit en longeant le lac, pour s'éloigner des voyageurs, et l'ange lui emboîta le pas, invisible dans l'air éclatant de lumière.

Bien plus tard dans la journée, ils descendirent des montagnes pelées pour atteindre un éperon rocheux couvert d'herbe et de rhododendrons nains. Will mourait d'envie de se reposer, et il se promit de s'arrêter bientôt.

L'ange parlait peu. De temps à autre, Balthamos disait : « Non, pas par là », ou bien : « Il y a un passage plus facile à gauche », et le garçon suivait ses conseils mais, en vérité, il continuait d'avancer uniquement pour avancer, et pour rester à bonne distance du groupe de nomades car, tant que le deuxième ange ne les avait pas rejoints pour leur apporter des nouvelles, ils auraient pu tout aussi bien rester où ils étaient.

Maintenant que le soleil commençait à décliner, Will avait l'impression qu'il distinguait mieux son étrange compagnon. Les contours de sa silhouette semblaient vibrer dans la lumière et, à l'intérieur de cette forme, l'air paraissait plus dense.

—Balthamos ? J'aimerais trouver un ruisseau. Y en a-t-il un, par ici ?

—Il y a une source au milieu de cette pente, répondit-il, juste au-dessus de ces arbres.

—Merci.

Will trouva sans peine la source, s'y abreuva et remplit sa gourde. Mais alors qu'il s'apprêtait à descendre vers le petit bois, Balthamos poussa une exclamation, et le garçon se retourna juste à temps pour voir la silhouette de l'ange dévaler la pente vers... vers quoi, au juste ? Il n'était visible que durant une fraction de seconde, et Will s'aperçut qu'il le voyait mieux quand il ne le regardait pas directement. Soudain, Balthamos sembla s'immobiliser et tendre l'oreille, avant de s'élancer dans les airs pour revenir à toute allure vers lui.

—Par ici ! dit-il d'une voix dépourvue de désapprobation et de sarcasme pour une fois. Baruch est passé par ici ! Il y a une fenêtre, presque invisible. Viens ! Allez, viens.

Will le suivit de bon cœur, oubliant sa lassitude. Cette fenêtre, constata-t-il quand ils s'en approchèrent, s'ouvrait sur un paysage sombre de toundra, plus plat que les montagnes du monde de Cittàgazze, et plus froid également, coiffé d'un ciel de plomb. Il franchit l'ouverture, suivi immédiatement par Balthamos.

—Quel est ce monde ? interrogea Will.

—C'est celui de la fillette. C'est par ici qu'ils sont passés. Baruch les a suivis. Ils font route vers le sud, très loin vers le sud.

—Comment le savez-vous ? Vous lisez dans ses pensées ?

—Évidemment que je lis dans ses pensées. Partout où il va, mon cœur l'accompagne. Nous ne faisons qu'un, bien que nous soyons deux.

Will regarda autour de lui. Il n'y avait aucun signe de vie dans ce paysage et l'air ambiant devenait de plus en plus froid à mesure que la lumière déclinait.

—Je n'ai pas envie de dormir ici, déclara-t-il. On va passer la nuit dans le monde de Ci'gazze et on reviendra demain matin. Au moins, il y a du bois là-bas, je pourrai faire du feu. Et maintenant que je sais à quoi ressemble son monde, je peux le retrouver avec l'aide du poignard... Au fait, Balthamos, pouvez-vous prendre d'autres formes ?

—Pourquoi ferais-je une chose pareille ?

—Dans ce monde, chaque être humain possède un dæmon, et si je m'y promène sans en avoir un, les gens vont se méfier. La première fois que j'ai vu Lyra, elle a eu peur de moi à cause de ça. Si on veut voyager dans son monde, vous devrez faire semblant d'être mon dæmon et prendre l'apparence d'un animal. Un oiseau, par exemple. Comme ça, vous pourrez voler.

—Oh, quel ennui.

—En êtes-vous capable, oui ou non ?

—Je *pourrais*...

—Alors, montrez-moi. Maintenant.

La silhouette de l'ange sembla se condenser et tourbillonner comme un petit vortex dans les airs, puis un merle vint se poser en douceur aux pieds de Will.

—Posez-vous sur mon épaule, dit-il.

L'oiseau s'exécuta et dit, avec la voix acerbe de l'ange :

—Je me transformerai uniquement si c'est nécessaire. Je trouve cela affreusement humiliant.

—Tant pis. Chaque fois que nous croiserons des gens dans ce monde, vous deviendrez un oiseau. Ça ne sert à rien de protester ou d'en faire tout un plat. Faites ce qu'on vous demande.

Le merle quitta son épaule et disparut dans le ciel, puis l'ange réapparut dans la pénombre, l'air boudeur. Avant qu'ils franchissent la fenêtre en sens inverse, Will regarda encore une fois autour de lui et renifla l'air pour s'imprégner du monde dans lequel Lyra était retenue prisonnière.

—Où est votre compagnon ? demanda-t-il.

—Il suit la femme vers le sud.

—Dans ce cas, nous suivrons cette direction, nous aussi. Demain matin.

Le lendemain, Will marcha pendant des heures sans voir personne. C'était une région de collines basses tapissées d'une herbe rase et, dès qu'il se trouvait sur le moindre monticule, il cherchait à percevoir autour de lui des traces d'habitations humaines, mais en vain. L'unique variation dans tout ce vide brunâtre et poussiéreux était une tache vert foncé au loin, vers laquelle il se dirigea, car Balthamos lui indiqua qu'il s'agissait d'une forêt, et qu'il y avait là-bas une rivière qui descendait vers le sud. Quand le soleil atteignit son zénith, Will essaya vainement de dormir à l'ombre des buissons et, à l'approche du soir, il avait mal aux pieds et il tombait de fatigue.

—On n'avance pas vite, commenta Balthamos d'un ton acerbe.

—Je n'y peux rien. Si vous n'avez rien d'utile à dire, taisez-vous.

Quand il atteignit l'orée de la forêt, le soleil était bas à l'horizon et l'air chargé de pollen, à tel point qu'il éternua plusieurs fois, effrayant un oiseau qui s'envola d'un fourré tout proche en poussant des cris aigus.

—C'est la première créature vivante que je vois aujourd'hui, fit remarquer Will.

—Où as-tu l'intention de camper ? demanda Balthamos.

L'ange apparaissait par moments dans les ombres étirées des arbres. Le peu que le garçon distinguait de son expression trahissait son irritation.

—Je vais devoir m'arrêter par ici. Vous pourriez m'aider à choisir un bon endroit. J'entends un ruisseau, essayez donc de le localiser.

L'ange disparut. Will continua d'avancer en traînant les pieds, parmi les racines de bruyère et de myrte, déplorant l'absence de chemin et regardant décliner la lumière avec appréhension. Il devait choisir rapidement un endroit pour s'arrêter, sinon l'obscurité ferait ce choix à sa place.

—À gauche, lui souffla Balthamos, tout près de lui. Il y a un ruisseau et un arbre mort pour faire du feu. Par ici...

Il se laissa guider par la voix de l'ange et en effet, il découvrit bientôt l'endroit en question. Un ruisseau coulait bruyamment entre des pierres recouvertes de mousse, pour disparaître ensuite dans un étroit goulet, presque noir à l'ombre des arbres qui le surplombaient. Au bord du ruisseau, une pente herbeuse s'élevait vers les buissons.

Avant de s'autoriser à se reposer, Will entreprit de ramasser du bois, et c'est ainsi qu'il découvrit un cercle de pierres calcinées, dans l'herbe, là où quelqu'un avait fait du feu, il y a bien longtemps. Il rassembla une brassée de branches et, à l'aide de son poignard, les tailla à la bonne longueur, avant d'essayer de les enflammer. Il ignorait comment s'y prendre et il gâcha plusieurs allumettes avant de réussir à allumer un feu.

L'ange l'observait avec un mélange de patience et de lassitude.

Quand le feu eut pris, Will mangea deux biscuits aux céréales, un morceau de viande séchée et un peu de chocolat à la menthe. Il fit passer le tout avec quelques gorgées d'eau fraîche. Balthamos était assis à ses côtés, silencieux et, au bout d'un moment, Will demanda :

—Vous allez me regarder comme ça pendant longtemps ? Je ne vais pas m'enfuir.

—J'attends Baruch. Il va bientôt revenir. Alors je ne ferai plus attention à toi, si ça te fait plaisir.

—Voulez-vous manger quelque chose ?

Balthamos se rapprocha légèrement ; il paraissait tenté.

—Je ne sais même pas si vous avez besoin de manger, ajouta-t-il, mais si vous voulez quelque chose, n'hésitez pas.

—Qu'est-ce donc que ça ?... demanda l'ange, circonspect, en désignant la tablette de chocolat à la menthe.

—Du sucre, essentiellement, je suppose. Et de la menthe. Tenez.

Il brisa un carré de chocolat et le tendit à Balthamos. Celui-ci pencha la tête sur le côté et renifla. Finalement, il le prit ; Will sentit le contact léger et frais de ses doigts dans sa paume.

—Voilà qui va me nourrir, dit l'ange. Un carré suffira, je te remercie.

Pendant qu'il grignotait lentement le morceau de chocolat, le garçon s'aperçut qu'en regardant le feu, tout en gardant l'ange dans l'angle de son champ de vision, il le voyait beaucoup mieux.

—Où est Baruch ? demanda-t-il. Peut-il communiquer avec vous ?

—Je sens qu'il est proche. Il sera bientôt là. Quand il reviendra, nous parlerons. C'est ce qu'il y a de mieux.

Une dizaine de minutes plus tard, un bruit de battements d'ailes vint caresser leurs oreilles, et Balthamos se leva prestement. Quelques secondes plus tard, les deux anges s'étreignaient, et Will, en plongeant son regard dans les flammes, put assister à ces démonstrations d'affection mutuelle. C'était même plus que de l'affection : les deux anges s'aimaient d'un amour passionné.

Finalement, Baruch s'assit à côté de son compagnon, pendant que Will attisait le feu, faisant s'élever un nuage de fumée qui passa devant les deux anges et souligna brièvement les contours de leurs corps. Il eut ainsi l'occasion, pour la première fois, de les voir presque clairement. Balthamos était mince, ses ailes étroites étaient repliées de manière élégante entre ses épaules et son visage affichait une expression où le mépris hautain le disputait à une profonde et tendre compassion, comme s'il était disposé à aimer toutes les choses, si seulement sa nature lui permettait d'oublier leurs défauts. Mais il ne voyait aucun défaut chez Baruch, c'était l'évidence même. Baruch paraissait plus jeune, comme l'avait indiqué Balthamos, et plus robuste ; ses ailes d'une blancheur immaculée étaient imposantes. Il possédait également une nature plus simple et regardait Balthamos comme s'il se trouvait devant la source de la connaissance et de la joie absolues. Will était à la fois intrigué et ému par l'amour qui unissait ces deux êtres.

—Alors, savez-vous où est Lyra ? demanda-t-il avec impatience.

—Oui, répondit Baruch. Dans une vallée de l'Himalaya, très haut, près d'un glacier dont le reflet transforme la lumière du soleil en arcs-en-ciel. Je vais te dessiner une carte dans la terre pour que tu reconnaisses ce lieu. La fille est retenue prisonnière dans une grotte dissimulée au milieu des arbres, avec une femme qui la maintient endormie.

—Endormie ? Cette femme est-elle seule ? Il n'y a pas de soldats avec elle ?

—Elle est seule, oui. Et elle se cache.

—Lyra n'est pas blessée ?

—Non. Seulement endormie. Et elle rêve. Je vais te montrer où elles sont.

De son doigt pâle, Baruch traça une carte dans la terre nue près du feu. Will prit son carnet pour la recopier de manière exacte. Le dessin représentait un glacier au cours sinueux, coulant entre trois sommets quasiment identiques.

—Rapprochons-nous maintenant, dit l'ange. La vallée où se trouve la grotte descend sur la gauche du glacier ; elle est traversée par un torrent de neige fondue. L'entrée de la vallée est ici...

Il traça une autre carte, que Will copia également ; puis une troisième, en se rapprochant chaque fois de la grotte, pour que Will puisse l'atteindre sans difficulté... à condition de parcourir les sept ou huit mille kilomètres qui le séparaient de ces montagnes. Le poignard était utile pour ouvrir des passages entre les mondes, mais il n'abolissait pas les distances.

—Il y a une sorte d'autel près du glacier, ajouta Baruch, orné de drapeaux de soie rouge effilochés par les vents. Une jeune fille apporte à manger aux deux réfugiées. Les gens du village pensent que la femme est une sainte qui les bénira s'ils subviennent à ses besoins.

—Sans blague ? dit Will. Et elle se *cache*... C'est ça que je ne comprends pas. Elle veut échapper à l'Église ?

—On dirait.

Il rangea soigneusement les cartes qu'il avait recopiées. Après avoir déposé le gobelet en fer-blanc près du feu pour faire chauffer de l'eau, il y versa un peu de café en poudre, qu'il remua avec une brindille, puis enveloppa sa main d'un mouchoir avant de prendre le gobelet pour boire.

Une branche enflammée tomba dans le feu ; un oiseau de nuit poussa un cri.

Soudain, sans aucune raison apparente (autant que Will pouvait en juger), les deux anges tournèrent la tête dans la même direction. Il suivit leurs regards, sans rien voir. Un jour, il avait vu son chat réagir ainsi : l'animal assoupi s'était redressé tout à coup et avait regardé une chose, ou une personne invisible entrer dans la pièce et la traverser. Will avait senti ses cheveux se dresser sur sa nuque, comme maintenant.

—Éteins le feu, murmura Balthamos.

Avec sa main valide, Will ramassa un peu de terre qu'il jeta sur les flammes pour les étouffer. Le froid l'assaillit immédiatement, en pénétrant jusqu'aux os, et il fut pris de frissons. Il s'emmitoufla dans son manteau et leva de nouveau la tête.

Il y avait quelque chose à voir, cette fois : une forme scintillait au-dessus des nuages, et ce n'était pas la lune.

Il entendit Baruch murmurer :

—Le Chariot ? Ce pourrait être lui ?

—Que se passe-t-il ? demanda le garçon à voix basse.

L'ange se pencha vers lui et murmura :

—Ils savent que nous sommes là. Ils nous ont retrouvés. Prends ton poignard, Will, et...

Avant qu'il puisse achever sa phrase, quelque chose jaillit de l'obscurité du ciel et vint percuter Balthamos de plein fouet. En une fraction de seconde, Baruch avait bondi sur la chose, et Balthamos se débattait pour tenter de libérer ses ailes. Les trois créatures luttaient furieusement dans la pénombre, telles d'énormes abeilles prisonnières d'une toile d'araignée gigantesque, sans faire le moindre bruit. Will n'entendait que les craquements des branches et les feuilles qui bruissaient.

Il ne pouvait pas se servir de son poignard : les trois combattants se déplaçaient trop rapidement. Alors, il sortit la lampe électrique de son sac à dos et l'alluma.

Ils ne s'attendaient pas à cela. L'agresseur déploya ses ailes, Balthamos mit son bras devant ses yeux ; seul Baruch eut la présence d'esprit de poursuivre le combat. Will découvrait maintenant le visage de l'ennemi : c'était également un ange, mais bien plus grand et plus fort que les deux autres. Baruch plaquait sa main sur la bouche de l'agresseur.

— Will ! cria Balthamos. Le poignard... Ouvre une fenêtre, vite !...

Au même moment, l'agresseur parvint à se libérer de l'étau des mains de Baruch, et il hurla :

— *Lord Régent ! Je les tiens !*

Jamais Will n'avait entendu pareil cri. Une seconde plus tard, l'ange aurait bondi dans les airs, mais le garçon lâcha sa lampe et s'élança. Certes, il avait tué un monstre des falaises, mais se servir de son poignard contre une créature qui lui ressemblait, c'était beaucoup plus difficile. Malgré tout, il serra entre ses bras les grandes ailes et les larda de coups de poignard, jusqu'à ce que l'air soit envahi de flocons blancs tourbillonnants, et au milieu de ce déferlement de sensations violentes, il se souvint des paroles de Balthamos : « Vous êtes faits de chair, pas nous. » Les êtres humains étaient plus forts que les anges, effectivement : il était sur le point de terrasser l'agresseur.

Mais celui-ci continuait à hurler, de sa voix stridente qui perçait les tympans :

— *Seigneur ! À moi, à moi !*

Will parvint à lever les yeux vers le ciel et vit les nuages s'agiter, tourbillonner, et une lueur immense qui semblait de plus en plus intense, comme si les nuages eux-mêmes étaient illuminés par une énergie intérieure, semblable à du plasma.

Balthamos s'écria :

— Will ! Cours ouvrir un passage ! Avant qu'il n'arrive...

Mais l'ange se débattait ; il avait réussi à libérer une de ses ailes et essayait de se relever. Baruch vola au secours de Will, obligeant l'agresseur à renverser la tête en arrière.

— Non ! hurla Balthamos. Non ! Non !

Il se jeta sur Will, lui secoua le bras, l'épaule, les mains, pendant que leur adversaire essayait de pousser un nouveau cri, mais Baruch avait réussi à plaquer sa main sur sa bouche. Au-dessus de leurs têtes résonna un grondement terrible, semblable à une puissante dynamo, presque inaudible tant il était sourd, et qui pourtant ébranla tous les atomes de l'air et transperça les os de Will.

— Il arrive..., dit Balthamos d'une voix blanche, et cette fois, le garçon sentit la peur qui l'habitait. Je t'en supplie, Will...

Il leva la tête.

Les nuages s'ouvraient et une silhouette dévalait le gouffre sombre ainsi dévoilé ; petite tout d'abord, elle devenait de plus en plus imposante à mesure qu'elle se rapprochait. La créature fonçait droit sur eux, visiblement animée de mauvaises intentions. Will était certain d'apercevoir ses yeux.

— Will, réagis ! lança Baruch d'un ton pressant.

Will se redressa, en s'apprêtant à dire : « Tenez-le bien » mais, alors même que ces mots lui venaient à l'esprit, l'ange s'écroula et sembla littéralement se dissoudre comme une nappe de brouillard. Will regarda autour de lui d'un air hébété ; il se sentait à la fois ridicule et écœuré.

— L'ai-je tué ? demanda-t-il d'une voix tremblante.

— Tu n'avais pas le choix, dit Baruch. Mais maintenant...

— Tout ça me dégoûte ! s'exclama Will avec fougue. Vraiment, je ne supporte plus cette tuerie ! Quand cela s'arrêtera-t-il ?

— Ne restons pas là, dit Balthamos d'une petite voix. Vite, Will... Vite, je t'en supplie...

Les deux anges étaient morts de peur.

Will sonda l'air avec la pointe de son poignard. N'importe quel monde, plutôt que celui-ci. D'un geste habile, il entailla le vide et leva la tête : l'autre ange descendu du ciel serait là dans quelques secondes, et son expression était terrifiante. Malgré la distance, durant ces quelques instants de panique, Will se sentit sondé et entièrement vidé par une forme d'intelligence infinie, brutale et sans pitié.

De plus, l'ange était armé d'une lance, et voilà qu'il la brandissait pour la lancer vers...

Durant les quelques secondes qu'il lui fallut pour contrôler sa descente, se redresser et armer son bras afin de décocher le trait, Will suivit Baruch et Balthamos dans l'autre monde et s'empressa de refermer la fenêtre derrière lui. Alors que ses doigts comprimaient le dernier centimètre de vide, un grand choc ébranla l'atmosphère. Mais il ne craignait plus rien, il était à l'abri : c'était la lance qui l'aurait transpercé s'il était resté un instant de plus dans cet autre monde.

Ils se retrouvèrent sur une plage de sable, sous une lune éclatante. Des arbres semblables à des fougères géantes poussaient à l'intérieur des terres, un peu plus loin et des dunes basses s'étendaient sur des kilomètres le long du rivage. Le climat était chaud et humide.

— Qui était-ce ? demanda Will, tremblant, face aux deux anges.

— C'était Métatron, dit Balthamos. Tu aurais dû...

— Métatron ? Qui est-ce ? Pourquoi nous a-t-il attaqués ? Ne me mentez pas.

— Nous devons lui dire, déclara Baruch en se tournant vers son compagnon. Tu aurais déjà dû le faire.

—Oui, c'est exact, concéda Balthamos, mais j'étais en colère contre lui et inquiet pour toi.

—Dites-moi tout maintenant, exigea Will. Et souvenez-vous : cela ne sert à rien de me dire ce que je dois faire, cela ne m'intéresse pas. Je m'en moque. Il n'y a que Lyra qui m'intéresse, et ma mère. C'est *ça,* ajouta-t-il à l'attention de Balthamos, le but de toutes ces spéculations métaphysiques, comme vous dites.

Baruch intervint :

—Je pense que nous devons te confier ce que nous savons, Will. C'est pour cela que nous t'avons cherché, et c'est pour cela que nous devons te conduire auprès de Lord Asriel. Nous avons découvert un secret du Royaume — le monde de l'Autorité — et nous devons le partager avec lui. Sommes-nous en sécurité ici ? demanda-t-il en regardant autour de lui. Il n'y a pas d'autre passage ?

—C'est un monde différent. Dans un univers différent.

Le sable sur lequel ils se trouvaient était doux et la pente de la dune voisine accueillante. Grâce au clair de lune, ils voyaient à des kilomètres : ils étaient totalement seuls.

—Dites-moi tout, alors, demanda Will. Parlez-moi de Métatron, et dites-moi quel est ce secret. Pourquoi cet ange l'a-t-il appelé Régent ? Quelle est cette Autorité dont vous parlez ? Dieu ?

Il s'assit sur le sable, et les deux anges, dont les silhouettes semblaient plus nettes que jamais au clair de lune, l'imitèrent.

Ce fut Balthamos qui parla le premier :

—L'Autorité, Dieu, le Créateur, le Seigneur, Yahvé, El, Adonaï, le Roi, le Père, le Tout-Puissant... tels sont les noms qu'il s'est donnés. Mais il n'a jamais été le créateur. C'était un ange, comme nous ; le premier ange, certes, le plus puissant, mais formé de Poussière comme nous, et le terme Poussière n'est qu'un mot pour désigner ce qui se produit quand la matière commence à comprendre ce qu'elle est. La matière aime la matière. Elle cherche à en savoir plus sur elle-même, et c'est ainsi que la Poussière se forme. Les premiers anges sont nés d'un condensé de Poussière, et l'Autorité fut le premier de tous. À ceux qui sont venus ensuite, il a dit qu'il les avait créés, mais c'était un mensonge. Parmi eux se trouvait une créature plus intelligente que lui et elle a compris la vérité, alors il l'a bannie. Nous continuons à la servir. Et l'Autorité continue à régner sur le Royaume. Métatron est son Régent.

—Mais au sujet de ce que nous avons découvert à l'intérieur de la Montagne Nébuleuse, nous ne pouvons pas tout te dire. Nous nous sommes juré l'un à l'autre que le premier à être mis au courant serait Lord Asriel.

—Dites-moi tout ce que vous pouvez. Ne me laissez pas dans l'ignorance.

—Nous avons réussi à pénétrer dans la Montagne Nébuleuse, expliqua Baruch, et il ajouta aussitôt : pardonne-nous, nous utilisons ces termes un peu trop facilement. On l'appelle parfois le Chariot également. Ce n'est pas un endroit fixe, vois-tu ; il se déplace d'un point à un autre. Où qu'il aille, c'est là que se trouve le cœur du Royaume, sa citadelle, son palais. Dans sa jeunesse, l'Autorité n'était pas entourée de nuages mais, avec le temps, ils se sont accumulés tout autour, de plus en plus épais. Nul n'a vu le sommet depuis des milliers d'années. Voilà pourquoi on a surnommé sa citadelle la Montagne Nébuleuse.

—Et qu'avez-vous découvert là-bas ?

—L'Autorité elle-même réside dans une pièce située au cœur de la montagne. Nous n'avons pas pu nous en approcher, mais nous l'avons vue. Son pouvoir...

—Il a délégué une grande partie de son pouvoir à Métatron, déclara Balthamos, comme je le disais. Tu as vu à quoi il ressemble. Nous lui avons déjà échappé une fois, et il nous a revus aujourd'hui. Mais surtout, il t'a vu toi aussi, et il a vu le poignard. Je pense que...

—Allons, Balthamos, dit Baruch sans élever le ton, ne gronde pas Will. On a besoin de son aide, et on ne peut pas lui reprocher d'ignorer ce que *nous* avons mis si longtemps à découvrir.

Balthamos détourna le regard.

—Si je comprends bien, demanda Will, vous ne voulez pas me dire quel est ce secret ? Très bien. Répondez à cette question, alors : que se passe-t-il quand on meurt ?

Balthamos se retourna vers lui, surpris.

Baruch dit :

—Il existe un monde pour les morts. Où il se trouve et ce qui s'y passe, personne ne le sait. Grâce à Balthamos, mon fantôme n'y est jamais allé. Je suis ce qui était autrefois le fantôme de Baruch. Le monde des morts est un mystère pour nous.

—C'est un camp de prisonniers, dit Balthamos. L'Autorité l'a installé au tout début. Mais pourquoi veux-tu en savoir plus ? Tu le découvriras le moment venu.

—Mon père vient d'y aller, voilà pourquoi. Il m'aurait raconté tout ce qu'il savait, si on ne l'avait pas tué. Vous dites que c'est un monde... Vous voulez parler d'un monde comme celui-ci, un autre univers ?

Balthamos se tourna vers son compagnon, qui haussa les épaules.

—Et que se passe-t-il dans ce monde des morts ? demanda Will.

—Impossible à dire, répondit Baruch. Tout ce qui le concerne est secret. Les Églises elles-mêmes ne savent pas. Elles racontent à leurs fidèles qu'ils vivront éternellement au paradis, mais c'est un mensonge. Si les gens savaient réellement...

—C'est là que se trouve maintenant le fantôme de mon père ?

—Sans aucun doute, comme ces millions et millions de personnes qui sont mortes avant lui.

—Pourquoi n'êtes-vous pas allés voir directement Lord Asriel avec votre secret, quel qu'il soit ? Au lieu d'essayer de me retrouver ?

—Nous n'étions pas sûrs qu'il nous croirait, dit Balthamos, à moins qu'on ne lui apporte la preuve de nos bonnes intentions. Deux misérables anges sans grade, au milieu de toutes les forces qu'il côtoie ! Pourquoi nous prendrait-il au sérieux ? Par contre, si nous pouvions lui apporter le poignard, et celui qui le possède, il nous écouterait certainement. Le poignard est une arme puissante, et Lord Asriel serait ravi de t'avoir à ses côtés.

—Je regrette, dit Will, mais ça me paraît un peu faible comme explication. Si vous aviez vraiment confiance dans votre secret, vous n'auriez pas besoin d'une excuse pour voir Lord Asriel.

—Il y a une autre raison, avoua Baruch. Nous savions que Métatron nous pourchasserait, et nous voulions nous assurer que le poignard ne tomberait pas entre ses mains. Si nous pouvions te convaincre de rencontrer d'abord Lord Asriel, ensuite tu...

—Oh, non, pas question, déclara Will. Au lieu de m'aider à retrouver Lyra, vous me compliquez la tâche. Elle compte plus que tout pour moi, et vous la négligez complètement. Eh bien, pas moi. Allez donc voir Lord Asriel et fichez-moi la paix. Obligez-le à vous écouter. Vous pouvez arriver jusqu'à lui bien plus vite que moi, en volant. Et je veux d'abord retrouver Lyra, quoi qu'il advienne. Faites ce que je vous dis. Partez. Laissez-moi.

—Mais tu as besoin de moi, dit Balthamos avec froideur, car je peux faire semblant d'être ton dæmon et, sans moi, tu te feras remarquer dans le monde de Lyra.

La colère empêchait Will de répondre. Il se leva et s'éloigna d'une vingtaine de pas sur le sable doux et profond, puis s'arrêta, assommé par la chaleur et l'humidité.

Quand il se retourna, il vit les deux anges qui se parlaient à l'oreille. Finalement, ils le rejoignirent, humbles et maladroits, mais fiers malgré tout.

Baruch dit :

—Nous sommes désolés. Je vais me rendre auprès de Lord Asriel, seul, pour lui transmettre notre secret, et je lui demanderai d'envoyer des renforts pour t'aider à retrouver sa fille. J'en ai pour deux jours de vol, si je voyage sans me ménager.

—Et moi, je resterai auprès de toi, déclara Balthamos.

—Très bien. Merci, dit Will.

Les deux anges s'étreignirent. Puis Baruch enlaça Will et l'embrassa sur les joues. Son baiser était léger et frais, comme les mains de Balthamos.

—Si on continue à marcher en direction de Lyra, dit Will, est-ce que vous nous retrouverez ?

—Jamais je ne perdrai Balthamos, répondit-il en reculant d'un pas.

Puis il décolla du sol, s'éleva à toute vitesse dans le ciel et s'évanouit au milieu des étoiles éparpillées. Balthamos le regarda disparaître avec tristesse et envie.

—Va-t-on dormir ici, ou est-il préférable de continuer ? demanda-t-il en se tournant vers Will.

—Nous allons dormir ici.

—Dors, dans ce cas, pendant que je monte la garde. J'ai été brutal avec toi, Will, j'ai eu tort. Tu portes un très lourd fardeau, et je devrais t'aider au lieu de te morigéner. Désormais, j'essaierai d'être plus charitable.

Will s'allongea sur le sable chaud, en sachant que, quelque part, tout près de là, l'ange montait la garde. Mais cette pensée était un maigre réconfort.

nous ferai sortir d'ici, Roger, je te le promets. Will va arriver, j'en suis sûre.

Il ne comprenait pas. Il écarta ses mains blanches et secoua la tête.

—Je sais pas qui c'est, et il viendra jamais jusqu'ici, dit-il. Et même s'il vient, il saura pas qui je suis.

—Il viendra pour moi, dit-elle. Et Will et moi... je ne sais pas comment, Roger, mais je te jure qu'on t'aidera. Et n'oublie pas tous ceux qui sont de notre côté. Il y a Serafina, il y a Iorek et

Chapitre 3
Les charognards

Les os du chevalier sont retournés
à la poussière, et sa brave épée rouille ;
son âme est avec les saints, j'en suis sûr.
S. T. Coleridge

 Serafina Pekkala, la reine des sorcières du lac Enara, pleurait en traversant les cieux tourmentés de l'Arctique. Elle pleurait de rage, de peur et de remords : de rage envers cette femme Coulter qu'elle s'était juré de tuer ; de peur en voyant ce qui arrivait à sa terre adorée, et de remords... Elle affronterait les remords plus tard.

En attendant, elle regardait fondre la calotte glaciaire, elle regardait les forêts submergées, la mer en crue, et son cœur se brisait.

Mais elle ne s'arrêta pas pour visiter sa terre natale, ni même pour réconforter et encourager ses sœurs. Au lieu de cela, elle continua à voler vers le nord, toujours plus loin, au milieu du brouillard et des bourrasques qui enveloppaient Svalbard, le royaume de Iorek Byrnison, l'ours en armure.

Elle avait du mal à reconnaître l'île principale. Les montagnes étaient nues et noires ; seules quelques vallées protégées du soleil avaient conservé un peu de neige dans leurs plis ombragés. Mais que venait donc faire le soleil dans cette région, à cette époque de l'année ? Toute la nature était chamboulée.

Il fallut presque toute une journée à Serafina Pekkala pour trouver l'ours-roi. Elle le découvrit enfin au milieu des rochers, au nord de l'île, en train de poursuivre un morse à la nage. Les ours avaient plus de mal à chasser dans l'eau : quand la terre était recouverte de glace et que les gros mammifères marins étaient obligés de remonter à la surface pour respirer, les ours avaient l'avantage du camouflage et leurs proies se trouvaient hors de leur élément. C'était l'ordre naturel des choses.

Mais Iorek Byrnison avait faim, et même les défenses pointues des puissants morses ne pouvaient le décourager. Serafina regardait les deux créatures livrer un combat sans merci et rougir l'écume blanche de la mer. Finalement, Iorek sortit de l'eau la carcasse de son adversaire et la lança sur une large avancée rocheuse, sous le regard de trois renards au pelage miteux, qui observaient la scène à distance respectueuse et attendaient leur tour pour profiter du festin.

Quand l'ours-roi eut fini de manger, Serafina descendit pour lui parler. Le moment était venu pour elle d'affronter ses remords.

— Roi Iorek Byrnison, dit-elle, puis-je te parler ? Je dépose mes armes à tes pieds.

Joignant le geste à la parole, elle posa son arc et ses flèches sur le rocher mouillé entre eux. Iorek les regarda brièvement et Serafina se dit que si le visage de l'ours avait pu trahir une émotion, elle y aurait vu de la surprise.

— Parle, Serafina Pekkala, grogna-t-il. Nous ne nous sommes jamais affrontés, il me semble ?

— Roi Iorek, j'ai abandonné ton camarade Lee Scoresby.

Les petits yeux noirs de l'ours et son museau ensanglanté étaient immobiles. La sorcière voyait le vent agiter l'extrémité de ses poils beiges sur son dos. Il ne dit rien.

— M. Scoresby est mort, ajouta-t-elle. Avant de le quitter, je lui avais remis une fleur pour qu'il puisse faire appel à moi en cas de besoin. J'ai entendu son appel et j'ai volé jusqu'à lui, malheureusement je suis arrivée trop tard. Il est mort en combattant une horde de Moscovites, mais j'ignore ce qui les avait attirés là-bas, ni pourquoi il a tenté de les maintenir en respect, alors qu'il aurait pu aisément s'enfuir. Roi Iorek, je suis accablée de remords.

— Où cela s'est-il produit ?

— Dans un autre monde. C'est une très longue histoire.

— Dans ce cas, parle sans tarder.

Serafina Pekkala lui fit part du projet de Lee Scoresby : retrouver l'homme connu sous le nom de Stanislaus Grumman. Elle lui raconta ensuite comment Lord Asriel avait abattu la barrière entre les mondes, et elle évoqua les conséquences de ce geste : la fonte des glaces, par exemple. Elle lui raconta comment la sorcière Ruta Skadi avait suivi les anges, et elle essaya de décrire à l'ours-roi ces êtres volants, comme Ruta les lui avait décrits : la lumière qui les éclairait, la clarté cristalline de leur aspect, la profondeur de leur sagesse.

Pour finir, elle lui décrivit ce qu'elle avait découvert en répondant à l'appel de Lee Scoresby.

—J'ai enveloppé son corps d'un sortilège pour le préserver du pourrissement, précisa-t-elle. Il durera jusqu'à ce que tu voies sa dépouille, si tu le souhaites. Mais cette mort me préoccupe, roi Iorek. Toutes ces choses me préoccupent, mais surtout cela.

—Où est l'enfant?

—Je l'ai confiée à mes sœurs, car je devais répondre à l'appel de Lee.

—Dans ce même monde?

—Oui.

—Comment puis-je m'y rendre?

Elle le lui expliqua. Iorek Byrnison l'écouta d'un air impassible, puis il déclara:

—J'irai voir Lee Scoresby. Ensuite, je me rendrai dans le Sud.

—Dans le Sud?

—La glace a abandonné cette région. J'ai longuement réfléchi, Serafina Pekkala. J'ai affrété un bateau.

Les trois petits renards attendaient patiemment. Deux d'entre eux étaient allongés, la tête posée sur leurs pattes, et ils guettaient; le troisième, toujours assis, suivait la conversation. En charognards qu'ils étaient, les renards de l'Arctique avaient assimilé des bribes de langage, mais leur cerveau était constitué de telle façon qu'ils comprenaient uniquement les phrases formulées au présent. Par conséquent, la majeure partie de ce que racontaient Iorek et Serafina n'était pour eux que des sons sans signification. En outre, quand ils parlaient, ils ne disaient généralement que des mensonges, et peu importe s'ils répétaient ce qu'ils avaient entendu: nul ne pouvait deviner ce qui était vrai ou non, même si les monstres des falaises, très crédules, gobaient tout ce qu'on leur racontait sans jamais tirer les leçons de leurs déconvenues. Les sorcières et les ours étaient habitués à voir les renards se nourrir de leurs conversations, comme ils le faisaient avec les vestiges de leurs repas.

—Et toi, Serafina Pekkala, demanda Iorek, que vas-tu faire maintenant?

—Je vais partir à la recherche des gitans, dit-elle. Je crois qu'on va avoir besoin d'eux.

—Lord Faa, dit l'ours. Ce sont de grands guerriers. Bon voyage.

Sur ce, il se détourna, se glissa dans l'eau sans une éclaboussure et se mit à nager, à sa manière régulière et inépuisable, en direction du nouveau monde.

Quelque temps plus tard, Iorek Byrnison traversa les fourrés noircis et les rochers fendus par la chaleur à la lisière d'une forêt calcinée. Le soleil brillait à travers le brouillard et la fumée, mais l'ours-roi ignorait la canicule, comme il ignorait la poussière de charbon de bois qui salissait sa fourrure blanche et les moustiques qui cherchaient vainement un morceau de peau à piquer.

Il avait parcouru un long chemin et, au cours de son périple, il avait senti à un moment donné qu'il s'enfonçait dans cet autre monde. Il perçut le changement dans le goût de l'eau et la température, mais l'air restait respirable et l'eau continuait à porter sa lourde carcasse, alors il nagea sans s'arrêter et, après avoir laissé la mer derrière lui, il avait presque atteint à présent l'endroit que lui avait décrit Serafina Pekkala. Il regarda autour de lui et ses yeux noirs s'attardèrent sur une paroi de roche calcaire escarpée qui scintillait sous le soleil, au-dessus de sa tête.

Entre la lisière de la forêt calcinée et les montagnes, une pente rocailleuse faite d'éboulis et de pierraille était jonchée de débris de métal tordu et brûlé : des poutrelles et des traverses provenant de quelque machine complexe. Iorek Byrnison les examina avec l'œil exercé du forgeron et du guerrier, mais il n'y avait rien de récupérable parmi ces débris. De sa griffe puissante, il creusa un sillon dans une traverse qui paraissait moins abîmée que les autres et sentit le manque de résistance du métal. Il s'en désintéressa aussitôt et se remit à scruter la paroi de la montagne.

C'est alors qu'il découvrit ce qu'il cherchait : un ravin étroit qui s'enfonçait entre les parois déchiquetées, et dont l'entrée était condamnée par un gros rocher.

Il s'en approcha d'un pas décidé. Sous ses pattes énormes, des os se brisaient avec des craquements secs dans le silence, car un grand nombre d'hommes étaient morts ici, et leurs corps avaient été nettoyés par les coyotes, les vautours et d'autres créatures plus petites. Ignorant ces craquements sinistres, le grand ours continuait d'avancer, prudemment, vers le rocher. Mais le sol était instable et il était très lourd ; plus d'une fois la pierraille le trahit et le força à redescendre, dans un éboulis de poussière et de graviers. Mais, chaque fois, l'ours repartait à l'assaut de la pente, inlassablement, patiemment, jusqu'à ce qu'il atteigne le rocher, où le sol était plus ferme.

Les pierres étaient criblées d'impacts de balles. Tout ce que lui avait raconté la sorcière était vrai. En guise de confirmation, une petite fleur de l'Arctique, une saxifrage mauve, poussait de manière improbable à l'endroit où la sorcière l'avait plantée, comme un signal, dans une fissure du rocher.

Iorek Byrnison le contourna. Ce rocher offrait un bon bouclier contre des ennemis placés en contrebas, mais ce n'était pas suffisant car, parmi la grêle de balles qui avait arraché des éclats de pierre, certaines avaient réussi à atteindre leur cible et elles étaient demeurées là : dans le corps de l'homme qui gisait dans l'ombre, raide.

Mais c'était toujours un corps, pas un squelette, grâce au sort jeté par la sorcière qui l'avait protégé de la décomposition. Iorek découvrit ainsi le visage intact de son vieux camarade, crispé par la douleur de ses blessures, et il voyait distinctement les trous irréguliers dans ses vêtements, là où les balles étaient entrées. Le sort protecteur jeté par la sorcière ne s'appliquait pas au sang qui avait dû couler en abondance, mais les insectes, le soleil et le vent en avaient effacé toute trace. Pour autant, Lee Scoresby ne paraissait pas endormi, ni en paix : il ressemblait à quelqu'un qui est mort au combat et qui sait que cette bataille a été une victoire.

Et parce que l'aéronaute texan était un des rares êtres humains que Iorek estimait, il accepta le dernier cadeau que lui faisait cet homme. Avec ses griffes habiles, il déchira les vêtements du mort, éventra le corps d'un seul coup de patte et commença à se régaler de la chair et du sang de son vieil ami. C'était son premier repas depuis plusieurs jours et il avait faim.

Mais une toile de pensées complexes se tissait dans l'esprit de l'ours-roi, qui allaient bien au-delà de la faim et du contentement. Il songeait à la petite Lyra, qu'il avait surnommée Parle-d'Or, et qu'il avait vue pour la dernière fois alors qu'elle traversait un pont de neige fragile au-dessus d'une crevasse, sur son île de Svalbard. Il pensait également à toute cette agitation parmi les sorcières, les rumeurs de pactes, d'alliances et de guerre. Et puis, bien entendu, la chose la plus étrange de toutes : l'existence de ce nouveau monde, et les affirmations de la sorcière selon lesquelles existaient bien d'autres mondes semblables, dont le sort commun était lié, d'une certaine façon, au destin de cette fillette.

Pour finir, Iorek pensait à la fonte des glaces. Son peuple et lui vivaient sur la glace ; la glace était leur maison, leur citadelle. Depuis les importantes perturbations survenues dans l'Arctique, elle avait commencé à disparaître, et Iorek savait qu'il devait découvrir un autre repaire pour ses semblables, faute de quoi ils périraient. Lee lui avait dit qu'il existait au sud des montagnes si hautes que même son ballon ne pouvait les survoler, et qu'elles étaient couronnées de neige et de glace d'un bout de l'année à l'autre. Sa prochaine tâche consisterait à explorer ces montagnes.

Mais, dans l'immédiat, une chose plus simple occupait tout son cœur, une chose éclatante, dure et inébranlable : la vengeance. Lee Scoresby, qui avait sauvé Iorek du danger avec son ballon et combattu à ses côtés dans l'Arctique, était mort. Iorek le vengerait. La chair et les os du brave homme le nourriraient et lui insuffleraient force et courage jusqu'à ce qu'il y ait suffisamment de sang versé pour apaiser son cœur.

Le soleil se couchait lorsque l'ours-roi eut achevé son repas et l'air fraîchissait. Après avoir rassemblé en un petit tas les restes de Lee Scoresby,

Iorek ôta la fleur de sa bouche et la déposa au centre du monticule, comme le faisaient les humains. Le sort était brisé maintenant et les restes du corps de Scoresby appartenaient à tous ceux qui s'en approcheraient. Bientôt, il nourrirait une dizaine de formes de vie différentes.

Sur ce, Iorek redescendit la pente rocailleuse, vers la mer, vers le sud.

Les monstres des falaises raffolaient des renards, chaque fois qu'ils réussissaient à en attraper. Ces petites créatures étaient rusées et vives, mais leur chair était tendre et fétide.

Avant de tuer celui-ci, le monstre des falaises le laissa parler et se moqua de son bavardage idiot.

— Ours doit aller au sud ! Je jure ! Sorcière préoccupée ! Vrai ! Je jure ! Promis !

— Les ours ne vont pas vers le sud, saleté de menteur.

— Vrai ! ours-roi doit aller au sud ! Je te montre morse... bonne chair grasse...

— L'ours-roi va vers le sud ?

— Et créatures volantes ont un trésor ! Créatures volantes... anges... trésor de cristal !

— Des créatures volantes... comme des monstres des falaises ? Un trésor ?

— Comme la lumière, pas comme monstre des falaises. Riche ! Cristal ! Et sorcière préoccupée... sorcière désolée... Scoresby mort...

— Mort ? L'homme au ballon est mort ?

Le rire du monstre des falaises résonna contre les parois arides.

— Sorcière le tue... Scoresby mort, ours-roi va vers le sud...

— Scoresby est mort ! Ha ! ha ! Scoresby est mort !

Le monstre des falaises arracha la tête du renard et se battit avec ses frères pour dévorer les entrailles.

ils viendront, ils viendront !

—Mais toi, où es-tu, Lyra ?

Elle ne pouvait pas répondre à cette question.

—Je crois que je rêve, Roger.

Ce fut tout ce qu'elle trouva à dire.

Derrière le petit garçon, elle apercevait d'autres fantômes, des dizaines, des centaines, leurs têtes collées les unes contre les autres, ils regardaient fixement et écoutaient chaque parole.

—Et cette femme ? demanda Roger. J'espère qu'elle est pas morte. J'espère qu'elle va rester en vie le plus longtemps possible. Parce que si elle vient ici, y aura plus d'endroit pour se cacher, et on lui appartiendra pour toujours. C'est le seul intérêt que je vois d'être mort, c'est qu'elle l'est pas. Mais je sais bien qu'elle mourra un jour...

Lyra était paniquée.

—Je crois que je suis en train de rêver, et je ne sais pas où elle est ! dit-elle. Elle est tout près et je ne peux pas

Chapitre 4

Ama et les chauves-souris

Elle gisait là comme si elle jouait — sa vie
d'un bond s'en était allée — avec l'intention
de revenir — mais pas avant longtemps.
EMILY DICKINSON

Ama, la fille du berger, conservait dans sa mémoire l'image de la fillette endormie : elle ne pouvait s'empêcher de penser à elle. Pas une seconde, elle ne doutait de la véracité de ce que lui avait raconté Mme Coulter. Les sorcières existaient, cela ne faisait aucun doute, et il était fort probable qu'elles jetaient des sorts qui vous plongeaient dans le sommeil. Et il était normal qu'une mère s'occupe ainsi de sa fille, avec énergie et tendresse. Ama éprouvait une admiration proche de l'idolâtrie pour cette belle femme et sa fille envoûtée.

Dès que l'occasion se présentait, elle allait dans la petite vallée, pour rendre des services à la femme, ou simplement pour bavarder avec elle et l'écouter, car elle avait de merveilleuses histoires à raconter. À chacune de ses visites, Ama espérait entr'apercevoir la jeune dormeuse, mais cela n'était arrivé qu'une fois, et sans doute n'aurait-elle plus jamais ce privilège.

Et pendant qu'elle était occupée à traire les chèvres, à carder et à filer la laine, elle pensait en permanence à la fillette endormie, et elle se demandait pour quelle raison on lui avait jeté un pareil sort. Mme Coulter ne lui avait jamais expliqué ce qui s'était passé, laissant Ama libre de tout imaginer.

Un jour, elle prit un pain au miel et effectua les trois heures de marche qui conduisaient à Cho-Lung-Se, où se trouvait un monastère. À force de cajoleries et de patience, et en soudoyant le gardien avec une part de ce pain, elle parvint à obtenir une audience avec le grand guérisseur Pagdzin *tulku*, qui avait soigné une épidémie de fièvre blanche l'année précédente, un être doté d'une infinie sagesse.

Ama pénétra dans la cellule du grand homme, en s'inclinant très bas et en lui offrant le reste de son pain au miel, avec toute l'humilité dont elle était capable. Le dæmon-chauve-souris du moine fondit sur elle pour l'observer, effrayant celui d'Ama, Kulang, qui se réfugia dans ses cheveux, mais elle s'efforça de demeurer immobile et muette jusqu'à ce que Pagdzin *tulku* parle.

—Eh bien, mon enfant ? Je t'écoute. Fais vite, dit-il.

Sa longue barbe grise dansait à chacun de ses mots.

Dans la pénombre de la cellule, Ama distinguait principalement cette barbe et ces yeux brillants. Le dæmon-chauve-souris s'immobilisa enfin en allant se pendre à une poutre au-dessus de lui, alors elle dit :

—Je vous en supplie, Pagdzin *tulku*, j'ai besoin d'un peu de votre grande sagesse. J'aimerais savoir comment on confectionne des sorts et des enchantements. Pouvez-vous me l'enseigner ?

—Non.

Elle s'attendait à cette réponse.

—Pourriez-vous m'enseigner juste un remède, alors ? demanda-t-elle humblement.

—Peut-être. Mais je ne te dirai pas de quoi il se compose. Je peux te donner le remède, pas son secret.

—Très bien. Je vous remercie, c'est très généreux de votre part, dit-elle en s'inclinant plusieurs fois.

—Quelle est cette maladie, et qui en est atteint ? demanda le vieil homme.

—C'est la maladie du sommeil, expliqua Ama. Elle frappe le fils du cousin de mon père.

Elle se disait que c'était une excellente idée de changer le sexe du malade, au cas où le guérisseur aurait entendu parler de la femme dans la grotte.

—Et quel âge a ce garçon ?

—Deux ans de plus que moi, Pagdzin *tulku*, répondit-elle, un peu au hasard, il a donc douze ans. Il dort tout le temps, il n'arrive pas à se réveiller.

—Pourquoi ses parents ne viennent-ils pas me voir ? Pourquoi t'ont-ils envoyée ?

—Ils vivent à l'autre bout de mon village et ils sont très pauvres, Pagdzin *tulku*. Je n'ai appris la maladie de ce pauvre garçon qu'aujourd'hui, et je suis venue aussitôt réclamer vos conseils.

—Il faudrait que je voie le patient pour pouvoir l'examiner de manière approfondie, et que je calcule la position des planètes au moment où il s'est endormi. Toutes ces choses ne peuvent se faire dans la précipitation.

—N'avez-vous pas un remède à me donner ?

Le dæmon-chauve-souris quitta la poutre et virevolta un instant dans la cellule, tache noire dans la pénombre, avant de se poser sur le sol et de traverser la pièce à toute vitesse, plusieurs fois et dans tous les sens, si rapide-

ment qu'Ama ne le voyait plus. Mais l'œil vif du guérisseur suivait exactement les déplacements de son dæmon et, quand celui-ci retourna s'accrocher à sa poutre, la tête en bas, enveloppé dans ses ailes noires, le vieil
homme se leva et alla d'une étagère à l'autre, de pot en pot, de boîte en
boîte, pour prendre ici une cuillerée de poudre et là une pincée d'herbe,
dans l'ordre indiqué par le dæmon.

Il versa tous les ingrédients dans un mortier et les écrasa en marmonnant
un sort. Puis il tapota le pilon sur le bord du mortier, fit glisser avec son
doigt la poudre qui y était collée, et prit ensuite un pinceau et de l'encre
pour tracer des caractères sur un bout de papier. Quand l'encre fut sèche, il
versa délicatement la poudre sur les inscriptions et replia la feuille en un
petit paquet carré.

— Qu'ils introduisent cette poudre dans les narines de l'enfant endormi,
expliqua-t-il. Une petite dose à chaque inspiration, et il se réveillera. Il faut
procéder avec énormément de précautions. Trop de poudre d'un seul coup
et il s'étouffera. Utilisez un pinceau très doux.

— Merci, Pagdzin *tulku*, dit Ama en prenant le petit paquet et en le glissant
dans la poche de sa chemise la plus proche de son corps. Je regrette de ne pas
avoir un autre pain au miel à vous donner.

— Un pain suffit, dit le guérisseur. Pars maintenant et, la prochaine fois
que tu viendras me voir, dis-moi toute la vérité, pas juste une partie.

Penaude, la fillette s'inclina bien bas pour masquer sa honte. Elle espérait
malgré tout qu'elle n'en avait pas trop dit.

Le soir suivant, dès que possible, elle s'empressa de se rendre dans la vallée, en emportant du riz enveloppé dans une feuille d'arbre. Elle brûlait
d'envie de raconter à la femme ce qu'elle avait fait, et de lui donner le
remède pour recevoir ses louanges et ses remerciements et, surtout, elle
avait hâte que la dormeuse se réveille et lui parle. Peut-être pourraient-elles
devenir amies !

Mais en débouchant au coin du chemin et en levant les yeux, Ama ne vit
pas le singe au pelage doré, ni aucune femme assise à l'entrée de la grotte,
attendant patiemment on ne savait quoi. L'endroit était désert. Ama parcourut les derniers mètres en courant, craignant qu'ils ne soient partis pour
toujours, mais la chaise sur laquelle s'asseyait la femme était toujours là,
ainsi que les ustensiles de cuisine et tout le reste de leurs affaires.

Le cœur battant à tout rompre, elle scruta les profondeurs obscures de la
grotte. De toute évidence, la dormeuse ne s'était pas réveillée : on apercevait
la silhouette du sac de couchage dans la pénombre, la tache plus claire de la
chevelure de la fillette et la forme blanche de son dæmon endormi.

Ama s'approcha à petits pas. Cela ne faisait aucun doute : la femme et le singe étaient partis en laissant seule la petite fille envoûtée.

Une pensée frappa alors Ama, comme une note de musique : et si elle la réveillait avant le retour de la femme...

Mais elle n'eut guère le temps de savourer le délicieux frisson que lui procurait cette idée car, soudain, elle entendit des bruits sur le chemin qui menait à la grotte et, traversée par un autre frisson, de peur cette fois, elle courut se réfugier avec son dæmon derrière une avancée rocheuse, sur le côté de la grotte. Elle n'avait pas le droit de se trouver ici. Elle était une intruse. C'était mal.

Le singe doré venait d'apparaître à l'entrée de la grotte. Accroupi, il reniflait l'air en tournant la tête dans tous les sens. Ama le vit retrousser ses babines sur ses longues dents pointues, et elle sentit son dæmon se réfugier à l'intérieur de ses vêtements, sous la forme d'une souris tremblante.

— Que se passe-t-il ? demanda la femme en s'adressant au singe, et la grotte s'assombrit lorsque sa silhouette se découpa dans l'ouverture.

— La fille est venue ? Oui... Je vois qu'elle a apporté de la nourriture. Il ne faut pas qu'elle entre ici. Nous devons convenir d'un endroit sur le chemin où elle laissera ce qu'elle nous apporte.

Sans même jeter un regard à l'enfant endormie, elle se pencha pour rallumer le feu et faire chauffer de l'eau dans une casserole, pendant que son dæmon, accroupi à ses côtés, observait le chemin. De temps à autre, il se levait pour faire le tour de la grotte, et Ama, recroquevillée dans son étroite cachette, regrettait amèrement de ne pas avoir attendu dehors. Combien de temps allait-elle rester ainsi prise au piège ?

La femme mélangeait des herbes et différentes poudres dans de l'eau chaude. Ama sentait les arômes astringents qui s'envolaient avec la vapeur. Soudain, un son venu du fond de la grotte attira son attention : la fillette marmonnait et s'agitait. Ama tourna la tête et vit la dormeuse qui remuait dans son sac de couchage, en cachant ses yeux avec son bras. Elle se réveillait !

Et la femme s'en moquait bien !

Elle l'avait entendue pourtant, car elle leva la tête, brièvement, et reporta aussitôt son attention sur son mélange d'herbes et de poudres. Elle versa ensuite la décoction dans un gobelet et la laissa reposer ; alors seulement, elle s'intéressa à la fillette qui se réveillait.

Ama ne comprenait pas ce qu'elle disait, mais elle écoutait ses paroles avec une stupéfaction et une méfiance grandissantes.

— Chut, ma chérie, disait la femme. Ne t'inquiète pas. Tu ne crains rien ici.

—Roger…, murmura la fillette, encore à moitié endormie. Serafina! Où est Roger… Où est-il?

—Il n'y a que nous ici, répondit sa mère d'une voix douce et chantante. Redresse-toi un peu que maman puisse faire ta toilette… Debout, trésor…

Sous le regard d'Ama, la fillette luttait pour se réveiller en gémissant, et tentait de repousser sa mère. Mais celle-ci plongea une éponge dans la bassine remplie d'eau et tapota le visage et le corps de sa fille, avant de les essuyer.

Elle était presque réveillée désormais, et la femme devait agir vite.

—Où est Serafina? Et Will? Aidez-moi, aidez-moi! Je ne veux pas dormir! Non, non! Je ne veux pas! Non!

La femme tenait le gobelet d'une main ferme et, de l'autre, elle essayait de renverser la tête de Lyra.

—Reste calme, ma chérie… Du calme… Arrête de crier… Bois ta tisane…

Mais la fillette se débattait et faillit renverser le breuvage.

—Fichez-moi la paix! hurla-t-elle. Je veux m'en aller d'ici! Laissez-moi partir! Will, Will, au secours!… À l'aide!

La femme l'avait saisie brutalement par les cheveux pour l'obliger à renverser la tête et plaquait le bord du gobelet contre ses lèvres.

—Je ne veux pas boire ça! Si vous me touchez, Iorek vous arrachera la tête! Oh, Iorek, où es-tu? Iorek Byrnison! Viens à mon secours, Iorek! Je ne veux pas boire ça!

Il suffit d'un seul mot de la femme pour que le singe doré se jette sur le dæmon de Lyra et l'emprisonne avec ses gros doigts noirs et rugueux. Affolé, celui-ci passa d'une forme à une autre, avec une rapidité qui stupéfia Ama; jamais elle n'avait vu un dæmon se métamorphoser aussi vite: chat-rat-renard-oiseau-loup-guépard-lézard-moufette…

Mais l'étau des doigts du singe ne se desserra pas. Jusqu'à ce que Pantalaimon devienne porc-épic.

Le singe poussa un grand cri de douleur et le lâcha. Trois longues épines étaient plantées dans sa paume. Mme Coulter grogna et, avec sa main libre, gifla violemment Lyra. Avant que la fillette ait pu reprendre ses esprits, le gobelet s'introduisit entre ses lèvres et elle fut obligée de déglutir pour ne pas s'étrangler.

Ama aurait voulu se boucher les oreilles: les bruits de déglutition, les pleurs, les toussotements, les sanglots, les supplications, les râles… tout cela était insupportable. Mais, peu à peu, la fillette se calma, et elle ne laissa plus échapper qu'un ou deux faibles sanglots, tandis qu'elle sombrait de nouveau dans le sommeil… Un sommeil artificiel, provoqué par une drogue? Ama vit une forme blanche se matérialiser dans le cou de la fillette lorsque son dæmon, au prix d'un gros effort, prit l'apparence d'une créature de forme allongée, au pelage blanc comme neige, avec des petits yeux noirs brillants et une queue qui se terminait par une tache de la même couleur, pour se lover dans son cou.

La femme chantait des berceuses d'une voix douce en repoussant tendrement les mèches de cheveux sur le front de sa fille et en tamponnant son visage couvert de sueur ; elle chantonnait des chansons dont Ama elle-même devinait qu'elle ne connaissait pas les paroles, car elle faisait juste la-la-la, ba-ba-boo-boo... un véritable charabia débité d'une voix envoûtante.

Finalement, le chant cessa et la femme fit une chose étrange : elle prit une paire de ciseaux et entreprit de couper les cheveux de la fillette endormie, en lui déplaçant la tête dans tous les sens pour rectifier la longueur. Elle prit une mèche de cheveux qu'elle plaça dans un petit médaillon qui pendait à son cou. Ama savait pourquoi elle faisait cela : elle allait s'en servir pour confectionner de nouveaux sorts. Mais la femme embrassa d'abord le pendentif... Oh, comme tout cela était étrange.

Pendant ce temps, le singe doré ôtait la dernière épine de porc-épic plantée dans sa paume, puis il dit quelque chose à la femme, qui tendit le bras pour s'emparer d'une chauve-souris accrochée à la voûte de la grotte. La petite créature noire battit furieusement des ailes et poussa des cris stridents. La femme tendit l'animal à son dæmon, et celui-ci tira sur une des ailes noires. Il tira avec acharnement... jusqu'à ce qu'elle se brise avec un craquement sec et se détache du corps de la chauve-souris, retenue seulement par les filaments blancs de quelques muscles, tandis que l'animal hurlait et que ses congénères paniquées virevoltaient dans la grotte. Les os continuaient à craquer de manière sinistre à mesure que le singe doré écartelait la pauvre créature, membre après membre, pendant que la femme, allongée sur son sac de couchage près du feu, grignotait d'un air morose une tablette de chocolat.

Le temps passa. Au-dehors, la lumière déclina, la lune se leva, puis la femme et son dæmon s'endormirent.

Ama, les muscles ankylosés et endoloris, sortit prudemment de sa cachette et se dirigea vers la sortie en passant devant les dormeurs sur la pointe des pieds, sans faire le moindre bruit, jusqu'à ce qu'elle atteigne le milieu du chemin.

Poussée par la peur qui lui donnait des ailes, elle dévala le sentier étroit, suivie de son dæmon transformé en chouette, qui battait des ailes en silence. La fraîcheur de l'air pur, le balancement régulier des cimes des arbres, l'éclat des nuages baignés de lune et les millions d'étoiles dans le ciel noir, tout cela contribua à la calmer.

Elle s'arrêta en vue du petit groupe de maisons de pierre et son dæmon vint se percher sur son poing.

—Elle a menti! dit Ama. Elle nous a *menti*! Que peut-on faire, Kulang? Doit-on le dire à papa? Que peut-on *faire*?

—Ne dis rien. Ça ne fera que compliquer les choses. N'oublie pas qu'on a le remède. On peut la réveiller. On retournera dans la grotte quand la femme n'y sera pas, on réveillera la fillette et on l'emmènera.

Cette perspective les emplissait de frayeur l'un et l'autre. Mais la décision était prise, le petit paquet de papier était à l'abri dans la poche d'Ama, et ils savaient comment l'utiliser.

me réveiller, je ne la vois pas... Je crois qu'elle est tout près... elle m'a fait du mal...

—Oh, Lyra, n'aie pas peur! Si toi aussi tu as peur, je vais devenir fou...

Ils tentèrent de s'étreindre, mais leurs bras se refermèrent sur le vide. Lyra, dans un effort désespéré, chuchota tout près du petit visage pâle de Roger, dans l'obscurité:

—J'essaye de me réveiller... J'ai tellement peur de dormir toute ma vie, et de mourir ensuite... Je veux me réveiller avant! Même si c'est juste pour une heure, je m'en fiche, du moment que je suis réveillée et vivante pour de bon... Je ne sais même pas si tout cela est réel ou non, mais je t'aiderai, Roger! Je te le jure!

—Mais si tu rêves, Lyra, tu n'y croiras peut-être plus en te réveillant. Moi, c'est ce que je me dirais, je penserais que c'était juste un rêve.

—Non! déclara-t-elle avec fougue, et

Chapitre 5
La Tour inflexible

*Plein de cet ambitieux projet contre le trône et la
monarchie de Dieu, il alluma au ciel une guerre impie
et un combat téméraire, dans une attente vaine...*
John Milton

Un lac de soufre en fusion couvrait toute l'étendue
d'un immense canyon, libérant ses vapeurs pestilen-
tielles par bouffées et rafales soudaines, et barrant le
passage à la créature ailée solitaire qui se tenait au bord.
Si elle prenait le chemin des cieux, les éclaireurs ennemis qui l'avaient déjà repérée une fois, avant de la
perdre de vue, l'apercevraient immédiatement ; mais si elle continuait à
progresser au niveau du sol, il lui faudrait si longtemps pour franchir cette
fosse toxique que son message arriverait sans doute trop tard.

Le messager devait courir le risque le plus grand. Il attendit qu'un nuage
de fumée fétide monte de l'étendue jaune, et il s'élança vers le ciel, au cœur
de la masse opaque.

Quatre paires d'yeux, dans différentes parties du ciel, captèrent ce bref
mouvement et, aussitôt, quatre paires d'ailes fouettèrent l'air vicié.

Débuta alors une chasse où les poursuivants ne pouvaient distinguer leur
proie, qui elle-même ne voyait pas où elle allait. Le premier qui émergerait
du nuage opaque, à l'autre extrémité du lac, aurait l'avantage ; un avantage
synonyme de survie... ou de mort.

Malheureusement pour le fugitif, il déboucha à l'air libre quelques
secondes après l'un de ses poursuivants. Immédiatement, ils foncèrent
l'un vers l'autre, laissant derrière eux un sillage de vapeur, grisés par les
fumées toxiques et écœurantes. La proie eut d'abord l'avantage, mais un
deuxième chasseur jaillit du nuage empoisonné et, dans un tourbillon
furieux, ils livrèrent bataille tous les trois, tournoyant dans les airs tels des
lambeaux de flammes ; ils s'élevèrent dans le ciel, replongèrent vers le sol,

et s'élevèrent de nouveau, pour finalement dégringoler au milieu des rochers, sur l'autre rive. Les deux autres guetteurs n'émergèrent jamais du nuage fétide.

À l'extrémité ouest d'une chaîne de montagnes en dents de scie, au sommet d'un pic qui offrait une vue infinie sur la plaine et sur les vallées qui s'étendaient au-delà, une forteresse de basalte semblait jaillir de la montagne, comme née d'une éruption volcanique.

Dans de vastes cavernes situées sous les murs immenses étaient stockées et étiquetées des réserves de toutes sortes ; dans les dépôts d'armement, des engins de guerre étaient calibrés, chargés et testés ; dans les aciéries souterraines, des feux volcaniques alimentaient de puissantes forges où on faisait fondre du phosphore et du titane, afin de fabriquer des alliages inconnus.

Sur le flanc le plus exposé de la forteresse, dans les profondeurs sombres des contreforts où les murs infranchissables semblaient émerger des anciennes coulées de lave, se trouvait une petite porte, une poterne surveillée nuit et jour par une sentinelle qui se dressait devant tous ceux qui cherchaient à entrer.

Pendant que la relève de la garde s'effectuait sur les remparts, au-dessus, la sentinelle tapait du pied et se frictionnait les avant-bras avec ses mains gantées pour se réchauffer, car c'étaient les heures les plus froides de la nuit, et le petit feu de naphte qui se consumait à côté du soldat ne dégageait aucune chaleur. Le soulagement viendrait dans dix minutes, et il songeait déjà avec impatience à la tasse de chocolat, aux feuilles à fumer, et surtout à son lit, qui l'attendaient.

Aussi fut-il surpris en entendant frapper avec insistance à la petite porte.

Sur ses gardes, il ouvrit le judas d'un geste brusque, tout en tournant le robinet qui libéra un flot de naphte devant la veilleuse installée sur la paroi rocheuse. Dans la lumière qu'elle dispensait, il découvrit trois silhouettes encapuchonnées qui soutenaient une forme indistincte, qui semblait malade ou blessée.

Le premier des visiteurs abaissa sa capuche. Son visage n'était pas inconnu de la sentinelle, mais il récita le mot de passe et dit :

— Nous l'avons trouvé au bord du lac de soufre. Il prétend s'appeler Baruch. Il apporte un message urgent à Lord Asriel.

La sentinelle ôta la poutre qui bloquait la porte et son dæmon-terrier frémit en voyant les trois silhouettes franchir difficilement l'étroite entrée avec leur fardeau. Le dæmon laissa échapper malgré lui un grand cri, vite interrompu, lorsque la sentinelle découvrit que c'était un ange qu'ils transportaient ainsi. Un ange blessé, un ange sans grade et sans grands pouvoirs, mais un ange quand même.

—Allongez-le dans le corps de garde, dit la sentinelle, et tandis que les trois hommes s'exécutaient, il actionna la manivelle du téléphone pour avertir le responsable de la garde.

Sur le plus haut rempart de la forteresse se dressait une tour inflexible : une simple volée de marches conduisait à un ensemble de pièces dont les fenêtres donnaient au nord, au sud, à l'est et à l'ouest. La pièce la plus grande était meublée d'une table, de chaises et d'un coffre ; une autre pièce abritait un lit de camp. Une petite salle de bains complétait l'ensemble.

Lord Asriel était assis dans cette tour inflexible, face à son espion en chef, séparé de lui par une table recouverte d'un amas de documents éparpillés. Une lampe à naphte était suspendue au-dessus de la table, et un brasero contenait des braises incandescentes pour lutter contre le froid de la nuit. Derrière la porte, un petit faucon bleu était perché sur une équerre.

L'espion en chef se nommait Lord Roke. Il offrait un spectacle stupéfiant : il n'était pas plus grand que l'envergure de la main de Lord Asriel et aussi mince qu'une libellule, mais tous les capitaines de Lord Asriel le traitaient avec un profond respect, car il était armé d'un dard empoisonné fixé à ses talons.

Il avait pour habitude de s'asseoir sur la table et se distinguait par son extrême susceptibilité. À l'instar de ses semblables, les Gallivespiens, il ne possédait quasiment aucune des qualités qui font les bons espions sauf, évidemment l'exceptionnelle petitesse de sa taille : c'étaient des êtres si fiers et susceptibles que jamais ils ne seraient passés inaperçus s'ils avaient eu la taille d'un humain.

—Oui, dit-il d'une voix puissante et tranchante, les yeux brillants comme des gouttelettes d'encre, votre enfant, Lord Asriel. Je suis au courant. De toute évidence, j'en sais plus que vous.

Ce dernier le regarda droit dans les yeux et le petit homme comprit aussitôt qu'il avait abusé de la courtoisie de son supérieur : la puissance du regard de Lord Asriel lui fit l'effet d'une chiquenaude et, déséquilibré, il dut se retenir au verre de vin qui se trouvait près de lui. En quelques secondes, Lord Asriel retrouva son expression neutre et vertueuse, comme pouvait l'être parfois celle de sa fille et, dès lors, l'espion se jura d'être plus prudent.

—Sans aucun doute, Lord Roke, répondit Lord Asriel. Mais pour des raisons qui m'échappent, l'Église s'intéresse beaucoup à cette fille, et je dois savoir pourquoi. Que disent-ils à son sujet ?

—Le Magisterium bourdonne de mille spéculations ; une branche dit une chose, une autre enquête sur quelque chose de différent, et chacune essaye de cacher ses découvertes aux autres. Les plus actives sont la Cour de Discipline Consistoriale et la Société du Travail du Saint-Esprit ; et, ajouta Lord Roke, j'ai placé des espions dans les deux.

—Dois-je comprendre que vous avez retourné un membre de la Société ? dit Lord Asriel. Je vous félicite. On les disait intouchables.

—Mon espion au sein de la Société est Lady Salmakia, répondit-il, un agent très doué. Elle a approché dans son sommeil un prêtre qui a pour dæmon une souris. Elle lui a suggéré d'exécuter un rituel interdit, destiné à invoquer la présence de la Sagesse. Au moment critique, Lady Salmakia est apparue devant lui. Le prêtre pense maintenant qu'il peut communiquer avec la Sagesse à sa guise, et que celle-ci possède l'apparence d'une Gallivespienne et vit dans sa bibliothèque.

Lord Asriel sourit et demanda :

—Et qu'a-t-elle appris ?

—La Société pense que votre fille est l'enfant la plus importante qui ait jamais vécu. Elle pense qu'une grave crise va survenir avant longtemps, et que le sort de toute chose dépendra de sa conduite à ce moment-là. Quant à la Cour de Discipline Consistoriale, elle mène actuellement une enquête en interrogeant des témoins venus de Bolvangar et d'ailleurs. Mon espion à l'intérieur du Consistoire, le chevalier Tialys, est en contact avec moi par le biais d'un résonateur à aimant, et il me tient au courant de leurs découvertes. Pour résumer, je dirai que la Société du Travail du Saint-Esprit va bientôt découvrir où est l'enfant, mais elle n'agira pas. La Cour de Discipline Consistoriale mettra un peu plus longtemps mais, une fois qu'ils l'auront découverte, ils agiront immédiatement, avec détermination.

—Tenez-moi au courant dès que vous aurez du nouveau.

Lord Roke s'inclina et fit claquer ses doigts. Le petit faucon bleu perché sur l'équerre à côté de la porte déploya ses ailes et vint se poser en douceur sur la table. Il était équipé d'une bride, d'une selle et d'étriers. L'espion sauta sur son dos et ils s'envolèrent aussitôt par la fenêtre que Lord Asriel avait ouverte en grand à leur intention.

Malgré la fraîcheur de l'air, il la laissa ouverte encore une minute et s'appuya sur le rebord, en jouant avec les oreilles de son dæmon-léopard.

—Elle est venue me trouver à Svalbard et je l'ai ignorée, dit-il. Tu te souviens du choc que j'ai ressenti... Je devais accomplir un sacrifice, et le premier enfant qui s'est présenté était ma fille. Mais quand j'ai découvert qu'elle était accompagnée d'un autre enfant, et que donc elle ne craignait rien, j'ai retrouvé mon calme. Était-ce une erreur fatale ? Je n'ai plus guère pensé à elle par la suite, avant un certain temps en tout cas. Mais elle est très importante, Stelmaria !

—Réfléchissons clairement. Que peut-elle faire ?

—*Faire ?* Pas grand-chose. *Sait-elle* quelque chose ?

—Elle sait déchiffrer l'aléthiomètre ; elle a accès à la connaissance.

—Ce n'est pas exceptionnel. D'autres personnes sont dans ce cas. Et où diable peut-elle bien être ?

On frappa à la porte derrière lui, et Lord Asriel se retourna aussitôt.

—Monseigneur, dit l'officier en entrant, un ange vient de se présenter à la porte ouest ; il est blessé et insiste pour vous parler.

Une minute plus tard, Baruch était couché au centre de la pièce principale, sur le lit de camp qu'on avait déplacé. On avait fait venir un médecin, mais il était évident qu'il n'y avait plus beaucoup d'espoir : l'ange était gravement blessé, ses ailes étaient déchirées et son regard éteint.

Lord Asriel s'assit près de lui et jeta une poignée d'herbes sur les braises du brasero. Comme l'avait découvert Will avec la fumée du feu de camp, cela eut pour effet de faire apparaître plus clairement son corps.

—Eh bien, dit-il, qu'êtes-vous venu me dire ?

—Trois choses. Je vous en prie, laissez-moi aller jusqu'au bout sans m'interrompre. Je m'appelle Baruch. Mon compagnon Balthamos et moi appartenons au parti des rebelles, et nous nous sommes ralliés à votre étendard dès que vous l'avez brandi. Nous voulions vous apporter une chose de valeur, car notre pouvoir est limité et, il n'y a pas très longtemps, nous avons réussi à nous introduire au cœur de la Montagne Nébuleuse, la citadelle de l'Autorité dans le Royaume. Et là, nous avons appris...

Baruch dut s'interrompre un moment pour inhaler la fumée des herbes, ce qui sembla l'apaiser. Alors, il reprit son récit :

—Nous avons découvert la vérité au sujet de l'Autorité. Nous avons appris qu'il s'est retiré dans une pièce de cristal située dans les profondeurs de la Montagne Nébuleuse, et qu'il ne gère plus les affaires quotidiennes du Royaume. Il se consacre à l'étude de mystères plus profonds. C'est un ange nommé Métatron qui gouverne à sa place. J'ai des raisons de bien connaître cet ange, même si à l'époque où je l'ai connu...

La voix de Baruch faiblit. Les yeux de Lord Asriel flamboyaient, mais il tenait sa langue, attendant que l'ange continue.

—Métatron est fier, reprit Baruch quand il eut repris quelques forces, et ses ambitions sont sans bornes. L'Autorité l'a choisi il y a quatre cents ans pour être Régent et, ensemble, ils ont établi leurs plans. Ils nourrissent un nouveau projet, que mon compagnon et moi avons pu découvrir. L'Autorité considère que les êtres conscients de toutes les espèces sont devenus dangereusement indépendants, c'est pourquoi Métatron va intervenir plus activement dans les affaires humaines. Il a l'intention d'emmener l'Autorité loin de la Montagne Nébuleuse, en secret, pour l'installer dans une citadelle permanente, quelque part, et ceci afin de transformer la montagne en machine de guerre. Les Églises du monde entier sont corrompues et faibles, pense-t-il ; elles se compromettent trop facilement... Son but est d'instaurer une inquisition permanente, dans tous les mondes, sous les ordres directs du Royaume. Et sa première action militaire visera à détruire votre république...

L'ange et l'homme tremblaient, mais l'un à cause de sa grande faiblesse, l'autre sous l'effet de l'excitation.

Baruch rassembla ses dernières forces pour continuer :

— Voici la deuxième chose. Il existe un poignard capable d'ouvrir des passages entre les mondes et de découper tout ce qu'ils contiennent. Ses pouvoirs sont illimités, mais uniquement entre les mains de celui qui sait l'utiliser. Et cette personne est un jeune garçon...

Une fois de plus, l'ange dut s'interrompre pour récupérer. Il avait peur ; il sentait son corps se désagréger. Lord Asriel voyait les efforts qu'il accomplissait pour ne pas se volatiliser et, assis sur son siège, près de lui, il agrippait les bras de son fauteuil en attendant que Baruch ait la force de continuer son récit.

— Mon compagnon est actuellement avec ce jeune garçon. Nous voulions vous l'amener, mais il a refusé, car... C'est la troisième chose que je voulais vous dire : ce garçon et votre fille sont amis. Et il refuse de venir vous voir tant qu'il ne l'aura pas retrouvée. Elle est...

— Qui est ce garçon ?

— Le fils du chaman. Le fils de Stanislaus Grumman.

La surprise de Lord Asriel fut telle qu'il se leva malgré lui, projetant des tourbillons de fumée autour de l'ange.

— Grumman avait un *fils ?* s'exclama-t-il.

— Grumman n'était pas né dans votre monde. Et son vrai nom n'était pas Grumman. C'est son désir de trouver le poignard qui nous a conduits jusqu'à lui, mon compagnon et moi. Nous l'avons suivi, en sachant qu'il nous mènerait jusqu'au poignard, et à celui qui le détenait, car nous avions l'intention de vous les ramener, l'un et l'autre. Mais le garçon a refusé de...

Une fois encore, Baruch dut s'interrompre. Lord Asriel se rassit, en maudissant son impatience, et il jeta une autre poignée d'herbes sur les braises. Son dæmon était couché près de lui ; sa queue balayait lentement le parquet de chêne et ses yeux dorés ne quittaient pas le visage de l'ange, creusé par la douleur. Baruch prit plusieurs inspirations faibles et Lord Asriel s'obligea à rester muet. On n'entendait que le claquement de la corde de la hampe sur le toit.

—Prenez votre temps, dit-il d'une voix douce. Savez-vous où est ma fille ?

—Dans l'Himalaya... dans son propre monde, murmura Baruch. De très hautes montagnes... Une grotte près d'une vallée remplie d'arcs-en-ciel...

—C'est très loin d'ici, dans un monde comme dans l'autre. Vous avez volé vite.

—C'est le seul don que je possède. À l'exception de l'amour de Balthamos que je ne reverrai plus.

—Si *vous* avez trouvé ma fille si aisément...

—N'importe quel ange pourra en faire autant.

Lord Asriel sortit du coffre un grand atlas, qu'il ouvrit d'un geste brusque, à la recherche des pages représentant l'Himalaya.

—Pouvez-vous être plus précis ? demanda-t-il. Pouvez-vous me montrer l'endroit exact ?

—Avec le poignard... dit Baruch d'une voix à peine audible, et Lord Asriel comprit que son esprit s'égarait. Avec le couteau, il peut entrer et quitter n'importe quel monde à sa guise... Il se prénomme Will. Mais ils sont en danger, Balthamos et lui... Métatron sait que nous connaissons son secret. Ils nous ont pourchassés... Ils m'ont rattrapé alors que j'étais seul, à la frontière de votre monde... J'étais son frère... C'est comme ça que nous avons réussi à l'atteindre à l'intérieur de la Montagne Nébuleuse. Jadis, Métatron se nommait Enoch, fils de Jared, fils de Mahalalel... Enoch avait de nombreuses épouses. C'était un grand amoureux de la chair... Mon frère Enoch m'a banni, car je... Oh, mon cher Balthamos...

—Où est ma fille ?

—Oui, oui... Une grotte... sa mère... une vallée balayée par les vents et inondée d'arcs-en-ciel... des drapeaux déchiquetés sur l'autel...

Il se redressa pour regarder l'atlas.

Au même moment, le dæmon-léopard se dressa sur ses pattes d'un mouvement rapide et bondit vers la porte, mais trop tard : l'officier d'ordonnance qui avait frappé à la porte était entré sans attendre. C'était la coutume en ce lieu, personne n'était fautif mais, en voyant l'expression de consternation sur le visage du soldat, Lord Asriel se retourna, et il vit Baruch trembler et contracter tous ses muscles pour maintenir la cohésion de son corps blessé. L'effort était trop intense. Un courant d'air provenant de la porte ouverte balaya le lit de camp et les particules du corps de l'ange, dissoutes par le déclin de ses forces, s'élevèrent dans un tourbillon et se volatilisèrent.

Un murmure traversa l'air :

—Balthamos !

Lord Asriel posa sa main sur le cou de son dæmon ; le léopard le sentit trembler et il l'apaisa. L'homme se tourna alors vers l'officier d'ordonnance.

—Monseigneur, je vous supplie de...

—Ce n'est pas ta faute. Transmets mes compliments au roi Ogunwe. Je serais ravi qu'il puisse, ainsi que tous mes autres commandants, venir ici sur-le-champ. J'aimerais également que M. Basilides soit présent, avec l'aléthiomètre. Pour finir, je veux que l'Escadron de gyroptères n° 2 soit armé et ravitaillé en carburant, et qu'un zeppelin de transport décolle immédiatement en direction du sud-ouest. Il recevra d'autres ordres une fois en l'air.

L'officier d'ordonnance salua et, après avoir jeté un dernier regard gêné en direction du lit de camp, il sortit et referma la porte derrière lui.

Lord Asriel tapota sur son bureau avec un compas à pointe sèche en cuivre, puis traversa la pièce en direction de la fenêtre sud. Tout en bas, les feux immortels projetaient leur rougeoiement et leur fumée dans l'air qui s'assombrissait et, même à cette hauteur vertigineuse, on percevait le fracas des marteaux dans le vent mordant.

—Nous avons appris beaucoup de choses, Stelmaria, dit-il à voix basse.

—Mais pas suffisamment.

On frappa de nouveau à la porte. Cette fois, l'aléthiométriste entra. C'était un homme frêle au teint pâle, d'une petite cinquantaine d'années, nommé Teukros Basilides, dont le dæmon était un rossignol.

—Monsieur Basilides, je vous souhaite le bonsoir, dit Lord Asriel. Nous avons un problème, et j'aimerais que vous mettiez tout le reste de côté pour vous y atteler...

Il répéta à Basilides ce que lui avait dit Baruch, et lui montra l'atlas.

—Localisez-moi cette grotte, ordonna-t-il. Calculez les coordonnées avec le maximum de précision. C'est la tâche la plus importante que vous ayez jamais entreprise. Commencez dès maintenant, je vous prie.

tapa du pied si fort qu'elle grimaça de douleur jusque dans son rêve.

— Tu ne me crois pas capable d'une chose pareille, Roger, alors ne dis pas ça. Je me réveillerai et je ne t'oublierai pas !

Elle regarda autour d'elle, mais elle ne vit que des yeux écarquillés et des visages désespérés, des visages blêmes, des visages sombres, de vieux visages, de jeunes visages, tous ces morts qui se massaient, se regroupaient, silencieux et affligés.

Celui de Roger ne ressemblait pas aux autres. Son expression était la seule qui reflétait un peu d'espoir.

Elle demanda :

— Pourquoi as-tu cette tête-là ? Pourquoi n'es-tu pas malheureux comme les autres ? Pourquoi n'as-tu pas renoncé à tout espoir ?

Et il répondit :

— Parce que

CHAPITRE 6
L'ABSOLUTION PRÉVENTIVE

... Reliques, chapelets, indulgences,
dispenses, pardons, bulles,
jouets des vents...
JOHN MILTON

 —Fra Pavel, dit l'Inquisiteur de la Cour de Discipline Consistoriale, je vous demande de vous souvenir très exactement des paroles prononcées par la sorcière sur le bateau.

Les douze membres du Consistoire observaient fixement, dans la faible lumière de l'après-midi, l'ecclésiastique qui se tenait à la barre, leur dernier témoin. C'était un prêtre avec des airs de lettré, dont le dæmon avait l'apparence d'une grenouille. Voilà huit jours déjà que le Consistoire écoutait des témoignages liés à cette affaire, dans l'enceinte du vieux Collège Saint-Jérôme avec sa grande tour.

—Je ne peux me rappeler les paroles exactes de la sorcière, répondit-il d'une voix lasse. Je n'avais encore jamais assisté à la torture, comme je l'ai dit à la cour hier, et j'ai découvert que cela me plongeait dans un grand état de fatigue. C'est pourquoi je ne peux pas vous répéter *exactement* ce qu'elle a dit, mais je me souviens du sens de ses paroles. Elle a dit que les clans du Nord avaient reconnu dans la fillette le sujet d'une prophétie connue par elles, les sorcières, depuis longtemps. Elle avait le pouvoir de faire un choix décisif, dont dépendait l'avenir de tous les mondes. Par ailleurs, il existait un nom qui évoquerait une affaire semblable, et qui la ferait haïr et redouter de l'Église.

—La sorcière a-t-elle révélé ce nom ?

—Non. Car avant qu'elle puisse le prononcer, une autre sorcière, qui assistait à la scène grâce à un sort d'invisibilité, a réussi à la tuer et à s'enfuir.

—La femme Coulter n'a donc pas eu l'occasion d'entendre ce nom ?

—En effet.

—Et peu de temps après, Mme Coulter est partie ?

— Exact.

— Qu'avez-vous découvert ensuite ?

— J'ai découvert que l'enfant avait pénétré dans cet autre monde ouvert par Lord Asriel, dit Fra Pavel, et que là, elle avait bénéficié de l'aide d'un jeune garçon qui possède, ou qui a l'usage, d'un poignard aux pouvoirs extraordinaires. (Il se racla la gorge avec nervosité et enchaîna :) Puis-je parler en toute liberté devant ce tribunal ?

— Avec la plus grande liberté, Fra Pavel, répondit le Président d'une voix puissante et brutale. Vous ne serez pas puni pour nous avoir répété ce que vous avez entendu. Je vous en prie, continuez.

Rassuré, l'ecclésiastique poursuivit son récit :

— Le poignard qui est en possession de ce garçon est capable d'ouvrir des passages entre les mondes. Mais il possède un pouvoir encore plus grand... Pardonnez-moi une fois de plus, mais j'ai peur de ce que j'ai à dire... Ce poignard est capable de tuer les anges les plus puissants, et même les forces qui leur sont supérieures. Il n'y a rien que ce poignard ne puisse détruire.

L'ecclésiastique transpirait et tremblait, et son dæmon-grenouille, en proie à une vive agitation, sauta de la barre des témoins. Fra Pavel laissa échapper un petit cri de douleur et s'empressa de le prendre dans ses bras pour le laisser boire l'eau contenue dans le verre qui se trouvait devant lui.

— Avez-vous posé d'autres questions concernant la fillette ? demanda l'Inquisiteur. Avez-vous appris quel était ce nom dont parlait la sorcière ?

— Oui. Mais, une fois de plus, je voudrais avoir l'assurance de ce tribunal...

— Vous l'avez, dit le Président d'un ton tranchant. N'ayez pas peur. Vous n'êtes pas un hérétique. Dites-nous ce que vous avez appris, et cessons de perdre du temps.

— Je vous demande pardon, très sincèrement. Concernant l'enfant, elle est dans la position d'Ève, l'épouse d'Adam, notre mère à tous, et la cause de tous les péchés.

Les sténographes qui notaient chaque mot étaient des nonnes de l'ordre de Saint-Philomel ayant fait vœu de silence mais, en entendant les paroles de Fra Pavel, l'une d'elles laissa échapper un petit cri de stupeur et, aussitôt, toutes les mains s'agitèrent comme des oiseaux affolés lorsque les religieuses se signèrent. Fra Pavel tressaillit, mais il poursuivit :

— Je vous en prie, souvenez-vous que l'aléthiomètre ne *prédit* pas l'avenir. Il dit : « *Si* certaines choses se produisent, *alors* voilà quelles seront les conséquences. » Et il dit que si jamais cette enfant était confrontée à la tentation, comme Ève, il est fort probable qu'elle succombe. Or, de son choix dépendra... tout. Si cette tentation se produit, si l'enfant y cède, alors la Poussière et le péché triompheront.

Le silence s'abattit dans la salle du tribunal. Le pâle soleil qui filtrait à travers les immenses vitraux emprisonnait dans ses rayons obliques un million de particules dorées, mais c'était de la poussière, pas *la* Poussière, bien que plus d'un membre de cette cour y ait vu une image de cette autre Poussière, invisible, qui se dépose sur tous les êtres humains, si respectueux des lois soient-ils.

—Pour finir, Fra Pavel, dit l'Inquisiteur, dites-nous si vous savez où se trouve à présent cette enfant?

—Elle est entre les mains de Mme Coulter. Et toutes deux sont dans l'Himalaya. C'est tout ce que j'ai réussi à découvrir pour l'instant. Je vais aller réclamer immédiatement une localisation plus précise et, dès que je l'aurai obtenue, j'en avertirai cette cour, mais...

Il s'arrêta, pétrifié par la peur, et porta son verre d'eau à ses lèvres, d'une main tremblante.

—Eh bien, Fra Pavel? demanda le père MacPhail. Parlez. Ne nous cachez rien.

—Je pense, père Président, que la Société du Travail du Saint-Esprit en sait plus que moi à ce sujet.

La voix de Fra Pavel n'était plus qu'un murmure.

—Vraiment? dit le Président, avec dans les yeux une lueur enflammée qui trahissait sa passion.

Le dæmon de Fra Pavel émit un petit coassement. L'ecclésiastique connaissait la rivalité qui existait entre les différentes branches du Magisterium, et il savait combien il était dangereux de se retrouver pris entre deux feux. Mais cacher ce qu'il savait se révélerait plus dangereux encore.

—Je crois, reprit-il d'une voix tremblante, qu'ils sont sur le point de découvrir où se trouve exactement cette enfant. Ils possèdent des sources d'information qui me sont interdites.

—En effet, dit l'Inquisiteur. Et c'est l'aléthiomètre qui vous l'a dit?

—Oui.

—Très bien. Fra Pavel, vous seriez bien avisé de poursuivre vos recherches sur cette voie. Sachez que vous pouvez réclamer toute l'assistance administrative dont vous avez besoin. Veuillez vous retirer.

Fra Pavel s'inclina et, son dæmon-grenouille sur l'épaule, il rassembla ses notes et quitta la salle du tribunal. Les nonnes firent craquer leurs doigts engourdis.

Le père MacPhail tapota avec un crayon sur le banc en chêne devant lui.

—Sœur Agnès, sœur Monica, dit-il, vous pouvez nous laisser maintenant. Je vous prie de déposer la transcription de cette audience sur mon bureau avant la fin de la journée.

Les deux religieuses s'inclinèrent et sortirent à leur tour.

— *Gentlemen,* dit le Président, car c'était ainsi qu'on s'adressait aux membres de la Cour de Discipline Consistoriale, la séance est levée.

Les douze membres, du plus âgé (le père Makepwe, un vieil homme aux yeux chassieux) au plus jeune (le père Gomez, pâle et tremblant de fanatisme), rassemblèrent leurs notes et suivirent le Président jusque dans la salle du conseil, où ils pouvaient s'asseoir face à face autour d'une grande table et parler dans le plus grand secret.

Le Président du Consistoire était actuellement un Écossais nommé Hugh MacPhail. Il avait été élu très jeune, et les Présidents exerçaient leurs fonctions à vie. Comme il n'avait que quarante ans, on estimait qu'il façonnerait la destinée du Consistoire, et donc de toute l'Église, durant de nombreuses années. C'était un homme aux traits sombres, grand et imposant, avec une crinière de longs cheveux blancs, et sans doute aurait-il été gros s'il n'avait imposé une discipline rigoureuse à son corps : il ne buvait que de l'eau, ne mangeait que du pain et des fruits et faisait une heure d'exercice chaque jour sous la surveillance d'un entraîneur. Résultat, il était émacié, ridé et perpétuellement agité. Son dæmon était un lézard.

Quand ils furent tous assis, le père MacPhail dit :

— Voilà donc quelle est la situation. Il y a plusieurs éléments à considérer, me semble-t-il.

Premièrement, Lord Asriel. Une sorcière amie de l'Église nous a informés qu'il rassemblait une grande armée, incluant des forces qui pourraient être de nature céleste. Autant que puisse en juger cette sorcière, il nourrit des intentions malveillantes à l'égard de l'Église, et envers l'Autorité elle-même.

Deuxièmement, le Conseil d'Oblation. Sa participation au développement du programme de recherches de Bolvangar et au financement des activités de Mme Coulter indique qu'il espère remplacer la Cour de Discipline Consistoriale et devenir la branche la plus puissante et la plus efficace de la Sainte Église. Nous avons été devancés, messieurs. Ils ont agi sans pitié et avec habileté. Nous devrions être châtiés pour notre laxisme. Je reviendrai un peu plus tard sur les actions à entreprendre à ce sujet.

Troisièmement, le jeune garçon dont nous a parlé Fra Pavel, celui qui possède le poignard capable de tous ces prodiges. Il va de soi que nous devons le localiser et nous emparer de ce poignard le plus vite possible.

Quatrièmement, la Poussière. J'ai déjà pris des dispositions afin de savoir exactement ce que le Conseil d'Oblation a découvert à ce sujet. Un des chercheurs théologiens qui travaillent à Bolvangar s'est laissé convaincre de nous révéler la nature de leurs découvertes. Je dois m'entretenir avec lui cet après-midi même, en bas.

Un ou deux prêtres s'agitèrent nerveusement sur leur siège, car le terme
« en bas » faisait référence aux caves situées sous le bâtiment : des salles entièrement carrelées de blanc, insonorisées et pourvues d'arrivées de courant
ambarique.

— Mais quoi que nous apprenions sur la Poussière, reprit le Président,
nous ne devons pas perdre de vue notre objectif. Le Conseil d'Oblation a
cherché à comprendre les effets de la Poussière ; nous, nous devons la
détruire totalement. Rien de moins. Et si pour ce faire nous devons également détruire le Conseil d'Oblation, le Collège des Évêques, et chacune des
organisations à travers lesquelles la Sainte Église accomplit l'œuvre de
l'Autorité... eh bien, nous le ferons. Il se peut, messieurs, que la Sainte Église
elle-même ait été créée pour accomplir cette tâche et pour disparaître en
l'accomplissant. Mais mieux vaut un monde sans Église et sans Poussière
qu'un monde où chaque jour nous devons lutter sous le joug infâme du
péché. Mieux vaut un monde débarrassé de tout cela !

Le père Gomez hocha frénétiquement la tête, le regard enflammé.

— Et pour finir, ajouta le père MacPhail, il y a la fillette. C'est encore une
enfant, je suppose. Cette Ève, qui va connaître la tentation et qui, si elle suit
l'exemple donné, succombera à son tour, nous entraînera tous avec elle
dans sa chute. Messieurs, parmi tous les moyens possibles pour affronter le
problème que nous pose cette fillette, je vais vous suggérer le plus radical, et
je suis sûr que vous serez d'accord avec moi... Je propose d'envoyer quelqu'un à sa recherche, pour la tuer *avant* même qu'elle puisse être tentée.

— Père Président, s'exclama aussitôt le père Gomez, j'ai fait pénitence préventive chaque jour de ma vie d'adulte. J'ai étudié, je me suis préparé...

Le Président leva la main pour le faire taire. La pénitence et l'absolution
préventives étaient des doctrines inventées et développées par le Consistoire, mais ignorées de l'Église en général. Il s'agissait de faire pénitence pour
un péché qui n'avait pas encore été commis, une pénitence intense et fer-
vente, accompagnée de flagellations, ceci dans le but de constituer une
réserve de crédits. Quand la pénitence avait atteint le niveau approprié à tel
ou tel péché, le pénitent recevait l'absolution par avance, bien qu'il puisse
ne jamais être amené à commettre ce péché. Mais il était parfois nécessaire
de tuer des gens, par exemple ; dans ces cas-là, l'assassin était beaucoup plus
serein s'il pouvait agir en état de grâce.

— C'est à vous que je pensais justement, dit le père MacPhail d'un ton
affectueux. Ai-je l'assentiment de la Cour ? Bien. Quand le père Gomez
nous quittera, avec notre bénédiction, il se retrouvera seul. Impossible de le
contacter ni de le rappeler. Quoi qu'il arrive ensuite, il suivra son chemin
comme la flèche de Dieu, droit jusqu'à l'enfant pour la terrasser. Il sera invi-

sible, il arrivera de nuit, tel l'ange qui anéantit les Assyriens ; il sera silencieux. Quel dommage pour nous tous qu'il n'y ait pas eu un père Gomez dans le jardin d'Éden ! Car jamais nous n'aurions quitté le paradis.

Le jeune prêtre se sentait si fier qu'il était au bord des larmes. La Cour lui accorda sa bénédiction.

Et pendant ce temps, dans le coin le plus sombre du plafond, caché entre les poutres de chêne, se cachait un homme pas plus grand qu'une main ouverte. Ses talons étaient armés d'éperons empoisonnés et il entendait chaque parole prononcée.

Dans les caves du collège, l'homme venu de Bolvangar, vêtu seulement d'une chemise blanche sale et d'un pantalon trop large, sans ceinture, était debout sous l'ampoule électrique nue qui pendait au plafond ; il tenait son pantalon d'une main, et de l'autre son dæmon-lapin. Devant lui, sur l'unique chaise, était assis le père MacPhail.

—Docteur Cooper, dit-il, asseyez-vous.

Il n'y avait aucun meuble, à l'exception de la chaise, du lit de camp en bois et d'un seau. La voix du Président résonnait de manière désagréable sur le carrelage blanc qui recouvrait les murs et le plafond.

Le Dr Cooper s'assit sur le lit de camp. Il ne parvenait pas à détacher son regard du Président au visage décharné et aux cheveux blancs. Il passa sa langue sur ses lèvres sèches et attendit de voir quel nouveau supplice l'attendait.

—Ainsi, vous avez failli réussir à séparer l'enfant de son dæmon ? dit le père MacPhail.

Le savant répondit d'une voix tremblante :

—Nous avons estimé qu'il ne servait à rien d'attendre plus longtemps, étant donné que l'opération devait avoir lieu de toute façon, et nous avons placé l'enfant dans la chambre expérimentale, mais Mme Coulter est intervenue en personne pour conduire l'enfant dans ses appartements.

Le dæmon-lapin ouvrit ses yeux ronds et observa le Président d'un air craintif, puis il les referma et cacha son museau.

—Ce devait être un travail pénible, dit le père MacPhail.

—Oui, l'ensemble du programme était d'une extrême difficulté, s'empressa de confirmer le Dr Cooper.

—Je m'étonne que vous n'ayez pas cherché à obtenir l'aide du Consistoire, car nous avons les nerfs solides.

—Nous... Je... nous avions cru comprendre que le programme avait reçu l'aval de... C'était une affaire qui concernait le Conseil d'Oblation, mais on nous avait dit qu'elle bénéficiait de l'approbation de la Cour de Discipline Consistoriale. Sinon, jamais nous n'y aurions participé. Jamais !

—Non, bien évidemment. Mais parlons d'autre chose. Savez-vous, demanda le père MacPhail en abordant la véritable raison de sa visite dans ces caves, quel était l'objet des recherches de Lord Asriel ? Et quelle était l'origine de cette énergie colossale qu'il a réussi à utiliser à Svalbard ?

Le Dr Cooper déglutit avec peine. Dans le silence profond qui suivit, une goutte de sueur se détacha de son menton et les deux hommes l'entendirent distinctement s'écraser sur le sol en béton.

—Eh bien..., fit-il, une de nos équipes avait remarqué que le processus de séparation s'accompagnait d'une libération d'énergie. Il fallait des forces gigantesques pour la domestiquer mais, de même qu'on peut provoquer une explosion atomique avec de banals explosifs, on pouvait y parvenir en concentrant un fort courant ambarique. Mais nul ne prit cela au sérieux. Personnellement, s'empressa-t-il d'ajouter, je n'ai jamais prêté attention à ces idées, sachant que, sans approbation officielle, elles pouvaient être considérées comme hérétiques.

—Voilà qui est sage. Et ce collègue dont vous parlez, où est-il maintenant ?

—Il fait partie de ceux qui sont morts durant l'attaque.

Le Président sourit. Une expression si chaleureuse que le dæmon du Dr Cooper frissonna et se blottit contre sa poitrine.

—Courage, docteur Cooper, dit le père MacPhail. Il faut que vous soyez fort et courageux ! Il y a une tâche immense à accomplir, une grande bataille à livrer. Vous devez mériter le pardon de l'Autorité en coopérant pleinement avec nous, sans rien nous cacher, y compris les spéculations les plus folles ou les rumeurs. Je vous demande de vous concentrer pour vous souvenir des paroles de votre collègue. A-t-il fait des expériences ? A-t-il laissé des notes ? A-t-il mis quelqu'un dans la confidence ? Quel matériel utilisait-il ? Repensez à *tout*, docteur Cooper. Vous aurez du papier, un crayon et tout le temps dont vous avez besoin.

Cette pièce n'est pas très confortable. Nous allons vous installer dans un endroit mieux adapté. Y a-t-il une chose dont vous ayez besoin, au niveau de l'ameublement, par exemple ? Préférez-vous écrire sur une table ou sur un bureau ? Voulez-vous une machine à écrire ? Ou peut-être préférez-vous dicter à une sténographe ? Dites-le aux gardes ; vous aurez tout ce qu'il vous faut. Mais, cher docteur Cooper, je vous demande de concentrer toutes vos pensées sur votre collègue et sa théorie. Votre tâche consistera à vous rappeler, ou à redécouvrir en cas de besoin, ce qu'il avait découvert. Une fois que vous saurez quels instruments sont nécessaires, on vous les donnera. C'est une tâche immense, docteur Cooper ! Vous avez le privilège d'en être chargé ! Remerciez l'Autorité.

—Je la remercie, père Président. Du fond du cœur.

Serrant dans ses poings la taille de son pantalon trop large, le savant se leva et s'inclina, presque sans s'en apercevoir, plusieurs fois, tandis que le Président de la Cour de Discipline Consistoriale sortait de la cellule.

Ce soir-là, le chevalier Tialys, l'espion gallivespien, se faufila à travers les rues et les ruelles de Genève pour retrouver sa collègue, Lady Salmakia. C'était un trajet dangereux pour l'un et l'autre ; dangereux également pour quiconque essayait de les défier, mais particulièrement périlleux pour les petits Gallivespiens. Si plus d'un chat errant avait succombé à leurs éperons, le chevalier avait bien failli perdre un bras, une semaine plus tôt, entre les dents d'un chien famélique ; il n'avait dû son salut qu'à l'intervention rapide de Lady Salmakia.

Ils se retrouvèrent à un de leurs différents points de rendez-vous, le numéro sept très exactement, parmi les racines d'un platane dans un petit square lugubre et, là, ils échangèrent leurs informations. Le contact de Lady Salmakia au sein de la Société lui avait appris que, un peu plus tôt dans la soirée, ils avaient reçu un message amical de la part du Président du Consistoire qui les invitait à venir discuter de leurs intérêts communs.

—Il n'a pas perdu de temps, commenta le chevalier. Cent contre un qu'il ne leur parlera pas de son assassin.

À son tour, il évoqua le plan destiné à éliminer Lyra. Lady Salmakia ne semblait pas surprise.

—C'est une réaction logique, dit-elle. Et ces gens sont très logiques. Tialys, crois-tu que nous verrons un jour cette enfant ?

—Je l'ignore, mais j'aimerais bien. Bonne chance, Salmakia. Rendez-vous demain à la fontaine.

Derrière ce bref échange se cachait l'unique chose dont ils ne parlaient jamais : la brièveté de leurs vies comparées à celles des êtres humains. Les Gallivespiens vivaient neuf ou dix ans, rarement plus, et Tialys et Salmakia étaient tous les deux dans leur septième année. Ils ne redoutaient pas la vieillesse ; leurs semblables mouraient de manière soudaine, sans rien perdre de la vigueur et de la force de la prime jeunesse, et leur enfance était très courte, mais par comparaison, la vie d'une enfant comme Lyra leur paraissait éternelle, comme l'existence des sorcières par rapport à la durée de vie de Lyra.

De retour au Collège Saint-Jérôme, le chevalier entreprit de rédiger le message qu'il expédierait à Lord Roke par le biais du résonateur à aimant.

Mais pendant que le chevalier discutait avec Salmakia, le Président envoya chercher le père Gomez. Dans son bureau, ils prièrent ensemble pendant une heure, après quoi le père MacPhail accorda au jeune prêtre l'absolution préventive grâce à laquelle le meurtre de Lyra n'en serait pas un. Le père Gomez semblait transfiguré : la foi qui coulait dans ses veines allumait une lueur incandescente dans ses yeux.

Ils évoquèrent ensuite les détails pratiques, concernant l'argent et le reste, puis le Président dit :

— Une fois que vous serez parti d'ici, père Gomez, vous serez totalement coupé, et pour toujours, de toute l'aide que nous pourrions vous apporter. Vous ne pourrez jamais revenir ; vous n'entendrez plus jamais parler de nous. Je ne peux offrir de meilleur conseil que celui-ci : ne cherchez *pas* cette enfant. Vous vous trahiriez. Cherchez plutôt la tentatrice. Suivez-la, elle vous conduira jusqu'à l'enfant.

— *Elle ?* fit le prêtre, abasourdi.

— Oui, *une femme*, dit le père MacPhail. Nous l'avons appris grâce à l'aléthiomètre. La tentatrice vient d'un monde très étrange. Vous verrez un tas de choses qui vous choqueront et vous stupéfieront, père Gomez. Mais ne laissez pas leur étrangeté vous distraire de votre tâche sacrée. J'ai foi, ajouta-t-il affectueusement, dans la force de *votre* foi. Cette femme, guidée par les forces du mal, voyage vers un lieu où elle a des chances de rencontrer l'enfant, à temps pour la soumettre à la tentation. Si nous ne parvenons pas, bien évidemment, à arracher la fillette de l'endroit où elle se trouve actuellement. Ce qui reste notre objectif principal. Mais si ce plan échoue, vous êtes notre assurance ultime que les forces infernales ne l'emporteront pas.

Le père Gomez hocha la tête. Son dæmon, un gros scarabée iridescent au dos vert, déplia ses élytres.

Le Président ouvrit un tiroir et lui tendit un paquet de feuilles plié.

— Voilà tout ce que nous savons sur cette femme, dit-il, sur le monde d'où elle vient, et l'endroit où on l'a vue pour la dernière fois. Lisez bien ces renseignements, mon cher Luis, et que ma bénédiction vous accompagne.

Jamais jusqu'à ce jour le père MacPhail n'avait appelé le jeune prêtre par son prénom. Le père Gomez sentit des larmes de joie lui piquer les yeux, tandis qu'il embrassait le Président pour lui faire ses adieux.

Et le chevalier Tialys n'en savait rien.

tu es Lyra.

Elle comprit alors ce que ça signifiait. Elle se sentit prise de vertiges, même dans son sommeil ; elle sentit un poids énorme s'abattre sur ses épaules. Et, comme pour le rendre encore plus pesant, voilà que le sommeil se refermait de nouveau sur elle, et le visage de Roger s'enfonçait dans l'obscurité.

—Oui, je... Je sais... Il y a toutes sortes de gens de notre côté, comme le Dr Malone... Tu sais qu'il existe un autre Oxford, Roger, exactement comme le nôtre ? Eh bien, elle.. Je l'ai trouvée dans... Elle nous aiderait... Mais il n'y a qu'une seule personne en réalité qui...

Le jeune garçon était devenu presque invisible, et les pensées de Lyra se dispersaient et vagabondaient comme des moutons dans un pré.

—Mais on peut lui faire confiance, Roger, je te le jure, dit-elle au prix d'un ultime effort,

Chapitre 7
Mary, seule

Enfin s'élevèrent, comme en cadence, les arbres
majestueux, et ils déployèrent leurs branches
surchargées, enrichies de fruits...
JOHN MILTON

Presque au même moment, la tentatrice que le père Gomez s'apprêtait à suivre était elle-même victime de la tentation.

— Merci, non, non, j'ai tout ce qu'il me faut. Sincèrement, je ne veux plus rien, disait le Dr Mary Malone au vieux couple qui voulait lui donner plus de vivres qu'elle ne pouvait en porter.

Ils vivaient ici, entourés d'oliviers, isolés et sans enfants, et ils avaient pris peur en voyant les Spectres se faufiler au milieu des arbres d'un gris argenté mais, quand Mary Malone avait surgi au bout du chemin avec son sac à dos, les Spectres s'étaient enfuis, apeurés. Le vieux couple avait accueilli chaleureusement la voyageuse dans leur petite ferme aux murs couverts de lierre ; ils lui avaient offert du vin, du fromage, du pain et des olives en abondance et, maintenant, ils ne voulaient plus la laisser partir.

— Je dois continuer mon chemin, répéta Mary. Merci pour tout, vous avez été très gentils. Je ne peux pas porter... Bon, d'accord, encore un peu de fromage, merci.

De toute évidence, le vieux couple voyait en elle un talisman contre les Spectres. Elle aurait aimé que ce fût vrai. Au cours de la semaine qu'elle avait passée dans le monde de Cittàgazze, elle avait vu suffisamment de scènes de dévastation — adultes dévorés par les Spectres et enfants vivant à l'état presque sauvage — pour éprouver une profonde aversion envers ces vampires éthérés. Une chose était sûre : ils s'enfuyaient dès qu'elle approchait ; malheureusement, elle ne pouvait pas rester auprès de toutes les personnes qui l'auraient souhaité. Il fallait qu'elle poursuive son chemin.

664

Elle trouva une place dans son sac pour un ultime petit fromage de chèvre enveloppé d'une feuille de vigne, sourit et s'inclina de nouveau, avant de boire une dernière gorgée d'eau au ruisseau qui bouillonnait entre les rochers gris. En signe d'adieu, imitant les deux vieillards, elle joignit délicatement les mains puis pivota sur elle-même avec détermination et s'en alla.

Elle paraissait plus sûre d'elle qu'elle ne l'était réellement. Sa dernière «conversation» avec ces entités qu'elle appelait des particules d'Ombre, et que Lyra nommait Poussière, avait eu lieu sur l'écran de son ordinateur et, sur leur ordre, elle en avait détruit la transcription. Maintenant, elle se sentait perdue. Elles lui avaient dit de franchir l'ouverture qui se trouvait dans Oxford, là où elle avait vécu, l'Oxford du monde de Will. Ce qu'elle avait fait, pour se retrouver, étourdie et frémissante d'émerveillement, dans cet autre monde extraordinaire. Sa tâche consistait à retrouver le garçon et la fille, et à jouer le rôle du serpent... sans savoir ce que cela voulait dire.

Alors, elle avait marché, exploré, enquêté, sans rien trouver. Maintenant, se disait-elle, alors qu'elle suivait le petit chemin en tournant le dos au bosquet d'oliviers, elle allait devoir s'en remettre à un guide.

Quand elle fut sûre d'être suffisamment loin de la petite ferme pour ne pas être dérangée, elle s'assit à l'ombre des pins et ouvrit son sac à dos. Tout au fond, enveloppé dans un foulard de soie, se trouvait le livre qui était en sa possession depuis vingt ans : un ouvrage sur la méthode de divination chinoise baptisée I-Ching.

Elle l'avait emporté pour deux raisons. La première raison était d'ordre sentimental : c'était son grand-père qui lui avait donné ce livre et elle l'avait beaucoup utilisé quand elle était écolière. La deuxième raison était liée à la première question posée par Lyra quand elle avait pénétré par miracle dans le laboratoire de Mary : «C'est quoi, ça?» avait-elle demandé en désignant l'affiche apposée sur la porte, représentant les symboles du I-Ching; et, peu de temps après, en déchiffrant de manière spectaculaire les informations de l'ordinateur, Lyra avait appris (affirmait-elle) que la Poussière avait bien d'autres façons de s'adresser aux êtres humains, parmi lesquelles figurait la méthode venue de Chine qui utilisait ces symboles.

Voilà pourquoi, en préparant rapidement son bagage, Mary Malone avait placé dans le sac *Le Livre des Changements,* comme on l'appelait, et les petites baguettes avec lesquelles elle le lisait. Le moment était venu de les utiliser.

Mary étala le foulard de soie sur le sol et commença à diviser et compter les baguettes, en écartant certaines, comme elle avait fait si souvent quand elle était une adolescente curieuse et passionnée. Elle avait presque oublié comment on faisait mais, très vite, le rituel lui revint en mémoire, accompagné de cette sensation de calme et de profonde concentration qui jouait un rôle capital dans le dialogue avec les Ombres.

Finalement, elle obtint les nombres qui désignaient l'hexagramme, le groupe de six lignes brisées ou intactes, et elle chercha leur signification dans le manuel. C'était la partie la plus ardue, car le livre s'exprimait dans un style énigmatique.

Elle lut :

Tourner au sommet
Pour provision de nourriture
Apporte la chance.
Espionner avec un œil perçant
Comme un tigre à l'appétit insatiable.

Cela semblait encourageant. Elle continua à lire, en suivant les chemins labyrinthiques sur lesquels l'entraînait le commentaire, jusqu'à ce qu'elle arrive à :

Immobile est la montagne ;
C'est un chemin dérobé ;
Cela signifie petites pierres, portes et ouvertures.

À elle de deviner le sens de ce message. Le mot « ouvertures » évoquait assurément cette mystérieuse fenêtre dans le vide, par laquelle elle avait pénétré dans ce monde ; et les premiers mots semblaient indiquer qu'elle devait monter.

À la fois perplexe et réconfortée, elle rangea le livre et les baguettes dans son sac et se remit en marche.

Quatre heures plus tard, elle souffrait de la chaleur et de la fatigue. Le soleil était bas à l'horizon. Le chemin cahoteux qu'elle suivait depuis un long moment avait fini par s'estomper et elle éprouvait de plus en plus de difficultés à progresser au milieu des éboulis et des pierres. Sur sa gauche, la pente plongeait vers un paysage d'oliviers, de citronniers et de vignes mal entretenues, constellé de moulins à l'abandon, enveloppé de brume dans la lumière déclinante du soir. Sur sa droite, un éboulis de petits rochers et de cailloux montait vers une falaise de calcaire.

Avec un soupir de lassitude, Mary remonta son sac à dos sur ses épaules et posa le pied sur une pierre plate pour continuer son chemin mais, avant même qu'elle ait fait basculer le poids de son corps sur son autre jambe, elle s'immobilisa. La lumière soulignait un curieux effet. La main en visière pour protéger ses yeux de la réverbération du soleil sur les pierres, elle essaya de retrouver l'éclat entraperçu.

Voilà, c'était là. Un peu à la manière de ces formes en trois dimensions qui émergent d'un agencement apparemment fortuit de taches de couleur, une forme se détachait à la surface de la falaise, au sommet de l'éboulis. Mary se souvint alors de ce qu'avait prédit le I-Ching : un chemin dérobé, de petites pierres, des portes et des ouvertures.

C'était une fenêtre, comme celle qui se trouvait dans Sunderland Avenue. Elle la voyait uniquement grâce à la lumière déclinante : si le soleil avait été plus haut dans le ciel, sans doute serait-elle passée à côté sans la remarquer.

Mary s'approcha de la petite tache de vide avec une vive curiosité, car elle n'avait pas eu le temps d'examiner la première ouverture, obligée qu'elle était de fuir le plus vite possible. Elle prit le temps d'observer celle-ci en détail : elle en palpa les contours, en fit le tour pour voir comment elle devenait invisible de l'autre côté. Son esprit menaçait d'exploser sous l'effet de l'excitation. Comment une telle chose était-elle possible ?

Le porteur de couteau qui avait ouvert ce passage, à peu près à l'époque de la Révolution américaine, n'avait pas pris la peine de la refermer, il était trop insouciant. Mais l'endroit qu'il avait choisi pour traverser était très semblable à celui qui se trouvait dans l'autre monde, à proximité d'une paroi rocheuse. Toutefois, la roche qui se trouvait de l'autre côté n'était pas du calcaire, mais du granite et, en passant dans ce nouveau monde, Mary se retrouva non pas au pied d'une haute falaise, mais presque au sommet d'un promontoire qui surplombait une vaste plaine.

C'était le soir, là aussi, et elle s'assit pour respirer l'air, reposer ses membres endoloris et savourer sans hâte l'émerveillement qu'elle ressentait.

Une lumière dorée inondait une sorte de savane infinie, comme Mary n'en avait jamais vu dans son monde. Presque entièrement recouverte d'une herbe rase où se mêlaient d'innombrables nuances de brun, d'ocre, de vert et de jaune, elle ondulait tout doucement dans la lumière du cré-puscule. En outre, on aurait dit que la prairie était traversée en tous sens par des rivières de pierre d'un gris pâle.

Autre vision extraordinaire : la plaine était parsemée ici et là de bosquets d'arbres gigantesques, plus grands que tous ceux que Mary avait jamais vus. Pourtant, un jour où elle participait à une conférence de physique en Californie, elle avait profité d'un moment de loisir pour aller admirer les immenses séquoias, mais les arbres qu'elle découvrait dans cette savane auraient dépassé les séquoias géants d'au moins la moitié de leur longueur. Leur feuillage était épais, d'un vert très sombre, et leurs énormes troncs prenaient des reflets roux et dorés dans le coucher de soleil.

Dernier détail insolite : des troupeaux, trop lointains pour qu'elle identifie les animaux, paissaient dans la prairie. Il y avait dans leurs mouvements quelque chose d'étrange, sans que Mary puisse dire ce qui provoquait cette impression.

Elle était terriblement fatiguée ; elle avait soif et faim. Elle entendit le murmure réjouissant d'un ruisseau tout proche : un mince filet d'eau claire s'échappait d'une fissure bordée de mousse dans la roche et coulait vers le bas de la pente. Après s'être abreuvée avec délice, elle remplit ses gourdes et entreprit de s'installer confortablement car la nuit tombait vite.

Adossée contre la roche, emmitouflée dans son sac de couchage, elle mangea un peu de pain dur et de fromage de chèvre, puis sombra dans un profond sommeil.

Mary fut réveillée par les premiers rayons du soleil qui caressaient son visage. L'air était frais et la rosée s'était déposée en minuscules perles dans ses cheveux et sur son sac de couchage. Elle demeura immobile quelques minutes, enveloppée de fraîcheur, avec l'étrange sentiment d'être la première femme de l'humanité.

Enfin, elle se redressa, bâilla, s'étira et frissonna. Elle se lava dans l'eau glacée du petit ruisseau et mangea quelques figues séchées avant d'examiner les alentours.

Au-delà du promontoire sur lequel elle avait débouché, le paysage descendait en pente douce. Devant elle, la prairie s'étendait à perte de vue. Les grandes ombres des arbres s'allongeaient vers elle maintenant, et elle voyait tournoyer des nuées d'oiseaux, si minuscules devant la masse imposante du feuillage qu'ils ressemblaient à de vulgaires particules de poussière.

Reprenant son sac à dos, Mary descendit jusqu'aux premières touffes d'herbe rêche et mit le cap sur le groupe d'arbres le plus proche, qui devait se trouver, estima-t-elle, à six ou sept kilomètres de là.

L'herbe lui arrivait aux genoux ; çà et là poussaient des buissons bas, pas plus hauts que ses chevilles, ressemblant à des genévriers ; il y avait également des fleurs, semblables à des coquelicots, semblables à des boutons d'or, semblables à des bleuets, qui saupoudraient le paysage d'une brume multicolore. Soudain, Mary aperçut une grosse abeille, de la taille de la première phalange de son pouce, qui se posa sur la tête d'une fleur bleue pour la butiner et la fit ployer sous son poids. Mais, lorsqu'elle émergea des pétales pour reprendre son envol, elle s'aperçut qu'il ne s'agissait pas d'un insecte car, aussitôt, l'animal fonça vers elle et vint se poser sur son doigt, pour sonder sa peau avec son long bec fin comme une aiguille, très délicatement, avant de repartir, déçu sans doute par l'absence de nectar. C'était une sorte de minuscule colibri, mais ses ailes aux plumes couleur bronze s'agitaient trop vite pour qu'elle puisse le voir distinctement.

Tous les biologistes du monde l'envieraient, songea-t-elle, s'ils pouvaient voir ce qu'elle avait devant les yeux !

Elle continua d'avancer et s'aperçut qu'elle approchait d'un troupeau. Les animaux étaient de la taille d'un cerf ou d'une antilope, et à peu près de la même couleur mais, ce qui la fit s'arrêter en se frottant les yeux, c'était la disposition de leurs pattes. Elles formaient un losange : deux au milieu, une devant et une quatrième sous la queue, si bien que l'animal se déplaçait avec un étrange balancement. Mary avait hâte d'examiner le squelette d'une de ces bêtes pour voir comment fonctionnait cette structure.

Pour leur part, les bêtes la regardaient avec une sorte d'indifférence et continuaient à paître sans montrer de signes d'inquiétude. Mary aurait aimé s'approcher davantage pour les observer, mais il commençait à faire chaud et l'ombre des arbres géants, un peu plus loin, l'attirait. Et après tout, elle avait tout son temps.

Bientôt, elle quitta l'épais tapis d'herbe pour prendre pied sur une de ces rivières de pierre qu'elle avait vues du promontoire : encore une source d'émerveillement.

Peut-être s'agissait-il d'une très ancienne coulée de lave, se dit-elle. La couleur sous-jacente était sombre, presque noire, mais la surface était plus pâle, comme si la roche avait été martelée ou usée par le frottement. Elle était aussi lisse qu'une belle route goudronnée dans le monde de Mary et la marche y était plus aisée que sur l'herbe.

Elle suivit donc la coulée sur laquelle elle se trouvait et qui décrivait un grand arc de cercle en direction des arbres. Plus elle s'en approchait, plus elle était abasourdie par le gigantisme des troncs, aussi larges que la maison où elle vivait et aussi hauts que... aussi hauts que... Elle n'avait même pas de point de comparaison.

Arrivée devant le premier tronc, elle posa ses mains à plat sur l'écorce rousse, creusée de profonds sillons. Le sol était jonché d'un épais tapis de feuilles brunes, aussi grandes que sa main, moelleuses et parfumées. Très vite, Mary se retrouva entourée par un nuage de créatures volantes semblables à des moucherons, par une nuée de ces minuscules colibris, un papillon aux ailes jaunes aussi larges que sa paume, et beaucoup trop de petites bêtes rampantes à son goût. L'air était rempli de bourdonnements, de vrombissements et de raclements.

Elle pénétra à l'intérieur du bosquet en ayant l'impression d'entrer dans une cathédrale : il y régnait la même immobilité, l'architecture végétale dégageait le même sentiment d'élévation, et elle éprouvait le même effroi mêlé de respect.

Il lui avait fallu plus longtemps que prévu pour atteindre cet endroit. Apparemment, on approchait de la mi-journée, car les rayons de soleil qui traversaient la voûte des arbres tombaient presque à la verticale. L'esprit somnolent, Mary se demanda pourquoi les bêtes qui broutaient l'herbe ne profitaient pas de l'ombre des arbres durant les heures les plus chaudes de la journée.

Elle ne tarda pas à avoir la réponse.

Comme elle avait trop chaud pour continuer à marcher, elle s'allongea entre les racines d'un des arbres géants, la tête appuyée sur son sac à dos et s'assoupit.

Elle avait fermé les yeux depuis quelques minutes et elle ne dormait pas tout à fait quand, soudain, tout près, un énorme fracas ébranla le sol.

Suivi d'un autre. Affolée, Mary se redressa et reprit ses esprits. Elle découvrit alors un mouvement flou qui prit ensuite l'apparence d'un objet rond, d'environ un mètre de diamètre, qui roulait sur le sol, puis s'arrêta et bascula sur le côté.

Un autre tomba un peu plus loin. Mary vit la chose chuter, s'écraser au milieu des racines du tronc le plus proche, semblables à des contreforts, puis rouler.

L'idée qu'une de ces choses puisse lui tomber dessus lui fit récupérer son sac à dos et quitter précipitamment le bosquet. Qu'était-ce donc ? Des sortes de cosses ?

En gardant les yeux levés par mesure de prudence, elle s'aventura de nouveau sous les arbres pour examiner la plus proche de ces choses mysté- rieuses. Elle la redressa et la fit rouler à l'extérieur du bosquet, puis la posa à plat dans l'herbe pour l'étudier plus attentivement.

De forme parfaitement circulaire, elle était épaisse comme la largeur de sa paume. Au milieu, il y avait un petit creux, à l'endroit, sans doute, où elle était attachée à l'arbre. Ce n'était pas lourd, mais excessivement dur, et couvert de poils fibreux plantés tout autour de la circonférence, qu'on pouvait aisément caresser dans un sens, mais pas dans l'autre. Mary essaya d'entailler la surface avec la pointe de son couteau, sans résultat.

Ses doigts lui semblaient plus doux tout à coup. Elle les sentit : il s'y atta- chait un léger parfum, sous l'odeur de poussière. Elle reprit l'examen de cette cosse. Au centre, elle remarqua un faible scintillement et, quand elle posa la main dessus, il s'enfonça légèrement sous la pression de ses doigts. La chose libérait une sorte d'huile.

Abandonnant un instant sa découverte, Mary songea à la manière dont ce monde avait évolué.

Si son hypothèse concernant ces univers était fondée, s'ils étaient les mondes multiples dont parlait la théorie quantique alors, certains d'entre eux s'étaient séparés du monde dans lequel elle vivait bien avant les autres. De toute évidence, dans ce monde-ci, l'évolution avait favorisé les arbres gigantesques et des animaux imposants dotés d'un squelette en losange.

Mary découvrait à quel point son horizon scientifique était limité. Elle ne connaissait rien en botanique, en géologie, ni en biologie. Bref, elle était aussi ignorante qu'un nouveau-né.

Elle entendit alors un grondement sourd, comme un roulement de tonnerre, difficile à localiser. Jusqu'à ce qu'elle voie un nuage de poussière se déplacer sur un des chemins de pierre ; il venait vers le bosquet d'arbres, il venait vers elle. Le nuage était à plus d'un kilomètre, mais il avançait vite et, soudain, elle prit peur.

Elle courut se réfugier au milieu des arbres. Avisant une crevasse entre deux énormes racines, elle s'y glissa.

Le nuage de poussière approchait et ce qu'elle découvrit lui donna le vertige. D'abord, on aurait dit un gang de motards. Puis elle crut apercevoir un troupeau d'animaux montés *sur roues.* Non, c'était impossible. Aucun animal n'avait de roues. Elle n'en croyait pas ses yeux. C'était pourtant la réalité.

Il y en avait une douzaine. Ils avaient à peu près la même taille que les bêtes qui broutaient, mais étaient plus frêles, avec une peau grise, des cornes sur la tête et une petite trompe, comme celle d'un éléphant. Ils avaient le même squelette en losange que les autres bêtes, à cette différence près que leur unique patte avant et leur unique patte arrière se terminaient... par une roue !

Allons, les roues n'existent pas dans la nature, disait l'esprit cartésien de Mary ; c'était impossible. Il fallait un axe totalement indépendant de la partie rotative, ça ne pouvait pas exister...

Mais, lorsque les créatures s'arrêtèrent, à moins de cinquante mètres, et quand la poussière retomba, Mary fit soudain le rapprochement et elle ne put s'empêcher d'éclater de rire, avec un petit hoquet de bonheur.

Ces roues étaient en fait des cosses ! Parfaitement rondes, terriblement dures et légères à la fois ; nul n'aurait pu concevoir un objet plus parfait. Ces créatures plantaient une griffe de leur patte avant et de leur patte arrière au centre de la cosse, et se servaient de leurs deux pattes latérales pour prendre de l'élan en poussant sur le sol. Tout en s'émerveillant de ce prodige, Mary était un peu inquiète également, car leurs cornes paraissaient excessivement pointues et, même à cette distance, elle percevait l'intelligence et la curiosité qui habitaient leur regard.

Et elles la regardaient.

L'une d'elles avait aperçu la cosse que Mary avait sortie du bosquet et elle s'en approcha en roulant lentement sur la route de pierre. Arrivée devant, elle la souleva sur la tranche avec sa trompe et la fit rouler vers ses congénères.

Ceux-ci se regroupèrent autour de la cosse et la manipulèrent délicatement avec leurs trompes puissantes et flexibles et, tandis qu'elle observait cette scène, Mary se surprit à interpréter les petits gazouillis, les claquements de langue et les sifflements comme des marques de désapprobation. Quelqu'un avait abîmé la cosse : c'était mal.

Puis elle se dit : « Tu es venue ici dans un but précis, même s'il t'échappe pour l'instant. Sois courageuse. Prends l'initiative. »

Alors elle sortit de sa cachette entre les racines et lança, d'une voix timide :

—Hé ! Je suis là. C'est moi qui ai touché la cosse, juste pour regarder. Je suis désolée. Je vous en prie, ne me faites pas de mal.

Aussitôt, toutes les têtes se tournèrent vers elle ; les trompes étaient tendues, les yeux brillants, les oreilles dressées.

Mary sortit de son abri pour leur faire face. Elle tendit les mains devant elle, en se disant que ce geste n'avait sans doute aucun sens pour des créatures qui n'avaient pas de mains. Mais elle ne pouvait rien faire d'autre. Elle ramassa son sac à dos, avança dans l'herbe et prit pied sur la route de pierre.

De près, à moins de cinq pas, elle distinguait mieux leur apparence, mais son attention était accaparée par une lueur vivace dans leur regard, qui trahissait une certaine forme d'intelligence. Ces créatures étaient aussi différentes des animaux qui broutaient non loin de là qu'un être humain était différent d'une vache.

Mary se montra du doigt en disant :

—Mary.

La créature la plus proche tendit sa trompe. Mary se rapprocha, et la trompe se posa sur sa poitrine, à l'endroit qu'elle avait indiqué, et elle entendit sa voix qui lui revenait en sortant de la gorge de la créature :

—*Merry.*

—Qu'êtes-vous donc ? demanda-t-elle.

—*Quêtvoudonc ?* répéta la créature.

Mary put seulement répondre :

—Je suis un être humain.

—*Jessuizun naitrumain,* dit la créature.

Et une chose encore plus incroyable se produisit alors : elles éclatèrent toutes de rire.

Leurs yeux se plissèrent, leurs trompes se balancèrent, elles rejetèrent la tête en arrière et, du fond de leur gorge, montèrent les sons caractéristiques de la joie. Mary ne put s'en empêcher : elle rit elle aussi.

Alors, une autre s'avança et lui caressa la main avec sa trompe. Mary présenta son autre main à cette caresse douce, velue et curieuse.

—Ah, dit-elle, vous sentez l'huile de la cosse...

—*Delacosse,* répéta la créature.

—Si vous arrivez à reproduire les sons de ma langue, on pourra peut-être communiquer, un jour. Dieu sait quand. Mary, dit-elle en se montrant du doigt.

Aucune réaction. Elles la regardaient. Elle recommença :

—Mary.

La créature la plus proche tapota sa poitrine avec sa trompe et parla. Avait-elle prononcé trois syllabes ou deux ? Elle répéta la même chose et, cette fois, Mary se concentra pour essayer de distinguer les sons.

—Mulefa, dit-elle, timidement.

Les autres répétèrent *Mulefa,* avec la même voix qu'elle, en riant. On aurait dit qu'elles se moquaient de leur congénère qui avait parlé.

—*Mulefa !* reprirent-elles en chœur, comme si c'était une bonne plaisanterie.

—Si vous riez, ça signifie que vous n'allez pas me manger, dit Mary.

Et à partir de cet instant, une ambiance détendue et amicale s'installa entre elle et ces créatures, et elle sentit se dissiper sa nervosité.

Le groupe se détendit lui aussi : il avait des choses à faire ; il ne se déplaçait pas au hasard. Mary remarqua qu'une d'elles avait une selle sur le dos, et deux de ses congénères y déposèrent la cosse, en la fixant à l'aide de sangles, avec des gestes habiles et complexes de leurs trompes. Quand elles étaient immobiles, elles se tenaient en équilibre sur leurs pattes latérales et, quand elles se déplaçaient, elles tournaient leurs pattes avant et arrière pour s'orienter. Curieusement, leurs mouvements étaient à la fois pleins de grâce et de puissance.

L'une d'elles roula jusqu'au bord de la route et dressa sa trompe vers le ciel pour lancer un long barrissement. Tout le troupeau de ruminants leva la tête et les animaux approchèrent au trot. Arrivés au bord de la route, ils attendirent patiemment et laissèrent les créatures roulantes se déplacer lentement parmi eux, pour les examiner, les toucher, les compter.

Mary vit alors l'un des mulefas glisser sa trompe sous le ruminant pour le traire, puis il revint vers elle, toujours en roulant, et approcha doucement sa trompe de la bouche de la jeune femme.

Celle-ci eut un mouvement de recul instinctif, mais elle voyait l'attente dans les yeux de la créature, alors elle se rapprocha et écarta les lèvres. La créature fit couler un peu de lait fin et sucré dans sa bouche ; elle la regarda avaler, puis elle lui en donna encore un peu, et encore un peu. Ce geste était à la fois si habile et chaleureux que Mary, instinctivement, noua ses bras autour du cou du mulefa et l'embrassa ; elle sentait la peau chaude et poussiéreuse, elle sentait les os durs en dessous et la puissance musclée de la trompe.

Finalement, le chef du groupe émit un léger barrissement et les ruminants s'éloignèrent. Les mulefas s'apprêtaient à repartir. Mary éprouvait à la fois de la joie, car ils l'avaient accueillie chaleureusement, et de la tristesse, car ils s'en allaient. Mais une surprise l'attendait.

Une des créatures s'était agenouillée sur la route et, avec sa trompe, elle faisait signe à Mary d'approcher. Toutes les autres l'encourageaient. Aucun doute : elles lui offraient de la transporter, de l'emmener avec elles.

Une autre ramassa son sac et l'attacha sur la selle d'une troisième. Alors, Mary monta sur le dos de la créature agenouillée, de manière pataude, en se demandant où mettre ses jambes : devant ou derrière ? Et à quoi pouvait-elle s'accrocher ?

Mais avant qu'elle trouve la réponse à ces questions, le mulefa s'était redressé et la petite troupe se remit en marche sur la route de pierre, avec Mary qui chevauchait au centre du groupe.

... parce que c'est Will.

Chapitre 8

Vodka

*Je suis étranger
sur une terre étrange.*
L'Exode

 Balthamos ressentit la mort de Baruch à l'instant même où elle survint. Il éclata en sanglots et s'envola dans le ciel noir, au-dessus de la toundra, battant furieusement des ailes et déversant tout son désespoir dans les nuages. Il lui fallut un certain temps pour se ressaisir et redescendre auprès de Will, parfaitement réveillé, qui scrutait l'obscurité humide et glaciale, son poignard à la main.

— Qu'y a-t-il ? demanda le jeune garçon lorsque l'ange réapparut à ses côtés, tremblant. Un danger nous menace ? Mettez-vous derrière moi.

— Baruch est mort ! s'exclama Balthamos. Mon très cher Baruch est mort...

— Quand ? Où ?

Balthamos ne pouvait le dire ; il savait seulement que la moitié de son cœur venait de s'éteindre. Incapable de tenir en place, il s'envola de nouveau et sillonna le ciel, comme s'il cherchait Baruch dans tel ou tel nuage ; et il criait son nom, pleurait, criait son nom, pleurait... Finalement, submergé par un sentiment de culpabilité, il redescendit pour inciter Will à se cacher et à ne pas faire de bruit, et il promit de veiller sur lui sans trêve ni repos. Le poids de son chagrin le cloua au sol, et il repensa à toutes ces occasions où Baruch avait fait preuve de gentillesse et de courage, elles étaient innombrables, mais il n'en avait oublié aucune, et il pleurait à l'idée qu'une nature si bonne puisse s'éteindre pour toujours. Alors il s'éleva de nouveau dans le ciel et fila dans toutes les directions, affolé, imprudent et torturé, maudissant l'air, les nuages, les étoiles.

Au bout d'un moment, Will dit :

— Balthamos, revenez ici.

L'ange obéit à son ordre. Dans l'obscurité mordante et froide de la toundra, le garçon qui frissonnait dans son manteau lui dit :

—Essayez de vous calmer. Vous savez bien qu'il y a par ici des créatures qui vont nous attaquer si elles entendent un bruit. Je peux vous protéger avec le poignard si vous restez à proximité mais, si elles vous attaquent dans le ciel, je ne pourrai rien pour vous. Et si vous mourez vous aussi, c'en sera terminé de moi également. Balthamos, j'ai besoin de vous pour m'aider à retrouver Lyra. Ne l'oubliez pas, je vous en prie. Baruch était courageux ; soyez comme lui. Soyez courageux, vous aussi, pour moi.

Balthamos ne répondit pas immédiatement, puis il dit :

—Bien. Tu as raison. Rendors-toi, Will. Je vais monter la garde. Tu peux compter sur moi.

Will décida de lui faire confiance, il n'avait pas le choix. Très vite, il se rendormit.

Quand il se réveilla, trempé par la rosée et glacé jusqu'aux os, l'ange se tenait à ses côtés. Le soleil se levait à peine ; les roseaux et les plantes des marais semblaient ourlés d'or.

Avant que Will fasse un seul geste, Balthamos déclara :

—Je sais ce que je dois faire. Je resterai près de toi nuit et jour, avec joie et de bon cœur, en mémoire de Baruch. Je te conduirai jusqu'à Lyra si je le peux et, ensuite, je vous escorterai tous les deux auprès de Lord Asriel. J'ai vécu des milliers d'années et, sauf si on me tue, j'en vivrai des milliers d'autres. Mais jamais je n'ai rencontré un être qui me donnait un tel désir de faire le bien, ou d'être aussi bon, que Baruch. Bien souvent j'ai échoué dans cette tâche mais, chaque fois, sa bonté était là pour me racheter. Aujourd'hui, elle n'est plus là, et je vais devoir essayer de m'en passer. Peut-être que j'échouerai encore de temps à autre, mais j'essaierai quand même.

—Baruch serait fier de vous, dit Will en frissonnant.

—Si je partais en éclaireur pour voir où nous sommes ?

—Bonne idée. Envolez-vous et dites-moi à quoi ressemble le paysage plus loin. Il nous faudra une éternité pour progresser dans ces marécages.

Balthamos s'envola. Il n'avait pas confié à Will toutes ses inquiétudes, car il s'efforçait de ne pas lui infliger le poids d'une angoisse excessive. Mais il savait que l'ange Métatron, le Régent, auquel ils avaient échappé de justesse, avait gravé dans son esprit le visage de Will. Pas uniquement son visage, mais tout ce que pouvaient voir les anges également, y compris des parties de lui-même dont Will n'avait pas conscience, comme cet aspect de sa personnalité que Lyra aurait appelé son dæmon. Métatron représentait une grande menace pour Will désormais et, tôt ou tard, Balthamos savait qu'il devrait le lui dire, mais pas maintenant. C'était trop difficile.

Songeant qu'il se réchaufferait plus rapidement en marchant qu'en ramassant du bois et en attendant que le feu prenne, Will balança son sac sur ses épaules, enfila son manteau par-dessus et repartit en direction du sud. Il y avait un chemin, boueux et creusé d'ornières, signe que des gens s'aventuraient parfois par ici, mais l'horizon plat était si étendu qu'il n'avait pas l'impression d'avancer.

Au bout d'un moment, alors que la lumière était devenue plus vive, la voix de Balthamos résonna à ses côtés :

—Droit devant, à environ une demi-journée de marche, il y a une grande rivière et une ville, avec un quai où sont amarrés des bateaux. J'ai volé suffisamment haut pour voir que la rivière se poursuivait très loin au sud et au nord. Si tu réussissais à t'embarquer sur un bateau, tu irais beaucoup plus vite.

—Parfait, dit Will avec enthousiasme. Ce chemin mène à la ville dont vous parlez ?

—Il traverse d'abord un village, avec une église, des fermes et des vergers, et il continue vers la ville.

—Je me demande quelle langue parlent les habitants. J'espère qu'ils ne me jetteront pas en prison parce que je ne sais pas me faire comprendre.

—Si je me fais passer pour ton dæmon, dit Balthamos, je traduirai à ta place. J'ai appris de nombreux langages humains ; je suis sûr de comprendre leur langue.

Will se remit en marche. Il avançait péniblement, de manière mécanique mais, au moins, il avançait, et il savait que chaque pas le rapprochait de Lyra.

Le village était un endroit misérable : un rassemblement de constructions en bois, avec des enclos renfermant des rennes, et des chiens qui aboyaient sur leur passage. La fumée qui s'échappait des cheminées en fer-blanc flottait au-dessus des toits de bardeaux. Le sol visqueux retenait ses pas. De toute évidence, une inondation s'était produite récemment : la boue avait laissé des traces sur les murs, à mi-hauteur, des poutres brisées et des plaques de tôle ondulée arrachées indiquaient que des appentis et des vérandas avaient été emportés.

Mais ce n'était pas la caractéristique la plus étrange de ce lieu. Will crut tout d'abord qu'il avait perdu le sens de l'équilibre, il trébucha même deux ou trois fois, car toutes les constructions penchaient de quelques degrés du même côté. Le dôme de la petite église était fendu. À la suite d'un tremblement de terre ?

Des chiens poussaient des aboiements furieux et hystériques, sans oser approcher toutefois. Transformé en dæmon, Balthamos avait pris l'apparence d'un gros chien blanc avec des yeux noirs, un poil épais et une queue recourbée. Il grognait de manière si féroce que les vrais chiens gardaient leurs distances. Ils semblaient faméliques, et les quelques rennes qu'il apercevait sur son chemin étaient galeux et apathiques.

Will s'arrêta au centre du petit village et regarda autour de lui, se demandant où aller. Alors qu'il s'interrogeait, un petit groupe d'hommes apparut devant lui ; ils le dévisagèrent avec insistance. C'étaient les premières personnes qu'il voyait dans le monde de Lyra. Ils portaient d'épais manteaux de feutre, des bottes boueuses, des toques en fourrure et, surtout, ils n'avaient pas l'air commode.

Le chien blanc se changea en moineau et vint se poser sur l'épaule de Will. Aucun des hommes ne sembla surpris : chacun d'eux possédait un dæmon, constata Will. Des chiens en majorité. Perché sur son épaule, Balthamos murmura :

— Continue à avancer. Ne les regarde pas, surtout. Garde la tête baissée. C'est une marque de respect.

Will se remit donc en marche. Il savait passer inaperçu, c'était même un de ses plus grands talents. Quand il arriva à leur hauteur, les hommes s'étaient déjà désintéressés de lui. Mais soudain, une porte s'ouvrit, dans la plus grande des maisons qui bordaient le chemin, et une voix puissante résonna :

— C'est le prêtre, murmura Balthamos. Tu dois être poli avec lui. Retourne-toi et salue-le.

Will s'exécuta. Le prêtre était un homme immense avec une barbe grise, vêtu d'une soutane noire. Son dæmon-corbeau était perché sur son épaule. Ses yeux sans cesse en mouvement balayèrent Will de haut en bas. Il lui adressa un petit signe de tête.

Will approcha de la maison et s'inclina de nouveau.

Le prêtre dit quelque chose et Balthamos murmura à l'oreille de Will :

— Il te demande d'où tu viens. Réponds ce que tu veux.

— Je parle anglais, dit Will, lentement et en détachant les syllabes. Je ne connais pas d'autre langue.

— Ah, l'anglais ! s'exclama gaiement le prêtre, dans cette langue. Mon très cher garçon ! Bienvenue dans notre petit village de Kholodnoye tout de travers ! Comment t'appelles-tu, et où vas-tu ?

— Je m'appelle Will et je vais vers le sud. J'ai perdu ma famille et j'essaye de les retrouver.

— Dans ce cas, entre pour te désaltérer.

En disant cela, le prêtre passa son bras épais autour des épaules de Will et l'entraîna à l'intérieur de la maison.

Le dæmon-corbeau semblait porter un vif intérêt à Balthamos. Mais l'ange ne se laissa pas impressionner : il se transforma en souris et se faufila à l'intérieur de la chemise du garçon, comme s'il était timide.

Le prêtre fit entrer Will dans le salon où flottait une épaisse fumée. Un samovar en fonte gargouillait discrètement sur une petite desserte.

— Comment t'appelles-tu, déjà ? demanda le prêtre. Répète-moi ton nom.

— Will Parry. Mais je ne sais pas comment vous appeler.

— Otyets Semyon, dit le prêtre en caressant le bras de Will pour le conduire jusqu'à une chaise. Otyets signifie « père ». Je suis un prêtre de la Sainte Église. Semyon, c'est mon prénom ; mon père s'appelait Boris, je m'appelle donc Semyon Borisovitch. Et toi, quel est le nom de ton père ?

— John Parry.

— John, c'est Ivan. Tu t'appelles donc Will Ivanovitch, et moi, je suis le père Semyon Borisovitch. D'où viens-tu, Will Ivanovitch ? Et où vas-tu ?

— Je suis perdu. Je voyageais vers le sud avec ma famille. Mon père est soldat, mais il explorait l'Arctique, quand quelque chose s'est produit et nous nous sommes perdus. Alors, je continue vers le sud, car c'est là que nous devions aller.

Le prêtre écarta les bras.

— Un soldat ? Un explorateur venu d'Angleterre ? Voilà des siècles qu'une personne aussi intéressante n'a pas parcouru les chemins boueux de Kholodnoye mais, en ces temps de grands bouleversements, qui nous dit qu'il ne va pas réapparaître demain ? En attendant, tu es le bienvenu parmi nous, Will Ivanovitch. Tu vas passer la nuit ici, sous mon toit ; nous pourrons bavarder et manger ensemble. Lydia Alexandrovna ! cria-t-il.

Une femme âgée fit son entrée dans la pièce. Le prêtre lui adressa quelques mots en russe, elle hocha la tête sans rien dire, prit un verre et le remplit de thé chaud provenant du samovar. Elle apporta le verre de thé à Will, avec une petite soucoupe contenant de la confiture, dans laquelle était enfoncée une cuillère en argent.

— Merci, dit poliment Will.

— La confiture, c'est pour sucrer le thé, expliqua le prêtre. Lydia Alexandrovna l'a faite avec des myrtilles.

Résultat, le thé n'était pas seulement amer, il était aussi écœurant mais il le but à petites gorgées, sans faire de remarque. Le prêtre ne cessait de se pencher vers lui pour l'observer de plus près, il lui prenait les mains pour voir s'il avait froid, il lui caressait le genou. Afin de détourner son attention, Will lui demanda pourquoi toutes les maisons du village penchaient sur le côté.

— Une grande secousse a ébranlé la terre, expliqua le prêtre. Tout cela est prédit dans l'Apocalypse de saint Jean. « Les rivières couleront à l'envers... »

Le fleuve qui est près d'ici coulait autrefois vers le nord pour se jeter dans l'océan Arctique. Prenant naissance dans les montagnes d'Asie centrale, il coulait vers le nord depuis des milliers et des milliers d'années, depuis que l'autorité de Dieu le Père tout-puissant a créé la Terre. Mais quand la terre a tremblé, quand le brouillard et les inondations sont apparus, tout a changé, et le fleuve a coulé vers le sud, pendant une semaine et même plus, avant de changer à nouveau de direction et de se remettre à couler vers le nord. Le monde a la tête à l'envers, je te le dis. Où étais-tu quand s'est produite la grande secousse?

— Très loin d'ici, dit Will. J'ignorais ce qui se passait. Quand le brouillard s'est dissipé, ma famille avait disparu et, maintenant, je ne sais plus où je suis. Vous m'avez dit le nom de ce village, mais où est-il situé? Où sommes-nous?

— Apporte-moi ce gros livre qui est posé sur l'étagère du bas, dit Semyon Borisovitch. Je vais te montrer.

Le prêtre approcha sa chaise de la table et humecta ses doigts avant de tourner les pages du grand atlas.

— Voilà, dit-il en posant son ongle noir sur un endroit de Sibérie centrale, très loin à l'est des monts Oural.

Comme l'avait expliqué le prêtre, le fleuve qui passait à proximité partait des montagnes situées au nord du Tibet et coulait jusqu'à l'Arctique. Will observa attentivement la chaîne de l'Himalaya, mais ce qu'il voyait ne ressemblait en rien à la carte dessinée par Baruch.

Semyon Borisovitch parlait sans discontinuer, bombardant le garçon de questions sur sa vie, sa famille, sa maison, et Will, en dissimulateur aguerri, répondait volontiers. Au bout d'un moment, la maîtresse de maison apporta de la soupe de betterave et du pain noir et, quand le prêtre eut récité un long bénédicité, ils mangèrent.

— Eh bien, comment allons-nous occuper cette journée, Will Ivanovitch? demanda Semyon Borisovitch. Veux-tu jouer aux cartes, ou préfères-tu bavarder?

Il remplit un autre verre de thé avec le samovar et le tendit à Will qui le prit sans enthousiasme.

— Je ne sais pas jouer aux cartes, dit-il, et je suis impatient de poursuivre mon voyage. Si j'allais jusqu'au fleuve, par exemple, pensez-vous que je pourrais embarquer à bord d'un bateau à vapeur qui descend vers le sud?

L'imposant visage du prêtre s'assombrit et il fit un signe de croix, d'un petit mouvement délicat du poignet.

— Il y a des problèmes en ville, dit-il. Lydia Alexandrovna a une sœur qui en revient et qui lui a parlé d'un bateau transportant des ours. Des ours en armure. Ils viennent de l'Arctique. As-tu vu des ours en armure quand tu étais dans le Nord ?

Le prêtre semblait soupçonneux, et Balthamos murmura quelque chose à l'oreille de Will, si bas qu'il entendit simplement : « Sois prudent. » Il comprit immédiatement pourquoi l'ange avait dit cela : son cœur s'était mis à battre plus fort quand Semyon Borisovitch avait parlé des ours, à cause de ce que Lyra lui avait raconté à leur sujet. Il devait essayer de masquer ses sentiments.

— Nous étions loin de Svalbard, répondit-il, et les ours étaient accaparés par leurs propres affaires.

— Oui, il paraît, dit le prêtre, au grand soulagement de Will. Mais maintenant, ils quittent tous leur terre natale pour émigrer vers le sud. Ils ont un bateau et les habitants de la ville ne veulent pas les laisser se ravitailler en carburant. Ils ont peur des ours. À juste titre, je dois dire. Les ours sont les enfants du diable ! Toutes ces créatures venues du Nord sont diaboliques. Comme les sorcières... les filles du Mal ! L'Église aurait dû les tuer toutes il y a bien longtemps. Méfie-toi des sorcières, Will Ivanovitch ! Tu entends ? Sais-tu ce qu'elles te feront quand tu seras plus grand ? Elles essaieront de te séduire. Elles utiliseront toutes leurs ruses sournoises, leur peau douce, leur voix envoûtante, et elles te voleront ta semence — tu vois ce que je veux dire, hein ? —, elles te videront de toute ta substance ! Elles te voleront ton avenir et les enfants à naître, elles ne te laisseront plus rien. Il faudrait les tuer jusqu'à la dernière !

Le prêtre tendit la main vers une étagère près de sa chaise pour prendre une bouteille et deux verres.

— Je vais t'offrir un petit coup à boire, Will Ivanovitch. Pas trop, car tu es encore jeune. Mais tu grandis, et tu dois découvrir certaines choses, comme le goût de la vodka. Lydia Alexandrovna a ramassé le grain l'an dernier et j'ai distillé moi-même l'alcool, et le résultat est dans cette bouteille, le seul endroit où Otyets Semyon Borisovitch et Lydia Alexandrovna s'assemblent !

Il éclata de rire, déboucha la bouteille et remplit les deux verres à ras bord. Ce genre de propos mettait Will affreusement mal à l'aise. Mais que faire ? Comment refuser de boire sans paraître impoli ?

— Otyets Semyon, dit-il en se levant, vous avez été très aimable, et j'aurais aimé rester plus longtemps pour goûter votre boisson et vous écouter parler, car vous m'avez raconté des choses très intéressantes. Mais vous comprenez bien que je m'inquiète pour ma famille, et je suis impatient de la retrouver. Voilà pourquoi je dois m'en aller, même si j'aimerais rester.

Le prêtre retroussa les lèvres, au milieu de sa barbe broussailleuse, et fronça les sourcils. Finalement, il haussa les épaules et dit :

—Très bien, va-t'en, si tu dois partir. Mais avant, tu dois boire ta vodka. Fais comme moi. Tu prends ton verre et tu le vides d'un trait, comme ça!

Joignant le geste à la parole, il renversa la tête en arrière, en même temps que son verre, et le vida d'un seul coup, puis il leva son corps massif et s'approcha tout près de Will. Entre ses doigts épais et sales, le verre qu'il lui tendait ressemblait à un dé à coudre, mais il était rempli à ras bord de ce liquide transparent, et l'odeur entêtante de l'alcool se mêlait à celle de la sueur rance ; des taches de nourriture maculaient la soutane du prêtre. Will fut pris de nausée avant même de boire.

—Bois, Will Ivanovitch ! s'exclama le prêtre avec un enthousiasme menaçant.

Will porta le verre à sa bouche et avala sans réfléchir le liquide brûlant et gras, d'un trait. Il eut un haut-le-cœur et dut se retenir pour ne pas vomir.

Mais une autre épreuve l'attendait. Semyon Borisovitch se pencha en avant, de toute sa hauteur, et prit Will par les épaules.

—Mon garçon...

Il ferma les yeux et entonna une prière, ou un cantique. De puissants effluves de tabac, d'alcool et de sueur émanaient de sa personne, et il était si près de Will que sa barbe épaisse frottait contre son visage. Celui-ci était obligé de retenir sa respiration.

Les mains du prêtre glissèrent dans le dos du jeune garçon et soudain, Semyon Borisovitch le plaqua contre lui, avec force, et l'embrassa sur les joues, la droite, la gauche et encore la droite. Will sentit que Balthamos plantait ses minuscules griffes dans son épaule, alors il ne dit rien. Il avait la tête qui tournait et l'estomac qui se soulevait, mais il resta immobile.

Enfin, l'étreinte s'acheva ; le prêtre recula d'un pas et le repoussa.

—Va, dit-il. Va vers le sud, Will Ivanovitch.

Will récupéra son manteau, son sac à dos et il quitta la maison du prêtre en essayant de marcher droit, puis il prit le chemin qui s'éloignait du village.

Il marcha pendant deux heures, sentant la nausée s'atténuer peu à peu, remplacée par une migraine qui lui martelait le crâne. Balthamos le fit s'arrêter au bout d'un moment ; il apposa ses mains fraîches dans le cou et sur le front de Will, et la douleur diminua légèrement. Malgré tout, il se jura de ne plus jamais boire une seule goutte de vodka.

Vers la fin de l'après-midi, le chemin s'élargit et émergea des roseaux. Will découvrit alors la ville au loin, droit devant et, au-delà, une étendue d'eau si vaste qu'on aurait dit la mer.

Même à cette distance, il voyait qu'il se passait des choses graves. Des nuages de fumée jaillirent derrière les toits, suivis quelques secondes plus tard par une détonation.

—Balthamos, dit-il, vous allez devoir vous transformer à nouveau en dæmon. Restez près de moi et faites bonne garde.

Il atteignit les abords de la petite ville délabrée où les constructions penchaient de manière encore plus inquiétante que dans le village qu'il venait de quitter. Là aussi, les inondations avaient laissé des traînées boueuses sur les façades des maisons, bien plus haut que la tête de Will. La périphérie de la ville était déserte mais, à mesure qu'il approchait du fleuve, les exclamations, les cris et les coups de feu s'amplifiaient.

Enfin, il aperçut des gens : certains étaient penchés à leurs fenêtres ; d'autres, embusqués au coin d'une maison, se dévissaient le cou pour jeter des regards inquiets en direction du quai, où les doigts d'acier des grues et des derricks, et les mâts des grands bateaux se dressaient au-dessus des toits.

Une explosion ébranla tout à coup les murs, et une fenêtre se brisa non loin de là. Les badauds se mirent à couvert, avant de redresser timidement la tête. Des cris s'élevèrent dans l'air enfumé.

Arrivé au coin de la rue, Will observa les quais. Quand la fumée et la poussière se dissipèrent, il découvrit, à quelques encablures du port, un vaisseau rouillé, qui semblait lutter contre le courant. Sur la jetée, une foule de gens armés de fusils et de pistolets entourait un gros canon qui, sous les yeux du garçon, tonna de nouveau. Un éclair de feu jaillit, le canon recula violemment, et près du bateau s'éleva une énorme gerbe d'eau.

Will mit sa main en visière. Il y avait des silhouettes sur le bateau, mais... Il se frotta les yeux, même s'il savait à quoi s'attendre : ce n'étaient pas des êtres humains. C'étaient de gigantesques créatures de métal ou, plutôt, des créatures vêtues d'une épaisse armure. Sur le pont avant du bateau on vit éclore une fleur de feu et, sur la jetée, les gens poussèrent des cris de panique. La flamme monta à toute allure dans le ciel, très haut, se rapprochant du quai, projetant sur son passage des étincelles et de la fumée, avant de retomber à côté du canon dans une gerbe de feu. Des hommes détalèrent en hurlant, tandis que d'autres, en proie aux flammes, se précipitaient vers la jetée pour sauter dans l'eau, avant d'être emportés et de disparaître dans le courant.

Will avisa près de lui un homme qui ressemblait à un professeur, et il lui demanda :

—Vous parlez anglais ?

—Oui, absolument.

—Que se passe-t-il ?

—Les ours, ils nous attaquent, et nous essayons de les repousser, mais ce n'est pas facile. Nous n'avons qu'un seul canon et...

Le lance-flammes installé sur le bateau cracha une autre boule de poix enflammée et, cette fois, elle tomba plus près du canon. Presque simultanément, trois énormes explosions indiquèrent que le projectile avait atterri sur le stock de munitions, et les canonniers abandonnèrent précipitamment leur poste.

—Ah, zut! se lamenta le voisin de Will. Ils ne peuvent plus tirer...

Le capitaine donna l'ordre de virer de bord et le bateau avança vers le quai. À terre, des gens poussèrent des cris d'effroi et de désespoir, surtout quand une autre grosse boule de feu apparut sur le pont avant. Certains des hommes armés tirèrent une ou deux fois, avant de tourner les talons pour fuir mais, cette fois, les ours ne lancèrent pas leur projectile enflammé, et bientôt, le bateau vint se ranger le long du quai par le travers, ses moteurs s'époumonant pour lutter contre le courant.

Deux marins (des êtres humains, pas des ours) sautèrent à terre pour attacher des cordes autour des bollards. Une vague de sifflets et de cris rageurs monta parmi les habitants à la vue de ces traîtres. Les deux marins semblaient ne pas s'en apercevoir, mais ils coururent malgré tout pour abaisser la passerelle.

Et soudain, au moment où ils se retournaient pour remonter à bord, un coup de feu claqua au milieu de la foule, près de Will, et un des marins s'effondra. Son dæmon —une mouette— se volatilisa, comme la flamme d'une bougie qu'on éteint entre ses doigts.

Les ours laissèrent éclater leur fureur. Le lance-flammes fut immédiatement rallumé et déplacé pour faire face au rivage. La boule enflammée s'éleva dans les airs et retomba en une cascade de milliers de gouttes de feu sur les toits. En haut de la passerelle apparut alors un ours plus imposant encore que tous les autres, bardé de fer, image même de la puissance. Les balles qui pleuvaient sur lui rebondissaient avec des tintements impuissants, incapables de faire la moindre entaille dans son armure.

Will demanda à son voisin :

—Pourquoi est-ce que les ours attaquent la ville?

—Ils veulent du carburant. Mais nous refusons de traiter avec eux. Ils quittent leur royaume et remontent le fleuve. Qui sait ce qu'ils ont en tête? Nous devons les combattre. Ce sont des pirates, des voleurs...

Le grand ours, pendant ce temps, descendait la passerelle. Plusieurs de ses congénères étaient massés derrière lui; ils étaient si lourds que le bateau gîtait. Will constata que les hommes, sur la jetée, étaient retournés près du canon et qu'ils chargeaient un boulet dans sa gueule.

Une idée lui traversa l'esprit. Il se précipita sur le quai, au milieu de l'espace vide entre les canonniers et l'ours.

—Stop ! cria-t-il. Cessez de vous battre. Laissez-moi parler à l'ours.

Il y eut une soudaine accalmie et tout le monde s'immobilisa, stupéfait par le comportement insensé de ce jeune garçon. L'ours lui-même, qui avait rassemblé ses forces pour se jeter sur les canonniers, resta à sa place, même si la férocité faisait trembler chacun de ses membres. Ses grandes griffes s'enfonçaient dans le sol et ses yeux étincelaient de rage sous son casque de fer.

—Qui es-tu ? Et que veux-tu ? grogna-t-il dans la langue de Will.

Les témoins de la scène, estomaqués, regardaient alternativement l'ours et le jeune garçon, et ceux qui comprenaient leur dialogue traduisaient pour les autres.

—Je veux vous affronter loyalement, s'écria Will, et si j'ai le dessus, cette bataille devra prendre fin.

L'ours ne bougea pas. Quant aux habitants, dès qu'ils comprirent ce qu'il avait dit, ils répliquèrent par des quolibets et des rires moqueurs. Mais pas longtemps, car il se retourna vers la foule et observa les gens d'un œil noir, le visage impassible et figé, jusqu'à ce que les railleries cessent. Il sentait Balthamos, transformé en merle, trembler sur son épaule.

Quand le silence fut revenu, il dit :

—Si je suis vainqueur, vous devez promettre de leur vendre du carburant. Ensuite, ils poursuivront leur route en vous laissant en paix. Si vous refusez cet arrangement, ils vont tous vous tuer.

Will savait que l'ours gigantesque était à quelques pas derrière lui, mais il ne se retourna pas ; il regardait les habitants discuter entre eux avec animation et, au bout d'une minute environ, une voix s'éleva :

—Mon garçon ! Demande à l'ours s'il est d'accord !

Will se retourna. Il déglutit avec peine, inspira à fond et dit :

—Vous devez accepter ! Si vous êtes vaincu, le combat cessera, vous pourrez acheter du carburant et poursuivre tranquillement votre voyage.

—Impossible, répondit l'ours de sa voix grave. J'aurais honte de me battre contre toi. Tu es aussi faible qu'une huître privée de sa coquille. Je ne peux pas te combattre.

—Vous avez raison, dit Will. (Toute son attention était maintenant concentrée sur cette gigantesque et féroce créature qui se tenait devant lui.) Le combat n'est pas équitable. Vous portez une armure et moi, je n'en ai pas. Vous pourriez m'arracher la tête d'un seul coup de patte. Équilibrons les chances. Donnez-moi une partie de votre armure, celle que vous voulez. Votre casque, par exemple. Nous lutterons alors à armes égales et vous n'aurez pas honte de vous battre contre moi.

Avec un grognement qui exprimait à la fois la haine, la rage et le mépris, l'ours leva sa grosse patte et détacha la chaîne qui maintenait son casque sur sa tête.

Un profond silence régnait maintenant sur le quai. Nul ne parlait, nul ne bougeait. Chacun avait le sentiment d'assister à une chose qu'il n'avait encore jamais vue, sans savoir exactement ce qui se passait. On n'entendait que le clapotis de l'eau contre les piliers en bois, le vrombissement des moteurs du bateau et les cris incessants des mouettes dans le ciel, puis un grand fracas métallique quand l'ours jeta son casque aux pieds de Will.

Celui-ci posa son sac à dos et ramassa le casque. Il avait du mal à le soulever. Fait d'une seule plaque de fer, noir et bosselé, avec deux trous pour les yeux et une grosse chaîne en dessous, il était aussi grand que l'avant-bras de Will, et épais comme son pouce.

— Voilà donc votre armure, dit-il. Elle ne m'a pas l'air très solide. Je ne sais pas si je peux compter sur elle. Voyons voir...

Il sortit le poignard de son sac et appuya le tranchant de la lame contre le casque, et il en découpa un coin, comme s'il tranchait du beurre.

— C'est bien ce que je pensais, dit-il.

Et il coupa un autre bout, puis un autre et encore un autre, transformant le casque en un tas de petits cubes de métal, en moins d'une minute. Il se redressa en brandissant une poignée de morceaux de fer.

— Voilà votre armure, dit-il en laissant tomber bruyamment les débris à ses pieds. Et voici mon poignard. Puisque votre casque ne me sert à rien, je serai obligé de m'en passer. Êtes-vous prêt, ours ? Je crois que nous combattons à armes égales, finalement. Je pourrais vous trancher la tête d'un seul coup de couteau.

Nul ne bougeait. Les yeux noirs de l'ours rougeoyaient comme des braises et Will sentit une goutte de sueur couler dans son dos.

Finalement, l'ours remua la tête et avança d'un pas.

— Cette arme est trop puissante, déclara-t-il. Je ne peux pas l'affronter. Tu as gagné, mon garçon.

Will savait que dans une seconde, les habitants allaient pousser des cris de joie, des huées et des sifflements, c'est pourquoi, avant même que l'ours ait achevé sa phrase, il s'était retourné face à la foule pour les faire taire.

— Vous devez tenir parole maintenant, dit-il. Occupez-vous de vos blessés et commencez à réparer les maisons. Laissez les ours amarrer leur bateau et faire le plein.

Il faudrait une minute pour traduire ses paroles et les laisser se répandre parmi l'auditoire, et il savait que ce délai les empêcherait de laisser éclater leur soulagement et leur colère, comme des bancs de sable perturbent et brisent le cours d'une rivière. L'ours assistait à la scène et il comprenait, mieux que Will lui-même sans doute, ce que le jeune garçon avait réussi à faire.

Will rangea le poignard dans son sac. L'ours et lui échangèrent un nouveau regard, d'une nature différente cette fois. Ils marchèrent l'un vers l'autre pendant que, sur le bateau, les ours commençaient à démonter leur lance-flammes.

Sur le quai, quelques personnes entreprirent de remettre de l'ordre, mais d'autres habitants s'étaient joints à la foule pour observer Will de plus près, intrigués par ce garçon qui avait imposé sa loi à l'ours. Le moment était venu pour lui de redevenir invisible et il accomplit le tour de magie qui, pendant des années, avait détourné toutes les curiosités et les avait protégés, sa mère et lui. Évidemment, ce n'était pas réellement de la magie, mais plutôt une manière de se comporter. Il se fit silencieux, prit un air morne et, en moins d'une minute, il devint moins intéressant, moins attirant aux yeux des autres. Les gens se lassèrent de ce garçon terne et banal ; ils l'oublièrent et lui tournèrent le dos.

Mais l'attention de l'ours n'était pas celle d'un être humain : il voyait bien ce qui était en train de se passer, et il comprenait que c'était encore un des pouvoirs extraordinaires que possédait Will. Il s'approcha et lui parla tout doucement, d'une voix grave qui grondait comme les moteurs du bateau :

— Comment t'appelles-tu ?

— Will Parry. Pouvez-vous fabriquer un autre casque ?

— Oui. Que cherches-tu ?

— Vous remontez le fleuve. Je veux aller avec vous. Je dois me rendre dans les montagnes et c'est le chemin le plus rapide. Vous voulez bien m'emmener ?

— Oui. Mais je veux voir le poignard.

— Je ne le montrerai qu'à un ours en qui je puisse avoir toute confiance. J'ai entendu parler d'un seul ours digne de confiance. C'est le roi des ours, et l'ami de la fille que je pars rechercher dans les montagnes. Elle s'appelle Lyra Parle-d'Or. L'ours s'appelle Iorek Byrnison.

— Je suis Iorek Byrnison, déclara l'ours.

— Oui, je sais.

Le bateau avait commencé à faire le plein de carburant ; on avait arrêté les wagonnets le long de la coque et on les avait penchés sur le côté pour faire glisser bruyamment le charbon sur le toboggan, jusque dans la soute. Des nuages de poussière noire montaient dans le ciel. À l'insu des habitants, occupés à balayer les débris et à discuter du prix du charbon, Will gravit la passerelle à la suite de l'ours-roi et monta à bord du bateau.

CHAPITRE 9

EN AMONT

... Passe une ombre sur l'esprit,
comme quand à midi un nuage enveloppe
le soleil qui luit...
EMILY DICKINSON

 —Fais-moi voir ce poignard, demanda Iorek Byrnison. Le métal, ça me connaît. Rien de ce qui est en fer ou en acier n'est pour moi un mystère. Mais jamais je n'ai vu un couteau semblable au tien, et j'aimerais beaucoup l'examiner de près.

Will et l'ours-roi étaient sur le pont avant, baignés par les rayons encore chauds du soleil couchant, et le bateau à vapeur remontait le fleuve à bonne allure ; il y avait du carburant à profusion, et de la nourriture que Will pouvait manger lui aussi. Iorek Byrnison et le jeune garçon apprenaient à mieux se connaître, car l'un et l'autre s'étaient déjà fait une première opinion.

Will tendit le poignard à l'ours-roi, le manche en avant, et Iorek le prit délicatement. Son « pouce » opposable à ses autres griffes lui permettait de saisir et de manipuler les objets avec la même habileté qu'un être humain, et il faisait tourner le couteau dans sa patte. Il l'approcha de ses yeux, il l'orienta dans la lumière, et il testa le tranchant de la lame sur un vieux morceau de ferraille.

—C'est avec ce côté-là que tu as découpé mon armure, dit-il. L'autre côté est très étrange. Je suis incapable de dire de quoi il est fait, et ce dont il est capable. Mais je veux comprendre. Comment ce poignard est-il arrivé en ta possession ?

Will lui raconta ce qui était s'était passé, laissant de côté les choses qui ne concernaient que lui : sa mère, l'homme qu'il avait tué, son père.

—Tu t'es battu pour avoir ce poignard et tu as perdu deux doigts ? dit l'ours. Montre-moi ta blessure.

Will tendit la main. Grâce à l'onguent de son père, les plaies avaient bien cicatrisé, mais elles demeuraient sensibles. L'ours renifla les doigts.

—De la mousse, dit-il. Et autre chose que je n'arrive pas à identifier. Qui t'a donné cet onguent ?

—Un homme qui m'a expliqué ce que je devais faire avec le poignard. Puis il est mort. Il avait cet onguent dans une boîte en corne, c'est ça qui a guéri mes blessures. Les sorcières avaient essayé, mais leur sort n'a pas fonctionné.

—Cet homme, que t'a-t-il dit au sujet du poignard ? demanda Iorek Byrnison en le rendant à Will avec précaution.

—Je dois m'en servir pour combattre aux côtés de Lord Asriel, dit Will. Mais avant cela, je dois porter secours à Lyra Parle-d'Or.

—Dans ce cas, nous t'aiderons, déclara l'ours et le garçon sentit son cœur déborder de joie.

Au cours des jours qui suivirent, Will apprit pourquoi les ours avaient entrepris ce long voyage en Asie centrale, si loin de leur terre natale.

Depuis la catastrophe qui avait fait éclater les frontières entre les mondes, la glace de l'Arctique avait commencé à fondre ; de nouveaux courants étranges étaient apparus dans l'eau. Étant donné que les ours dépendaient pour leur survie de la glace et des animaux qui évoluaient dans les eaux polaires, ils comprirent qu'ils ne tarderaient pas à périr s'ils restaient sur la banquise. Et comme ils étaient rationnels, ils décidèrent de réagir. Ils devaient émigrer là où il y avait de la neige et de la glace en abondance : ils se rendraient donc dans les plus hautes montagnes, là où les sommets frôlaient le ciel, dans un monde lointain, mais inébranlable, éternel et enfoui sous la neige. Ours de la mer, ils deviendraient des ours des montagnes, le temps que le monde retrouve un visage normal.

—Vous n'êtes donc pas en guerre ? demanda Will.

—Nos vieux ennemis ont disparu en même temps que les phoques et les morses. Mais si nous en rencontrons de nouveaux, nous saurons nous battre, sois-en sûr.

—J'ai cru comprendre qu'une grande guerre se préparait, dans laquelle tout le monde serait impliqué. Dans quel camp vous battrez-vous ?

—Le camp favorable aux ours. Évidemment. Mais j'ai de l'estime pour quelques êtres humains, parmi lesquels un homme qui pilotait une montgolfière. Il est mort aujourd'hui. Je pense également à la sorcière Serafina Pekkala. Et enfin, il y a la petite Lyra Parle-d'Or. D'abord, j'agirai dans l'intérêt des ours. Ensuite, je ferai tout ce qui peut aider cette enfant ou la sorcière ou me permettre de venger mon camarade mort, Lee Scoresby. Voilà pourquoi je veux t'aider à arracher Lyra Parle-d'Or aux griffes de l'abominable femme Coulter.

Iorek raconta ensuite à Will comment, avec quelques-uns de ses sujets, ils avaient nagé jusqu'à l'embouchure du fleuve et affrété ce bateau avec de l'or, et engagé l'équipage, et comment ils avaient tiré profit de la fonte des glaces de l'Arctique en se laissant emporter par le courant du fleuve, le plus loin possible vers l'intérieur des terres. Ce fleuve prenait sa source dans les contreforts de ces montagnes qu'ils recherchaient et, comme c'était également là que Lyra était retenue prisonnière, les choses s'étaient plutôt bien arrangées jusqu'à présent.

Le temps s'écoula ainsi.

Dans la journée, Will somnolait sur le pont ; il se reposait, il reprenait des forces, car chaque parcelle de son corps était épuisée. Il remarqua que le paysage commençait à changer : la steppe vallonnée céda la place à de petites collines herbeuses, puis à un relief plus accidenté, avec parfois une gorge ou une cataracte ; et le bateau poursuivait sa route vers le sud.

Il bavardait parfois avec le capitaine et les membres d'équipage, par politesse, mais il n'avait pas l'aisance naturelle de Lyra avec les étrangers et ne savait pas quoi dire ; de toute façon, ceux-ci ne s'intéressaient guère à lui. Pour eux, ce voyage n'était qu'un travail comme un autre et, quand il serait terminé, ils s'en iraient sans même un regard en arrière. De plus, ils n'aimaient pas beaucoup les ours, malgré leur or. Will, lui, était un étranger et, du moment qu'il payait pour sa nourriture, il pouvait faire ce qu'il voulait. Et puis, il y avait son étrange dæmon qui ressemblait à une sorcière : parfois il était là et, parfois, il semblait se volatiliser. Superstitieux, comme tous les marins, ils préféraient garder leurs distances avec Will.

Balthamos demeurait discret, lui aussi. Parfois, quand son chagrin devenait trop lourd à supporter, il quittait le bateau et s'envolait dans le ciel, très haut parmi les nuages, en quête d'un rayon de lumière, d'un parfum dans l'atmosphère, d'une étoile filante, qui pourraient lui rappeler les expériences qu'il avait partagées avec Baruch. Le soir, quand il parlait avec Will, dans l'obscurité de leur petite cabine, c'était uniquement pour l'informer de la distance parcourue et du trajet qui les séparait encore de la grotte et de la vallée. Peut-être pensait-il que Will n'avait aucune compassion à lui offrir. Pourtant, s'il l'avait sollicitée, il aurait découvert qu'il en possédait à profusion. Balthamos se montrait de plus en plus brutal et distant, mais jamais sarcastique : au moins, il tenait sa promesse.

Quant à Iorek, il était obsédé par le poignard. Il l'examinait pendant des heures, il testait les deux tranchants, il courbait la lame, il le levait dans la lumière, il le caressait avec sa langue, il le reniflait et allait même jusqu'à écouter le bruit de l'air qui glissait sur l'acier. Will n'était pas inquiet pour le poignard, car Iorek était visiblement un artisan de grand talent, et il ne s'inquiétait pas non plus pour lui, car les mouvements de ses pattes puissantes étaient pleins de délicatesse.

Finalement, l'ours-roi vint trouver Will et lui dit :

—Cet autre tranchant. Il peut faire des choses dont tu ne m'as pas parlé. De quoi s'agit-il, et comment ça marche ?

—Je ne peux pas vous le montrer ici, répondit-il, car le bateau bouge trop. Mais, dès que nous serons arrêtés, je le ferai.

—Je suis intrigué et perplexe, avoua l'ours. C'est la chose la plus étrange que j'aie jamais vue.

Il rendit le poignard à Will avec, dans ses yeux noirs, un regard déconcertant et indéchiffrable.

Le fleuve avait changé de couleur, car il avait rejoint les restes boueux des premières inondations en provenance de l'Arctique. Les convulsions avaient affecté la terre de manière différente selon les endroits, constata Will : tous les villages qu'ils apercevaient dans cette région étaient engloutis jusqu'aux toits des maisons, et des centaines de personnes dépossédées de leurs biens se déplaçaient dans des barques et des canots pour essayer de sauver ce qui pouvait l'être. La terre avait dû s'affaisser à cet endroit, car le fleuve s'élargit et le courant ralentit tout à coup ; le pilote peinait à conserver le cap au milieu des tourbillons boueux. L'air était plus chaud, le soleil plus haut dans le ciel, et les ours avaient du mal à se rafraîchir ; certains nageaient en suivant le bateau, surpris et heureux de retrouver le goût de leurs eaux natales sur cette terre étrangère.

Mais au bout d'un moment, le fleuve redevint plus étroit et plus profond et bientôt, devant eux, apparurent les montagnes de l'immense plateau d'Asie centrale. Un jour, Will aperçut une forme blanche à l'horizon et, dès lors, il la regarda grossir et grossir, se diviser en sommets et en arêtes, séparés par des défilés, si hauts qu'ils paraissaient proches —à quelques kilomètres à peine—, alors qu'en réalité, ils étaient encore loin. Ces montagnes étaient immenses, et d'heure en heure, à mesure qu'elles se rapprochaient, leur hauteur paraissait encore plus inconcevable.

La plupart des ours n'avaient jamais vu de montagnes autres que les falaises de leur île de Svalbard et ils restaient muets devant le spectacle de ces gigantesques remparts si imposants et pourtant si lointains.

—Que va-t-on chasser ici, Iorek Byrnison ? demanda l'un d'eux. Y a-t-il des phoques dans les montagnes ? Comment allons-nous survivre ?

—Il y a de la neige et de la glace, répondit le roi. Nous y serons bien. Et les créatures sauvages ne manquent pas. Nous vivrons de manière différente pendant quelque temps. Mais nous survivrons, et quand tout rentrera dans l'ordre, quand il gèlera de nouveau dans l'Arctique, nous serons encore en vie et nous pourrons récupérer notre territoire. Si nous étions restés là-bas, nous serions morts de faim. Préparez-vous à découvrir une existence nouvelle et étrange, mes fidèles ours.

Finalement, le bateau à vapeur ne put continuer plus avant, car le lit du fleuve était devenu trop étroit et le tirant d'eau trop faible. Le pilote s'arrêta au cœur d'une vallée qui, en temps normal, aurait été tapissée d'herbe et de fleurs des montagnes, et où le fleuve serpentait sur un lit de graviers. Mais elle s'était transformée en lac, et le capitaine expliqua qu'il n'osait pas s'aventurer plus loin car, passé ce point, il n'y aurait plus assez de profondeur pour naviguer, malgré les inondations venues du nord.

Ils avancèrent donc prudemment jusqu'à l'extrémité de la vallée, là où un affleurement rocheux formait une sorte de jetée, et ils débarquèrent.

—Où sommes-nous ? demanda Will au capitaine, qui parlait un anglais très limité.

Celui-ci dénicha une vieille carte en lambeaux et tapota un point avec le tuyau de sa pipe, en disant :

—Cette vallée ici, nous maintenant. Tu prends carte, tiens.

—Merci beaucoup, dit Will, en se demandant s'il devait offrir de l'argent au capitaine, mais celui-ci était déjà reparti pour surveiller le débarquement.

Bientôt, la trentaine d'ours et toutes leurs armures se retrouvèrent sur la rive étroite. Le capitaine cria un ordre et le bateau effectua laborieusement une manœuvre contre le courant pour faire un demi-tour, accompagné d'un puissant coup de sifflet qui résonna longtemps dans la vallée.

Will s'assit sur un rocher pour consulter la carte. S'il ne s'était pas trompé, la vallée où Lyra était retenue captive, d'après le chaman, se trouvait quelque part au sud-est, et le chemin le plus rapide passait par un col baptisé Sungchen.

—Fidèles ours, repérez bien cet endroit, dit Iorek Byrnison à ses sujets. Quand viendra le moment de rentrer chez nous dans l'Arctique, nous nous rassemblerons ici. Suivez votre chemin, chassez, nourrissez-vous et vivez. Ne faites pas la guerre. Nous ne sommes pas venus ici pour livrer combat. Si une guerre menace, je vous préviendrai.

Les ours étaient des créatures solitaires dans leur grande majorité ; ils ne se rassemblaient qu'en temps de guerre ou dans les cas d'urgence. Maintenant qu'ils se trouvaient à l'orée d'un territoire enneigé, ils avaient hâte de partir en exploration, chacun de leur côté.

—Viens avec moi, Will, dit Iorek Byrnison. Nous trouverons Lyra.

Will reprit son sac à dos et ils se mirent en route.

Durant la première partie du trajet, ils marchèrent avec plaisir. Le soleil était chaud, mais les pins et les rhododendrons les protégeaient de ses rayons brûlants, et à l'ombre, l'air était frais et clair. Le sol était rocailleux, mais les pierres étaient recouvertes de mousse et d'aiguilles de pins, et les pentes qu'ils gravissaient étaient douces. Will se surprit à apprécier cet effort. Toutes ces journées passées à bord du bateau, ce repos forcé, lui avaient redonné une nouvelle vigueur. Quand il avait rencontré Iorek, il était à bout de forces. Il l'ignorait, mais l'ours, lui, l'avait senti.

Dès qu'ils se retrouvèrent seuls, Will montra à Iorek comment fonctionnait l'autre tranchant du poignard. Il découpa une ouverture dans un monde où une forêt tropicale dégoulinante d'eau de pluie dégageait des nuages de vapeur chargés d'odeurs puissantes qui s'élevaient dans l'air raréfié des montagnes. Iorek observa attentivement ce miracle puis, avec sa patte, il toucha le bord de l'ouverture et la renifla, avant de s'aventurer dans l'air chaud et moite pour regarder autour de lui, muet. Les cris perçants des singes, les chants des oiseaux, les bourdonnements des insectes et les coassements des batraciens, ainsi que le toc-toc-toc incessant des gouttes de condensation résonnaient bruyamment aux oreilles de Will resté audehors.

Iorek ressortit du monde tropical et regarda Will refermer la fenêtre, puis il demanda à voir le poignard encore une fois. Il examina de si près le fil étincelant de la lame que Will craignit qu'il ne se crève un œil. Finalement, il rendit le poignard à Will, avec pour seul commentaire :

– J'avais raison. Je n'aurais pas pu lutter contre cela.

Ils se remirent en route, en parlant peu, ce qui leur convenait à tous les deux. Iorek Byrnison captura une gazelle et en mangea la majeure partie, laissant les morceaux les plus tendres à Will qui les fit cuire. Ils arrivèrent près d'un village et, pendant que Iorek attendait dans la forêt, Will échangea une de ses pièces d'or contre une miche de pain plate, des fruits séchés, une paire de bottes en cuir de yak et un gilet taillé dans une sorte de peau de chèvre car, à la nuit tombée, il faisait froid.

Il parvint également à poser des questions concernant la vallée aux arcs-en-ciel. Balthamos l'aida en prenant l'aspect d'un corbeau, comme le dæmon de l'homme à qui s'adressait Will, ce qui facilita la compréhension entre eux, et leur permit de récolter des informations utiles et claires.

Ils avaient encore trois jours de marche devant eux. Mais au moins, ils approchaient du but.

Les autres aussi.

Les forces de Lord Asriel, l'escadron de gyroptères et le zeppelin citerne, avaient atteint l'ouverture entre les mondes : la brèche dans le ciel au-dessus de Svalbard. Ils avaient encore un long chemin à parcourir, mais ils volaient sans s'arrêter, sauf pour exécuter les opérations de maintenance indispensables, et le commandant, le roi Afro Ogunwe, était en contact deux fois par jour avec la forteresse de basalte. Il avait à bord de son gyroptère un opérateur de résonateur gallivespien et, grâce à lui, il apprenait en même temps de Lord Asriel en personne ce qui se passait partout ailleurs.

Les nouvelles étaient décourageantes. La petite espionne, Lady Salmakia, était cachée dans l'ombre lorsque les deux bras les plus puissants de l'Église, la Cour de Discipline Consistoriale et la Société du Travail du Saint-Esprit, étaient tombés d'accord pour oublier momentanément leurs différends et mettre leurs informations en commun. La société possédait un aléthiométriste plus rapide et plus doué que Fra Pavel et, grâce à lui, la Cour Consistoriale savait exactement où se trouvait Lyra et, surtout, elle savait que Lord Asriel avait envoyé une armée pour la secourir. Sans perdre une seconde, la cour affréta une flotte de zeppelins et, le même jour, un bataillon de gardes suisses embarqua à bord des appareils qui attendaient dans les airs, près du lac de Genève.

Ainsi, chaque camp savait que l'autre faisait route vers la caverne dans les montagnes. Et les deux camps savaient que le premier arrivé sur place aurait l'avantage, mais rien n'était encore joué : les gyroptères de Lord Asriel étaient plus rapides que les zeppelins de la Cour Consistoriale, mais ils avaient une plus grande distance à parcourir, et ils étaient limités par la vitesse de leur propre zeppelin citerne.

Un autre élément entrait en ligne de compte : celui qui serait le premier à récupérer Lyra devrait ensuite affronter le camp opposé. Pour les membres de la Cour Consistoriale, la tâche serait plus facile, car ils n'avaient pas à se soucier de la sécurité de Lyra. Ils allaient là-bas pour la tuer.

Le zeppelin qui transportait le Président de la Cour Consistoriale transportait également d'autres passagers, à l'insu du Président. Le chevalier Tialys avait reçu un message sur son résonateur à aimant lui ordonnant, ainsi qu'à Lady Salmakia, de s'introduire à bord de l'appareil. Quand les zeppelins arriveraient dans la vallée, ils devraient tous deux poursuivre le chemin par leurs propres moyens et atteindre avant tout le monde la caverne où Lyra était prisonnière, avec pour mission de la protéger jusqu'à ce que les troupes du roi Ogunwe arrivent à la rescousse. La sécurité de la fillette passait avant toute autre considération.

Monter clandestinement à bord du zeppelin se révéla une opération risquée pour les espions, en partie à cause du matériel qu'ils devaient emporter. Outre le résonateur à aimant, leur cargaison la plus précieuse était une paire de larves d'insectes, et de quoi les nourrir. Quand ces insectes parviendraient à l'âge adulte, ils ressembleraient à des libellules, mais des libellules fort éloignées de celles qu'on trouvait dans le monde de Will ou de Lyra. Pour commencer, elles étaient beaucoup plus grandes. Les Gallivespiens élevaient ces créatures avec énormément de soin, et les espèces de chaque clan étaient différentes. Ainsi, le clan du chevalier Tialys élevait de puissantes libellules rayées rouge et jaune, vigoureuses et dotées d'un appétit féroce, alors que celles du clan de Lady Salmakia étaient plus élancées et plus rapides, et leur corps bleu électrique luisait dans l'obscurité.

Chaque espion possédait un certain nombre de larves qu'il nourrissait soigneusement avec des quantités bien précises d'huile et de miel qui permettaient de suspendre leur développement ou au contraire de les amener rapidement à la taille adulte. Tialys et Salmakia disposaient de trente-six heures, *grosso modo*, en fonction des vents, pour faire éclore ces larves, car c'était à peu près le temps du voyage, et les insectes devaient atteindre leur maturité avant que les zeppelins se posent.

Le chevalier et sa collègue espionne dénichèrent un espace presque invisible derrière une cloison du zeppelin et ils s'y dissimulèrent le mieux possible pendant que s'effectuaient le chargement et le ravitaillement. Soudain, les moteurs rugirent, faisant vibrer tout l'appareil, du nez à la queue. Le personnel au sol évacua les lieux et les huit zeppelins s'élevèrent dans le ciel nocturne.

Leurs semblables auraient certainement considéré cette comparaison comme une insulte mortelle, mais les deux Gallivespiens réussirent à se cacher aussi bien que des rats. De là où ils étaient, ils entendaient une bonne partie des conversations et ils entraient régulièrement en contact avec Lord Roke, qui se trouvait à bord du gyroptère du roi Ogunwe.

Toutefois, il y avait un sujet sur lequel ils ne purent rien apprendre, car le Président n'en parlait jamais : il s'agissait de l'assassin, le père Gomez, absous par avance du péché qu'il allait commettre si la Cour Consistoriale échouait dans sa mission. Le père Gomez se trouvait quelque part et personne ne le suivait.

Chapitre 10
Les roues

De la mer
sort un petit nuage,
semblable à la main d'un homme.
Le Livre des Rois

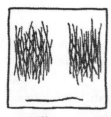

—Ouais, dit la petite rouquine dans le jardin du casino abandonné. On l'a vue. Paolo et moi, on l'a vue tous les deux. Elle est passée par ici l'aut' jour.

Le père Gomez demanda :

—Vous vous souvenez à quoi elle ressemblait ?

—Elle avait l'air d'avoir chaud, répondit le jeune garçon. Elle transpirait vachement.

—Quel âge avait-elle, à votre avis ?

—Oh... environ quarante ou cinquante ans, répondit la fille. On l'a pas bien vue, faut dire. P't-être qu'elle avait seulement trente ans. Mais elle avait chaud, comme a dit Paolo, et elle trimbalait un gros sac à dos, plus gros que le vôtre. Gros comme ça !

Paolo lui murmura quelque chose à l'oreille, tout en observant le prêtre à travers ses yeux plissés. Il avait le soleil en plein visage.

—Ouais, je sais, dit la fille d'un ton agacé. Les Spectres, dit-elle en s'adressant au père Gomez. Cette femme, elle avait pas peur du tout des Spectres. Elle a traversé la ville sans s'inquiéter. C'est la première fois que je vois ça chez un adulte. C'était carrément comme si elle se doutait de rien. Comme vous, d'ailleurs, ajouta-t-elle avec une lueur provocante dans le regard.

—Il y a un tas de choses que j'ignore, répondit le prêtre.

Le jeune garçon tira sur la manche de sa sœur et lui glissa encore quelques mots à l'oreille.

—Paolo pense que vous voulez récupérer le couteau, dit-elle.

Le père Gomez sentit les poils de ses bras se hérisser. Il se souvenait du

697

témoignage de Fra Pavel lors de l'interrogatoire de la Cour Consistoriale : il devait s'agir de ce fameux poignard dont il avait parlé.

— Si je peux, je le récupérerai, dit-il. Ce poignard vient d'ici, n'est-ce pas ?

— Oui, de la tour des Anges, dit la fillette en désignant la tour de pierre carrée qui dominait les toits ocre et semblait briller dans la lumière vive de ce milieu de journée. Et le garçon qui l'a volé, il a tué notre frère Tullio. Et les Spectres l'ont pris. Alors, si vous voulez tuer ce garçon, pas de problème. Et la fille... c'était une sacrée menteuse, elle valait pas mieux que lui.

— Il y avait une fille, aussi ? demanda le prêtre en s'efforçant de cacher son intérêt.

— Oui, une sale menteuse, cracha la rouquine. On a failli les tuer tous les deux, mais y a des femmes qu'ont rappliqué juste à ce moment-là, des femmes volantes...

— Des sorcières, précisa Paolo.

— Oui, des sorcières, trop fortes pour nous. Elles les ont emmenés, la fille et le garçon. On sait pas où ils sont allés. Mais la femme, elle est arrivée plus tard. On a cru qu'elle avait une sorte de couteau, elle aussi, pour repousser les Spectres, vous voyez. Et peut-être que vous aussi vous en avez un, ajouta-t-elle en dressant le menton et en regardant le prêtre d'un air effronté.

— Non, je n'ai pas de couteau, dit-il. Mais je suis investi d'une mission sacrée. C'est peut-être elle qui me protège de ces... Spectres.

— Oui, possible, dit la fille. En tout cas, si vous voulez la retrouver, elle est partie vers le sud, vers les montagnes. On sait pas où. Mais si vous demandez aux gens, ils vous diront si elle est passée, parce qu'on n'a jamais vu quelqu'un comme elle à Ci'gazze. Elle sera facile à retrouver.

— Merci, Angelica, dit le prêtre. Que Dieu te garde, mon enfant.

Il remit son sac sur son dos, quitta le jardin et s'éloigna dans les rues chaudes et silencieuses, satisfait.

Après trois jours passés en compagnie des créatures montées sur roues, Mary Malone les connaissait beaucoup mieux, et elles aussi savaient quantité de choses sur elle.

Le premier matin, elles la transportèrent pendant une heure environ sur la route de basalte, jusqu'à un petit village au bord d'une rivière. Le voyage fut très inconfortable : Mary n'avait rien à quoi s'accrocher et le dos de la créature sur laquelle elle trônait était dur comme une planche. Elles avançaient à une vitesse effrayante, mais le grondement des roues sur la pierre et le martèlement de leurs sabots l'emplissaient d'une vive exaltation qui lui faisait oublier son inconfort.

Durant ce trajet, elle eut le temps de se familiariser avec la physiologie des créatures. À l'instar des ruminants, leur squelette était en forme de losange, avec une patte à chaque angle. Dans un passé lointain, cette morphologie avait dû se développer chez une lignée de créatures ancestrales qui l'avaient jugée adaptée, tout comme, il y a bien des générations, les bêtes rampantes du monde de Mary s'étaient dotées d'une colonne vertébrale.

La route de basalte descendait peu à peu et, au bout d'un moment, la pente s'accentua, permettant aux créatures d'avancer en roue libre. Alors, elles replièrent leurs pattes latérales et se dirigèrent en se penchant d'un côté ou de l'autre, lancées à toute allure. Mary était terrorisée, même si elle devait reconnaître que le mulefa sur lequel elle était montée semblait parfaitement sûr de lui. Si Mary avait eu quelque chose pour se retenir, nul doute qu'elle aurait apprécié ce trajet.

Au pied de cette longue pente de plus d'un kilomètre se dressait un bosquet d'arbres gigantesques, non loin duquel serpentait une rivière, au milieu d'une étendue plate et herbeuse. Au loin, Mary apercevait un scintillement qui ressemblait à une vaste étendue d'eau, mais elle n'eut pas le temps de s'y attarder, car les créatures approchaient d'un village au bord de la rivière, et elle brûlait de curiosité.

Le campement se composait d'une trentaine de huttes, grossièrement disposées en cercle, faites de... (elle devait mettre sa main en visière devant ses yeux pour se protéger des rayons du soleil) rondins enduits de torchis. D'autres créatures montées sur roues s'affairaient à l'intérieur du village : certaines réparaient les toits, pendant que d'autres sortaient de la rivière un immense filet ou ramassaient du bois pour faire un feu.

Elles possédaient donc un langage et savaient faire du feu, et elles étaient organisées en société. En faisant ces constatations, Mary sentit un changement s'opérer en elle, au sujet de ces... Le mot « créatures » avait laissé place au mot « personnes » dans son esprit. Ce n'étaient pas des humains, mais des êtres malgré tout.

Ils approchaient du camp maintenant, et les voyant arriver, certains villageois levèrent la tête et s'interpellèrent. Le groupe de voyageurs ralentit l'allure, puis s'arrêta. Mary mit pied à terre avec raideur, en sachant déjà qu'elle aurait des courbatures.

— Merci, dit-elle à sa...

Sa quoi ? Sa monture ? Sa bicyclette ? Ces deux mots étaient totalement inadaptés et injurieux pour désigner cet être aimable, au regard vif, qui se tenait à ses côtés. Alors, elle opta pour le terme « ami ».

Celui-ci leva sa trompe et imita ses paroles :

— *Airsi*, dit-il, et tous ses congénères éclatèrent de rire une fois de plus.

Mary récupéra son sac sur le dos de l'autre créature (« *Airsi ! Airsi !* ») et quitta avec elles la route de basalte pour marcher sur la terre compacte, en direction du village.

C'est à ce moment-là que débuta réellement son assimilation.

Au cours des jours suivants, Mary apprit tellement de choses qu'elle eut l'impression d'être redevenue une enfant, émerveillée par l'école. Mais elle s'aperçut que les créatures étaient tout aussi émerveillées. En fait, elles étaient surtout subjuguées par ses mains. Elles ne se lassaient pas de les examiner ; leurs délicates trompes caressaient les pouces, les jointures, les ongles ; elles s'amusaient à replier ses doigts et d'un air abasourdi, elles regardaient Mary prendre son sac, porter la nourriture à sa bouche, se gratter, se brosser les cheveux, se laver.

En échange, elles l'autorisaient à toucher leurs trompes. Incroyablement flexibles et à peu près de la longueur de son bras, elles étaient plus épaisses au point de jonction avec la tête et apparemment assez puissantes pour lui broyer le crâne. Les deux appendices situés à l'extrémité, semblables à des doigts, étaient capables de déployer une force impressionnante ou au contraire une grande douceur. De même, les créatures avaient la capacité, semblait-il, de modifier la texture de leur peau à l'extrémité de ce qui leur servait de doigts : de la douceur du velours à la dureté du bois. De ce fait, elles pouvaient s'en servir pour accomplir des tâches délicates, comme par exemple traire un animal, ou des travaux plus rudes, comme arracher et tailler des branches.

Petit à petit, Mary découvrit que cette trompe jouait également un rôle dans leur manière de communiquer. Un mouvement de la trompe modifiait la signification d'un son ; ainsi, le mot *chuc* signifiait eau quand il s'accompagnait d'un balancement de la trompe de gauche à droite, pluie quand son extrémité se recourbait vers le haut, tristesse quand elle se recourbait vers l'intérieur, et jeunes pousses d'herbe quand elle décrivait un petit mouvement rapide sur la gauche. Ayant remarqué cela, Mary décida de les imiter et elle essaya de bouger son bras de la même manière. Quand les créatures comprirent qu'elle voulait leur parler, leur joie fut immense.

Une fois qu'elles eurent commencé à parler (dans leur langage essentiellement, même si Mary réussit à leur enseigner quelques mots d'anglais : elles savaient dire airsi, herbe, arbre, ciel et rivière, et prononçaient son nom, avec quelques difficultés), les progrès furent rapides. Le mot qui servait à les désigner en tant que race était mulefa mais, pour un individu, on disait zalif. Mary avait l'impression qu'il existait une différence de son entre le zalif masculin et le zalif féminin, mais c'était trop subtil. Elle entreprit de noter tous les mots qu'elle apprenait, afin de constituer un dictionnaire.

Mais avant de se laisser totalement assimiler, elle sortit de son sac son vieux livre corné et les baguettes, et elle interrogea le I-Ching : «Dois-je rester ici plus longtemps ou partir pour poursuivre ma quête ? »

La réponse fut :

Rester immobile, pour que l'agitation se dissipe, et qu'au- delà du tumulte, on puisse distinguer les grandes lois.

Elle se poursuivait ainsi :

De même qu'une montagne demeure immobile en elle, le sage ne laisse pas sa volonté vagabonder au-delà de sa situation.

La prédiction ne pouvait pas être plus claire. Mary rangea les baguettes et referma le livre ; elle s'aperçut alors qu'elle avait attiré autour d'elle un cercle de créatures intriguées.

L'une d'elles dit :

— *Question ? Permission ? Curiosité.*

Mary répondit :

— Je vous en prie, regardez.

Avec la plus grande délicatesse, leurs trompes manipulèrent les baguettes en imitant les mouvements qu'elles lui avaient vu faire et elles tournèrent les pages du livre. Ce qui les étonnait par-dessus tout, c'était la dualité des mains de Mary, le fait qu'elles puissent en même temps tenir le livre et tourner les pages. Les créatures adoraient la regarder entrelacer ses doigts ou bien faire ce mouvement de frottement avec le pouce et l'index, geste qu'esquissait Ama au même moment, dans le monde de Lyra, comme un sort pour chasser les mauvais esprits.

Après avoir examiné les baguettes et le livre, elles les enveloppèrent soigneusement dans l'étoffe et les rangèrent dans le sac. Mary était rassurée par le message de la Chine antique, et heureuse, car il signifiait que son désir le plus cher correspondait exactement à la mission qui était la sienne.

Aussi décida-t-elle, le cœur joyeux, d'en apprendre davantage sur les mulefas.

Elle apprit ainsi qu'il existait deux sexes différents et qu'ils vivaient en couples monogames. Leur progéniture avait une longue période d'enfance : au moins dix ans. Ils grandissaient très lentement, si elle avait bien compris leurs explications. Il y avait cinq jeunes dans ce village : l'un d'eux était presque adulte, les autres n'avaient pas dépassé l'âge intermédiaire. Plus petits que les adultes, ils n'étaient pas encore capables d'utiliser les cosses servant de roues. Ils devaient se déplacer comme de simples ruminants, à quatre pattes, mais malgré toute leur énergie et leur caractère intrépide (ils approchaient de Mary en bondissant, puis s'enfuyaient avant qu'elle les touche, ils essayaient de grimper aux arbres, ils folâtraient dans l'eau de la rivière, etc.), ils paraissaient patauds, comme s'ils n'étaient pas dans leur élément. En comparaison, la vitesse, la puissance et la grâce des adultes étaient stupéfiantes, et Mary devinait avec quelle impatience les jeunes attendaient le moment où ils pourraient enfin chausser des roues.

Un jour, elle vit le plus âgé des enfants se diriger discrètement vers la remise où étaient entreposées un certain nombre de cosses, et essayer d'introduire sa patte avant dans le trou central. Mais, quand il essaya de se relever, il tomba immédiatement et resta coincé dans la roue. Le bruit attira un adulte. L'enfant se débattait pour se libérer en poussant de petits cris de panique, mais Mary ne put s'empêcher de rire devant ce spectacle : l'adulte en colère et l'enfant honteux qui parvint à se dégager à la dernière minute et à détaler sans se faire prendre.

De toute évidence, ces cosses étaient d'une importance capitale, et Mary ne tarda pas à découvrir combien elles étaient précieuses.

Les mulefas passaient le plus clair de leur temps à entretenir leurs roues. En soulevant et en tournant habilement leur patte ils parvenaient à l'extraire du trou central, et ensuite, à l'aide de leur trompe, ils examinaient la roue sous toutes les coutures, nettoyaient la jante, vérifiaient qu'il n'y avait pas de fissure. Leur griffe possédait une force incroyable : c'était un éperon de corne ou d'os qui faisait saillie à angle droit sur leur patte, légèrement incurvée de façon à ce que la partie la plus haute, au milieu, supporte tout le poids du corps.

Un jour, Mary prit le temps d'observer un zalif qui examinait l'orifice de sa roue avant ; il la manipulait dans tous les sens et, régulièrement, il dressait sa trompe en l'air, comme s'il reniflait une odeur.

Mary se souvint alors de l'huile qui avait coulé sur ses doigts quand elle avait examiné la première cosse. Avec la permission du zalif, elle observa de plus près sa griffe et découvrit que la surface en était plus lisse et plus glissante que tout ce qu'elle avait pu toucher dans son monde. Ses doigts étaient tout bonnement incapables de s'en saisir.

Mais évidemment, un troisième élément capital entrait en ligne de compte, c'était la géologie. Ces créatures pouvaient utiliser leurs roues uniquement dans un monde qui leur offrait des routes naturelles. Il devait y avoir dans le composant minéral de ces coulées de lave, un élément qui les faisait se répandre ainsi à travers l'immensité de la savane, tout en étant résistant aux intempéries et aux chocs.

Petit à petit, Mary découvrit de quelle manière toutes ces choses étaient liées et mises à profit par les mulefas. Ils savaient où se trouvait chaque troupeau de ruminants, chaque bosquet d'arbres à roue, chaque touffe d'herbe grasse, et ils connaissaient chaque animal du troupeau, chaque arbre du bosquet ; ils discutaient de leur état et de leur sort.

Un jour, elle vit les mulefas choisir un troupeau de ruminants, sélectionner quelques bêtes et les entraîner à l'écart de leurs congénères pour les tuer en leur brisant le cou à l'aide de leur puissante trompe. Rien n'était gaspillé. À l'aide de pierres aiguisées comme des rasoirs, les mulefas dépeçaient et vidaient les bêtes en quelques minutes seulement, avant de les débiter de manière habile ; ils séparaient les abats des bons morceaux, ils ôtaient le gras, les cornes et les sabots, tout cela avec une telle efficacité que, en les regardant s'activer, Mary ressentit le plaisir que procure le spectacle d'une chose bien faite.

Des morceaux de viande étaient ensuite mis à sécher au soleil, tandis que d'autres étaient saupoudrés de sel et roulés dans des feuilles ; les peaux étaient dégraissées (la graisse conservée pour un usage ultérieur), puis mises à tremper dans des trous remplis d'eau et d'écorce de chêne pour le tannage. Pendant ce temps, l'enfant le plus âgé jouait avec une paire de cornes, mimant un ruminant, ce qui faisait rire les autres enfants. Ce soir-là, il y eut de la viande fraîche, et Mary participa au festin.

De la même manière, les mulefas savaient où trouver les meilleurs poissons ; ils savaient exactement quand et où jeter leurs filets. Cherchant quelque chose à faire pour s'occuper, Mary alla trouver les mailleurs de filet et leur proposa son aide. En voyant de quelle façon ils travaillaient, deux par deux, en joignant leurs deux trompes pour faire un nœud, elle comprit pourquoi ils avaient été aussi stupéfaits en voyant ses mains, car bien évidemment, elle n'avait besoin de personne pour faire un nœud. Tout d'abord, elle sentit que cela lui donnait un formidable avantage, puis elle s'aperçut que cette particularité la mettait à l'écart des autres. Dès lors, elle se servit d'une seule main pour nouer les fibres, exécutant cette tâche avec une zalif qui était devenue son amie. Les mouvements des doigts se mêlaient à ceux de la trompe.

Mais c'étaient surtout les arbres à cosses qui monopolisaient la plus grande attention des mulefas.

Ce groupe s'occupait d'une douzaine de bosquets dans cette zone. Il y avait d'autres bosquets plus loin, mais ils étaient sous la responsabilité d'autres groupes. Chaque jour, une équipe partait vérifier l'état des arbres géants et ramasser les cosses tombées. Pour les mulefas, le gain était évident ; mais pour les arbres, quel était l'intérêt ? se demandait Mary. Un jour, elle eut la réponse à sa question. Alors qu'elle se déplaçait avec le groupe, il se produisit soudain un grand crac et tout le monde s'arrêta autour d'un zalif dont la roue s'était fendue. Chaque groupe transportait toujours une cosse ou deux de rechange, si bien que le problème technique fut vite réparé mais, curieusement, la roue brisée fut soigneusement enveloppée dans un linge et rapportée au village.

Là, les mulefas l'ouvrirent et en sortirent toutes les graines – de forme ovale, pâles et plates, de la taille de l'ongle du petit doigt de Mary – pour les examiner attentivement l'une après l'autre. Ils lui expliquèrent que les cosses finissaient par se fendre à force de rebondir sur les routes de pierre, et qu'il était difficile de faire germer les graines. Sans l'intervention des mulefas, les arbres mourraient. Ainsi, chaque espèce dépendait de l'autre, et ceci grâce à l'huile. C'était difficile à comprendre, mais ils semblaient dire que cette huile était au centre de leurs réflexions et de leurs sentiments, et les jeunes ne possédaient pas la sagesse de leurs aînés, car ils ne pouvaient pas se servir des roues, et donc, absorber l'huile à travers leurs griffes.

C'est à ce moment-là que Mary commença à percevoir le lien entre les mulefas et la question qui avait occupé toute sa vie ces dernières années.

Mais avant qu'elle puisse approfondir ce raisonnement (les conversations avec les mulefas étaient longues et complexes, car ils aimaient qualifier, expliquer et illustrer leurs arguments avec des dizaines d'exemples, comme s'ils n'oubliaient jamais rien et qu'ils avaient accès immédiatement à toutes leurs expériences), le village fut attaqué.

Mary fut la première à voir arriver les agresseurs, sans savoir qui ils étaient.

L'attaque se produisit en milieu d'après-midi, alors qu'elle aidait à réparer le toit d'une hutte. Les mulefas ne construisaient que des habitations de plain-pied, car ce n'étaient pas des grimpeurs, mais Mary était heureuse de pouvoir faire un peu d'escalade et, une fois qu'ils lui eurent enseigné la technique, elle put rafistoler la toiture de chaume bien plus vite que ses hôtes, grâce à ses deux mains.

Alors qu'elle était sur les chevrons de la charpente pour attraper les fagots de chaume qu'on lui lançait, heureuse de sentir sur sa peau la brise fraîche venue de l'eau, qui atténuait la brûlure du soleil, son regard capta soudain un éclair blanc.

Il provenait de cette étendue lointaine et scintillante qu'elle pensait être la mer. Mettant sa main en visière, elle vit une... deux... plusieurs... toute

une flotte de voiles blanches qui émergeait de la brume de chaleur et se dirigeait avec une grâce silencieuse vers l'embouchure de la rivière.

— *Mary!* s'écria le zalif qui se trouvait en dessous. *Que vois-tu?*

Elle ne connaissait pas le mot voile, ni le mot bateau, alors elle dit:

— *Grandes, blanches, beaucoup.*

Le zalif poussa aussitôt un cri de panique, et tous ses congénères qui se
trouvaient à portée de voix abandonnèrent leur travail pour se précipiter
vers le centre du village et rassembler les jeunes. En quelques minutes seulement, tous les mulefas étaient prêts à fuir.

Atal, son amie, s'écria:

— *Mary! Mary! Viens! Tualapis! Tualapis!*

Tout cela avait été si rapide qu'elle n'avait pas eu le temps de réagir. Les
voiles blanches avaient pénétré dans le lit de la rivière et elles progressaient
sans peine à contre-courant. Mary était impressionnée par la discipline des
marins: ils louvoyaient avec habileté, toutes les voiles bougeaient en même
temps, comme un vol d'étourneaux et elles changeaient de direction
simultanément. Elles étaient si belles, ces fines voilures blanches comme
neige qui se gonflaient, claquaient et...

Il y en avait une quarantaine, au moins, et elles remontaient la rivière
bien plus rapidement que Mary l'avait cru tout d'abord. Puis elle s'aperçut
qu'il n'y avait pas d'équipage à bord de ces embarcations, et ensuite, elle
découvrit que ce n'étaient pas des embarcations: il s'agissait en réalité d'oiseaux gigantesques! Et ce qu'elle avait pris pour des voiles, c'étaient leurs
ailes, une à l'avant et une à l'arrière, dressées, et mues par la force de leurs
propres muscles.

Mais Mary n'eut pas le temps d'observer ces étranges spécimens, car déjà
ils avaient atteint le rivage. Ils avaient des cous semblables à ceux des cygnes
et des becs aussi longs que son avant-bras. Leurs ailes étaient deux fois plus
grandes qu'elle et — elle s'en aperçut en jetant un regard par-dessus son
épaule, tandis qu'elle s'enfuyait, paniquée elle aussi —, ils possédaient des
pattes puissantes. «Pas étonnant, se dit-elle, qu'ils avancent si rapidement
sur l'eau.»

Mary courait ventre à terre derrière les mulefas, qui criaient son nom
tandis qu'ils abandonnaient leur village pour rejoindre la route. Elle les rat-
trapa juste à temps. Son amie Atal l'attendait et, dès que Mary eut grimpé
sur son dos, elle s'élança sur la pente de la colline pour rejoindre ses compagnons.

Les oiseaux, qui n'avançaient pas aussi vite sur terre que sur l'eau, fort
heureusement, abandonnèrent bientôt la poursuite et reportèrent leur
attention sur le village.

Ils mirent à sac toutes les réserves, en poussant des grognements sinistres et en dressant vers le ciel leurs longs becs cruels pour engloutir la viande séchée, les fruits et les graines. Tous les vivres furent dévorés en moins d'une minute.

Puis les tualapis (puisque tel était leur nom) découvrirent le stock de roues, et essayèrent de fracasser les grosses cosses, mais c'était pour eux une tâche impossible. Mary sentit l'angoisse s'emparer de ses amis autour d'elle, tandis qu'ils regardaient, du haut de la petite colline sur laquelle ils s'étaient réfugiés, les oiseaux jeter les cosses sur le sol et les griffer sauvagement, mais cela n'était pas suffisant pour endommager les épaisses enveloppes. Ce qui provoquait l'inquiétude des mulefas, c'était de voir les tualapis les lancer et les faire rouler en direction de la rivière, où elles flottaient, emportées par le courant vers le large.

Les grands oiseaux blancs entreprirent ensuite de démolir tout ce qu'ils trouvaient, à grands coups de patte rageurs, et en s'aidant de leurs becs monstrueux qui brisaient, arrachaient, lacéraient... Autour de Mary, les mulefas poussaient des gémissements de désespoir.

— *Je vous aiderai,* dit Mary. *On reconstruira.*

Mais les immondes créatures n'avaient pas terminé leur sale besogne. Levant leurs magnifiques ailes blanches, elles s'accroupirent au milieu de ce champ de débris pour vider leurs intestins. L'odeur fétide monta jusqu'au sommet de la colline, portée par le vent ; des tas d'excréments brunâtres et verdâtres jonchaient les poutres brisées et le chaume éparpillé. Puis les oiseaux retournèrent vers l'eau, avec ce dandinement maladroit qui leur donnait une démarche arrogante, et ils se laissèrent porter par le courant vers la mer.

Les mulefas attendirent que la dernière aile blanche ait disparu dans la brume de l'après-midi pour redescendre de la colline. Ils étaient accablés de chagrin et de colère mais, surtout, ils étaient rongés d'inquiétude à cause des cosses.

Sur les quinze entreposées dans la remise, il n'en restait que deux. Toutes les autres avaient été poussées dans l'eau, où elles avaient disparu, emportées par le courant. Mais un banc de sable s'était formé dans un coude de la rivière, et Mary crut apercevoir une roue échouée à cet endroit. Au grand étonnement des mulefas inquiets, elle se déshabilla, attacha une corde autour de sa taille et nagea jusqu'au banc de sable. Là, elle ne trouva pas une, mais cinq précieuses cosses, et après avoir passé la corde à travers leur cœur mou, elle repartit à la nage en les traînant péniblement derrière elle.

Les mulefas débordaient de gratitude. Jamais ils ne s'aventuraient dans l'eau ; ils pêchaient uniquement du rivage, en prenant soin de ne pas mouiller leurs pattes ni leurs roues. Mary était fière de leur avoir enfin rendu service.

Ce soir-là, après un repas frugal composé de racines, ils lui expliquèrent pourquoi le sort des cosses les préoccupait à ce point. Jadis, elles abondaient, le monde était alors riche et plein de vie ; les mulefas vivaient dans le bonheur permanent grâce à leurs arbres. Mais il y a quelques années, un drame s'était produit ; le monde avait perdu une de ses vertus assurément car, malgré tous leurs efforts, toute l'attention et tout l'amour qu'ils leur apportaient, les arbres à cosses mouraient.

Chapitre ii
Les libellules

*Une vérité énoncée avec de mauvaises
intentions surpasse tous les mensonges
de l'imagination.*
WILLIAM BLAKE

 Ama gravissait le chemin conduisant à la caverne, avec du pain et du lait dans son sac et, dans le cœur, une profonde confusion. Comment diable allait-elle pouvoir arriver jusqu'à la fillette endormie ? se demandait-elle. Elle atteignit la pierre où la femme lui avait dit de laisser la nourriture à l'avenir. Elle posa le sac mais, au lieu de redescendre directement chez elle, Ama continua à grimper. Elle dépassa la caverne, traversa l'épais bosquet de rhododendrons et continua son ascension, jusqu'à l'endroit où les arbres devenaient plus clairsemés et où débutaient les arcs-en-ciel.

Avec son dæmon, elle inventa un jeu : ils escaladèrent les saillies rocheuses, contournèrent les petites cascades d'eau vert et blanc et traversèrent la bruine irisée, jusqu'à ce que les cheveux et les paupières d'Ama ainsi que la fourrure d'écureuil de Kulang soient constellés d'un million de minuscules perles d'humidité. Le but du jeu était d'arriver au sommet sans s'essuyer les yeux, malgré la tentation. Très vite, les rayons du soleil se mirent à scintiller et se divisèrent en filaments rouges, jaunes, verts, bleus et toutes les couleurs intermédiaires, mais Ama ne devait pas passer sa main sur ses yeux avant d'être arrivée en haut.

Kulang, son dæmon, sauta sur une grosse pierre tout au bord de la cascade la plus élevée ; Ama savait qu'il allait se retourner immédiatement pour vérifier qu'elle n'ôtait pas les gouttes d'humidité sur ses cils... mais elle avait tort.

Au lieu de se retourner, Kulang resta perché sur la pierre, les yeux fixés droit devant lui.

La fillette s'essuya les yeux, car l'attitude inhabituelle de son dæmon avait automatiquement mis fin au jeu. Alors qu'elle le rejoignait, elle laissa échapper un petit hoquet de stupeur et se pétrifia. Devant elle venait de surgir la tête d'une créature qu'elle n'avait jamais vue : c'était un ours, mais immense, terrifiant, quatre fois plus grand que les ours bruns de la forêt, d'une blancheur d'ivoire, avec un museau aussi noir que ses yeux et des dents longues comme des poignards. Il se tenait à moins de un mètre d'elle. Ama aurait pu compter les poils sur sa tête.

— Qui est là ? demanda une voix de garçon et, même si Ama ne comprenait pas ce langage, elle devinait aisément le sens de ces paroles.

Au bout de quelques secondes, le garçon qui avait posé la question apparut aux côtés de l'ours : l'air féroce, les sourcils froncés et la mâchoire saillante. « Est-ce un dæmon près de lui, avec cette apparence d'oiseau ? » se demanda-t-elle. Un bien étrange oiseau, en vérité ; elle n'en avait jamais vu de semblable. Il vola jusqu'à Kulang et dit simplement ces quelques mots :

— Amis. On ne vous fera pas de mal.

Le grand ours blanc n'avait pas bougé.

— Approche, ordonna le garçon et, une fois de plus, le dæmon d'Ama traduisit ses paroles.

Les yeux fixés sur l'ours, avec une appréhension pleine de superstition, elle escalada le bord de la petite cascade et s'arrêta sur les rochers, intimidée. Kulang se transforma en papillon et se posa brièvement sur sa joue et repartit presque aussitôt pour tournoyer autour de l'autre dæmon, tranquillement posé sur la main du garçon.

— Will, déclara ce dernier en se montrant du doigt.

— Ama, répondit-elle.

Elle le voyait plus nettement maintenant, et elle avait presque plus peur de lui que de l'ours. Il avait une horrible blessure à la main : il lui manquait deux doigts. En voyant cela, elle fut prise de vertiges.

L'ours s'éloigna en suivant le torrent écumant et s'allongea dans l'eau, comme pour se rafraîchir. Le dæmon du garçon s'envola pour virevolter au milieu des arcs-en-ciel en compagnie de Kulang et, petit à petit, ils commencèrent à se comprendre.

Que pouvaient-ils chercher par ici, sinon une caverne et une jeune fille endormie ?

Les mots se bousculèrent pour sortir de la bouche d'Ama :

— Je sais où elle est ! La fille est retenue prisonnière par une femme qui prétend être sa mère, mais aucune mère ne pourrait faire une chose aussi cruelle, n'est-ce pas ? Elle lui fait boire quelque chose qui la maintient endormie, mais moi, j'ai des herbes pour la réveiller, si seulement je pouvais arriver jusqu'à elle!

Will ne put que secouer la tête et attendre que Balthamos traduise. Cela prit plus d'une minute.

—Iorek! s'écria-t-il.

L'ours remonta le cours du torrent d'un pas pesant, en se léchant les babines, car il venait d'avaler un poisson.

—Iorek, dit Will, cette fillette affirme qu'elle sait où se trouve Lyra. Je vais l'accompagner, pendant que vous restez ici pour faire le guet.

À quatre pattes dans le torrent, Iorek Byrnison répondit par un hochement de tête. Après avoir caché son sac à dos et attaché son poignard à sa ceinture, Will descendit à travers les arcs-en-ciel en compagnie d'Ama. Il devait se frotter les yeux pour essayer de percer le rideau de lumière aveuglant et voir où il pouvait poser les pieds sans risques. La bruine qui saturait l'air était glaciale.

Quand ils atteignirent le pied de la cascade, Ama lui fit comprendre qu'ils devaient avancer prudemment, sans faire de bruit, et Will la suivit dans la pente, au milieu des rochers recouverts de mousse et des grands pins aux troncs noueux où d'innombrables petites taches de lumière dansaient une sarabande d'un vert intense et où un milliard d'insectes minuscules voletaient en bourdonnant. Ils continuèrent à descendre, longtemps, et les rayons du soleil les accompagnèrent jusqu'au cœur de la vallée pendant qu'au-dessus de leurs têtes les branches s'agitaient de manière incessante dans le ciel éclatant.

Finalement, Ama s'arrêta. Will l'imita, se dissimula derrière le tronc massif d'un cèdre et regarda dans la direction qu'elle lui indiquait. À travers un entrelacs de feuilles et de branches, il découvrit la paroi d'une falaise qui se dressait sur sa droite, et à mi-hauteur...

—Mme Coulter, murmura-t-il, en sentant les battements de son cœur s'accélérer.

La femme venait d'apparaître derrière un gros rocher. Elle secoua une branche feuillue, qu'elle lâcha ensuite, pour se frotter les mains. Avait-elle balayé le sol de la caverne? Ses manches étaient relevées, ses cheveux étaient retenus par un foulard. Will n'aurait jamais imaginé la voir dans le rôle d'une femme d'intérieur.

Mais soudain, il y eut un éclair doré et le redoutable singe apparut à son tour. En quelques bonds, il la rejoignit. Comme s'ils avaient flairé quelque chose, ils regardèrent autour d'eux et, soudain, Mme Coulter ne ressembla plus du tout à une ménagère.

Ama était paniquée, de toute évidence elle avait peur du dæmon-singe au poil doré. Il aimait arracher les ailes des chauves-souris vivantes, expliqua-t-elle dans un murmure affolé.

– Y a-t-il quelqu'un avec elle ? demanda Will. Des soldats ou d'autres personnes ?

Ama n'en savait rien. Personnellement, elle n'avait jamais vu de soldats, mais les gens du village parlaient d'hommes étranges et effrayants, des fantômes peut-être, aperçus dans la montagne, la nuit... Mais bon, il y avait toujours eu des fantômes dans la montagne, tout le monde savait ça. Alors, peut-être n'avaient-ils aucun rapport avec cette femme.

« Si Lyra est dans cette caverne, et si Mme Coulter n'en sort pas, se disait Will, je vais être obligé d'aller lui rendre une petite visite. »

– Quelle est cette potion que tu possèdes ? Comment faut-il l'utiliser pour que Lyra se réveille ?

Ama lui expliqua le processus.

– Et où est-elle ?

– Chez moi, lui répondit-elle. Cachée.

– Très bien. Attends ici, ne t'approche pas. Quand tu verras cette femme, ne lui dis pas que tu me connais. Tu ne m'as jamais vu, l'ours non plus. Quand dois-tu lui apporter des provisions ?

– Une demi-heure avant le coucher du soleil, répondit le dæmon d'Ama.

– Apporte aussi la potion, dit Will. Je te retrouverai ici.

Rongée par l'inquiétude, elle le regarda s'éloigner sur le chemin. De toute évidence, il n'avait pas cru ce qu'elle lui avait dit au sujet du dæmon-singe car, sinon, il n'aurait pas marché vers la caverne avec une telle témérité.

À vrai dire, Will était extrêmement nerveux, lui aussi. Tous ses sens semblaient exacerbés ; il percevait les minuscules insectes qui traversaient les rayons du soleil, le bruissement des feuilles et même le mouvement des nuages dans le ciel, alors que pas un instant ses yeux ne quittaient l'entrée de la caverne.

– Balthamos, murmura-t-il, et le dæmon-ange vint se poser sur son épaule, sous la forme d'un petit oiseau aux yeux pétillants et aux ailes rouges. Restez près de moi et surveillez le singe.

– Regarde donc sur ta droite, répondit-il d'un ton sec.

Will tourna la tête et découvrit une tache de lumière dorée à l'entrée de la caverne ; une tache avec un visage et des yeux qui les regardaient. Ils n'étaient qu'à une vingtaine de pas l'un de l'autre. Will se figea et le singe doré tourna la tête pour regarder à l'intérieur de la caverne, il dit quelque chose et se retourna.

Instinctivement, Will caressa le manche du poignard et se remit en marche.

Quand il atteignit la caverne, la femme l'attendait.

Elle était assise dans un petit fauteuil de toile, détendue, un livre sur les genoux, et elle l'observait calmement. Elle était vêtue d'une tenue kaki d'exploratrice, mais ses vêtements étaient si bien coupés et elle avait une si jolie silhouette qu'on aurait dit qu'elle portait une robe de grand couturier, et la petite fleur rouge qu'elle avait épinglée sur sa chemise ressemblait au plus élégant des bijoux. Ses cheveux brillaient, ses yeux noirs étincelaient et le soleil nimbait ses jambes nues d'un voile doré.

Elle sourit. Will faillit lui sourire en retour, car il n'était pas habitué à la douceur et à la gentillesse qu'une femme pouvait mettre dans un sourire, et il était troublé.

— Tu es Will, dit-elle de sa voix suave et envoûtante.

— Comment connaissez-vous mon nom ?

— Lyra l'a prononcé dans son sommeil.

— Où est-elle ?

— En sécurité.

— Je veux la voir.

— Viens, alors.

Elle se leva et laissa tomber son livre sur le fauteuil.

Il en profita pour observer plus attentivement le dæmon-singe. Son pelage était long et lustré, chaque poil, bien plus fin qu'un cheveu, semblait fait d'or pur ; par contraste, son petit visage et ses mains paraissaient encore plus noirs. Will avait déjà vu ce visage, déformé par la haine, le soir où Lyra et lui avaient repris l'aléthiomètre à Sir Charles Latrom dans la maison d'Oxford. Le singe avait tenté de le déchiqueter à coups de dents, et le garçon avait dû donner de grands coups de poignard dans le vide pour obliger le dæmon à reculer et pouvoir refermer la fenêtre, trouvant ainsi refuge avec Lyra dans un monde différent. Il se dit que rien au monde ne pourrait l'obliger à tourner le dos au singe.

Mais Balthamos, transformé en oiseau, montait la garde, et Will, prudemment, suivit Mme Coulter à l'intérieur de la grotte, vers la petite silhouette immobile, couchée dans l'obscurité.

Elle était là, son amie la plus chère, endormie. Comme elle avait l'air petite ! Il était stupéfait par ce contraste : éveillée, Lyra incarnait la force et le feu ; endormie, elle paraissait douce et fragile. Pantalaimon était blotti dans son cou, sous sa forme de moufette, sa fourrure luisait et les cheveux de Lyra étaient plaqués sur son front par la sueur.

Will s'agenouilla près d'elle et repoussa ses cheveux. Elle était brûlante. Du coin de l'œil, il vit le singe doré s'accroupir, prêt à bondir et il posa la main sur son poignard. Mais Mme Coulter esquissa un petit signe de tête, à peine perceptible, et le singe se détendit.

Sans en avoir l'air, Will mémorisait la disposition exacte de la caverne : la forme et la taille de chaque pierre, l'inclinaison du sol, la hauteur de la voûte au-dessus de la fillette endormie. Il savait qu'il devrait s'orienter dans l'obscurité, et qu'il n'aurait pas d'autre occasion de repérer les lieux.

—Tu vois, elle est parfaitement en sécurité, dit Mme Coulter.

—Pourquoi la gardez-vous ici ? Et pourquoi l'empêchez-vous de se réveiller ?

—Allons nous asseoir.

Elle s'assit avec lui sur les pierres recouvertes de mousse, à l'entrée de la caverne. Elle paraissait si gentille, ses yeux étaient remplis d'une telle sagesse mêlée de tristesse, que la méfiance de Will s'accrut. Il avait le sentiment que chaque parole qu'elle prononçait était un mensonge, que chacun de ses gestes cachait une menace, que chaque sourire était un masque de duperie. Lui aussi devait la tromper : il devait lui faire croire qu'il était inoffensif. Il avait toujours réussi à abuser les professeurs, les policiers et les assistantes sociales qui s'intéressaient de trop près à lui et à sa famille ; toute sa vie il s'était préparé pour jouer cette comédie.

« D'accord, se dit-il. On verra qui est le plus malin. »

—Tu veux boire quelque chose ? proposa Mme Coulter. Moi, j'ai soif... Tu n'as rien à craindre. Regarde.

Elle coupa en deux un fruit à la peau brunâtre et fripée et pressa le jus opaque dans deux petits gobelets. Elle en prit un, le vida d'un trait et tendit l'autre à Will, qui en avala timidement une gorgée. C'était frais et sucré.

—Comment es-tu arrivé jusqu'ici ? demanda-t-elle.

—Ce n'était pas difficile de retrouver votre trace.

—Non, apparemment. Tu as l'aléthiomètre de Lyra ?

—Oui.

Il n'en dit pas davantage. Elle se demandait certainement s'il était capable d'interpréter les indications de cet objet.

—Et je crois savoir que tu possèdes également un poignard.

—C'est Sir Charles qui vous l'a dit ?

—Sir Charles ? Oh, Carlo ! Oui, c'est lui. Une arme fascinante, paraît-il. Puis-je le voir ?

—Non, certainement pas. Pourquoi gardez-vous Lyra prisonnière ?

—Parce que je l'aime. Je suis sa mère. Elle court un effroyable danger et je ne veux pas qu'il lui arrive malheur.

—Quel danger ?

—Eh bien...

Mme Coulter posa son gobelet par terre et lorsqu'elle se pencha en avant, ses longs cheveux tombèrent de chaque côté de son visage. Quand elle se redressa et les coinça derrière ses oreilles avec ses deux mains, Will sentit les effluves de son parfum mêlés à l'odeur fraîche de son corps, et il se sentit à nouveau troublé.

Si elle remarqua sa réaction, elle ne laissa rien paraître. Elle reprit :

— Écoute, Will, j'ignore dans quelles circonstances tu as rencontré ma fille, j'ignore ce que tu sais déjà et, surtout, je ne sais pas si je peux te faire confiance mais, d'un autre côté, je suis fatiguée de devoir mentir. Alors, je vais te dire la vérité. J'ai découvert que ma fille était menacée par le groupe auquel j'appartenais, je veux parler de l'Église. Alors, je me trouve confrontée à un dilemme, vois-tu : obéir à l'Église ou sauver ma fille. J'étais une fidèle servante de l'Église, il n'y avait pas plus dévouée que moi ; je lui ai donné ma vie, je l'ai servie avec passion... Mais j'ai eu cette fille... Je ne me suis pas bien occupée d'elle quand elle était petite, j'en suis consciente. On me l'a enlevée et elle a été élevée par des étrangers. C'est peut-être pour cette raison qu'elle a du mal à me faire confiance. Mais, alors qu'elle grandissait, j'ai compris le danger qui la menaçait et, trois fois déjà, j'ai tenté de la sauver. J'ai dû devenir une renégate et me cacher dans ce lieu isolé. Je pensais que nous étions en sécurité ici, mais je découvre que tu nous as retrouvées facilement... Tu peux comprendre mon inquiétude. L'Église ne va pas tarder à débarquer. Et ses émissaires auront pour mission de tuer Lyra, Will. Ils ne voudront pas la laisser vivre.

— Pourquoi ? Pourquoi la haïssent-ils à ce point ?

— À cause de ce qu'ils pensent qu'elle va faire. Je ne sais pas ce que c'est, mais j'aimerais bien le savoir, car je pourrais mieux la protéger. Hélas, je sais seulement qu'ils la haïssent, et qu'ils n'auront aucune pitié. Aucune.

Elle se pencha vers Will, et reprit à voix basse, d'un ton pressant :

— Pourquoi est-ce que je te raconte tout ça ? Puis-je avoir confiance en toi ? Je n'ai pas le choix, me semble-t-il. Je ne peux plus m'enfuir, je n'ai pas d'autre endroit où aller. Si tu es l'ami de Lyra, il se peut que tu sois mon ami, à moi aussi. Or, j'ai grand besoin d'amis. J'ai besoin d'aide. Tout est contre moi désormais. L'Église m'éliminera moi aussi, comme Lyra, si ses hommes nous retrouvent. Je suis seule, Will. Seule dans une caverne avec ma fille et toutes les forces de tous les mondes veulent notre perte. Ta présence en ce lieu prouve combien il est facile de nous retrouver, apparemment. Que vas-tu faire, Will ? Qu'attends-tu ?

— Pourquoi est-ce que vous empêchez Lyra de se réveiller ? demanda-t-il, bien décidé à esquiver les questions de Mme Coulter.

— Qu'arriverait-il si je la laissais se réveiller ? Elle s'enfuirait immédiatement. Et elle ne survivrait pas cinq jours.

— Pourquoi ne pas lui expliquer la situation et lui laisser le choix ?

– Crois-tu qu'elle m'écouterait ? Et même si elle acceptait de m'écouter, penses-tu qu'elle me croirait ? Elle ne me fait pas confiance. Elle me hait, Will. Tu le sais sans doute. Elle me méprise. Pourtant, je... je ne sais pas comment dire ça... Je l'aime tellement que j'ai renoncé à tout ce que je possédais : ma carrière, mon bonheur, mon rang et ma fortune... Tout ça pour me réfugier dans cette caverne dans la montagne, et vivre en mangeant du pain rassis et des fruits aigres, uniquement pour sauver la vie de ma fille. Et si pour la protéger, je dois la maintenir endormie, eh bien tant pis. En tout cas, je dois la garder en vie. Ta mère n'en ferait-elle pas autant pour toi ?

Will fut traversé par un éclair de rage. Elle avait osé faire allusion à sa mère pour étayer ses arguments ! Au choc initial s'ajouta une autre pensée qui vint compliquer les choses : sa mère ne l'avait jamais protégé. En vérité, c'était lui qui avait dû la protéger. Mme Coulter aimait-elle plus Lyra qu'Elaine Parry aimait son fils ? Non, cette réflexion était injuste : sa mère était souffrante.

Mme Coulter ignorait tout du tourbillon de sentiments qu'avaient provoqué ces simples paroles ou bien, alors, elle était d'une monstrueuse habileté. Ses magnifiques yeux observaient avec douceur Will qui rougissait et s'agitait nerveusement sur la pierre. L'espace d'un instant, elle ressembla de manière troublante à sa fille.

– Et toi, que vas-tu faire ? demanda-t-elle.

– J'ai vu Lyra, répondit-il. Elle est vivante et elle ne craint rien, je suppose. C'est tout ce que je voulais savoir. Maintenant que je suis rassuré, je peux aller aider Lord Asriel, comme j'étais censé le faire.

Cette réponse sembla la surprendre, mais elle parvint à se ressaisir.

– Tu veux dire que... Je pensais que peut-être tu nous aiderais, dit-elle sans perdre son calme, d'un ton qui n'avait rien de suppliant. Avec ton poignard. J'ai vu ce que tu as fait dans la maison de Sir Charles. Tu pourrais nous mettre à l'abri, n'est-ce pas ? Tu pourrais nous aider à fuir ?

– Il faut que je parte, dit Will en se levant.

Mme Coulter lui tendit la main. Un sourire triste, un haussement d'épaules et un petit hochement de tête, comme si elle avait devant elle un redoutable joueur d'échecs qui venait de réussir un coup fameux : voilà ce que disait son corps. Will se surprit à éprouver un sentiment de tendresse pour cette femme, parce qu'elle était courageuse, et parce qu'elle ressemblait à Lyra, même si sa personnalité était plus complexe et plus profonde. Il ne pouvait s'empêcher d'être séduit.

Alors, il lui serra la main : elle était à la fois ferme, fraîche et douce. La femme se tourna vers le singe doré qui était resté assis derrière elle durant toute la conversation et ils échangèrent un regard que Will ne put inter-préter.

Puis elle se retourna vers lui avec un grand sourire.

—Au revoir, dit-il.

—Au revoir, Will, répondit-elle d'une voix douce.

Il quitta la caverne, en sachant qu'elle le suivait du regard, mais pas une fois il ne se retourna. Ama avait disparu. Il repartit en suivant le chemin par lequel il était venu, jusqu'à ce qu'il entende le bruit de la cascade devant lui.

—Elle ment, dit-il à Iorek Byrnison une demi-heure plus tard. C'est évident. Elle mentirait même si cela lui faisait du tort, car elle aime trop mentir pour s'en priver.

—Quel est ton plan, alors? demanda l'ours qui se faisait dorer au soleil, couché à plat ventre sur une plaque de neige au milieu des rochers.

Will faisait les cent pas, en se demandant s'il pouvait employer la ruse qui avait si bien fonctionné à Headington, à savoir utiliser le poignard pour pénétrer dans un autre monde, puis se rendre dans un endroit situé juste à côté de la caverne, retourner dans ce monde-ci, récupérer Lyra et refermer l'ouverture derrière lui. C'était la solution qui s'imposait, assurément. Alors, pourquoi hésitait-il?

Balthamos avait la réponse. Il avait repris son apparence d'ange et il scin-tillait comme une brume de chaleur dans la lumière du soleil. Il dit:

—Tu as eu tort d'aller là-bas. Maintenant, tu n'as plus qu'une seule envie: la revoir.

Iorek poussa un grognement rauque. Will crut tout d'abord qu'il mettait Balthamos en garde, mais il s'aperçut finalement, avec un petit pincement de gêne, que l'ours approuvait la remarque de l'ange. L'un et l'autre s'étaient ignorés jusqu'à présent; ils étaient de natures trop différentes, mais ils semblaient partager le même point de vue sur cette question.

Will fit la grimace. Ils avaient raison. Il était fasciné par Mme Coulter. Toutes ses pensées étaient dirigées vers elle. Quand il pensait à Lyra, c'était pour se dire qu'elle ressemblerait à sa mère quand elle serait grande, quand il pensait à l'Église, c'était pour se demander combien de prêtres et de cardi-naux étaient tombés sous son charme; quand il pensait à son père mort, c'était pour se demander s'il aurait détesté ou admiré cette femme, et quand il pensait à sa propre mère...

Il sentit son cœur se serrer. S'éloignant de l'ours, il grimpa sur un rocher d'où il dominait toute la vallée. Dans l'air froid et clair, il entendait au loin quelqu'un couper du bois, et le tintement sourd d'une cloche au cou d'un mouton ; il entendait même bruire les feuilles des arbres tout en bas. Les moindres crevasses dans les montagnes à l'horizon lui apparaissaient de manière parfaitement nette, tout comme les vautours qui tournoyaient au-dessus d'une créature agonisante, à des kilomètres de là.

Cela ne faisait aucun doute : Balthamos avait raison. Cette femme lui avait jeté un sort. C'était si agréable et tentant de songer à ces yeux magnifiques, à la douceur de cette voix, à la manière dont elle avait levé les bras pour repousser ses longs cheveux brillants...

Au prix d'un effort de volonté, il revint sur terre, juste à temps pour capter un nouveau bruit : un vrombissement lointain.

Il tourna la tête de tous les côtés pour tenter d'en estimer la provenance et finit par le localiser au nord, dans la direction d'où Iorek et lui étaient venus.

—Des zeppelins, déclara l'ours.

Will sursauta, car il n'avait pas entendu l'animal gigantesque approcher dans son dos. Il se dressa sur ses pattes arrière ; il mesurait deux fois la taille de Will. Son regard noir était fixé sur l'horizon.

—Combien ? demanda le garçon.

—Huit, répondit-il au bout d'une minute.

À ce moment-là, Will les aperçut à son tour : de petites taches alignées dans le ciel.

—Combien de temps leur faut-il pour arriver jusqu'ici, à votre avis ? demanda-t-il.

—Ils arriveront un peu après la tombée de la nuit.

—Donc, on ne profitera pas longtemps de l'obscurité. C'est dommage.

—Quel est ton plan ?

—Créer une ouverture pour emmener Lyra dans un autre monde et la refermer avant que sa mère puisse nous suivre. La fillette nommée Ama a une potion pour la réveiller, mais elle n'a pas su m'expliquer clairement comment l'utiliser. Il faudra donc qu'elle m'accompagne dans la caverne. Mais je ne veux pas mettre sa vie en danger. Vous pourriez peut-être distraire Mme Coulter pendant qu'on agit.

L'ours émit un grognement et ferma les yeux. Will chercha l'ange du regard ; il distingua sa silhouette formée de gouttelettes de brume dans la lumière de cette fin d'après-midi.

—Balthamos, annonça-t-il, je retourne dans la forêt ; je vais essayer de trouver un endroit sûr pour ouvrir la première fenêtre. Je veux que vous montiez la garde et que vous me préveniez si jamais Mme Coulter ou son dæmon approchent.

Balthamos hocha la tête et secoua ses grandes ailes pour chasser les gouttes. Puis il s'envola dans l'air froid et s'éloigna avec grâce au-dessus de la vallée, tandis que Will se mettait en quête d'un monde où Lyra serait en sécurité.

À l'intérieur de la double cloison grinçante et vrombissante du zeppelin de tête, les libellules commençaient à éclore. Penchée au-dessus de l'enveloppe fendillée de l'insecte bleu électrique, Lady Salmakia dégageait délicatement les ailes translucides et humides, en veillant à ce que son visage soit la première chose qui s'imprime dans les yeux aux multiples facettes de la libellule ; elle murmurait son nom à la créature étincelante, pour lui apprendre qui elle était.

Dans quelques minutes, le chevalier Tialys ferait de même avec la sienne. Mais, pour l'instant, il envoyait un message à l'aide du résonateur à aimant, et toute son attention était concentrée sur les mouvements de ses doigts.

Il transmit : « À l'attention de Lord Roke : Nous ne sommes plus qu'à trois heures de l'arrivée dans la vallée. La Cour de Discipline Consistoriale a l'intention d'envoyer une escouade à la caverne dès que nous aurons atterri. Elle sera divisée en deux unités. La première pénétrera de force dans la caverne et tuera l'enfant, en lui coupant la tête pour prouver qu'elle est bien morte. S'ils le peuvent, ils captureront la femme mais, si c'est impossible, ils ont ordre de la tuer, elle aussi.

La deuxième unité a pour mission de capturer le garçon vivant. Le reste des troupes affrontera les gyroptères du roi Ogunwe. Ils estiment qu'ils arriveront peu après les zeppelins. Conformément à vos ordres, Lady Salmakia et moi quitterons rapidement le zeppelin pour filer jusqu'à la caverne, où nous essaierons de protéger la fillette et de tenir en respect la première unité en attendant l'arrivée des renforts. Nous attendons votre réponse. »

Celle-ci lui parvint presque immédiatement.

« À l'attention du chevalier Tialys : À la lumière de votre rapport, un changement de plan s'impose. Afin d'empêcher l'ennemi de tuer l'enfant, ce qui serait la plus catastrophique des issues, Lady Salmakia et vous devez coopérer avec le garçon. Tant qu'il possède le poignard, il a l'initiative et, s'il ouvre une fenêtre dans un autre monde pour emmener la fillette, laissez-le faire et suivez-les. Demeurez à leurs côtés, quoi qu'il arrive. »

Le chevalier Tialys répondit :

« À l'attention de Lord Roke : Message reçu et compris. Lady Salmakia et moi nous mettrons en route dès notre arrivée. »

Le petit espion ferma le résonateur et rassembla tout son matériel.

— Tialys, chuchota une voix dans l'obscurité. Elle va éclore. Tu devrais venir.

Le chevalier bondit sur l'étançon où sa libellule se débattait pour venir au monde et, avec des gestes délicats, il l'aida à se libérer de son enveloppe fendue. En caressant sa longue tête féroce, il souleva les lourdes antennes encore humides et recourbées, et laissa la créature goûter à la saveur de sa peau, jusqu'à ce qu'elle soit entièrement sous ses ordres.

Pendant ce temps, Lady Salmakia fixait sur sa libellule le harnais qui ne la quittait jamais : des rênes en soie d'araignée, des étriers en titane et une selle en peau de colibri. Le tout ne pesait quasiment rien. Tialys fit de même de son côté : il passa les sangles autour du corps de l'insecte et serra. La libellule porterait ce harnais jusqu'à sa mort.

Rapidement, il balança son sac sur son épaule et entailla d'un coup d'éperon la toile huilée du zeppelin. À ses côtés, Lady Salmakia avait enfourché sa libellule, et elle l'éperonna pour lui faire franchir l'ouverture étroite et déboucher au cœur des bourrasques. Les longues ailes fragiles tremblèrent, puis le plaisir du vol s'empara de la créature qui plongea dans le vent. Quelques secondes plus tard, Tialys les rejoignit dans l'air tumultueux ; sa monture était impatiente de combattre la nuit qui tombait à toute vitesse.

Les deux espions s'élevèrent en tourbillonnant dans les courants glacés ; ils prirent le temps de s'orienter, puis mirent le cap sur la vallée.

CHAPITRE 12
LA LAME BRISÉE

*Alors même qu'il fuyait,
ses yeux restaient tournés derrière lui,
comme si sa peur le suivait encore.*
EDMUND SPENSER

 Alors que la nuit tombait, voici quelle était la situation. Dans sa tour inflexible, Lord Asriel faisait les cent pas. Toute son attention était concentrée sur la petite silhouette installée devant le résonateur à aimant ; tous les autres rapports avaient été mis de côté, chaque parcelle de son esprit était concentrée sur les nouvelles que captait ce petit bloc de pierre carré sous la lampe.

Assis dans la cabine de son gyroptère, le roi Ogunwe élaborait en toute hâte un plan destiné à contrer les intentions de la Cour de Discipline Consistoriale, qu'il venait d'apprendre par l'intermédiaire du Gallivespien qui voyageait à bord de son appareil. Le navigateur griffonnait des chiffres sur un morceau de papier, qu'il tendait ensuite au pilote. Le facteur essentiel était la vitesse : s'ils pouvaient débarquer leurs troupes en premier, cela ferait toute la différence. Les gyroptères étaient plus rapides que les zeppelins, mais ils se trouvaient encore loin derrière.

À bord des zeppelins de la Cour de Discipline Consistoriale, les gardes suisses vérifiaient leurs armes. Leurs arbalètes étaient mortelles à une distance de cinquante mètres, et un arbalétrier aguerri pouvait charger et décocher quinze traits en une minute seulement. Les empennages en corne et en forme de spirale faisaient tournoyer la flèche et rendaient cette arme aussi précise qu'un fusil. De plus, elle était silencieuse, ce qui constituait un précieux avantage.

Mme Coulter, quant à elle, était allongée à l'entrée de la caverne ; elle ne dormait pas. Le singe doré était nerveux et frustré : les chauves-souris avaient toutes quitté les lieux à la tombée de la nuit, et il n'avait plus personne à torturer. Il rôdait autour du sac de couchage de Mme Coulter, écrasant avec son petit doigt crochu les quelques lucioles qui se posaient sur les parois de la caverne, étalant leur corps luminescent sur la roche.

Lyra était brûlante et presque aussi agitée que le singe, mais elle dormait profondément, très profondément, prisonnière de l'oubli, sous l'effet de la potion que sa mère l'avait obligée à avaler une heure plus tôt. Le rêve qui avait occupé son esprit pendant longtemps était revenu, et de petits gémissements de désespoir, de rage et de détermination jaillissaient de sa gorge ; et Pantalaimon, la moufette, grinçait des dents.

Non loin de là, sous les sapins secoués par le vent, sur le chemin forestier, Will et Ama marchaient vers la caverne. Il avait essayé de lui expliquer ce qu'il avait l'intention de faire, mais le dæmon de la fillette ne comprenait rien, et lorsqu'il ouvrit une fenêtre dans le vide en manière de démonstration, elle faillit s'évanouir de peur. Il devait donc avancer et parler doucement s'il voulait la garder près de lui, car elle refusait de lui donner la poudre, et même de lui expliquer comment s'en servir. Finalement, il lui dit simplement :

— Ne fais pas de bruit et suis-moi, en espérant qu'elle s'exécuterait.

Iorek, vêtu de son armure, était quelque part dans les parages, prêt à repousser les soldats qui débarqueraient des zeppelins, afin de donner à Will le temps d'agir. Ce qu'ils ignoraient tous, c'était que les troupes de Lord Asriel approchaient, elles aussi. Par moments, le vent apportait jusqu'aux oreilles de Iorek un fracas très lointain, mais s'il savait à quoi ressemblait le bruit d'un moteur de zeppelin, il n'avait jamais entendu de gyroptères et ne pouvait donc pas les identifier.

Balthamos aurait sans doute pu les informer, mais Will était inquiet à son sujet. Maintenant qu'ils avaient retrouvé Lyra, l'ange semblait s'être muré de nouveau dans son chagrin : il était muet, absent et maussade. Et Will avait d'autant plus de mal à communiquer avec Ama.

Alors qu'ils faisaient une halte sur le chemin, il s'adressa au vide :

— Balthamos ? Vous êtes là ?

— Oui, répondit l'ange d'une voix terne.

— Je vous en prie, Balthamos, restez à mes côtés. Restez près de moi et avertissez-moi des dangers. J'ai besoin de vous.

— Je ne t'ai pas encore abandonné, dit l'ange.

Ce furent les seules paroles que Will parvint à lui arracher.

Au-dessus de leurs têtes, dans l'atmosphère agitée par les bourrasques, Tialys et Salmakia survolaient la vallée en essayant de repérer la caverne. Les libellules obéissaient au doigt et à l'œil, mais elles avaient du mal à lutter contre le froid, et étaient dangereusement ballottées par les vents tumultueux. C'est pourquoi leurs cavaliers demeuraient à basse altitude, sous le couvert des arbres, volant de branche en branche et se repérant tant bien que mal dans l'obscurité grandissante.

Will et Ama progressaient à pas feutrés au clair de lune et dans le vent, jusqu'à ce qu'ils atteignent l'abri le plus proche de l'entrée de la caverne. Il s'agissait d'un épais buisson légèrement à l'écart du sentier. C'est l'endroit que choisit Will pour découper une fenêtre.

Il eut beau chercher, le seul monde présentant le même terrain était un paysage rocailleux et désertique où une lune éclatante dans un ciel étoilé éclairait vivement un sol blanchi, sur lequel de minuscules insectes rampaient et émettaient des petits bruits dans un silence impressionnant.

Will y pénétra et Ama le suivit dans cet autre monde, en frottant furieusement pouces et index l'un contre l'autre pour se protéger des êtres maléfiques qui hantaient forcément ce lieu sinistre. Son dæmon s'adapta immédiatement au décor en prenant l'apparence d'un lézard et il fila entre les rochers.

Will comprit très vite qu'il y avait un problème. Le reflet de la lune étincelante sur les pierres blanches allait éclairer la caverne comme une lanterne lorsqu'il découperait une fenêtre. Il devrait l'ouvrir rapidement, attirer Lyra par l'ouverture, et refermer la fenêtre immédiatement. Ils la réveilleraient ensuite, dans ce monde-ci, à l'abri.

Il s'arrêta sur la pente éblouissante et dit à Ama :

— Nous devons agir vite et sans faire le moindre bruit. Pas même un murmure.

Elle comprenait, même si elle était effrayée. Le petit paquet de poudre était glissé dans sa poche de poitrine ; elle avait déjà vérifié une dizaine de fois et, avec son dæmon, elle avait répété si souvent l'opération qu'elle était certaine de pouvoir procéder dans le noir complet.

Ils gravirent les rochers blancs comme des os. Will s'efforçait d'évaluer la distance et, lorsqu'il estima qu'ils se trouvaient à la hauteur de la caverne, il s'arrêta.

Alors, il sortit son couteau et découpa la plus petite fenêtre possible, pas plus grande que le cercle qu'il pourrait former avec son pouce et son index.

Il s'empressa d'y coller son œil pour empêcher le clair de lune de s'y engouffrer. Il avait bien calculé son coup. Droit devant, il apercevait l'entrée de la caverne, vue de l'intérieur, et les silhouettes noires des rochers qui se découpaient sur le ciel ; il apercevait la silhouette de Mme Coulter, endormie, avec son dæmon doré à ses côtés ; il distinguait même la queue du singe qui pendait négligemment sur le sac de couchage.

En changeant d'angle de vue et en regardant plus près, il découvrit le rocher derrière lequel était allongée Lyra lors de sa visite. Mais il ne la vit pas. Était-il trop près ? Il referma la fenêtre, recula d'un pas ou deux, et la rouvrit.

Non, elle n'était pas là.

—Écoute, dit-il à Ama, la femme a déplacé Lyra, je ne la vois pas. Je vais devoir pénétrer dans la caverne pour essayer de la trouver. Dès que je l'aurai récupérée, je repasserai de ce côté-ci. Alors, surtout, éloigne-toi, tiens-toi à l'écart pour que je ne te blesse pas accidentellement en revenant. Si jamais je reste bloqué, pour une raison ou pour une autre, retourne m'attendre près de l'autre fenêtre, celle par où on est passés.

—On devrait y aller tous les deux, dit-elle. Je sais comment la réveiller, pas toi. Et je connais mieux la grotte que toi.

Elle avait un air obstiné, les lèvres pincées et les poings serrés. Son dæmon-lézard dressa ses écailles.

—Très bien, dit Will. Mais n'oublie pas : il faut agir vite et sans bruit. Et tu feras tout ce que je te dirai, sans protester. C'est bien compris ?

Ama acquiesça d'un hochement de tête et tapota encore une fois sa poche pour vérifier qu'elle avait la potion.

Will découpa une petite ouverture, presque à ras de terre ; il se pencha pour jeter un coup d'œil, l'élargit avec ses doigts et la franchit prestement, à quatre pattes. Ama le suivit de près. En tout, la fenêtre resta ouverte moins de dix secondes.

Ils s'accroupirent sur le sol de la caverne, derrière une grosse pierre, Balthamos à leurs côtés ; il fallut quelques instants à leurs yeux pour s'habituer à l'obscurité après l'étincelante clarté lunaire du monde voisin. À l'intérieur de la caverne, il faisait beaucoup plus sombre, et il y avait beaucoup plus de bruit : le souffle du vent dans les arbres, accompagné d'un bruit de fond : le rugissement d'un moteur de zeppelin, assez proche.

Son couteau à la main, Will se pencha et regarda autour de lui.

Ama fit de même et son dæmon aux yeux de hibou scruta l'obscurité de tous les côtés, mais Lyra ne se trouvait pas dans cette partie de la caverne. C'était une certitude.

Will leva la tête par-dessus la grosse pierre pour jeter un long regard en direction de l'entrée, là où Mme Coulter et son dæmon dormaient à poings fermés.

C'est alors qu'il sentit ses espoirs s'envoler. Lyra était là, plongée dans les profondeurs de son sommeil artificiel, juste à côté de sa mère. Leurs deux silhouettes s'étaient fondues dans l'obscurité ; pas étonnant qu'il ne l'ait pas aperçue tout de suite.

Il tapota la main d'Ama et lui montra la scène.

—Il va falloir faire très attention, chuchota-t-il.

À présent, le vrombissement des zeppelins était beaucoup plus fort que le souffle du vent dans les arbres, et des lumières venant du ciel balayaient le paysage à travers les branches. Plus vite ils récupéreraient Lyra, mieux ça vaudrait, se disait Will. Il faudrait se précipiter vers elle avant que sa mère ne se réveille, l'emmener, ouvrir une fenêtre, passer de l'autre côté et refermer immédiatement l'ouverture.

Il murmura son plan à l'oreille d'Ama. Celle-ci hocha la tête.

Mais, juste au moment où il allait s'élancer, Mme Coulter se réveilla.

Elle remua et dit quelque chose : aussitôt, le singe doré bondit sur ses pattes. Will voyait sa silhouette se découper en ombre chinoise dans l'ouverture de la caverne, accroupie, attentive. Puis la femme se redressa à son tour, en mettant sa main devant ses yeux pour les protéger de la lumière.

La main gauche de Will tenait fermement le poignet d'Ama. Mme Coulter se leva, tout habillée déjà, alerte, souple ; jamais on n'aurait pu croire qu'elle venait de se réveiller. Peut-être d'ailleurs l'était-elle depuis longtemps. Son singe doré et elle étaient accroupis à l'entrée de la caverne ; ils observaient et tendaient l'oreille, tandis que les lumières des zeppelins tournoyaient au-dessus des arbres et que leurs moteurs rugissaient. Des voix d'hommes, puissantes, lançaient des mises en garde et des ordres. Aucun doute, se dit Will, ils devaient agir vite, très vite.

Agrippant le poignet d'Ama, il s'élança, les yeux fixés sur le sol pour éviter de trébucher, courbé en deux.

Il arriva près de Lyra qui dormait profondément, Pantalaimon lové dans son cou. Will leva son couteau pour sonder le vide. Une seconde plus tard, il aurait ouvert une fenêtre qui lui aurait permis d'entraîner Lyra à l'abri...

Mais il leva la tête. Il regarda Mme Coulter. Elle s'était retournée en silence, et la lumière aveuglante venue du ciel, se reflétant sur la paroi humide de la caverne, éclaira son visage de plein fouet. L'espace d'un instant, ce ne fut pas le visage de Mme Coulter qu'il avait devant lui, mais celui de sa mère, chargé de reproches. Will sentit le chagrin lui briser le cœur et, au moment où il enfonçait le couteau dans le vide, son esprit abandonna la pointe de la lame... Un mouvement brusque lui arracha le couteau des mains et, avec un craquement sinistre, celui-ci tomba sur le sol, en mille morceaux.

Il était brisé.

Will n'avait plus aucun moyen de s'enfuir.

Il s'adressa à Ama :

—Réveille-la. Maintenant !

Et il se redressa, prêt à se battre. Pour commencer, il étranglerait le singe. Les muscles tendus, il guettait l'attaque du primate. Il s'aperçut qu'il tenait toujours le manche du couteau ; il pourrait au moins s'en servir pour frapper.

Mais Mme Coulter se contenta de se déplacer légèrement pour que la lumière tombe sur le pistolet qu'elle tenait dans sa main. Le même rayon lumineux éclaira Ama, occupée à répandre un peu de poudre sur la lèvre supérieure de Lyra pour que celle-ci puisse l'inspirer petit à petit ; elle se servait de la queue de son dæmon pour faire entrer la poudre dans les narines.

Will perçut un changement dans les bruits venant de l'extérieur : un nouveau son accompagnait le grondement des zeppelins. Un son familier, comme une intrusion de son propre monde... Et soudain, il reconnut le vrombissement caractéristique d'un hélicoptère. Cet appareil fut suivi d'un autre, puis d'un autre, et de nouvelles lumières balayèrent les arbres agités par le souffle du vent, formant un immense kaléidoscope d'un vert éclatant.

Alertée par ce nouveau bruit, Mme Coulter tourna la tête, mais trop brièvement pour que Will puisse tenter de la désarmer. Quant au dæmon-singe, il regardait fixement le garçon sans ciller, accroupi, prêt à bondir.

Sur le sol de la caverne, Lyra remuait et murmurait. Will se baissa pour lui prendre la main, pendant que le dæmon d'Ama secouait Pantalaimon, soulevait sa tête lourde et lui parlait à l'oreille.

Dehors, un cri retentit : un homme tomba du ciel et s'écrasa à moins de cinq mètres de l'entrée de la caverne. Mme Coulter demeura impassible ; elle lui jeta un regard froid, puis se retourna vers Will. Quelques secondes plus tard, un coup de feu claqua en altitude, suivi presque aussitôt d'une avalanche de cris, et le ciel fut envahi par des explosions, le crépitement des flammes et des détonations.

Lyra luttait contre le sommeil ; elle haletait, soupirait, se redressait péniblement, retombait. Pantalaimon, lui, bâillait, s'étirait, essayait de mordre l'autre dæmon, mais il basculait maladroitement sur le côté, trahi par ses muscles engourdis.

Quant à Will, il inspectait à tâtons le sol de la caverne, minutieusement, à la recherche des morceaux du couteau brisé. Il n'avait pas le temps de se demander ce qui s'était passé, ni comment il pourrait le réparer, mais il était le porteur du couteau, et il devait le reconstituer. Tandis qu'il les ramassait un par un pour les glisser dans le fourreau, chacune de ses terminaisons nerveuses lui faisait ressentir douloureusement l'absence de ses doigts sectionnés. Il n'avait aucun mal à repérer les morceaux, car le métal captait la lumière venue de l'extérieur : il y en avait sept en tout, le plus petit étant la pointe. Après les avoir tous ramassés, il se retourna pour essayer de comprendre ce qui se passait dehors.

Quelque part au-dessus des arbres, les zeppelins s'étaient immobilisés et des hommes descendaient à l'aide de longues cordes, mais le vent violent gênait les pilotes qui avaient du mal à stabiliser leurs appareils. Entre-temps, les premiers gyroptères étaient arrivés à l'aplomb de la falaise. À cause du manque de place, les appareils devaient se poser un par un. Les fusiliers africains étaient ensuite obligés de descendre le long de la paroi rocheuse. C'était l'un d'eux qui avait été fauché par un coup de feu tiré de l'un des zeppelins.

Les deux camps avaient réussi à débarquer une partie de leurs troupes. Plusieurs hommes avaient été tués avant même de toucher le sol ; d'autres, blessés, gisaient sur la falaise ou parmi les arbres. Mais aucun des assaillants n'avait encore atteint la caverne et, à l'intérieur, le pouvoir était toujours entre les mains de Mme Coulter, sous la forme d'un pistolet.

Will demanda, malgré le vacarme :

— Qu'avez-vous l'intention de faire ?

— Je vais vous garder prisonniers.

— Comme des otages ? Qu'est-ce que ça peut bien leur faire ? Ils sont venus pour nous tuer, de toute façon.

— C'est vrai en ce qui concerne un des deux camps, assurément. Pour l'autre, je ne sais pas. Espérons que les Africains l'emporteront.

Elle paraissait se réjouir de cette situation et, dans la lumière crue des projecteurs, Will aperçut son visage débordant de joie, de vie et d'énergie.

— Vous avez brisé le couteau, lança-t-il d'un ton accusateur.

— Non, ce n'est pas moi. Je voulais m'en emparer intact, pour qu'on puisse s'enfuir. C'est toi qui l'as cassé.

La petite voix de Lyra s'éleva, pleine d'angoisse :

— Will ? C'est toi, Will ?

— Lyra !

Il se jeta à genoux près d'elle. Ama l'aidait à se redresser.

— Que se passe-t-il ? demanda Lyra. Où sommes-nous ? Oh, Will, j'ai fait un rêve affreux...

— Nous sommes dans une caverne. Ne fais pas de mouvements brusques, tu vas avoir des vertiges. Vas-y doucement. Reprends des forces. Tu as dormi pendant des jours et des jours.

La fillette avait encore les paupières lourdes et son corps était sujet à d'interminables bâillements, mais elle avait hâte de se réveiller. Will l'aida à se lever en glissant son épaule sous son aisselle, afin de supporter presque tout son poids. La petite Ama assistait à cette scène, intimidée, car maintenant que cette étrange fille était réveillée, elle lui faisait peur. Will respirait avec un immense bonheur l'odeur du corps endormi de Lyra : elle était bien là, appuyée sur lui, pour de vrai.

Ils s'assirent sur une grosse pierre. Lyra se frotta les yeux.

— Que se passe-t-il, Will ? murmura-t-elle.

— Ama que voici a apporté de la poudre pour te réveiller, expliqua-t-il à voix basse.

Lyra se tourna alors vers la fillette, qu'elle découvrait pour la première fois, et elle posa sa main sur son épaule en signe de remerciement.

— Je suis venu dès que j'ai pu, reprit-il. Malheureusement, des soldats sont arrivés en même temps que moi. J'ignore qui les envoie. On s'en ira d'ici dès que possible.

Dehors, le vacarme et la confusion étaient à leur comble. Un des hélicoptères avait essuyé les tirs nourris d'une mitrailleuse installée à bord d'un zeppelin, au moment où les fusiliers sautaient sur la falaise ; il prit feu et explosa, tuant tout l'équipage et empêchant les autres gyroptères de se poser.

Pendant ce temps, un autre zeppelin avait découvert un espace dégagé pour atterrir, un peu plus bas dans la vallée, et les arbalétriers qui en débarquaient remontaient le chemin en courant pour venir prêter main-forte aux soldats qui combattaient. Postée à l'entrée de la caverne, Mme Coulter s'efforçait de suivre l'évolution de la situation. Elle leva le pistolet qu'elle tenait à deux mains et visa soigneusement, avant de tirer. Will vit l'éclair jaillir du canon, mais le coup de feu se perdit au milieu des détonations et des explosions.

« Si elle recommence, se dit-il, je me jette sur elle et je la fais basculer dans le vide. » Il se retourna pour faire part de son intention à Balthamos, mais l'ange n'était pas à ses côtés. Il découvrit, avec consternation, qu'il était recroquevillé dans un coin de la caverne, tremblant et gémissant.

— Balthamos ! s'écria-t-il d'un ton pressant. Venez, ils ne peuvent pas vous faire de mal ! Vous devez nous aider ! Vous pouvez vous battre, vous savez le faire. Vous n'êtes pas un lâche. On a besoin de vous !

Mais avant que l'ange ne réagisse, Mme Coulter poussa un cri et porta sa main à sa cheville ; au même moment, le singe doré attrapa quelque chose dans l'air, en poussant un grognement de joie.

Une voix, une voix de femme, minuscule, s'échappa de la chose que le singe tenait dans sa patte.

— Tialys ! Tialys !

C'était une toute petite femme, pas plus grande que la main de Lyra. Le singe tentait de lui arracher un bras, comme il le faisait avec les ailes des chauves-souris, et elle poussait des cris de douleur. Ama savait qu'il continuerait jusqu'à ce qu'il l'ait arraché, mais Will s'élança en voyant Mme Coulter laisser échapper le pistolet sous l'effet de la surprise.

Il s'en empara. Mais lorsqu'elle retrouva son calme, Will découvrit que la situation était dans une étrange impasse.

Le singe doré et Mme Coulter étaient tous les deux parfaitement immobiles. Le visage de la femme était déformé par la souffrance et la fureur, mais elle n'osait plus bouger car, sur son épaule se tenait un homme minuscule qui appuyait son talon contre son cou, en s'accrochant à ses cheveux. Malgré sa stupéfaction, Will remarqua l'éperon luisant qui dépassait du talon, et il comprit ce qui avait provoqué le cri de Mme Coulter quelques secondes plus tôt. Le petit homme avait dû lui piquer la cheville.

Mais il ne pouvait plus s'attaquer à elle, car sa partenaire était entre les mains du singe qui ne pouvait plus faire de mal à sa minuscule prisonnière, sinon le petit homme planterait son éperon empoisonné dans la jugulaire de Mme Coulter. Bref, personne ne pouvait agir.

Inspirant à fond et déglutissant difficilement pour maîtriser la douleur, Mme Coulter tourna vers Will ses yeux embués de larmes et demanda, avec un calme étonnant :

— Eh bien, mon petit Will, que fait-on maintenant, à ton avis ?

Chapitre 13
Tialys et Salmakia

Nuit sévère sur ce désert éclatant,
laisse ta lune se lever
pendant que je ferme les yeux.
WILLIAM BLAKE

Tenant fermement le lourd pistolet, la main de Will décrivit un arc de cercle et frappa le singe doré qui chancela. Celui-ci fut tellement abasourdi que Mme Coulter laissa échapper un grognement. Il desserra son poing, suffisamment pour permettre à la minuscule femme de se libérer.

Aussitôt, elle sauta sur les rochers, aussi vive qu'une sauterelle, et son compagnon, d'un bond, s'éloigna de Mme Coulter. Les trois enfants n'eurent pas le temps d'être étonnés. L'homme paraissait inquiet : il palpa tendrement l'épaule et le bras de sa compagne et l'étreignit brièvement, avant d'interpeller Will :

— Toi ! Garçon ! dit-il d'une voix peu puissante, naturellement, mais aussi grave que celle d'un adulte. As-tu le couteau ?

— Évidemment, répondit-il.

S'ils ignoraient qu'il était cassé, ce n'était certainement pas lui qui allait le leur dire.

— La fille et toi, vous allez nous suivre. Qui est l'autre enfant ?

— Ama, une fillette du village, dit Will.

— Dis-lui de rentrer chez elle. Dépêchons-nous, avant l'arrivée des gardes suisses.

Will n'hésita pas. Quelles que soient les intentions de ces deux créatures, Lyra et lui pouvaient toujours s'enfuir par la fenêtre qu'il avait ouverte derrière le buisson, plus bas sur le chemin.

Il aida Lyra à se relever et regarda avec curiosité les deux petits personnages enfourcher des... des oiseaux ? Non, des libellules, aussi grandes que sa main, qui attendaient dans l'obscurité. Ils se précipitèrent vers l'entrée de la caverne où gisait maintenant Mme Coulter. Elle était à moitié assommée par la douleur et endormie par la piqûre du chevalier mais, au moment où ils passaient à sa hauteur, elle se redressa et s'écria :

— Lyra ! Lyra, ma fille, ma chérie ! Lyra, ne pars pas ! Ne t'en va pas !

Lyra baissa les yeux sur elle, le visage marqué par l'angoisse, mais elle enjamba sans un mot le corps de sa mère, en se libérant aisément du faible étau de sa main qui tentait de la retenir par la cheville. Celle-ci sanglotait ; Will vit les larmes briller sur ses joues.

Accroupis à l'entrée de la caverne, les trois enfants attendirent une brève accalmie dans la fusillade, puis ils suivirent les libellules qui dévalaient le chemin. La luminosité avait changé : à la lumière froide des projecteurs ambariques des zeppelins se mêlait maintenant le rougeoiement des flammes dansantes.

Will se retourna une seule fois vers la caverne. Sous cet éclairage violent, le visage de Mme Coulter était un masque de passion tragique, et son dæmon s'accrochait piteusement à elle, tandis qu'elle suppliait, à genoux, les bras tendus, en pleurant :

— Lyra ! Lyra, ma chérie ! Ne me laisse pas ! Ma fille... tu me brises le cœur...

Soudain, Lyra fut elle aussi secouée par un violent sanglot car, après tout, Mme Coulter était la seule mère qu'elle aurait jamais, et Will vit des larmes ruisseler sur ses joues.

Mais il devait se montrer inflexible. Il tira Lyra par la main, et lorsque le cavalier à la libellule vint tournoyer autour de sa tête pour leur faire presser le pas, il se courba et entraîna la fillette à toute allure sur le chemin, loin de la caverne. Dans sa main gauche, qui saignait de nouveau à cause du coup asséné au singe, il tenait le pistolet de Mme Coulter.

— Foncez vers le haut de la falaise, dit l'homme à la libellule, et livrez-vous aux Africains. C'est votre meilleure chance.

Songeant aux redoutables éperons, Will ne protesta pas, bien qu'il n'ait nullement l'intention d'obéir à cet ordre. Il n'y avait qu'un seul endroit où il voulait aller, c'était la fenêtre derrière le buisson. Alors il garda la tête baissée et continua à courir, suivi de Lyra et d'Ama.

— Halte !

Un homme, non, trois hommes bloquaient le chemin. Des soldats en uniforme, des Blancs armés d'arbalètes, avec des dæmons-chiens-loups qui montraient les dents : la garde suisse.

— Iorek ! cria Will. Iorek Byrnison !

Il entendit l'ours pousser des grognements et briser des branches, et il entendit les hurlements des soldats qui eurent la malchance de se retrouver face à lui.

Mais soudain, quelqu'un d'autre surgit de nulle part pour leur venir en aide : Balthamos, silhouette floue vibrante de désespoir. Il se précipita entre les enfants et les soldats. Ceux-ci reculèrent, stupéfaits par cette apparition scintillante qui prenait forme devant eux.

Mais c'étaient des guerriers entraînés, ils se ressaisirent en quelques secondes et leurs dæmons se jetèrent sur l'ange. Leurs crocs sauvages lançaient des éclairs blancs dans l'obscurité. Balthamos tressaillit. Il poussa un cri d'effroi et de honte, puis recula. Enfin il s'éleva dans les airs en battant furieusement des ailes. Will regarda avec consternation la silhouette de son guide et ami disparaître parmi les cimes des arbres.

Lyra suivait tout cela avec des yeux écarquillés, encore pleins de sommeil. La scène n'avait duré que deux ou trois secondes, mais ce fut suffisant pour permettre aux gardes suisses de se regrouper et à leur chef de lever son arbalète. Will n'avait pas le choix : il brandit le pistolet à bout de bras, referma sa main droite autour de la crosse et pressa la détente. La détonation se répercuta dans tous ses os mais, malgré le recul, la balle trouva le chemin du cœur de l'homme.

Le soldat fut projeté en arrière, comme frappé par le sabot d'un cheval. Au même moment, les deux petits espions se jetèrent sur les deux autres soldats, sautant de leurs étranges montures avant même que Will ait le temps de dire ouf. La femme trouva un cou dénudé, l'homme choisit un poignet, et tous les deux décochèrent un coup de talon. Après un bref râle d'étouffement et d'angoisse, les deux gardes suisses succombèrent, et leurs dæmons se volatilisèrent.

Will sauta par-dessus les corps sans vie et Lyra le suivit en courant à toutes jambes, Pantalaimon sur ses talons, transformé en chat sauvage. « Où est Ama ? » se demanda Will et, au moment même où il se posait cette question, il la vit dévaler un chemin différent en zigzaguant au milieu des obstacles. « Elle est à l'abri désormais », pensa-t-il, et une seconde plus tard, il aperçut le miroitement pâle de la fenêtre derrière le buisson. Prenant Lyra par le bras, il l'entraîna dans cette direction. Les ronces leur griffèrent le visage et déchirèrent leurs vêtements, ils se tordirent les chevilles sur les racines et les pierres, mais ils atteignirent la fenêtre et s'y engouffrèrent sans hésiter, pour se retrouver sur les rochers blancs comme neige, baignés par l'éclat aveuglant de la lune ; seuls les bruits des insectes troublaient le silence.

Immédiatement, Will porta ses mains à son ventre et vomit, secoué de violents haut-le-cœur provoqués par une horreur indicible. Il avait tué deux hommes maintenant, sans compter le jeune garçon dans la tour des Anges... Il n'avait pas voulu cela. Son corps se révoltait contre ce que son instinct l'avait obligé à faire.

Debout à ses côtés, Lyra le regardait, impuissante, berçant Pan contre sa poitrine.

Enfin, il se ressaisit et regarda autour de lui. Aussitôt, il s'aperçut qu'ils n'étaient pas seuls dans ce monde : les deux petits espions étaient là également, leurs affaires posées par terre à proximité. Les libellules virevoltaient au-dessus des rochers pour gober des insectes. Le petit homme massait l'épaule de sa compagne, et tous deux regardaient les enfants d'un air sévère. Leurs yeux étaient si brillants et leurs traits si expressifs qu'il n'était pas difficile de deviner leurs pensées, et Will comprit qu'ils formaient un duo redoutable, quels qu'ils soient.

Il dit à Lyra :

— L'aléthiomètre est dans mon sac à dos, tiens.

— Oh, Will... j'espérais que tu le trouverais. Quoi qu'il ait pu arriver. As-tu retrouvé ton père ? Dans mon rêve j'ai vu... Oh, Will, je ne peux pas y croire, tout ce qu'on doit encore faire. Je n'ose même pas y penser... L'aléthiomètre est intact ! Tu me l'as apporté jusqu'ici et il est intact !

Les mots jaillissaient si rapidement de sa bouche qu'elle n'attendait même pas de réponse. Elle faisait tourner l'aléthiomètre entre ses doigts, caressant l'or et le cristal lisse, les roues moletées qu'elle connaissait si bien.

Will pensa : « Il nous dira comment réparer le couteau ! »

Mais il demanda d'abord :

— Comment te sens-tu ? Tu as faim ou soif ?

— Je ne sais pas... Oui, un peu.

— Il ne faut pas rester près de cette fenêtre, dit Will. Au cas où les autres la trouveraient et décideraient de la franchir.

— Oui, tu as raison, dit Lyra.

Ils gravirent la pente rocheuse. Will avait repris son sac à dos et Lyra portait joyeusement le petit sac dans lequel se trouvait l'aléthiomètre. Du coin de l'œil, il vit les deux petits espions leur emboîter le pas, mais ils gardaient leurs distances et leur attitude n'était pas menaçante.

Au-delà du sommet, une corniche offrait un abri étroit sous lequel Will et Lyra s'installèrent, après avoir vérifié qu'il n'y avait pas de serpents, et là, ils partagèrent des fruits secs et de l'eau provenant de la gourde de Will.

Celui-ci déclara :

— Le couteau est brisé. Mme Coulter a fait ou dit quelque chose, j'ai pensé à ma mère tout à coup, et le couteau m'a échappé... Je ne sais pas, en fait, ce qui s'est passé. En tout cas, on est bloqués ici tant qu'il n'est pas réparé. Je ne voulais pas que ces deux petits spécimens le sachent car, tant qu'ils pensent que je peux utiliser le poignard, j'ai l'avantage. Je me disais que tu pourrais peut-être demander à l'aléthiomètre...

—Bonne idée ! s'exclama Lyra. Tu as raison.

En une seconde, elle sortit le précieux instrument du sac et s'avança dans la lumière de la lune pour bien voir le cadran. Elle repoussa ses cheveux derrière ses oreilles, exactement comme l'avait fait sa mère devant Will, et elle se mit à tourner les roues en accomplissant les gestes désormais familiers. Pantalaimon, redevenu souris, s'assit sur ses genoux.

À peine avait-elle commencé à interroger l'aléthiomètre qu'elle laissa échapper un petit cri d'excitation et leva vers Will des yeux brillants tandis que l'aiguille tournait sur le cadran. Mais celle-ci n'avait pas fini et Lyra reporta son attention sur ses déplacements erratiques, en fronçant les sourcils, jusqu'à ce qu'elle s'immobilise.

Lyra reposa l'instrument, en demandant :

—Iorek ? Est-il dans les parages, Will ? J'ai cru t'entendre l'appeler tout à l'heure, mais je me suis dit que je prenais mes désirs pour des réalités. Il est vraiment là ?

—Oui. Peut-il réparer le couteau ? C'est ce que t'a dit l'aléthiomètre ?

—Il peut tout faire avec du métal, Will ! Pas uniquement des armures. Il est capable de réaliser des choses délicates aussi...

Elle lui parla de la petite boîte en fer-blanc que Iorek lui avait fabriquée pour enfermer la mouche espionne.

—Mais où est-il ? s'enquit-elle.

—Tout près. Normalement, il aurait dû venir quand je l'ai appelé mais, de toute évidence, il était en train de se battre... Et Balthamos ! Oh, comme il a dû avoir peur...

—Qui ça ?

Il lui expliqua rapidement qui était Balthamos, en sentant ses joues s'enflammer sous l'effet de la honte que devait éprouver l'ange.

—Je t'en dirai davantage plus tard, promit-il. C'est tellement étrange... Il m'a raconté beaucoup de choses, et je crois que j'ai compris...

Il passa sa main dans ses cheveux et se frotta les yeux.

—Il faut que tu me racontes tout, dit Lyra d'un ton ferme. Tout ce que tu as fait depuis qu'ils m'ont enlevée. Oh, Will, tu saignes encore ? Ta pauvre main...

—Non. Mon père m'a soigné. Ma plaie s'est rouverte quand j'ai frappé le singe, mais ce n'est rien. Il m'a donné un onguent qu'il avait fabriqué avec...

—Tu as donc retrouvé ton père ?

—Oui, dans la montagne, le soir où...

Il laissa Lyra nettoyer sa blessure et lui appliquer une nouvelle couche de l'onguent qui se trouvait dans la petite boîte de corne, pendant qu'il lui racontait une partie de ce qui était arrivé : le combat avec cet étranger, la révélation qui les avait frappés tous les deux, une seconde avant que la flèche de la sorcière atteigne sa cible, sa rencontre avec les anges, son périple jusqu'à la caverne et sa rencontre avec Iorek.

— Et pendant tout ce temps, moi, je dormais, dit Lyra, émerveillée. Tu sais, je crois qu'elle a été gentille avec moi... Je le pense vraiment... Je ne crois pas qu'elle ait voulu me faire du mal... Certes, elle a fait des choses terribles, mais...

Elle se frotta les yeux.

— Mais ce rêve, Will ! Si tu savais comme il était étrange ! C'était comme quand je déchiffre l'aléthiomètre : toute cette clarté, cette compréhension des choses, si profonde qu'on ne voit pas le fond, et pourtant, c'est limpide, lumineux...

C'était... Tu te souviens que je t'ai parlé de mon ami Roger, je t'ai raconté que les Enfourneurs l'avaient attrapé, que j'avais essayé de le sauver, que ça s'était mal passé et que Lord Asriel l'avait tué ?

Eh bien, je l'ai vu, figure-toi ! Dans mon rêve, je l'ai vu, mais il était mort, c'était un fantôme, et on aurait dit qu'il me faisait signe. Il m'appelait, mais je ne l'entendais pas. Il ne voulait pas me faire mourir, ce n'est pas ça du tout. Il voulait me parler.

C'est moi qui l'ai emmené là-bas, à Svalbard, où il a été tué ; c'est ma faute s'il est mort. J'ai repensé à l'époque où on jouait ensemble à Jordan College, Roger et moi, sur le toit, dans toute la ville, sur les marchés, au bord du canal et dans les carrières d'argile... Moi, Roger et tous les autres...

Je suis allée à Bolvangar ensuite pour le ramener chez lui, sain et sauf, mais je n'ai fait qu'aggraver les choses et si je ne demande pas pardon, tout ça ne servira à rien, ce ne sera qu'une immense perte de temps. Il faut que je le fasse, tu comprends, Will ? Il faut que j'aille au pays des morts et que je le retrouve... pour lui demander pardon. Je me moque de ce qui arrivera ensuite. On pourra... Je peux... Ça n'aura plus d'importance.

— Cet endroit où sont les morts, dit Will, c'est un monde comme celui-ci, comme le mien ou le tien ? C'est un monde dans lequel je pourrais pénétrer avec le poignard ?

Lyra le regarda fixement, frappée par cette idée.

— Tu peux poser la question à l'aléthiomètre, ajouta-t-il. Fais-le maintenant. Demande-lui où est ce monde et comment on y accède.

Lyra se pencha au-dessus de l'appareil et ses doigts coururent avec agilité sur le cadran. Une minute plus tard, elle avait la réponse.

—C'est un monde étrange, Will... Très étrange... Peut-on vraiment faire ça? Peut-on vraiment aller dans le pays des morts? Et dans ce cas, avec quelle partie de nous-mêmes? Car nos dæmons disparaissent dès qu'on meurt, je l'ai vu de mes propres yeux, et nos corps... ils restent dans la tombe et ils pourrissent, n'est-ce pas?

—Il doit s'agir d'une troisième partie alors. Une partie différente.

—Je crois que tu as raison! s'exclama Lyra, débordante d'excitation. Je peux penser à mon corps et je peux penser à mon dæmon, c'est donc qu'il y a forcément une troisième partie pour penser!

—Oui. C'est le fantôme.

Les yeux de Lyra pétillaient.

—Peut-être qu'on pourrait libérer le fantôme de Roger. Peut-être qu'on pourrait le sauver.

—Oui, peut-être. On peut essayer, en tout cas.

—Parfaitement! On ira tous les deux! C'est exactement ce qu'on va faire!

S'ils ne réussissaient pas à faire réparer le couteau, songea Will, ils ne feraient rien du tout.

Dès que ses pensées se furent éclaircies et que son estomac se fut calmé, il appela les petits espions. Ceux-ci s'affairaient autour d'un appareil minuscule, non loin de là.

—Qui êtes-vous? leur demanda-t-il. Et dans quel camp êtes-vous?

L'homme acheva ce qu'il était en train de faire, puis referma une boîte en bois, semblable à un étui à violon, de la taille d'une noix. La femme parla la première:

—Nous sommes des Gallivespiens. Je suis Lady Salmakia, et mon compagnon est le chevalier Tialys. Nous sommes des espions au service de Lord Asriel.

Elle était juchée sur un rocher, à trois ou quatre pas de Will et Lyra, nette et brillante au clair de lune. Sa petite voix était parfaitement claire, son expression confiante. Elle portait une jupe ample taillée dans une étoffe argentée et un corsage sans manches de couleur verte; ses pieds munis d'éperons étaient nus, comme ceux de l'homme. Celui-ci portait un costume aux couleurs identiques, mais avec des manches longues et un pantalon large qui s'arrêtait à mi-mollet. Malgré leur taille infime, l'un et l'autre dégageaient une impression de force, de compétence, de brutalité et de fierté.

—De quel monde venez-vous? demanda Lyra. Je n'ai encore jamais vu des gens comme vous.

—Notre monde connaît les mêmes problèmes que le vôtre, dit Tialys. Nous sommes des hors-la-loi. Notre chef, Lord Roke, a eu vent de la révolte de Lord Asriel et il lui a apporté notre soutien.

—Que vouliez-vous faire de moi?

—Te conduire auprès de ton père, répondit Lady Salmakia. Lord Asriel a envoyé des troupes commandées par le roi Ogunwe pour vous sauver, toi et le garçon, et vous ramener dans sa forteresse. Nous sommes ici pour vous aider.

—Très bien, mais supposons que je ne veuille pas rejoindre mon père? Supposons que je ne lui fasse pas confiance?

—Je suis navrée d'entendre de telles paroles, dit Lady Salmakia. Mais tels sont nos ordres: te ramener auprès de lui.

Lyra ne put s'en empêcher: elle éclata de rire, à l'idée que ces deux créatures minuscules puissent l'obliger à faire quelque chose. Mais c'était une erreur. Avec une incroyable rapidité, la femme s'empara de Pantalaimon et, serrant son corps de souris avec une poigne de fer, elle appuya très légèrement la pointe d'un éperon contre sa patte. Lyra poussa un cri: le choc était semblable à celui qu'elle avait ressenti quand ces hommes avaient tenté de lui voler Pantalaimon, à Bolvangar. Nul ne pouvait toucher le dæmon de quelqu'un d'autre; c'était un crime.

Mais Lyra s'aperçut que Will avait pris le petit homme dans sa main droite, en lui tenant fermement les jambes pour l'empêcher d'utiliser ses éperons.

—Nous voilà encore dans une impasse, commenta la lady, sans se départir de son calme. Repose le chevalier, mon garçon.

—Lâchez d'abord le dæmon de Lyra. Je ne suis pas d'humeur à discuter.

Lyra fut traversée par un frisson glacé en constatant que Will était tout à fait capable, à cet instant, de fracasser la tête du Gallivespien contre le rocher. Et les deux petits êtres le sentirent également.

Lady Salmakia décolla son pied de la patte de Pantalaimon, et celui-ci se débattit pour se libérer en prenant l'apparence d'un chat sauvage, crachant furieusement, le poil hérissé, fouettant l'air avec sa queue. Ses crocs menaçants étaient à quelques centimètres seulement du visage de Lady Salmakia et, pourtant, celle-ci le regardait fixement, avec un calme déroutant. Finalement, le dæmon fit demi-tour et courut se réfugier dans le cou de Lyra, sous la forme d'une hermine. Will déposa soigneusement le chevalier Tialys sur le rocher, à côté de sa compagne.

—Tu pourrais faire preuve de respect, quand même, dit le chevalier en s'adressant à Lyra. Tu es une enfant insolente et irréfléchie. Plusieurs hommes valeureux sont morts ce soir en voulant te protéger. Tu devrais te conduire mieux que ça.

—Vous avez raison, dit-elle d'un air contrit. Je ne le ferai plus, promis.

—Quant à toi..., reprit le chevalier en se tournant vers Will.

Ce dernier lui coupa la parole :

—Quant à moi, je refuse qu'on me parle sur ce ton, alors ne gaspillez pas votre salive. Le respect doit être réciproque. Écoutez-moi bien. Vous n'êtes pas le chef ici ; c'est nous qui commandons. Si vous voulez rester pour nous aider, faites ce qu'on vous dit. Sinon, retournez immédiatement auprès de Lord Asriel. Inutile de discuter.

Lyra vit les deux petits êtres se hérisser, mais Tialys regardait la main de Will, posée sur le fourreau du poignard à sa ceinture ; sans doute se disait-il que tant qu'il avait le couteau, c'était lui le plus fort. En aucun cas ils ne devaient savoir qu'il était brisé.

—Très bien, dit le chevalier. Nous vous aiderons, car c'est la mission qu'on nous a confiée. Mais vous devez nous dire ce que vous avez l'intention de faire.

—C'est normal, dit Will. Je vais donc vous le dire. Dès que nous nous serons reposés, nous retournerons dans le monde de Lyra, pour chercher un ami, un ours. Il n'est pas très loin.

—L'ours en armure ? Parfait, dit Salmakia. Nous l'avons vu se battre. Nous vous aiderons à le retrouver. Mais ensuite, vous devrez nous suivre jusqu'à la forteresse de Lord Asriel.

—D'accord, dit Lyra en mentant avec gravité. Marché conclu.

Pantalaimon avait retrouvé son calme, et sa curiosité. Lyra le laissa grimper sur son épaule et changer d'apparence encore une fois. Il se transforma en libellule, aussi grosse que les deux autres qui tournoyaient dans les airs pendant qu'ils parlaient et il s'empressa de les rejoindre.

—Ce poison, dit Lyra en reportant son attention sur les Gallivespiens, celui qui est dans vos éperons, est-il mortel ? Car je vous ai vus piquer ma mère, Mme Coulter. Va-t-elle mourir ?

—C'était juste une petite piqûre, dit Tialys. Une dose complète l'aurait tuée, assurément, mais cette égratignure va juste l'affaiblir et la rendre somnolente pendant une demi-journée.

« Et folle de douleur », songea-t-il, sans le préciser.

—Il faut que je parle à Lyra en privé, dit Will. Nous allons nous éloigner quelques instants.

—Ce couteau te permet de passer d'un monde à un autre, n'est-ce pas ? dit le chevalier.

—Vous ne me faites pas confiance ?

—Non.

—Très bien, je le laisse ici. Si je ne l'ai pas, je ne peux pas m'en servir, n'est-ce pas ?

Il détacha le fourreau et le posa sur le rocher ; Lyra et lui s'éloignèrent et allèrent s'asseoir à un endroit d'où ils pouvaient surveiller les Gallivespiens. Tialys observait le manche du couteau, sans oser y toucher.

— Il va falloir les supporter, dit Will. Mais dès que le couteau sera réparé, nous nous enfuirons.

— Ils sont très rapides, Will. Et ils n'hésiteraient pas à te tuer.

— J'espère seulement qu'Iorek pourra le réparer. J'ignorais à quel point on en avait besoin.

— Il y arrivera, dit Lyra, confiante.

Elle regardait Pantalaimon fendre l'air et gober les minuscules insectes, comme le faisaient les deux autres libellules. Il ne pouvait pas voler aussi loin qu'elles, mais il était aussi rapide, et il avait de plus jolies couleurs. Elle leva la main et il vint s'y poser, en agitant ses longues ailes transparentes.

— Si nous nous endormons... crois-tu qu'on peut leur faire confiance ? demanda Will.

— Oui. Ils sont féroces, mais honnêtes, je crois.

Ils regagnèrent l'abri de la corniche et Will dit aux Gallivespiens :

— Je vais dormir. Nous repartirons demain matin.

Le chevalier hocha la tête. Will se coucha en boule et s'endormit immédiatement.

Lyra s'assit à ses côtés. Pantalaimon se transforma en chat et vint se lover sur ses genoux ; il était chaud. Quelle chance avait Will qu'elle soit enfin réveillée pour prendre soin de lui ! C'était un garçon d'une très grande bravoure et elle admirait cette qualité plus que tout. Mais il n'était vraiment pas doué pour mentir, trahir et duper, autant de choses qui, pour elle, étaient aussi naturelles que de respirer. En pensant à cela, elle se sentait envahie d'un doux sentiment vertueux, car c'était pour Will qu'elle agissait ainsi, pas pour elle.

Elle avait l'intention de consulter à nouveau l'aléthiomètre mais, à sa grande surprise, elle s'aperçut qu'elle était aussi fatiguée que si elle était restée éveillée durant cette longue période d'inconscience, alors elle s'allongea tout près de Will et ferma les yeux. « Juste un petit somme », se dit-elle pour se rassurer, avant de s'endormir.

CHAPITRE 14
LA BONNE QUESTION

*Le travail sans joie est indigne — le travail sans
chagrin est indigne — le chagrin sans travail
est indigne — la joie sans travail est indigne.*
JOHN RUSKIN

Will et Lyra dormirent toute la nuit et ne se réveillèrent
que lorsque les rayons du soleil effleurèrent leurs paupières. Ils reprirent leurs esprits à quelques secondes
d'intervalle, frappés l'un et l'autre par la même pensée mais, en regardant autour d'eux, ils constatèrent
que le chevalier Tialys montait tranquillement la
garde à proximité.

—Les forces de la Cour de Discipline Consistoriale ont battu en retraite,
leur annonça-t-il. Mme Coulter est entre les mains du roi Ogunwe et il la
conduit à Lord Asriel.

—Comment le savez-vous? demanda Will en se redressant, avec raideur.
Vous êtes retournés dans l'autre monde, en passant par la fenêtre?

—Non. Nous communiquons par l'intermédiaire du résonateur à aimant.
(Il se tourna vers Lyra.) J'ai rapporté notre conversation à mon supérieur,
Lord Roke. Il est d'accord pour qu'on vous aide à chercher l'ours; une fois
que vous l'aurez retrouvé, vous nous suivrez. Nous sommes des alliés, nous
vous aiderons de notre mieux.

—Parfait, dit Will. Commençons donc par manger tous ensemble. Vous
pouvez manger notre nourriture?

—Oui, merci bien, répondit la lady.

Will sortit de son sac les quelques pêches séchées et la miche de pain de
seigle durci. C'étaient ses dernières provisions, et il les partagea en quatre
portions mais, évidemment, les deux espions se nourrissaient de peu.

—Pour ce qui est de l'eau, dit Will, il ne semble pas y en avoir par ici. Il faudra attendre d'être retournés dans l'autre monde pour nous désaltérer.

—Ne tardons pas dans ce cas, dit Lyra.

Mais avant cela, elle sortit l'aléthiomètre et l'interrogea pour savoir s'il y avait encore un danger dans la vallée. Non, lui répondirent les symboles, tous les soldats étaient repartis et les villageois étaient rentrés chez eux. Ils se préparèrent donc à lever le camp.

La fenêtre offrait un curieux aspect dans l'atmosphère éblouissante du désert ; elle s'ouvrait sur le buisson baigné d'ombre, semblable à un carré de végétation luxuriante suspendu dans le vide comme un tableau. Les Gallivespiens voulurent l'examiner de plus près et furent stupéfaits de constater que la fenêtre n'existait pas de l'autre côté ; elle n'apparaissait que sous un certain angle.

—Je vais devoir la refermer une fois que nous serons passés, dit Will.

Lyra tenta de joindre les bords en les pinçant, mais ses doigts n'arrivaient pas à les saisir. Les espions n'eurent pas plus de succès, malgré la finesse de leurs mains. Seul Will était capable de sentir exactement où se trouvaient les bords, et il les referma rapidement et proprement.

—Dans combien de mondes peux-tu pénétrer avec ce couteau ? lui demanda Tialys.

—Autant qu'il en existe, répondit Will. Mais nul n'aura jamais le temps de tous les explorer.

Il jeta son sac sur ses épaules et ouvrit la marche sur le chemin forestier. Heureuses de se retrouver dans cette atmosphère fraîche et humide, les libellules filaient comme des flèches à travers les rayons du soleil. Tout était paisible et cette quiétude rendit d'autant plus choquante la vision de l'épave broyée du gyroptère suspendue aux branches, avec le corps du pilote africain pendant à moitié dans le vide, retenu par sa ceinture de sécurité, et celle de la carcasse calcinée du zeppelin, un peu plus haut : les lambeaux de toile, les poutrelles et les tuyaux noircis, le verre brisé, et surtout les corps : trois hommes presque réduits en cendres, les membres tordus et dressés comme s'ils cherchaient encore à se battre.

D'autres corps et d'autres épaves étaient disséminés sur la falaise et parmi les arbres, un peu plus bas, à l'écart du chemin. Impressionnés et muets, les deux enfants traversèrent cette scène de carnage, tandis que les espions, chevauchant leurs libellules, observaient les lieux d'un air plus détaché. Habitués aux champs de bataille, ils se représentaient mentalement le déroulement du combat et cherchaient à évaluer les pertes de chaque camp.

Arrivés au sommet de la vallée, là où les arbres devenaient plus clairsemés et où débutaient les cascades et les arcs-en-ciel, ils firent une halte pour s'abreuver d'eau glacée.

—J'espère qu'il n'est rien arrivé à cette petite fille, dit Will. Jamais on n'aurait pu te sauver si elle ne t'avait pas réveillée. Elle est allée trouver un saint homme pour obtenir cette poudre magique.

—Elle va bien, dit Lyra. J'ai posé la question à l'aléthiomètre hier soir. Mais elle nous prend pour des êtres maléfiques. Elle a peur de nous. Sans doute regrette-t-elle d'être intervenue dans cette histoire, mais elle est saine et sauve.

Ils continuèrent leur escalade en longeant les chutes d'eau et prirent soin de remplir la gourde de Will avant de traverser le grand plateau en direction de la crête, vers laquelle, à en croire l'aléthiomètre, s'était dirigé Iorek.

Une longue et pénible journée de marche débuta alors. Une simple formalité pour Will, mais une torture pour Lyra dont les membres étaient encore affaiblis après sa longue léthargie. Malgré tout, elle aurait préféré se faire arracher la langue plutôt que d'avouer qu'elle souffrait. Les dents serrées, boitant et tremblant, elle calquait son pas sur celui du garçon, sans rien dire. C'est seulement lorsqu'ils firent une pause, vers midi, qu'elle s'autorisa à pousser un gémissement, et uniquement parce que Will s'était isolé pour satisfaire un besoin naturel.

Lady Salmakia lui dit alors :

—Repose-toi. Il n'y a pas de honte à être fatiguée.

—Je ne veux pas laisser tomber Will ! Je ne veux pas qu'il pense que je suis faible et que je le retarde.

—Jamais il ne pensera une chose pareille.

—Vous n'en savez rien, répliqua Lyra, sèchement. Vous ne le connaissez pas, et vous ne me connaissez pas, moi non plus.

—Je sais reconnaître l'impertinence, en revanche, répondit la lady sans se départir de son calme, fais ce que je te dis : repose-toi. Garde ton énergie pour marcher.

Lyra se sentait d'humeur rebelle, mais les éperons de la Gallivespienne scintillaient dans le soleil ; elle se tut.

Pendant ce temps, le chevalier avait ouvert l'étui du résonateur à aimant et Lyra l'observa avec intérêt, laissant sa curiosité l'emporter sur sa rancœur. L'instrument ressemblait à un bout de crayon taillé dans une pierre gris anthracite terne, posé sur un bloc de bois. Le chevalier frottait l'extrémité de la pierre avec un minuscule archet, comme un violoniste, tout en appuyant à différents endroits avec ses doigts. Les emplacements n'étaient pas indiqués ; il semblait poser ses doigts au hasard mais, à en juger par l'intensité de son expression et la sûreté de ses mouvements rapides, Lyra comprit que c'était un processus aussi complcxe et délicat que la lecture de l'aléthiomètre.

Au bout de plusieurs minutes, l'espion rangea l'archet et prit une paire d'écouteurs, pas plus grands que l'ongle de son auriculaire. Il enroula solidement une extrémité du fil autour d'une fiche plantée à un bout de la pierre et enroula le reste autour d'une deuxième fiche située à l'autre bout. En manipulant les deux fiches et en modifiant la tension du fil entre les deux, il obtenait apparemment la réponse à son message.

— Comment ça marche ? demanda-t-elle quand il eut terminé.

Tialys l'observa, comme pour juger si elle était vraiment intéressée, et il dit :

— Vos scientifiques, comment vous les appelez déjà ? Les théologiens expérimentaux ? Bref, ils connaissent certainement un phénomène baptisé l'implication quantique. Ça veut dire que deux particules identiques possèdent absolument les mêmes propriétés, si bien que tout ce qui arrive à l'une des deux arrive forcément à l'autre, au même moment, quelle que soit la distance qui les sépare. Dans notre monde, nous possédons un moyen pour relier toutes les particules d'un aimant banal et pour le couper en deux ensuite, afin que les deux parties résonnent à l'unisson. Simultanément. L'autre partie de cet aimant est entre les mains de Lord Roke, notre commandant. Quand je frotte mon archet sur cette moitié d'aimant, l'autre moitié reproduit exactement le même son et nous pouvons communiquer.

Le chevalier rangea tout son matériel et s'adressa à sa compagne. Celle-ci le rejoignit et ils s'isolèrent pour parler à voix basse, si bien que Lyra n'entendit pas ce qu'ils se disaient, mais Pantalaimon se transforma en chouette et orienta ses grandes oreilles dans leur direction.

Will revint sur ces entrefaites et ils se remirent en route, de plus en plus lentement à mesure que la journée avançait. Ils firent une nouvelle halte à l'entrée d'une vallée rocailleuse, car Will s'aperçut que Lyra était épuisée : elle boitait fortement et son visage était livide.

— Montre-moi tes pieds, lui dit-il. Si tu as des ampoules, je vais te mettre de l'onguent.

Elle avait de grosses cloques, en effet, et laissa Will les enduire de baume bienfaisant à base de mousse, en fermant les yeux et en serrant les dents à cause de la douleur.

Le chevalier s'affairait de son côté avec son résonateur. Après quelques minutes, il le rangea et déclara :

— J'ai indiqué notre position à Lord Roke ; ils nous envoient un gyroptère pour venir nous chercher dès que vous aurez vu votre ami.

Will répondit par un hochement de tête. Lyra ne réagit pas. Elle se releva péniblement, enfila ses chaussettes et ses chaussures en grimaçant et ils se remirent en marche.

Au bout d'une heure, la vallée se retrouva presque entièrement plongée dans l'obscurité, et Will se demandait s'ils allaient trouver un abri avant la tombée de la nuit lorsque soudain, Lyra poussa un grand cri de soulagement et de joie.

—Iorek! Iorek!

Elle l'avait aperçu avant Will. L'ours-roi était un peu plus loin, droit devant, immobile ; sa fourrure blanche se fondait dans une étendue de neige mais, quand l'écho porta la voix de Lyra jusqu'à lui, il se retourna, dressa son museau et dévala la pente de la montagne pour les rejoindre.

Il laissa Lyra lui sauter au cou et enfouir son visage dans sa fourrure, et il émit un grognement si profond que Will sentit le sol vibrer sous ses pieds. En un instant, la fillette avait oublié ses ampoules et sa fatigue.

—Oh, Iorek, comme je suis contente ! Je ne pensais pas te revoir un jour, après les événements de Svalbard et tout ce qui s'est passé depuis. M. Scoresby va bien ? Et ton royaume ? Tu es venu tout seul jusqu'ici ?

Les petits espions avaient disparu ; c'était comme s'ils étaient seuls tous les trois, sur cette montagne, au crépuscule : le garçon, la fillette et le grand ours blanc. Iorek offrit son dos à Lyra, et celle-ci y grimpa sans se faire prier, heureuse et fière de trôner sur son cher ami qui lui fit parcourir ainsi la courte distance qui les séparait de sa grotte.

Préoccupé, Will n'écoutait pas leur discussion, mais il entendit tout à coup la fillette pousser un petit cri de désespoir :

—M. Scoresby ! dit-elle. Oh, non... C'est trop cruel ! Il est vraiment mort ? Tu en es sûr, Iorek ?

—La sorcière m'a dit qu'il était parti en quête d'un dénommé Grumman.

Will tendait l'oreille maintenant, car Baruch et Balthamos lui avaient raconté une partie de cette histoire.

—Que s'est-il passé ? Qui l'a tué ? demanda Lyra d'une voix tremblante.

—Il est mort en combattant. Il a tenu en respect toute une armée de Moscovites pendant que l'autre homme s'enfuyait. J'ai retrouvé son corps. Il est mort courageusement. Je le vengerai.

Lyra ne cherchait pas à retenir ses larmes, et Will ne savait pas quoi dire, car cet homme qu'il ne connaissait pas était mort pour sauver son père et si Lyra et l'ours avaient aimé ce Lee Scoresby, lui ne l'avait jamais connu.

Iorek bifurqua pour se diriger vers l'entrée d'une grotte qui formait une tache noire au milieu de la neige. Will ignorait où étaient les espions, mais il aurait parié qu'ils n'étaient pas loin. Il voulait parler à Lyra, mais pas avant d'avoir localisé les Gallivespiens pour s'assurer qu'ils ne les espionnaient pas.

Il posa son sac à l'entrée de la grotte et s'assit lourdement. Derrière lui, l'ours allumait un feu, sous le regard de Lyra, intriguée malgré son chagrin. Il tenait dans sa patte avant gauche une petite pierre ressemblant à du minerai de fer, qu'il frappa contre une pierre semblable sur le sol, pas plus de trois ou quatre fois. Chaque fois, des étincelles jaillirent dans la direction exacte où Iorek voulait les diriger : vers un petit tas de branches coupées et d'herbe séchée. Très vite, elles s'enflammèrent et, calmement, Iorek empila les bûches les unes sur les autres, jusqu'à ce que le feu crépite joyeusement.

Les enfants l'accueillirent avec bonheur, car il commençait à faire froid. Une autre bonne surprise les attendait : un gros morceau de viande ressemblant à un cuissot de chèvre. Iorek mangeait la viande crue, évidemment, mais il planta le cuissot sur une branche aiguisée et le mit à rôtir au-dessus du feu pour ses deux invités.

—C'est facile de chasser dans ces montagnes, Iorek ? demanda Lyra.

—Non. Mon peuple ne peut pas vivre ici. Je me suis trompé, mais j'ai eu de la chance, car je vous ai retrouvés. Quels sont vos plans maintenant ?

Will balaya la grotte du regard. Ils étaient assis près du feu et les flammes projetaient des reflets jaunes et orange sur la fourrure de l'ours-roi. Toujours aucune trace des deux espions mais, tant pis, il fallait qu'il pose la question :

—Roi Iorek, dit-il, mon couteau est cassé et...

Mais il s'interrompit pour regarder au-delà de l'ours.

—Un instant, dit-il en pointant le doigt vers la paroi de la caverne. Si vous voulez écouter ce qu'on dit, reprit-il en haussant la voix, faites-le ouvertement. Ne nous espionnez pas.

Lyra et Iorek Byrnison se retournèrent pour voir à qui il s'adressait ainsi. Le petit homme sortit de l'obscurité et s'arrêta dans la lumière du feu, perché sur une corniche un peu plus haute que les têtes des enfants. Iorek poussa un grognement.

—Vous n'avez pas demandé à Iorek Byrnison la permission d'entrer dans sa grotte, dit Will. C'est un roi, et vous n'êtes qu'un espion. Vous devriez être plus respectueux.

Lyra buvait du petit-lait. Elle regardait son ami avec ravissement ; il était rempli de fureur et de mépris.

Le chevalier avait les yeux fixés sur Will, lui non plus n'était pas content, visiblement.

—Nous vous avons fait confiance, dit-il. Vous nous avez trompés, c'est déshonorant.

Will se leva. « Son dæmon, s'il en avait eu un, se dit Lyra, aurait pris l'apparence d'un tigre », et elle eut un mouvement de recul instinctif face à la colère de cet animal féroce qu'elle imaginait.

— Nous vous avons trompés, car c'était nécessaire, dit-il. Auriez-vous accepté de venir jusqu'ici en sachant que le couteau était cassé ? Non, bien sûr que non. Vous auriez utilisé votre poison pour nous endormir et ensuite, vous auriez appelé des renforts pour nous kidnapper et nous amener à Lord Asriel. Nous étions obligés de vous duper, Tialys ; il faudra vous faire une raison.

Iorek Byrnison intervint :

— Qui sont ces gens ?

— Des espions, dit Will. Envoyés par Lord Asriel. Ils nous ont aidés à nous enfuir hier mais, s'ils sont de notre côté comme ils l'affirment, ils ne devraient pas se cacher pour nous surveiller. S'ils agissent ainsi, ils sont les plus mal placés pour parler de déshonneur.

Le regard de l'espion était si féroce qu'il semblait prêt à s'en prendre à Iorek lui-même, sans parler du pauvre Will, maintenant désarmé. Mais Tialys était dans son tort, et il le savait. Il ne put que s'incliner et présenter ses excuses.

— Votre Majesté..., dit-il à l'adresse de Iorek, qui répondit par un grognement.

Les yeux du chevalier lançaient des éclairs de haine destinés à Will ; il regardait Lyra avec méfiance et Iorek avec un respect glacial et prudent. La netteté de ses traits soulignait chacune de ses expressions, comme s'il était éclairé par un projecteur. Lady Salmakia émergea à son tour de l'obscurité, à ses côtés. Ignorant totalement les deux enfants, elle fit une révérence devant l'ours-roi.

— Pardonnez-nous, dit-elle à Iorek. L'habitude de la dissimulation ne se perd pas facilement. Mon compagnon le chevalier Tialys et moi-même, Lady Salmakia, évoluons en secret au milieu de nos ennemis depuis si longtemps, que par pure habitude nous avons omis de vous présenter nos hommages. Nous accompagnons ce garçon et cette fille pour nous assurer qu'ils arriveront sains et saufs jusqu'à Lord Asriel. Nous n'avons pas d'autre but, et certainement aucune intention malveillante à votre égard, roi Iorek Byrnison.

Si l'ours se demandait comment deux êtres aussi minuscules auraient pu lui faire du mal, il n'en laissa rien paraître ; son expression était indéchiffrable, comme toujours. Lui aussi possédait le sens des convenances et cette lady s'était exprimée de manière respectueuse.

— Venez près du feu, dit-il. Il y a largement de quoi manger si vous avez faim. Will, tu avais commencé à parler de ton couteau...

– Oui. Je ne pensais pas que ça pourrait arriver un jour, mais il s'est cassé. Et l'aléthiomètre a dit à Lyra que vous pourriez le réparer. J'aurais voulu vous le demander de manière plus polie, mais tout est dit : pouvez-vous le réparer, Iorek ?

– Montre-moi.

Will renversa le fourreau et le secoua pour faire dégringoler tous les morceaux sur le sol de pierre, et il les disposa soigneusement pour reconstituer le couteau et vérifier qu'il n'en manquait aucun. Lyra prit une branche enflammée pour éclairer la scène et Iorek se pencha afin d'examiner attentivement chaque morceau, qu'il manipula avec délicatesse entre ses griffes massives pour juger des dégâts. Will était émerveillé par la dextérité de ses grosses pattes noires.

Finalement, Iorek se redressa et tendit son museau vers la voûte obscure de la caverne.

– Oui, dit-il pour répondre à la question de Will, sans rien ajouter.

Lyra comprenait le sens véritable de cette réponse, c'est pourquoi elle demanda :

– Tu peux le faire, mais le feras-tu, Iorek ? Tu ne peux imaginer combien c'est important. Si on ne peut pas réparer le couteau, on va avoir de gros ennuis, et pas seulement nous...

– Je n'aime pas ce couteau, dit l'ours. J'ai peur de ce qu'il peut faire. Je n'ai jamais rien connu d'aussi dangereux. Les machines de guerre les plus mortelles sont des jouets inoffensifs à côté de ce poignard. Le mal qu'il peut causer ne connaît pas de limites. Il aurait été mille fois préférable qu'il ne fût jamais fabriqué.

– Mais grâce à lui..., commença Will.

Iorek lui coupa la parole.

– Grâce à lui, tu peux accomplir des choses étranges. Ce que tu ignores, c'est ce qu'il peut accomplir de son propre chef. Tes intentions sont peut-être louables. Mais le couteau poursuit un but, lui aussi.

– Comment est-ce possible ? demanda Will.

– Le but d'un outil est sa fonction. Ainsi, un marteau est fait pour taper, une vis est faite pour fixer, un levier est fait pour soulever. Ils sont ce qu'ils font. Mais, parfois, un outil peut avoir d'autres usages, que tu ignores. Parfois, en accomplissant ton objectif, tu accomplis aussi celui du poignard, sans le savoir. Vois-tu l'extrémité du fil de cette lame ?

– Non, répondit-il, car c'était la vérité : le fil de la lame était si fin que l'œil ne pouvait le distinguer.

– Alors, comment peux-tu savoir tout ce dont il est capable ?

– Je ne peux pas. Mais je dois quand même m'en servir et faire tout mon possible pour qu'il en résulte de bonnes actions. Si je ne faisais rien, je ne serais pas seulement inutile, je serais coupable.

Lyra suivait attentivement cette discussion et, voyant que Iorek demeurait intraitable, elle dit :

—Iorek, tu as vu à quel point ces gens de Bolvangar étaient mauvais. Si on ne gagne pas, ils continueront. De plus le couteau risque de tomber entre leurs mains. Quand j'ai fait ta connaissance, nous ignorions son existence, comme tout le monde. Mais maintenant que nous savons qu'il existe, nous devons l'utiliser. Il est impossible de faire autrement. Ce serait une preuve de faiblesse, et une grave erreur ; car cela reviendrait à leur dire : « Allez-y, servez-vous de ce poignard, faites-en ce que vous voulez. » C'est vrai, on ne sait pas ce qu'il est capable de faire, mais je peux interroger l'aléthiomètre. Comme ça, nous serons fixés. Et nous pourrons réfléchir concrètement, au lieu de faire des suppositions et de se laisser mener par la peur.

Will ne voulait pas évoquer une autre raison, plus personnelle, et plus pressante : si le couteau n'était pas réparé, il ne pourrait jamais retourner chez lui, il ne reverrait plus sa mère ; elle ne saurait jamais ce qui s'était passé, elle croirait qu'il l'avait abandonnée, comme son père avant lui. Ce couteau était directement responsable de leur départ de la maison. Il devait s'en servir pour retourner vers elle ou, sinon, il ne se le pardonnerait jamais.

Iorek Byrnison resta muet un long moment, puis il tourna la tête pour scruter l'obscurité. Enfin, il se dressa lentement sur ses pattes arrière, marcha jusqu'à l'entrée de la grotte et leva la tête vers les étoiles : certaines étaient semblables à celles qu'il voyait dans le Nord, d'autres lui étaient étrangères.

Dans son dos, Lyra tournait la viande au-dessus des flammes, pendant que Will examinait ses blessures pour voir si elles guérissaient. Tialys et Salmakia étaient assis sur leur corniche, muets.

Soudain, Iorek se retourna.

—Très bien, dit-il, je réparerai ce couteau. Mais à une condition. Tout en sachant que je commets une erreur. Mon peuple n'a pas de dieux, pas de fantômes ni de dæmons. On vit, on meurt, et c'est tout. Les affaires humaines ne nous apportent que tristesse et tracas, mais nous avons le langage, nous faisons la guerre et nous utilisons des outils ; peut-être devrions-nous choisir notre camp. Toutefois, il est bon de connaître le fond des choses. Lyra, consulte ton instrument. Réfléchis bien à ce que tu lui demandes. Si, ensuite, tu le souhaites toujours, je réparerai le couteau.

Sans plus attendre, elle sortit l'aléthiomètre et s'approcha du feu pour mieux voir les symboles du cadran. L'opération lui prit plus longtemps que d'habitude et quand, enfin, elle s'arracha à sa transe en clignant des yeux et en soupirant, un trouble profond se lisait sur son visage.

—Je n'ai jamais vu l'aléthiomètre si déconcerté, déclara-t-elle. Il a dit un tas de choses. Mais je crois avoir compris. Je crois. Il a d'abord parlé d'équilibre. Il a dit que le couteau pouvait faire le mal ou le bien, mais l'équilibre était si fragile, si délicat, que la moindre pensée, le moindre souhait pouvait le faire pencher d'un côté ou de l'autre... Et il parlait de toi, Will; il parlait de tes pensées et de tes souhaits. Seulement, il n'a pas précisé ce qu'était une bonne ou une mauvaise pensée. Et, pour finir, il a dit oui, ajouta-t-elle en jetant un regard appuyé aux espions. Il a dit qu'il fallait réparer le couteau.

Iorek la regardait fixement; il se contenta de hocher la tête, une seule fois.

Tialys et Salmakia descendirent de leur perchoir pour assister à l'opération, et Lyra demanda:

—As-tu besoin de plus de bois, Iorek? Will et moi, on peut aller en chercher.

Will comprit la manœuvre: loin des deux espions, ils pourraient parler librement.

Iorek répondit:

—Sous le premier éperon rocheux, sur le chemin, il y a un buisson de résineux. Rapportez autant de bois que vous le pourrez.

Lyra se leva d'un bond et Will lui emboîta le pas.

La lune scintillait, le chemin dessinait un tapis d'empreintes embrouillées dans la neige, l'air était froid et pénétrant. Les deux enfants se sentaient revigorés, pleins d'espoir et de vie. Ils attendirent d'être à bonne distance de la grotte pour parler.

—Qu'a-t-il dit, à part ça? demanda Will en parlant de l'aléthiomètre.

—Il a dit des choses que je n'ai pas comprises sur le moment, et que je ne comprends toujours pas. Il a dit que le couteau causerait la mort de la Poussière, mais il a dit aussi que ce serait le seul moyen de maintenir la Poussière en vie. Je n'ai pas compris, Will. En tout cas, il a répété que c'était dangereux; il n'arrêtait pas de dire ça. Il a dit aussi que si on allait... enfin, tu vois... le truc dont je t'ai parlé...

—Si on va dans le monde des morts...

—Oui. Il dit qu'on ne reviendrait peut-être jamais si on s'aventurait là-bas, Will. Il se peut qu'on ne survive pas.

Il ne dit rien. Ils marchaient d'un pas moins énergique maintenant; ils guettaient le buisson dont leur avait parlé Iorek et, surtout, ils pensaient à ce qu'ils allaient peut-être entreprendre.

—On n'a pas le choix, dit-il finalement.

—Je ne sais pas.

—Si, on sait. Il faut que tu parles à Roger, et moi, il faut que je parle à mon père. Il le faut.

—J'ai peur, avoua-t-elle.

Will savait qu'elle n'avait jamais fait cet aveu à qui que ce soit.

—L'aléthiomètre a-t-il dit ce qui arriverait si on ne le faisait pas ? demanda-t-il.

—Il a juste parlé de vide. De néant. Je n'ai pas vraiment bien compris, Will. Mais je pense qu'il voulait dire que, même si c'est dangereux, on doit essayer de sauver Roger. Mais ce ne sera pas comme la fois où je l'ai sauvé à Bolvangar. Je ne savais pas ce que je faisais, pas à ce moment-là. Je suis partie comme ça, sans réfléchir, et j'ai eu de la chance. Il y avait toutes sortes de personnes pour m'aider, comme les gitans et les sorcières. Là où nous devons aller, il n'y aura personne pour nous aider. Dans mon rêve, j'ai vu... Cet endroit... C'était plus horrible encore que Bolvangar. C'est pour ça que j'ai peur.

—Ce qui me fait peur, à moi, dit Will après un long silence, c'est de rester bloqué quelque part, et de ne jamais revoir ma mère.

Un souvenir lui revint en mémoire : il était très jeune, c'était avant que les ennuis de sa mère commencent, il était malade. Toute la nuit, semblait-il, elle était restée à son chevet dans le noir, à chanter des berceuses, à lui raconter des histoires ; tant qu'il entendait sa voix adorée, Will savait qu'il ne pouvait rien lui arriver. À son tour, il ne pouvait pas l'abandonner. Il ne pouvait pas ! Il veillerait sur elle toute sa vie s'il le fallait.

Comme si Lyra pouvait lire dans ses pensées, elle dit, avec ferveur :

—C'est vrai, ce serait affreux... Tu sais, au sujet de ma mère, je n'avais jamais pris conscience que... J'ai grandi seule, en vérité. Je ne me souviens pas que quelqu'un m'ait jamais tenue ou bercée dans ses bras ; aussi loin que je m'en souvienne, j'ai toujours été seule avec Pan... Je n'ai pas le souvenir d'avoir été dorlotée par Mme Lonsdale ; c'était la Gouvernante de Jordan College. Tout ce qui l'intéressait, c'était que je sois propre, elle ne pensait qu'à ça, et aux bonnes manières... Mais dans cette caverne, Will, j'ai vraiment eu l'impression... oh, c'est bizarre, je sais que ma mère a fait des choses affreuses, mais j'ai vraiment eu le sentiment qu'elle m'aimait et qu'elle veillait sur moi... Comme je ne me réveillais pas, elle croyait sans doute que j'allais mourir ; elle devait penser que j'étais malade. En tout cas, elle n'a pas cessé de veiller sur moi. Je me souviens de m'être réveillée une ou deux fois, et elle me tenait dans ses bras... Ça, je m'en souviens, j'en suis sûre... J'aurais fait la même chose à sa place, si j'avais eu un enfant.

« Ainsi, elle ne savait pas pourquoi elle était restée endormie si long-temps », pensa Will. Devait-il le lui dire et trahir ses souvenirs, même s'ils étaient faux ? Non, évidemment.

— C'est le buisson ? demanda-t-elle.

Le clair de lune était si brillant qu'il éclairait chaque feuille. Will arracha une branche et l'odeur de résine s'imprégna de manière tenace sur ses doigts.

— On ne dira rien à ces deux petits espions, hein ? ajouta-t-elle.

Ils ramassèrent des brassées de branches et les emportèrent à la grotte.

Chapitre 15

La forge

Alors que je marchais au milieu
des flammes de l'enfer, enchanté
par les plaisirs du génie…
WILLIAM BLAKE

 Au même moment, les Gallivespiens, après avoir conclu une paix méfiante avec Iorek Byrnison, étaient remontés sur leur corniche pour se mettre à l'abri et, tandis que le crépitement et le grondement du feu emplissaient la grotte, Tialys glissa à Lady Salmakia :

— Nous ne devons pas quitter le garçon d'une semelle. Dès que le couteau sera réparé, nous devons le suivre comme son ombre.

— Il est trop vif. Il nous a à l'œil, lui aussi, répondit sa compagne. La fillette est plus confiante. Je crois que nous avons plus de chances de l'amadouer. Elle est innocente, elle se lie facilement avec les gens. Concentrons nos efforts sur elle.

— Mais c'est le garçon qui détient le couteau. Lui seul sait s'en servir.

— Il n'ira nulle part sans elle.

— Mais elle est obligée de le suivre, puisque c'est lui qui a le couteau. Et je pense que dès qu'il sera réparé, ils s'en serviront pour se faufiler dans un autre monde, afin de nous fausser compagnie. As-tu remarqué comment il l'a fait taire tout à l'heure ? Ils ont un objectif secret, et il est différent du nôtre.

— Nous verrons bien. Mais je crois que tu as raison, Tialys. Nous devons rester coûte que coûte à proximité du garçon.

Tous deux regardèrent avec un certain scepticisme Iorek Byrnison préparer les outils de son atelier improvisé. Les robustes ouvriers qui travaillaient dans les fabriques d'armes situées sous la forteresse de Lord Asriel, avec leurs gigantesques fourneaux et leurs laminoirs, leurs forges ambariques et leurs presses hydrauliques, auraient ri de ce simple feu de bois, du marteau de pierre et de cette enclume faite d'un morceau d'armure. Mais l'ours avait pris la mesure de la tâche à accomplir et, devant la dextérité de ses gestes, les deux petits espions devinèrent l'existence d'un savoir-faire magistral qui étouffa leurs sarcasmes.

Quand Lyra et Will revinrent avec les branches, Iorek leur ordonna de les poser délicatement sur le feu. Mais avant cela, il examina chaque branche, puis il expliqua aux enfants de quelle façon les disposer. Pour certaines, il leur demanda d'en casser un morceau et de le mettre de côté. Le résultat fut un feu d'une extraordinaire puissance, dont toute l'énergie était volontairement concentrée sur un seul côté.

Il régnait maintenant à l'intérieur de la grotte une chaleur suffocante. Malgré tout, Iorek continuait d'alimenter le foyer et il chargea les enfants d'effectuer deux autres voyages jusqu'au buisson de résineux, pour être certain de ne pas manquer de bois au cours de l'opération.

L'ours retourna ensuite une petite pierre sur le sol et demanda à Lyra d'en trouver d'autres, identiques. Ces pierres, expliqua-t-il, une fois chauffées, dégageaient un gaz qui envelopperait la lame et la protégerait de l'air car, si le métal chaud entrait en contact avec l'air, il en absorberait une partie et s'en trouverait affaibli.

Lyra partit donc en quête des pierres et, avec l'aide des yeux de chouette de Pantalaimon, elle en rapporta rapidement une douzaine. Iorek lui indiqua où et comment les disposer, puis il lui expliqua en détail de quelle manière elle devait agiter une branche feuillue au-dessus des pierres, pour que leur gaz se répande de manière uniforme autour de l'objet à réparer.

Will, quant à lui, fut nommé responsable du feu, et Iorek passa plusieurs minutes à s'assurer qu'il avait bien compris les principes qu'il devrait appliquer. La position du combustible constituait un élément capital de l'opération, et l'ours ne pourrait pas s'arrêter pour rectifier chaque erreur : Will devait d'abord comprendre, ensuite il ferait ce qu'on attendait de lui.

En outre, ajouta Iorek, il ne devait pas espérer que le couteau, une fois réparé, ressemble exactement à ce qu'il était avant. Pour commencer, il serait un peu plus court, car chaque morceau de la lame devrait chevaucher très légèrement son voisin, afin qu'on puisse les souder ; la surface serait oxydée, et les reflets multicolores du métal ne seraient plus aussi fascinants. Quant au manche, il serait certainement noirci. Mais la lame serait toujours aussi tranchante et efficace.

Will ne quittait pas des yeux les flammes qui dévoraient bruyamment les branches résineuses ; les larmes aux yeux et les mains roussies, il ajoutait les branches l'une après l'autre, jusqu'à ce que la chaleur atteigne le niveau voulu par Iorek.

Pendant ce temps, celui-ci martelait une pierre de la taille d'un poing d'adulte, après en avoir rejeté plusieurs jusqu'à ce qu'il trouve celle qui avait le bon poids. À grands coups d'une autre pierre, il la façonnait et la lissait ; l'odeur de cordite provoquée par le choc se mêlait à la fumée dans les narines des deux espions, qui, de la corniche, assistaient à la scène. Même Pantalaimon participait aux manœuvres : il s'était transformé en corbeau, afin de battre des ailes et d'attiser le feu.

Enfin satisfait par la forme de son marteau de pierre, Iorek déposa les deux premiers morceaux du poignard subtil au milieu des braises rougeoyantes, au cœur du feu, et il demanda à Lyra de diriger sur eux le gaz qui émanait des pierres avec sa branche. L'ours était concentré sur le feu ; son long museau blanc rougeoyait dans la lueur du brasier. Will vit la surface du métal virer au rouge, puis au jaune, avant de blanchir.

La patte tendue, Iorek se tenait prêt à sortir les morceaux du feu. Au bout d'un instant, le métal changea à nouveau d'aspect : la surface devint brillante, et des étincelles en jaillirent, semblables à celles d'un feu d'artifice.

Ce fut le moment qu'il choisit pour intervenir. Sa patte droite jaillit pour récupérer un premier morceau, puis l'autre, qu'il tint entre les extrémités de ses grosses griffes et déposa sur la plaque de fer qui était en réalité la partie dorsale de son armure. Will sentait l'odeur de roussi des griffes, mais Iorek n'y prêtait même pas attention et, avec une rapidité extraordinaire, il ajusta au millimètre près l'angle de chevauchement des deux pièces de métal, puis il leva sa patte gauche, très haut, et frappa avec le marteau de pierre.

La pointe de la lame rebondit sur l'enclume sous la violence du coup. À cet instant, Will songeait que le restant de sa vie dépendait du sort de ce petit triangle de métal, cette pointe qui sondait les interstices entre les atomes, et tous ses nerfs vibraient, il sentait vaciller chaque flamme, la libération de chaque atome dans le quadrillage du métal. Avant d'assister à cette opération, il avait cru que seuls un gigantesque fourneau, les outils et le matériel les plus performants pouvaient réparer cette lame, mais il comprenait maintenant qu'il avait devant les yeux les meilleurs outils qu'on puisse trouver, et que le savoir-faire de Iorek avait construit le meilleur des fourneaux.

La voix rugissante de l'ours couvrit les bruits métalliques :

— Soude-le avec ton esprit ! Toi aussi tu dois le forger ! Cette tâche est la tienne autant que la mienne !

Will sentit tout son être frémir sous les coups du marteau de pierre que l'ours serrait dans sa patte. Un autre morceau de la lame chauffait à son tour et, à l'aide de sa branche, Lyra maintenait le nuage de gaz chaud qui l'enveloppait et repoussait l'air dévoreur de métal. Will avait conscience de tout cela, il sentait les atomes de métal se lier entre eux, d'un bord à l'autre de la fracture, pour former de nouveaux cristaux, se renforçant et se redressant au sein de ce treillis invisible à mesure que la soudure prenait.

— Le fil de la lame! rugit Iorek. Maintiens le fil bien droit!

Par la pensée, voulait-il dire; Will s'exécuta aussitôt, sentant peu à peu les minuscules accrocs s'atténuer, puis disparaître lorsque les deux fils s'alignèrent à la perfection. Une fois la soudure effectuée, Iorek passa au morceau suivant.

— Une nouvelle pierre! lança-t-il à Lyra, qui chassa la première avec son pied, pour en faire chauffer une autre.

Will vérifia l'état du feu et brisa une ou deux branches afin de rectifier légèrement l'orientation des flammes, et Iorek se remit à marteler le métal. Will comprit qu'une difficulté nouvelle venait s'ajouter désormais à sa tâche, car il devait maintenir le nouveau morceau en parfaite harmonie avec les deux précédents, toujours par la pensée, et c'était seulement en agissant avec la plus grande précision, se disait-il, qu'il pourrait aider Iorek à réparer le couteau.

Le fastidieux travail se poursuivit, sans qu'il puisse dire combien de temps cela dura. Lyra, de son côté, avait mal aux bras, ses yeux ruisselaient de larmes, sa peau était brûlante, cramoisie, chacun de ses os était endolori par la fatigue; malgré tout, elle continuait à placer chaque pierre à l'endroit que lui avait indiqué Iorek, et Pantalaimon, épuisé lui aussi, continuait à battre des ailes au-dessus des flammes pour les attiser.

Quand vint le moment d'effectuer la dernière soudure, Will avait la tête qui tournait et l'effort mental qu'il devait fournir l'avait totalement vidé, au point qu'il pouvait à peine soulever les branches pour les poser sur le feu. Il devait comprendre chaque raccord, faute de quoi, quand viendrait la dernière soudure, la plus complexe, celle qui permettrait de fixer la lame presque reconstituée sur le fragment de métal encore solidaire du manche, s'il ne parvenait pas à maintenir, par un effort de volonté, la cohésion de l'ensemble, alors le couteau se briserait, comme si Iorek n'avait rien fait.

L'ours en était conscient, lui aussi, c'est pourquoi il marqua une pause avant de chauffer le dernier morceau. Il regarda Will et, dans ses yeux, le garçon ne vit absolument rien, aucune expression, uniquement une lumière noire et insondable. Mais il comprenait le message : c'était un travail difficile, pénible, mais ils étaient tous à la hauteur de la tâche.

C'était suffisant pour Will ; il reporta son attention sur le feu et projeta ses pensées vers l'extrémité brisée du manche, et se prépara mentalement pour l'ultime étape de la réparation, la plus ardue.

C'est ainsi que Iorek, Lyra et lui forgèrent à eux trois le couteau. Combien de temps il fallut pour effectuer la dernière soudure, il n'aurait su le dire, mais lorsque l'ours donna le dernier coup de marteau, et que Will sentit l'ultime et minuscule ajustement des atomes qui se rassemblaient de part et d'autre de la fracture, il s'assit lourdement sur le sol de la grotte et se laissa submerger par la fatigue. Tout près de lui, Lyra était dans le même état : ses yeux étaient vitreux et rougis, ses cheveux noirs de suie et de fumée. Iorek lui-même restait immobile, la tête baissée ; sa fourrure était roussie à plusieurs endroits, des traînées de cendre zébraient de noir ses poils épais couleur crème.

Pendant tout ce temps, Tialys et Salmakia avaient dormi à tour de rôle, pour que l'un d'eux reste éveillé en permanence. Lorsque la lame du couteau passa du rouge au gris, avant de retrouver sa couleur argentée à mesure qu'elle refroidissait, et lorsque Will tendit la main vers le manche, Lady Salmakia, qui veillait, posa sa main sur l'épaule de son compagnon. Celui-ci reprit immédiatement ses esprits.

Mais le garçon ne toucha pas le couteau. Il en approcha simplement sa paume : la chaleur était encore trop intense. Les deux espions se détendirent sur leur corniche, tandis que Iorek disait à Will :

—Sortons.

Il s'adressa ensuite à Lyra :

— Reste ici, et surtout ne touche pas au couteau.

Elle était assise à côté de l'enclume sur laquelle le poignard refroidissait ; Iorek lui ordonna d'entretenir le feu pour ne pas le laisser mourir, car il restait une dernière opération à effectuer.

Will suivit l'ours-roi dans l'obscurité de la montagne. Le froid mordant le saisit immédiatement, après la chaleur infernale qui régnait dans la caverne.

—Ils n'auraient pas dû fabriquer ce couteau, dit Iorek, après qu'ils se furent éloignés. Peut-être ai-je eu tort de le réparer. Je suis troublé, c'est une chose qui ne m'est jamais arrivée. Jamais je n'ai douté. Aujourd'hui, l'incertitude m'habite. Le doute est une pensée humaine, un ours ne doute pas. Si je suis en train de devenir humain, quelque chose ne va pas. Il y a un problème. Et j'ai aggravé les choses.

—Quand le premier ours a fabriqué la première armure, n'était-ce pas une mauvaise action également ?

Iorek ne répondit pas. Ils continuèrent à marcher jusqu'à ce qu'ils atteignent une vaste étendue de neige. L'ours s'y allongea et s'y roula avec volupté, faisant jaillir des gerbes de flocons blancs dans la nuit. On aurait dit que lui-même était fait de neige ; il était l'incarnation de toute la neige du monde.

Quand il eut fini, il se remit sur ses quatre pattes et s'ébroua vigoureusement. Voyant que Will attendait toujours une réponse, il dit :

— Tu as peut-être raison. Mais avant l'apparition du premier ours en armure, il n'y en avait pas d'autres. On ignore tout de ce qui existait avant. C'est à ce moment-là que la coutume est née. Nous connaissons nos coutumes ; elles sont solides et fermement ancrées, nous les suivons de manière immuable. La nature de l'ours est faible sans coutumes, comme la chair de l'ours est fragile sans armure. Mais je crois avoir trahi ma nature d'ours en réparant ce couteau. Je crois avoir été aussi fou que Iofur Raknison. Seul le temps nous le dira. Mais je suis inquiet et perplexe. Explique-moi une chose maintenant : pourquoi le couteau s'est-il brisé ?

Will massa à deux mains sa tête douloureuse.

— Quand cette femme m'a regardé, j'ai cru voir le visage de ma mère, répondit-il en s'efforçant de se remémorer cette expérience avec le maximum de sincérité. Le couteau a rencontré une chose qu'il ne pouvait pas découper, et parce que mon esprit enfonçait la lame en même temps qu'il essayait de la retirer, il s'est brisé. Voilà ce que je pense. Cette femme savait ce qu'elle faisait, j'en suis sûr. Elle est très intelligente.

— Quand tu parles du couteau, tu parles de ta mère et de ton père.

— Ah bon ? Oui... peut-être.

— Que vas-tu faire avec ce couteau maintenant ?

— Je ne sais pas.

Iorek se jeta soudain sur Will et lui décocha une gifle de sa patte gauche ; un coup si violent que, sonné, le garçon tomba dans la neige et roula sur lui-même jusqu'au milieu de la pente, la tête bourdonnante.

Iorek descendit lentement pour le rejoindre alors qu'il se relevait avec difficulté, et dit :

— Réponds-moi franchement.

Will fut tenté de répondre : « Vous n'auriez pas osé faire ça, si j'avais eu le couteau dans la main. » Mais il savait que Iorek le savait, et qu'il savait qu'il le savait ; ce serait une remarque discourtoise et stupide, mais la tentation était grande.

Il tint sa langue jusqu'à ce qu'il se retrouve face à l'ours, les yeux dans les yeux.

— J'ai dit que je ne savais pas, articula-t-il en essayant de maîtriser le tremblement de sa voix, car je n'ai pas encore bien réfléchi à ce que j'allais faire. Je parle des implications. Ça me fait peur. Et à Lyra, également. Malgré tout, j'ai accepté dès qu'elle m'en a parlé.

—Accepté quoi?

—Nous voulons aller dans le monde des morts pour parler au fantôme de l'ami de Lyra, Roger, celui qui a été tué à Svalbard. Et, s'il existe réellement un monde des morts, mon père y sera, lui aussi et, s'il est possible de communiquer avec les fantômes, je veux lui parler. Mais je suis partagé, ajouta Will après une courte pause, car je veux aussi retourner chez moi pour veiller sur ma mère, mais l'ange Balthamos m'a également dit que je devais me rendre auprès de Lord Asriel pour lui remettre le couteau, et je me dis qu'il a peut-être raison...

—Il s'est enfui, dit l'ours.

—Ce n'était pas un guerrier. Il a fait tout son possible mais il n'a pas pu tenir jusqu'au bout. D'ailleurs, il n'était pas le seul à avoir peur. Moi aussi, j'ai peur. Je dois bien réfléchir à toutes les conséquences de mes actes. Parfois, on ne fait pas le bon choix, car la mauvaise solution paraît plus dangereuse que la bonne, et personne ne veut donner l'impression d'avoir peur. On se préoccupe davantage de ne pas passer pour des froussards que d'émettre un bon jugement. Tout cela est très compliqué. Voilà pourquoi je n'ai pas répondu à votre question.

—Je vois, dit l'ours.

Ils restèrent muets pendant un long moment, une éternité aux yeux de Will, qui n'était pas vêtu pour lutter contre le froid mordant. Mais Iorek n'avait pas terminé, et le garçon était encore affaibli et désorienté par la gifle ; il ne faisait pas confiance à ses jambes, alors ils restèrent où ils étaient.

—Je me suis compromis à bien des égards, dit l'ours-roi. Peut-être qu'en te venant en aide, j'ai causé la destruction totale de mon royaume. Mais peut-être pas, peut-être que cette destruction était déjà programmée, peut-être qu'au contraire je l'ai retardée. Voilà pourquoi je suis si troublé : je suis obligé de faire des choses indignes d'un ours, de spéculer et de douter comme un homme. Je te dirai une seule chose. Tu le sais déjà, mais tu refuses de l'admettre, c'est pourquoi je te le dis franchement, pour que ce soit bien clair. Si tu veux réussir dans ta tâche, tu ne dois plus penser à ta mère. Tu dois la mettre de côté. Si jamais ton esprit est divisé, le couteau se brisera de nouveau. Je vais faire mes adieux à Lyra. Tu attendras dans la grotte ; ces deux espions ne te quitteront pas des yeux, et je ne veux pas qu'ils écoutent ce que j'ai à lui dire.

Will ne savait quoi répondre. Alors que sa poitrine et sa gorge étaient pleines de mots, il ne parvint qu'à articuler :

— Merci, Iorek Byrnison.

Rien d'autre.

Il remonta en compagnie de l'ours-roi, jusqu'à la grotte, où brillait encore la lueur chaleureuse du feu, au milieu des ténèbres environnantes.

Iorek se prépara alors à accomplir l'ultime opération qui achèverait la réparation du couteau. Il le déposa au milieu des braises incandescentes jusqu'à ce que la lame se mette à rougeoyer ; Will et Lyra virent alors des centaines de couleurs tournoyer dans les profondeurs enfumées du métal et, lorsque Iorek jugea que le moment était venu, il ordonna à Will de prendre le couteau, de sortir et de le plonger dans la neige.

Le manche en bois de rose était carbonisé, brûlant, mais le garçon enveloppa sa main dans sa chemise et fit ce que lui demandait Iorek. Dans le sifflement et le flamboiement de la vapeur, il sentit les atomes s'assembler de manière définitive, et il sut que le poignard avait retrouvé tous ses pouvoirs.

Mais il n'avait plus le même aspect. Il était plus court et beaucoup moins élégant ; une pellicule argentée, mate, recouvrait les points de soudure. Bref, il était laid ; il avait l'air de ce qu'il était : un objet blessé.

Quand le couteau eut suffisamment refroidi, il le rangea dans son sac et s'assit, sans se soucier des espions, en attendant le retour de Lyra.

Iorek avait emmené la fillette un peu plus haut, à l'abri des regards, et là, il l'avait laissée se blottir au creux de ses pattes puissantes, Pantalaimon, transformé en souris, lové sur sa poitrine. Il pencha sa tête vers elle et, avec la pointe de son museau, il appuya sur ses mains légèrement brûlées. Sans un mot, il entreprit de les lécher ; sa langue avait un effet apaisant sur ses brûlures, et jamais elle ne s'était sentie plus en sécurité de toute sa vie.

Dès que ses mains furent débarrassées de toute trace de suie, Iorek parla. La fillette sentait sa voix résonner contre son dos.

— Lyra Parle-d'Or, quelle est cette idée de rendre visite aux morts ?

— Elle m'est venue dans un rêve, Iorek. J'ai vu le fantôme de Roger, et j'ai compris qu'il m'appelait... Tu te souviens de Roger ? Juste après que tu nous as quittés, il a été tué à cause de moi. En tout cas, j'ai eu ce sentiment. Et maintenant, je me dis que je dois terminer ce que j'ai commencé : je vais aller lui demander pardon et, si je le peux, je le sauverai. Si Will peut ouvrir une porte sur le monde des morts, nous devons le faire.

— Pouvoir, ce n'est pas la même chose que devoir.

— Si on doit faire quelque chose et qu'on peut le faire, on n'a aucune excuse.

— Tant que tu es vivante, ta principale préoccupation doit être de rester en vie.

—Non, Iorek, répondit-elle doucement, mais avec conviction. Nous devons avant tout tenir nos promesses, même si c'est difficile. Tu sais, au fond de moi, je suis morte de peur. J'aurais préféré n'avoir jamais fait ce rêve, j'aurais préféré que Will n'ait pas l'idée d'utiliser le couteau pour se rendre là-bas. Mais c'est ainsi, et on ne peut pas faire autrement.

Lyra sentait Pantalaimon trembler contre elle et elle le caressa avec ses mains encore douloureuses.

—Seulement, on ne sait pas comment s'y rendre, reprit-elle. Tant qu'on n'aura pas essayé, on ne saura rien. Et toi, Iorek, que vas-tu faire ?

—Je vais retourner dans le Nord, avec mon peuple. On ne peut pas vivre dans ces montagnes. Même la neige est différente ici. J'ai cru que nous pourrions nous adapter à cet endroit, mais nous survivrons plus facilement dans la mer, même si elle se réchauffe. La leçon en valait la peine, malgré tout. D'ailleurs, je crois qu'on aura bientôt besoin de nous. Je sens venir la guerre, Lyra Parle-d'Or ; je la flaire, je l'entends. J'ai parlé à Serafina Pekkala avant de venir ici ; elle m'a dit qu'elle partait rejoindre Lord Faa et les gitans. Si une guerre éclate, on aura besoin de nous.

Lyra se redressa entre les pattes de l'ours, tout excitée, en entendant prononcer les noms de ses vieux amis. Mais Iorek n'avait pas fini :

—Si tu ne trouves pas le moyen de ressortir du monde des morts, nous ne nous reverrons plus jamais, car je n'ai pas de fantôme. Mon corps restera sur terre et, peu à peu, il s'y désintégrera. Mais si jamais nous survivons, toi et moi, sache que tu seras toujours une invitée d'honneur à Svalbard, et il en va de même pour Will. T'a-t-il raconté dans quelles circonstances nous nous sommes rencontrés ?

—Non, dit Lyra. Je sais seulement que ça s'est passé au bord d'un fleuve.

—Il m'a affronté ouvertement. Je croyais que personne n'oserait jamais faire une chose pareille, mais ce jeune garçon était trop intrépide pour moi, trop intelligent. Ton plan ne me plaît pas, mais ce garçon est la seule personne avec laquelle je te laisserai partir en toute confiance. Vous êtes dignes l'un de l'autre. Bonne route, Lyra Parle-d'Or, mon amie.

Elle se redressa pour nouer ses bras autour du cou de l'ours et enfouir son visage dans son épaisse fourrure, trop émue pour parler.

Au bout d'une minute, Iorek se redressa et se libéra en douceur de son étreinte, puis il fit demi-tour et s'éloigna en silence dans l'obscurité. Lyra crut voir sa silhouette se fondre immédiatement dans la pâleur du sol enneigé, mais peut-être était-ce à cause des larmes qui embuaient ses yeux.

Quand Will entendit résonner le pas de son amie sur le chemin, il se tourna vers les espions et dit :

— Ne bougez pas. Regardez, le couteau est ici, je ne m'en servirai pas. Restez où vous êtes.

Il ressortit de la grotte et découvrit Lyra qui s'était arrêtée en chemin ; elle pleurait et Pantalaimon, transformé en loup, tendait sa gueule vers le ciel noir. Elle ne faisait aucun bruit. La seule lumière était le reflet pâle des vestiges du feu sur l'étendue neigeuse, et cette lueur dansait sur les joues humides de la fillette, dont les larmes trouvaient un écho dans les yeux de Will, si bien que ces particules de lumière tissaient entre eux une toile muette.

— Je l'aime tellement, Will ! murmura-t-elle d'une voix tremblante. Et il avait l'air si vieux ! Il avait l'air affamé, vieux et triste... Tout repose sur nos épaules désormais. On ne peut compter sur personne d'autre... Il n'y a que nous. Mais on n'est pas assez grands. On est trop jeunes. On est des enfants ! Pourtant, tout repose sur nous.

— On peut y arriver, déclara Will. Je ne regarderai plus en arrière. On peut y arriver. Mais, pour l'instant, nous devons dormir. Et si on reste dans ce monde, les gyroptères appelés par les espions risquent de débarquer. Je vais ouvrir une fenêtre et trouver un autre monde pour dormir et, si les espions nous suivent, tant pis, on se débarrassera d'eux une autre fois.

— Oui, tu as raison, dit Lyra en reniflant. (Elle essuya son nez avec le dos de sa main, puis se frotta les yeux avec ses paumes.) Allons-y. Tu es sûr que le couteau fonctionne comme avant ? Tu l'as testé ?

— Non, mais je sais qu'il fonctionne.

Pantalaimon prit l'apparence d'un tigre pour décourager les espions, espéraient-ils, et Will et Lyra retournèrent chercher leurs sacs dans la grotte.

— Que faites-vous ? leur demanda Salmakia.

— On va dans un autre monde, dit Will en reprenant son couteau.

Il avait l'impression de retrouver une partie de lui-même ; il ignorait jusqu'alors combien il tenait à cet objet.

— Vous devez attendre l'arrivée des gyroptères de Lord Asriel, dit Tialys d'un ton sec.

— Non, pas question, répondit-il. Si vous approchez du couteau, je vous tue. Venez avec nous si vous y tenez, mais n'espérez pas nous obliger à rester ici. Nous partons.

— Vous avez menti !

— Non, intervint Lyra. Moi, j'ai menti. Will ne ment jamais. Vous n'avez pas pensé à ça, hein ?

— Mais où avez-vous l'intention d'aller ?

Will ne répondit pas. Il se pencha en avant dans la pénombre de la grotte et découpa une ouverture.

—Vous commettez une erreur, dit Salmakia. Vous feriez mieux de vous en rendre compte et de nous écouter. Vous n'avez pas réfléchi...

—Si, répliqua-t-il. Nous avons beaucoup réfléchi au contraire, et nous vous dirons demain ce que nous pensons. Vous pouvez venir avec nous ou retourner auprès de Lord Asriel.

La fenêtre s'ouvrit sur le monde dans lequel il s'était enfui avec Baruch et Balthamos, et où ils pourraient dormir en toute sécurité : l'immense plage de sable chaud, avec des arbres ressemblant à des fougères, derrière les dunes. Il dit :

—Voilà. Nous dormirons ici.

Il les laissa passer en premier et referma la fenêtre derrière eux. Pendant que Lyra et Will s'allongeaient à l'endroit même où ils étaient, épuisés, Lady Salmakia entreprit de monter la garde et le chevalier ouvrit son résonateur à aimant pour envoyer un message dans l'obscurité.

CHAPITRE 16

LE VAISSEAU D'INTENTIONS

*... Sous l'arc de la voûte pendent, par une
subtile magie, plusieurs files de lampes étoilées
et d'étincelants falots qui, nourris de naphte
et d'asphalte, répandent la lumière.*

JOHN MILTON

—Mon enfant! Ma fille! Où est-elle? Qu'en as-tu fait? Ma Lyra!... Arrache-moi plutôt le cœur! Elle était en sécurité avec moi, où est-elle maintenant?

Les cris de Mme Coulter résonnaient dans la petite salle située au sommet de la tour inflexible. Elle était attachée à une chaise, les cheveux en bataille, les vêtements déchirés et les yeux exorbités; son dæmon-singe s'agitait et se débattait sur le sol, ligoté par une épaisse chaîne argentée.

Assis non loin de là, Lord Asriel griffonnait sur une feuille, sans leur prêter attention. Debout à ses côtés, un planton jetait des regards nerveux à la femme. Quand Lord Asriel lui tendit le papier, le soldat salua et s'empressa de quitter la pièce, suivi de près par son dæmon-fox-terrier qui marchait la queue basse.

Lord Asriel se tourna alors vers Mme Coulter.

—Lyra? Sincèrement, je me fiche pas mal d'elle, dit-il d'une voix calme et rauque. Cette misérable enfant aurait mieux fait de rester où elle était et de faire ce qu'on lui disait. Je ne peux plus gaspiller mon temps ni mes ressources à cause d'elle; si elle refuse qu'on l'aide, elle doit en assumer les conséquences.

—Tu ne penses pas ce que tu dis, Asriel, ou bien tu n'aurais pas...

—Je pense chaque mot. Le remue-ménage qu'elle a provoqué est disproportionné par rapport à ses qualités. Ce n'est qu'une fille ordinaire, pas très intelligente...

—C'est faux! s'exclama Mme Coulter.

—Très bien. Disons qu'elle est intelligente, mais elle ne réfléchit pas, elle est impulsive, malhonnête, cupide...

—Courageuse, généreuse, tendre.

—C'est une fillette parfaitement ordinaire, que rien ne distingue des...

—Parfaitement ordinaire ? Lyra ? Elle est unique ! Pense à tout ce qu'elle a accompli déjà. Libre à toi de ne pas l'aimer, Asriel, mais je t'interdis de dénigrer ta fille. Elle était en sécurité avec moi, jusqu'à ce que...

—Tu as raison, dit Lord Asriel en se levant. Elle est unique, en effet. Elle a réussi à te dompter et à t'adoucir, ce n'est pas une mince affaire. Elle t'a vidée de ton venin, Marisa. Elle t'a limé les dents. Une petite bruine de piété sentimentale a éteint le feu qui brûlait en toi. Qui aurait pu imaginer ça ? Toi, l'impitoyable oratrice de l'Église, le procureur fanatique des enfants, l'inventeur d'effroyables machines conçues pour les découper en tranches, afin de rechercher à l'intérieur de leurs petits êtres terrifiés les preuves du péché ! Voilà que débarque une sale gamine, ignorante et grossière, avec les ongles sales, et tu glousses comme une mère poule, tu lisses tes plumes. Je le reconnais : cette enfant doit posséder un don que j'ignore. Mais s'il n'a réussi qu'à faire de toi une mère éperdue d'amour, c'est un don médiocre et misérable. Je te conseille de te taire maintenant. J'ai convoqué mes commandants en chef pour une réunion d'urgence ; si tu n'es pas capable de te maîtriser, je te ferai bâillonner.

Mme Coulter avait plus de points communs avec sa fille qu'elle le supposait. En guise de réponse, elle cracha au visage de Lord Asriel. Celui-ci s'essuya calmement, et dit :

—Le bâillon empêchera également ce genre de réaction.

—Oh, mille excuses, Asriel, rétorqua-t-elle d'un ton ironique. Un homme qui exhibe sa captive ligotée sur une chaise devant ses officiers est assurément le prince de la courtoisie. Détache-moi ou je t'obligerai à me bâillonner.

—Comme tu veux.

Il sortit une écharpe en soie d'un tiroir mais, avant qu'il puisse la nouer autour de la bouche de Mme Coulter, celle-ci secoua furieusement la tête.

—Non, non ! Asriel ! Je t'en supplie. Ne m'humilie pas davantage.

Des larmes de fureur jaillissaient de ses yeux.

—Très bien, je vais te détacher, déclara-t-il, mais le singe, lui, reste enchaîné.

Il remit le foulard dans le tiroir et coupa les liens de sa captive avec un couteau à virole.

Mme Coulter se massa les poignets, se leva et s'étira. C'est à ce moment-là seulement qu'elle remarqua l'état pitoyable de sa tenue et de ses cheveux.

Elle avait un air hagard, le teint pâle ; le venin des Gallivespiens qui circulait encore dans son organisme provoquait des douleurs atroces dans ses articulations, mais elle ne voulait surtout pas montrer qu'elle souffrait.

— Tu peux aller te laver à côté, lui indiqua-t-il en désignant une petite pièce, à peine plus grande qu'un placard.

Elle prit dans ses bras son dæmon, dont les yeux torves lançaient un regard meurtrier à Lord Asriel par-dessus son épaule, et elle se rendit dans la pièce voisine pour faire un brin de toilette.

Le planton réapparut pour annoncer :

— Sa Majesté le roi Ogunwe et Lord Roke.

Le général africain et le Gallivespien entrèrent : le roi Ogunwe portait un uniforme impeccable et un pansement tout propre à la tempe ; Lord Roke vint se poser rapidement sur la table, à cheval sur son faucon bleu.

Lord Asriel les accueillit chaleureusement et leur offrit du vin. Le faucon laissa descendre son cavalier, avant d'aller se percher sur l'applique près de la porte, au moment où le planton entrait de nouveau pour annoncer l'arrivée du troisième commandant en chef de Lord Asriel, un ange répondant au nom de Xaphania. Celui-ci était d'un rang nettement supérieur à celui de Baruch et de Balthamos, et une lumière scintillante et déconcertante, qui semblait venir d'ailleurs, permettait de le voir.

Entre-temps, Mme Coulter était réapparue, beaucoup plus présentable, et les trois commandants s'inclinèrent devant elle. Si elle fut surprise par leur apparence, elle n'en laissa rien paraître : elle les salua à son tour d'un signe de tête et s'assit pacifiquement, tenant toujours dans ses bras le singe enchaîné.

Sans perdre de temps, Lord Asriel dit :

— Racontez-moi ce qui s'est passé, roi Ogunwe.

Le colosse africain dit d'une voix profonde :

— Nous avons tué dix-sept gardes suisses et détruit deux zeppelins. Nous avons perdu cinq hommes et un gyroptère. Le garçon et la fille ont réussi à s'échapper. Nous avons capturé Lady Coulter, en dépit de sa résistance courageuse, et nous l'avons conduite ici même. J'espère qu'elle estime avoir été traitée avec égards.

— Je n'ai pas à me plaindre de la manière dont vous m'avez traitée, répondit-elle en accentuant légèrement le « vous ».

— Les autres gyroptères ont subi des dommages ? Y a-t-il des blessés ? s'enquit Lord Asriel.

— Quelques dommages et quelques blessés, mais rien de grave.

— Tant mieux. Merci, roi Ogunwe. Vos troupes ont été vaillantes. Lord Roke, qu'avez-vous appris ?

Le Gallivespien fit son rapport :

— Mes espions sont actuellement avec le garçon et la fille dans un autre monde. Les deux enfants sont sains et saufs, bien que la fille ait été droguée pendant plusieurs jours. Le garçon a perdu l'usage du couteau durant les événements de la caverne : à la suite d'un incident indéterminé, l'arme s'est brisée en plusieurs morceaux. Elle est maintenant réparée, grâce à une créature venue du nord de votre monde, Lord Asriel, un ours géant, très habile pour travailler le fer. Dès que le couteau a été réparé, le garçon s'en est servi pour pénétrer dans un autre monde, c'est là qu'ils se trouvent actuellement. Mes espions sont avec eux, évidemment, mais il y a un problème : tant que le garçon détient le couteau, nul ne peut l'obliger à faire quoi que ce soit et, même s'ils décidaient de le tuer durant son sommeil, le couteau ne nous serait d'aucune utilité. Pour l'instant, le chevalier Tialys et Lady Salmakia vont donc suivre les deux enfants, où qu'ils aillent. De cette façon, nous pourrons au moins savoir où ils sont. Ils semblent avoir une idée en tête ; en tout cas, ils refusent de venir ici. Mais rassurez-vous, mes deux espions ne les perdront pas.

— Sont-ils en sécurité dans cet autre monde ? demanda Lord Asriel.

— Ils sont sur une plage, à l'orée d'un petit bois. Il n'y a aucun signe d'une présence animale dans les parages. Au moment où nous parlons, le garçon et la fille dorment ; j'ai dialogué avec le chevalier Tialys il y a cinq minutes à peine.

— Merci, dit Lord Asriel. Évidemment, maintenant que vos deux espions suivent les enfants, nous n'en avons plus au sein du Magisterium. Nous allons devoir nous en remettre à l'aléthiomètre. Au moins...

À la surprise générale, Mme Coulter intervint :

— J'ignore ce qu'il en est des autres branches de l'Église, dit-elle, mais en ce qui concerne la Cour de Discipline Consistoriale, le déchiffreur auquel ils ont fait appel est Fra Pavel Rasek. Un homme très consciencieux, mais lent. Il leur faudra plusieurs heures pour localiser Lyra.

— Merci, Marisa, dit Lord Asriel. Saurais-tu, par hasard, quel est l'objectif de Lyra et de ce garçon ?

— Non. J'ai parlé avec le nommé Will ; il m'a fait l'impression d'un garçon entêté, habitué à garder ses secrets. Je n'ai pas réussi à deviner ce qu'il avait en tête. Quant à Lyra, impossible de déchiffrer ses pensées.

— Majesté, dit le roi Ogunwe, peut-on savoir si cette lady fait désormais partie de cet état-major ? Si oui, quelle est sa fonction ? Dans le cas contraire, ne devrait-elle pas quitter cette pièce ?

— Elle est notre prisonnière et mon invitée et, en tant qu'ancien membre éminent de l'Église, elle peut détenir des informations utiles.

—Mais nous les dévoilera-t-elle de son plein gré ? Ou faudra-t-il la tortu-rer ? demanda Lord Roke, en regardant la femme droit dans les yeux.

Mme Coulter éclata de rire.

—J'aurais cru que les officiers supérieurs de Lord Asriel étaient trop intel-ligents pour penser que la torture puisse faire naître la vérité.

Lord Asriel ne put s'empêcher d'apprécier son hypocrisie et son aplomb.

—Je me porte garant de la conduite de Mme Coulter, déclara-t-il. Elle sait ce qui lui arrivera si elle nous trahit, même si cette occasion ne lui sera jamais offerte. Toutefois, si l'un de vous a des soupçons, qu'il parle mainte-nant et sans crainte.

—Moi, j'ai des doutes, déclara le roi Ogunwe. Mais si je me méfie de quel-qu'un, c'est de vous, pas d'elle.

—Pour quelle raison ? demanda-t-il.

—Si cette femme décidait de vous tenter, vous ne pourriez pas résister. Vous avez eu raison de la capturer, mais tort de l'inviter à participer à ce conseil. Traitez-la avec égards, offrez-lui le plus grand confort, mais instal-lez-la ailleurs et gardez vos distances.

—Je vous ai incité à parler en toute franchise, dit Lord Asriel, je dois donc accepter vos critiques. Votre présence a plus de valeur à mes yeux que la sienne, roi Ogunwe. Je vais donc demander qu'on l'emmène.

Il tendit la main vers la cloche mais, avant qu'il ait le temps d'appeler ses hommes, Mme Coulter intervint :

—Je vous en prie, écoutez-moi d'abord, supplia-t-elle. Je peux vous aider. Je doute que vous trouviez quelqu'un qui ait été plus proche que moi du cœur du Magisterium. Je connais leur façon de penser, je peux deviner leurs intentions. Vous vous demandez pourquoi vous devriez me faire confiance, et quelle est la raison qui m'a poussée à les abandonner ? C'est simple : ils vont tuer ma fille. Ils n'osent pas la laisser en vie. Dès l'instant où j'ai découvert qui elle était, ce qu'elle était, ce que disait la prophétie des sor-cières à son sujet, j'ai compris que je devais quitter l'Église, j'ai compris que j'étais leur ennemie, et réciproquement. J'ignorais qui vous étiez, et ce que j'étais à vos yeux ; c'était une grande inconnue, mais je savais que je devais me dresser contre l'Église, contre toutes leurs croyances, et s'il le fallait, contre l'Autorité elle-même. Je...

Elle s'interrompit. Tous les commandants en chef l'écoutaient attentive-ment. Alors, elle se tourna vers Lord Asriel et le regarda droit dans les yeux, comme si elle s'adressait à lui seul, d'une voix rauque et passionnée, les yeux scintillants.

—J'ai été la plus mauvaise des mères. J'ai abandonné mon enfant quand elle n'était encore qu'un bébé, car je ne m'intéressais pas à elle. Je me souciais uniquement de ma carrière. Je n'ai pas pensé à elle pendant des années, sauf pour regretter les désagréments de sa naissance. Mais l'Église a commencé à s'intéresser à la Poussière et aux enfants. À ce moment-là, quelque chose s'est brisé dans mon cœur, je me suis souvenue que j'étais mère et que Lyra était... mon enfant. Et parce qu'une lourde menace pesait sur elle, je l'ai sauvée. Trois fois je suis intervenue pour l'arracher au danger. La première fois, ce fut quand le Conseil d'Oblation a commencé ses sinistres travaux. Je suis allée à Jordan College et je l'ai emmenée vivre avec moi, à Londres, où je pouvais la protéger. Du moins, je l'espérais. Mais elle s'est enfuie.

La deuxième fois, c'était à Bolvangar, quand je l'ai découverte, juste à temps, sous la... sous la lame du... J'ai cru que mon cœur allait s'arrêter. C'était la chose qu'ils... que nous... que j'avais faite aux autres enfants, mais en voyant qu'on allait faire la même chose à ma fille... Oh, vous ne pouvez pas imaginer l'horreur de cet instant. Je ne vous souhaite pas de ressentir pareille souffrance... Alors, je l'ai libérée, je l'ai emmenée loin de cet endroit. Je l'ai sauvée une deuxième fois.

Pourtant, même en agissant ainsi, j'avais encore le sentiment de faire partie de l'Église, d'être un serviteur loyal, fidèle et dévoué, car j'accomplissais l'œuvre de l'Autorité.

Puis j'ai eu vent de la prophétie des sorcières. Un jour prochain, d'une manière quelconque, Lyra va subir une tentation, comme Ève. Voilà ce que disent les sorcières. Quelle forme prendra cette tentation, je l'ignore, mais Lyra est en train de grandir. Ce n'est donc pas difficile à imaginer. Et maintenant que l'Église est au courant, elle aussi, ils veulent la tuer. Si tout dépend de la réaction de Lyra face à cette tentation, peuvent-ils prendre le risque de la laisser vivre ? Peuvent-ils miser sur le fait qu'elle va résister à cette tentation, quelle qu'elle soit ? Non, évidemment. Ils se sentent obligés de la tuer. S'ils le pouvaient, ils reviendraient dans le jardin d'Éden et tueraient Ève avant qu'elle se laisse tenter. Tuer ne leur pose aucun problème. Calvin lui-même a ordonné qu'on tue des enfants. Ils la tueraient en grande pompe, avec tout un cérémonial et des prières, des psaumes et des cantiques, mais ils la tueraient quand même. Si par malheur Lyra tombe entre leurs mains, elle est morte.

Alors, quand j'ai entendu ce que racontaient les sorcières, j'ai sauvé ma fille pour la troisième fois. Je l'ai emmenée dans un endroit où elle était à l'abri, et j'avais l'intention d'y rester.

— Vous l'aviez droguée, dit le roi Ogunwe. Vous l'empêchiez de reprendre connaissance.

—Il le fallait, répondit Mme Coulter. Lyra me haïssait... (À ce moment-là, sa voix qui était pleine d'émotion, mais maîtrisée, se brisa dans un sanglot.) Elle avait peur de moi et elle me haïssait. Si je ne l'avais pas droguée, elle se serait enfuie comme un oiseau devant un chat. Savez-vous ce que ressent une mère dans ce cas-là ? C'était le seul moyen de la garder à l'abri ! Durant tout ce temps dans la caverne... en la regardant endormie, les yeux fermés, impuissante, son dæmon lové dans son cou... j'ai ressenti un tel amour, une telle tendresse, une si profonde... C'était mon enfant à moi et, pour la première fois, je pouvais veiller sur elle, ma petite... Je l'ai lavée, je l'ai nourrie, je l'ai maintenue au chaud et à l'abri, je me suis occupée d'elle pendant qu'elle dormait... La nuit, je suis restée à son chevet, je l'ai bercée dans mes bras. J'ai pleuré dans ses cheveux, j'ai embrassé ses paupières closes, ma petite fille...

Elle s'exprimait sans pudeur ; elle parlait sans hausser la voix, elle ne déclamait pas et, lorsqu'un sanglot la secoua, elle le camoufla sous la forme d'un hoquet, comme si elle étouffait ses émotions par respect des convenances. Ce qui rendait ses mensonges éhontés encore plus convaincants, se dit Lord Asriel avec dégoût. Cette femme avait le mensonge dans le sang.

Elle s'adressait surtout au roi Ogunwe, mais cela non plus ne lui avait pas échappé. Le roi n'était pas seulement son principal accusateur, c'était également un être humain, contrairement à l'ange ou à Lord Roke, et elle savait comment le manipuler.

Pourtant, c'était sur le Gallivespien qu'elle faisait la plus grosse impression. Lord Roke percevait en elle une nature proche du scorpion, et il devinait sous ce ton attendrissant le pouvoir redoutable de la piqûre. Et mieux valait ne pas quitter un scorpion des yeux, se disait-il.

C'est pourquoi il soutint le roi Ogunwe lorsque celui-ci changea finalement d'avis et insista pour que Mme Coulter participe à la réunion. Lord Asriel en fut désarçonné, car il avait envie de la renvoyer, mais il avait déjà décidé de satisfaire les désirs de ses officiers supérieurs.

Mme Coulter le regarda avec une expression pleine de sollicitude vertueuse. Il aurait parié que personne d'autre ne pouvait distinguer cette lueur de triomphe sournoise tout au fond de ses yeux magnifiques.

—Très bien, tu peux rester, lui dit-il. Mais tu as suffisamment parlé. Taistoi maintenant. Réfléchissons à cette proposition d'installer une garnison sur la frontière sud. Vous avez lu le rapport : cela vous semble-t-il réalisable ? Est-ce souhaitable ? Ensuite, nous nous intéresserons à l'arsenal. Après quoi, Xaphania nous fera un compte rendu sur le positionnement des forces célestes. Mais commençons par la garnison. Roi Ogunwe ?

Le chef africain prit la parole. Puis les autres livrèrent leur avis et Mme

Coulter fut impressionnée par leurs connaissances précises des défenses de l'Église et leur juste appréciation du pouvoir de ses dirigeants.

Mais maintenant que Tialys et Salmakia étaient avec les deux jeunes fugitifs, Lord Asriel ne disposait plus d'aucun espion au sein du Magisterium, et leurs informations risquaient d'être dangereusement dépassées. Une idée traversa alors l'esprit de Mme Coulter. Elle échangea avec son dæmon-singe un regard aussi puissant qu'une étincelle d'énergie ambarique, mais elle garda le silence et continua à caresser le pelage doré de l'animal, en écoutant les remarques des commandants en chef.

Finalement, Lord Asriel dit :

— C'est assez. Nous réglerons ce problème le moment venu. Parlons maintenant de l'arsenal. Je crois savoir que les ingénieurs sont prêts à procéder au test du vaisseau d'intentions. Allons voir ça.

Il sortit de sa poche une clé en argent et ouvrit le cadenas de la chaîne qui entravait les pattes du singe, en évitant soigneusement de toucher le moindre poil doré.

Lord Roke enfourcha son faucon et suivit les autres, eux-mêmes précédés de Lord Asriel qui descendait l'escalier de la tour pour rejoindre les remparts.

Dehors, le vent glacé leur gifla le visage ; le faucon bleu s'éleva au cœur d'un tourbillon et tournoya dans le ciel en poussant des cris stridents. Le roi Ogunwe resserra les pans de son manteau et posa la main sur la tête de son dæmon-guépard.

Mme Coulter s'adressa à l'ange, d'un ton humble :

— Pardonnez ma curiosité : votre nom est Xaphania ?

— En effet, répondit-il.

Mme Coulter était fortement impressionnée par l'apparence de cette créature ailée, comme ses congénères avaient impressionné la sorcière Ruta Skadi quand elle les avait aperçus dans le ciel : l'ange ne brillait pas réellement, il semblait éclairé de l'extérieur, bien qu'aucune source de lumière ne fût visible. Il était grand, nu, et son visage ridé paraissait plus âgé que celui de toutes les créatures vivantes que Mme Coulter avait jamais vues.

— Faites-vous partie de ces anges qui se sont rebellés il y a longtemps ?

— Oui. Et depuis, j'ai voyagé dans de nombreux mondes. Mais aujourd'hui, j'ai fait serment d'allégeance à Lord Asriel, car je vois dans sa vaste entreprise le meilleur espoir de détruire enfin la tyrannie.

— Mais si vous échouez ?

— Alors, nous périrons tous et la cruauté régnera pour toujours.

Tout en bavardant, ils suivaient le pas rapide de Lord Asriel qui longeait les remparts battus par les vents en direction d'un grand escalier de pierre qui s'enfonçait si profondément dans la roche que les appliques accrochées aux murs ne parvenaient pas à en éclairer le fond. Le faucon bleu les dépassa et plongea dans l'obscurité du puits ; chaque source de lumière faisait scintiller ses plumes lorsqu'il passait devant en piqué, jusqu'à ce qu'il ne soit plus qu'une étincelle tout en bas, puis plus rien.

L'ange avait rejoint Lord Asriel, et Mme Coulter se retrouva en train de descendre l'immense escalier à côté du roi africain.

— Pardonnez mon ignorance, monsieur, dit-elle, mais je n'ai jamais vu, ni entendu parler d'un être semblable à celui qui chevauche le faucon bleu, avant la bataille d'hier devant la caverne... D'où vient-il ? Pouvez-vous me parler de ses semblables ? Je ne voudrais surtout pas le froisser mais, si je m'adresse à lui sans savoir qui il est, je risque d'être malpolie sans le vouloir.

— Vous faites bien de poser la question, répondit le roi Ogunwe. Il appartient à un peuple très fier. Leur monde ne s'est pas développé comme le nôtre ; il existe chez eux deux types d'êtres doués de conscience : les humains et les Gallivespiens. Les humains sont en majorité au service de l'Autorité, et ils tentent d'exterminer les gens de petite taille depuis la nuit des temps. Ils voient en eux des créatures diaboliques. Voilà pourquoi les Gallivespiens ont beaucoup de mal à faire confiance aux personnes de notre taille. Mais ce sont de fiers et farouches guerriers, des ennemis mortels et de précieux espions.

— Tous ces gens sont-ils de votre côté, ou bien sont-ils divisés comme les humains ?

— Certains d'entre eux se sont rangés du côté de l'ennemi, mais la plupart sont avec nous.

— Et les anges ? Figurez-vous que, récemment encore, je croyais qu'ils étaient une invention datant du Moyen Âge, que c'étaient des créatures imaginaires... Se retrouver en train de discuter avec l'un de ces spécimens, c'est plutôt déconcertant, vous ne trouvez pas ?... Combien sont-ils du côté de Lord Asriel ?

— Madame Coulter, répondit le roi, voilà exactement le genre de choses qu'un espion aimerait bien découvrir.

— Je ferais une piètre espionne, moi qui vous pose la question si ouvertement. Je suis prisonnière ici. Je ne pourrais pas m'enfuir, même si j'avais un endroit sûr où me réfugier. Désormais, je suis inoffensive, vous pouvez me croire sur parole.

— Si vous le dites, je vous crois avec plaisir, dit le roi. Les anges sont plus difficiles à comprendre que les êtres humains. Pour commencer, ils ne sont pas tous semblables ; certains possèdent des pouvoirs bien supérieurs aux autres, et il existe entre eux des alliances complexes, de vieilles inimitiés dont nous savons peu de chose. L'Autorité tente de les supprimer depuis sa création.

Mme Coulter se figea, sincèrement choquée par ce qu'elle venait d'entendre. Le roi africain s'arrêta lui aussi, pensant qu'elle se sentait mal et, en effet, la lumière vacillante de l'applique au-dessus d'elle éclairait son visage livide.

– Vous dites cela avec une telle décontraction, dit-elle, comme si c'était encore une chose que j'aurais dû savoir, mais... Comment est-ce possible ? L'Autorité a créé les mondes, non ? Elle existait avant tout le reste. Dans ce cas, comment a-t-elle pu naître ?

– Il s'agit là d'un savoir céleste, dit Ogunwe. Certains d'entre nous ont été choqués d'apprendre que l'Autorité n'était pas le créateur. Il y a peut-être eu un créateur, peut-être pas ; on n'en sait rien. Tout ce qu'on sait, c'est qu'à un moment donné, l'Autorité a pris le pouvoir et, depuis cette époque, les anges se rebellent et les êtres humains luttent contre l'Autorité, eux aussi. C'est la dernière révolte. Jamais encore les humains et les anges ainsi que tous les êtres de tous les mondes n'ont fait cause commune. C'est la plus grande force qui se soit jamais rassemblée. Malgré tout, ce ne sera peut-être pas suffisant. On verra bien.

– Qu'a donc l'intention de faire Lord Asriel ? Pourquoi est-il venu s'installer ici ? Quel est donc ce monde ?

– Il nous a conduits ici, car ce monde est vide. Vide de toute vie consciente, plus précisément. Nous ne sommes pas des colonisateurs, madame Coulter. Nous ne sommes pas venus pour conquérir, mais pour construire.

– Il a l'intention d'attaquer le Royaume des Cieux ?

Ogunwe la regarda, l'air impénétrable.

– Nous n'avons pas l'intention d'envahir le Royaume, dit-il, mais, si le Royaume nous envahit, il a intérêt à être prêt pour la guerre, car nous sommes parés. Je suis un roi, madame Coulter, mais ma plus grande fierté est de me joindre à Lord Asriel pour instaurer un monde dans lequel il n'y aura aucun royaume. Ni rois, ni évêques, ni prêtres. Le Royaume des Cieux porte ce nom depuis que l'Autorité a décrété qu'elle était au-dessus des autres anges. Nous rejetons ce pouvoir. Ce monde-ci est différent. Nous voulons être des citoyens libres de la République des Cieux.

Mme Coulter aurait voulu poursuivre cette conversation, poser les dizaines de questions qui se bousculaient dans son esprit, mais le roi Ogunwe était reparti, car il ne voulait pas faire attendre son chef, et elle dut lui emboîter le pas.

L'escalier s'enfonçait si loin dans les profondeurs de la terre que lorsqu'ils atteignirent enfin un palier, le ciel, au sommet des marches, était presque invisible. Bien avant d'arriver à mi-chemin, Mme Coulter était déjà essoufflée, mais elle ne se plaignit pas et continua à descendre jusqu'à ce que l'escalier débouche sur un immense hall éclairé par des cristaux brillants encastrés dans les colonnes qui supportaient la voûte. Des échelles, des portiques, des poutres et des passerelles se croisaient dans l'obscurité au-dessus de leurs têtes. De petites silhouettes les traversaient d'un pas décidé.

Lord Asriel s'adressait à ses officiers quand elle les rejoignit et, sans lui laisser le temps de se reposer, il continua à traverser le vaste hall où, parfois, une silhouette éclatante fendait l'air ou se posait sur le sol pour échanger rapidement quelques mots avec lui. L'atmosphère était dense et chaude. Mme Coulter remarqua que, sans doute par égard envers Lord Roke, chaque colonne était dotée d'une équerre, placée à hauteur d'homme, sur laquelle le faucon pouvait se poser, permettant ainsi au Gallivespien de participer à la conversation.

Mais ils ne restèrent pas longtemps dans le grand hall. Tout au bout, un serviteur ouvrit une double porte massive pour les laisser passer et ils débouchèrent sur un quai de gare. Là, un petit wagon fermé les attendait, tiré par une locomotive ambarique.

Le conducteur salua en s'inclinant, et son dæmon-singe se réfugia derrière ses jambes en découvrant le singe doré. Lord Asriel dit quelques mots à l'homme et fit monter les autres dans le wagon, éclairé par les mêmes cristaux lumineux que dans le hall, fixés sur des appliques en argent, devant des panneaux en acajou doublés de miroirs.

Dès qu'il eut rejoint ses hôtes, le train s'ébranla et quitta le quai en douceur pour pénétrer dans un tunnel et accéléra brusquement. Seul le bruit des roues sur les rails lisses donnait une idée de leur vitesse.

— Où va-t-on ? interrogea Mme Coulter.

— À l'arsenal, répondit simplement Lord Asriel, et il se retourna pour discuter à voix basse avec l'ange.

Mme Coulter se pencha alors vers Lord Roke et demanda :

— Majesté, vos espions agissent toujours deux par deux ?

— Pourquoi cette question ?

— Simple curiosité. Figurez-vous qu'ils ont réussi à nous tenir en échec, mon dæmon et moi, dans la caverne, et j'étais intriguée par leurs talents de guerriers.

— Pourquoi intriguée ? Vous pensiez que des gens de notre taille n'étaient pas capables de combattre ?

Elle le regarda froidement, consciente de la fierté farouche de son minuscule interlocuteur.

—En effet, admit-elle. Je pensais vous vaincre aisément, et c'est vous qui avez eu le dessus. Je suis heureuse de reconnaître mon erreur. Mais combattez-vous toujours en duo ?

—Vous formez un duo vous aussi, non ? Avec votre dæmon ? Vous pensiez que nous allions vous concéder cet avantage ?

Le regard hautain de Lord Roke, d'une clarté étincelante même dans la lumière tamisée des cristaux, la dissuada de poser d'autres questions.

Elle baissa les yeux, l'air humble, et resta muette.

Plusieurs minutes s'écoulèrent. Mme Coulter sentait que le train les entraînait vers le cœur de la montagne. Elle n'aurait su dire quelle profondeur ils avaient atteinte mais, au bout d'un long moment, un quart d'heure au moins, le train commença enfin à ralentir, avant de s'arrêter devant un quai éclairé par des lumières ambariques qui paraissaient éblouissantes après l'obscurité du tunnel.

Lord Asriel ouvrit les portes du wagon et ils émergèrent dans une atmosphère tellement surchauffée et chargée de soufre que Mme Coulter suffoqua. L'air était ébranlé par le martèlement des énormes presses à métaux et déchiré par le vacarme strident du fer sur la pierre.

Un domestique ouvrit les portes du quai et, aussitôt, le bruit infernal fut multiplié par deux et la chaleur étouffante les submergea comme une lame de fond. Un éclair aveuglant les obligea à se protéger les yeux. Seul l'ange Xaphania paraissait ne pas être affecté par cette agression de bruit, de lumière et de chaleur. Quand ses sens se furent habitués à cet environnement, Mme Coulter promena autour d'elle un regard curieux.

Évidemment, elle avait vu, dans son monde, des forges, des ferronneries et des usines : la plus grande de toutes ressemblait à une forge de village comparée à ce qu'elle découvrait ici. Des marteaux de la taille de plusieurs maisons grimpaient en une seconde vers le plafond lointain et retombaient à toute allure pour écraser des poutres de fer aussi grosses que des troncs d'arbres ; ils les aplatissaient en un instant, avec une violence qui faisait trembler la montagne tout entière. Une bouche creusée dans la paroi rocheuse déversait une rivière de métal en fusion, qui coulait jusqu'à ce qu'il soit interrompu par une lourde écluse ; le torrent bouillonnant et rougeoyant s'engouffrait alors dans divers canaux, il franchissait des barrages pour couler dans une succession de rangées de moules, où il refroidissait ensuite dans un nuage de vapeur. Parallèlement, d'énormes machines coupaient, pliaient et pressaient des plaques de fer de deux centimètres d'épaisseur, comme s'il s'agissait de vulgaires mouchoirs en papier, puis ces monstrueux marteaux les aplatissaient de nouveau, écrasant avec une telle force les différentes couches de métal superposées qu'elles ne formaient plus qu'une seule épaisseur, plus résistante, et ainsi de suite.

Si Iorek Byrnison avait pu voir cet arsenal, sans doute aurait-il reconnu que ces gens savaient travailler le métal. Mme Coulter, elle, pouvait uniquement s'émerveiller. À cause du fracas, il était impossible de parler et, d'ailleurs, personne n'essayait. Lord Asriel fit signe au petit groupe de le suivre sur une passerelle grillagée suspendue au-dessus d'une cavité encore plus vaste, où des mineurs creusaient péniblement la roche à coups de pioche et de pelle pour en extraire le minerai.

Après avoir franchi la passerelle, ils longèrent une longue galerie où des stalactites d'étranges couleurs brillaient et où les martèlements et les crissements s'atténuaient peu à peu. Mme Coulter sentit soudain un souffle d'air frais sur son visage rougi par la chaleur. Les cristaux qui dispensaient de la lumière n'étaient ni posés sur des appliques, ni incrustés dans des colonnes, mais éparpillés sur le sol, au hasard, et il n'y avait aucune torche pour accroître la température, si bien que, peu à peu, les visiteurs éprouvèrent une délicieuse sensation de fraîcheur et, finalement, de manière inattendue, ils débouchèrent à l'air libre, dans la nuit.

À l'endroit où ils se trouvaient, une partie de la montagne avait été creusée pour créer un espace aussi vaste et dégagé qu'un champ de manœuvres. Un peu plus loin, ils apercevaient, faiblement éclairées, d'immenses portes qui se découpaient dans le flanc de la montagne, certaines ouvertes, d'autres fermées. Des hommes sortaient par l'une de ces portes en remorquant une sorte d'engin couvert d'une bâche.

— Qu'est-ce que c'est ? demanda Mme Coulter au roi africain.

Celui-ci répondit :

— Le vaisseau d'intentions.

Elle n'avait pas la moindre idée de ce qu'était un tel vaisseau et elle observa avec une grande curiosité les hommes qui s'apprêtaient à ôter la bâche.

Elle se rapprocha du roi Ogunwe, comme si elle cherchait une protection, et demanda :

— Comment cela fonctionne-t-il ? Et quel est son usage ?

— On ne va pas tarder à le savoir.

La chose ressemblait à un appareil de forage très complexe, ou au cockpit d'un gyroptère ou encore à la cabine d'une gigantesque grue. Une bulle de verre recouvrait un siège, devant lequel se trouvait au moins une douzaine de leviers et de poignées. L'engin reposait sur six pattes, chacune étant rattachée au corps selon un angle différent, si bien que l'ensemble donnait à la fois une impression de dynamisme et de maladresse. Le corps en lui-même semblait être un amas de tuyaux, de cylindres, de pistons, de câbles enroulés, de valves et de jauges. Difficile de dire ce qui formait réellement la structure, car seule une faible lumière éclairait l'arrière de l'engin.

Juché sur son faucon, Lord Roke s'était approché immédiatement de l'appareil et l'avait survolé en tournant autour pour l'examiner sous toutes les coutures. Lord Asriel, quant à lui, était en pleine discussion avec les ingénieurs, pendant que des hommes descendaient de l'engin, l'un d'eux tenant une planchette porte-documents, un autre un morceau de câble.

Mme Coulter dévorait l'appareil des yeux, essayant de mémoriser chaque détail et de percer le mystère de son fonctionnement. Elle regarda Lord Asriel grimper dans le cockpit, s'installer sur le siège, fixer un harnais de cuir autour de sa taille et de ses épaules et enfiler un casque. Son dæmon, le léopard des neiges, bondit à ses côtés et l'homme se tourna pour ajuster quelque chose près du félin. Un des ingénieurs cria quelques mots, Lord Asriel lui répondit et les hommes reculèrent jusqu'à la porte.

Le vaisseau d'intentions bougea, mais Mme Coulter n'aurait su dire de quelle façon. C'était comme s'il avait tremblé, mais il était toujours là, immobile, posé sur ses six pattes d'insecte, habité par une étrange énergie. Elle ne le quittait pas des yeux, et le vit bouger de nouveau ; elle comprit alors ce qui se passait : diverses parties de l'engin tournaient sur elles-mêmes, dans un sens et dans l'autre, et balayaient le ciel noir. Assis aux commandes, Lord Asriel manipulait un levier, consultait un écran de contrôle, effectuait un réglage et, soudain, le vaisseau se volatilisa.

Il avait jailli dans les airs, de manière inexplicable. Il planait maintenant au-dessus de leurs têtes, à la hauteur de la cime d'un arbre, en tournant lentement vers la gauche. Il n'y avait pas le moindre bruit de moteur, rien ne permettait de deviner de quelle manière il luttait contre la gravité. Il était suspendu dans le vide, tout simplement.

— Écoutez, dit le roi Ogunwe. Au sud.

Mme Coulter tourna la tête et tendit l'oreille. Elle entendait le vent qui gémissait autour de la crête de la montagne, elle entendait le martèlement sourd des presses qui semblait résonner à travers la plante de ses pieds, elle percevait les voix provenant de l'ouverture éclairée dans la roche mais, soudain, sur un simple signal, les voix se turent et toutes les lumières s'éteignirent. Dans le silence, Mme Coulter entendit alors, très faiblement, le vrombissement caractéristique des gyroptères portés par les rafales de vent.

— Qu'est-ce ? demanda-t-elle, à voix basse.

—Des leurres, expliqua le roi. Mes pilotes partent en mission pour inciter l'ennemi à les suivre. Regardez bien.

Elle ouvrit de grands yeux pour essayer de distinguer quelque chose sur le fond noir du ciel où brillaient quelques étoiles. Au-dessus d'eux, le vaisseau restait parfaitement immobile, comme s'il était ancré ou fixé dans le vide. Aucune bourrasque ne le faisait tanguer. Comme le cockpit restait obscur, la silhouette de Lord Asriel était invisible.

Soudain, Mme Coulter aperçut un groupe de lumières, très bas dans le ciel et, au même moment, le bruit des moteurs devint plus net. Six gyroptères se déplaçaient à toute allure ; l'un d'eux paraissait en difficulté, à en juger par la traînée de fumée qui s'en échappait, et il volait plus bas que les autres. Ils se dirigeaient vers la montagne, selon un cap destiné à les conduire au-delà.

Ils étaient suivis de près par un groupe hétéroclite. Mme Coulter crut apercevoir un énorme et étrange gyroptère, deux avions plus traditionnels, un grand oiseau qui fendait le ciel sans effort et transportait sur son dos deux hommes armés et, pour finir, trois ou quatre anges.

—Un commando, commenta le roi Ogunwe.

Ils se rapprochaient des gyroptères. Soudain, un trait lumineux jaillit de l'un des avions, suivi, une seconde ou deux plus tard, par une détonation. Mais le projectile n'atteignit pas sa cible —le gyroptère endommagé— car, au moment même où ils apercevaient la lueur, et avant qu'ils n'entendent la détonation, les spectateurs virent un éclair jaillir du vaisseau d'intentions, et le missile explosa en l'air.

Mme Coulter eut à peine le temps de comprendre la signification de cette succession quasi instantanée de lumières et de bruits, que le combat s'engageait. Il n'était pas facile de suivre le déroulement des hostilités, à cause de l'obscurité et de la rapidité de déplacement des protagonistes, mais une série d'éclairs presque silencieux illumina le flanc de la montagne, accompagnés de brefs sifflements, comme un jet de vapeur. Par un quelconque prodige, chacun des éclairs frappa un membre différent du commando : les avions s'enflammèrent ou explosèrent, l'oiseau géant poussa un hurlement semblable au crissement aigu d'un rideau gigantesque qui se déchire et tomba à pic sur les rochers ; quant aux anges, ils disparurent dans un tourbillon d'air incandescent. Une myriade de particules scintillèrent dans la nuit, puis moururent peu à peu, comme les étincelles d'un feu d'artifice.

Le silence retomba. Le vent emporta le bruit des gyroptères qui avaient servi de leurres et qui disparaissaient maintenant de l'autre côté de la montagne. Parmi les spectateurs, nul ne parlait. Les flammes se reflétaient sous le vaisseau d'intentions, qui planait toujours dans le ciel, tournant lentement sur lui-même comme pour scruter les environs. La destruction du commando avait été si rapide, si totale, que Mme Coulter, qui avait pourtant vu nombre de choses impressionnantes, était stupéfaite. Une fois de plus, elle leva les yeux vers le mystérieux vaisseau qui donna l'impression de scintiller et, l'instant d'après, il était là, devant elle, solidement campé sur le sol.

Le roi Ogunwe se précipita, tout comme les autres officiers et les ingénieurs, qui avaient ouvert en grand les portes pour laisser la lumière inonder le terrain d'essais. Seule Mme Coulter resta où elle était, subjuguée par les prouesses de ce vaisseau d'intentions.

—Pourquoi nous a-t-il fait cette démonstration? demanda son dæmon à voix basse.

—Il n'a pas pu lire dans nos pensées, quand même, répondit-elle.

Ils pensaient tous les deux à l'idée qui les avait traversés comme un éclair, quelques instants plus tôt, dans la tour. Ils avaient envisagé de faire une proposition à Lord Asriel : elle retournerait à la Cour de Discipline Consistoriale pour lui servir d'espionne. Elle connaissait tous les rouages du pouvoir, elle pourrait donc les manipuler. Au début, il ne serait pas facile de les convaincre de sa bonne foi, mais elle pourrait y parvenir. Et maintenant que les Gallivespiens étaient partis pour suivre Lyra et Will, Lord Asriel pouvait difficilement refuser une offre aussi alléchante.

Mais, tandis qu'ils observaient cet étrange engin, une nouvelle idée frappa Mme Coulter, avec plus de force encore, et elle serra le singe doré contre elle sous l'effet de la joie.

—Asriel, lança-t-elle d'un ton anodin, puis-je voir comment fonctionne cet engin?

Il se tourna vers elle, l'air anxieux et agacé, mais avec une pointe d'excitation et de satisfaction. Il était enthousiasmé par les prouesses du vaisseau d'intentions. Elle savait qu'il ne pourrait résister au plaisir de fanfaronner.

Le roi Ogunwe s'écarta et Lord Asriel se pencha à l'extérieur du cockpit pour aider Mme Coulter à monter à bord. Il la fit asseoir sur le siège et l'observa pendant qu'elle passait en revue toutes les commandes.

—Comment ça fonctionne? demanda-t-elle. Qu'est-ce qui l'alimente?

—Tes intentions, répondit-il. D'où son nom. Si tu veux aller vers l'avant, il va vers l'avant.

—Ce n'est pas une réponse. Allez, dis-moi la vérité. C'est quel type de moteur? Comment vole-t-il? Je ne vois aucun élément aérodynamique. Mais toutes ces commandes... Vu de l'intérieur, ça ressemble un peu à un gyroptère.

Lord Asriel avait du mal à tenir sa langue, et puisque, après tout, elle était sa prisonnière, il lui répondit. Il tendit un câble au bout duquel se trouvait une poignée en cuir, dans laquelle les dents de son dæmon avaient laissé de profondes marques.

— Ton dæmon doit tenir cette poignée, expliqua-t-il. Avec ses dents, ses mains, peu importe. Et toi, tu dois mettre ce casque. Un courant passe entre les deux, amplifié par un condensateur... En fait, c'est plus compliqué que ça, mais c'est très facile à piloter. On a installé des commandes comme sur un gyroptère pour recréer un environnement familier mais, en réalité, on n'a pas besoin de commandes du tout. Évidemment, seul un humain possédant un dæmon peut piloter cet engin.

— Je vois, dit-elle.

Soudain, elle poussa violemment Lord Asriel, qui perdit l'équilibre et bascula hors du cockpit.

Presque simultanément, elle enfila le casque et le singe doré se saisit de la poignée en cuir. Elle prit le levier de commande qui sur un gyroptère réglerait l'orientation du plan de sustentation et elle poussa la manette des gaz. Aussitôt, l'appareil bondit dans les airs.

Mais elle ne maîtrisait pas encore très bien le vaisseau. Celui-ci demeura immobile un instant, légèrement incliné sur le côté et, durant ces quelques secondes, Lord Asriel se releva, leva la main pour empêcher le roi Ogunwe d'ordonner à ses hommes d'ouvrir le feu sur le vaisseau, et il dit :

— Lord Roke, suivez-la, s'il vous plaît.

Le Gallivespien éperonna immédiatement son faucon bleu qui fonça vers le cockpit de l'appareil, resté ouvert. À terre, les spectateurs virent la femme tourner la tête de tous les côtés, imitée par le singe doré, mais ni l'un ni l'autre ne vit la petite silhouette de Lord Roke sauter de sa monture ailée pour atterrir à l'intérieur du cockpit, dans le dos des deux passagers.

Une seconde plus tard, le vaisseau d'intentions se mit à tanguer et le faucon décrivit un grand arc de cercle pour venir se poser sur le poignet de Lord Asriel. Moins de trois secondes plus tard, l'engin disparaissait au loin dans le ciel humide et étoilé.

Lord Asriel le regarda s'éloigner avec une admiration teintée de tristesse.

— Vous aviez raison, roi Ogunwe, dit-il, et j'aurais mieux fait de vous écouter dès le début. Cette femme est la mère de Lyra, j'aurais dû m'attendre à un mauvais coup de ce genre.

— Vous n'essayez pas de la poursuivre ? demanda-t-il.

— Au risque de détruire ce merveilleux appareil ? Certainement pas.

— Où va-t-elle aller, à votre avis ? Récupérer sa fille ?

— Non, pas tout de suite. Elle ignore où elle se trouve. Je sais exactement ce qu'elle va faire : elle va rejoindre la Cour de Discipline Consistoriale et leur donner le vaisseau d'intentions en gage de sa bonne foi et, ensuite, elle les espionnera. Elle les espionnera pour notre compte. Elle a déjà pratiqué toutes les autres formes de duplicité ; cette expérience sera pour elle une première. Et, dès qu'elle aura appris où est Lyra, elle ira la chercher. À ce moment-là, nous la suivrons.

— Quand Lord Roke lui fera-t-il savoir qu'il l'a suivie ?

— Oh, je crois qu'il préférera lui faire une surprise, non ?

Ils éclatèrent de rire et se dirigèrent vers les ateliers, où un autre proto-type du vaisseau d'intentions, plus avancé, attendait d'être testé.

Chapitre 17

Huile et laque

Le serpent était plus subtil
que toutes les autres bêtes du jardin
que le Seigneur Dieu avait créées.
LA GENÈSE

 Mary Malone fabriquait un miroir. Non par vanité, car c'était un sentiment qu'elle ignorait, mais parce qu'elle voulait tester une idée qui lui avait traversé l'esprit. Elle voulait essayer de capturer des Ombres. Privée de tous les instruments de son laboratoire, elle devait improviser avec le matériel qu'elle avait sous la main.

Dans la technologie des mulefas, le métal n'était pour ainsi dire pas utilisé. Ils faisaient des merveilles avec des pierres, du bois, de la corde, des coquillages et de la corne, mais le peu de métal qu'ils possédaient provenait de pépites de cuivre ou autres qu'ils découvraient dans le sable de la rivière, et ils ne s'en servaient jamais pour fabriquer des outils. Il servait uniquement d'ornement. Par exemple, les couples de mulefas qui se mariaient échangeaient des bandes de cuivre étincelant, qu'ils accrochaient à la base d'une de leurs cornes, comme une sorte d'alliance.

Aussi étaient-ils fascinés par le couteau suisse qui était l'objet le plus précieux de Mary.

Atal, la zalif qui était devenue son amie, poussa une exclamation d'étonnement le jour où Mary déplia son couteau, et celle-ci dut lui montrer tous les outils et lui expliquer, de son mieux, dans son langage limité, à quoi ils servaient. Parmi eux figurait une loupe miniature, avec laquelle elle s'amusa à graver un dessin sur une branche sèche, grâce aux rayons du soleil, et c'est ainsi qu'elle repensa aux Ombres.

Atal et Mary étaient parties pêcher ce jour-là, mais la marée était basse et les poissons avaient dû filer ailleurs. Elles abandonnèrent donc leur filet dans l'eau et allèrent s'asseoir sur la rive, dans l'herbe, pour discuter, jusqu'à ce que Mary aperçoive cette branche à la surface lisse et blanche. À l'aide de la loupe, elle grava un dessin (une simple marguerite) dans le bois, pour le plus grand plaisir d'Atal. Mais, alors que le mince filet de fumée montait de l'endroit où les rayons de soleil concentrés frappaient le bois, elle se dit : « Si cette branche se fossilisait et si dans dix millions d'années un scientifique la découvrait, on trouverait encore des Ombres tout autour, car je l'ai manipulée. »

Mary plongea alors dans une rêverie éveillée, alimentée par le soleil, jusqu'à ce que son amie Atal lui demande :

— *À quoi rêves-tu ?*

Mary essaya de lui parler de son travail, de ses recherches, du laboratoire, de la découverte des particules d'Ombre, de la fantastique révélation tendant à prouver qu'elles possédaient une conscience, et elle se sentit emportée à nouveau par toute cette histoire, à tel point qu'elle avait hâte de retrouver son matériel d'expérimentation.

Elle n'espérait pas qu'Atal puisse suivre ses explications, en partie parce qu'elle ne maîtrisait pas suffisamment bien sa langue, mais aussi parce que les mulefas étaient des êtres pragmatiques, profondément ancrés dans leur monde matériel et quotidien ; tout ce qu'ils disaient était mathématique. Malgré tout, Atal la surprit en déclarant :

— *Oui, on connaît cette chose dont tu parles. Nous, on appelle ça...*

Elle utilisa un mot qui ressemblait à celui qui désignait la lumière.

— *Lumière ?* dit Mary.

Et Atal répondit :

— *Non, pas lumière...*

Elle répéta le mot, plus lentement pour permettre à Mary de le saisir, et elle expliqua :

— *Comme la lumière sur l'eau quand elle fait de petites rides, au coucher du soleil, et qu'elle tombe sous forme de flocons éclatants, on l'appelle comme ça, mais c'est un faire-comme.*

« Faire comme » était le terme qu'employaient les mulefas pour désigner une métaphore, comme l'avait appris Mary.

Celle-ci demanda :

— *Ce n'est pas vraiment de la lumière, mais vous la voyez quand même et ça ressemble à la lumière sur l'eau au coucher du soleil, c'est ça ?*

Atal dit :

— *Oui. Tous les mulefas ont cette chose. Et toi aussi. C'est comme ça qu'on a su que tu étais comme nous, et pas comme les ruminants, qui n'en ont pas. Même si tu as l'air bizarre et horrible, tu es comme nous, car tu as...*

La zalif répéta ce mot que Mary ne parvenait pas à identifier, ni à répéter. C'était quelque chose comme « sraf » ou « sarf », accompagné d'un petit mouvement de trompe sur la gauche.

Mary était excitée. Mais elle devait s'efforcer de conserver son calme pour trouver les mots justes.

— *Que sais-tu sur cette chose ? D'où vient-elle ?*

— *De nous, et de l'huile*, répondit Atal, et Mary comprit qu'elle voulait parler de l'huile contenue dans les grandes cosses qui servaient de roues.

— *De vous ?*

— *Quand on devient adultes. Mais s'il n'y avait pas les arbres, elle disparaîtrait. Grâce aux roues et à l'huile, elle reste parmi nous.*

« Quand on devient adultes »... Là encore, Mary dut faire un effort pour demeurer cohérente. Concernant les Ombres, une des choses qu'elle avait commencé à suspecter, c'était que les enfants et les adultes réagissaient de manière différente et qu'ils provoquaient différents types de phénomènes. Lyra ne lui avait-elle pas dit que les scientifiques de son monde avaient découvert une chose semblable, au sujet de la Poussière, qui était le nom qu'ils donnaient aux Ombres ? On y revenait une fois de plus.

Et cela renvoyait à ce que les Ombres lui avaient dit sur l'écran de l'ordinateur, juste avant qu'elle ne quitte son monde : quelle que soit cette question, elle était forcément liée à ce grand changement dans la destinée humaine, symbolisé par l'histoire d'Adam et Ève, la Tentation, la Chute, le Péché originel. Lors de ses recherches parmi les crânes fossilisés, son collègue Oliver Payne avait découvert qu'il y a trente mille ans environ, le nombre des particules d'Ombre associées aux restes humains avait considérablement augmenté. Une chose s'était produite à ce moment-là, un développement de l'évolution, qui avait fait du cerveau humain le canal idéal pour amplifier leurs effets.

Mary demanda :

— *Depuis quand y a-t-il des mulefas ?*

Atal répondit sans hésiter :

— *Trente-trois mille ans.*

La zalif avait appris à déchiffrer les expressions de Mary, les plus évidentes en tout cas, et elle ne put s'empêcher de rire en voyant celle-ci rester bouche bée. C'était un rire joyeux et simple, si communicatif qu'elle l'imitait généralement mais, aujourd'hui, elle demeura aussi sérieuse que stupéfaite et demanda :

— *Comment peux-tu le savoir de manière si précise ? Vous connaissez l'histoire de toutes ces années ?*

— *Oh, oui*, répondit Atal. *Depuis que nous avons la* sraf, *nous avons la mémoire et la lucidité. Avant cela, on n'avait rien.*

— *Qu'est-ce qui vous a donné la...* sraf ?

— On a découvert comment utiliser les roues. Un jour, une créature sans nom a découvert une cosse et a commencé à jouer avec, et en jouant...

— Elle n'avait pas de nom ?

— Non, jusqu'alors. Elle a vu un serpent se faufiler dans le trou de la cosse, et le serpent lui a dit...

— Le serpent lui a parlé ?

— Non, non, c'est un faire-comme. Elle a vu le serpent qui s'amusait à entrer et sortir du trou de la cosse, alors elle a enfoncé son pied au même endroit. L'huile a pénétré dans son pied et, tout à coup, elle a vu plus de choses qu'avant et, la première chose qu'elle a vue, c'était la sraf. *C'était tellement bizarre qu'elle a voulu faire partager cette expérience à ses semblables, mais il n'y avait qu'un seul arbre et donc pas assez de cosses pour tout le monde. Alors, son compagnon et elle ont pris les premières, et ils ont découvert qu'ils savaient qui ils étaient : des mulefas, et non des ruminants. Ils se sont donné des noms. Ils se sont appelés des mulefas. Ils ont d'abord baptisé les arbres à cosses, puis toutes les créatures et toutes les plantes.*

— Ils étaient différents, dit Mary.

— Exact. Et leurs enfants aussi, car à mesure que d'autres cosses tombaient de l'arbre, ils leur montraient comment les utiliser. Et quand les enfants ont été assez âgés, ils ont commencé à produire de la sraf, *eux aussi, et quand ils sont devenus assez grands pour se déplacer avec les roues, la* sraf *est revenue avec l'huile, définitivement. Ils comprirent alors qu'ils devaient planter d'autres arbres à cosses, pour avoir de l'huile, mais les cosses étaient si dures qu'elles germaient rarement. Les premiers mulefas découvrirent alors ce qu'ils devaient faire pour aider les arbres : ils devaient se déplacer sur les roues pour les briser. Depuis, les mulefas et les arbres à cosses ont toujours vécu ensemble.*

Mary ne comprit tout d'abord qu'une partie de ce que lui racontait Atal mais, grâce à des questions et à des suppositions, elle se fit une idée assez précise du reste, d'autant qu'elle maîtrisait de mieux en mieux le langage des mulefas. Toutefois, plus elle apprenait, plus cela devenait difficile, car chaque nouvelle découverte faisait naître une demi-douzaine de questions, qui chacune conduisait dans une direction différente.

Mais elle décida de se concentrer sur le sujet de la *sraf*, car c'était le plus important, de loin, et c'est cela qui lui donna l'idée du miroir.

Une idée suggérée par la comparaison entre la *sraf* et les reflets à la surface de l'eau. La lumière reflétée, comme un éclat aveuglant sur la surface de la mer, était polarisée. Dès lors, peut-être que les particules d'Ombre, quand elles prenaient l'apparence de vagues, comme le faisait la lumière, pouvaient être polarisées elles aussi.

— Je ne vois pas la sraf *comme toi tu la vois,* dit-elle, *mais j'aimerais fabriquer un miroir avec la laque de sève, car je crois que ça pourrait m'aider à la voir.*

Atal était elle aussi excitée par cette idée et elles s'empressèrent d'aller relever leur filet avant de rassembler toutes les choses dont Mary avait besoin. Comme un gage de réussite, il y avait trois jolis poissons dans le filet.

La laque de sève était le produit d'un autre arbre, beaucoup plus petit, que les mulefas cultivaient uniquement pour cet usage. En faisant bouillir la sève et en la dissolvant ensuite dans de l'alcool qu'ils obtenaient à partir de jus de fruits distillé, les mulefas fabriquaient une substance semblable au lait par sa consistance et à l'ambre par sa couleur, qu'ils utilisaient comme vernis. Ils en appliquaient jusqu'à vingt couches sur du bois ou un coquillage, laissant sécher chacune d'elles sous un linge humide avant d'appliquer la suivante et, petit à petit, ils créaient une surface d'une extrême dureté et d'une très grande brillance. Généralement, ils la rendaient opaque ensuite en utilisant divers oxydes, mais parfois, ils la laissaient translucide, et c'était cela qui intéressait Mary. Car cette laque claire, couleur ambre, possédait la même propriété étrange que le minéral baptisé spath d'Islande. Elle séparait en deux les rayons de lumière si bien que, lorsque vous regardiez à travers, vous voyiez double.

Mary ne savait pas exactement ce qu'elle voulait faire, mais elle savait que, si elle tâtonnait assez longtemps, sans se lamenter, sans se ronger les sangs, elle trouverait. Elle se souvenait d'avoir cité les paroles du poète Keats à Lyra [1], et celle-ci avait immédiatement compris que c'était son état d'esprit quand elle déchiffrait l'aléthiomètre. Voilà ce que Mary devait découvrir à son tour.

Pour commencer, elle dénicha un bout de bois plus ou moins plat (pas de métal, cela signifiait pas de surface plane), qu'elle ponça avec un morceau de grès, jusqu'à le rendre le plus plat possible. C'était la méthode utilisée par les mulefas, qui demandait du temps et des efforts.

Puis elle se rendit au bosquet d'arbres à laque en compagnie d'Atal, après lui avoir soigneusement expliqué quelle était son intention et demandé la permission de prendre un peu de sève. Les mulefas se firent un plaisir de la contenter, mais ils étaient trop occupés pour s'intéresser à son expérience. Avec l'aide d'Atal, Mary préleva un peu de résine épaisse et collante, avant d'entreprendre le long processus qui consistait à la faire bouillir, à la dissoudre, et à la faire bouillir de nouveau, jusqu'à ce que le vernis soit prêt à l'emploi.

Les mulefas l'appliquaient avec des tampons de fibre cotonneuse provenant d'une autre plante et, en suivant les instructions d'un artisan, Mary badigeonna laborieusement son miroir ; chaque couche de vernis était si fine qu'elle distinguait à peine la différence. Malgré tout, elle eut la patience

---

1. « ... capable d'être dans l'incertitude, le mystère et le doute, en oubliant l'exaspérante quête de la vérité et de la raison. Voilà l'état d'esprit qui convient » (*La Tour des Anges*, p. 404.) (N.D.E.)

de les laisser sécher et, peu à peu, elle s'aperçut que le vernis devenait plus épais. En tout, elle passa plus de quarante couches — elle avait perdu le compte exact — mais, quand elle fut à court de vernis, la surface qui recouvrait le morceau de bois avait au moins cinq millimètres d'épaisseur.

Après la dernière couche venait l'étape du polissage : une journée entière passée à frotter délicatement la surface, avec de petits mouvements circulaires, jusqu'à ce qu'elle ait mal au bras et à la tête, et finisse par ne plus supporter ce geste répétitif.

Puis elle dormit.

Le lendemain matin, le groupe partit travailler dans un taillis de ce qu'ils nommaient du bois à nœuds, pour vérifier que les jeunes pousses grandissaient comme ils le souhaitaient et resserrer les entrelacements pour que les branches adultes aient la forme désirée. Ils appréciaient énormément l'aide de Mary pour cette tâche car, toute seule, elle se glissait plus facilement que deux mulefas dans les interstices étroits et, grâce à ses deux mains, elle travaillait dans des espaces plus exigus.

C'est seulement après leur retour au village que Mary put commencer son expérience, sans trop savoir ce qu'elle cherchait exactement.

Tout d'abord, elle essaya d'utiliser la plaque de laque comme un miroir mais, à cause de l'absence de fond argenté, elle ne voyait dans le bois qu'un double reflet très flou.

Elle se dit alors qu'elle avait besoin de la laque sans le bois, mais l'idée de devoir fabriquer une autre plaque lui répugnait. Et d'ailleurs, comment pourrait-elle obtenir une surface plane sans support ?

Elle eut alors l'idée d'enlever le support de bois pour ne conserver que la laque. Cette opération prendrait un certain temps également, mais elle avait son couteau suisse. Elle se mit alors au travail, en commençant par faire sauter le bois sur le bord, très délicatement, en prenant bien soin de ne pas écailler la laque. Elle finit par ôter la majeure partie du fond, ne laissant que de petits morceaux de bois disgracieux, partiellement arrachés et éclatés, pris dans la plaque de vernis translucide.

Que se passerait-il si elle la trempait dans l'eau ? se demanda-t-elle. La laque ramollissait-elle quand elle était mouillée ?

— *Non,* lui dit l'artisan qui lui servait de guide, *elle demeurera dure quoi qu'il arrive. Mais pourquoi ne pas essayer avec ça ?*

Il lui montra un liquide conservé dans une cuvette en pierre, capable de ronger n'importe quel bois en quelques heures. Mary constata qu'il avait l'aspect et l'odeur d'un acide.

Cela n'endommagerait presque pas la laque, lui expliqua-t-il, et elle pourrait sans peine réparer les éventuels dommages. Intrigué par le projet de Mary, il l'aida même à passer délicatement un tampon imprégné d'acide sur le bois, en lui expliquant de quelle manière ils le fabriquaient en broyant, en dissolvant et en distillant un minerai qu'ils trouvaient au bord de plusieurs lacs peu profonds qu'elle n'avait pas encore visités. Peu à peu, le bois ramollit et se détacha, et Mary se retrouva avec une plaque de laque aux reflets bruns, de la taille d'une page de livre de poche.

Elle polit l'envers avec la même application que l'endroit, jusqu'à ce que les deux côtés soient aussi plats et lisses que le plus beau des miroirs.

Et quand elle regarda à travers...

Elle ne vit rien de particulier. La plaque était parfaitement claire, mais elle lui renvoyait une image dédoublée, légèrement décalée sur le côté et en hauteur.

Elle se demanda ce qui se produirait si elle regardait à travers deux plaques de laque, l'une sur l'autre.

Reprenant son couteau suisse, elle entreprit de creuser un sillon au milieu pour pouvoir la couper en deux. À force de passer et de repasser sur le trait, en aiguisant régulièrement la lame du couteau sur une pierre lisse, elle parvint à creuser une marque assez profonde pour prendre le risque de briser la plaque. Elle glissa une branche fine sous la ligne de partage et appuya d'un mouvement sec sur chaque extrémité, comme elle l'avait vu faire à des vitriers qui coupaient du verre, et ça fonctionna : elle avait maintenant deux plaques de laque.

Elle les superposa et regarda à travers. La teinte ambrée était plus marquée et, tel un filtre photographique, elle soulignait certaines couleurs et en effaçait certaines autres, donnant un aspect différent au paysage. Phénomène étrange, le dédoublement des images avait disparu, tout était redevenu unique, mais aucune trace des Ombres.

Elle sépara les deux plaques pour voir si l'écartement modifiait l'apparence des choses. Quand elles étaient éloignées de la largeur d'une main environ, une chose curieuse se produisait : la coloration ambrée disparaissait et tout reprenait ses couleurs normales, mais plus lumineuses, plus vives.

Atal la rejoignit sur ces entrefaites pour voir ce qu'elle faisait.

— *Tu vois la* sraf *maintenant ?* demanda-t-elle.

— *Non, mais je vois d'autres choses,* dit-elle en essayant de lui montrer.

Atal fit preuve d'un intérêt poli, mais elle n'était pas habitée par le goût de la découverte qui animait Mary ; la zalif finit par se lasser de regarder à travers ces deux petits morceaux de laque, et elle s'assit dans l'herbe pour s'occuper de ses roues.

Tous les mulefas accomplissaient ce rituel une fois par jour : ils décrochaient les roues de leurs pattes et les inspectaient pour repérer les fissures

et les signes d'usure, et ils soignaient leurs griffes avec la plus grande attention. Parfois, ils s'occupaient mutuellement de leurs pattes, par esprit de
solidarité, et une ou deux fois déjà, Atal avait laissé Mary le faire. En
échange, Mary laissait Atal lui laver les cheveux ; elle aimait sentir le doux
contact de la trompe qui les soulevait et les laissait retomber, tout en lui
massant le cuir chevelu.

Elle sentait qu'Atal réclamait cette attention maintenant, alors elle posa
ses deux plaques de laque et fit glisser ses mains sur les griffes étonnamment
douces de la zalif, cette surface plus lisse et glissante que du Téflon qui reposait sur le bord inférieur du trou central de la cosse et servait d'essieu quand
la roue tournait. Les contours concordaient parfaitement, bien entendu et,
en promenant ses mains à l'intérieur du trou de la roue, Mary ne perçut
aucune différence de texture : c'était comme si la zalif et la cosse n'étaient
qu'une seule et même créature qui, grâce à un miracle, pouvait se dissocier
et se rassembler.

Ces caresses apaisaient Atal, et Mary aussi par la même occasion. Son
amie était jeune et célibataire, mais il n'y avait pas de jeunes mâles dans ce
groupe, elle serait donc obligée d'épouser un zalif de l'extérieur. Les
contacts entre les groupes n'étaient pas faciles et, parfois, Mary avait l'impression qu'Atal s'inquiétait pour son avenir. Aussi ne refusait-elle jamais
de lui accorder un peu de temps et, en ce moment, elle était heureuse de
nettoyer toute la poussière et les saletés qui s'accumulaient dans les trous
des roues et d'étaler délicatement l'huile parfumée sur les griffes de son
amie, pendant que celle-ci s'occupait de ses cheveux.

Quand la zalif en eut assez, elle chaussa ses roues et s'en alla pour aider à
préparer le dîner. Mary reporta son attention sur la laque, et presque aussitôt, elle fit une découverte.

Elle écarta les deux plaques de la largeur d'une main pour obtenir l'image
nette et claire qu'elle avait vue auparavant, mais une chose s'était produite.

En regardant à travers, elle vit un essaim d'étincelles dorées tourbillonner
autour de la silhouette d'Atal. Elles n'étaient visibles qu'à travers une petite
partie de la laque et, soudain, Mary découvrit l'explication de ce phénomène : elle avait touché la plaque à cet endroit avec ses doigts humectés
d'huile !

—*Atal !* cria-t-elle. *Reviens ! Vite !*

Celle-ci pivota et fit demi-tour à toute allure.

—*Laisse-moi te prendre un peu d'huile*, dit Mary. *Juste de quoi badigeonner la plaque.*

Atal l'autorisa de bonne grâce à promener ses doigts à l'intérieur des
trous des cosses, et elle la regarda d'un air intrigué recouvrir une des deux
plaques d'une fine couche de substance claire et parfumée.

Puis elle les pressa l'une contre l'autre, les frotta pour étaler l'huile de manière uniforme, et elle les écarta de nouveau, de la largeur d'une main.

Quand elle regarda à travers cette fois, tout était différent. Elle apercevait les Ombres. Si elle s'était trouvée dans le Salon de Jordan College quand Lord Asriel avait projeté les photogrammes qu'il avait réalisés avec une émulsion spéciale, elle aurait reconnu cet effet. Où que se pose son regard, elle voyait de l'or, conformément à la description faite par Atal : des étincelles de lumière qui flottaient, dérivaient et parfois étaient emportées par un courant rempli de détermination. Et au milieu, il y avait le monde qu'elle voyait à l'œil nu, l'herbe, la rivière, les arbres… mais chaque fois qu'elle apercevait un être doté d'une conscience, un des mulefas, la lumière était plus dense et pleine de mouvements. Mais ce phénomène n'assombrissait pas leurs silhouettes, au contraire, elles apparaissaient plus clairement.

— *Je ne savais pas que c'était aussi beau,* dit Mary à Atal.

— *Évidemment que c'est beau,* répondit son amie. *C'est bizarre de penser que tu ne pouvais pas voir ça. Regarde le petit, là…*

Elle désigna un des jeunes enfants qui jouaient dans les herbes hautes, bondissant de manière pataude derrière les sauterelles, s'arrêtant tout à coup pour examiner une feuille, avant de repartir en courant vers sa mère pour lui dire quelque chose, mais il fut distrait en chemin par une branche, qu'il essaya de ramasser, et il découvrit des fourmis au bout de sa trompe, alors il se mit à barrir… Un halo doré l'enveloppait, comme il enveloppait les cabanes, les filets de pêche, le feu du soir… peut-être était-il juste un peu plus puissant. Mais contrairement à ces autres halos, celui du jeune zalif était rempli de courants d'énergie qui se défaisaient et dérivaient, pour finalement disparaître, au moment où de nouveaux naissaient.

Autour de sa mère, en revanche, les étincelles dorées étaient beaucoup plus brillantes, et les courants au milieu desquels elles s'agitaient étaient plus stables, plus puissants aussi. Elle préparait à manger en étalant de la farine sur une pierre plate, pour faire du pain aussi plat que des chapatis ou des tortillas, tout en observant son petit, et les Ombres, la *sraf,* qui l'enveloppaient offraient l'image même de la responsabilité et de l'affection.

— *Enfin, tu vois,* dit Atal. *Tu dois venir avec moi maintenant.*

Mary observa son amie d'un air intrigué. Atal s'exprimait d'un ton étrange tout à coup, comme si elle disait : « *Tu es enfin prête ; nous attendions. Maintenant, certaines choses doivent changer.* »

D'autres mulefas étaient apparus, de derrière l'arête de la colline, de leurs cabanes, des bords de la rivière : des membres du groupe, mais des étrangers aussi, des mulefas qu'elle n'avait encore jamais vus, et qui jetaient des regards intrigués dans sa direction. Leurs roues sur le sol en pierre produisaient un grondement sourd et régulier.

— *Où dois-je aller ?* demanda Mary. *Pourquoi viennent-ils tous ici ?*

— *Ne t'en fais pas,* répondit Atal. *Suis-moi, personne ne te fera de mal.*

Ce rassemblement semblait avoir été prévu de longue date, car tous les mulefas savaient où aller et ce qui les attendait. Il y avait à l'extrémité du village un petit tertre de terre compacte, de forme régulière, vers lequel se dirigeait la foule, une cinquantaine d'individus, estima Mary. La fumée des feux destinés à cuire le repas flottait dans le ciel crépusculaire, et le soleil couchant étalait lui aussi sa brume dorée sur le paysage. Mary sentait l'odeur du maïs grillé, et l'odeur chaude des mulefas eux-mêmes, mélange d'huile parfumée, de chair moite et de relents chevalins.

Atal l'incita à presser le pas pour rejoindre le tertre.

Mary demanda :

— *Que se passe-t-il ? Explique-moi !*

— *Non, non... Pas moi. Sattamax va parler...*

Elle n'avait jamais entendu ce nom, et le zalif que lui indiqua Atal était un inconnu pour elle. Il paraissait plus âgé que tous ceux qu'elle avait vus jusqu'à présent. Une touffe de poils blancs poussait à l'extrémité de sa trompe, et il se déplaçait avec raideur, comme s'il souffrait d'arthrite. Tous les autres mulefas évoluaient avec prudence autour de lui, et en le regardant furtivement à travers les plaques de laque, Mary en comprit la raison : le nuage d'Ombres du vieux zalif était si dense, si complexe, qu'elle-même éprouva un profond respect, sans trop savoir ce que cela signifiait.

Quand le dénommé Sattamax fut prêt à prendre la parole, tout le monde se tut dans l'assistance. Mary se tenait au pied du tertre, à côté d'Atal pour se rassurer, mais elle sentait tous les regards posés sur elle, et avait l'impression d'être la petite nouvelle qui débarque à l'école.

Sattamax parla. Il avait une voix grave, riche et modulée ; les mouvements de sa trompe étaient mesurés et gracieux.

— *Nous sommes tous rassemblés pour accueillir l'étrangère nommée Mary. Ceux parmi nous qui la connaissent ont des raisons de lui être reconnaissants pour tout ce qu'elle a fait depuis son arrivée parmi nous. Nous avons attendu qu'elle acquière une certaine maîtrise de notre langue. Grâce à l'aide d'un grand nombre d'entre nous, mais surtout de la zalif Atal, Mary l'étrangère peut maintenant nous comprendre. Mais il fallait qu'elle comprenne autre chose, je veux parler de la sraf. Elle connaissait déjà son existence, mais elle n'était pas capable de la voir comme nous, jusqu'à ce qu'elle confectionne un instrument d'optique. Elle a réussi et la voilà prête désormais à en apprendre davantage pour nous aider. Mary, monte me rejoindre.*

Mary avait le tournis, elle se sentait intimidée, déconcertée, mais elle fit ce qu'on attendait d'elle et rejoignit le vieux zalif au sommet du tertre. Visiblement, toute l'assemblée attendait qu'elle parle, alors elle se lança :

— Vous m'avez tous donné le sentiment que j'étais votre amie. Vous êtes des êtres chaleureux et hospitaliers. Je viens d'un monde où la vie est très différente, mais certains d'entre nous connaissent l'existence de la sraf, comme vous l'appelez, et je vous remercie de l'aide que vous m'avez apportée pour fabriquer cet instrument à travers lequel je peux la voir, moi aussi. Si à mon tour je peux vous venir en aide, je le ferai volontiers.

Elle s'exprimait de manière plus hésitante qu'avec son amie Atal, et elle craignait de ne pas être très claire. Il n'était pas facile de se concentrer quand vous deviez faire des gestes en même temps que vous parliez, mais les mulefas semblaient la comprendre.

Sattamax dit :

— C'est un plaisir de t'entendre parler. Nous espérons que tu pourras nous aider. Sinon, je ne vois pas comment nous pourrons survivre. Les tualapis nous tueront tous, jusqu'au dernier. Jamais ils n'ont été si nombreux, et leur nombre s'accroît d'année en année. Quelque chose ne tourne plus rond dans ce monde. Depuis trente-trois mille ans qu'il existe des mulefas, nous avons toujours pris soin de la terre. L'équilibre régnait. Les arbres prospéraient, les ruminants broutaient, et même si, de temps à autre, les tualapis envahissaient notre territoire, les forces restaient égales.

Mais il y a trois cents ans, les arbres ont commencé à tomber malades. Nous les avons surveillés attentivement, nous les avons soignés de notre mieux et, malgré toute notre attention, ils produisaient de moins en moins de cosses, ils perdaient leurs feuilles hors saison ; certains sont même carrément morts, ce qui ne s'était jamais vu. Dans tous nos souvenirs, nous n'avons pas réussi à découvrir l'origine de ce phénomène.

L'évolution était lente, assurément, mais notre rythme de vie aussi. Nous l'ignorions jusqu'à ton arrivée parmi nous. Nous avons vu des papillons et des oiseaux, mais ils n'ont pas de sraf. Toi, si, malgré ton aspect étrange, mais tu es vive et énergique, comme les oiseaux, comme les papillons. Tu comprends que tu as besoin d'un instrument pour voir la sraf, et immédiatement, avec les éléments que nous connaissons depuis des milliers d'années, tu fabriques cet instrument. Comparée à nous, tu réfléchis et tu agis avec la rapidité d'un oiseau. Telle est l'impression que nous avons, et nous savons que notre rythme te paraît lent.

Mais c'est là notre espoir. Tu peux voir des choses que nous ne voyons pas, tu repères des connexions, des possibilités, des alternatives qui sont pour nous invisibles. Et si nous ne connaissons aucun moyen de survie, nous espérons que toi, tu en découvriras peut-être un. Nous espérons que tu trouveras rapidement la cause de la maladie des arbres et son remède ; nous espérons que tu inventeras un moyen de combattre les tualapis, qui sont si nombreux et si puissants.

Et nous espérons que tu le feras très vite, sinon, nous mourrons tous !

Un murmure d'approbation parcourut l'assistance. Tous les mulefas regardaient Mary et, plus que jamais, elle eut l'impression d'être la petite nouvelle de l'école, dont tout le monde attend qu'elle accomplisse des prodiges. Elle éprouvait également une étrange fierté : les qualificatifs de vive et d'énergique, la comparaison avec un oiseau, étaient une nouveauté très agréable, pour elle qui s'était toujours vue comme une personne persévérante et laborieuse. Mais cette fierté s'accompagnait du sentiment qu'ils commettaient une terrible méprise ; les mulefas se trompaient sur son compte, elle n'avait aucun moyen de répondre à leurs espoirs insensés.

Mais, d'un autre côté, elle n'avait pas le choix. Ils comptaient sur elle.

— Sattamax, dit-elle, *mulefas, vous avez placé votre confiance en moi, et je ferai de mon mieux pour ne pas vous décevoir. Vous avez été très gentils, vous menez une existence digne et heureuse, et je ferai tout pour vous aider ; maintenant que j'ai vu la* sraf, *je sais ce que je fais. Merci de m'accorder votre confiance.*

Les mulefas hochèrent la tête, murmurèrent des paroles d'encouragement et la caressèrent avec leurs trompes, alors qu'elle descendait du tertre. Au fond d'elle-même, elle était effrayée par l'ampleur de la tâche qu'elle venait d'accepter.

Au même moment, dans le monde de Cittàgazze, le prêtre assassin, le père Gomez, marchait sur un chemin de montagne rocailleux, au milieu des troncs noueux des oliviers. Les derniers rayons du soleil couchant filtraient à travers les feuilles argentées, l'air vibrait du chant des grillons et des cigales.

Droit devant lui il apercevait une petite ferme abritée par les vignes, où une chèvre bêlait et où un petit ruisseau serpentait parmi les pierres grises. Un vieil homme s'affairait à côté de la maison, pendant qu'une vieille femme conduisait la chèvre vers un tabouret et un seau.

Dans le village, derrière lui, on lui avait appris que la femme qu'il suivait était passée par ici, et qu'elle envisageait de se rendre dans la montagne ; ce vieux couple l'avait peut-être vue. Au moins, il pourrait leur acheter du fromage et des olives, et il pourrait se désaltérer en buvant l'eau du ruisseau. Le père Gomez était habitué à vivre de manière frugale, et il avait tout le temps devant lui.

CHAPITRE 18

LES BANLIEUES DES MORTS

S'il était seulement possible
de s'entretenir pendant deux jours
avec les morts...
JOHN WEBSTER

 Lyra se réveilla avant l'aube. Pantalaimon frissonnait dans son cou ; elle se leva et marcha un peu pour se réchauffer, alors qu'une lumière grise se glissait dans le ciel encore noir. Elle n'avait jamais connu un tel silence, pas même dans l'immensité neigeuse de l'Arctique : il n'y avait pas un souffle de vent, la mer était si calme qu'aucune vaguelette ne venait lécher le rivage ; le monde semblait suspendu entre une inspiration et une expiration.

Will dormait encore profondément, couché en chien de fusil, la tête posée sur son sac à dos pour protéger le couteau. Le manteau avait glissé de ses épaules et Lyra le remit en place, avec précaution, pour ne pas toucher son dæmon imaginaire, qu'elle se représentait sous l'apparence d'un chat, roulé en boule comme lui. « Il doit être là, quelque part », se dit-elle.

Portant dans ses bras Pantalaimon encore endormi, elle s'éloigna de Will et alla s'asseoir au creux d'une dune, un peu plus loin, pour que leurs voix ne le réveillent pas.

—Ces petits individus..., dit Pantalaimon.

—Je ne les aime pas, déclara Lyra d'un ton catégorique. Je crois qu'on devrait essayer de leur fausser compagnie à la première occasion. Il suffirait de les emprisonner dans un filet ou quelque chose comme ça, ensuite Will pourrait ouvrir une fenêtre, la refermer derrière nous et hop ! on serait libres.

—On n'a pas de filet, ni rien de semblable, fit remarquer Pantalaimon. Et, de toute façon, ils sont plus malins que tu l'imagines. Tiens, regarde, il nous observe.

Le dæmon avait pris l'apparence d'un faucon, et sa vue était maintenant bien plus perçante que celle de Lyra. Le noir du ciel se transformait de minute en minute en un bleu éthéré, très pâle et, tandis que Lyra regardait droit devant elle, le disque du soleil émergea de la mer et l'éblouit. Comme elle se trouvait au sommet de la dune, la lumière l'atteignit quelques secondes avant la plage, et elle la regarda se répandre autour d'elle et ramper vers Will, puis elle découvrit la silhouette, grande comme une main, du chevalier Tialys, debout près de la tête de son ami, aux aguets, parfaitement réveillé. Il les surveillait.

—Ils ne peuvent pas nous contraindre à faire ce qu'on n'a pas envie de faire, dit Lyra. Ils ont l'ordre de nous suivre. Je parie qu'ils en ont assez.

—S'ils nous capturent, toi et moi, dit Pantalaimon, et s'ils menacent de nous frapper avec leurs dards, Will sera bien obligé de leur obéir.

Lyra réfléchit à cette éventualité. Elle avait conservé le souvenir de l'effroyable cri de douleur de Mme Coulter ; elle revoyait le singe doré se convulser, les yeux révulsés et la bave aux lèvres, tandis que le poison pénétrait dans les veines de la femme. Et encore, ce n'était qu'une égratignure. Pantalaimon avait raison, se dit-elle, Will serait obligé de faire tout ce qu'ils lui ordonneraient.

—Mais supposons qu'il le croient si insensible qu'il préférerait nous regarder mourir. Peut-être qu'il devrait leur laisser croire ça.

Lyra avait emporté l'aléthiomètre, et il faisait suffisamment jour maintenant pour pouvoir l'utiliser. Elle sortit le précieux instrument et le posa bien à plat sur le velours noir, sur ses genoux. Peu à peu, elle plongea dans cet état de transe où les différents niveaux de signification lui apparaissaient clairement, et où elle distinguait des réseaux complexes de connexions entre tous ces niveaux. Alors que ses doigts caressaient les symboles, sans même les regarder, son esprit formait ces mots : «Comment peut-on se débarrasser des deux espions ?»

L'aiguille se mit à courir dans un sens, puis dans l'autre, presque trop rapidement pour que l'œil puisse la suivre, mais une partie du cerveau de Lyra comptait machinalement les déplacements et les arrêts et elle saisit immédiatement la signification du message.

L'aléthiomètre lui disait : «N'essaie pas de leur échapper, car vos vies dépendent d'eux.»

Ce fut une surprise, et une mauvaise surprise. Mais elle continua et demanda : «Comment peut-on accéder au pays des morts ?»

La réponse lui parvint : «Descends. Suis le couteau. Va de l'avant. Suis le couteau.»

Finalement, elle demanda, d'une voix hésitante, légèrement honteuse : «Est-ce le bon choix ?»

«Oui, répondit immédiatement l'aléthiomètre. Oui. »

Lyra poussa un soupir en s'arrachant à son état de transe, et repoussa ses cheveux derrière ses oreilles, consciente des premiers rayons chauds du soleil qui frappaient son visage et ses épaules. Les insectes se réveillaient et une légère brise faisait bruire les grandes herbes sèches, plus haut sur la dune.

Elle rangea l'aléthiomètre et retourna auprès de Will d'un pas traînant, suivie de Pantalaimon qui, sous l'apparence d'un lion, se faisait le plus gros possible pour impressionner les Gallivespiens.

Le chevalier Tialys utilisait son étrange appareil de communication et, quand il eut fini, Lyra demanda :

—Vous avez dialogué avec Lord Asriel ?

—Avec son représentant.

—On ne vient pas avec vous.

—C'est ce que je lui ai dit.

—Et qu'a-t-il répondu ?

—Cela ne regarde que moi.

—Comme vous voulez, dit Lyra. Vous êtes marié avec cette femme ?

—Non. Nous sommes collègues.

—Vous avez des enfants ?

—Non.

Tialys rangea soigneusement le résonateur à aimant et, pendant ce temps, Lady Salmakia se réveilla. Elle se redressa avec élégance au fond du petit trou qu'elle avait creusé dans le sable. Les libellules dormaient encore, attachées par des longes fines comme une toile d'araignée ; leurs ailes étaient humides de rosée.

—Y a-t-il des personnes de grande taille dans votre monde, ou sont-elles toutes petites comme vous ? demanda Lyra.

—Nous savons comment traiter les individus de grande taille, déclara Tialys, sans répondre directement à sa question.

Et il se désintéressa d'elle pour discuter avec la lady. Ils parlaient bien trop bas pour que la fillette puisse entendre ce qu'ils se disaient, mais elle prenait plaisir à les regarder boire les gouttes de rosée qui pendaient à l'extrémité des brins d'herbe pour se désaltérer. Pour eux, l'eau devait être une chose totalement différente, se disait-elle en s'adressant à Pantalaimon : « Imagine des gouttes de la taille de ton poing ! Ça ne doit pas être facile à percer, elles doivent avoir une enveloppe élastique, comme un ballon. »

Will commençait à se réveiller, lui aussi, mais plus difficilement. Son premier réflexe fut de chercher du regard les Gallivespiens, qui tournèrent immédiatement la tête dans sa direction.

—J'ai quelque chose à te dire, dit-il alors à Lyra. Viens par ici, à l'écart de...

—Si vous vous éloignez, dit Tialys de sa voix claire, vous devez laisser le couteau. Si vous refusez, vous devrez vous parler ici.

—On n'a pas droit à un peu d'intimité ? s'exclama Lyra avec indignation. On ne veut pas que vous écoutiez ce qu'on a à se dire.

—Dans ce cas, éloignez-vous, mais laissez le poignard.

Après tout, il n'y avait personne d'autre dans les parages, et les Gallivespiens étaient bien incapables de s'en servir. Will fouilla dans son sac pour prendre la gourde et deux biscuits ; il en offrit un à Lyra, et ils gravirent ensemble la dune.

—J'ai interrogé l'aléthiomètre, annonça-t-elle. Il dit qu'on ne doit pas essayer de fausser compagnie à ces deux petites personnes, car elles vont nous sauver la vie. Ça veut dire qu'on doit continuer à les supporter.

—Tu leur as dit ce qu'on voulait faire ?

—Non, et je ne leur dirai pas. Car ils le répéteraient aussitôt à Lord Asriel avec leur espèce de violon à paroles et il se rendrait sur place pour nous arrêter. Il ne faut pas en parler devant eux.

—Ce sont des espions, fit remarquer Will. Ils sont sans doute très doués pour écouter et se cacher. Peut-être vaudrait-il mieux ne pas en parler du tout. On sait où on va. Ils seront obligés de nous suivre.

—Ils ne peuvent pas nous entendre pour le moment ; ils sont trop loin. J'ai demandé aussi à l'aléthiomètre comment faire pour aller là-bas. Il a juste dit qu'il fallait suivre le couteau. C'est tout.

—Ça paraît facile, dit-il. Mais peut-être pas si facile que ça. Sais-tu ce que m'a dit Iorek ?

—Non. Moi, il m'a dit... quand je suis allée lui dire au revoir, il m'a dit que ce serait très difficile pour toi, mais il pensait que tu pouvais y arriver. Cependant, il ne m'a pas dit pourquoi...

—Le couteau s'est brisé parce que j'ai pensé à ma mère, expliqua-t-il. Il faut que je la chasse de mes pensées. Mais... c'est comme quand quelqu'un te dit de ne pas penser à un crocodile, par exemple, tu y penses forcément. C'est plus fort que toi...

—Tu as réussi à ouvrir un passage hier soir, dit Lyra.

—Oui, sans doute parce que j'étais trop fatigué pour penser à autre chose. On verra bien. Il a juste dit de suivre le couteau ?

—Oui, rien d'autre.

—Autant nous mettre en route dès maintenant, dans ce cas. Mais il ne nous reste presque plus de provisions. Il faudrait dénicher quelque chose, des fruits et du pain, par exemple. Je vais commencer par trouver un monde où l'on puisse se procurer de la nourriture, et ensuite, on cherchera pour de bon.

—Très bien, répondit Lyra, heureuse de reprendre la route en compagnie de Pan et de Will, vivante et bien réveillée.

Ils rejoignirent les deux espions qui étaient assis près du couteau, les sens en alerte, leur sac sur le dos.

—Nous aimerions savoir quelles sont vos intentions, déclara Lady Salmakia.

—Une chose est sûre, nous ne rejoindrons pas Lord Asriel, déclara Will. Nous avons autre chose à faire d'abord.

—Peut-on savoir de quoi il s'agit, puisqu'il est évident que nous ne pouvons pas vous en empêcher?

—Non, répondit Lyra. Car vous vous empresseriez de le faire savoir. Vous devrez nous suivre sans savoir où nous allons. Évidemment, vous pouvez aussi renoncer et rentrer chez vous.

—Certainement pas, dit Tialys.

—Nous exigeons une sorte de garantie, dit Will. Vous êtes des espions, vous êtes donc des gens malhonnêtes, c'est votre métier. Nous voulons être sûrs que nous pouvons vous faire confiance. Hier soir, nous étions tous trop fatigués pour y réfléchir. En fait, rien ne vous empêche d'attendre que nous soyons endormis pour nous piquer avec vos dards, afin de nous paralyser et de contacter ensuite Lord Asriel avec votre appareil. Ce serait un jeu d'enfant pour vous. Nous voulons être certains que vous ne le ferez pas. Mais votre promesse ne suffit pas.

Les deux Gallivespiens tremblaient de rage face à cette mise en cause de leur honneur.

Tialys parvint à se contrôler pour dire :

—Nous n'acceptons pas les exigences à sens unique. Vous devez nous offrir quelque chose en échange. Dites-nous quelles sont vos intentions, et je vous remettrai le résonateur à aimant. Vous me le rendrez quand je voudrai envoyer un message mais, de cette façon, vous serez forcément avertis, et nous ne pourrons pas l'utiliser sans votre accord. Voilà notre garantie. Maintenant, dites-nous où vous voulez aller, et pour quelle raison.

Will et Lyra échangèrent un regard pour confirmer qu'ils étaient d'accord.

—Très bien, dit la fillette. Ça me paraît équitable. Je vais vous dire où nous allons : nous allons dans le monde des morts. Nous ne savons pas où c'est, mais le couteau nous guidera. C'est là que nous allons.

Les deux espions la regardaient d'un air stupéfait. Lady Salmakia fut la première à réagir :

—Cela n'a aucun sens. Les morts sont morts, un point c'est tout. Il n'existe aucun monde des morts.

—C'était aussi ce que je croyais, dit Will. Mais maintenant, je n'en suis plus aussi sûr. Grâce au couteau, nous serons fixés.

—Mais pourquoi?

Lyra se tourna vers son ami qui hocha la tête pour l'autoriser à parler.

—Avant de rencontrer Will, bien avant de dormir pendant si longtemps, j'ai entraîné un ami vers le danger, et il a été tué. Je croyais que j'allais le sauver mais, en vérité, je ne faisais qu'aggraver les choses. Pendant que je dormais, j'ai rêvé de lui, et je me suis dit que je pourrais peut-être me faire pardonner, si je le rejoignais là où il se trouve pour lui dire que j'étais désolée. Will, lui, cherche son père, qui est mort juste au moment de leurs retrouvailles. Lord Asriel ne penserait pas à tout ça. Mme Coulter non plus. Si on se rendait auprès de lui, on serait obligés de faire ce qu'il veut, et il se ficherait pas mal de Roger —c'est mon ami qui est mort—, ça ne compte pas pour lui. Mais pour moi, c'est très important. Pour nous. C'est pour ça qu'on veut aller là-bas.

—Mon enfant, dit Tialys, quand on meurt, tout est terminé. Il n'y a pas d'autre vie. Tu as vu la mort de tes propres yeux. Tu as vu des morts, et tu as vu ce qui arrive à un dæmon quand la mort survient. Il disparaît. Quelle vie peut-il y avoir après cela?

—C'est ce qu'on va essayer de découvrir, répliqua Lyra. Maintenant que je vous ai tout dit, donnez-moi votre résonateur.

Elle tendit la main et Pantalaimon le léopard se dressa sur ses pattes, en balançant lentement la queue, pour donner plus de poids à cette demande. Tialys ôta son sac de son dos et le déposa dans la paume de la fillette. Il était étonnamment lourd, compte tenu de sa taille minuscule. Pour elle, ce n'était rien, évidemment, mais elle fut impressionnée par la force du chevalier.

—Combien de temps durera cette expédition, à votre avis? demanda ce dernier.

—On n'en sait rien, avoua Lyra. On n'en sait pas plus que vous. On va aller jusque là-bas, et on verra bien.

Will intervint:

—Avant toute chose, il nous faut de l'eau et des provisions, des choses faciles à transporter. Je vais d'abord trouver un monde où l'on peut se procurer tout cela et, ensuite, nous nous mettrons en route.

Tialys et Lady Salmakia grimpèrent sur leurs libellules, qui s'agitèrent aussitôt, visiblement impatientes de s'envoler, mais leurs cavaliers les maintenaient au sol avec autorité et, en les observant pour la première fois à la lumière du jour, Lyra découvrit l'extraordinaire finesse des rênes de soie grise, des étriers d'argent et des minuscules selles.

Will prit le couteau et une puissante tentation le poussa à chercher l'ouverture de son propre monde : il avait toujours la carte de crédit, il pourrait acheter de la nourriture qu'il connaissait, il pourrait même téléphoner à Mme Cooper et lui demander des nouvelles de sa mère...

Le couteau produisit un crissement semblable à un ongle qui frotte contre une pierre rugueuse, et Will crut que son cœur allait s'arrêter : « Oui, je sais qu'elle est là, mais je vais détourner le regard... »

Cette fois, la ruse fonctionna. Il trouva un nouveau monde, fit remonter en douceur la lame du couteau pour découper une ouverture et, quelques instants plus tard, ils se retrouvèrent tous au milieu des bâtiments d'une sorte de grande ferme, cossue et bien entretenue, dans quelque pays du Nord évoquant la Hollande ou le Danemark. La cour dallée était impeccable ; devant eux, une rangée de portes étaient ouvertes sur les écuries. Le soleil perçait péniblement à travers un ciel brumeux, et une odeur de brûlé flottait dans l'air, en même temps qu'une autre odeur moins agréable. On ne percevait aucun bruit d'activité humaine, mais des écuries s'échappait un fort bourdonnement, régulier et puissant comme le ronronnement d'une machine.

Intriguée, Lyra alla jeter un coup d'œil et revint immédiatement, blême.

— Il y a quatre... (Elle avala difficilement sa salive.)... quatre chevaux morts à l'intérieur. Et des millions de mouches.

— Regarde ! s'exclama Will. Non, il vaut peut-être mieux ne pas...

Il désignait les framboisiers qui bordaient le potager. Il venait d'apercevoir les jambes d'un homme qui dépassaient du massif. Il lui manquait une chaussure.

Lyra ne voulait pas regarder, mais Will s'en approcha pour voir si l'homme avait besoin d'aide. Il revint en secouant la tête, visiblement mal à l'aise.

Pendant ce temps, les deux espions s'étaient dirigés vers la porte de la ferme, entrouverte.

Tialys revint rapidement vers les enfants.

— Ça sent meilleur là-dedans ! Venez, dit-il, avant de repartir sur sa libellule pour franchir à nouveau le seuil de la maison, pendant que Lady Salmakia inspectait les dépendances.

Will suivit le chevalier. Il se retrouva dans une grande cuisine carrée, un décor d'un autre temps, avec de la vaisselle en porcelaine blanche sur un buffet en bois, une table en pin éraflée et une cheminée dans laquelle reposait une bouilloire noire, froide. La porte voisine s'ouvrait sur un garde-manger, où deux étagères pleines de pommes parfumaient toute la pièce. Le silence qui régnait en ce lieu était oppressant.

Lyra demanda, à voix basse :

— Will, c'est ça le monde des morts ?

La même pensée l'avait frappé. Mais il dit :

— Non. Je ne crois pas. C'est un monde dans lequel on n'est jamais allés. On va emporter le maximum de provisions. Tiens, il y a une sorte de pain de seigle, c'est parfait. C'est léger et... Il y a aussi du fromage.

Quand ils eurent pris tout ce qu'ils pouvaient transporter, Will déposa une pièce d'or dans le tiroir de la grande table en pin.

— Eh bien, quoi ? lança Lyra en voyant Tialys hausser les sourcils. Il faut toujours payer ce qu'on emporte.

À cet instant, Lady Salmakia entra par la porte de derrière et sa libellule se posa sur la table dans un scintillement bleu électrique.

— Des hommes approchent, annonça-t-elle. À pied et armés. Ils ne sont qu'à quelques minutes de marche. Et au-delà des champs, j'ai vu un village incendié.

Alors même qu'elle prononçait ces mots, ils entendirent le martèlement des bottes sur le gravier, une voix grave qui lançait des ordres et le tintement du métal.

— On ferait mieux de décamper, dit Will.

Il sonda le vide avec la pointe du couteau. Immédiatement, il perçut un nouveau type de sensation. La lame semblait glisser sur une surface extrêmement lisse, semblable à un miroir, puis elle s'y enfonça lentement, jusqu'à ce qu'il puisse tailler dans le vide. Mais il sentait une résistance et, quand enfin il parvint à découper une ouverture, Will ouvrit de grands yeux remplis d'étonnement et d'angoisse, car le monde dans lequel il avait ouvert une fenêtre était identique, jusque dans les moindres détails, à celui dans lequel ils se trouvaient à cet instant.

— Que se passe-t-il ? s'enquit Lyra.

Les deux espions regardaient par l'ouverture, perplexes. Mais ils n'éprouvaient pas que de la stupéfaction. De la même manière que l'air avait résisté à la pression du couteau, quelque chose dans cette fenêtre les empêchait de la traverser. Will dut repousser une barrière invisible et tirer Lyra pour l'aider à passer ; quant aux Gallivespiens, ils ne parvenaient pas à avancer. Ils durent poser leurs libellules sur les mains des enfants et, malgré cela, c'était comme si elles devaient lutter contre un vent contraire ; leurs ailes fragiles ployaient et se tordaient, les deux petits cavaliers devaient leur caresser la tête et leur chuchoter des paroles rassurantes pour apaiser leur peur.

Mais après quelques secondes de combat acharné, tous parvinrent à franchir l'ouverture et Will, après avoir trouvé les bords de la fenêtre (bien qu'ils soient invisibles), s'empressa de la refermer, étouffant le bruit des soldats dans le monde voisin.

—Euh... Will..., dit Lyra. Regarde...

Il se retourna et découvrit qu'il y avait quelqu'un dans la cuisine avec eux.

Son cœur fit un bond dans sa poitrine. C'était l'homme qu'il avait vu il y avait moins de dix minutes, couché dans les framboisiers, mort, la gorge tranchée.

Âgé d'une cinquantaine d'années, mince, il avait le visage buriné de quelqu'un qui a passé toute sa vie au grand air. Mais à cet instant, il paraissait presque fou de terreur. Ses yeux étaient tellement écarquillés qu'on voyait le blanc tout autour de ses iris, et il s'accrochait au bord de la table d'une main tremblante. Will constata avec soulagement que sa gorge était intacte.

L'homme ouvrit la bouche pour parler, mais aucun son n'en sortit. Il ne pouvait que pointer le doigt vers Will et Lyra.

Celle-ci dit :

—Excusez-nous de faire intrusion dans votre maison, mais nous devions échapper aux soldats qui approchaient. Si on vous a fait peur, pardonnez-nous. Je m'appelle Lyra, lui c'est Will, et voici nos amis, le chevalier Tialys et Lady Salmakia. Quel est votre nom et où sommes-nous ?

Ces questions banales semblèrent aider l'homme à retrouver ses esprits ; il fut parcouru d'un frisson, comme s'il se réveillait d'un cauchemar.

—Je suis mort, dit-il. Je suis allongé là-bas, mort. Je le sais. Vous, vous n'êtes pas morts. Que se passe-t-il ? Aidez-moi, Seigneur, ils m'ont tranché la gorge. Que se passe-t-il ?

Instinctivement, Lyra se rapprocha de Will et Pantalaimon se réfugia dans son cou, sous la forme d'une souris. Quant aux Gallivespiens, ils s'efforçaient de contrôler leurs libellules, car les grands insectes semblaient avoir une profonde aversion pour cet homme et elles parcouraient la cuisine en tous sens à la recherche d'une issue.

Mais l'homme ne les remarquait même pas. Il essayait encore de comprendre ce qui s'était passé.

—Vous êtes un fantôme ? demanda prudemment Will.

L'homme tendit la main, et Will essaya de la saisir, mais ses doigts se refermèrent sur du vide. Il ne sentit qu'un picotement glacé.

L'homme regarda sa main, effrayé. Sa stupeur commençait à se dissiper et il prenait conscience de son état tragique.

—C'est donc vrai, dit-il. Je suis bien mort... je suis mort, et je vais aller en enfer...

—Chut, fit Lyra. Nous irons tous ensemble. Comment vous appelez-vous ?

—Je m'appelais Dirk Jansen, mais déjà je... Je ne sais pas quoi faire... Je ne sais pas où aller...

Will ouvrit la porte. La cour de la ferme paraissait identique, le potager aussi, le même soleil brumeux éclairait faiblement le décor. Et le cadavre de l'homme était toujours à la même place, dans la même position.

Un petit gémissement s'échappa de la gorge de Dirk Jansen, comme s'il comprenait qu'il n'était plus possible de nier la vérité. Les libellules se précipitèrent par la porte ouverte, tournoyèrent un instant au ras du sol, avant de s'envoler dans les airs, plus rapides que des oiseaux. L'homme regardait autour de lui, hagard, agitant les mains en poussant de petits gémissements.

—Je peux pas rester ici... Je peux pas, disait-il. Mais c'est pas la ferme que j'ai connue. Ça ne va pas. Il faut que je m'en aille...

—Où voulez-vous aller, monsieur Jansen ? demanda Lyra.

—Au bout de la route. Je sais pas... Faut que je parte. Je ne peux pas rester ici.

Salmakia vint se percher sur la main de Lyra. Celle-ci sentait le picotement des petites pattes de la libellule, tandis que la lady disait :

—Des personnes quittent le village. Des personnes semblables à cet homme. Elles marchent toutes dans la même direction.

—Suivons-les, dans ce cas, déclara Will.

Dirk Jansen passa devant son propre corps en détournant le regard. On aurait pu croire qu'il était ivre : il s'arrêtait brusquement, repartait, zigzaguait, trébuchait sur les cailloux et les ornières du chemin que ses pieds connaissaient si bien quand il était vivant.

Lyra emboîta le pas à Will, et Pantalaimon, transformé en crécerelle, s'envola, le plus haut possible, à tel point que la fillette en avait le souffle coupé.

—Ils ont raison, dit-il en revenant vers elle. Une longue colonne de gens quitte le village. Une colonne de morts...

Will et Lyra ne tardèrent pas à les voir à leur tour : une vingtaine d'hommes, de femmes et d'enfants, qui avançaient comme Dirk Jansen, d'un pas hésitant, en état de choc. Le village se trouvait à un peu moins de un kilomètre, et ces gens marchaient dans leur direction, en rangs serrés. En apercevant les autres fantômes, Dirk Jansen se mit à courir vers eux de manière pataude, et ces gens ouvrirent les bras pour l'accueillir.

—Même s'ils ne savent pas où ils vont, ils y vont tous ensemble, commenta Lyra. On ferait peut-être bien de les suivre.

—Crois-tu que ces gens avaient des dæmons dans ce monde ? demanda Will.

—J'en sais rien. Si tu voyais une de ces personnes dans ton monde, saurais-tu que c'est un fantôme ?

—Difficile à dire. Elles n'ont pas l'air très normales... Dans ma ville, je voyais souvent un bonhomme qui se promenait devant les boutiques, en transportant toujours le même vieux sac en plastique, il ne parlait jamais à personne, il n'entrait jamais dans les magasins. Et personne ne le regardait. Moi, j'imaginais que c'était un fantôme. Ces gens lui ressemblent un peu. Peut-être que mon monde est rempli de fantômes, et que je ne le savais pas.

—Pas le mien, ça m'étonnerait, dit Lyra, perplexe.

—Quoi qu'il en soit, on doit être dans le monde des morts. Ces gens viennent d'être tués, sans doute par les soldats, et les voici maintenant, dans ce monde qui ressemble à celui où ils ont vécu. Je pensais que ce serait très différent...

—Il s'efface ! s'exclama Lyra. Regarde !

Elle lui agrippait le bras. Will s'arrêta pour regarder autour de lui : elle avait raison. Peu de temps avant qu'il découvre la fenêtre, à Oxford, qui ouvrait sur le monde de Cittàgazze, il y avait eu une éclipse de soleil et, comme des millions d'autres personnes, il était sorti en plein midi pour voir la lumière du jour disparaître, jusqu'à ce qu'une sorte de crépuscule irréel recouvre les maisons, les arbres, le parc. Tout était aussi clair qu'en plein jour, mais il n'y avait presque plus de lumière, comme si le soleil agonisant se vidait de toutes ses forces.

Ce qui arrivait maintenant ressemblait à cette scène, mais de manière encore plus étrange, car les contours des choses devenaient flous à mesure qu'elles s'assombrissaient.

—Ce n'est pas comme si on devenait aveugles, commenta Lyra, effrayée, car on voit encore les choses, mais on dirait qu'elles s'effacent...

Les couleurs disparaissaient peu à peu. Le vert éclatant des arbres et de l'herbe était remplacé par un vert-de-gris, le jaune vif d'un champ de blé virait au beige, et les briques écarlates d'une belle ferme prenaient une teinte cuivrée.

Les gens s'étaient rapprochés, et eux aussi avaient remarqué ce phénomène ; ils tendaient le doigt et se donnaient la main pour se réconforter.

Les seules taches éclatantes dans ce paysage étaient le rouge et le jaune vifs et le bleu électrique des libellules, et de leurs minuscules cavaliers.

Will, Lyra et les autres approchaient de la personne qui marchait en tête du cortège, et le doute n'était plus permis : c'étaient tous des fantômes. Les deux enfants firent un pas l'un vers l'autre, mais il n'y avait rien à craindre, car les fantômes avaient plus peur qu'eux, et ils gardaient prudemment leurs distances.

—N'ayez pas peur ! leur lança Will. On ne vous fera pas de mal. Où allez-vous ?

Ils se tournèrent vers le plus âgé d'entre eux, comme s'il était leur guide.

—Nous allons là où vont tous les autres, répondit celui-ci. J'ai l'impression de savoir où, mais je ne me souviens pas de l'avoir appris. On dirait que c'est au bord de cette route. Nous le saurons quand nous y arriverons.

—Maman, dit un enfant, pourquoi il fait nuit en plein jour ?

—Chut, mon trésor, ne t'inquiète pas, répondit sa mère. Ça ne sert à rien de s'inquiéter. Je crois que nous sommes morts.

—Mais où on va ? demanda l'enfant. Je veux pas être mort, maman !

—On va retrouver papy, dit la mère, en désespoir de cause.

Mais l'enfant demeurait inconsolable et il se mit à pleurer à chaudes larmes. D'autres personnes du groupe regardaient la mère avec compassion ou agacement, mais elles ne pouvaient rien dire pour l'aider ; elles continuaient à marcher d'un air abattu dans ce paysage qui disparaissait peu à peu, accompagnées par les pleurs de l'enfant.

Le chevalier Tialys s'était entretenu avec Salmakia avant de partir en éclaireur ; Will et Lyra regardèrent la libellule disparaître au loin, regrettant déjà ses couleurs éclatantes et son énergie. La lady vint se poser avec sa monture sur la main de Will.

—Le chevalier est parti en reconnaissance, dit-elle. Nous pensons que le paysage s'efface parce que ces gens l'oublient. Plus ils s'éloigneront de leurs maisons, plus il fera nuit.

—Mais pourquoi s'en vont-ils, à votre avis ? demanda Lyra. Moi, si j'étais un fantôme, je voudrais rester dans les endroits que j'ai connus, au lieu de partir au hasard et de me perdre.

—Ils sont malheureux ici, risqua Will. C'est l'endroit où ils viennent de mourir, ils en ont peur.

—Non, ils sont attirés par quelque chose, dit Lady Salmakia. Leur instinct les conduit sur cette route.

En effet, les fantômes avançaient avec davantage de détermination maintenant que leur village n'était plus en vue. Le ciel était d'un noir d'orage, mais sans cette tension électrique qui précède le déchaînement des cieux. Les fantômes marchaient d'un pas régulier, en suivant la route qui traversait en ligne droite un paysage presque désertique.

De temps à autre, l'un d'eux jetait un regard à Will ou à Lyra, à la libellule éclatante et à sa cavalière, avec une certaine curiosité. Finalement, le doyen du groupe s'adressa à Will :

—Toi et la fille, vous n'êtes pas morts. Vous n'êtes pas des fantômes. Que venez-vous faire parmi nous ?

—Nous sommes arrivés ici par accident, répondit Lyra à la place de Will. Je ne sais pas ce qui s'est passé. On essayait d'échapper à ces hommes, et on s'est retrouvés ici sans le vouloir.

—Comment saurez-vous que vous êtes arrivés à destination ? demanda Will.

—Je pense qu'on nous avertira, répondit le fantôme d'un ton confiant. Ils sépareront les pécheurs des justes. Inutile de prier maintenant. C'est trop tard. Il fallait le faire pendant que vous étiez en vie. Ça ne sert plus à rien maintenant !

Il était facile de deviner dans quelle catégorie se classait cet homme et, de toute évidence, il pensait qu'ils ne seraient pas très nombreux à en faire partie. Les autres fantômes l'écoutaient avec une certaine gêne, mais il était leur seul guide, aussi le suivaient-ils sans protester.

Ils continuaient donc à avancer en silence, sous un ciel qui avait finalement pris une couleur de plomb, et cessé de s'assombrir. Les vivants, eux, se surprirent à jeter des regards alentour, à la recherche de taches de couleur, d'un peu de vie et de gaieté. Mais leurs espoirs furent déçus, jusqu'à ce qu'une petite étincelle apparaisse droit devant et se précipite vers eux dans les airs. C'était le chevalier. Salmakia éperonna sa monture ailée pour filer à sa rencontre, en laissant échapper un cri de plaisir.

Les Gallivespiens échangèrent quelques mots avant de revenir vers les enfants.

—Il y a une ville un peu plus loin, déclara Tialys. Elle ressemble à un camp de réfugiés ; pourtant, on dirait qu'elle existe depuis des siècles, et même plus. Je crois qu'il y a un lac ou une mer juste après, mais tout est recouvert de brume. J'ai entendu des cris d'oiseaux. Des centaines de personnes affluent à chaque minute, de toutes les directions, des gens semblables à ces... fantômes...

Les morts eux aussi écoutaient le récit du chevalier, mais avec une sorte d'indifférence. Ils semblaient être entrés dans un état de transe, et Lyra avait envie de les secouer, de les pousser à lutter, pour qu'ils se réveillent et cherchent une issue.

—Oh, Will, comment va-t-on faire pour aider ces gens ?

Il n'en avait pas la moindre idée. Alors qu'ils se remettaient en marche, ils perçurent un mouvement à l'horizon, à droite et à gauche, et droit devant s'élevait une lente colonne de fumée sale qui venait ajouter sa grisaille à la noirceur sinistre de l'atmosphère. Le mouvement provenait d'un groupe de gens, ou de fantômes : en file indienne, par deux, par petits groupes ou seuls, les mains vides, des centaines de milliers d'hommes, de femmes et d'enfants traversaient l'immense plaine en direction de la fumée.

Le sol descendait en pente douce et le décor ressemblait de plus en plus à une décharge. L'air était moite, saturé de fumée et d'odeurs diverses : produits chimiques âcres, matière végétale en décomposition, eaux usées... Plus ils avançaient, pire c'était. Il n'y avait plus une seule parcelle de terre propre en vue et les seules plantes qui poussaient dans cet endroit étaient des mauvaises herbes et de vulgaires ronces grises.

Devant eux, au-dessus de l'eau, flottait un épais brouillard. Il s'élevait comme une falaise et venait se fondre dans le ciel sinistre, et c'était de là, quelque part au milieu de cette masse compacte, que venaient les cris d'oiseaux dont parlait Tialys.

Entre les monticules de déchets et le brouillard s'étendait la première ville des morts.

CHAPITRE 19

LYRA ET SA MORT

J'étais en colère contre mon ami,
j'exprimai ma fureur,
et ma fureur disparut.
WILLIAM BLAKE

 Ici et là, des feux avaient été allumés au milieu des ruines. La ville était un gigantesque fatras de pierres, sans rues, sans places, sans espace vide, sauf aux endroits où une maison s'était écroulée. Quelques églises ou bâtiments publics se dressaient encore au-dessus des gravats, mais leurs toitures étaient crevées ou leurs murs lézardés, un portique s'était même affaissé sur les colonnes qui le soutenaient. Entre les carcasses vides des bâtiments de pierre, un labyrinthe de cabanes et de baraques avait été construit à l'aide de poutres brisées, de vieux bidons de pétrole cabossés, de boîtes de biscuits en fer, de plaques de polyéthylène, de planches de contreplaqué et de morceaux de carton.

Les fantômes qui avaient fait la route en compagnie de Lyra et des autres se précipitaient vers cette ville, et d'autres individus semblables arrivaient de toutes les directions. On aurait dit des grains de sable glissant vers le trou d'un sablier. Les fantômes pénétraient directement dans le capharnaüm sordide de la ville comme s'ils savaient où ils allaient. Lyra et Will s'apprêtaient à les suivre mais, soudain, une silhouette indistincte sortit de l'encadrement d'une porte rafistolée et une voix s'exclama :

— Pas si vite !

Une faible lumière luisait derrière cet homme, et on avait du mal à discerner ses traits, mais ils savaient que ce n'était pas un fantôme. Il était vivant, comme eux. C'était un homme mince, qui aurait pu avoir n'importe quel âge, vêtu d'un costume déchiré ; il tenait un stylo et une liasse de feuilles de papier maintenues par une pince à dessin. La maison d'où il était sorti ressemblait à un poste de douane, installé à une frontière rarement traversée.

— Quel est donc cet endroit ? lui demanda Lyra. Et pourquoi ne peut-on pas y entrer ?

— Vous n'êtes pas morts, répondit l'homme d'un ton las. Il faut attendre dans la zone de transit. Allez un peu plus loin sur la gauche et donnez ces papiers à l'agent qui se trouve à l'entrée.

— Pardonnez-moi, monsieur, dit Lyra, j'espère que vous ne m'en voudrez pas de vous demander ça, mais comment a-t-on pu arriver jusqu'ici, si nous ne sommes pas morts ? Car c'est bien le monde des morts, n'est-ce pas ?

— C'est une banlieue du monde des morts. Parfois, des vivants se retrouvent ici par erreur, mais ils doivent attendre dans la zone de transit avant de pouvoir continuer.

— Pendant combien de temps ?

— Jusqu'à ce qu'ils meurent.

Will fut pris de tournis. Voyant que Lyra allait protester, il s'empressa de la devancer :

— Pouvez-vous nous expliquer simplement ce qui se passe ensuite ? Ces fantômes qui viennent ici, ils restent dans cette ville pour toujours ?

— Non, non, répondit le fonctionnaire. Ici, ce n'est qu'un port. Ils prennent le bateau ensuite.

— Pour aller où ? demanda Will.

— Ça, je n'ai pas le droit de vous le dire, répondit l'homme, et un petit sourire amer creusa deux rides aux coins de sa bouche. Allez, circulez, maintenant. Vous devez aller dans la zone de transit.

Will prit les papiers qu'il leur tendait, puis il agrippa Lyra par le bras et l'entraîna.

Les libellules volaient plus lentement, et Tialys expliqua qu'elles avaient besoin de se reposer. Alors, elles se posèrent sur le sac à dos de Will et Lyra autorisa les deux espions à se percher sur ses épaules. Pantalaimon, transformé en léopard, leur jetait des regards jaloux, mais il ne dit rien. Ils marchaient, suivant le chemin, contournant les misérables cabanes, les flaques d'eaux usées en observant le flot ininterrompu de fantômes qui se déversait dans la ville, sans rencontrer le moindre obstacle.

— Il faut franchir cette eau, comme les autres, déclara Will. Peut-être que les gens dans cette zone de transit nous renseigneront. Ils n'ont pas l'air agressifs, en tout cas, ni dangereux. C'est étrange. Et ces papiers...

C'étaient de simples feuilles arrachées à un carnet, sur lesquelles des mots avaient été griffonnés au hasard, puis rayés. On aurait dit que tous ces gens jouaient à un jeu ; ils attendaient de voir à quel moment les voyageurs allaient les provoquer, ou bien renoncer et éclater de rire. Et pourtant, tout paraissait tellement réel !

Il faisait de plus en plus sombre et froid ; il n'était pas facile de garder la notion du temps. Lyra avait l'impression qu'ils marchaient ainsi depuis une demi-heure, mais cela faisait peut-être deux fois plus longtemps. Le décor ne changeait pas. Enfin, ils atteignirent une petite cabane en bois, semblable à celle devant laquelle on les avait arrêtés précédemment. Une ampoule électrique de faible intensité était suspendue à un fil au-dessus de la porte.

Alors qu'ils approchaient, un homme vêtu à peu près comme le premier sortit, une tartine de pain beurré à la main. Sans un mot, il examina leurs papiers et hocha la tête.

Il les leur rendit et s'apprêtait à rentrer, quand Will le rappela :

— Excusez-moi... Où doit-on aller maintenant ?

— Trouvez un endroit pour vous installer, répondit l'homme d'un ton rogue. Demandez aux autres. Tout le monde attend, comme vous.

Il pivota sur lui-même et referma sa porte pour ne pas laisser entrer le froid. Les voyageurs n'avaient plus qu'à pénétrer au cœur de ce bidonville où devaient attendre les vivants.

Cet endroit ressemblait beaucoup à la ville principale : de petites cabanes misérables, rafistolées d'innombrables fois, avec des bâches en plastique ou des plaques de tôle ondulée, appuyées n'importe comment les unes contre les autres le long de ruelles boueuses. Par endroits, un fil électrique pendait dans le vide et fournissait juste assez de courant pour alimenter une ampoule ou deux, fixées au-dessus des cabanes les plus proches. Mais la principale source lumineuse, c'étaient les feux, dont la lueur enfumée projetait des ombres dansantes et rouges sur les matériaux hétéroclites des constructions, comme les dernières flammes d'une gigantesque explosion, qui continuaient à vivre par pure cruauté.

En approchant, Will, Lyra et les Gallivespiens distinguèrent cependant de nouveaux détails et, surtout, plusieurs silhouettes recroquevillées dans l'obscurité, appuyées contre les murs, seules ou par petits groupes, parlant à voix basse.

— Pourquoi ces gens sont-ils dehors ? demanda Lyra. Il fait froid.

— Ce ne sont pas des gens, répondit Lady Salmakia. Ni même des fantômes. C'est autre chose, mais je ne sais pas quoi.

Les voyageurs approchèrent des premières cabanes, éclairées par une unique ampoule de faible puissance, qui se balançait doucement au bout d'un fil dans le vent glacial. Instinctivement, Will posa la main sur le manche de son poignard. Un groupe de ces êtres à l'apparence humaine se tenait devant la maison, accroupi, en train de jouer aux dés. En voyant approcher les enfants, ils se levèrent : ils étaient cinq, tous des hommes ; leurs visages disparaissaient dans l'ombre, ils étaient vêtus de haillons. Aucun ne parlait.

—Comment s'appelle cette ville ? demanda Will.

Pas de réponse. Certains reculèrent d'un pas et ils se rapprochèrent les uns des autres, comme s'ils avaient peur. Lyra sentit le duvet de ses bras se hérisser, sans qu'elle en comprît la raison. Sous sa chemise, Pantalaimon tremblait et murmurait :

—Non, non, Lyra. Va-t'en, ne restons pas ici, je t'en supplie...

Les gens ne bougeaient pas. Finalement, Will haussa les épaules et dit :

—Bon, bah, bonsoir à vous.

Et il repartit. Ils rencontrèrent des réactions similaires chez tous ceux qu'ils croisaient et à qui ils s'adressaient et, chaque fois, leur inquiétude s'amplifiait.

—Dis, Will, tu crois que ce sont des Spectres ? demanda Lyra à voix basse. On est devenus assez grands pour voir les Spectres ?

—Non, je ne pense pas. Si c'étaient des Spectres, ils nous attaqueraient. Or, on dirait qu'ils ont peur de nous. Je ne sais pas ce que sont ces créatures.

Soudain, une porte s'ouvrit et une lumière jaune se répandit sur le sol boueux. Un homme — un véritable homme, un être humain — se tenait dans l'encadrement, et il les regardait approcher. Le petit groupe de créatures rassemblées autour de la porte recula de plusieurs pas, comme par respect, et les voyageurs découvrirent alors le visage de l'homme : flegmatique, inoffensif et doux.

—Qui êtes-vous ? leur demanda-t-il.

—Des voyageurs, répondit Will. Nous ne savons pas où nous sommes. Quelle est cette ville ?

—C'est la zone de transit, déclara l'homme. Vous venez de loin ?

—Oui, de très loin, et nous sommes fatigués, dit Lyra. Pourrions-nous vous acheter de la nourriture et vous payer pour avoir un toit ?

L'homme scrutait l'obscurité derrière eux, puis il sortit de chez lui pour examiner les alentours, comme s'il cherchait quelqu'un. Finalement, il se tourna vers les êtres étranges qui se tenaient à proximité, et leur demanda :

—Avez-vous vu une mort ?

Ils secouèrent la tête, et les enfants entendirent une voix murmurer :

—Non, non, aucune.

L'homme se retourna. Derrière lui, dans l'encadrement de la porte, des visages apparaissaient : une femme, deux jeunes enfants et un second homme. Ils paraissaient nerveux et inquiets.

—La mort ? dit Will. Nous n'apportons pas la mort.

Cela semblait être justement la chose qu'ils redoutaient car, quand Will prononça ces mots, tous les vivants laissèrent échapper un petit hoquet d'effroi, et même les créatures rassemblées au-dehors eurent un mouvement de recul.

—Excusez-moi, dit Lyra en s'avançant, avec son air le plus poli, comme si le concierge de Jordan College la foudroyait du regard. Je n'ai pas pu m'empêcher de remarquer la présence de ces... messieurs dehors. Sont-ils morts ? Pardonnez la brutalité de ma question mais, voyez-vous, là d'où nous venons, c'est une chose inhabituelle, et c'est la première fois que nous voyons des créatures semblables. Si je vous parais impolie, je vous prie de me pardonner. Dans mon monde, nous avons des dæmons, chacun possède un dæmon, et si nous voyions quelqu'un sans dæmon, nous serions choqués, comme vous êtes choqués de nous voir. Mais depuis que nous voyageons, Will et moi — voici Will, et moi, je suis Lyra —, j'ai appris qu'il existait des gens qui n'avaient pas de dæmon, comme Will par exemple, et au début j'étais morte de peur, je l'avoue, jusqu'à ce que je m'aperçoive que c'étaient en réalité des gens normaux, comme moi. C'est peut-être la raison pour laquelle notre présence vous rend nerveux, si vous pensez que nous sommes différents.

—Lyra ? Will ? répéta l'homme.

—Oui, monsieur, répondit-elle, humblement.

—Et ça, ce sont vos dæmons ? demanda-t-il en désignant les deux espions perchés sur les épaules de Lyra.

—Non, répondit-elle, et elle fut tentée d'ajouter : « Ce sont nos domestiques », mais elle sentit que cela n'aurait pas plu à Will. Ce sont nos amis, le chevalier Tialys et Lady Salmakia, des gens très distingués et avisés qui voyagent avec nous. Et voici mon dæmon, ajouta-t-elle en sortant Pantalaimon de sous sa chemise. Vous voyez, nous sommes inoffensifs et nous promettons de ne pas vous faire de mal. Nous voulons juste à manger et un toit. Nous repartirons dès demain. Promis.

Tout le monde attendait. La nervosité de l'homme avait été quelque peu atténuée par le ton aimable de Lyra, et les deux espions avaient eu la bonne idée d'afficher un air modeste et inoffensif. Au bout d'un moment, l'homme dit :

—Tout cela est étrange, mais nous vivons une époque étrange... Entrez donc, soyez les bienvenus.

Les créatures rassemblées au-dehors hochèrent la tête, une ou deux s'inclinèrent, et elles s'écartèrent respectueusement pour laisser entrer Will et Lyra dans la chaleur et la lumière de la maison. L'homme referma la porte derrière eux et accrocha un fil de fer à un clou pour la maintenir fermée.

La cabane se composait d'une pièce unique, éclairée par une lampe à naphte posée sur la table, propre, mais misérable. Les murs en contreplaqué étaient décorés de photos de vedettes de cinéma découpées dans des magazines et de motifs réalisés avec des empreintes de doigts noirs de suie. Un poêle en fonte était appuyé contre un des murs, et devant se trouvait un séchoir à linge sur lequel pendaient des chemises défraîchies et fumantes ; sur un buffet étaient posés un autel constitué de fleurs en plastique, de coquillages, de bouteilles de parfum colorées et autres bricoles de mauvais goût, disposées autour de la photo d'un squelette guilleret coiffé d'un chapeau haut de forme et portant des lunettes noires.

La cabane était surpeuplée : outre l'homme, la femme et les deux jeunes enfants, il y avait un bébé dans un berceau, un deuxième homme plus âgé et, dans un coin, sur un tas de couvertures, une femme très vieille était allongée. Elle regardait tout ce qui se passait avec des yeux pétillants, au milieu d'un visage ridé. En l'observant, Lyra eut un choc : les couvertures bougèrent brusquement et un bras décharné apparut, enveloppé d'une manche noire, suivi d'un second visage, un visage d'homme cette fois, si vieux qu'on aurait presque dit un squelette. À vrai dire, il ressemblait davantage au squelette de la photo qu'à un être humain. Will l'aperçut à son tour, et tous les voyageurs comprirent en même temps qu'il était de la même espèce que ces créatures craintives et respectueuses qui attendaient dehors. Ils se figèrent, comme l'homme quand il les avait découverts devant sa porte.

En fait, toutes les personnes présentes dans cette cabane surpeuplée, à l'exception du bébé qui dormait, étaient muettes de stupeur. Finalement, ce fut Lyra qui retrouva la parole la première :

—C'est très aimable à vous, merci. Bonsoir à tous. Nous sommes ravis d'être ici. Et comme je le disais, nous sommes désolés d'arriver sans une mort, si telle est la coutume locale. Mais nous ne vous dérangerons pas longtemps. En fait, nous cherchons le pays des morts, et c'est comme ça que nous avons atterri ici. Mais nous ne savons pas où il se trouve, ni si cet endroit en fait partie, ni comment nous y rendre. Alors, si vous pouvez nous renseigner, nous vous en serions très reconnaissants.

Les habitants de la cabane demeuraient hébétés, mais les paroles de Lyra détendirent un peu l'atmosphère, et la femme invita les voyageurs à s'asseoir autour de la table, en tirant un banc. Will et Lyra déposèrent les libellules endormies sur une étagère dans un coin sombre, et Tialys dit qu'elles dormiraient jusqu'au lever du jour, puis les Gallivespiens s'installèrent à table eux aussi.

La femme avait préparé un ragoût. Elle éplucha quelques pommes de terre qu'elle coupa dans la marmite afin de rendre le plat plus copieux, et elle incita son mari à offrir des rafraîchissements à leurs hôtes pendant que le ragoût mijotait. L'homme sortit une bouteille contenant un liquide transparent et âcre qui sentait un peu comme le genièvre des gitans, se dit Lyra, et les deux espions acceptèrent eux aussi un verre, dans lequel ils plongèrent leurs propres petites coupes pour boire.

Lyra avait cru que la famille n'aurait d'yeux que pour l'étrange couple de Gallivespiens, mais elle s'aperçut que leur curiosité était dirigée tout autant vers Will et elle-même. Elle ne tarda pas à demander pour quelle raison :

— Vous êtes les premières personnes qu'on voit qui n'ont pas de mort, expliqua l'homme qui se nommait Peter, apprirent-ils. Depuis notre arrivée ici, je veux dire. Nous sommes comme vous, nous sommes venus ici avant d'être morts, par hasard ou par accident. Nous devons attendre que notre mort nous informe que l'heure a sonné.

— Votre mort va vous prévenir ? demanda Lyra.

— Parfaitement. C'est ce que nous avons appris en arrivant ici, il y a longtemps pour la plupart. Nous avons découvert que nous amenions tous notre mort avec nous. Nos morts étaient à nos côtés depuis toujours, mais on ne le savait pas. Vous voyez, tout le monde en a une. Elle nous accompagne partout, durant toute notre vie, tout près. Les nôtres sont dehors, elles prennent l'air. Mais elles entreront bientôt. La mort de grand-mère est déjà là, tout près d'elle.

— Cela ne vous effraie pas de voir votre mort si proche, en permanence ?

— Pourquoi donc ? Quand elle est près de vous, vous pouvez l'avoir à l'œil. Franchement, je serais beaucoup plus inquiet si je ne savais pas où elle est.

— Tout le monde a sa propre mort ? demanda Will, stupéfait.

— Oui, dès que vous naissez, votre mort vient au monde en même temps que vous, et c'est elle qui vous emporte.

— Ah ! Voilà justement ce qu'on veut savoir, dit Lyra. Nous cherchons la terre des morts, mais nous ne savons pas comment y accéder. Où va-t-on une fois qu'on meurt ?

— Votre mort vous tape sur l'épaule, ou bien elle vous prend la main, et elle vous dit : « Suis-moi, l'heure a sonné. » Ça peut arriver quand vous êtes malade, avec une forte fièvre, ou quand vous vous étouffez avec un morceau de pain, quand vous tombez d'une fenêtre. Alors que vous souffrez, la mort vient vers vous, gentiment, et elle vous dit : « Du calme, mon enfant, viens avec moi. » Alors, vous montez sur un bateau avec elle et vous traversez le lac, dans le brouillard. Ce qui se passe ensuite, nul ne le sait. Personne n'est jamais revenu pour le raconter.

La femme demanda à un des enfants de faire entrer les morts, et celui-ci se précipita au-dehors pour leur parler. Sous le regard hébété de Will, de Lyra et des Gallivespiens qui s'étaient rapprochés l'un de l'autre, elles – une pour chaque membre de la famille – entrèrent dans la cabane : silhouettes pâles et banales, pauvrement vêtues, tristes, muettes et ternes.

– Ce sont vos morts ? demanda Tialys.

– En effet, monsieur, répondit Peter.

– Savez-vous déjà quand elles vous annonceront que le moment est venu de les suivre ?

– Non. Mais on sait qu'elles sont tout près, et c'est déjà un réconfort.

Tialys ne dit rien, mais il était évident qu'il ne partageait pas ce point de vue. Les morts s'alignèrent bien sagement contre le mur ; il était étrange de voir à quel point elles prenaient peu de place et attiraient peu l'attention. Lyra et Will se surprirent bientôt à ignorer leur présence, même si Will se disait : « Ces hommes que j'ai tués, ils avaient leur mort à côté d'eux depuis toujours, mais ils l'ignoraient, et moi aussi... »

La femme, prénommée Martha, servit le ragoût dans des assiettes émaillées ébréchées, et elle en mit un peu dans un bol pour les morts, qui le firent circuler. Elles ne mangeaient pas, elles se contentaient de renifler le délicieux fumet et cela leur suffisait. La famille et ses hôtes mangeaient maintenant avec appétit, et Peter demanda aux deux enfants d'où ils venaient, et à quoi ressemblait leur monde.

– Je vais vous raconter, dit Lyra.

En disant cela, elle prenait les choses en main et elle sentit un petit courant de plaisir monter dans sa poitrine, comme les bulles dans le champagne. Elle savait que Will l'observait, et elle était heureuse qu'il la voie faire ce qu'elle réussissait le mieux, pour lui et pour eux tous.

Elle commença par parler de ses parents. C'étaient un duc et une duchesse, dit-elle, des gens très riches et très importants qui avaient été dépouillés de leurs biens par un adversaire politique et jetés en prison. Heureusement, ils avaient réussi à s'échapper en descendant le long d'une corde, la petite Lyra blottie dans les bras de son père, et ils avaient récupéré leur fortune familiale, avant d'être attaqués et assassinés par des hors-la-loi. Lyra aurait été tuée elle aussi, si Will ne l'avait pas sauvée à temps en l'emmenant dans la forêt, où il vivait parmi les loups qui l'avaient élevé comme l'un d'entre eux. Il était tombé du bateau de son père quand il était tout petit et s'était échoué sur une côte déserte. Là, une louve l'avait allaité et lui avait permis de survivre.

Son auditoire gobait ces invraisemblances avec une crédulité placide, et les morts elles-mêmes se rapprochèrent pour écouter, perchées sur le banc ou allongées par terre, près de la table ; elles regardaient Lyra avec leurs visages courtois et doux, tandis qu'elle faisait le récit de son existence avec Will dans la forêt.

Will et Lyra vécurent avec les loups pendant un certain temps, puis ils se rendirent à Oxford pour travailler dans les cuisines de Jordan College. Là, ils firent la connaissance de Roger, et lorsque Jordan College fut attaqué par les briquetiers qui vivaient dans les carrières d'argile, ils durent s'enfuir en toute hâte, c'est ainsi que Will, Roger et elle s'emparèrent d'un bateau appartenant à des gitans pour descendre la Tamise, manquant de se faire prendre à Abingdon Long, mais ils furent coulés par les pirates de Wapping peu de temps après, et durent nager jusqu'à un clipper qui faisait route vers Hang Chow en Chine pour rapporter du thé.

À bord de ce trois-mâts, ils firent la connaissance des Gallivespiens, des étrangers venus de la lune, transportés sur terre par une puissante bourrasque jaillie de la Voie lactée. Ils avaient trouvé refuge dans le nid-de-pie de la vigie. Will, Roger et elle prirent l'habitude de monter tour à tour au sommet du grand mât pour aller les voir mais, un jour, le pauvre Roger perdit l'équilibre et tomba dans l'océan.

Ils tentèrent de convaincre le capitaine de faire demi-tour pour le secourir, mais c'était un homme insensible qui ne s'intéressait qu'à l'argent et il voulait atteindre la Chine le plus vite possible. Pour avoir la paix, il les fit jeter aux fers. Mais les Gallivespiens leur apportèrent une lime et...

Et ainsi de suite. De temps à autre, Lyra se tournait vers Will ou les espions pour obtenir la confirmation de ses dires ; Salmakia ajoutait un ou deux détails, Will hochait la tête, et l'histoire se poursuivit ainsi jusqu'au moment où les deux enfants et leurs amis tombés de la lune durent trouver le chemin du pays des morts afin d'apprendre, de la bouche de leurs parents, l'endroit secret où était cachée la fortune familiale.

— Si, dans notre monde, on connaissait notre mort comme vous, dit-elle, ce serait plus facile, sans aucun doute. Mais je me dis que nous avons eu de la chance d'arriver jusqu'ici, pour bénéficier de vos conseils. Merci encore pour votre gentillesse et votre attention, et pour ce repas, c'était vraiment très bon.

Mais ce qu'il nous faut maintenant, ou demain matin peut-être, c'est trouver un moyen de traverser cette étendue d'eau comme le font les morts, pour voir si on peut aller de l'autre côté, nous aussi. Croyez-vous qu'on puisse louer des sortes d'embarcations ?

Les membres de la famille paraissaient dubitatifs. Les enfants, les yeux gonflés par la fatigue, regardaient tous les adultes l'un après l'autre, mais aucun ne savait où on pouvait louer un bateau.

S'éleva alors une voix qui ne s'était pas fait entendre jusqu'alors. Des profondeurs des couvertures, dans le coin de la pièce, monta une voix nasillarde et brisée ; ce n'était pas celle d'une femme, elle n'était même pas humaine : c'était la voix de la mort de la grand-mère.

— La seule façon de traverser le lac jusqu'au pays des morts, dit-elle en se dressant sur un coude et en pointant son doigt décharné sur Lyra, c'est d'y aller avec votre mort. Il suffit de l'appeler. J'ai entendu parler de gens comme vous, qui maintiennent leur mort à l'écart. Vous ne l'aimez pas, alors par politesse elle reste en retrait. Mais elle n'est jamais très loin. Chaque fois que vous tournez la tête, elle se glisse derrière vous. Et chaque fois que vous essayez de l'apercevoir, elle se cache. Elle peut se dissimuler dans une tasse de thé. Dans une goutte de rosée. Ou dans un souffle de vent. Pas comme moi et la vieille Magda, hein ? dit la mort en pinçant la joue desséchée de la vieille femme, qui repoussa sa main avec agacement. Nous vivons en bonne amitié toutes les deux. Voilà la réponse à la question, petite. Voilà ce que vous devez faire. Invitez vos morts, accueillez-les chaleureusement, sympathisez avec elles, et vous verrez bien si vous pouvez vous arranger entre vous.

Ces paroles tombaient dans l'esprit de Lyra comme de lourdes pierres, et Will sentait lui aussi leur poids écrasant.

— Comment faut-il faire ? demanda-t-il.

— C'est simple. Il suffit de le souhaiter, et c'est fait.

— Attendez ! s'exclama Tialys.

Tous les regards se posèrent sur lui ; les morts qui étaient allongées par terre se redressèrent sur le flanc et tournèrent leurs visages vides et mornes vers cette minuscule créature pleine de fougue. Le chevalier se tenait près de Lady Salmakia, la main sur son épaule. Lyra devina ses pensées : il allait dire que tout cela avait assez duré, qu'ils devaient faire demi-tour maintenant, car cette folie prenait des proportions insensées.

Alors, elle intervint :

— Excusez-moi, dit-elle au dénommé Peter, mais il faut que je sorte un instant avec mon ami le chevalier, il a besoin de communiquer avec ses amis sur la lune, grâce à mon instrument spécial. Cela ne sera pas long.

Elle prit délicatement l'espion dans sa main, en évitant ses éperons, et l'emmena dehors dans l'obscurité, où un morceau de tôle ondulée détaché du toit cognait dans le vent glacial comme un glas sinistre.

— Arrête ça tout de suite ! s'écria Tialys dès que Lyra l'eut déposé sur un baril de pétrole retourné, dans la lumière blafarde des quelques ampoules nues suspendues à un fil électrique au-dessus de leurs têtes. Ça suffit comme ça. Stop!

—Nous avons conclu un accord, dit Lyra.

—Non. Il n'était pas question d'aller aussi loin.

—Très bien. Allez-vous-en, dans ce cas. Repartez sur vos libellules. Will vous ouvrira une fenêtre sur votre monde, ou n'importe quel autre monde de votre choix, et vous pourrez vous y réfugier. Nous n'avons pas besoin de vous.

—As-tu conscience de ce que tu fais?

—Oui.

—Non. Tu n'es qu'une sale gamine irresponsable, écervelée et menteuse. Tu possèdes une telle imagination que ta nature tout entière est faite de mensonges, et tu n'es même pas capable de reconnaître la vérité. Je vais donc te mettre les points sur les i: tu ne peux pas, tu ne dois pas risquer ta vie. Tu dois venir avec nous immédiatement. Je vais contacter Lord Asriel et dans quelques heures nous serons à l'abri dans sa forteresse.

Lyra sentit un énorme sanglot de rage gonfler dans sa poitrine; elle frappa du pied sur le sol, incapable de se contrôler.

—Vous ne savez rien! Vous ignorez ce que j'ai dans le cœur, ou dans la tête! Je ne sais pas si vous avez des enfants chez vous, peut-être que vous pondez des œufs, je n'en serais pas étonnée, car vous n'êtes pas un être gentil, vous n'êtes pas généreux, vous n'êtes pas compatissant... vous n'êtes même pas cruel! Ce serait mieux si vous étiez cruel, ça voudrait dire que vous nous prenez au sérieux, que vous ne nous avez pas suivis seulement parce que ça vous arrangeait... Je ne peux plus vous faire confiance désormais! Vous avez promis de nous aider, vous disiez qu'on ferait tout ensemble, et maintenant vous voulez nous empêcher de continuer... C'est vous qui êtes malhonnête, Tialys!

—Jamais je ne laisserais mon enfant me parler de manière aussi insolente, Lyra! Je ne t'ai pas encore punie...

—Allez-y! Punissez-moi, puisque vous pouvez le faire! Utilisez donc vos fichus éperons! Plantez-les fort, allez-y! Tenez, je vous donne ma main... Allez-y! Vous n'avez aucune idée de ce que j'ai dans le cœur, sale créature prétentieuse et égoïste. Vous ne savez pas à quel point je me sens triste et coupable à cause de mon ami Roger. Vous autres, vous tuez les gens comme ça! dit-elle en faisant claquer ses doigts. Pour vous, ça ne compte pas. Mais pour moi, c'est une torture et une souffrance permanentes; je n'ai pas pu dire adieu à mon ami Roger, je veux lui demander pardon et essayer de me racheter si je le peux. Mais ça, vous ne pouvez pas le comprendre, malgré toute votre fierté et toute votre sagesse d'adulte. Même si je dois mourir pour faire ce que je dois faire, tant pis, je mourrai, et j'en serai heureuse. J'ai connu pire. Vous voulez me tuer, vous l'homme brutal, l'homme fort, l'empoisonneur, vous le chevalier ? Allez-y, faites-le, tuez-moi. Comme ça, Roger et moi nous pourrons jouer éternellement au pays des morts, et on se moquera de vous, pauvre chose pitoyable !

Il était facile de deviner ce qu'aurait pu faire Tialys à cet instant, car il était tout rouge et tremblant de fureur de la tête aux pieds, mais il n'eut pas le temps de réagir car soudain une voix s'éleva dans le dos de Lyra, et tous les deux sentirent un froid glacial les envelopper. La fillette se retourna, sachant ce qu'elle allait découvrir ; elle tremblait de peur, malgré sa bravade.

La mort se tenait devant elle, tout près, avec un grand sourire chaleureux. Son visage ressemblait parfaitement à ceux des autres morts, mais celle-ci, c'était la sienne, sa propre mort, et Pantalaimon, blotti sur sa poitrine, poussa un hurlement en tremblant et son corps d'hermine s'enroula autour du cou de Lyra pour tenter de l'éloigner de cette apparition. Mais en faisant cela, il s'en rapprocha sans le vouloir, et s'empressa de revenir se blottir sur la gorge chaude de Lyra, contre les battements violents de son cœur.

Lyra le serra contre elle et regarda la mort en face. Du coin de l'œil, elle voyait Tialys préparer rapidement son résonateur ; il ne faisait pas attention à elle.

— Vous êtes ma mort, n'est-ce pas ? dit-elle.

— Exact, ma chère.

— Vous n'allez pas m'emmener maintenant, quand même ?

— Tu m'as appelée. Je suis toujours là.

— Oui, mais... D'accord, c'est vrai, mais... Je veux aller dans le monde des morts, en effet. Mais je ne veux pas mourir. J'aime la vie, et j'aime mon dæmon... Les dæmons ne nous suivent pas, hein ? J'en ai vu disparaître quand les gens meurent, comme une bougie qu'on éteint. Y en a-t-il dans le pays des morts ?

— Non. Le tien se volatilise dans les airs, et toi, tu disparais sous terre.

— Moi, je veux emmener mon dæmon quand j'irai dans le pays des morts, déclara-t-elle d'un ton catégorique. Et je veux en revenir. Est-ce que ça s'est déjà vu, des gens qui reviennent ?

— Pas depuis une éternité. Un jour ou l'autre, mon enfant, tu iras dans le monde des morts, sans effort, sans risque, après un voyage calme et sans danger, en compagnie de ta propre mort, ton amie loyale qui est à tes côtés à chaque instant de ta vie, qui te connaît mieux que toi-même...

—Mon meilleur ami, le plus loyal, c'est Pantalaimon ! Vous, la mort, je ne vous connais pas ! Je connais Pan et je l'aime, et si jamais il... si nous...

La mort hochait la tête. Elle semblait comprendre et compatir, mais Lyra ne pouvait pas oublier, même un instant, qui était cette créature : sa propre mort. Si près...

—Je sais qu'il sera difficile de continuer, dit-elle d'une voix plus maîtrisée. Et dangereux également. Mais je le veux, je le veux de tout mon cœur. Et Will aussi. Tous les deux nous avons perdu des personnes chères, trop tôt, et nous devons nous faire pardonner, enfin, moi du moins.

—Tout le monde voudrait parler à ceux qui sont partis dans le monde des morts. Pourquoi ferait-on une exception pour toi ?

—Parce que... j'ai une chose à accomplir là-bas, dit-elle en se lançant dans un nouveau mensonge. Je ne dois pas seulement voir mon ami Roger. Un ange m'a confié une tâche, et personne d'autre que moi ne peut l'accomplir. C'est trop important pour que j'attende de mourir de manière naturelle, ce doit être fait maintenant. L'ange m'a donné un ordre. C'est pour ça que nous sommes venus ici, Will et moi. Il le fallait.

Derrière elle, Tialys rangea son instrument et resta assis par terre pour regarder Lyra qui suppliait sa mort de la conduire là où personne ne pouvait aller en espérant revenir ensuite.

La mort se gratta la tête et haussa les épaules, mais rien ne pouvait détourner le désir de Lyra, pas même la peur : elle avait vu des choses plus terribles que la mort, affirmait-elle, et c'était vrai.

Finalement, la mort dit :

—Puisque rien ne peut te décourager, je ne peux dire qu'une seule chose : viens avec moi, je te conduirai là-bas, dans le pays des morts. Je serai ton guide. Je te montrerai le chemin pour y aller mais, pour revenir, tu devras te débrouiller toute seule.

—Et mes amis ? dit Lyra. Mon ami Will et les autres ?

Tialys intervint :

—Lyra, dit-il. Même si mon instinct me le déconseille, nous t'accompagnerons. J'étais furieux contre toi, il y a un instant. Mais il n'est pas facile de...

La fillette comprit qu'il était temps de se réconcilier avec le chevalier, et elle le fit de bon cœur, d'autant plus qu'elle avait obtenu gain de cause.

—Je suis navrée, Tialys, mais si vous ne vous étiez pas mis en colère, jamais nous n'aurions trouvé cette... personne pour nous guider. Je me réjouis donc que vous ayez été là, la lady et vous, et je vous suis sincèrement reconnaissante de nous accompagner.

C'est ainsi que Lyra convainquit sa propre mort de les guider, elle et les autres, jusqu'au pays des morts où s'en étaient allés Roger, le père de Will,

Tony Makarios et tant d'autres. Sa mort lui dit de descendre sur la jetée quand les premières lueurs de l'aube apparaîtraient dans le ciel, et de se tenir prête à partir.

Mais Pantalaimon tremblait de tous ses membres et, malgré tous ses efforts, elle ne parvenait pas à le calmer, ni à faire taire ses petits gémissements. Si bien qu'elle dormit d'un sommeil agité et peu profond, couchée sur le sol de la cabane, au milieu des autres, sous le regard attentif de sa mort assise à côté d'elle.

Chapitre 20

Escalade

J'y suis parvenue ainsi, en escaladant
lentement, en m'accrochant aux brindilles
qui poussent entre le bonheur et moi.
EMILY DICKINSON

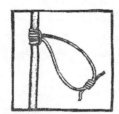 Les mulefas fabriquaient toutes sortes de cordes, et Mary Malone passa une matinée entière à examiner et tester celles que la famille de son amie Atal conservait en stock, avant de choisir celle qui lui convenait. Le principe de la torsade étant inconnu dans ce monde, toutes les cordes étaient tressées, mais elles étaient à la fois résistantes et flexibles, et elle trouva rapidement le modèle dont elle avait besoin.

— *Que fais-tu ?* lui demanda Atal.

Les mulefas n'ayant pas de mot pour « escalader », Mary dut avoir recours à quantité de gestes et de périphrases pour expliquer son intention. Atal était horrifiée.

— *Pour monter en haut des arbres ?*

— *Je dois voir ce qui se passe. Aide-moi à préparer la corde.*

Autrefois, en Californie, Mary avait fait la connaissance d'un mathématicien qui passait ses week-ends à faire de l'escalade dans les arbres. Elle, qui avait fait un peu de varappe, avait écouté avec intérêt cet homme lui parler des techniques et du matériel, et elle s'était promis d'essayer à la première occasion. Évidemment, elle ne pouvait imaginer alors qu'elle le ferait... dans un autre univers, et la perspective de grimper en solo ne l'enthousiasmait guère, mais elle n'avait pas le choix. Tout ce qu'elle pouvait faire, c'était prendre le maximum de précautions avant l'ascension.

Elle choisit une corde suffisamment longue pour atteindre les premières branches d'un des arbres gigantesques et retomber jusqu'au sol, et suffisamment solide pour supporter plusieurs fois son poids. Après quoi, elle débita en tronçons une corde plus fine, mais très résistante, avec lesquels elle confectionna des boucles pour s'assurer : de petits anneaux fermés par un nœud de marin pouvant servir de prise pour les mains et les pieds si elle les fixait à la corde principale.

Venait ensuite un autre problème : comment faire passer la corde par-dessus la première branche de l'arbre, si haute ? Après une heure ou deux d'expérimentation avec une corde fine et solide et une branche souple, elle confectionna un arc. À l'aide de son couteau suisse, elle tailla des flèches, avec des feuilles en guise d'empennage pour stabiliser leur trajectoire. Enfin, au bout d'une journée entière de travail, Mary était prête à tenter l'escalade. Mais le soleil se couchait et elle avait mal aux mains. Alors, elle mangea et se coucha, inquiète, tandis que les mulefas parlaient d'elle jusqu'au bout de la nuit en échangeant leurs chuchotements mélodieux.

Le lendemain matin à la première heure, Mary se prépara pour décocher la flèche et l'envoyer par-dessus la branche de l'arbre qu'elle avait choisie. Plusieurs mulefas s'étaient rassemblés pour assister à la tentative, visiblement inquiets pour la sécurité de leur amie. Aux yeux de ces créatures munies de roues, l'escalade était une chose si inconcevable que l'idée même suffisait à les horrifier.

Au fond d'elle-même, Mary savait ce qu'elles ressentaient. Elle déglutit comme pour ravaler sa nervosité et attacha une extrémité de la corde la plus fine et la plus légère à l'une des flèches. Elle banda son arc et tira.

Mary perdit la première flèche qui alla se planter dans le tronc à mi-hauteur et refusa de se laisser décrocher. Elle perdit également la deuxième car, si la flèche parvint à franchir la branche, elle ne retomba pas suffisamment loin de l'autre côté pour atteindre le sol, et lorsque Mary voulut la récupérer en tirant sur la corde, elle se coinça dans les branches et se brisa. La longue corde retomba à ses pieds, avec la flèche brisée. Sans se décourager, elle tira sa troisième et dernière flèche. Ce fut la bonne.

Prudemment et sans à-coups, elle tira sur la corde jusqu'à ce que les deux extrémités touchent le sol de part et d'autre de la première branche. Cela étant fait, elle les attacha à une racine colossale, aussi large que son tour de taille. « Ça devrait tenir bon », se dit-elle. Il le fallait. Ce qu'elle ne pouvait voir du sol, évidemment, c'était si la branche sur laquelle tout reposait, y compris sa vie, était assez solide. Contrairement à l'escalade de rochers où il est possible d'attacher sa corde à des pitons fixés dans la roche à intervalles réguliers, afin de limiter l'ampleur de la chute en cas d'accident, Mary devait gravir ici une grande longueur de corde sans être assurée, ce qui était synonyme de chute vertigineuse si un problème survenait. Pour s'offrir un peu plus de sécurité, elle tressa trois petites cordes pour fabriquer une sorte de harnais, qu'elle passa autour des deux bouts de la corde principale, avec un nœud coulant qu'elle pourrait serrer si jamais elle se sentait glisser.

Elle introduisit son pied dans la première boucle et commença à grimper.

Elle atteignit le feuillage en moins de temps qu'elle ne l'avait supposé. L'ascension s'effectuait de manière simple et directe, ses mains glissaient en douceur sur la corde et, bien qu'elle n'ait pas voulu songer par avance à la manière dont elle se hisserait sur la première branche, elle découvrit avec soulagement que les profondes fissures dans l'écorce du tronc lui offraient des prises solides et rassurantes. En fait, un quart d'heure seulement après avoir quitté le sol, elle grimpait sur la première branche et repérait son itinéraire pour accéder à la suivante.

Elle avait emporté deux autres longueurs de corde, dans le but de confectionner un réseau de prises fixes qui remplacerait les pitons, les mousquetons et autres ustensiles qu'elle utilisait quand elle faisait de la varappe. Il lui fallut encore quelques minutes pour tout installer et, après s'être assurée, elle choisit la branche qui lui paraissait la plus sûre et repartit.

Au bout d'une dizaine de minutes de prudente ascension, Mary se retrouva au cœur de la partie la plus touffue du feuillage. En tendant le bras, elle pouvait caresser les longues feuilles, découvrant d'innombrables fleurs, couleur blanc cassé et ridiculement petites, au milieu desquelles poussaient ces disques de la taille d'une pièce de monnaie, qui deviendraient plus tard d'énormes cosses dures comme du fer.

Mary atteignit un endroit confortable où trois branches formaient une fourche ; elle attacha solidement sa corde, resserra son harnais et se reposa.

À travers les trous du feuillage, elle apercevait la mer bleue, claire et scintillante, jusqu'à l'horizon et, dans l'autre direction, par-dessus son épaule droite, elle voyait une succession de petites collines dans la prairie brune et jaune, traversée par les routes de pierre noire.

Une légère brise arrachait un doux parfum aux fleurs et agitait les feuilles rigides, et Mary imaginait qu'une gigantesque force bienveillante la soutenait ainsi, comme une paire de mains géantes. Assise à l'intersection de ces grandes branches, tout là-haut, elle ressentait une sorte de ravissement qu'elle n'avait connu qu'une seule fois dans sa vie, et ce n'était pas le jour où elle avait prononcé ses vœux pour devenir religieuse.

Elle fut ramenée à la réalité par une crampe qui commençait à envahir sa cheville droite, coincée dans une position inconfortable entre les branches. Elle la libéra et reporta son attention sur sa mission, encore étourdie par cette sensation de plénitude océanique qui l'entourait.

Elle avait expliqué aux mulefas qu'elle était obligée de maintenir les deux plaques de laque écartées de la largeur d'une main pour voir la *sraf,* et ils avaient immédiatement résolu le problème en coupant un petit tube de bambou et en fixant les deux plaques ambrées à chaque bout, comme une sorte de télescope. Elle sortit cette longue-vue artisanale de sa poche de poitrine. En regardant à travers, elle aperçut ces particules dorées à la dérive, la *sraf*, les Ombres, la Poussière comme l'appelait Lyra, semblable à un immense nuage de créatures minuscules flottant au vent. De prime abord, elles semblaient dériver au hasard, comme des particules de poussière dans les rayons du soleil, ou des molécules dans un verre d'eau.

De prime abord.

Mais à force de les observer, Mary commençait à percevoir une sorte de schéma constant et régulier. Sous ces déplacements apparemment aléatoires, on devinait un mouvement plus lent, plus profond, universel, qui allait de la terre vers la mer.

Voilà qui était étrange, se dit Mary. Après s'être solidement attachée à une de ses cordes fixes, elle rampa le long d'une branche horizontale pour examiner de plus près tous les capitules des fleurs qu'elle apercevait. Au bout d'un moment, elle commença à comprendre ce qui se passait. Elle continua à observer le phénomène jusqu'à ce qu'elle acquière une certitude, puis elle attaqua la longue, délicate et épuisante descente.

Mary retrouva les mulefas dans un grand état de panique ; ils avaient éprouvé une vive angoisse en songeant à leur amie qui était montée si haut.

Particulièrement soulagée, Atal promena sa trompe sur tout le corps de la jeune femme, nerveusement, en poussant de petits gémissements de joie, heureuse de retrouver son amie saine et sauve et, très vite, elle l'entraîna vers le village, entourée d'une douzaine d'autres mulefas.

Dès qu'ils franchirent le sommet de la colline, la nouvelle de son retour se répandit de hutte en hutte et, quand ils atteignirent le cœur du village, la foule était si dense que Mary soupçonna des visiteurs d'être venus d'ailleurs, spécialement pour écouter ce qu'elle avait à dire. Elle aurait voulu avoir de meilleures nouvelles à leur annoncer.

Le vieux zalif, Sattamax, grimpa sur le tertre et accueillit chaleureusement Mary, et celle-ci répondit avec toutes les marques de politesse mulefiennes dont elle se souvenait. Une fois les formalités achevées, elle prit la parole.

Avec appréhension, et en utilisant un grand nombre de précautions oratoires, elle dit :

— *Mes très chers amis, je suis montée dans les plus hautes branches de vos arbres et j'ai regardé attentivement les feuilles, les jeunes fleurs et les cosses. J'ai vu un courant de sraf, tout en haut des arbres. Il se déplace face au vent. Le vent souffle vers la terre, en venant de la mer, mais la sraf avance lentement en sens contraire. Voyez-vous ce phénomène du sol ? Car moi, je ne le vois pas.*

— *Non*, répondit Sattamax. *C'est la première fois que nous entendons parler de ce phénomène.*

— *En fait*, reprit Mary, *les arbres filtrent la sraf quand elle traverse le feuillage, et une partie est attirée vers les fleurs. Je l'ai vu de mes yeux : les fleurs sont tournées vers le ciel, et si la sraf tombait directement vers le sol, elle pénétrerait dans leurs pétales et les fertiliserait comme le pollen venu des étoiles. Mais la sraf ne tombe pas, elle se déplace vers la mer. Quand par chance une fleur fait face à l'horizon, elle peut s'y déposer. C'est pourquoi des cosses continuent à pousser. Mais la plupart des fleurs sont orientées vers le ciel, et la sraf passe au-dessus sans s'y déposer. Les fleurs ont dû évoluer de cette façon car autrefois, elle tombait droit. Il s'est passé quelque chose, en effet, mais au niveau de la sraf, pas des arbres. On ne voit ce courant qu'en montant en haut des arbres, voilà pourquoi vous n'avez rien remarqué. Autrement dit, si vous voulez sauver les arbres, et votre mode de vie, nous devons découvrir pourquoi la sraf se comporte ainsi. Pour l'instant, je n'ai aucune explication, mais je vais réfléchir.*

Mary vit de nombreux mulefas se dévisser le cou pour regarder le ciel et tenter d'apercevoir ces nuages de Poussière. Mais du sol, on ne la voyait pas. Elle regarda à travers sa longue-vue, mais elle ne vit que le bleu du ciel.

Les mulefas discutèrent longuement entre eux, essayant de se remémorer quelque allusion au vent de *sraf* parmi leurs légendes et histoires du passé. En vain. Ils savaient seulement que, depuis toujours, la *sraf* venait des étoiles.

Finalement, ils demandèrent à Mary si elle avait d'autres idées, et elle répondit :

— *Il faut que je fasse d'autres observations. J'ai besoin de savoir si le vent souffle toujours dans cette direction, ou s'il change de trajectoire, comme les courants d'air, durant la journée et la nuit. Je devrai donc passer plus de temps en haut des arbres, et même y dormir pour observer le ciel durant la nuit. J'aurai besoin de votre aide pour construire une sorte de plate-forme, afin de pouvoir dormir en toute sécurité. Quoi qu'il en soit, il faudra effectuer de nouvelles observations.*

Les mulefas qui avaient le sens pratique et hâte de connaître la vérité proposèrent de construire immédiatement tout ce dont elle avait besoin. Ils connaissaient les techniques des poulies et des palans, et l'un d'eux suggéra un moyen de hisser Mary jusqu'au sommet des arbres, pour lui éviter la fatigue et les dangers de l'escalade.

Ravis de pouvoir s'occuper, ils s'empressèrent de réunir tous les matériaux nécessaires et, sous les directives de Mary, ils tressèrent des cordes, taillèrent des branches puis assemblèrent tout ce dont elle avait besoin pour séjourner sur sa plate-forme d'observation en haut des arbres.

Après avoir interrogé le vieux couple qui vivait au milieu des oliviers, le père Gomez perdit la trace de Mary. Il passa plusieurs jours à chercher et à enquêter aux alentours, dans toutes les directions, mais la femme semblait s'être volatilisée.

Pas question de renoncer néanmoins, malgré le découragement qui s'était emparé de lui. Le crucifix autour de son cou et le fusil dans son dos étaient les deux symboles de sa volonté inébranlable d'accomplir sa tâche.

Mais il lui aurait fallu beaucoup plus longtemps pour atteindre son but, s'il n'y avait pas eu une différence de climat. Dans le monde où il évoluait, le temps était chaud et sec, et le père Gomez souffrait de la soif. Avisant un groupe de rochers humides au sommet d'un éboulis, il l'escalada pour voir s'il n'y avait pas une source à cet endroit. Ses espoirs furent déçus mais, dans le monde des immenses arbres à cosses, une averse venait de tomber, et c'est ainsi qu'il découvrit la fenêtre et, par la même occasion, l'endroit où se trouvait Mary.

Chapitre 21
Les harpies

Je hais les choses qui ne sont que fiction...
il devrait toujours y avoir
un fondement de vérité.

BYRON

 Lyra et Will se réveillèrent en proie à une vive terreur comme deux condamnés à mort le matin de l'exécution. Tialys et Salmakia s'occupaient de leurs libellules ; ils leur apportaient des mites qu'ils capturaient au lasso autour de l'ampoule nue qui se balançait au-dessus du baril d'essence au-dehors, ou des mouches arrachées à des toiles d'araignée, et de l'eau dans une petite coupelle en fer-blanc. En voyant l'expression de Lyra et la manière dont Pantalaimon, transformé en souris, se blottissait contre sa poitrine, Lady Salmakia abandonna ses occupations pour venir lui parler. Pendant ce temps, Will quitta la cabane pour aller faire un tour dehors.

—Vous pouvez encore changer d'avis, dit Salmakia.

—Non, impossible. On a pris notre décision, répondit Lyra, à la fois déterminée et effrayée.

—Et si par malheur nous ne revenons pas ?

—Vous autres, vous n'êtes pas obligés de venir, souligna-t-elle.

—Nous ne vous abandonnerons pas.

—Dans ce cas, imaginez que vous ne puissiez pas revenir ?

—Alors, nous serons morts en accomplissant une tâche importante.

Lyra ne dit rien. Elle n'avait pas vraiment regardé la lady jusqu'à présent mais, à cet instant, elle la voyait très nettement dans la lumière enfumée de la lampe à naphte posée sur la table, à portée de main. Elle avait un visage serein et chaleureux, pas beau, ni même gracieux, mais c'était le genre de visage que vous seriez heureux de découvrir à vos côtés si vous étiez malade, malheureux ou effrayé. Elle parlait d'une voix douce et expressive, ponctuée par des accents de bonheur et des rires. Aussi loin que remontaient ses souvenirs, Lyra ne se souvenait pas que quelqu'un lui ait lu un livre au lit ; personne ne lui avait jamais raconté d'histoires ni chanté de berceuses avant de l'embrasser et d'éteindre la lumière. Mais elle se dit que, s'il existait une voix capable de vous envelopper de réconfort et de vous réchauffer de son amour, elle serait comme celle de Lady Salmakia, et elle ressentit au plus profond d'elle-même le désir d'avoir un enfant qu'elle pourrait bercer et apaiser, à qui elle chanterait des chansons avec une voix semblable.

Lyra voulut dire quelque chose, mais elle s'aperçut qu'une boule dans la gorge l'empêchait de parler ; alors, elle avala sa salive et haussa les épaules.

— Nous verrons bien ce qui arrivera, dit la lady en guise de conclusion, avant de repartir.

Après avoir mangé de fines tranches de pain sec et bu du thé amer, les seules choses que ces pauvres gens pouvaient leur offrir, les voyageurs remercièrent leurs hôtes, prirent leurs sacs et traversèrent le bidonville en direction de la rive du lac. Lyra chercha sa mort autour d'elle et, bien évidemment, elle était là, marchant respectueusement devant eux, en silence ; elle voulait garder ses distances, mais elle ne cessait de jeter des coups d'œil par-dessus son épaule pour voir s'ils la suivaient.

Un brouillard sinistre flottait au-dessus du paysage ; on se serait cru non pas en plein jour, mais à la tombée de la nuit. Les nappes et les volutes de brume montaient des flaques au milieu du chemin et s'accrochaient aux câbles ambariques qui couraient d'un taudis à l'autre. Les voyageurs croisèrent peu de gens et juste quelques morts, mais les libellules allaient et venaient dans l'air humide comme si elles s'amusaient à coudre l'atmosphère avec un fil invisible, et c'était un ravissement pour l'œil de regarder tournoyer leurs couleurs éclatantes.

Bientôt, ils atteignirent l'extrémité du bidonville et longèrent un petit ruisseau paresseux qui serpentait entre des buissons secs et dénudés. Parfois, ils entendaient un coassement rauque ou un petit plouf lorsqu'ils dérangeaient quelques amphibiens, mais la seule créature qu'ils aperçurent fut un crapaud aussi gros que le pied de Will et qui semblait avoir le plus grand mal à se déplacer en bondissant, comme s'il était grièvement blessé. Immobilisé au milieu du chemin, il essayait de s'écarter de leur route, tout en les regardant comme s'il savait qu'ils allaient lui faire du mal.

— Il serait charitable de le tuer, déclara Tialys.

— Qu'en savez-vous ? répliqua Lyra. Peut-être qu'il a encore envie de vivre, malgré tout.

— Si on le tuait, on l'emmènerait avec nous, dit Will. Il veut rester ici. J'ai tué suffisamment de créatures vivantes. Une mare stagnante et puante est peut-être préférable à la mort.

—Mais s'il souffre ? dit Tialys.

—S'il pouvait s'exprimer, on le saurait. Mais puisqu'il ne peut rien dire, je refuse de le tuer. Cela signifierait qu'on fait passer nos sentiments avant ceux du crapaud.

Ils poursuivirent leur chemin. Très vite, le bruit produit par leurs pas résonna différemment, leur indiquant qu'ils approchaient d'une étendue dégagée — bien que le brouillard fût encore plus épais à cet endroit. Pantalaimon, transformé en lémurien, avec des yeux énormes, s'accrochait à l'épaule de Lyra et se blottissait dans ses cheveux constellés de perles de brume, mais il avait beau scruter les alentours, il ne voyait pas mieux qu'elle. Malgré tout, il ne cessait de trembler comme une feuille.

Soudain, ils entendirent tous une petite vague se briser sur le rivage. C'était un bruit discret, mais tout proche. Les libellules et leurs cavaliers retournèrent auprès des enfants, et Pantalaimon se faufila sous la chemise de Lyra, tandis que la fillette et Will se rapprochaient l'un de l'autre et avançaient prudemment sur le chemin boueux.

Et, tout à coup, ils atteignirent le rivage. L'eau écumeuse et huileuse s'étendait devant eux, immobile, à peine troublée de temps à autre par une vaguelette qui venait mourir mollement sur les galets.

Le chemin bifurquait sur la gauche et, un peu plus loin, une jetée en bois, ressemblant davantage à une nappe de brouillard plus dense qu'à une structure solide, s'avançait au-dessus de l'eau. Les piliers étaient rongés, les planches recouvertes de moisissure verte, et il n'y avait rien d'autre au-delà. Le chemin s'achevait là où commençait la jetée, et là où s'achevait la jetée commençait le brouillard. La mort de Lyra, qui les avait guidés jusque-là, salua la fillette, s'avança dans le brouillard et disparut avant qu'elle puisse lui demander ce qu'ils devaient faire ensuite.

—Écoute, dit Will.

Un bruit lent montait de l'eau invisible : un grincement de bois, accompagné d'un floc régulier. Il posa la main sur le manche de son couteau et avança prudemment sur les planches pourries de la jetée. Lyra le suivit de près. Les libellules vinrent se percher sur les deux bittes d'amarrage couvertes de mousse, semblables à des gardiens héraldiques, et les enfants s'arrêtèrent à l'extrémité de la jetée, essayant de percer le mur de brouillard, obligés de se frotter les yeux pour chasser les gouttes d'humidité qui se déposaient sur leurs cils. Le seul bruit était ce lent craquement et le floc régulier qui se rapprochaient.

—N'y allons pas ! murmura Pantalaimon.

—Il le faut, lui répondit Lyra à voix basse.

Elle se tourna vers Will. Celui-ci regardait fixement devant lui, le visage crispé et sévère. Il ne se retourna pas. Les Gallivespiens, quant à eux, étaient calmes et attentifs : Tialys était perché sur l'épaule de Will, Salmakia sur celle de Lyra. Les ailes des libellules, nacrées de brouillard, ressemblaient à des toiles d'araignée et, régulièrement, les insectes les secouaient pour se débarrasser des gouttes qui devaient les alourdir, songea Lyra. Elle espérait qu'elles trouveraient de quoi se nourrir dans le pays des morts.

Et soudain, un bateau apparut.

Une vieille barque plus précisément, abîmée, rafistolée et à moitié pourrie. L'homme qui ramait n'avait plus d'âge, lui non plus. Vêtu d'une robe de bure serrée autour de son corps squelettique par une ficelle, voûté, il tenait les rames avec ses mains décharnées et crochues et ses yeux pâles et larmoyants étaient profondément enfoncés dans les replis de sa peau grise.

Il lâcha une des rames et tendit sa main déformée vers l'anneau de fer planté dans le pilier au coin de la jetée. Avec son autre main, il orienta la rame de façon à ce que la barque vienne se ranger contre les planches.

Il n'était pas utile de parler. Will descendit à bord le premier, puis Lyra s'avança d'un pas pour descendre à son tour.

Mais le passeur l'arrêta d'un geste.

—Non, pas lui, déclara-t-il d'une voix éraillée.

—Qui donc ?

—Lui.

Son doigt gris désigna Pantalaimon, qui abandonna aussitôt son pelage roux pour devenir une hermine d'une blancheur immaculée.

—Mais il est à moi ! s'exclama Lyra.

—Si tu veux venir, il doit rester.

—C'est impossible ! On mourrait !

—Ce n'est pas ce que tu veux ?

Pour la première fois, elle prit véritablement conscience de ce qu'elle faisait. Elle découvrait les conséquences de son geste. Hébétée et tremblante, elle serra si fort son dæmon contre elle qu'il poussa un petit cri de douleur.

—Mais eux, ils…, commença la fillette d'un ton désespéré, avant de s'interrompre.

Il n'était pas juste de faire remarquer que les trois autres n'avaient pas de sacrifice à accomplir.

Will l'observait d'un air inquiet. Lyra regarda autour d'elle : le lac, la jetée, le chemin accidenté, les flaques d'eau croupie, les buissons morts… Son Pan adoré, tout seul ici : comment pourrait-il survivre sans elle ? Elle le sentait trembler sous sa chemise, contre sa peau nue ; sa fourrure avait besoin de sa chaleur. Non ! Jamais ! Impossible !

— Si tu veux venir, il doit rester ici, répéta le passeur.

Lady Salmakia tira d'un petit coup sec sur les rênes de sa libellule et celle-ci quitta l'épaule de Lyra pour venir se poser sur le plat-bord de la barque, bientôt rejointe par Tialys. Les deux Gallivespiens dirent quelque chose au passeur. Lyra assistait à cette scène comme le condamné qui observe une soudaine agitation au fond de la salle de tribunal et espère voir surgir un messager porteur d'une demande de grâce.

Le passeur se pencha pour entendre ce que disaient les deux petits espions et secoua la tête.

— Non, déclara-t-il d'un ton catégorique. Si elle veut venir, il doit rester.

Will intervint à son tour :

— C'est injuste. Nous autres, on n'est pas obligés d'abandonner une partie de nous-mêmes. Pourquoi Lyra serait-elle la seule à devoir payer ce prix ?

— Oh, mais vous aussi vous abandonnez quelque chose, répondit-il. Elle a juste la malchance de voir et de pouvoir parler à la partie d'elle-même qu'elle abandonne. Vous autres, vous ne vous en apercevrez qu'une fois sur l'eau, mais alors il sera trop tard. Vous devez tous laisser ici cette partie de vous-mêmes. Les êtres tels que lui ne peuvent accéder au pays des morts.

« Non, se dit Lyra, et Pantalaimon partagea cette pensée, nous n'avons pas survécu à Bolvangar pour connaître ça. Comment ferons-nous pour nous retrouver ? »

De nouveau elle se tourna vers le rivage sinistre et infect, ravagé par la maladie et le poison, et elle imagina son Pan chéri, le compagnon de son cœur, attendant seul ici, la regardant disparaître dans le brouillard, et elle fondit en larmes. Ses sanglots passionnés étaient étouffés par le brouillard, mais tout au long du rivage, dans les innombrables étangs, dans les souches d'arbres creuses, les créatures estropiées qui se cachaient là entendirent son cri déchirant et se tapirent un peu plus encore, effrayées par une telle passion.

— S'il pouvait m'accompagner…, gémit-elle pour tenter de mettre fin à cette torture, mais le passeur secouait la tête.

— Il peut monter à bord mais, dans ce cas, la barque restera ici, dit-il, inflexible.

— Mais comment fera-t-elle pour le retrouver ? demanda Will.

— J'en sais rien.

— Au retour, on reviendra par ici ?

— Au retour ?

—On va revenir. On se rend au pays des morts mais, ensuite, on revient.

—Pas par ici, en tout cas.

—Par un autre chemin, alors, mais on reviendra !

—J'ai transporté des millions de personnes, aucune n'est jamais revenue.

—Nous serons les premières. Nous trouverons le chemin du retour, déclara Will. Et, puisque nous devons revenir, soyez gentil, monsieur le passeur, laissez-la emmener son dæmon !

—Non, dit l'homme en secouant sa tête sans âge. C'est une règle qu'on ne peut enfreindre. C'est une loi semblable à celle-ci...

Il se pencha par-dessus le bord de la barque pour prendre un peu d'eau au creux de sa main et la faire couler.

—... La loi qui fait retomber l'eau dans le lac. Si je renverse la main, elle ne peut pas s'envoler vers le ciel. Pas plus que je ne peux transporter son dæmon au pays des morts. Qu'elle vienne ou pas, il doit rester.

Lyra ne voyait plus rien ; elle avait le visage enfoui dans la fourrure de Pantalaimon devenu chat. Mais Will vit Tialys descendre de sa monture et se préparer à sauter sur le passeur. Il n'était pas loin d'approuver la réaction du chevalier, mais le vieil homme avait repéré le geste du Gallivespien, et il se tourna vers lui.

—À votre avis, dit-il, depuis combien de temps est-ce que je transporte des gens vers le pays des morts ? Si quelqu'un pouvait me faire du mal, vous ne croyez pas que ce serait arrivé depuis longtemps ? Croyez-vous que les gens que je transporte me suivent de gaieté de cœur ? Non. Ils se débattent, ils crient, ils essaient de me soudoyer, ils me menacent et m'agressent : rien n'y fait. Piquez-moi si vous voulez avec votre éperon, vous ne pouvez pas me faire de mal. Vous feriez mieux de réconforter cette enfant. Ne vous occupez pas de moi.

Will n'osait même pas regarder. Lyra faisait la chose la plus cruelle qu'elle ait jamais faite, et elle se haïssait, elle haïssait ce geste ; elle souffrait pour Pan et avec Pan, elle souffrait à cause de Pan, tandis qu'elle essayait de le poser sur le sol glacé, obligée de décrocher ses griffes plantées dans ses vêtements, en pleurant à chaudes larmes. Will s'obligea à ne plus entendre ; c'était trop horrible. Inlassablement, Lyra tentait de repousser son dæmon, et Pantalaimon continuait à hurler, à s'accrocher.

Elle pouvait encore renoncer.

Elle pouvait dire : « Non, c'est une mauvaise idée, il ne faut pas faire ça. »

Elle pouvait être fidèle au lien profond, vital, qui l'unissait à Pantalaimon ; elle pouvait le faire passer en premier, elle pouvait chasser tout le reste de ses pensées...

Non, elle ne pouvait pas.

– Pan, personne n'a jamais fait ça, murmura-t-elle d'une voix trem-blante, mais Will dit qu'on reviendra, et je te jure, Pan, je t'aime, je te jure qu'on reviendra. Tu verras, je reviendrai, prends soin de toi, mon trésor, tu n'as rien à craindre. On reviendra et, même si je dois passer chaque instant de ma vie à te chercher, je te retrouverai, je n'abandonnerai jamais, je ne connaîtrai pas le repos. C'est juré, Pan. Oh, Pan, mon Pan chéri... je n'ai pas le choix... je n'ai pas le choix...

Elle le repoussa encore une fois et le dæmon se recroquevilla sur le sol boueux, amer, transi de froid et de terreur.

Quel animal était-il à cet instant ? Will n'aurait su le dire. Il paraissait si jeune, un tout petit animal, un chiot, une chose impuissante et désespérée, une créature misérable. Ses yeux ne quittaient pas le visage de Lyra, et Will voyait bien que celle-ci s'obligeait à ne pas détourner la tête, elle ne voulait pas fuir son sentiment de culpabilité. Il admirait son honnêteté et son cou-rage, en même temps qu'il était déchiré par le choc de cette séparation. Des flux d'émotions si intenses passaient entre eux que l'air semblait chargé d'électricité.

Pantalaimon ne demanda pas pourquoi, car il savait ; et il ne demanda pas si Lyra aimait Roger plus que lui car, là aussi, il connaissait la réponse. Et il savait que, s'il parlait, elle ne pourrait pas résister. Alors, le dæmon demeura muet pour ne pas torturer davantage l'être humain qui l'abandonnait et, maintenant, tous les deux faisaient mine de croire que la séparation ne serait pas si douloureuse, qu'ils seraient bientôt réunis, et que c'était la meilleure solution. Mais Will savait que la fillette s'arrachait le cœur en abandonnant son dæmon.

Elle descendit dans la barque. Elle était si légère que l'embarcation tan-gua à peine. Elle s'assit à côté de Will, mais ses yeux ne quittaient pas Pantalaimon, assis au bout de la jetée, tremblant. Mais au moment où le passeur lâchait l'anneau de fer et plongeait ses rames dans l'eau pour faire reculer la barque, le petit dæmon-chien trotta jusqu'à l'extrémité de la jetée, ses griffes cliquetaient sur les planches humides, et il resta là, à regar-der la barque s'éloigner. Au bout d'un moment, la jetée s'effaça puis dispa-rut dans le brouillard.

Alors, Lyra laissa échapper un cri si douloureux que, même dans ce monde enveloppé de brouillard, il forma un écho, mais évidemment ce n'était pas un véritable écho, c'était l'autre partie d'elle-même qui pleurait elle aussi, sur la terre des vivants, tandis que Lyra s'éloignait vers la terre des morts.

– Oh, mon cœur, Will..., gémit-elle en s'accrochant à lui, le visage déformé par la douleur.

Et ainsi s'accomplit la prophétie que le Maître de Jordan Collège avait faite au Bibliothécaire : Lyra se rendrait coupable d'une grande trahison qui la ferait terriblement souffrir.

Mais Will sentait, lui aussi, la douleur enfler en lui et il constata que les deux Gallivespiens, accrochés l'un à l'autre, comme Lyra et lui, semblaient habités par la même angoisse.

Une partie de cette douleur était purement physique. C'était comme si une main d'acier s'était refermée sur son cœur pour essayer de le tirer à travers ses côtes, c'est pourquoi il plaqua ses mains sur sa poitrine, pour tenter vainement de le retenir. La douleur était bien plus profonde, plus intense que celle qu'il avait éprouvée en se faisant couper les doigts. Mais c'était aussi une souffrance mentale : une chose secrète et intime était entraînée de force vers la lumière du jour, et Will était submergé par un mélange de douleur, de honte, de peur et de culpabilité, car c'était lui le responsable.

C'était même pire que ça. C'était comme s'il avait dit : « Non, ne me tuez pas, j'ai trop peur. Tuez donc ma mère à la place ; elle ne compte pas, je ne l'aime pas », comme si elle l'avait entendu prononcer ces paroles, et avait fait semblant de rien pour ne pas lui faire honte, et s'était sacrifiée pour lui, par amour. C'était aussi affreux que ça. On ne pouvait pas connaître un sentiment plus horrible.

Will savait également que tout cela était lié au fait de posséder un dæmon, et que quel qu'il soit, il devait rester à terre lui aussi, avec Pantalaimon, sur ce rivage désertique et empoisonné. Cette pensée frappa Will et Lyra au même moment, et ils échangèrent un regard chargé d'effroi. Pour la deuxième fois de leur vie, mais pas la dernière, chacun vit sa propre expression sur le visage de l'autre.

Seuls le passeur et les libellules paraissaient indifférents à l'horreur de ce voyage. Les grands insectes étaient remplis d'énergie et d'une beauté éclatante, même dans le brouillard poisseux ; ils secouaient leurs ailes pour en chasser les gouttes d'humidité, et le vieil homme dans sa robe de bure ramait sur le même rythme, la tête baissée, les pieds solidement campés sur le fond de la barque au milieu des flaques de vase.

La traversée dura trop longtemps pour que Lyra ait envie de calculer le temps écoulé. Alors qu'une partie d'elle-même était dévorée par l'angoisse, en songeant au pauvre Pantalaimon abandonné sur le rivage, une autre partie s'habituait à la douleur et mesurait ses forces, curieuse de savoir ce qui allait se passer ensuite et où ils allaient débarquer.

Le bras de Will l'enlaçait fermement, mais lui aussi regardait droit devant, essayant de percer la grisaille moite et de capter des bruits autres que le floc monotone des coups de rames. Soudain, un changement se produisit : une falaise ou une île se dressa devant eux. Ils en sentirent l'écho avant de voir le brouillard s'assombrir.

Le passeur leva une rame hors de l'eau et orienta légèrement la barque vers la gauche.

– Où sommes-nous ?

C'était la voix du chevalier Tialys, toujours aussi fluette, mais claire, malgré une certaine tension, comme si lui aussi avait éprouvé une vive douleur durant cette traversée.

– Près de l'île, répondit le passeur. Dans cinq minutes, nous arriverons au débarcadère.

– Quelle île ? demanda Will.

Il s'aperçut que sa voix était tendue elle aussi, à tel point qu'il avait du mal à la reconnaître.

– La porte qui conduit au pays des morts se trouve sur cette île, expliqua le passeur. Tout le monde vient ici : les rois, les reines, les assassins, les poètes, les enfants... Tout le monde emprunte ce chemin, et personne ne revient.

– Nous, on reviendra, murmura Lyra avec fougue.

L'homme sans âge ne dit rien, mais ses yeux immémoriaux étaient remplis de pitié.

Alors qu'ils se rapprochaient de la terre, ils découvrirent des branches de cyprès et d'if qui penchaient jusqu'au ras de l'eau d'un vert foncé, opaque et lugubre. Le terrain montait en pente raide et les arbres étaient si touffus que même un furet aurait eu du mal à s'y glisser. Cette pensée arracha à Lyra un sanglot ressemblant à un petit cri car, s'il avait été là, Pan lui aurait montré de quoi il était capable ; mais pas aujourd'hui, et peut-être plus jamais.

– Ça y est, on est morts ? demanda Will au passeur.

– Ça ne change rien. Certaines personnes sont venues jusqu'ici en refusant de croire qu'elles étaient mortes. Durant tout le trajet, elles répétaient qu'elles étaient vivantes, que c'était une erreur, que quelqu'un aurait à en répondre. Ça n'a rien changé. D'autres au contraire voulaient absolument être mortes, alors qu'elles étaient en vie. Pauvres âmes... Des vies pleines de souffrance et de misère. Ces personnes se sont donné la mort dans l'espoir de connaître enfin le repos, mais elles ont découvert que rien n'avait changé, sinon en pire et, cette fois, il n'y avait plus d'échappatoire : vous ne pouvez pas ressusciter. D'autres étaient si fragiles et malades, de tout jeunes enfants parfois, qu'elles étaient à peine nées dans le monde des vivants avant de rejoindre celui des morts. Bien des fois j'ai conduit cette barque avec sur les genoux un bébé en pleurs qui ne connaissait pas la différence entre le monde de là-haut et celui d'ici-bas. De vieilles personnes également, les pires étant les plus riches : arrogantes, hargneuses, agressives et injurieuses. Pour qui est-ce que je me prends ? braillent-elles. N'avaient-elles pas amassé et épargné tout l'or qu'elles pouvaient engranger ? Voulais-je en accepter une partie pour les ramener sur le rivage ? Elles avaient de l'influence, des amis puissants, elles connaissaient le pape, le roi de ceci et le duc de cela, elles avaient le pouvoir de me faire châtier... Mais elles savaient ce qui les attendait au bout du compte ; elles n'occupaient plus qu'une seule position : assises dans ma barque, en route pour le pays des morts. Quant à ces rois et à ces papes, ils se retrouveraient au même endroit eux aussi, quand leur tour viendrait, plus tôt qu'ils ne le souhaitaient. Je les laisse hurler et divaguer, ils ne peuvent rien me faire. Et ils finissent toujours par se taire. Alors, si vous ne savez pas encore si vous êtes morts, et si la fillette jure qu'elle reviendra dans l'autre monde, je n'essaie pas de vous contredire. Vous découvrirez bien assez tôt ce que vous êtes.

Pendant qu'il débitait cette longue tirade, l'homme sans âge n'avait pas cessé de ramer le long du rivage ; finalement, il ramena les rames à l'intérieur de la barque et tendit le bras sur la droite pour agripper le premier pilier en bois qui sortait du lac.

Il attira l'embarcation le long du quai étroit et la maintint immobile. Lyra n'avait pas envie de débarquer : aussi longtemps qu'elle restait à bord, Pantalaimon pouvait l'imaginer concrètement, car c'était ainsi qu'il l'avait vue pour la dernière fois mais, dès qu'elle s'éloignerait de la barque, il ne saurait plus comment se la représenter. C'est pourquoi elle hésita, mais les libellules s'envolèrent et Will prit pied sur le quai, le teint blême, la main plaquée sur la poitrine ; elle était obligée de l'imiter.

— Merci, dit-elle au passeur. Quand vous retournerez là-bas, si vous voyez mon dæmon, dites-lui que je l'aime plus que tout, dans le pays des vivants ou des morts, et que je jure de revenir près de lui, même si personne ne l'a jamais fait. Je le jure.

— D'accord, je le lui dirai.

Sur ce, le vieux passeur repoussa la barque en prenant appui sur le pilier et le bruit lent et régulier de ses coups de rames s'estompa peu à peu dans le brouillard.

Juchés sur le dos de leurs libellules, les Gallivespiens revinrent après être partis en éclaireurs, et se perchèrent sur les épaules des enfants, comme précédemment : Salmakia sur Lyra et le chevalier sur Will. Les voyageurs restèrent un instant immobiles, à l'orée du pays des morts. Devant eux, il n'y avait que le brouillard mais, à en juger par la tache plus sombre qu'ils apercevaient, ils en déduisirent qu'un mur immense se dressait devant eux.

Lyra frissonna. Elle avait l'impression que sa peau s'était transformée en dentelle et l'air humide et mordant s'infiltrait à sa guise entre ses côtes, provoquant une intense brûlure sur sa plaie à vif, à l'endroit où se trouvait autrefois Pantalaimon. Roger avait dû ressentir la même chose, pensa-t-elle, alors qu'il dévalait la pente de la montagne, en essayant désespérément de se raccrocher aux doigts impuissants de Lyra.

Ils demeurèrent immobiles et aux aguets. Le seul bruit était le ploc-ploc-ploc incessant de l'eau qui tombait des feuilles et, en levant la tête, ils sentirent quelques gouttes froides s'écraser sur leurs joues.

— On ne peut pas rester ici, déclara Lyra.

Ils quittèrent le quai, s'efforçant de rester proches les uns des autres, et avancèrent prudemment jusqu'au mur. De gigantesques blocs de pierre, recouverts d'une très ancienne moisissure, s'élevaient et disparaissaient dans le brouillard, tout là-haut. Maintenant qu'ils étaient plus près, ils entendaient des cris de l'autre côté de la muraille, sans pouvoir préciser toutefois s'il s'agissait de cris humains : des hurlements aigus et lugubres, des gémissements qui flottaient dans l'air comme les tentacules d'une méduse, déclenchant une vive douleur chaque fois qu'ils frappaient leur ouïe.

— Il y a une porte ! s'exclama Will, d'une voix rauque et tendue.

Il s'agissait d'une vieille poterne en bois, sous une dalle de pierre. Alors qu'il s'apprêtait à pousser le panneau, un nouveau cri strident transperça le silence, tout près de là, un cri à vous glacer d'effroi.

Immédiatement, les Gallivespiens s'envolèrent sur leurs libellules semblables à de petits chevaux de bataille, impatients d'en découdre. Mais la créature qui descendit du ciel les balaya d'un coup d'aile brutal et vint se poser lourdement sur une corniche, juste au-dessus de la tête des enfants. Après avoir repris leurs esprits, Tialys et Salmakia apaisèrent leurs montures encore sous le choc.

Leur agresseur était un énorme oiseau, de la taille d'un vautour, avec le visage et la poitrine d'une femme. Will avait déjà vu des représentations de ces créatures et le mot harpie lui vint aussitôt à l'esprit. Elle avait un visage lisse, sans aucune ride et, pourtant, elle paraissait plus vieille que les sorcières elles-mêmes : elle avait vu passer des milliers d'années, et la cruauté, la misère que ces années renfermaient avaient sculpté cette expression de haine sur ses traits. Plus les voyageurs l'observaient, plus elle leur paraissait répugnante. Ses orbites étaient couvertes d'une pellicule de boue séchée, et une croûte craquelée recouvrait ses lèvres rouges comme si elle avait vomi du sang coagulé. Ses longs cheveux noirs emmêlés et sales pendaient sur ses épaules ; ses griffes acérées agrippaient sauvagement la pierre, ses puissantes ailes sombres étaient repliées dans son dos et elle dégageait des effluves pestilentiels chaque fois qu'elle bougeait.

Will et Lyra, écœurés et ravagés par la douleur, tentèrent malgré tout de lui faire face.

— Mais vous êtes vivants! s'écria la harpie en se moquant d'eux de sa voix éraillée.

Will songea qu'il n'avait jamais détesté et craint à ce point un être humain.

— Qui êtes-vous? demanda Lyra, qui était aussi dégoûtée que Will.

En guise de réponse, la harpie poussa un hurlement. Elle ouvrit grand la bouche et leur décocha un jet sonore en plein visage, si violent que leurs têtes bourdonnèrent et ils faillirent tomber à la renverse. Will et Lyra s'accrochèrent l'un à l'autre, tandis que le hurlement de la créature sauvage se transformait en un rire moqueur, auquel firent écho les voix d'autres harpies dans le brouillard. Ce rire railleur, plein de haine, rappelait à Will la cruauté impitoyable des enfants dans une cour de récréation mais, ici, il n'y avait pas d'instituteur pour prendre les choses en main, personne à qui se plaindre et aucun endroit pour se réfugier.

La main posée sur le manche du couteau, à sa ceinture, Will regarda le monstre droit dans les yeux, malgré sa tête qui continuait à vibrer et la sensation de vertige provoquée par la force de ce cri.

— Si vous voulez essayer de nous arrêter, dit-il, préparez-vous à vous battre. Hurler ne suffira pas. Car nous allons franchir cette porte.

La bouche rouge et écœurante de la harpie remua de nouveau mais, cette fois, ce fut pour plisser les lèvres dans une parodie de baiser obscène.

Puis elle dit:

— Ta mère est seule. Nous lui enverrons des cauchemars. Nous hurlerons dans son sommeil!

Will ne réagit pas car, du coin de l'œil, il voyait Lady Salmakia se déplacer discrètement le long de la corniche sur laquelle était perchée la harpie. Pendant ce temps, Tialys immobilisait au sol sa libellule dont les ailes tremblaient. Et soudain, la lady bondit sur la harpie et tournoya sur elle-même pour planter profondément son éperon dans la patte écailleuse de la créature. Tialys, de son côté, libéra sa libellule. En moins d'une seconde, Salmakia avait sauté de la corniche sur le dos de sa monture bleu électrique, pour disparaître dans les airs.

L'effet fut instantané. Un nouveau hurlement brisa le silence, bien plus puissant que le précédent, et la créature battit des ailes si violemment que Will et Lyra vacillèrent. Mais elle s'accrocha à la pierre avec ses griffes; son visage vira au cramoisi sous l'effet de la colère, et ses cheveux se dressèrent sur sa tête comme une crête de cobra.

Will tira Lyra par la main et ils essayèrent de courir vers la porte, mais la harpie se jeta sur eux avec fureur. Will se retourna alors, poussant Lyra derrière lui pour la protéger, et il brandit son couteau, obligeant le monstre à reculer.

Les Gallivespiens se lancèrent immédiatement à l'assaut, en visant le visage de la harpie, puis battant aussitôt en retraite ; même s'ils ne parvenaient pas à atteindre leur cible, ils accaparaient son attention, à tel point qu'elle faillit s'écraser au sol.

Lyra s'écria :

—Tialys ! Salmakia ! Arrêtez ! Arrêtez !

Les espions tirèrent sur les rênes de leurs libellules et vinrent virevolter au-dessus des têtes des enfants. D'autres formes sombres se rassemblaient dans le brouillard, et les cris moqueurs de cent harpies résonnèrent le long du rivage, un peu plus loin. La créature qu'ils avaient affrontée secouait ses ailes et ses cheveux, étirait ses pattes l'une après l'autre et faisait jouer ses griffes. Elle n'était même pas blessée.

Les Gallivespiens s'immobilisèrent dans les airs, avant de plonger vers la fillette qui levait les mains pour qu'ils puissent s'y poser. Salmakia comprit la cause de l'intervention de Lyra, et elle dit à Tialys :

—Elle a raison. J'ignore pourquoi, mais ce monstre est insensible à nos attaques.

Lyra demanda :

—Madame, comment vous appelez-vous ?

La harpie déploya ses ailes au maximum, et les voyageurs faillirent s'évanouir en respirant les odeurs de pourriture qui s'échappaient d'elle.

—Sans Nom ! s'écria-t-elle.

—Que voulez-vous ?

—Qu'avez-vous à me donner ?

—Nous pourrions vous raconter où nous sommes allés, peut-être que ça vous intéresserait, on ne sait jamais. Nous avons vu un tas de choses étranges en venant ici.

—Oh, tu veux me raconter une histoire ?

—Si vous voulez.

—Pourquoi pas ? Et ensuite ?

—Vous pourriez nous laisser franchir cette porte pour trouver le fantôme que nous sommes venus chercher. Ce serait très aimable de votre part.

—Essaie toujours, dit Sans Nom.

Malgré son écœurement et la douleur, Lyra comprit qu'on venait de lui donner l'atout maître.

—Fais bien attention, lui chuchota Salmakia, mais l'esprit de Lyra passait déjà en revue l'histoire qu'elle avait racontée la veille au soir, pour la façonner, couper quelques passages, en ajouter ou en améliorer d'autres : parents morts, trésor familial caché, naufrage, fuite...

— Eh bien voilà, dit-elle en se plongeant dans son état d'esprit de conteuse. Tout a commencé quand j'étais bébé. Mon père et ma mère étaient le duc et la duchesse d'Abingdon, des gens plus riches que n'importe qui. Mon père était un des conseillers du roi, et le roi en personne venait souvent à la maison, très souvent. Ils partaient chasser dans notre forêt. La maison où je suis née était la plus grande de tout le sud de l'Angleterre. Elle s'appelait...

Sans même un cri de mise en garde, la harpie se jeta sur Lyra, toutes griffes dehors. La fillette eut juste le temps d'esquiver l'attaque, mais une des griffes érafla son crâne et lui arracha une touffe de cheveux.

— Menteuse ! Menteuse ! hurla la harpie. Menteuse !

Elle fit demi-tour pour attaquer de nouveau, en visant directement le visage cette fois, mais Will dégaina le couteau et se dressa sur son chemin. Sans Nom dévia sa trajectoire juste à temps, et il en profita pour pousser Lyra vers la porte, car elle était paralysée par le choc et à moitié aveuglée par le sang qui coulait sur son visage. Will ignorait où étaient les Gallivespiens, mais déjà la harpie fondait sur eux une fois de plus, en poussant des hurlements de rage et de haine :

— Menteuse ! Menteuse ! Menteuse !

C'était comme si sa voix venait de partout à la fois, ce mot se répercutait contre la muraille qui se dressait dans le brouillard.

Will avait plaqué Lyra contre son torse, en voûtant les épaules pour la protéger, et il la sentait sangloter et trembler contre lui. Il enfonça brutalement le couteau dans le bois vermoulu de la porte et découpa la serrure en quelques coups rapides.

Les enfants, suivis des deux espions montés sur leurs libellules filant à toute allure, pénétrèrent en trébuchant dans le royaume des fantômes, tandis que les hurlements de la harpie étaient repris et amplifiés par ses congénères regroupées le long du rivage brumeux.

Chapitre 22
Ceux qui murmurent

Aussi épaisses que les feuilles d'automne
jonchant les ruisseaux de vallombreuse,
où les ombrages étruriens décrivent
l'arche élevée d'un berceau...

JOHN MILTON

Le premier réflexe de Will fut de faire asseoir Lyra, puis il sortit le petit pot d'onguent à base de mousse et lui soigna sa blessure. La plaie saignait abondamment, mais elle n'était pas profonde. Il déchira un morceau de sa chemise pour la nettoyer délicatement en la tamponnant et il étala une épaisse couche d'onguent, en essayant de ne pas penser à l'état de saleté des griffes de la créature.

Le regard de Lyra était vitreux, et elle était pâle comme un linge.

— Lyra ! Lyra ! dit Will en la secouant doucement. Fais un effort, il faut continuer.

Elle fut parcourue d'un frisson, laissa échapper un long soupir tremblant et ses yeux se posèrent sur Will, remplis d'un désespoir éperdu.

— Will... Je ne peux plus continuer... Je ne peux pas ! Je ne peux plus raconter de mensonges. Je croyais que c'était facile, mais ça ne marche plus... C'est tout ce que je sais faire, et ça ne marche plus !

— Tu sais faire plein d'autres choses. Tu sais déchiffrer l'aléthiomètre, non ? Allez, viens, essayons de découvrir où nous sommes. Essayons de trouver Roger.

Il l'aida à se relever et, pour la première fois, ils prirent le temps d'observer leur environnement : le pays où vivaient les fantômes.

Ils étaient dans une vaste plaine qui s'enfonçait dans le brouillard. Le paysage était éclairé par une lumière fade qui semblait provenir de partout et de nulle part, avec une intensité égale, si bien qu'il n'y avait ni ombres ni lumière véritables et tout avait la même couleur terne.

Dans cet espace immense se trouvaient des adultes et des enfants, des êtres fantômes, si nombreux que Lyra ne pouvait deviner leur nombre. La plupart se tenaient debout, mais certains étaient assis par terre ou même couchés, apathiques ou endormis. Aucun ne bougeait, ils ne couraient pas, ne jouaient pas, mais beaucoup d'entre eux se retournèrent pour observer ces nouveaux venus, avec dans leurs grands yeux écarquillés une curiosité pleine de terreur.

—Des fantômes, murmura Lyra. C'est ici qu'ils vivent tous, tous ceux qui sont morts...

Sans doute parce qu'elle n'avait plus Pantalaimon, elle s'accrochait solidement au bras de Will, et celui-ci s'en réjouissait. Les Gallivespiens étaient partis en éclaireurs, et il voyait leurs petites silhouettes éclatantes aller et venir à toute allure au-dessus de la tête des fantômes, qui levaient les yeux et suivaient leurs déplacements avec stupéfaction. Le silence était immense et oppressant ; cette lumière grise emplissait Will d'effroi. La présence chaude de Lyra, collée contre lui, était la seule chose qui ressemblait à la vie.

Derrière eux, de l'autre côté du mur, les cris des harpies continuaient à résonner le long du rivage. Certains fantômes lançaient des regards angoissés vers le ciel, mais la plupart gardaient les yeux fixés sur Will et Lyra puis, peu à peu, ils s'approchèrent, en masse. Lyra recula ; elle n'avait pas la force de leur faire face comme elle l'aurait souhaité, et ce fut Will qui dut prendre la parole :

—Parlez-vous notre langue ? demanda-t-il. Pouvez-vous parler au moins ?

Si tremblants, apeurés et meurtris fussent-ils, ils possédaient plus d'autorité que tous ces morts réunis. Ces pauvres fantômes n'avaient presque plus de forces, et en entendant la voix de Will, la première voix claire qui résonnait en ce lieu, de mémoire de mort, un grand nombre d'entre eux se rapprochèrent, poussés par l'envie de répondre.

Mais ils ne pouvaient que murmurer. Des sons faibles, à peine audibles et plus puissants qu'un souffle, c'était tout ce qui sortait de leur bouche. En les voyant avancer avec détermination, en se bousculant, les Gallivespiens s'empressèrent de piquer vers le sol pour virevolter devant eux et les empêcher d'approcher de trop près. Les enfants fantômes regardaient les libellules avec un mélange d'envie et de désespoir, et Lyra comprit aussitôt pourquoi : ils croyaient que c'étaient des dæmons, et leur rêve le plus cher était de tenir à nouveau le leur dans leurs bras.

—Non, ce ne sont pas des dæmons ! s'exclama-t-elle, avec compassion. Si le mien était ici, avec moi, vous pourriez le toucher et le caresser, je vous le promets...

En disant cela, elle tendit les mains vers les enfants. Les adultes restèrent en retrait, apathiques ou apeurés, mais les enfants se précipitèrent. Leurs corps n'avaient pas plus de substance que le brouillard, pauvres petits, et les mains de Lyra, comme celles de Will, passaient à travers. Mais les enfants fantômes continuaient de se presser autour d'eux, diaphanes et sans vie, pour se réchauffer au contact du sang qui coulait dans les veines des deux voyageurs et des battements de leurs cœurs. Will et Lyra perçurent une succession de petites caresses froides, provoquées par le passage des fantômes à travers leurs corps. Mais peu à peu, ils sentaient que la mort s'emparait d'eux ; ils n'avaient pas une quantité infinie de vie et de chaleur à distribuer. Déjà, ils tremblaient de froid, et la foule des fantômes qui continuait à avancer vers eux semblait ne jamais devoir s'arrêter.

Finalement, Lyra dut les supplier de rester où ils étaient.

Elle leva la main et dit :

—S'il vous plaît... on voudrait bien vous toucher tous, mais nous sommes venus ici pour chercher quelqu'un, et j'aimerais que vous me disiez où il est et comment le retrouver... Oh, Will, dit-elle en appuyant sa tête contre celle du garçon, si seulement je savais comment faire !

Les fantômes semblaient fascinés par le sang qui coulait sur le front de Lyra, écarlate et brillant comme du houx dans la faible lumière, et plusieurs d'entre eux étaient venus s'y frotter, avides de sentir en eux une chose aussi vivante et intense. Une fillette, qui devait avoir neuf ou dix ans quand elle était encore vivante, leva timidement la main pour essayer de toucher le sang, mais elle recula brusquement, effrayée. Lyra lui dit :

—N'aie pas peur. Nous ne sommes pas venus ici pour vous faire du mal. Parle-nous, si tu le peux.

La fillette fantôme parla, mais sa voix fluette n'était qu'un murmure :

—Ce sont les harpies qui ont fait ça ? Elles ont essayé de vous faire du mal ?

—Oui, répondit Lyra, mais c'est tout ce qu'elles peuvent nous faire, je n'ai pas peur d'elles.

—Oh, tu te trompes... Elles peuvent faire bien pire...

—Quoi donc ? Que peuvent-elles faire ?

Apparemment, les fantômes ne voulaient pas aborder ce sujet. Ils secouèrent la tête et restèrent muets, jusqu'à ce qu'un jeune garçon dise :

—C'est moins horrible pour ceux qui sont ici depuis des centaines d'années parce que, au bout de tout ce temps, vous êtes fatigué, et elles vous font moins peur...

—Elles aiment surtout parler aux nouveaux arrivants, ajouta la première fillette. Mais... C'est tellement abominable. Elles... Je ne peux pas vous le dire.

Leurs voix ne faisaient pas plus de bruit que des feuilles mortes qui tombent d'un arbre. Et seuls les enfants parlaient ; tous les adultes semblaient plongés dans une léthargie si ancienne et profonde qu'on pouvait penser qu'ils ne parleraient et ne bougeraient plus jamais.

– Écoutez, dit Lyra. Je vous en prie, écoutez-moi. Nous sommes venus jusqu'ici, mes amis et moi, parce que nous devons retrouver un garçon prénommé Roger. Il n'est pas ici depuis longtemps, juste quelques semaines, ça veut dire qu'il ne doit pas connaître beaucoup de gens, mais si vous savez où il est...

Alors même qu'elle prononçait ces paroles, elle savait qu'ils pourraient rester ici jusqu'à ce qu'ils deviennent vieux, pour chercher partout, scruter tous les visages, et ne voir qu'une infime fraction des morts. Elle sentit le désespoir s'abattre sur ses épaules, aussi écrasant que si la harpie elle-même s'était perchée sur elle.

Mais elle serra les dents et s'efforça de redresser le menton. « Nous sommes arrivés jusqu'ici, se dit-elle, c'est déjà un premier pas. »

La fillette fantôme dit quelque chose, de sa toute petite voix.

– Pourquoi on veut le retrouver ? répondit Will. Parce que Lyra a besoin de lui parler. Mais moi aussi je veux retrouver quelqu'un. Je veux retrouver mon père, John Parry. Il est ici, lui aussi, quelque part. Et je veux lui parler avant de retourner dans mon monde. Alors, je vous en supplie, si vous le pouvez, demandez à Roger et à John Parry de venir parler à Lyra et à Will. Demandez-leur...

Soudain, tous les fantômes firent demi-tour et s'enfuirent, y compris les adultes, telles des feuilles mortes éparpillées par une bourrasque. En quelques secondes seulement, les voyageurs se retrouvèrent seuls au milieu de l'immense espace nu, et ils ne tardèrent pas à comprendre pourquoi : des cris, des hurlements stridents descendirent du ciel, et les harpies fondirent sur eux, dans des effluves pestilentiels et des battements d'ailes furieux, accompagnés de ces mêmes cris rauques, moqueurs, ces railleries.

Lyra s'accroupit immédiatement, plaquant ses mains sur ses oreilles, et Will se pencha au-dessus d'elle, son couteau à la main. Il vit Tialys et Salmakia se précipiter à leur rescousse, mais ils étaient encore loin, et il eut l'occasion, durant une ou deux secondes, d'observer les harpies qui tournoyaient dans le ciel et plongeaient vers le sol. Il vit leurs visages humains mordre le vide, comme pour gober des insectes, et il entendit les paroles qu'elles criaient : des paroles moqueuses, des paroles ordurières, qui toutes concernaient sa mère, des paroles qui lui déchiraient le cœur, mais une partie de son esprit était comme détachée, indifférente ; elle réfléchissait, calculait, observait. Manifestement, aucune de ces créatures maléfiques n'osait approcher du couteau.

Par curiosité, il se redressa. Une des harpies – peut-être s'agissait-il de Sans

Nom – dut effectuer un virage brutal pour éviter le couteau car, au même moment, elle plongeait en piqué dans le but de passer juste au-dessus de sa tête. Ses grandes ailes s'agitèrent avec maladresse, et elle négocia de justesse ce changement de trajectoire. Will aurait pu lui trancher la tête d'un seul coup de couteau.

Entre-temps, les Gallivespiens les avaient rejoints, et ils s'apprêtaient à attaquer, mais Will s'écria :

– Tialys ! Venez ici ! Salmakia, venez vous poser sur ma main !

Les espions atterrirent sur ses épaules, et il leur dit :

– Regardez. Voyez ce qu'elles font. Elles plongent vers nous en hurlant, mais c'est tout. Je crois que la harpie a blessé Lyra par erreur tout à l'heure. Je crois qu'elles ne veulent pas nous toucher. On peut les ignorer.

Lyra leva la tête, les yeux écarquillés. Les immondes créatures virevoltaient autour de la tête de Will, à une trentaine de centimètres parfois, mais elles changeaient brusquement de trajectoire au dernier moment pour l'éviter. Will sentait que les deux espions étaient désireux d'en découdre, les ailes de leurs libellules frémissaient d'impatience, elles avaient hâte de s'élancer dans les airs avec leurs cavaliers aux éperons mortels, mais ils se retenaient : ils voyaient bien que Will avait raison.

Cette absence de réaction eut un effet sur les fantômes : voyant que Will ne semblait pas avoir peur des harpies et qu'il ne lui arrivait rien, ils commencèrent à revenir vers les voyageurs, petit à petit. Ils observaient les harpies d'un œil inquiet, mais ne pouvaient résister à l'attrait des corps et du sang chauds, de ces puissants battements de cœur.

Lyra se redressa pour rejoindre Will. Sa blessure à la tête s'était rouverte et du sang frais coulait sur sa joue ; elle l'essuya d'un geste nonchalant.

– Will... Je suis heureuse qu'on soit venus jusqu'ici tous les deux...

Il perçut dans sa voix et il vit sur son visage une détermination qu'il connaissait bien et qu'il aimait plus que tout. Il comprit qu'elle avait une idée audacieuse en tête, mais elle n'était pas encore prête à en parler.

Il hocha simplement la tête, pour montrer qu'il comprenait.

La fillette fantôme dit :

– Par ici... Suivez-nous... On va les retrouver !

Will et Lyra éprouvèrent l'un et l'autre la même sensation : comme si de petites mains invisibles s'introduisaient en eux et les tiraient par les côtes pour les obliger à avancer.

Alors ils se mirent en marche à travers cette vaste plaine désolée, tandis que les harpies tournoyaient au-dessus d'eux, de plus en plus haut dans le ciel, sans cesser de hurler. Mais elles gardaient leurs distances et, de toute façon, les Gallivespiens étaient là pour monter la garde.

En chemin, quelques fantômes leur parlèrent :

— Excusez-moi, dit une fillette, mais où sont vos dæmons ? Pardonnez cette question. Mais...

Lyra ressentait à chaque seconde l'absence de son Pantalaimon adoré. Elle avait du mal à aborder ce sujet, c'est pourquoi Will répondit à sa place :

— Nous avons laissé nos dæmons à l'extérieur, à l'abri. On les récupérera plus tard. Et toi, tu avais un dæmon ?

— Oui, répondit la fillette prénommée Beth. Il s'appelait Sandling... Je l'aimais énormément...

— Avait-il pris son apparence définitive ? demanda Lyra.

— Non, pas encore. Il pensait qu'il deviendrait un oiseau, mais moi, j'espérais que non, car j'aimais bien me blottir contre sa fourrure le soir dans mon lit. Mais il était de plus en plus souvent oiseau. Et toi, comment s'appelle ton dæmon ?

Lyra le lui dit, et tous les fantômes commencèrent à se rapprocher. Ils voulaient tous parler de leur dæmon.

— Le mien s'appelait Matapan...

— On jouait à cache-cache ; il se transformait en caméléon et je ne le voyais plus. Il était tellement gentil...

— Une fois, je me suis blessé à l'œil, je ne voyais plus rien et il m'a guidé jusqu'à la maison...

— Il ne voulait pas prendre une apparence définitive, mais moi, j'avais envie de grandir, alors on se disputait sans cesse...

— Il se roulait en boule au creux de ma main et il s'endormait...

— Est-ce qu'ils sont encore là-bas, ailleurs ? Est-ce qu'on les reverra un jour ?

— Non. Quand tu meurs, ton dæmon disparaît, comme la flamme d'une bougie qu'on souffle. Je l'ai vu de mes propres yeux. Moi, je n'ai jamais revu mon Castor... Je n'ai pas pu lui dire au revoir...

— C'est pas possible qu'ils soient nulle part ! Ils sont forcément quelque part ! Mon dæmon est encore quelque part, je le sais !

Les fantômes étaient de plus en plus excités ; leurs yeux brillaient, leurs joues avaient pris des couleurs, comme s'ils empruntaient un peu de vie aux voyageurs.

Will demanda :

— Y a-t-il ici quelqu'un de mon monde, où les gens n'ont pas de dæmon ?

Un jeune garçon maigrichon hocha la tête, et Will se tourna vers lui.

— On comprenait pas ce qu'étaient les dæmons, mais on savait ce que ça faisait de ne pas en avoir. Il y a des gens qui viennent de tous les mondes ici.

— Moi, je connaissais ma mort, déclara une fillette. Depuis ma toute petite enfance. Quand j'entendais les autres parler de leurs dæmons, je croyais qu'ils faisaient allusion à une chose comme notre mort. Oh, elle me manque tellement ! Je ne la reverrai plus. « J'en ai terminé », c'est la dernière chose qu'elle m'a dite, et elle a disparu pour toujours. Quand elle était avec moi, je savais qu'il y avait quelqu'un à qui je pouvais faire confiance, quelqu'un qui savait où nous allions et quoi faire. Mais elle n'est plus là maintenant. Je ne sais pas ce qui va se passer.

— Il ne va rien se passer ! lança quelqu'un d'autre. Rien, plus jamais !

— Tu parles sans savoir, répliqua une fillette. Ils sont bien venus, non ? Et pourtant, personne ne savait que ça allait arriver.

Elle parlait de Will et de Lyra.

— C'est la première fois qu'il se passe quelque chose ici, dit un garçon. Peut-être que tout va changer.

— Que voudriez-vous faire, si vous en aviez la possibilité ? demanda Lyra.

— Retourner dans le monde !

— Même si vous ne pouviez le revoir qu'une seule fois, vous voudriez quand même y retourner ?

— Oui ! Oui ! Oui !

— Il faut quand même que je retrouve Roger, déclara Lyra, excitée par une nouvelle idée, mais Will devait en être le premier informé.

Sur le sol désertique de la plaine infinie, un vaste et lent mouvement s'était emparé de la foule des innombrables fantômes. Will et Lyra n'en avaient pas conscience, mais Tialys et Salmakia, qui la survolaient en altitude, voyaient les petites silhouettes pâles se déplacer dans le même sens, au même rythme, avec une unité évoquant la migration d'immenses vols d'oiseaux ou de troupeaux de rennes. Au centre de cette marée se trouvaient les deux seuls enfants qui n'étaient pas des fantômes ; ils suivaient le mouvement et, pourtant, c'était comme s'ils incarnaient la volonté commune de tous les morts.

Les espions, dont les pensées allaient encore plus vite que leurs destriers ailés, échangèrent un regard et se posèrent côte à côte sur la branche desséchée d'un arbre pour permettre à leurs libellules de se reposer.

— Avons-nous des dæmons, nous aussi, Tialys ? demanda la lady.

— Depuis que nous sommes montés dans cette barque, j'ai l'impression qu'on m'a arraché le cœur et qu'on l'a jeté sur le rivage, alors qu'il battait encore. Mais ce n'est pas le cas, je le sens qui cogne dans ma poitrine. Ça signifie que quelque chose de moi est resté là-bas, avec le dæmon de cette fillette, et quelque chose de toi également, Salmakia, car tes traits sont tirés, tes mains sont pâles et crispées. Oui, nous avons des dæmons, quelle que soit leur forme. Peut-être que les habitants du monde de Lyra sont les seuls êtres vivants à savoir qu'ils possèdent des dæmons. C'est peut-être pour cette raison que la révolte est venue de l'un d'eux.

Le chevalier descendit du dos de la libellule et l'attacha soigneusement, puis il sortit le résonateur à aimant. Mais à peine avait-il touché l'instrument qu'il s'arrêta.

—Aucune réponse, déclara-t-il d'un air sombre.

—Nous sommes donc au-delà de tout?

—Au-delà de toute aide, assurément. Mais nous savions que nous allions dans le pays des morts.

—Le garçon suivrait cette fille jusqu'au bout du monde.

—À ton avis, pourra-t-il ouvrir le chemin du retour avec son couteau?

—Je suis sûre qu'il en est convaincu. Mais franchement, Tialys... je n'en sais rien.

—Il est encore très jeune. Ils sont très jeunes l'un et l'autre. Si elle ne survit pas à cette épreuve, la question de savoir si elle fera le bon choix face à la tentation ne se posera même plus. Ça n'aura plus aucune importance.

—Crois-tu qu'elle a déjà choisi? Quand elle a décidé d'abandonner son dæmon sur le rivage? Était-ce le choix qu'elle devait faire?

Le chevalier contempla d'en haut ces millions de créatures qui avançaient à pas lents sur la terre des morts, entraînées par cette étincelle éclatante et vivante nommée Lyra Parle-d'Or. Il n'apercevait que ses cheveux, tache la plus claire dans la grisaille et, juste à côté, il y avait la tête du garçon, solide et résistante avec ses cheveux noirs.

—Non, dit-il. Pas encore. Le véritable choix viendra plus tard.

—Dans ce cas, nous devons la conduire en lieu sûr.

—Elle et lui. Ils sont indissociables désormais.

Lady Salmakia tira légèrement sur les rênes arachnéennes et sa libellule décolla immédiatement de la branche pour foncer vers les deux enfants, suivie de près par le chevalier. Mais les espions ne s'arrêtèrent pas à leur hauteur; après les avoir survolés à basse altitude pour s'assurer qu'ils allaient bien, ils filèrent droit devant eux, en partie pour tromper l'impatience des libellules, mais aussi pour découvrir jusqu'où s'étendait ce lieu de désolation.

En les voyant passer comme un éclair au-dessus de sa tête, Lyra éprouva un sentiment de soulagement, car elle se dit qu'il existait encore des choses vivantes et éclatantes de beauté. Puis, incapable de conserver plus longtemps pour elle seule son idée, elle se tourna vers Will, approcha ses lèvres de l'oreille du garçon et, dans un murmure plein de chaleur et d'enthousiasme, elle lui dit:

—Will, je veux qu'on fasse sortir d'ici tous ces pauvres enfants fantômes, et les adultes aussi. Libérons-les ! Quand on aura retrouvé Roger et ton père, on ouvrira une fenêtre sur le monde extérieur et on les libérera tous !

Will se tourna vers elle et lui adressa un vrai sourire, si chaleureux et joyeux qu'elle sentit quelque chose vaciller en elle ; telle fut son impression du moins car, privée de Pantalaimon, elle ne pouvait pas se demander ce qu'elle ressentait. Peut-être son cœur avait-il simplement trouvé une autre façon de battre. Profondément surprise, elle s'obligea à marcher droit en chassant cette sensation de vertige.

Ils continuèrent ainsi leur chemin. Les murmures se répandaient plus vite que leurs pas, les mots : « Roger, Lyra est venue... Roger, Lyra est ici... » passaient d'un fantôme à l'autre, semblables au message électrique qu'une cellule du corps transmet à sa voisine.

Tialys et Salmakia, qui survolaient les environs sur leurs libellules infatigables, finirent par apercevoir un autre mouvement de masse, signe d'une certaine agitation. En redescendant vers le sol, ils s'aperçurent que nul ne faisait attention à eux désormais, car une chose plus intéressante accaparait les esprits de tous les fantômes. Ils échangeaient des murmures enfiévrés, ils montraient quelque chose du doigt et poussaient quelqu'un vers l'avant.

Salmakia effectua un passage en rase-mottes, sans pouvoir se poser : la foule était trop dense, et aucune de ces mains ni de ces épaules ne pourraient supporter son poids. Elle découvrit un jeune garçon fantôme au visage honnête et triste, hébété et intrigué par ce qu'on lui disait. La lady s'écria :

— Roger ? C'est toi, Roger ?

Le garçon leva les yeux, stupéfait, inquiet, et il hocha la tête.

Salmakia s'empressa de rejoindre le chevalier et, ensemble, ils filèrent vers Lyra. Le chemin était long, et il n'était pas facile de s'orienter mais, en observant les déplacements de la masse, ils trouvèrent enfin la fillette.

— La voici ! s'exclama Tialys. Lyra ! Lyra ! Ton ami est là-bas !

Lyra leva la tête et tendit la main pour accueillir la libellule. Le grand insecte s'y posa aussitôt ; son corps rouge et jaune brillait comme de l'émail, ses ailes diaphanes étaient raides et immobiles. Tialys se maintenait en équilibre, tandis que Lyra le tenait à la hauteur de ses yeux.

— Où ça ? demanda-t-elle, le souffle coupé par l'excitation. Il est loin ?

— À une heure de marche, environ, dit le chevalier. Mais il sait que tu arrives. Les autres le lui ont dit, et nous avons vérifié que c'était bien lui. Continue à avancer, tu le trouveras bientôt.

Tialys vit que Will faisait un gros effort pour se tenir droit et s'obliger à trouver de nouvelles forces. Lyra, elle, était revigorée, et elle bombardait les Gallivespiens de questions : Roger avait-il l'air bien ? Leur avait-il parlé ?

Non, évidemment, mais paraissait-il heureux ? Les autres enfants avaient-ils compris ce qui se passait, et est-ce qu'ils apportaient leur aide ou représentaient-ils un obstacle au contraire ?...

Et ainsi de suite. Tialys s'efforça de répondre patiemment et sincèrement à chacune de ses questions tandis que, pas à pas, la fillette se rapprochait du garçon dont elle avait causé la mort.

CHAPITRE 23
SANS ISSUE

Tu connaîtras la vérité
et la vérité
te rendra libre.
SAINT JEAN

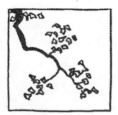 — Will, demanda Lyra, comment vont réagir les harpies, à ton avis, quand on va libérer tous les fantômes ?

Les créatures se faisaient de plus en plus bruyantes et volaient de plus en plus bas ; leur nombre ne cessait d'augmenter, comme si l'obscurité elle-même se rassemblait sous forme de petits caillots de haine et leur donnait des ailes. Les fantômes lançaient des regards apeurés en direction du ciel.

— Est-ce qu'on approche ? demanda Lyra à Lady Salmakia.

— On n'en est plus très loin, répondit celle-ci en tournoyant au-dessus des deux enfants. Tu pourrais même apercevoir ton ami Roger si tu montais sur ce rocher.

Mais Lyra ne voulait pas perdre de temps. Elle s'efforçait de tout son cœur d'afficher un sourire sur son visage pour accueillir Roger, mais sans cesse surgissait devant ses yeux cette terrible image du pauvre Pan abandonné sur la jetée, tandis que le brouillard se refermait autour de lui, et elle avait du mal à se retenir de hurler. Mais elle devait se ressaisir, se disait-elle ; elle devait garder espoir, pour Roger, comme elle l'avait toujours fait.

Leurs retrouvailles eurent lieu de manière soudaine. Au milieu de la cohue de tous les fantômes, il était là tout à coup ! Ses traits familiers étaient creusés, mais son expression était rayonnante de joie, autant qu'il était possible pour un fantôme. Il se précipita pour la serrer contre lui.

Mais il passa entre les bras de Lyra comme un nuage de fumée froide et, même si la fillette sentit sa petite main se refermer sur son cœur, il n'avait plus assez de force pour s'y retenir. Ils ne pourraient plus jamais se toucher pour de bon.

Toutefois, Roger pouvait murmurer et, de sa voix frêle, il dit :

— Oh, Lyra, je ne pensais pas que je te reverrais un jour... Je pensais que même si tu venais ici une fois morte, tu serais beaucoup plus vieille, tu serais une adulte et tu ne voudrais plus me parler.

— Pourquoi donc ?

— Parce que je n'ai pas fait ce qu'il fallait quand Pan a repris mon dæmon à Lord Asriel ! On aurait dû s'enfuir, ne pas essayer de combattre cette femme ! On aurait dû courir vers toi ! Elle n'aurait pas pu me reprendre mon dæmon et, quand la falaise s'est effondrée, il aurait été avec moi !

— Mais ce n'était pas ta faute, idiot ! s'écria Lyra. C'est moi qui t'ai conduit là-bas ; j'aurais dû te laisser repartir avec les autres enfants et les gitans. C'était ma faute. Je suis navrée, Roger, sincèrement. C'était entièrement ma faute. Sans moi, tu ne te serais pas trouvé là...

— Oui, possible, je n'en sais rien. Peut-être que je serais mort autrement. Mais ce n'était pas ta faute, Lyra.

Elle sentait qu'elle commençait à le croire ; malgré tout, quel déchirement de voir cette pauvre petite créature froide, si proche et à la fois si inaccessible. Elle essaya de lui prendre le poignet et, même si ses doigts se refermèrent sur du vide, Roger comprit le message et il s'assit à côté d'elle.

Les autres fantômes s'écartèrent pour les laisser seuls, et Will s'éloigna lui aussi, pour aller s'asseoir et soigner sa main. Elle saignait de nouveau et, pendant que Tialys voletait dans tous les sens pour obliger les fantômes à reculer, Salmakia l'aida à nettoyer sa blessure.

À quelques mètres de là, Lyra et Roger ignoraient ce qui se passait autour d'eux.

— Et t'es même pas morte, dit-il. Comment t'as fait pour venir ici, alors que t'es encore vivante ? Et où est Pan ?

— Oh, Roger... J'ai été obligée de le laisser sur l'autre rive ; c'est la chose la plus affreuse que j'aie jamais faite, c'est tellement douloureux... Tu sais combien ça fait mal... Il restait là, à me regarder, et j'avais l'impression d'être une meurtrière, Roger... Mais il fallait que je le fasse, ou sinon, je n'aurais pas pu venir !

— Depuis que je suis mort, je fais semblant de parler avec toi tout le temps. Je rêve que... Je rêve de pouvoir sortir d'ici, avec tous les autres morts. C'est un endroit tellement affreux, Lyra. Ici, il n'y a aucun espoir, une fois que tu es mort, tout est toujours pareil... Et ces espèces d'oiseaux... Tu sais ce qu'ils font ? Ils attendent que tu te reposes — tu ne dors jamais vraiment, ici, tu somnoles, en fait — ils s'approchent de toi sans faire de bruit et ils te murmurent à l'oreille toutes les vilaines choses que tu as faites quand tu étais vivant, pour que tu ne puisses pas les oublier. Ils savent les pires choses sur toi. Ils savent comment te torturer, en te faisant repenser à toutes les bêtises et les vilaines choses que tu as faites. Toutes tes mauvaises pensées, ils les connaissent, et ils te font honte, ils te dégoûtent de toi-même... Mais tu ne peux pas leur échapper.

— Écoute-moi, dit-elle.

Elle baissa la voix et se pencha vers le petit fantôme, comme quand ils préparaient un sale tour à Jordan College.

— Tu ne le sais sûrement pas, mais les sorcières — tu te souviens de Serafina Pekkala —, les sorcières ont une prophétie me concernant. Elles ignorent que je suis au courant. Je n'en ai jamais parlé à personne. Mais, quand j'étais à Trollesund, et quand Farder Coram le gitan m'a emmenée voir le Consul des Sorcières, le Dr Lanselius, celui-ci m'a fait passer une sorte de test. Il fallait que je sorte pour aller ramasser la bonne branche de sapin magique parmi toutes les autres, pour prouver que j'étais capable de déchiffrer l'aléthiomètre.

C'est ce que j'ai fait. Il m'a suffi d'une seconde, c'était facile, et je me suis dépêchée de rentrer, car il faisait très froid dehors. Le Consul bavardait avec Farder Coram, ils ignoraient que je pouvais les entendre. Il a dit que les sorcières avaient cette prophétie à mon sujet : j'allais faire quelque chose de grand et d'important, et ça se passerait dans un autre monde...

Mais je n'en ai jamais parlé à personne, et j'avoue que j'ai dû oublier, il se passait tellement d'autres choses. Ça m'est sorti de la tête. Je n'en ai même jamais parlé à Pan, car il se serait moqué de moi, je parie.

Mais plus tard, quand Mme Coulter m'a capturée et m'a plongée dans un état de transe, je me suis mise à rêver, et j'ai rêvé de cette prophétie, j'ai rêvé de toi aussi. Je me suis souvenue de Ma Costa, la gitane. Tu te rappelles ? C'est sur leur péniche qu'on était montés, à Jericho, avec Simon et Hugh et...

— Oui ! Et on a failli naviguer jusqu'à Abingdon ! C'est le meilleur truc qu'on ait jamais fait, Lyra ! Je n'oublierai jamais, même si je reste mort ici pendant mille ans...

— Attends, écoute la suite. Quand j'ai échappé à Mme Coulter, la première fois, j'ai retrouvé les gitans, et ils se sont occupés de moi... Oh, Roger, j'ai découvert tellement de choses, tu n'en reviendrais pas. Mais voilà le truc important : Ma Costa m'a dit que j'avais de l'huile de sorcière dans mon âme ; elle a dit que les gitans étaient un peuple de l'eau mais que, moi, j'étais un être de feu.

Je pense que ça veut dire qu'elle me préparait pour la prophétie des sorcières. Je sais que j'ai une chose importante à faire, et le Dr Lanselius, le Consul des Sorcières, a dit qu'il était essentiel que j'ignore quelle était ma destinée jusqu'à ce qu'elle survienne. Tu comprends ? Je ne dois pas poser de questions... Alors, je n'ai pas cherché à savoir. Je n'ai même jamais pensé à ce que ça pouvait être. Je n'ai même pas interrogé l'aléthiomètre.

Mais maintenant, je crois que je sais. Et le fait de te retrouver, c'est une sorte de preuve. Ce que je dois faire, Roger, ma destinée, c'est aider tous les fantômes à quitter le pays des morts, pour toujours. Will et moi, on va vous libérer, tous. J'en suis sûre. Il le faut. Et à cause de Lord Asriel, à cause d'une chose qu'il a dite... « La mort va mourir », a-t-il dit. Mais j'ignore ce qui va se passer. Tu ne dois rien leur dire pour l'instant, promets-le-moi. Vous risquez de ne pas survivre là-haut. Mais...

Voyant que Roger brûlait d'envie de parler, elle se tut :

— C'est exactement ce que je voulais te dire ! Je leur ai dit aux autres, à tous les morts, je leur ai dit que tu viendrais ! Comme quand tu es venue sauver les enfants à Bolvangar ! Je leur disais : « Lyra le fera, si quelqu'un peut le faire. » Ils avaient envie de me croire, ils auraient voulu que ce soit vrai, mais ils ne me croyaient pas vraiment, je le sentais bien.

Comme Lyra ne disait rien, il continua :

— Tous les enfants qui arrivent ici, tous sans exception, commencent par dire : « Je parie que mon père va venir me chercher. » Ou bien : « Dès que ma mère saura où je suis, je parie qu'elle viendra me chercher pour me ramener à la maison. » Et si ce n'est pas leur père ou leur mère, c'est leurs amis, ou leur grand-père, mais il y a toujours quelqu'un qui va venir les chercher. Malheureusement, ça n'arrive jamais. Alors, personne ne m'a cru quand je disais que tu viendrais. Mais moi, j'avais raison !

— Oui, dit Lyra, mais je n'aurais jamais réussi sans Will. C'est le garçon, là-bas. Et là, c'est le chevalier Tialys et Lady Salmakia. Oh, j'ai tellement de choses à te raconter, Roger !

— C'est qui, ce Will ? D'où il vient ?

Lyra commença son explication, sans s'apercevoir que sa voix se modifiait, ni qu'elle avait redressé les épaules et que ses yeux brillaient d'une lueur différente tandis qu'elle racontait l'histoire de sa rencontre avec Will et la lutte pour la possession du poignard subtil. Comment aurait-elle pu s'en apercevoir, d'ailleurs ? Mais Roger le vit, lui, avec la jalousie triste et muette des morts pour qui rien ne changeait jamais.

Pendant ce temps, à l'écart, Will discutait avec les deux Gallivespiens :

— Qu'allez-vous faire maintenant, la fille et toi ? voulait savoir Tialys.

— On va ouvrir une fenêtre dans ce monde pour faire sortir les morts. C'est à ça que doit servir le couteau.

Jamais il n'avait vu un tel étonnement se peindre sur des visages, et encore moins chez des gens dont l'opinion lui importait. Il en était venu à éprouver un grand respect pour les deux espions. Après un moment de silence, Tialys dit finalement :

– Cela va tout chambouler. C'est le coup le plus violent que tu puisses porter, mon garçon. Après ce geste, l'Autorité n'aura plus aucun pouvoir.

– Comment pourraient-ils se douter de quelque chose ? dit la lady. Ça va leur tomber dessus sans crier gare.

– Et ensuite ? demanda le chevalier.

– Comment ça, ensuite ? Il faudra qu'on sorte d'ici à notre tour, et qu'on retrouve nos dæmons, je suppose. Mais ne voyons pas si loin. Pensons au présent, c'est bien assez. Je n'ai encore rien dit aux fantômes, au cas où... au cas où ça ne marcherait pas. Alors, ne dites rien, vous non plus. Je vais commencer par trouver une ouverture sur un autre monde, mais ces fichues harpies nous surveillent. Si vous voulez m'aider, essayez de détourner leur attention, pendant que j'accomplis ma tâche.

Aussitôt, les Gallivespiens éperonnèrent leurs libellules, qui s'envolèrent vers le ciel ténébreux, où les harpies formaient un nuage aussi dense qu'un essaim de mouches à viande. Will regarda les deux grands insectes foncer avec témérité vers ces immondes créatures, comme si les harpies étaient de simples mouches, effectivement, qu'elles pouvaient gober d'un coup de bec, malgré leur taille imposante. Il songea combien ces montures ailées seraient heureuses de pouvoir à nouveau survoler les eaux claires lorsque ce ciel de plomb s'ouvrirait.

Alors, il sortit le couteau. Et immédiatement resurgirent les paroles que lui avaient jetées les harpies, les sarcasmes concernant sa mère. Il posa le couteau et s'efforça de faire le vide dans ses pensées.

Il reprit le couteau et essaya de nouveau, avec la même conséquence. Il entendait les harpies qui hurlaient dans le ciel, malgré les assauts féroces des Gallivespiens, mais elles étaient si nombreuses que les deux espions ne pouvaient pas les combattre toutes.

Il comprit qu'il devrait s'en accommoder. Les harpies seraient un obstacle supplémentaire. Will força son esprit à se détendre, à se détacher de son environnement et il demeura immobile, assis, laissant pendre le couteau dans sa main, jusqu'à ce qu'il se sente prêt à nouveau.

Cette fois, le couteau s'enfonça dans l'air... et rencontra un rocher. Il avait ouvert une fenêtre sur le sous-sol d'un autre monde. Il la referma et fit une nouvelle tentative.

La même chose se produisit, bien qu'il sache que c'était, cette fois, un monde différent. Il s'était déjà retrouvé dans les airs en ouvrant une fenêtre sur un autre monde, il ne devait donc pas s'étonner de se retrouver sous terre ; malgré tout, c'était déroutant.

Pour sa nouvelle tentative, il procéda avec minutie, comme il avait appris à le faire, en laissant la pointe de la lame chercher la résonance particulière qui indiquait la présence d'un monde où le sol se trouvait au même niveau. Mais où qu'il enfonce la lame, il ne sentait rien. Il n'y avait pas d'autre monde sur lequel il puisse ouvrir une fenêtre ; partout, ce n'était que de la pierre dure.

Lyra avait senti qu'il y avait un problème. Elle interrompit sa conversation avec le fantôme de Roger pour se précipiter auprès de Will.

— Que se passe-t-il ?

Il lui expliqua, et ajouta :

— Il va falloir aller plus loin si je veux trouver une ouverture sur un autre monde. Mais ces harpies vont essayer de nous en empêcher. Tu as parlé de notre idée aux fantômes ?

— Non. Seulement à Roger, et je lui ai fait promettre de ne rien dire aux autres. Il fera ce que je lui demande. Oh, Will, j'ai peur ! Si on ne peut plus sortir d'ici ! Imagine qu'on reste bloqués ici pour toujours !

— Le couteau peut traverser la roche. S'il le faut, on creusera un tunnel. Ça prendra du temps, et j'espère qu'on ne sera pas obligés d'en arriver là, mais on peut le faire. Ne t'inquiète pas.

— Oui, tu as raison. On peut y arriver, évidemment.

Mais Will avait l'air si faible, si malade, se dit-elle, avec ses traits creusés par la douleur, ses cernes profonds autour des yeux, sa main qui tremblait et ses doigts qui saignaient de nouveau. Il paraissait aussi mal en point qu'elle. Ils ne pourraient continuer bien longtemps sans leurs dæmons. Lyra sentait son propre fantôme trembler à l'intérieur de son corps, et elle noua ses bras autour de sa poitrine, de toutes ses forces, rongée par l'absence de Pan.

Pendant ce temps, les fantômes se rapprochaient, pauvres créatures ; les enfants surtout, qui ne voulaient plus quitter Lyra.

— Par pitié, dit une jeune fille, vous ne nous oublierez pas quand vous repartirez, hein ?

— Non, répondit Lyra. Jamais.

— Vous leur parlerez de nous ?

— Promis. Comment t'appelles-tu ?

La pauvre fille semblait gênée et honteuse. Elle tourna la tête pour cacher son visage, et un garçon dit :

— Il vaut mieux oublier qui on est, je crois. Moi aussi j'ai oublié mon nom. Certains sont ici depuis longtemps et ils savent encore qui ils sont. Il y a des enfants qui sont là depuis des milliers d'années. Ils ne sont pas plus vieux que nous, et ils ont oublié un tas de choses. Sauf la lumière du soleil. Personne ne peut oublier ça. Et le vent aussi.

— Oui ! s'exclama un autre. Parle-nous de ces choses !

Des voix de plus en plus nombreuses s'élevèrent pour demander à Lyra de leur parler des choses dont ils se souvenaient, le soleil, le vent et le ciel, et de celles qu'ils avaient oubliées, comme jouer, par exemple. Elle se tourna vers Will et demanda à voix basse :

— Que dois-je faire ?

— Raconte-leur.

— J'ai peur. Après ce qui s'est passé là-bas... avec les harpies...

— Dis-leur la vérité. On tiendra les harpies à distance.

Elle le regarda d'un air dubitatif. En vérité, elle était malade d'appréhension. Elle se retourna vers les fantômes qui se pressaient autour d'elle, de plus en plus nombreux.

— Par pitié ! murmuraient-ils. Tu viens juste de quitter le monde ! Raconte-nous, raconte-nous ! Parle-nous du monde !

Il y avait un tronc non loin de là ; juste un tronc mort avec ses branches blanches comme des os qui se dressaient dans le ciel gris et glacial et, parce que Lyra se sentait très faible, parce qu'elle pensait ne pas être capable de marcher et de parler en même temps, elle se dirigea vers cet arbre pour s'asseoir. Les fantômes s'écartèrent en se bousculant pour la laisser passer.

Quand ils furent presque arrivés à l'arbre, Tialys se posa sur la main de Will et lui fit signe de baisser la tête pour entendre ce qu'il avait à lui dire.

— Elles reviennent, murmura-t-il. Les harpies. Et elles sont de plus en plus nombreuses. Prépare ton couteau, mon garçon. La lady et moi, on va les retenir le plus longtemps possible, mais tu seras peut-être obligé de te battre.

Sans avertir Lyra, pour ne pas l'inquiéter davantage, Will dégagea légèrement le couteau de son fourreau et laissa sa main tout près. Tialys repartit sur sa libellule, au moment où Lyra atteignait le tronc et s'asseyait sur une des grosses racines.

Les fantômes étaient si nombreux à se presser autour d'elle, remplis d'espoir, les yeux écarquillés, que Will dut les obliger à reculer pour faire un peu de place à Lyra ; seul Roger fut autorisé à rester tout près d'elle. Il la dévorait des yeux et l'écoutait avec passion.

Alors, elle commença à parler du monde qu'elle connaissait.

Elle raconta aux fantômes comment, avec Roger, ils avaient grimpé sur le toit de Jordan College et découvert le corbeau avec la patte brisée, et comment ils l'avaient soigné, jusqu'à ce qu'il soit en état de voler ; comment ils avaient exploré les caves, remplies de poussière et de toiles d'araignée, et bu du vin qui les avait rendus ivres. Le fantôme de Roger l'écoutait, fier et désespéré ; il hochait la tête et murmurait :

— Oui, oui ! C'est exactement ce qui s'est passé, c'est la vérité !

Puis elle leur raconta la grande bataille entre les citadins d'Oxford et les briquetiers.

Pour commencer, elle décrivit les carrières d'argile, en prenant soin de rassembler tous ses souvenirs, les immenses puits couleur ocre, et les fours semblables à de gigantesques ruches en brique. Elle leur parla des saules qui poussaient au bord du fleuve, avec leurs feuilles argentées ; elle leur expliqua que, lorsque le soleil brillait pendant plus de deux jours d'affilée, l'argile se fendillait en larges plaques, avec de profondes fissures ; ils aimaient glisser la main dans ces fissures et soulever lentement une grosse motte de boue séchée, la plus grosse possible, sans la casser. En dessous, l'argile était encore molle, c'était idéal pour bombarder les gens.

Puis elle décrivit les odeurs : la fumée qui s'échappait des fours, l'odeur de feuilles pourries et de moisi qui montait du fleuve quand le vent venait du sud-ouest, l'odeur chaude des pommes de terre au four que mangeaient les briquetiers ; et le bruit de l'eau qui coulait en douceur dans les écluses pour se déverser ensuite dans les puits, la manière dont la terre faisait ventouse quand vous vouliez décoller votre pied du sol, et le lourd claquement des aubes des écluses dans l'eau chargée d'argile.

Tandis qu'elle racontait son histoire, en faisant appel à tous leurs sens, les fantômes se rapprochaient, dévorant ses paroles, se remémorant le temps où ils avaient un corps, une peau, des nerfs et des sens ; ils auraient voulu qu'elle ne s'arrête jamais.

Elle raconta ensuite que les enfants des briquetiers menaient une guerre permanente contre les citadins, mais qu'ils étaient lents et idiots et qu'ils avaient de l'argile à la place de la cervelle, alors que les citadins avaient l'esprit vif. Et un jour, tous les citadins avaient mis de côté leurs différends pour élaborer un plan et ils avaient attaqué les carrières d'argile sur trois fronts à la fois, acculant les enfants des briquetiers contre le fleuve, les bombardant de lourdes poignées de terre collante, prenant d'assaut et détruisant leur forteresse de boue, transformant les fortifications en projectiles, jusqu'à ce que l'air, le sol et l'eau se retrouvent mêlés de manière inextricable, et que tous les enfants, d'un côté comme de l'autre, ne puissent plus reconnaître les amis des ennemis car ils étaient tous couverts de boue de la tête aux pieds. Mais aucun n'avait jamais passé une meilleure journée de toute sa vie.

Quand Lyra eut terminé son récit, elle regarda Will, épuisée. Elle eut alors un choc.

Outre les fantômes silencieux, autour d'elle, et ses compagnons vivants qui se tenaient à ses côtés, elle avait captivé un autre auditoire : les branches de l'arbre mort menaçaient de se briser sous le poids des sinistres oiseaux sombres ; leurs visages de femmes l'observaient de là-haut, solennels et fascinés.

Envahie d'une peur soudaine, Lyra se releva, mais les créatures ne bougèrent pas.

– Vous ! leur lança-t-elle, désespérée. Vous m'avez attaquée tout à l'heure, quand j'essayais de vous raconter une histoire. Qu'est-ce qui vous retient maintenant ? Allez-y, lacérez-moi avec vos griffes, transformez-moi en fantôme !

– Loin de nous cette intention, répondit la harpie du milieu, Sans Nom en personne. Écoute-moi. Il y a des milliers d'années, quand les premiers fantômes sont arrivés ici, l'Autorité nous a donné le pouvoir de voir ce qu'il y a de plus mauvais en chacun et, depuis, nous nous nourrissons de ces ignominies, à tel point que notre sang est empoisonné et que nos cœurs sont malades. Mais nous n'avions que ça pour nous nourrir. Nous n'avions rien d'autre. Et voilà que nous apprenons que vous avez l'intention d'ouvrir une porte sur le monde d'en haut pour laisser partir tous les fantômes...

Sa voix rauque fut noyée sous un million de murmures, car tous les fantômes qui étaient assez près pour l'entendre poussèrent des petits cris de joie et d'espoir. Les harpies, quant à elles, poussèrent des hurlements et battirent des ailes jusqu'à ce qu'ils se taisent.

– Parfaitement ! s'écria Sans Nom. Pour les laisser partir ! Qu'allons-nous faire, nous autres ? Je vais vous dire ce que nous allons faire : dorénavant, nous ne nous retiendrons plus. Nous martyriserons, nous profanerons, nous lacérerons tous les fantômes qui arrivent, et nous les rendrons fous de peur, de remords et de haine. Cet endroit est un désert, nous en ferons un enfer !

À ces mots, toutes les harpies poussèrent des cris stridents et des rires moqueurs ; un grand nombre d'entre elles s'envola de l'arbre pour fondre sur les fantômes, qui se dispersèrent, terrorisés. Lyra s'accrocha au bras de Will.

– Elles ont compris notre plan, et on ne pourra pas le réaliser ! Les fantômes vont nous haïr ; ils penseront qu'on les a trahis ! Au lieu d'arranger les choses, nous les avons aggravées !

– Calme-toi, ordonna Tialys. Ne te désespère pas. Rappelle-les et oblige-les à nous écouter.

Will s'exclama :

– Revenez ! Revenez toutes ! Revenez et écoutez !

Une par une, les harpies firent demi-tour et revinrent vers l'arbre, le visage déformé par la fièvre, la faim et l'amour du malheur. Le chevalier confia sa libellule à Salmakia, et son petit corps nerveux, vêtu de vert, bondit sur un rocher d'où tout le monde pouvait l'apercevoir.

– Harpies ! lança-t-il. Nous pouvons vous offrir mieux que ça. Répondez sincèrement à mes questions, écoutez ce que j'ai à dire et vous jugerez ensuite. Quand Lyra s'est adressée à vous, de l'autre côté du mur, vous l'avez attaquée. Pour quelle raison ?

– Mensonges ! s'écrièrent en chœur les harpies. Mensonges et fantasmes !

– Pourtant, vous l'avez toutes écoutée à l'instant, sans rien dire et sans bouger. Pour quelle raison ?

– Elle disait la vérité, répondit Sans Nom. Et ses paroles étaient nourrissantes. Parce qu'elles nous alimentaient. Et on ne pouvait s'empêcher de l'écouter. Parce que c'était la vérité. Parce que nous ignorions qu'il existait autre chose que la vilenie. Parce qu'elle nous apportait des nouvelles du monde, du soleil, du vent et de la pluie. Parce qu'elle disait la vérité.

– Dans ce cas, reprit Tialys, je vous propose un marché. Au lieu de voir uniquement la méchanceté, la cruauté et la cupidité des fantômes qui arrivent ici, vous aurez le droit désormais de demander à chacun d'eux de vous raconter l'histoire de sa vie, et il sera obligé de dire la vérité sur ce qu'il a vu, touché, entendu, aimé et connu de son vivant. Chacun de ces fantômes a une histoire et chacun de ceux qui arriveront ici à l'avenir aura des choses vraies à vous raconter sur le monde. Vous aurez le droit de les écouter, et ils seront obligés de vous les raconter.

Lyra était impressionnée par le cran du petit espion. Comment osait-il s'adresser à ces créatures comme s'il avait le pouvoir de leur accorder des droits ? N'importe laquelle aurait pu le gober tout cru en une fraction de seconde, le lacérer avec ses griffes, ou bien l'emporter très haut dans le ciel et le lancer vers le sol où il s'écraserait. Et pourtant, il leur faisait face, fier et intrépide ; il leur proposait un marché ! Et elles l'écoutaient, elles débattaient en se tournant les unes vers les autres en parlant à voix basse.

Tous les fantômes les regardaient, terrorisés et muets.

Finalement, Sans Nom se retourna.

– Ça ne suffit pas, déclara-t-elle. Nous exigeons davantage. Sous l'ancien régime, nous avions une tâche à accomplir. Nous avions un royaume et un devoir. Nous exécutions les ordres de l'Autorité avec diligence, et pour cela nous recevions des honneurs. Nous étions haïes et craintes, mais honorées également. Que vont devenir nos honneurs ? Pourquoi les fantômes s'intéresseraient-ils à nous s'ils sont libres de retourner dans le monde ? Nous avons notre fierté, et vous ne devez pas l'ignorer. Nous avons besoin d'un rôle honorable ! Nous avons besoin d'un devoir et d'une tâche à accomplir, qui nous vaudront le respect qui nous est dû !

Les harpies s'agitèrent sur les branches, murmurant et battant des ailes. Soudain, Lady Salmakia bondit sur le rocher pour rejoindre le chevalier, et elle s'exclama :

— Vous avez parfaitement raison ! Tout le monde devrait avoir une tâche à accomplir, c'est important, une tâche digne d'éloges, et qu'on exécute avec fierté. Alors, voici votre devoir, et vous seules pourrez l'accomplir, car vous êtes les gardiennes de ce lieu. Il consistera à guider les fantômes depuis leur arrivée au bord du lac, à travers le pays des morts, jusqu'à la nouvelle ouverture sur le monde d'en haut. En échange, ils vous raconteront leur histoire pour vous dédommager en toute équité de votre aide. Est-ce que ça vous paraît correct ?

Sans Nom se tourna vers ses congénères, et celles-ci hochèrent la tête. Alors, elle répondit :

— Nous voulons avoir le droit de refuser de les guider s'ils mentent, ou s'ils nous cachent quelque chose, ou s'ils n'ont rien à nous dire. S'ils vivent dans le monde, ils sont obligés de voir, de toucher, d'entendre, d'aimer et d'apprendre des choses. Nous ferons une exception pour les jeunes enfants qui n'ont pas eu le temps d'apprendre quoi que ce soit mais, autrement, s'ils arrivent ici sans rien apporter, nous ne les conduirons pas vers la sortie.

— C'est équitable, déclara Salmakia, et les autres voyageurs approuvèrent.

C'est ainsi qu'ils conclurent un accord. Et en échange de l'histoire de Lyra, qu'elles avaient entendue par avance, les harpies proposèrent de conduire les voyageurs et leur couteau dans un endroit du pays des morts qui était tout proche du monde d'en haut. Il y avait un long chemin à parcourir, à travers des tunnels et des cavernes, mais elles les guideraient fidèlement, et les fantômes pourraient les suivre.

Mais avant qu'ils se mettent en route, une voix s'éleva, aussi forte que pouvait l'être un chuchotement. C'était le fantôme d'un homme maigre, au visage enflammé par la passion.

— Que va-t-il se passer ? s'écria-t-il. Quand nous aurons quitté le monde des morts, vivrons-nous à nouveau ? Ou bien nous volatiliserons-nous comme nos dæmons ? Mes frères, mes sœurs, ne suivons pas cette enfant avant de savoir ce qui va nous arriver !

D'autres fantômes renchérirent :

— Il a raison, dites-nous où on va ! Dites-nous à quoi nous attendre ! Nous ne partirons pas d'ici avant de savoir ce qui va se passer !

Lyra se tourna vers Will pour quêter son aide, et il lui conseilla simplement :

—Dis-leur la vérité. Interroge l'aléthiomètre, et dis-leur ce qu'il répond.

—Très bien.

Elle sortit le précieux instrument. La réponse fut immédiate. Elle rangea l'aléthiomètre et se leva.

—Voici ce qui va arriver, déclara-t-elle. Et c'est la vérité, la parfaite vérité. Quand vous quitterez cet endroit, toutes les particules dont vous êtes constitués se sépareront et se disperseront dans les airs, comme vos dæmons. Si vous avez vu des gens mourir, vous connaissez ce phénomène. Mais vos dæmons ne sont pas retournés au néant ; ils font partie de toutes les choses. Tous les atomes qui les composaient se sont dispersés dans l'air, le vent, les arbres, la terre, et dans toutes les créatures vivantes. Ils ne disparaîtront jamais. Ils sont dans chaque chose. Et c'est exactement ce qui vous arrivera, je vous le jure, sur mon honneur. Vous vous disperserez, en effet, mais vous serez à l'air libre, vous ferez partie du monde vivant, comme avant.

Nul ne parla. Ceux qui avaient vu des dæmons se volatiliser s'en souvenaient ; les autres essayaient d'imaginer, et tout le monde resta muet, jusqu'à ce qu'une jeune femme s'avance. Elle était morte en martyre des siècles plus tôt. Elle regarda autour d'elle, et dit :

—Quand nous étions vivants, ils nous disaient que, une fois morts, on irait au ciel. Ils disaient que le ciel était un lieu de bonheur et de gloire, et que nous passerions l'éternité en compagnie des saints et des anges à prier le Tout-Puissant, dans un état de béatitude. Voilà ce qu'ils disaient. Et c'est ce qui a conduit certains d'entre nous à donner nos vies, et d'autres à passer des années dans l'isolement et la prière, pendant que toutes les joies de l'existence nous tendaient les bras, sans que nous le sachions.

Mais le pays des morts n'est pas un lieu de récompense, ni un lieu de châtiments. C'est un lieu de néant. Les bons et les mauvais viennent tous ici, indifféremment, et nous nous languissons tous dans cette obscurité, pour toujours, sans aucun espoir de liberté ni de joie, sans connaître le repos ni la paix.

Or, voilà que cette enfant vient nous offrir une échappatoire, et j'ai bien l'intention de la suivre. Même si ce choix est synonyme d'oubli, mes amis, je l'accueillerai avec bonheur, car il remplacera le néant ; nous ressusciterons dans un millier de brins d'herbe, un million de feuilles, nous tomberons du ciel avec les gouttes de pluie, nous volerons avec la brise, nous scintillerons dans la rosée sous l'éclat des étoiles et de la lune, là-bas dans ce monde physique qui est notre véritable foyer, depuis toujours. Alors, je vous en conjure, suivez cette enfant vers les cieux !

Mais le fantôme de cette femme fut brusquement écarté par celui d'un homme qui ressemblait à un moine : mince, plus pâle encore que les autres morts, avec des yeux noirs de fanatique. Il fit son signe de croix et récita une courte prière, avant de déclarer :

— Voilà un message bien amer, une triste et cruelle plaisanterie. Vous ne voyez donc pas la vérité ? Ce n'est pas une enfant. C'est un agent du Malin en personne ! Le monde dans lequel nous vivions était une vallée de corruption et de larmes. Il n'y avait rien là-bas pour nous satisfaire. Mais le Tout-Puissant nous a offert ce lieu béni pour toute l'éternité, ce paradis, qui semble sinistre et désolé aux âmes perdues, mais que les yeux de la foi voient tel qu'il est : débordant de lait et de miel, vibrant au son des cantiques doux des anges. Nous sommes au paradis, mes amis ! Les promesses de cette fille maléfique ne sont que des mensonges ! Suivez-la à vos risques et périls. Mes compagnons de la véritable foi et moi-même nous resterons ici dans notre paradis béni, et nous passerons l'éternité à chanter les louanges du Tout-Puissant qui nous a offert la capacité de différencier la vérité du mensonge.

Il se signa de nouveau puis, suivi de ses compagnons, il repartit, frémissant d'horreur et de mépris.

Lyra était perplexe. Avait-elle tort ? Était-elle en train de commettre une colossale erreur ? Elle scruta les environs : tout n'était que ténèbres et désolation. Mais elle s'était déjà trompée en se fiant à l'apparence des choses, elle avait fait confiance à Mme Coulter à cause de son beau sourire et de son élégance parfumée. C'était si facile de se tromper et, sans son dæmon pour la guider, peut-être faisait-elle le mauvais choix une fois de plus.

Mais Will la secouait par le bras. Il prit son visage entre ses mains et le tint fermement.

— Tu sais que ce n'est pas vrai ! dit-il. Ne prête pas attention à ces paroles ! Eux aussi ils voient bien que cet homme ment ! Et ils comptent sur nous. Viens, mettons-nous en route.

Elle hocha la tête. Il fallait qu'elle fasse confiance à son corps et à la vérité énoncée par ses sens, comme l'aurait fait Pan.

Alors ils se mirent en route, et les millions de fantômes commencèrent à les suivre. Derrière eux, trop loin pour que Lyra et Will puissent les voir, d'autres habitants du monde des morts avaient eu vent de ce qui se passait, et ils arrivaient pour se joindre à la longue marche. Partis inspecter la fin du cortège, Tialys et Salmakia furent ivres de joie en découvrant leurs semblables, et toutes les autres espèces douées d'intelligence qui avaient été punis de mort ou d'exil par l'Autorité. Parmi eux se trouvaient des êtres qui n'avaient rien d'humain, des êtres comme les mulefas, que Mary Malone aurait reconnus, et d'autres fantômes encore plus étranges.

Mais Will et Lyra n'avaient pas la force de regarder en arrière ; ils ne pouvaient qu'avancer derrière les harpies et espérer.

— A-t-on bientôt fini, Will ? demanda Lyra dans un murmure. Est-ce bientôt terminé ?

Il ne pouvait répondre à cette question. Mais ils étaient tous les deux si faibles et malades qu'il dit :

— Oui, c'est bientôt fini, on est presque arrivés. On va bientôt sortir d'ici.

CHAPITRE 24
MME COULTER À GENÈVE

*Telle mère,
Telle fille.*
ÉZÉCHIEL

 Mme Coulter attendit la tombée de la nuit pour s'approcher du Collège Saint-Jérôme. Dans l'obscurité, elle fit descendre le vaisseau d'intentions à travers les nuages et avança lentement le long de la rive du lac, volant à la hauteur de la cime des arbres. Le collège dessinait une silhouette distincte au milieu des autres bâtisses anciennes de Genève, et elle n'eut aucun mal à repérer le clocher, la forme plus sombre du cloître et la tour carrée qui abritait les appartements du président de la Cour de Discipline Consistoriale. Elle s'était rendue dans cet établissement à trois reprises déjà ; elle savait que les faîtes des toits, les pignons et les cheminées dissimulaient de nombreuses cachettes, même pour un appareil aussi imposant que le vaisseau d'intentions.

Volant à faible allure au-dessus des tuiles qui luisaient sous l'effet de la pluie récente, elle fit pénétrer son engin dans un passage étroit entre un toit très pentu et le mur abrupt de la tour. Cet endroit n'était visible que du beffroi de la Chapelle de la Sainte-Pénitence, tout près de là ; c'était parfait.

Elle posa l'appareil en douceur, laissant aux six pattes le soin de choisir leurs appuis et de s'ajuster pour maintenir la cabine en position horizontale. Elle commençait à aimer cet engin : il obéissait à ses ordres au moment même où ils lui venaient à l'esprit et, de plus, il était extrêmement silencieux : il pouvait planer au-dessus de la tête de quelqu'un, suffisamment près pour le toucher, sans que cette personne s'aperçoive de sa présence. Depuis environ vingt-quatre heures qu'elle l'avait subtilisé, Mme Coulter avait appris à le piloter, mais elle ne savait toujours pas comment il était alimenté, et c'était la seule chose qui l'inquiétait : elle n'avait aucun moyen de savoir à quel moment le carburant ou les batteries risquaient de la trahir.

Une fois certaine que l'appareil s'était stabilisé et que la construction était assez solide pour supporter son poids, elle ôta son casque et descendit de la cabine.

Son dæmon avait déjà commencé à arracher une des lourdes et vieilles tuiles. Elle l'imita et très vite, à eux deux, ils en ôtèrent une demi-douzaine, après quoi, elle fit sauter les lattes sur lesquelles elles reposaient, ouvrant ainsi dans le plafond un trou assez large pour leur permettre de passer.

— Pars en éclaireur, murmura-t-elle, et son dæmon se laissa tomber dans le noir.

Elle entendait le cliquetis de ses griffes, alors qu'il se déplaçait prudemment sur le plancher du grenier. Au bout d'un moment, son visage noir bordé de poils dorés réapparut dans l'ouverture. Mme Coulter comprit aussitôt, et elle le rejoignit à l'étage inférieur. Puis elle attendit que ses yeux s'habituent à la pénombre. Peu à peu, elle vit apparaître une pièce tout en longueur dans laquelle on avait stocké des buffets, des étagères et des meubles en tout genre, dont elle distinguait les silhouettes sombres.

La première chose qu'elle fit fut de pousser un grand buffet devant l'ouverture pour la dissimuler. Après quoi, sur la pointe des pieds, elle marcha jusqu'à la porte qui se découpait dans le mur à l'autre bout du grenier et essaya de tourner la poignée. La porte était verrouillée, évidemment, mais elle avait une épingle à cheveux et la serrure n'était pas très compliquée. Trois minutes plus tard, son dæmon et elle se trouvaient à une extrémité d'un long couloir ; une verrière poussiéreuse éclairait faiblement, à l'autre extrémité, un escalier étroit qui descendait.

Et cinq minutes plus tard, ils avaient ouvert la fenêtre du garde-manger qui jouxtait la cuisine, deux étages plus bas, et ils se faufilaient hors du bâtiment, dans une ruelle. Le portail du collège se situait juste au coin et, comme elle l'expliqua au singe doré, il était important d'arriver de manière orthodoxe, quelle que fût la manière dont ils pensaient repartir.

— Bas les pattes ! dit-elle calmement au garde à l'entrée. Et faites preuve d'un peu de respect, ou sinon je vous fais fouetter. Allez prévenir le président que Mme Coulter est là et qu'elle souhaite le voir immédiatement.

L'homme recula d'un pas, et son dæmon-pinscher, qui avait montré les crocs en voyant le singe doré, se mit à trembler, la queue entre les jambes.

Le garde actionna la manivelle du téléphone et, moins d'une minute plus tard, un jeune prêtre au visage juvénile entra précipitamment dans le poste, en essuyant ses paumes sur sa soutane, au cas où la visiteuse souhaiterait lui serrer la main. C'était inutile car elle n'en avait pas l'intention.

—Qui êtes-vous ? lui demanda-t-elle.

—Je suis frère Louis, répondit le jeune homme en caressant son dæmon-lapin. Directeur du Secrétariat de la Cour de Discipline Consistoriale. Si vous voulez bien...

—Je ne suis pas venue jusqu'ici pour discuter avec un rond-de-cuir. Conduisez-moi auprès du père MacPhail. Immédiatement.

Le prêtre s'inclina et la pria de le suivre. Dès qu'ils furent sortis, le garde poussa un grand soupir de soulagement.

Après deux ou trois tentatives pour engager la conversation, frère Louis renonça et conduisit en silence Mme Coulter jusqu'aux appartements du président, dans la tour. Le père MacPhail était en train de faire ses dévotions, et le pauvre frère Louis tremblait comme une feuille en frappant à la porte. Ils entendirent un soupir, suivi d'un grognement, puis un bruit de pas lourds sur le plancher.

Le président ouvrit de grands yeux en découvrant sa visiteuse, puis un sourire carnassier éclaira son visage.

—Madame Coulter ! dit-il en lui tendant la main. Quelle joie de vous revoir. Mon bureau n'est pas chauffé et notre hospitalité est austère, mais entrez, entrez donc.

—Bonsoir, dit-elle en le suivant à l'intérieur d'une pièce sinistre aux murs de pierre.

Le père MacPhail la conduisit jusqu'à un siège avec force simagrées.

—Merci, dit-elle en se retournant vers frère Louis qui était toujours là, je prendrai une tasse de chocolat.

On ne lui avait rien offert, et elle savait combien c'était insultant pour lui d'être ainsi traité en domestique, mais son comportement était si abject qu'il l'avait bien mérité. Le président lui adressa un hochement de tête, et frère Louis fut obligé de quitter la pièce et de s'exécuter à contrecœur.

—Évidemment, vous êtes en état d'arrestation, déclara le président en s'asseyant sur l'autre siège et en allumant la lampe.

—Allons, à quoi bon gâcher cette conversation avant même qu'elle ait commencé ? répondit Mme Coulter. Je suis venue ici de mon plein gré, dès que j'ai réussi à m'échapper de la forteresse de Lord Asriel. De fait, père président, je possède beaucoup d'informations sur l'état de ses forces, et aussi sur l'enfant. Et je suis venue pour vous les donner.

—Très bien. Commencez donc par l'enfant.

—Ma fille a maintenant douze ans. Très bientôt, elle approchera du seuil de l'adolescence, il sera alors trop tard pour empêcher la catastrophe ; la nature et la promiscuité se rejoindront comme l'étincelle qui enflamme la bûche. Grâce à votre intervention malencontreuse, cela risque fort de se produire désormais. J'espère que vous êtes content de vous.

— Votre devoir vous dictait de l'amener ici pour nous la confier. Au lieu de cela, vous avez choisi de vous terrer au fond d'une grotte dans la montagne et, franchement, je ne comprends pas comment une femme aussi intelligente que vous pouvait espérer demeurer cachée.

— Il y a certainement beaucoup de choses que vous ne comprenez pas, père président, à commencer par les liens qui existent entre une mère et son enfant. Si vous avez cru un seul instant que j'allais remettre ma fille entre les mains — les mains! — d'une bande d'hommes habités par une obsession fiévreuse de la sexualité, des hommes aux ongles noirs, empestant la vieille sueur rance, des hommes dont l'imagination furtive ramperait sur son corps comme des cafards. Si vous avez cru que j'exposerais ma fille à cela, alors, père président, vous êtes encore plus stupide que vous pensez que je le suis.

Avant qu'il puisse répondre, on frappa à la porte et frère Louis entra avec deux verres de chocolat, sur un plateau en bois. Il déposa le plateau sur la table, en s'inclinant nerveusement, tout en adressant un grand sourire au président dans l'espoir que celui-ci l'autoriserait à rester ; mais le père MacPhail désigna la porte d'un petit signe de tête, et le jeune prêtre sortit de nouveau, toujours à contrecœur.

— Alors, que comptiez-vous faire d'elle? demanda le président.

— Je voulais la maintenir à l'abri jusqu'à ce que le danger soit passé.

Il lui tendit son verre.

— De quel danger parlez-vous?

— Oh, je crois que vous le savez très bien. Quelque part, il existe une tentation, un serpent pourrait-on dire, et il fallait que j'empêche leur rencontre.

— Il y a un garçon avec elle.

— Oui. Et sans votre intervention, ils seraient l'un et l'autre sous mon contrôle à l'heure qu'il est. Maintenant, ils peuvent être n'importe où. Au moins, ils ne sont pas auprès de Lord Asriel.

— Je suis certain qu'il va se lancer à leur recherche. Le garçon possède un couteau aux pouvoirs extraordinaires. Ce serait une raison suffisante pour les retrouver.

— J'en suis consciente, dit Mme Coulter. J'ai réussi à briser le couteau, mais le garçon a trouvé le moyen de le faire réparer.

Elle souriait. « Elle n'approuve quand même pas la conduite de ce misérable gamin ? » se demanda le président.

— Oui, nous sommes au courant, dit-il sèchement.

—Tiens, tiens, fit-elle. Fra Pavel a fait des progrès, on dirait. Quand je l'ai connu, il lui aurait fallu au moins un mois pour déchiffrer autant d'informations.

Elle but une petite gorgée de chocolat, léger et fade. Voilà qui était typique de la mentalité de ces satanés prêtres, se dit-elle : ils imposaient leurs privations à leurs visiteurs.

—Parlez-moi de Lord Asriel, demanda le président. Racontez-moi tout.

Mme Coulter se renversa au fond de son siège et commença son récit ; pas en intégralité, naturellement, mais pas un instant il n'avait imaginé qu'elle lui livrerait tous les détails. Elle lui parla de la forteresse, des alliés, des anges, des mines et des fonderies.

Le père MacPhail restait parfaitement immobile ; son dæmon-lézard absorbait et enregistrait chaque mot.

—Et comment êtes-vous arrivée jusqu'ici ? demanda-t-il.

—J'ai volé un gyroptère. Mais je suis tombée en panne de carburant, et j'ai dû l'abandonner en rase campagne, pas très loin d'ici. J'ai fini le chemin à pied.

—Lord Asriel recherche-t-il activement la fille et le garçon ?

—Évidemment.

—C'est le couteau qui l'intéresse, je suppose. Savez-vous qu'il a un nom ? Les monstres des falaises du Nord l'appellent le destructeur de Dieu. (En disant cela, le président se leva et marcha jusqu'à la fenêtre qui donnait sur le cloître.) Tel est l'objectif de Lord Asriel, n'est-ce pas ? Détruire l'Autorité ? Certaines personnes affirment que Dieu est déjà mort. Apparemment, Lord Asriel ne fait pas partie de ces gens-là, puisqu'il nourrit l'ambition de le tuer.

—Mais où est Dieu, s'il est vivant ? demanda Mme Coulter. Et pourquoi a-t-il cessé de s'exprimer ? Au commencement du monde, il est entré dans le jardin et il a parlé avec Adam et Ève. Et puis, il s'est retiré, et Moïse n'a entendu que sa voix. Où est-il maintenant ? Est-il toujours vivant, à un âge inconcevable, décrépit et sénile, incapable de réfléchir, d'agir, de parler, incapable de mourir même, semblable à un vieux rafiot pourri ? Si tel est son état, ne serait-ce pas le geste le plus charitable, la meilleure preuve de notre amour de Dieu, que de le retrouver et de lui faire cadeau de la mort ?

Mme Coulter éprouvait une sorte de jubilation sereine en prononçant ces mots. Elle se demandait si elle ressortirait vivante de cet endroit, mais c'était si enivrant de parler ainsi devant cet homme.

—Et la Poussière ? demanda le président. Des profondeurs de votre hérésie, que pensez-vous de la Poussière ?

—Je n'ai pas d'opinion sur la Poussière, répliqua-t-elle. Je ne sais pas ce que c'est. Nul ne le sait.

—Je vois. J'ai commencé cette entrevue en vous rappelant que vous étiez en état d'arrestation. Il est temps, je crois, de vous trouver un endroit pour dormir. Vous serez installée confortablement, personne ne vous fera de mal, mais vous ne sortirez pas d'ici. Et nous reparlerons de tout cela demain.

Il appuya sur une sonnette, et frère Louis fit son entrée presque immédiatement.

—Montrez à Mme Coulter notre plus belle chambre d'amis, dit le père MacPhail. Et enfermez-la.

La plus belle chambre d'amis était une pièce miteuse meublée de manière misérable mais, au moins, elle était propre. Après avoir entendu la clé tourner dans la serrure, de l'autre côté de la porte, Mme Coulter chercha immédiatement le micro caché : elle en trouva un habilement dissimulé dans une applique, et un autre sous le sommier. Elle les débrancha tous les deux, et c'est alors qu'elle eut une horrible surprise.

Quelqu'un l'observait du haut de la commode, juste à côté de la porte : Lord Roke.

Elle laissa échapper un petit cri de stupeur et dut s'appuyer contre le mur pour conserver son équilibre. Le Gallivespien était assis en tailleur, parfaitement à son aise, et ni Mme Coulter ni le singe doré n'avaient remarqué sa présence en entrant. Quand les battements de son cœur se furent calmés et qu'elle eut retrouvé une respiration normale, elle demanda :

—Puis-je savoir à quel moment vous auriez eu la courtoisie de signaler votre présence, monseigneur ? Avant que je me déshabille ou après ?

—Avant, répondit-il. Dites à votre dæmon de se calmer, ou je le paralyse.

Le singe doré montrait les dents et tous ses poils étaient dressés. La méchanceté qui se lisait sur son visage aurait fait frémir n'importe quelle personne normale, mais Lord Roke, lui, se contentait de sourire. Ses éperons scintillaient dans la pénombre de la chambre.

Le petit espion se leva et s'étira.

—Je viens de parler à mon agent en poste à l'intérieur de la forteresse de Lord Asriel, reprit-il. Lord Asriel vous transmet ses hommages et vous prie de le prévenir dès que vous aurez découvert quelles sont les intentions de ces gens.

Mme Coulter avait le souffle coupé, comme si Lord Asriel l'avait jetée au tapis après une lutte sauvage. Les yeux écarquillés, elle s'assit lentement sur le lit.

—Vous êtes venu ici pour m'espionner, ou pour m'aider ?

—Les deux, et vous avez de la chance que je sois là. Dès votre arrivée, ils ont déclenché une sorte de procédé ambarique dans les caves. J'ignore de quoi il s'agit, mais une équipe de scientifiques travaille actuellement dessus. Vous semblez les avoir galvanisés.

— Je ne sais si je dois me sentir flattée ou m'en inquiéter. À vrai dire, je tombe de fatigue, et je vais dormir. Si vous êtes ici pour m'aider, vous pouvez monter la garde. Mais commencez par tourner la tête.

Il s'inclina et se tourna vers le mur, le temps qu'elle se débarbouille dans la cuvette écaillée, qu'elle s'essuie avec la serviette mince et se déshabille pour se mettre au lit. Son dæmon fit le tour de la chambre pour inspecter l'intérieur de la penderie, les poutres du plafond, les rideaux et la vue sur le cloître à travers la fenêtre. Lord Roke ne le quitta pas des yeux une seule seconde. Finalement, le singe doré rejoignit Mme Coulter dans le lit et ils s'endormirent immédiatement.

Lord Roke ne lui avait pas raconté tout ce qu'il avait appris de Lord Asriel. Les forces alliées avaient repéré les traces de toutes sortes d'êtres volants au-dessus des frontières de la République, et elles avaient noté à l'ouest une concentration de créatures, qui étaient peut-être des anges. Elles avaient envoyé des patrouilles de reconnaissance mais, jusqu'à présent, celles-ci n'avaient transmis aucune information : quelles que soient ces choses qui se déplaçaient dans le ciel, elles s'étaient enveloppées d'un brouillard impénétrable.

Malgré tout, l'espion jugea préférable de ne pas ennuyer Mme Coulter avec cette histoire, car elle était épuisée. « Laissons-la dormir », se dit-il, et il se déplaça sans bruit à travers la pièce, collant son oreille à la porte, puis allant se poster à la fenêtre, aux aguets.

Mme Coulter était couchée depuis une heure environ lorsque Lord Roke perçut un petit bruit derrière la porte : une sorte de raclement et un murmure. Au même moment, une faible lumière souligna les contours de la porte. L'espion se précipita vers le coin opposé de la pièce, derrière un des pieds de la chaise sur laquelle elle avait posé ses vêtements.

Une minute s'écoula, puis la clé tourna dans la serrure, tout doucement. La porte s'entrouvrit de deux centimètres, pas plus, et la lumière s'éteignit.

Le Gallivespien voyait relativement bien dans la pénombre, mais l'intrus, lui, dut attendre que ses yeux s'habituent à l'absence de lumière. Finalement, la porte s'ouvrit plus largement, très lentement, et le jeune prêtre, frère Louis, entra.

Il fit son signe de croix et approcha du lit sur la pointe des pieds. Lord Roke se tenait prêt à bondir, mais le prêtre se contenta d'écouter la respiration régulière de Mme Coulter, en l'observant attentivement pour s'assurer qu'elle dormait, puis il reporta son attention sur la table de chevet.

Il masqua avec sa main l'ampoule de la lampe et l'alluma, laissant juste une faible lumière filtrer entre ses doigts. Il examina le dessus de la table, de si près que son nez touchait presque le bois mais, quelle que soit la chose qu'il cherchait, elle n'était pas là. La femme avait posé sur la table de chevet plusieurs choses avant de se coucher : quelques pièces de monnaie, une bague, sa montre, mais ce n'était pas ce qui intéressait frère Louis.

Il se retourna vers elle et, apercevant alors ce qu'il cherchait, il laissa échapper un petit sifflement entre ses dents. Lord Roke voyait son désarroi : l'objet qu'il convoitait était le pendentif accroché à la chaîne en or autour du cou de Mme Coulter.

L'espion se déplaça sans bruit le long de la plinthe, vers la porte.

Le jeune prêtre se signa de nouveau, car il allait devoir toucher la femme. Retenant son souffle, il se pencha au-dessus du lit... et le singe doré remua.

Frère Louis s'immobilisa, les mains tendues. Son dæmon-lapin tremblait à ses pieds, totalement inutile ; il aurait pu au moins aider ce pauvre garçon en montant la garde, se disait Lord Roke. Le singe se retourna dans son sommeil, et s'immobilisa.

Après être resté pendant une minute figé comme une statue de cire, frère Louis approcha ses mains tremblantes du cou de Mme Coulter. Il prit de telles précautions que l'espion crut que l'aube allait se lever avant qu'il ait ouvert le fermoir quand, enfin, il récupéra délicatement le pendentif et se redressa.

Aussi rapide et silencieux qu'une souris, Lord Roke franchit la porte avant que le prêtre ne se retourne. Il attendit dans le couloir obscur et, quand le jeune homme sortit à son tour, toujours sur la pointe des pieds, il lui emboîta le pas.

Frère Louis se dirigea vers la tour et, quand le président lui ouvrit sa porte, Lord Roke se faufila à l'intérieur et se précipita vers le prie-dieu installé dans un coin de la pièce. Là, il découvrit une corniche obscure dans la pénombre, il s'y accroupit et tendit l'oreille.

Le père MacPhail n'était pas seul : l'aléthiométriste, Fra Pavel, avait le nez plongé dans ses livres, et un troisième personnage se tenait devant la fenêtre, visiblement nerveux. Il s'agissait du Dr Cooper, le théologien expérimental de Bolvangar. Les deux hommes levèrent la tête quand le jeune prêtre entra.

— Bravo, frère Louis ! lança le président. Apportez-nous ça, asseyez-vous, montrez-moi, montrez-moi. Bien joué !

Fra Pavel poussa une partie de ses livres pour faire de la place, et le jeune prêtre posa la chaîne en or et le pendentif sur la table. Les autres se penchèrent en avant, pendant que le père MacPhail se débattait avec le fermoir. Le Dr Cooper lui proposa son canif et on entendit un petit clic.

— Ah ! soupira le président.

Lord Roke sauta sur un coin du bureau pour mieux voir. Dans la lumière de la lampe à naphte, une petite chose renvoyait des reflets dorés, c'était une mèche de cheveux, que le président tournait et retournait entre ses doigts.

— Sommes-nous certains que ce sont les cheveux de l'enfant ? demanda-t-il.

— Sans aucun doute, déclara Fra Pavel.

— Y en a-t-il suffisamment, docteur Cooper ?

L'homme au visage pâle se pencha encore un peu plus et prit la mèche que tenait le père MacPhail. Il la leva dans la lumière.

— Oh, oui, amplement, dit-il. Un seul cheveu aurait suffi, à vrai dire.

— Vous m'en voyez ravi, dit le président. Maintenant, frère Louis, vous devez aller remettre le pendentif autour du cou de cette chère dame.

Ce dernier ne put masquer sa déception : il avait espéré que sa tâche était terminée. Le président glissa la mèche de cheveux de Lyra dans une enveloppe et referma le pendentif, en regardant autour de lui, et Lord Roke dut disparaître prestement.

— Père président, dit frère Louis. J'exécuterai votre ordre, bien évidemment, mais puis-je savoir pourquoi vous avez besoin des cheveux de cette enfant ?

— Non, frère Louis. Cela vous perturberait. Laissez-nous nous occuper de ces choses. Allez.

Le jeune prêtre reprit le pendentif et quitta la pièce, en étouffant son ressentiment. Lord Roke envisagea un instant de repartir avec lui et de réveiller Mme Coulter au moment où il essayerait de remettre la chaîne autour de son cou, pour voir comment elle réagirait, mais il était plus important de découvrir ce que manigançaient ces gens-là.

Alors que la porte se refermait, le Gallivespien retourna dans l'ombre et tendit l'oreille.

— Comment saviez-vous où elle cachait la mèche de cheveux ? demanda le scientifique.

— Chaque fois qu'elle parlait de sa fille, elle portait instinctivement sa main à son pendentif, expliqua le président. Eh bien, dans combien de temps serez-vous prêt ?

— C'est l'affaire de quelques heures, dit le Dr Cooper.

— Et les cheveux ? Qu'allez-vous en faire ?

— Nous les plaçons dans la chambre de résonance. Voyez-vous, chaque individu est unique, et l'agencement des particules génétiques diffère profondément d'une personne à l'autre... Une fois qu'elles ont été analysées, l'information est codée sous forme d'une série d'impulsions ambariques et transmise à l'appareil de visée. Celui-ci localise l'origine de l'échantillon, c'est-à-dire les cheveux, où qu'il se trouve. Ce procédé repose en fait sur l'hérésie de Barnard-Stokes, la théorie des mondes multiples...

—Ne soyez pas inquiet, docteur. Fra Pavel m'a informé que l'enfant était dans un autre monde. Je vous en prie, poursuivez. La puissance de la bombe est dirigée grâce à ces cheveux ?

—Oui. Vers chacun des cheveux auxquels on a coupé ceux-là. C'est exact.

—Autrement dit, quand la bombe explosera, l'enfant sera détruite, où qu'elle se trouve ?

Le savant inspira profondément, avant d'émettre un faible : « Oui. » Il déglutit et ajouta :

—Mais la puissance nécessaire est énorme. La puissance ambarique. De même qu'une bombe atomique a besoin d'un explosif puissant pour déclencher la réaction en chaîne, cet appareil a besoin d'un courant colossal pour libérer le pouvoir encore supérieur du processus de rupture. Et je me demandais...

—Peu importe l'endroit où se produit l'explosion, n'est-ce pas ?

—En effet. Tout l'intérêt est là. N'importe quel endroit convient.

—Et tout est totalement prêt ?

—Maintenant que nous avons les cheveux, oui. Mais la puissance...

—J'y ai pensé. La centrale hydro-ambarique de Saint-Jean-les-Eaux a été réquisitionnée pour notre usage personnel. Ils produisent suffisamment d'énergie, n'est-ce pas ?

—Certainement, répondit le savant.

—Dans ce cas, inutile d'attendre plus longtemps. Docteur Cooper, allez vérifier le matériel. Qu'il soit prêt à être transporté dès que possible. Le temps change vite en montagne, et un orage se prépare.

Le savant prit la petite enveloppe contenant les cheveux de Lyra, et s'inclina nerveusement avant de quitter la pièce. Lord Roke sortit avec lui, aussi silencieux qu'une ombre.

Dès qu'ils se furent suffisamment éloignés des appartements du président, le Gallivespien passa à l'attaque. Alors qu'il descendait l'escalier, le Dr Cooper sentit soudain une douleur violente dans l'épaule et essaya de se retenir à la rampe, mais son bras était étrangement faible ; il glissa et dévala le reste des marches, pour atterrir au pied de l'escalier, à demi inconscient.

Lord Roke arracha l'enveloppe de la main saisie de convulsions, non sans mal car elle était presque aussi grande que lui, et il disparut dans l'obscurité pour foncer vers la chambre où dormait Mme Coulter.

L'interstice sous la porte était assez haut pour qu'il puisse s'y faufiler. Frère Louis était déjà venu et reparti, mais il n'avait pas osé essayer de remettre la chaîne autour du cou de la femme : elle était posée à côté de sa tête sur l'oreiller.

Lord Roke lui pinça doucement la main pour la réveiller. Malgré sa profonde fatigue, elle revint à elle immédiatement et se redressa dans le lit en se frottant les yeux.

L'espion lui expliqua ce qui s'était passé, tout en lui tendant l'enveloppe.

— Vous feriez mieux de détruire cette mèche immédiatement, dit-il. Un seul cheveu suffirait, paraît-il.

Elle regarda la petite boucle de cheveux blond foncé, en secouant la tête.

— Trop tard, soupira-t-elle. Il ne reste que la moitié de la mèche que j'ai coupée à Lyra. MacPhail en a certainement gardé une partie.

Lord Roke poussa un grognement furieux.

— C'est quand il a regardé autour de lui ! Je me suis caché pour qu'il ne me voie pas... c'est à ce moment-là qu'il a dû...

— Et il n'y a aucun moyen de savoir où il l'a cachée, dit Mme Coulter. Mais si on parvient à localiser cette bombe...

— Chut !

C'était le singe doré qui les avait interrompus. Accroupi derrière la porte, il leur fit signe d'écouter : des pas lourds se précipitaient vers la chambre.

Mme Coulter jeta l'enveloppe contenant la mèche de cheveux à Lord Roke qui la prit et sauta sur le haut de la penderie. Elle se recoucha à côté de son dæmon, juste au moment où la clé tournait bruyamment dans la serrure.

— Où est-elle ? Qu'en avez-vous fait ? Comment avez-vous attaqué le Dr Cooper ? demanda le président d'un ton brutal et menaçant, alors que la lumière vive du couloir se déversait sur le lit.

La femme leva un bras pour se protéger les yeux et se redressa péniblement.

— Vous aimez distraire vos invités, dit-elle d'une voix endormie. S'agit-il d'un nouveau jeu ? Que dois-je faire ? Et qui est ce Dr Cooper ?

Le garde posté à l'entrée du collège entra dans la chambre avec le père MacPhail et promena le faisceau de sa torche dans tous les coins de la pièce, puis sous le lit. Le président semblait légèrement déconcerté : Mme Coulter avait les yeux lourds de sommeil et elle avait du mal à les garder ouverts à cause de la lumière aveuglante du couloir. De toute évidence, elle n'avait pas quitté son lit.

— Vous avez un complice, déclara-t-il. Quelqu'un a attaqué un hôte du collège. Qui est-ce ? Avec qui êtes-vous venue ? Où est-il ?

— Je ne comprends rien à ce que vous racontez. Mais qu'est-ce que... ?

La main sur laquelle elle s'était appuyée pour se redresser dans le lit venait de se refermer sur le pendentif. Elle le prit et regarda le président avec des yeux écarquillés mais encore endormis. Lord Roke assista alors à un formidable numéro de comédienne, lorsqu'elle s'exclama :

— Mais c'est mon... Que fait-il ici ? Père MacPhail, puis-je savoir qui est entré dans ma chambre ? Quelqu'un a détaché ma chaîne pendant que je dormais. Et... Où est la mèche de cheveux de Lyra ? Ce pendentif contenait une mèche de cheveux de Lyra. Qui me l'a volée ? Qu'est-ce que ça signifie ?

Elle s'était levée, les cheveux en bataille, la voix débordante de passion, visiblement tout aussi hébétée que le président.

Celui-ci recula d'un pas.

— Quelqu'un d'autre est venu avec vous ! Vous avez forcément un complice, dit-il d'une voix grinçante. Où se cache-t-il ?

— Je n'ai aucun complice, rétorqua Mme Coulter avec colère. S'il y a un assassin invisible dans ce collège, il ne peut s'agir que du diable en personne. Nul doute qu'il se sent chez lui ici !

Le père MacPhail se tourna vers le garde.

— Conduisez-la dans les caves. Mettez-lui les chaînes. Je sais ce qu'on va faire de cette femme, j'aurais dû y penser dès que je l'ai vue.

Mme Coulter jeta des regards affolés autour d'elle et, durant une fraction de seconde, elle croisa les yeux de Lord Roke, qui scintillaient dans l'obscurité, sous le plafond. L'espion déchiffra immédiatement son expression, et il comprit ce qu'elle attendait de lui.

CHAPITRE 25
SAINT-JEAN-LES-EAUX

Un bracelet
de cheveux clairs
autour de l'os.
JOHN DONNE

 La cataracte de Saint-Jean-les-Eaux plongeait entre des cimes rocheuses, à l'extrémité d'une chaîne des Alpes, et la centrale électrique s'accrochait à flanc de montagne juste au-dessus. C'était une région sauvage, un lieu inquiétant et hostile, et jamais personne n'aurait songé à bâtir quoi que ce soit dans cet endroit si ce n'avait été dans le but d'alimenter de gigantesques turbines ambariques grâce à la puissance des millions de tonnes d'eau qui se déversaient dans la gorge en produisant un grondement de tonnerre.

C'était le lendemain de l'arrestation de Mme Coulter ; le soir tombait et le temps était orageux. Non loin de la façade de pierre brute de la centrale électrique, un zeppelin ralentit, puis s'immobilisa tant bien que mal, ballotté par le vent violent. Les projecteurs allumés sous le ventre de l'appareil donnaient l'impression qu'il reposait sur plusieurs pattes lumineuses, qui s'abaissaient progressivement pour lui permettre de se coucher.

Mais le pilote hésitait : les rafales de vent tourbillonnaient entre les crêtes. En outre, les câbles, les pylônes, les transformateurs de la centrale étaient trop près. Si, par malheur, ils se retrouvaient entraînés au milieu de ce maelström, à bord d'un zeppelin rempli de gaz inflammable, cela leur serait instantanément fatal. Des salves de neige fondue mitraillaient par le travers l'immense enveloppe rigide de l'appareil ; le martèlement parvenait presque à couvrir le vrombissement des moteurs tournant à plein régime et, surtout, la neige masquait le sol.

— Impossible de se poser ici ! cria le pilote pour se faire entendre malgré le vacarme. On va faire le tour de la montagne.

Le père MacPhail lui jeta un regard noir au moment où celui-ci remettait les gaz et réglait l'orientation des moteurs. Le zeppelin s'éleva brutalement et franchit le sommet de la chaîne montagneuse. Les pattes de lumière s'allongèrent tout à coup, et donnèrent l'impression de marcher à tâtons sur l'arête, mais leurs extrémités disparaissaient dans les tourbillons de neige fondue et de pluie.

— Vous ne pouvez pas vous approcher davantage de la centrale ? demanda le président en se penchant vers le pilote pour ne pas avoir à hurler.

— Pas si vous voulez vous poser.

— Oui, nous voulons nous poser. Dans ce cas, laissez-nous un peu plus bas.

Le pilote donna des ordres pour que l'équipage se prépare à l'amarrage. Ils devaient décharger du matériel aussi lourd que précieux, il était donc important de bien stabiliser l'appareil. Le président s'enfonça à nouveau dans son siège, tambourinant sur le bras du fauteuil avec ses doigts et se mordillant la lèvre, mais il resta silencieux pour laisser le pilote se concentrer sur la manœuvre.

Caché dans l'ossature du zeppelin, à l'arrière de la cabine, Lord Roke assistait à la scène. À plusieurs reprises déjà, au cours du vol, sa petite silhouette sombre avait longé le treillis métallique de la cloison, au risque d'être vu si quelqu'un avait tourné la tête à ce moment-là, mais pour entendre ce qui se disait et comprendre ce qui se passait, il devait se trouver aux premières loges. Le risque était inévitable.

Une fois de plus, il s'avança, pas à pas, tendant l'oreille pour percer le vrombissement des moteurs, le martèlement des bourrasques, le sifflement aigu du vent qui faisait trembler les câbles et le bruit des bottes des soldats sur les passerelles métalliques. Le mécanicien navigant lança une série de chiffres au pilote qui les confirma et Lord Roke se renfonça dans l'ombre, en s'accrochant solidement aux étançons, tandis que l'appareil virait sur le côté et plongeait vers le sol.

Enfin, lorsque les mouvements du zeppelin indiquèrent qu'il était presque amarré, Lord Roke regagna la rangée de sièges disposés à tribord en se faufilant entre la structure et l'enveloppe de l'appareil.

À l'arrière, des hommes s'affairaient : membres d'équipage, techniciens, prêtres. La plupart de leurs dæmons étaient des chiens débordants de curiosité. De l'autre côté de l'allée, Mme Coulter était assise, silencieuse ; installé sur ses genoux, son singe doré observait tout ce qui se passait d'un œil menaçant.

Lord Roke attendit qu'une occasion se présente et il se précipita vers son siège : en quelques secondes, il se retrouva perché sur son épaule dans une zone d'ombre.

– Que font-ils ? demanda-t-elle dans un murmure.

– Ils atterrissent. Nous approchons de la centrale électrique.

– Allez-vous rester avec moi ou bien agir seul ?

– Je resterai avec vous. Je vais devoir me cacher sous votre manteau.

Elle portait un épais manteau en peau de mouton, bien trop épais pour la chaleur qui régnait à bord du zeppelin mais, ayant les mains attachées par des menottes, elle ne pouvait pas l'enlever.

– Allez-y, vite, dit-elle en jetant des regards furtifs autour d'elle.

Le petit espion se faufila dans l'ouverture du manteau et dénicha une poche doublée de fourrure où il pourrait se cacher. Le singe doré de Mme Coulter arrangea le col en soie de son chemisier, avec beaucoup de prévenance : on aurait dit un grand couturier tatillon s'occupant de son mannequin préféré. En réalité, il vérifiait que Lord Roke était bien dissimulé dans les replis du manteau.

Moins d'une minute plus tard, un soldat armé d'un fusil vint ordonner à Mme Coulter de quitter le zeppelin.

– Suis-je obligée de garder ces menottes ? demanda-t-elle.

– On ne m'a pas demandé de vous les enlever, répondit-il. Levez-vous, je vous prie.

– Ce n'est pas facile, si je ne peux pas me tenir à quelque chose. Je suis ankylosée, je suis restée assise ici presque toute la journée sans bouger. Et vous savez bien que je ne suis pas armée, vous m'avez fouillée. Allez demander au président si je suis obligée de conserver ces menottes. Croyez-vous que je vais essayer de m'enfuir en pleine montagne ?

Lord Roke était insensible au charme de Mme Coulter, mais il était fasciné de le voir s'exercer sur les autres. Le soldat était un jeune homme ; ils auraient dû envoyer un vieux guerrier blanchi sous le harnais.

– Je suis sûr que non, madame, mais je ne peux pas agir sans en avoir reçu l'ordre. Vous comprenez, j'en suis sûr. Levez-vous, s'il vous plaît. Si vous perdez l'équilibre, je vous tiendrai le bras.

Elle se leva et Lord Roke, au fond de sa poche, la sentit avancer d'un pas vacillant. Pourtant, jamais le Gallivespien n'avait vu une femme aussi gracieuse : cette maladresse était feinte. Alors qu'ils atteignaient le début de la passerelle, Mme Coulter trébucha en poussant un petit cri, et l'espion ressentit une secousse brutale lorsque le soldat saisit le bras de la prisonnière. Au même moment, il perçut un changement dans les bruits qui les entouraient : le hurlement du vent, les moteurs qui tournaient de manière régulière pour alimenter les projecteurs, et les voix toutes proches qui lançaient des ordres.

Ils empruntèrent la passerelle, Mme Coulter s'appuyant lourdement sur le soldat. Elle lui parlait à voix basse, et Lord Roke entendit à peine la réponse du jeune homme à travers l'épaisseur du manteau.

—Le sergent, madame... Là-bas, près de la grosse caisse en bois... C'est lui qui a les clés. Mais je n'ai pas osé lui demander, madame, désolé.

—Tant pis, dit-elle avec un joli soupir chargé de regrets. Merci quand même.

Lord Roke entendit un bruit de bottes s'éloigner, puis Mme Coulter lui murmura :

—Vous avez entendu ?

—Dites-moi où est ce sergent. J'ai besoin de savoir où il se trouve, et à quelle distance.

—À environ dix pas de moi. Sur la droite. Un homme grand et fort. J'aperçois le trousseau de clés accroché à sa taille.

—Ça ne me sert à rien si je ne sais pas quelle est la bonne clé. Vous les avez vus fermer les menottes ?

—Oui. C'est une petite clé entourée de ruban adhésif noir.

Lord Roke sortit de la poche intérieure et descendit le long du manteau en s'accrochant à l'épaisse doublure en peau de mouton, jusqu'à ce qu'il atteigne les genoux de Mme Coulter. Suspendu dans le vide, il regarda autour de lui.

Ils avaient installé un puissant projecteur qui déversait une lumière aveuglante sur les rochers mouillés. Mais tandis que l'espion cherchait une zone d'ombre, la lumière du projecteur se mit à tanguer sous l'effet d'une rafale de vent. Un cri retentit, et la lumière s'éteignit brutalement.

Lord Roke en profita pour se laisser tomber sur le sol et, à travers le rideau de neige fondue, il se précipita vers le sergent, qui s'était avancé de sa démarche lourdaude pour tenter de retenir le projecteur qui basculait.

Dans la confusion, l'espion bondit sur la jambe du gros homme, au moment où celle-ci passait devant lui ; il agrippa le coton épais du pantalon de camouflage, déjà détrempé, et planta son éperon dans la chair, juste au-dessus de la botte.

Le sergent laissa échapper un cri de douleur ressemblant à un grognement et tomba lourdement sur le flanc en se tenant la jambe. Comme il essayait de respirer et d'appeler au secours, Lord Roke lâcha prise et s'éloigna de lui.

Personne n'avait rien remarqué : le bruit du vent, des moteurs et le crépitement d'une soudaine averse de grêle avaient couvert le cri du sergent et, dans l'obscurité, nul n'apercevait son corps. Mais il y avait d'autres soldats dans les parages, et l'espion devait agir vite. Il se précipita vers le trousseau de clés qui était tombé dans la neige. Les clés étaient énormes pour lui, aussi

épaisses que son bras, et presque aussi grandes que lui pour certaines. Il
chercha parmi elles jusqu'à ce qu'il trouve celle qui était entourée de ruban
adhésif noir. Il dut ensuite se débattre avec le fermoir de l'anneau, sans
oublier le risque permanent et mortel que représentait la grêle pour un
Gallivespien : des boules de glace aussi grosses que ses deux poings.

Soudain, une voix venue d'en haut demanda :

— Ça ne va pas, sergent ?

Le dæmon-chien du soldat grognait et poussait avec sa truffe le corps du
sergent plongé dans une sorte de semi-coma. Lord Roke ne pouvait
attendre plus longtemps : un bond en l'air, un coup de pied, et le soldat s'effondra à côté de son supérieur.

À force de lutter, de tirer, de soulever, de pousser, il parvint enfin à ouvrir
le porte-clés, mais il dut encore ôter six clés avant de pouvoir accéder à celle
qui l'intéressait. D'une seconde à l'autre maintenant, ils allaient rallumer le
projecteur mais, même dans la semi-pénombre, ils ne pouvaient manquer
d'apercevoir ces deux hommes couchés sur le sol, inconscients.

Au moment où, enfin, il libérait la clé noire, un cri retentit. Il souleva la
hampe massive en faisant appel à toutes ses forces et, en la traînant derrière
lui, plié en deux par l'effort, il parvint à la cacher derrière un petit éboulis,
juste au moment où des pas accouraient et des voix réclamaient la lumière.

— On leur a tiré dessus ?

— Je n'ai rien entendu...

— Ils respirent ?

Le projecteur avait été remis en place ; il se ralluma brusquement. Lord
Roke se retrouva à découvert, aussi visible qu'un renard pris dans les phares
d'une voiture. Il se pétrifia, ses yeux seuls bougeant en tous sens et, quand il
fut certain que tous les regards étaient fixés sur les deux hommes mystérieusement tombés, il hissa la clé sur son épaule et zigzagua au milieu des
flaques et des pierres pour rejoindre Mme Coulter.

Une seconde plus tard, elle avait ouvert les menottes et les posait en douceur sur le sol. Lord Roke sauta pour s'accrocher au revers du manteau et
grimpa précipitamment jusque sur l'épaule de la femme.

— Où est la bombe ? lui murmura-t-il à l'oreille.

— Ils viennent juste de la décharger. Elle est dans cette grande caisse, là-
bas, sur le sol. Mais je ne peux rien faire tant qu'ils ne l'ont pas sortie, et
même ensuite...

— Très bien, dit l'espion. Courez vous cacher. Je reste ici pour voir ce qui se
passe. Courez !

Il sauta sur la manche du manteau et bondit à terre. Sans un bruit, Mme
Coulter s'éloigna de la zone éclairée, à pas lents tout d'abord pour ne pas

attirer l'attention des soldats, puis elle s'accroupit et fonça dans l'obscurité sous l'averse de grêle, vers le sommet de la pente ; le singe doré courait devant elle pour repérer les obstacles.

Derrière elle, elle entendait le vrombissement incessant des moteurs, des cris confus et la voix puissante du président qui essayait d'instaurer un semblant d'ordre dans toute cette confusion. Elle se souvint de la longue et insupportable douleur et des hallucinations provoquées par l'éperon du chevalier Tialys, et elle plaignit les deux soldats qui commençaient à reprendre connaissance.

Très vite, elle prit de la hauteur en escaladant les rochers mouillés, et elle ne vit plus, en contrebas, que la lueur dansante du projecteur que reflétait le long ventre bombé du zeppelin. Soudain, la lumière s'éteignit de nouveau, et elle n'entendit plus que le bruit des moteurs qui luttaient vainement contre le vent et le grondement de tonnerre de la cataracte plus bas.

Les ingénieurs de la centrale hydro-ambarique se débattaient au sommet de la gorge pour apporter un câble d'alimentation jusqu'à la bombe.

Le problème de Mme Coulter n'était pas de réussir à sortir de ce guêpier vivante ; c'était une préoccupation secondaire. Son problème, c'était de récupérer la mèche de cheveux de Lyra à l'intérieur de la bombe avant qu'ils la fassent sauter. Lord Roke avait brûlé les cheveux contenus dans l'enveloppe après son arrestation − le vent avait emporté les cendres dans le ciel noir − puis il avait réussi à s'introduire dans le laboratoire. Là, il avait vu les techniciens placer le restant de la mèche de cheveux blond foncé dans la chambre de résonance. Il savait donc exactement où elle se trouvait. Il savait aussi comment ouvrir la chambre, mais la lumière éclatante et les surfaces brillamment éclairées du laboratoire, sans parler du va-et-vient permanent des techniciens lui avaient interdit d'intervenir.

Autrement dit, Mme Coulter et lui seraient obligés de subtiliser la mèche de cheveux une fois la bombe installée.

Or, le sort que le président réservait à Mme Coulter compliquait encore les choses. L'énergie nécessaire à la bombe était provoquée par la séparation du lien qui unissait un humain et son dæmon ; cela impliquait d'avoir recours à l'horrible procédé d'intercision : les cages grillagées, la guillotine en argent. Le président voulait trancher le lien qui existait depuis toujours entre elle et le singe doré, et utiliser l'énergie ainsi libérée pour détruire Lyra. La mère et la fille seraient ainsi tuées toutes les deux par l'ignoble système qu'elle-même avait inventé. « Au moins, il est efficace », songea-t-elle avec une ironie amère.

Son unique espoir se nommait Lord Roke. Mais, durant le voyage en zeppelin, il lui avait parlé du pouvoir de ses éperons empoisonnés : il ne pouvait pas les utiliser de manière ininterrompue car, à chaque piqûre, le venin perdait de sa puissance. Il fallait une journée pour qu'ils retrouvent toute leur efficacité. Avant longtemps, son arme principale deviendrait donc inutile, et il ne leur resterait que leur intelligence pour renverser la situation.

Avisant un rocher en surplomb, à côté des racines gigantesques d'un sapin qui s'accrochait à la paroi de la gorge, Mme Coulter s'accroupit en dessous pour scruter les environs.

Derrière elle, en amont, de l'autre côté du sommet de la ravine, en plein vent, se trouvait la centrale électrique. Les ingénieurs étaient en train de brancher une série de lampes pour pouvoir apporter plus facilement le câble jusqu'à la bombe ; elle entendait leurs voix qui aboyaient des ordres et elle voyait les lumières vaciller entre les branches des arbres. Le câble qu'ils déroulaient, aussi gros que le bras d'un homme, provenait d'une énorme bobine-dévidoir installée à bord d'un camion arrêté en haut de la pente et, compte tenu de la vitesse à laquelle ils progressaient sur les rochers, ils atteindraient la bombe dans cinq minutes, peut-être moins.

Au pied du zeppelin, le père MacPhail avait rassemblé tous les soldats. Plusieurs hommes montaient la garde, scrutant l'obscurité neigeuse, arme au poing, tandis que d'autres ouvraient la caisse en bois contenant la bombe et la préparaient à recevoir le câble d'alimentation. Mme Coulter apercevait distinctement la machine infernale dans le torrent de lumière blanche des projecteurs, ruisselante de pluie : un engin disgracieux hérissé de fils, posé légèrement de travers sur le sol rocailleux. Les projecteurs produisaient des crépitements secs et un bourdonnement continu, et les câbles se balançaient dans le vent, projetant des ombres mouvantes sur les roches, comme une grotesque corde à sauter.

Mme Coulter connaissait affreusement bien une partie de cette structure : les cages grillagées et la lame en argent suspendue au-dessus, à une extrémité de l'engin. Le reste lui était inconnu ; elle ne parvenait pas à deviner quel principe se cachait derrière toutes ces bobines, ces bocaux, les rangées d'isolateurs et l'entrelacs de tubes. Mais quelque part au milieu de cet agencement complexe se trouvait la petite mèche de cheveux dont tout dépendait.

Sur sa gauche, la pente s'enfonçait dans l'obscurité et, tout en bas, on apercevait le scintillement blanc et le grondement de la cataracte de Saint-Jean-les-Eaux.

Soudain, un cri retentit. Un soldat lâcha son fusil et bascula en avant, s'écroulant sur le sol en gesticulant et en poussant des gémissements de douleur. Le président leva les yeux vers le ciel, mit ses mains en porte-voix et poussa un cri perçant.

Que faisait-il?

Mme Coulter ne tarda pas à avoir la réponse. Contre toute attente, une sorcière jaillit de l'obscurité et vint se poser près du président, qui cria:

—Fouillez les environs! Une créature quelconque aide cette femme. Elle a déjà attaqué plusieurs de mes hommes. Vous qui voyez dans le noir, trouvez-la et tuez-la!

—Il y a quelque chose qui approche, déclara la sorcière, d'une voix puissante qui porta clairement jusqu'à l'abri de Mme Coulter. Je la vois venir du nord.

—Ne vous occupez pas de ça. Trouvez cette créature et détruisez-la, ordonna le père MacPhail. Elle ne peut pas être bien loin. Et trouvez-moi la femme également! Allez-y!

La sorcière s'élança dans les airs.

Le singe doré saisit tout à coup la main de Mme Coulter, et il tendit le doigt pour attirer son attention.

Lord Roke était allongé sur une petite étendue de mousse, à découvert. Comment les soldats avaient-ils pu ne pas le repérer? se disait-elle. Il s'était visiblement passé quelque chose, car il ne bougeait plus.

—Va le chercher et ramène-le, dit-elle.

Accroupi, le singe bondit de rocher en rocher, jusqu'à cette petite tache verte au milieu des pierres. Très vite, la pluie battante assombrit son poil doré, qui se retrouva plaqué sur son corps; cela le faisait paraître plus petit, mais il demeurait malgré tout trop visible.

Entre-temps, le père MacPhail avait reporté son attention sur la bombe. Les techniciens de la centrale électrique avaient réussi à tirer leur câble jusqu'à elle et ils étaient en train de fixer les pinces et de préparer les branchements.

Mme Coulter se demandait ce qu'il avait l'intention de faire, maintenant que sa victime s'était échappée. Mais lorsqu'il jeta un regard par-dessus son épaule, elle découvrit l'expression de son visage. Elle était si intense, si figée, qu'on aurait dit un masque. Seules ses lèvres remuaient, car il récitait une prière, les yeux levés vers le ciel, écarquillés, en dépit de la pluie battante: on aurait dit un sinistre tableau de l'école espagnole représentant un martyr en pleine extase. Mme Coulter fut traversée par une violente décharge de peur, car elle comprit alors ce qu'il avait l'intention de faire: il allait se sacrifier. La bombe exploserait de toute manière, avec ou sans elle.

Bondissant de rocher en rocher, le singe doré atteignit Lord Roke.

—J'ai la jambe gauche brisée, déclara calmement ce dernier. Un des soldats m'a marché dessus. Écoute-moi attentivement...

Tandis que le singe l'emportait à l'écart, le Gallivespien lui expliqua très exactement où se trouvait la chambre de résonance et comment l'ouvrir. Ils avançaient pratiquement sous le nez des soldats, mais à pas feutrés, d'ombre en ombre, le dæmon s'éloignait avec son minuscule fardeau.

Mme Coulter les suivait des yeux en se mordillant la lèvre et, soudain, elle perçut un souffle d'air et ressentit un choc, non pas en elle, mais dans l'arbre voisin. Une flèche encore tremblante venait de s'y planter, à moins de dix centimètres de son bras gauche. Aussitôt, elle roula sur elle-même, avant que la sorcière puisse en décocher une nouvelle, et dévala la pente en direction du singe.

C'est alors que tout se produisit simultanément, trop vite : il y eut une détonation, puis un nuage de fumée âcre tourbillonna dans la pente, mais elle n'aperçut aucune flamme. Voyant qu'on attaquait Mme Coulter, le singe déposa Lord Roke sur le sol et se précipita à son secours, juste au moment où la sorcière atterrissait, un couteau à la main. L'espion recula en rampant pour s'adosser contre la pierre la plus proche, et Mme Coulter se jeta immédiatement sur la sorcière. Toutes deux luttèrent furieusement au milieu **des** rochers tandis que le singe doré arrachait systématiquement toutes les aiguilles de la branche de sapin de la sorcière.

Pendant ce temps, le président poussait son dæmon-lézard dans la plus petite des cages grillagées. Le reptile se débattait, gesticulait, mordait et poussait des cris aigus, mais le père MacPhail s'en débarrassa d'un geste brusque et referma rapidement la cage. Les techniciens effectuaient les derniers réglages et vérifiaient les compteurs et les jauges.

Surgie de nulle part, une mouette plongea vers le sol en poussant un cri sauvage et saisit le Gallivespien dans ses griffes. C'était le dæmon de la sorcière. Lord Roke se débattit comme il le pouvait, mais l'oiseau le tenait fermement. Au même moment, la sorcière s'arracha à l'étreinte de Mme Coulter, récupéra sa branche de sapin mal en point et s'éleva dans les airs pour rejoindre son dæmon.

Mme Coulter se précipita alors vers la bombe. Elle sentait la fumée s'attaquer à son nez et à sa gorge comme des griffes : du gaz lacrymogène. La plupart des soldats s'étaient effondrés ou enfuis d'un pas chancelant, pris d'étouffements. D'où venait donc ce gaz ? se demandait-elle. Mais maintenant que le vent dispersait le nuage nocif, ils commençaient à se rassembler. Le grand ventre nervuré du zeppelin flottait au-dessus du sol, tirant sur ses amarres dans le vent, ses flancs argentés ruisselants de pluie.

Soudain, un son venu de très haut parvint à ses oreilles : un hurlement si aigu, si plein de terreur, que le singe doré lui-même se serra contre elle, apeuré. Et, une seconde plus tard, dans un tourbillon de membres blancs, de soie noire et de branches vertes, la sorcière vint s'écraser aux pieds du père MacPhail ; ses os se brisèrent sur les rochers avec un bruit sinistre.

Mme Coulter se précipita pour voir si Lord Roke avait survécu à cette terrible chute. Non. Le Gallivespien était mort. Son éperon droit était planté dans le cou de la sorcière.

Mais celle-ci avait conservé un souffle de vie, et ses lèvres remuaient en tremblant, elle essayait de parler :

– Quelque chose arrive... quelque chose d'autre... arrive...

Ces paroles n'avaient aucun sens. Déjà, le président enjambait son corps pour atteindre la plus grande des deux cages. Dans l'autre, son dæmon courait en tous sens ; ses petites griffes raclaient le grillage, sa voix criait pitié.

Le singe doré bondit vers le père MacPhail, mais pas pour l'attaquer : il sauta par-dessus ses épaules pour atteindre le cœur de l'entrelacs complexe de fils et de tuyaux : la chambre de résonance. Le président essaya de le retenir, mais Mme Coulter lui agrippa le bras et tenta de le tirer en arrière. Elle ne voyait plus rien : la pluie battante l'aveuglait, et du gaz lacrymogène continuait à flotter dans l'air.

Tout autour, une fusillade venait d'éclater. Que se passait-il ?

Les projecteurs se balançaient dans le vent, et rien ne paraissait stable, pas même les rochers noirs accrochés à flanc de montagne. Tous deux combattaient au corps à corps, sauvagement : ils griffaient, frappaient, lacéraient, mordaient... Elle était fatiguée et il était fort. Mais elle avait l'énergie du désespoir, et peut-être aurait-elle pu le retenir, mais une partie de son attention était accaparée par son dæmon qui manipulait les leviers de la machine. Ses grosses pattes noires impatientes se débattaient avec le mécanisme ; elles tiraient, tordaient, tournaient...

Soudain, elle reçut un coup à la tempe. Elle chancela et le père MacPhail en profita pour se libérer et se jeter dans la cage, avant de tirer la porte derrière lui. Il saignait.

Le singe avait réussi à ouvrir la chambre de résonance, fermée par une porte vitrée montée sur des gonds épais, et il tendait la patte à l'intérieur... la mèche de cheveux était là, coincée entre les deux tampons en caoutchouc d'un fermoir métallique ! Encore un obstacle ! Mme Coulter se releva en prenant appui sur ses mains tremblantes. Elle secoua le grillage argenté de la cage, de toutes ses forces, les yeux levés vers la lame, les bornes électriques qui produisaient des étincelles, et l'homme enfermé à l'intérieur. Pendant ce temps, le singe dévissait le fermoir, et le président, le visage déformé par un masque d'exaltation morbide, entortillait des fils électriques.

Il se produisit alors un éclair d'une blancheur intense, un craquement semblable à un coup de fouet, et le corps du singe se trouva projeté en l'air. Accompagné d'un petit nuage doré : étaient-ce les cheveux de Lyra ? Ou les poils du primate ? Quoi qu'il en soit, il se dispersa immédiatement dans la nuit. Saisie de violentes convulsions, la main droite de Mme Coulter était restée accrochée au grillage ; elle se retrouva à moitié étendue, la tête bourdonnante et le cœur cognant à grands coups.

Mais il lui était arrivé quelque chose : sa vue était devenue d'une incroyable clarté, capable de discerner les choses les plus infimes. Ses yeux étaient fixés sur l'unique détail qui avait de l'importance dans l'univers : à l'un des tampons en caoutchouc du fermoir, dans la chambre de résonance, était resté accroché un seul cheveu blond foncé.

Elle poussa un long gémissement de désespoir, et elle secoua, secoua, secoua la cage, pour essayer de faire tomber le cheveu, avec le peu de force qui lui restait. Le président passa ses mains sur son visage, pour essuyer la pluie. Sa bouche remuait comme s'il parlait, mais Mme Coulter n'entendait pas un mot. Elle tenta encore une fois d'arracher le grillage de la cage et, en désespoir de cause, elle jeta tout son poids contre la machine, au moment où le père MacPhail assemblait deux fils qui produisirent une étincelle. Dans le silence absolu qui suivit, la lame étincelante s'abattit.

Quelque chose explosa quelque part, mais Mme Coulter n'était plus en état de s'en apercevoir.

Des mains la soulevaient : les mains de Lord Asriel. Plus rien ne pouvait la surprendre ; le vaisseau d'intentions était posé derrière lui, en équilibre dans la pente, et parfaitement horizontal. Il la prit dans ses bras et la transporta jusqu'au vaisseau, ignorant les coups de feu, la fumée et les cris de panique.

— Est-il mort ? La bombe a-t-elle explosé ? parvint-elle à demander.

Lord Asriel grimpa à bord de l'appareil à côté d'elle, et son dæmon-léopard bondit à son tour, tenant dans sa gueule le singe à demi évanoui. Il prit les commandes et le vaisseau s'éleva aussitôt dans le ciel à toute allure. À travers le rideau de douleur qui troublait sa vue, Mme Coulter contemplait le flanc de la montagne. Des hommes couraient en tous sens comme des fourmis ; d'autres étaient morts, ou bien rampaient sur les rochers, le corps brisé ; le long câble provenant de la centrale électrique serpentait au milieu de ce chaos, comme habité par une volonté propre, et se dirigeait vers la bombe scintillante ; le corps du père MacPhail gisait en tas à l'intérieur de la cage.

— Et Lord Roke ? demanda Lord Asriel.

— Mort, murmura-t-elle.

Il appuya sur un bouton et un jet enflammé jaillit en direction du zeppelin ballotté par le vent. Une seconde plus tard, l'engin volant explosa sous la forme d'une gigantesque rose de feu blanc, enveloppant le vaisseau d'intentions qui demeura immobile et intact au milieu du brasier. Lord Asriel s'éloigna sans précipitation et ils regardèrent le zeppelin en feu tomber lentement, lentement, sur l'ensemble de la scène : la bombe, le câble, les soldats qui, tous, dévalèrent la montagne dans un maelström de fumée et de flammes, de plus en plus vite, emportant sur leur passage les arbres résineux, pour finalement tomber dans les eaux écumantes de la cataracte, qui plongèrent dans les ténèbres.

Lord Asriel manipula de nouveau les commandes et le vaisseau s'en alla vers le nord à vive allure. Mais Mme Coulter ne pouvait détacher son regard de la scène en contrebas ; elle continua à regarder derrière eux pendant un long moment, les yeux remplis de larmes, jusqu'à ce que les flammes ne soient plus qu'un trait vertical orange planté dans la nuit, enveloppé de fumée et de vapeur, et puis plus rien du tout.

Chapitre 26
L'abîme

Le soleil a quitté son obscurité et trouvé
un matin plus doux, et la lune blonde se
réjouit dans la nuit claire et sans nuage...
WILLIAM BLAKE

 Il faisait nuit. Les ténèbres qui les enveloppaient pesaient si lourdement sur les yeux de Lyra qu'elle avait presque l'impression de sentir le poids des milliers de tonnes de rochers qui se dressaient au-dessus d'eux. La seule lumière dont ils disposaient pour se guider provenait de la queue lumineuse de la libellule de Lady Salmakia, et même celle-ci faiblissait, car le pauvre insecte n'avait trouvé aucune nourriture dans le monde des morts, et la libellule du chevalier était morte peu de temps auparavant.

Alors que Tialys voyageait assis sur l'épaule de Will, Lyra tenait la libellule de Salmakia dans ses mains jointes, tandis que la lady apaisait la pauvre créature en lui parlant d'une voix douce et la nourrissait, d'abord avec des miettes de biscuits, puis avec son propre sang. Si Lyra l'avait vue accomplir ce don, elle aurait volontiers offert son sang, car elle en avait davantage, mais toute son attention était concentrée sur sa progression : elle devait regarder où elle posait le pied et éviter les rochers bas du plafond de la caverne.

Sans Nom la harpie les avait entraînés dans un dédale de cavernes et de galeries qui les conduirait, affirmait-elle, à un endroit du pays des morts où ils pourraient ouvrir une fenêtre sur un autre monde. Derrière eux marchait la colonne infinie des fantômes. La galerie bruissait de murmures ; ceux qui marchaient en tête encourageaient ceux qui traînaient, les plus valeureux exhortaient les plus faibles, et les vieux donnaient espoir aux plus jeunes.

— C'est encore loin, Sans Nom ? demanda Lyra à voix basse. Cette pauvre libellule est en train d'agoniser et sa lumière va s'éteindre.

La harpie s'arrêta et se retourna.

—Suivez-moi, dit-elle. Si vous ne voyez pas, tendez l'oreille. Si vous n'entendez pas, sentez.

Ses yeux brillaient d'une lueur farouche dans l'obscurité. Lyra hocha la tête et dit :

—Très bien. Mais je ne suis plus aussi forte qu'avant, et je ne suis pas courageuse, pas très. Ne vous arrêtez pas, je vous en prie. Je vous suivrai... on vous suivra tous. Continuez, s'il vous plaît.

La harpie se remit en marche. La luminosité de la libellule faiblissait à chaque instant, et Lyra savait qu'elle allait bientôt disparaître totalement.

Mais au moment où elle se remettait en route en trébuchant, une voix s'éleva dans son dos, une voix familière :

—Lyra... Lyra, mon enfant...

Elle se retourna vivement, le cœur en joie.

—Monsieur Scoresby! Oh, comme je suis heureuse de vous entendre! Et c'est bien vous... Je vous vois... J'aimerais tellement pouvoir vous toucher!

Dans la faible, très faible lumière, elle distinguait la silhouette élancée et le sourire sardonique de l'aéronaute texan, et ses mains se tendirent instinctivement vers lui. En vain.

—Moi aussi, ma chérie. Mais écoute-moi. Ils préparent un sale coup, làbas, et c'est toi qui es visée... Ne me demande pas comment. C'est le garçon au couteau?

Will le dévorait des yeux, heureux de découvrir enfin le vieux compagnon de Lyra mais, soudain, il abandonna Scoresby pour s'intéresser au fantôme qui se tenait à ses côtés. Lyra l'imita et comprit immédiatement de qui il s'agissait, émerveillée par cette vision d'un Will devenu adulte : la même mâchoire volontaire, le même port de tête.

Celui-ci restait muet, mais son père dit :

—Écoute, nous n'avons pas le temps de parler; fais exactement ce que je te dis. Prends ton couteau et trouve l'endroit où on a coupé une mèche de cheveux sur la tête de Lyra.

Il s'exprimait d'un ton pressant, et Will ne perdit pas de temps à demander pourquoi. La fillette, les yeux écarquillés d'effroi, tint la libellule d'une main et, de l'autre, elle palpa sa chevelure.

—Non, enlève ta main, lui dit-il. Je ne vois rien.

Dans la faible lumière, il réussit à apercevoir ce qu'il cherchait : juste audessus de l'oreille gauche, une petite plaque de cheveux plus courts.

—Qui a fait ça? demanda Lyra. Et...

—Chut, dit Will, et il demanda au fantôme de son père : que dois-je faire?

—Coupe complètement la mèche plus courte, jusqu'au cuir chevelu. Et récupère-la soigneusement, sans oublier un seul cheveu. Pas un. Ensuite, tu ouvriras une fenêtre sur un autre monde, n'importe lequel fera l'affaire, tu y déposeras la mèche et tu la refermeras. Fais-le tout de suite.

La harpie assistait à la scène en simple témoin ; derrière, les fantômes se regroupaient. Lyra distinguait leurs visages blêmes dans la pénombre. Effrayée et stupéfaite, elle se mordillait la lèvre, pendant que Will suivait les instructions de son père, le visage collé contre la pointe du couteau, dans la lumière pâle diffusée par la libellule. Il découpa un petit trou dans la roche d'un autre monde, y déposa soigneusement tous les cheveux fins et dorés, et remit en place le morceau de roche avant de refermer la fenêtre.

C'est alors que le sol se mit à trembler. De quelque part, très profondément, monta un grondement, une sorte de grincement plutôt, comme si le cœur de la terre tournait sur lui-même, telle la gigantesque roue d'un moulin, et de petits fragments de pierre commencèrent à se détacher du plafond de la caverne. Soudain, le sol s'inclina. Will agrippa le bras de Lyra, et ils s'accrochèrent l'un à l'autre, tandis que la roche tanguait, glissait sous leurs pieds, et que des pierres dégringolaient de tous les côtés.

Les deux enfants s'accroupirent, protégeant les Gallivespiens sous eux, les bras autour de la tête. Pendant un moment horrible et interminable, ils se sentirent entraînés vers la gauche. Ils restèrent collés l'un à l'autre, le souffle coupé, trop effrayés même pour hurler, assourdis par le grondement des milliers de tonnes de roche qui roulaient avec eux.

Enfin, ils s'immobilisèrent même si, autour d'eux, des pierres plus petites continuaient à dévaler la pente qui n'existait pas une minute plus tôt. Lyra était couchée sur le bras gauche de Will. Avec sa main droite, il chercha son couteau à tâtons : il était toujours là, heureusement, accroché à sa ceinture.

— Tialys ? Salmakia ? dit-il d'une voix tremblante.

— On est là tous les deux, vivants, répondit la voix du chevalier, près de son oreille.

La caverne était remplie de poussière et de l'odeur de cordite qui émanait des pierres brisées. Il était difficile de respirer, et on ne voyait plus rien : la libellule était morte.

— Monsieur Scoresby ? dit Lyra. On ne voit rien... Que s'est-il passé ?

— Je suis là, répondit Lee, tout près. Je crois que la bombe a explosé, et je crois qu'elle a loupé sa cible.

— La bombe ? répéta Lyra, effrayée. Roger !... Tu es là ?

— Ouais, répondit une voix faible. M. Parry m'a sauvé. J'allais tomber, mais il m'a rattrapé.

— Regardez, dit le fantôme de John Parry. Mais tenez-vous bien aux rochers, et ne bougez pas.

La poussière se dissipait, et une lumière filtrait jusqu'à eux : un étrange et faible scintillement doré, comme si une pluie brumeuse et lumineuse les enveloppait. Une lumière suffisante pour que la peur les envahisse, car elle éclairait ce qui se trouvait sur leur gauche, l'endroit où elle tombait, où elle coulait plus exactement, comme une cascade.

C'était un gigantesque trou noir, comme un puits creusé dans l'obscurité la plus profonde. La lumière dorée s'y déversait et y mourait. Ils apercevaient l'autre côté du gouffre, mais il était si éloigné que Will n'aurait pas pu l'atteindre en lançant une pierre. Sur leur droite, une pente recouverte d'éboulis visiblement instables s'élevait dans l'obscurité poussiéreuse.

Les enfants et leurs compagnons s'accrochaient à ce qui n'était même pas une corniche, juste quelques prises pour les mains et les pieds au bord de cet abîme, et il n'y avait aucune issue, sauf vers le haut, à condition d'escalader cette paroi de pierres éclatées et branlantes, prêtes à les projeter dans le vide au moindre contact.

Derrière eux, à mesure que la poussière se dissipait, de plus en plus de fantômes découvraient ce gouffre avec horreur. Ils étaient accroupis dans la pente, trop effrayés pour avancer. Seules les harpies semblaient ne pas avoir peur ; elles battirent des ailes et survolèrent la scène, retournant en arrière pour rassurer ceux qui se trouvaient toujours dans la galerie, et filant droit devant pour chercher la sortie.

Lyra vérifia l'état de l'aléthiomètre ; au moins, il était intact. Contenant sa peur, elle regarda autour d'elle et aperçut le petit visage de Roger.

— Viens, lui dit-elle, on est tous là, on n'est pas blessés. Et maintenant, on voit où on va. Alors, continue d'avancer, continue. On ne peut pas faire autrement que de contourner ce... (Elle désigna l'abîme à ses pieds.) On est obligés de continuer. Je te jure que Will et moi, on ira jusqu'au bout. Alors, n'aie pas peur, n'abandonne pas, ne traîne pas derrière. Fais passer le message aux autres. Je ne peux pas me retourner sans cesse, je dois regarder où je mets les pieds. Je dois être sûre que tu nous suis, d'accord ?

Le petit fantôme hocha la tête. Alors, dans un silence angoissé, la colonne des morts reprit son chemin en longeant le gouffre. Combien de temps il leur fallut, ni Will ni Lyra n'auraient su le dire ; à quel point c'était effrayant et dangereux, pas une seconde ils ne pouvaient l'oublier. L'obscurité était si intense dans le gouffre qu'elle semblait attirer le regard vers elle, et une sensation de vertige terrifiante s'emparait d'eux dès qu'ils regardaient en bas. Chaque fois qu'ils le pouvaient, ils fixaient devant eux une pierre, une prise, une saillie, une plaque de graviers instables, et ils évitaient ainsi de regarder l'abîme, mais celui-ci les tentait, il les appelait.

Ils ne pouvaient s'empêcher d'y jeter un coup d'œil et, aussitôt, ils se sentaient vaciller, leur vision se mettait à tournoyer, et une horrible nausée les submergeait.

De temps à autre, les vivants regardaient derrière eux et ils voyaient la file infinie des morts s'étirer en serpentant : les mères plaquaient le visage de leur bébé contre leur sein, les hommes âgés progressaient lentement, en boitant, les enfants s'accrochaient aux vêtements de la personne qui les précédait, des jeunes garçons et des filles de l'âge de Roger avançaient avec détermination et prudence... ils étaient si nombreux. Et tous suivaient Will et Lyra, vers la sortie espéraient-ils.

Mais certains n'avaient pas confiance. Ils se pressaient derrière les deux enfants qui sentaient des mains glacées se refermer sur leurs cœurs et leurs entrailles et entendaient des chuchotements menaçants :

— Alors, où est le monde d'en haut ? C'est encore loin ?

— On a peur, ici !

— On n'aurait jamais dû venir ! Au moins, dans le monde des morts, on avait un peu de lumière et un peu de compagnie... Ici, c'est mille fois pire !

— Vous auriez mieux fait de ne jamais venir ! Vous auriez dû rester dans votre monde, en attendant de mourir, au lieu de venir semer la pagaille !

— D'abord, de quel droit est-ce que vous commandez ? Vous n'êtes encore que des enfants ! Qui vous a donné cette autorité ?

Will avait envie de se retourner pour leur répliquer, mais Lyra le retint par le bras. Ces fantômes étaient malheureux et effrayés, expliqua-t-elle.

C'est alors que Lady Salmakia intervint ; sa voix limpide et calme porta loin dans ce vide immense :

— Mes amis, soyez courageux ! Restez ensemble et continuez à avancer ! Le chemin est difficile, mais Lyra trouvera la sortie. Soyez patients, restez confiants et nous vous conduirons vers la liberté, n'ayez pas peur !

Lyra, elle aussi, se sentit revigorée en entendant ces mots, et tel était le but recherché par la lady. Finalement, tout le monde se remit en marche, au prix d'un gros effort.

— Will, dit Lyra après quelques minutes, tu entends ce vent ?

— Oui, je l'entends, répondit-il. Mais je ne le sens pas. Et je vais te dire une chose au sujet de ce gouffre. C'est comme quand je découpe une fenêtre. C'est le même bord. Il a quelque chose de très particulier ce bord : une fois que tu l'as touché, tu ne peux plus l'oublier. Et là, je sens bien que c'est la même chose, juste à l'endroit où la roche plonge dans le noir. Mais ce grand vide en dessous, ce n'est pas un autre monde comme tous les autres. C'est différent. J'aime pas ça. J'aimerais pouvoir le refermer.

—Tu n'as pas refermé toutes les fenêtres que tu as ouvertes.

—Non, parce que je n'ai pas pu, pour certaines. Mais je sais que j'aurais dû. Il se passe des choses graves si on ne les referme pas. Et une ouverture aussi grande... (D'un geste, il désigna le gouffre, sans oser le regarder.) Ce n'est pas normal. Il va se passer quelque chose.

Pendant que Will et Lyra discutaient, une autre conversation se déroulait un peu plus loin : le chevalier Tialys s'entretenait avec les fantômes de Lee Scoresby et de John Parry :

—Que voulez-vous dire, John ? dit Lee. Vous pensez qu'on ne devrait pas retourner à l'air libre ? Fichtre, chaque parcelle de moi-même brûle d'impatience de retrouver l'univers des vivants !

—Oui, et moi aussi, dit le père de Will. Mais je pense que si ceux d'entre nous qui sont habitués à se battre décidaient de rester ici, nous pourrions peut-être participer à la bataille, aux côtés d'Asriel. Et si notre intervention avait lieu au bon moment, elle pourrait bien faire pencher la balance.

—Des fantômes ? s'exclama Tialys en s'efforçant, sans résultat, de ne pas laisser transparaître son scepticisme. Comment pourriez-vous vous battre ?

—Nous ne pourrions pas combattre des êtres vivants, bien évidemment. Mais l'armée d'Asriel devra affronter d'autres types de créatures.

—Les Spectres ! dit Lee.

—C'est à eux que je pensais, en effet. Ils s'attaquent aux dæmons, il me semble ? Or, nous avons perdu les nôtres depuis longtemps. Ça vaut le coup d'essayer, Lee.

—Je vous suis, mon ami.

—Et vous, sir ? demanda le fantôme de John Parry en se tournant vers le chevalier. J'ai discuté avec certains fantômes de vos semblables. Vivrez-vous assez longtemps pour revoir le monde des vivants, avant de mourir et de revenir ici en tant que fantôme ?

—Nos vies sont très brèves par rapport aux vôtres, vous avez raison. Il ne me reste que quelques jours à vivre, dit Tialys. Lady Salmakia peut-être un peu plus. Mais grâce à l'entreprise courageuse de ces deux enfants, notre exil de fantômes ne sera pas définitif. J'ai été fier de les aider.

Ils se remirent en marche. Cet abominable gouffre continuait à béer tout près d'eux. « Un simple faux pas, un pied posé sur une pierre instable, une prise mal assurée, et ce serait la chute dans le vide pour toujours », se disait Lyra. Elle serait si longue que vous seriez mort de faim avant même d'atteindre le fond et, ensuite, votre pauvre fantôme continuerait à tomber, tomber, dans un gouffre sans fin, sans personne pour vous aider, sans aucune main pour vous retenir et vous sortir de là, conscient pour l'éternité, aussi longtemps que durerait la chute...

Ce serait bien plus affreux que le monde gris et silencieux qu'ils quittaient, non ?

Il se produisit alors une chose étrange. La pensée de la chute provoqua en elle une sensation de vertige, et elle vacilla. Will marchait devant elle, un peu trop loin pour qu'elle puisse lui prendre la main. Mais sur le moment, elle pensait surtout à Roger, et une petite étincelle de vanité s'alluma brièvement dans son cœur. Un jour, sur le toit de Jordan College, uniquement pour lui faire peur, elle avait défié son vertige et marché le long de la gouttière de pierre.

Elle se retourna vers Roger pour lui rappeler cet épisode. Elle était la Lyra de Roger, pleine de grâce et intrépide ; elle n'était pas obligée d'avancer en rampant comme un insecte.

Mais la petite voix tremblante du garçon dit :

– Fais attention, Lyra... N'oublie pas que tu n'es pas morte, toi...

La chose sembla se produire très lentement, mais elle ne put rien faire : son poids l'entraîna, les pierres roulèrent sous ses pieds et elle commença à glisser, sans pouvoir réagir. Elle éprouva d'abord un sentiment d'agacement, puis la situation devint comique. « Comme c'est bête ! » se dit-elle. Mais en voyant qu'elle n'avait rien pour se raccrocher, tandis que les pierres roulaient sous elle et qu'elle glissait vers le gouffre de plus en plus vite, elle fut frappée d'horreur. Elle allait tomber. Il n'y avait rien pour l'arrêter. Il était déjà trop tard.

Tout son corps se convulsa de terreur. Elle ne remarquait même pas les fantômes qui se jetaient à terre pour essayer de la retenir et s'apercevaient qu'elle passait à travers leurs corps comme une pierre dans le brouillard ; elle n'entendait pas Will hurler son nom, si fort que l'écho remplissait tout l'abîme. Son corps tout entier était un vortex de frayeur rugissante. Elle tombait de plus en plus vite ; certains fantômes ne purent supporter ce spectacle et cachèrent leurs yeux avec leurs mains en criant.

Will était électrisé par la peur. Ravagé par l'inquiétude, il regardait Lyra glisser, impuissant, et sachant également qu'il devait regarder. Pas plus que Lyra il n'entendait le cri de désespoir qui sortait de sa bouche. Encore deux secondes, encore une seconde... elle était arrivée au bord du gouffre, elle ne pouvait pas s'arrêter, elle tombait...

C'est alors que jaillit de l'obscurité la créature dont les griffes lui avaient lacéré le cuir chevelu peu de temps avant. Sans Nom la harpie, avec son visage de femme et ses ailes d'oiseau, et ces mêmes griffes qui se refermèrent solidement autour du poignet de la fillette. Ensemble, elles plongèrent dans l'abîme, car ce poids supplémentaire était presque trop lourd à supporter pour la harpie, mais elle battit des ailes furieusement, sans lâcher prise, et, lentement, péniblement... lentement, péniblement..., elle souleva la fillette hors du trou sans fond pour la déposer, à demi évanouie, dans les bras de Will.

Celui-ci la serra de toutes ses forces ; il sentait le cœur de Lyra cogner à tout rompre contre ses côtes. À cet instant, elle n'était plus Lyra, et lui n'était plus Will ; elle n'était pas une fille, il n'était pas un garçon. Ils étaient les deux seuls êtres humains dans ce gigantesque gouffre de mort. Ils s'accrochaient l'un à l'autre, et les fantômes se rassemblèrent autour d'eux en murmurant des paroles de réconfort, bénissant la harpie. Les plus proches étaient le père de Will et Lee Scoresby, qui semblaient avoir envie de la serrer dans leurs bras, eux aussi. Tialys et Salmakia s'adressèrent à Sans Nom pour chanter les louanges, vanter le courage et la générosité de celle qui les avait tous sauvés.

Dès qu'elle fut en état de bouger, Lyra s'approcha en tremblant de la harpie et noua ses bras autour de son cou pour embrasser, cent fois, son visage ravagé. Elle était incapable de parler ; elle avait perdu tous ses mots, toute sa confiance, toute sa vanité.

Ils demeurèrent immobiles pendant plusieurs minutes. Dès que la terreur commença à refluer, ils se remirent en marche. Will serrait la main de Lyra dans sa main valide et il avançait à petits pas, testant chaque pierre avant de faire porter son poids dessus ; c'était si long et si fastidieux qu'ils crurent mourir d'épuisement, mais ils ne pouvaient pas se reposer, ils ne pouvaient pas s'arrêter. Comment auraient-ils pu le faire au bord de cet abîme effrayant ?

Après avoir marché péniblement pendant une heure encore, Will dit à Lyra :

— Regarde devant. Il y a peut-être une sortie...

Il avait raison : la pente devenait moins raide, il était même possible de s'éloigner un peu du gouffre. Et devant ? N'était-ce pas une fissure dans la paroi rocheuse ? Se pourrait-il qu'il s'agisse d'une sortie ?

Lyra plongea son regard dans les yeux brillants et déterminés de Will, et elle lui sourit.

Ils commencèrent à gravir la pente rocheuse ; chaque pas les éloignait un peu plus du précipice et, à mesure qu'ils progressaient, le sol devenait plus stable, les prises plus sûres, les pierres ne roulaient plus sous leurs pieds, ils ne risquaient plus de se tordre les chevilles.

— Je crois qu'on est montés assez haut, dit Will. Je pourrais utiliser le couteau pour voir ce que je trouve.

— Pas encore, dit la harpie. Un peu plus loin. Ce n'est pas un bon endroit pour ouvrir une fenêtre. Plus haut, c'est mieux.

Ils continuèrent donc à grimper, lentement : une main, un pied, tester le sol, balancer le poids du corps, une main, un pied... Ils avaient les doigts à vif, leurs jambes tremblaient tant l'effort était intense, leurs têtes bourdonnaient. Courageusement, ils gravirent les derniers mètres jusqu'au pied d'une falaise, là où un étroit défilé s'enfonçait dans l'obscurité.

Les yeux brûlants de fatigue, Lyra regarda Will sortir le couteau et sonder le vide avec la pointe de la lame : il l'enfonçait délicatement, la retirait, l'enfonçait de nouveau, un peu plus loin.

— Ah, fit-il.

— Tu as trouvé une ouverture à l'air libre ?

— Je crois...

— Will ! lança le fantôme de son père. Attends un peu. Écoute-moi.

Il posa le couteau et se retourna. Accaparé par tous ses efforts, il n'avait pas eu le temps de penser à son père, mais c'était bon de savoir qu'il était là. Soudain, il comprit qu'ils allaient se séparer pour toujours.

— Que se passera-t-il quand tu déboucheras à l'air libre ? demanda-t-il à son père. Tu vas disparaître, comme ça ?

— Pas tout de suite. M. Scoresby et moi, nous avons eu une idée. Certains d'entre nous vont rester ici quelque temps, et nous aurons besoin de toi pour pénétrer dans le monde de Lord Asriel, car il risque d'avoir besoin de nous. D'ailleurs, ajouta-t-il d'un air sombre, en se tournant vers Lyra, vous devrez vous rendre là-bas, vous aussi, si vous voulez retrouver vos dæmons. Car c'est là qu'ils se trouvent maintenant.

— Mais monsieur Parry, dit Lyra, comment savez-vous que nos dæmons sont allés dans le monde de mon père ?

— De mon vivant, j'étais chaman. J'ai appris à voir certaines choses. Interroge donc ton aléthiomètre, il te confirmera ce que je te dis. Mais n'oublie pas une chose au sujet des dæmons, ajouta-t-il d'un ton solennel. L'homme que tu connaissais sous le nom de Sir Charles Latrom était obligé de retourner régulièrement dans son monde ; il ne pouvait pas vivre en permanence dans le mien. Les philosophes de la Torre degli Angeli, qui ont voyagé d'un monde à l'autre pendant trois cents ans, et même plus, avaient fait la même découverte, et c'est pour cette raison que leur monde s'est peu à peu affaibli et décomposé.

Sans oublier, évidemment, ce qui m'est arrivé. J'étais soldat, j'étais officier dans les marines, je gagnais ma vie comme explorateur. J'étais aussi robuste et en bonne santé qu'on peut l'être. Mais un jour, j'ai quitté mon monde par accident, et je n'ai jamais trouvé le chemin du retour. J'ai fait d'innombrables choses et j'ai beaucoup appris dans ce nouveau monde, mais dix ans seulement après mon arrivée, je suis tombé mortellement malade.

Voilà la raison de toutes ces choses : ton dæmon ne peut vivre toute son existence que dans le monde où il est né. Partout ailleurs, il finit par tomber malade et il meurt. Nous pouvons voyager, grâce à des fenêtres ouvertes sur d'autres mondes, mais il nous est impossible de vivre ailleurs que dans le nôtre. La grande entreprise de Lord Asriel échouera pour cette même raison : nous devons bâtir la République des Cieux là où nous sommes, car pour nous, il n'y a pas d'ailleurs.

Will, mon garçon, Lyra et toi vous pouvez sortir d'ici pour un court repos, vous en avez besoin et vous le méritez mais, ensuite, vous devrez revenir ici, dans l'obscurité, avec M. Scoresby et moi, pour un dernier voyage.

Will et Lyra échangèrent un regard. Puis le garçon découpa une fenêtre dans le vide et ils découvrirent le plus beau spectacle qu'ils avaient jamais vu.

L'air de la nuit envahit leurs poumons, frais et pur ; leurs yeux émerveillés englobèrent la voûte céleste constellée d'étoiles, le miroitement de l'eau quelque part en contrebas et, ici et là, des bosquets d'arbres immenses disséminés à travers un vaste paysage de savane.

Will élargit l'ouverture au maximum, suffisamment pour laisser passer six ou sept personnes de front, afin qu'elles puissent quitter le pays des morts.

Les fantômes les plus proches tremblaient d'espoir et leur excitation se propageait comme une vague tout au long de la colonne, derrière eux. Les jeunes enfants comme les plus âgés levaient la tête et regardaient droit devant eux avec émerveillement et stupeur : les premières étoiles qu'ils voyaient depuis des siècles se reflétaient dans leurs pauvres yeux hagards.

Le premier fantôme à quitter le pays des morts fut Roger. Il fit un pas en avant, puis se retourna pour regarder Lyra et, soudain, il éclata de rire, au moment où il se mettait à tournoyer dans les airs, le ciel, les étoiles... et il disparut, laissant derrière lui une explosion de bonheur, si vive et pétillante que Will songea aux bulles dans un verre de champagne.

Les autres fantômes le suivirent, pendant que Will et Lyra se laissaient tomber dans l'herbe tapissée de rosée, épuisés. Chaque parcelle de leurs corps accueillait avec délectation la douceur de cette terre riche, l'air de la nuit et les étoiles.

Chapitre 27
La plate-forme

Mon âme glisse entre les branches et
tel un oiseau s'y pose, et elle chante,
puis elle affûte et peigne ses ailes d'argent...
Andrew Marvell

 Dès que les mulefas s'attaquèrent à la construction de la plate-forme de Mary, ils travaillèrent vite et bien. Elle prenait plaisir à les regarder faire, car ils étaient capables de discuter sans se quereller ou de coopérer sans se gêner, mais aussi parce que leurs techniques pour fendre, tailler et assembler le bois étaient à la fois élégantes et efficaces.

En moins de deux jours, la plate-forme d'observation fut conçue, construite et installée au sommet de l'arbre. Elle était solide, spacieuse et confortable et, lorsque Mary s'y installa, elle se sentit plus heureuse, d'une certaine façon, qu'elle ne l'avait jamais été. Elle ressentait notamment un intense bien-être physique. Au milieu des frondaisons d'un vert intense, avec les taches de ciel bleu azur qui apparaissaient entre les branches, la douce brise qui rafraîchissait sa peau, et le léger parfum des fleurs qui la ravissait chaque fois qu'il effleurait ses narines, avec le bruissement des feuilles, le chant des centaines d'oiseaux et le murmure lointain des vagues sur le rivage, tous ses sens étaient bercés et comblés et, si elle avait pu s'arrêter un instant de réfléchir, elle aurait plongé totalement dans le bonheur.

Mais évidemment, elle était venue là pour réfléchir.

Et, lorsqu'en regardant à travers sa longue-vue, elle vit s'éloigner le flot ininterrompu de *sraf,* les particules d'Ombre, elle eut le sentiment que le bonheur, la vie et l'espoir lui échappaient. Sans qu'elle puisse trouver à cela la moindre explication.

Trois cents ans, avaient dit les mulefas : depuis cette époque, les arbres avaient commencé à dépérir. Étant donné que les particules d'Ombre traversaient tous les mondes de la même manière, on pouvait logiquement penser qu'un phénomène identique se produisait dans son univers et dans tous les autres. Il y a trois cents ans, on avait créé la Royal Society : la première véritable association scientifique au monde. À cette même époque, Newton faisait ses découvertes sur l'optique et la gravité.

Il y a trois cents ans, dans le monde de Lyra, quelqu'un inventait l'aléthiomètre.

Au même moment, dans ce monde étrange qu'elle avait traversé pour arriver ici, on forgeait le poignard subtil.

Elle s'allongea sur les planches, sur le dos, et sentit la plate-forme tanguer très légèrement, en harmonie avec le rythme lent du grand arbre qui se balançait dans le vent du large. L'œil rivé à la longue-vue, elle regarda la myriade de minuscules étincelles dériver à travers le feuillage, passer au-dessus des pétales déployés des fleurs, entre les branches épaisses, contre le vent, comme mues par une volonté consciente.

Que s'était-il passé trois cents ans plus tôt ? Était-ce cet événement mystérieux qui avait provoqué le courant de Poussière, ou bien l'inverse ? Ou l'un et l'autre étaient-ils les conséquences d'une cause toute différente ? À moins que les deux choses n'aient tout simplement aucun rapport ?

Ce courant était hypnotique. Comme il serait facile de tomber en transe, et de laisser son esprit dériver avec ces particules flottantes...

Avant même qu'elle puisse s'en rendre compte, et parce que son corps tout entier était bercé, ce fut exactement ce qui se produisit. Elle se réveilla soudain pour se retrouver à l'extérieur d'elle-même, et la panique l'envahit.

Elle flottait au-dessus de la plate-forme, au milieu des branches. Le courant de Poussière avait subi une transformation : au lieu de dériver lentement, il courait comme une rivière en crue. Avait-il accéléré, ou était-ce le temps qui s'écoulait différemment pour elle, maintenant qu'elle était sortie de son corps ? Quoi qu'il en soit, Mary avait conscience d'un horrible danger, car ce flot menaçait de l'entraîner. Il était immense. Elle écarta les bras pour tenter de s'accrocher à quelque chose de solide, mais c'était comme si elle n'avait pas de bras ! Elle ne pouvait rien saisir. Elle se trouvait au-dessus du vide vertigineux, et son corps s'éloignait de plus en plus, endormi et étendu là-bas. Elle essaya de crier pour se réveiller : pas un son ne sortit de sa bouche. Son corps continuait à dormir, et l'être qui le contemplait d'en haut quittait maintenant l'abri du feuillage pour dériver dans le ciel infini.

Mary avait beau se débattre, elle ne parvenait pas à maîtriser ses déplacements. La force qui l'emportait était aussi lisse et puissante que l'eau qui submerge un barrage : les particules de Poussière coulaient comme si, elles aussi, se déversaient par-dessus un obstacle invisible.

Et elles emportaient Mary loin de son corps.

Elle lança un filin mental en direction de son enveloppe physique, et essaya de se remémorer les sensations qu'elle éprouvait lorsqu'elle se trouvait à l'intérieur, toutes ces sensations qui la rendaient vivante. Le contact de la trompe si douce de son amie Atal caressant son cou. Le goût des œufs au bacon. La tension triomphante de ses muscles lorsqu'elle escaladait une paroi rocheuse. La danse délicate de ses doigts sur un clavier d'ordinateur. L'odeur du café grillé. La chaleur de son lit les soirs d'hiver.

Et peu à peu, sa course ralentit ; le filin tenait bon. Elle sentait le poids et la force du courant qui tentaient de l'entraîner, tandis qu'elle restait là, suspendue dans le ciel.

C'est alors qu'une chose encore plus étrange se produisit. Petit à petit, alors qu'elle renforçait ce lien de souvenirs sensoriels en évoquant le goût d'une margarita glacée en Californie, un déjeuner sous les citronniers de la terrasse d'un restaurant de Lisbonne, racler le givre sur le pare-brise de sa voiture... elle sentit faiblir le courant de Poussière. La pression diminuait.

Mais seulement sur elle. Tout autour, au-dessus et en dessous, le torrent poursuivait sa course folle. Malgré tout, il y avait une petite plage de calme autour d'elle, là où les particules résistaient au flot.

Elles étaient conscientes ! Elles sentaient son angoisse et elles réagissaient en conséquence. Voilà qu'elles la ramenaient vers son corps abandonné au sommet de l'arbre, et quand Mary fut assez près pour l'apercevoir, si lourd, si chaud, si protecteur, un sanglot silencieux ébranla son cœur.

Elle se glissa à l'intérieur de son corps et se réveilla.

Elle inspira profondément, en tremblant. Elle plaqua ses mains et ses jambes contre les planches en bois brut de la plate-forme, et alors qu'une minute plus tôt, elle avait cru devenir folle de peur, elle était maintenant envahie par une sensation de douce extase : elle ne faisait plus qu'un avec son corps, avec la terre et toutes les choses faites de matière.

Au bout d'un moment, elle se redressa et tenta d'examiner la situation. Ses doigts se refermèrent sur la longue-vue, elle la colla à son œil, obligée de la tenir à deux mains tellement elle tremblait. Cela ne faisait aucun doute : le lent courant aussi vaste que le ciel était devenu un torrent. Il n'y avait rien à entendre, rien à sentir et, sans sa longue-vue, rien à voir, et même lorsqu'elle décolla l'instrument de son œil, la sensation de ce déluge silencieux demeura vivace, accompagnée d'un sentiment qu'elle n'avait pas remarqué, tant elle était terrorisée de se retrouver ainsi hors de son corps : un regret profond et impuissant qui flottait dans l'air.

Les particules d'Ombre savaient ce qui se passait, et elles étaient tristes.

Elle-même était partiellement constituée de matière Ombre. Cette partie d'elle-même était sujette à cette marée qui se déplaçait à travers le cosmos. Comme l'étaient les mulefas et les êtres humains de tous les mondes, et toutes les sortes de créatures conscientes, où qu'elles se trouvent.

Et si elle ne découvrait pas ce qui se passait, ils risquaient de se retrouver emportés vers l'oubli, tous sans exception.

Soudain, Mary éprouva l'envie de retrouver la terre ferme. Elle rangea la longue-vue dans sa poche et attaqua la longue descente.

Le père Gomez franchit la fenêtre au moment où la lumière du soir s'allongeait et s'adoucissait. Il découvrit les immenses bosquets d'arbres à cosses et les routes qui serpentaient à travers la prairie, exactement comme Mary, quelque temps auparavant. Mais aujourd'hui, il n'y avait pas de brouillard, car il avait plu un peu plus tôt, et le père Gomez bénéficia d'une meilleure visibilité ; en particulier, il distingua le scintillement d'une mer lointaine, et des formes blanches qui tremblotaient comme des voiles.

Il redressa le sac à dos sur ses épaules et, curieux, marcha dans cette direction. Dans la quiétude de cette longue fin de journée, il était agréable d'avancer sur cette route lisse, accompagné par le chant de ces insectes ressemblant à des cigales dans les herbes hautes. Il sentait sur son visage la douce chaleur du soleil couchant. L'air était frais, limpide et odorant, totalement dépourvu de ces vapeurs de naphte ou de kérosène qui flottaient lourdement dans l'atmosphère d'un des mondes qu'il avait traversés, ce monde auquel appartenait sa proie, la tentatrice elle-même.

Au coucher du soleil, il déboucha sur un petit promontoire, à côté d'une anse peu profonde. Si cette mer avait des marées, c'était marée haute, car l'eau n'avait laissé qu'une fine frange de sable blanc.

Sur ce bras de mer paisible flottait une douzaine de... Le père Gomez dut réfléchir soigneusement. Une douzaine d'énormes oiseaux blancs, d'une blancheur immaculée, de la taille d'une barque, avec de longues ailes toutes droites qui traînaient dans l'eau derrière eux, de très longues ailes, mesurant au moins deux mètres. Était-ce vraiment des oiseaux ? Ils avaient des plumes, leur tête et leur cou faisaient penser à des cygnes, mais leurs ailes étaient disposées l'une devant l'autre, et assurément...

Soudain, ils l'aperçurent. Les têtes se tournèrent brusquement et toutes les ailes se dressèrent à la verticale, comme les voiles d'un navire, et les oiseaux se dirigèrent vers le rivage, poussés par le vent.

Le père Gomez était impressionné par la beauté de ces ailes ressemblant à des voiles, par la perfection de leur forme et leur maniabilité, et par la vitesse à laquelle ces créatures se déplaçaient. Mais, soudain, il découvrit qu'elles barbotaient également : elles avaient des pattes sous le ventre, placées non pas à l'avant et à l'arrière comme leurs ailes, mais côte à côte, et la combinaison de ces différents appendices, les ailes et les pattes, leur conférait une rapidité et une grâce extraordinaires sur l'eau.

Le premier oiseau venait d'atteindre le rivage ; il fonça directement vers le prêtre, avec une sorte de dandinement grotesque, poussant de petits sifflements menaçants et donnant des coups de bec dans le vide. Ses dents ressemblaient à une rangée de crocs incurvés et aiguisés.

Le père Gomez se trouvait à une centaine de mètres du bord de l'eau, sur un petit promontoire herbeux. Il eut tout le temps de poser son sac à dos, de sortir son fusil, de le charger, de viser et de tirer.

La tête de l'oiseau explosa dans un nuage rouge et blanc, et la créature continua à vaciller pendant plusieurs mètres, avant de basculer et de s'effondrer vers l'avant. Elle mit encore une minute à mourir ; ses pattes s'agitèrent, elle battit des ailes et tourna plusieurs fois sur elle-même en dessinant un cercle sanglant dans le sable, puis elle s'immobilisa définitivement.

Ses congénères s'étaient arrêtés dès que le premier oiseau était tombé, et ils regardaient fixement sa dépouille ; ils regardaient l'homme également. Il y avait dans leurs yeux une intelligence pleine de férocité. Leurs regards allaient de l'homme à l'oiseau mort, de l'oiseau mort à l'arme, et de l'arme au visage de l'homme.

Le père Gomez épaula de nouveau son fusil. Les créatures réagirent immédiatement : elles reculèrent de manière pataude en se regroupant. Elles avaient compris.

C'étaient des créatures racées et puissantes, imposantes, avec un dos large, des sortes de bateaux vivants, en fait. Si elles savaient ce qu'était la mort, se disait le père Gomez, et si elles pouvaient faire le rapprochement entre la mort et lui, ce serait le point de départ d'une compréhension mutuelle et fructueuse. Une fois qu'elles auraient appris à le craindre, elles feraient exactement ce qu'il voudrait.

CHAPITRE 28

MINUIT

*Bien des fois,
j'ai presque été amoureux
de la mort reposante...*
JOHN KEATS

 Lord Asriel dit :

— Réveille-toi, Marisa. Nous allons bientôt atterrir.

Une aube venteuse se levait sur la forteresse de basalte, tandis que le vaisseau d'intentions s'en approchait, venant du sud. Mme Coulter, abattue, le corps endolori, ouvrit les yeux ; elle ne dormait pas. Elle vit l'ange Xaphania planer au-dessus du terrain d'atterrissage, puis prendre de la hauteur et monter vers la tour en tournoyant au moment où le vaisseau atteignait les remparts.

Dès qu'il se fut posé, Lord Asriel sauta à terre et courut rejoindre le roi Ogunwe au sommet de la tour de guet située à l'ouest, sans se préoccuper de Mme Coulter. Les techniciens qui accoururent pour s'occuper de l'engin volant ne firent pas davantage attention à elle ; nul ne l'interrogea au sujet de la disparition de l'appareil qu'elle avait volé ; c'était comme si elle était devenue invisible. Le cœur lourd, elle se rendit dans les appartements de Lord Asriel en haut de la tour inflexible, où l'officier d'ordonnance proposa de lui apporter à manger et du café.

— Je prendrai ce que vous avez, dit-elle. Merci bien. Oh, dites-moi..., ajouta-t-elle juste avant qu'il ne reparte. L'aléthiométriste de Lord Asriel, monsieur...

— M. Basilides ?

— Oui. Pourrait-il venir me voir un instant ?

— Il est plongé dans ses livres pour le moment, madame. Mais je lui demanderai de monter vous voir dès qu'il le pourra.

Elle se déshabilla, se lava et enfila sa dernière chemise propre. Le vent glacé qui secouait les vitres et la lumière grise du matin lui arrachèrent des frissons. Elle ajouta du charbon dans le poêle en fonte, en espérant qu'un peu de chaleur l'empêcherait de trembler. Mais le froid n'était pas seulement ambiant, il avait pénétré ses os.

Dix minutes plus tard, on frappa à la porte. L'aléthiométriste au visage pâle et aux yeux noirs entra et s'inclina légèrement, son daemon-rossignol perché sur son épaule. Presque au même moment, l'officier d'ordonnance revint avec un plateau sur lequel il y avait du pain, du fromage et du café.

—Merci d'être venu, monsieur Basilides, dit Mme Coulter. Puis-je vous offrir quelque chose?

—Je prendrai un café, merci.

—Je vous en prie, racontez-moi, dit-elle aussitôt après l'avoir servi, car je suis sûre que vous avez suivi ce qui s'est passé : ma fille est-elle vivante?

Il hésita. Le singe doré agrippa le bras de Mme Coulter.

—Elle est vivante, répondit finalement M. Basilides, avec prudence. Cependant...

—Quoi donc? Oh, je vous en supplie, parlez!

—Elle se trouve dans le monde des morts. Au début, je n'arrivais pas à interpréter ce que me disait l'instrument : cela me paraissait impossible. Mais le doute n'est pas permis. Le garçon et elle ont pénétré dans le monde des morts, et ils ont ouvert un passage pour laisser sortir les fantômes. Dès que les morts débouchent à l'air libre, ils se dissolvent, comme leurs dæmons et, apparemment, c'est la fin la plus douce et la plus enviable qui soit. L'aléthiomètre me dit également que votre fille a agi ainsi car elle aurait entendu une prophétie selon laquelle la mort allait disparaître, et elle s'est dit qu'il lui revenait d'accomplir cette tâche. Résultat : il existe maintenant une sortie dans le monde des morts.

Mme Coulter resta muette. Elle dut détourner le regard et marcher vers la fenêtre pour masquer son émotion. Finalement, elle demanda :

—En sortira-t-elle vivante? Non, je sais bien que vous ne pouvez pas prédire l'avenir. Mais est-ce que... comment va-t-elle? Est-ce que...?

—Elle souffre, elle a peur. Mais elle peut compter sur la présence du garçon, et de deux espions gallivespiens. Ils sont toujours ensemble.

—Et la bombe?

—La bombe ne l'a pas atteinte.

Mme Coulter se sentit submergée par une immense fatigue tout à coup. Elle n'avait plus qu'une seule envie : s'allonger et dormir pendant des mois, des années. Dehors, la corde du drapeau claquait dans le vent, et les corbeaux tourbillonnaient autour des remparts en poussant leurs croassements sinistres.

—Merci, monsieur, dit-elle en se retournant vers l'aléthiométriste. Je vous suis très reconnaissante. Soyez gentil de m'avertir si jamais vous en apprenez davantage sur ma fille, l'endroit où elle se trouve et ce qu'elle fait.

L'homme s'inclina et sortit. Après son départ, Mme Coulter alla s'allonger sur le lit de camp mais, malgré sa très grande fatigue, elle était incapable de garder les yeux fermés.

—Que pensez-vous de cela, roi Ogunwe? demanda Lord Asriel.

L'œil rivé au télescope de la tour de guet, il observait quelque chose dans le ciel à l'ouest. Cela ressemblait à une montagne suspendue au-dessus de l'horizon et entourée d'un nuage. Elle était extrêmement loin, si loin, en vérité, qu'elle n'était pas plus grande qu'un ongle de pouce vu à bout de bras. Mais elle venait d'apparaître depuis peu, et elle restait totalement immobile.

Grâce au télescope, elle paraissait plus proche, mais aucun détail n'était perceptible ; bien que grossi un grand nombre de fois, le nuage ressemblait toujours à un nuage.

—La Montagne Nébuleuse, dit Ogunwe. Ou... comment l'appellent-ils, déjà ? Le Chariot ?

—Et c'est le Régent qui tient les rênes. On peut dire qu'il s'est bien caché, ce Métatron. On parle de lui dans les écritures apocryphes : c'était un homme autrefois, un homme appelé Enoch, fils de Jared, six générations après Adam. Aujourd'hui, il dirige le Royaume. Et il n'a pas l'intention de s'en tenir là, à en croire cet ange qu'on a retrouvé près du lac de soufre, celui qui s'est introduit dans la Montagne Nébuleuse pour espionner. Si Métatron remporte cette bataille, il voudra intervenir directement dans la vie des hommes. Imaginez un peu, Ogunwe. Une Inquisition permanente, bien plus terrible que tout ce dont pourrait rêver la Cour de Discipline Consistoriale, organisée par des espions et des traîtres dans chaque monde et dirigée personnellement par l'intelligence qui fait flotter cette montagne dans les airs... Au moins, l'ancienne Autorité a eu la décence de se retirer, laissant à ses prêtres la sale besogne qui consistait à brûler les hérétiques et à pendre les sorcières. Sa remplaçante sera bien plus redoutable.

—Elle a commencé par envahir la République, dit Ogunwe. Regardez... est-ce de la fumée ?

Une écharpe grise s'échappait de la Montagne Nébuleuse, une tache qui s'étendait lentement sur le fond bleu du ciel. Mais cela ne pouvait pas être de la fumée, car cette chose avançait contre le vent qui déchirait les nuages.

Le roi prit ses jumelles.

—Des anges.

Lord Asriel décolla son œil du télescope et se redressa en mettant sa main en visière. Par centaines, par milliers, puis par dizaines de milliers, jusqu'à ce que la moitié de cette partie du ciel s'assombrisse, les minuscules silhouettes affluaient. Il avait vu les volées de milliards d'étourneaux bleus tournoyer dans le ciel au coucher du soleil autour du palais de l'empereur K'ang-Po, mais jamais dans toute son existence il n'avait vu pareille nuée. Les êtres volants se rassemblèrent, puis s'éloignèrent lentement, très lentement, vers le nord et le sud.

– Ah! Qu'est-ce donc? demanda Lord Asriel, le doigt tendu. Ce n'est pas le vent.

Le nuage tourbillonnait sur le flanc sud de la montagne et de longues oriflammes de vapeur déchiquetées se déployaient dans les courants puissants. Mais il avait raison : le mouvement provenait de l'intérieur, pas de l'air environnant. Le nuage roulait sur lui-même et, l'espace d'une seconde, il s'ouvrit.

Il n'y avait pas qu'une montagne derrière mais, malheureusement, la vision fut très brève, avant que le nuage ne reprenne sa place, comme un rideau tiré par une main invisible pour masquer le spectacle.

Le roi Ogunwe baissa ses jumelles.

– Ce n'est pas une montagne, dit-il. J'ai aperçu des emplacements d'artillerie...

– Oui, moi aussi. Et nombre de choses complexes. L'Autorité voit-elle à travers les nuages? Dans certains mondes, ils disposent de machines pour cela. Mais, pour ce qui est de son armée, si ces anges sont la seule force dont elle...

Le roi poussa une brève exclamation, mélange d'étonnement et de désespoir. Lord Asriel se retourna et lui agrippa le bras en enfonçant ses ongles dans la peau, jusqu'au sang.

– Ils n'ont pas ça! s'écria-t-il en secouant violemment le bras d'Ogunwe. Ils n'ont pas de corps!

Il posa sa main sur la joue rugueuse de son ami.

– Même si nous sommes peu nombreux, ajouta-t-il, même si notre vie est courte, et même si notre vue est faible... à côté d'eux, nous sommes forts! Ils nous envient, Ogunwe! C'est cela qui alimente leur haine, j'en suis certain. Ils rêvent de posséder nos corps précieux, si puissants et robustes, si bien adaptés à cette bonne terre! Et si nous les combattons avec force et détermination, nous pouvons balayer cette armée infinie, aussi facilement que votre main traverse le brouillard. Ils n'ont pas plus de pouvoir que ça!

– Asriel, ils ont des alliés dans un millier de mondes, des êtres humains comme nous.

– Nous l'emporterons.

– Et supposons que l'Autorité ait envoyé ces anges pour chercher votre fille ?

– Ma fille ! s'exclama-t-il avec jubilation. N'est-ce pas incroyable de mettre au monde une enfant pareille ? Non contente d'aller trouver, seule, le roi des ours en armure et de lui subtiliser son royaume par la ruse, elle pénètre dans le pays des morts et décide de tous les faire sortir ! Et ce garçon. Je veux absolument le rencontrer, je veux lui serrer la main. Savions-nous dans quoi nous nous engagions quand nous avons déclenché cette révolte ? Non. Mais eux – l'Autorité et son Régent, ce Métatron – savaient-ils ce qui les attendait quand ma fille s'en est mêlée ?

– Lord Asriel, dit le roi, comprenez-vous l'importance de son rôle pour l'avenir ?

– Sincèrement, non. C'est pour cette raison que je veux interroger Basilides. Où est-il, d'ailleurs ?

– Il est allé voir Lady Coulter. Mais il est épuisé, il a besoin de se reposer.

– Il aurait dû se reposer avant. Amenez-le-moi, voulez-vous ? Oh, encore une chose, Ogunwe. Demandez, je vous prie, à Mme Oxentiel de venir me voir dans la tour, dès qu'elle le pourra. Je veux lui transmettre mes condoléances.

Mme Oxentiel avait été l'officier en second des Gallivespiens. À elle désormais d'assumer les responsabilités de Lord Roke. Le roi Ogunwe s'inclina et s'éloigna, laissant son supérieur scruter l'horizon gris.

Durant toute la journée, l'armée se rassembla. Les anges dévoués à Lord Asriel survolèrent la Montagne Nébuleuse à la recherche d'une ouverture, mais en vain. Aucun ange n'en sortit ni n'y pénétra. Les vents violents lacéraient les nuages, mais ceux-ci se renouvelaient en permanence, sans s'écarter une seule seconde. Le soleil traversa le ciel bleu et froid avant de redescendre vers le sud-ouest, enveloppant les nuages d'une feuille d'or et peignant la vapeur qui entourait la montagne de mille nuances crème, rouge écarlate, abricot et orange. Quand le soleil disparut, les nuages continuèrent à luire faiblement, de l'intérieur.

Les guerriers étaient maintenant en place, venus de tous les mondes où la rébellion de Lord Asriel comptait des sympathisants ; les mécaniciens et les artificiers faisaient le plein des vaisseaux, chargeaient les armes, réglaient les viseurs et les jauges. Alors que tombait la nuit, des renforts bienvenus firent leur apparition, venus du Nord, marchant en silence sur le sol gelé, séparément : un grand nombre d'ours en armure et, parmi eux, se trouvait leur roi. Peu de temps après arriva le premier des clans de sorcières, et le sifflement de l'air dans leurs branches de sapin résonna longuement dans le ciel noir.

Dans la plaine qui bordait la forteresse au sud scintillaient des milliers de lumières, là où s'étendaient les campements de tous ceux qui étaient venus de très loin. Pendant ce temps, aux quatre points cardinaux, des vols d'anges espions parcouraient inlassablement le ciel, pour monter la garde.

À minuit, dans la tour inflexible, Lord Asriel était en pleine discussion avec le roi Ogunwe, l'ange Xaphania, Mme Oxentiel la Gallivespienne et Teukros Basilides. L'aléthiométriste venait juste de s'exprimer ; son supérieur se leva de son siège, marcha vers la fenêtre et contempla la lueur lointaine de la Montagne Nébuleuse qui flottait dans le ciel à l'ouest. Les autres restaient muets ; ce qu'ils venaient d'entendre avait fait blêmir et trembler Lord Asriel, et aucun d'eux ne savait comment réagir.

Finalement, il prit la parole :

— Monsieur Basilides, dit-il, vous devez être très fatigué. Je vous remercie pour tous vos efforts. Buvez donc un verre de vin avec nous.

— Merci, monseigneur.

Les mains de l'aléthiométriste tremblaient. Le roi Ogunwe versa le tokay aux reflets dorés dans un verre et le lui tendit.

— Que signifie tout cela, Lord Asriel ? demanda Mme Oxentiel de sa voix claire.

Celui-ci revint à la table.

— Cela signifie que, au moment de prendre part au combat, nous aurons un nouvel objectif. Ma fille et ce garçon ont été séparés de leurs dæmons mais ils ont réussi à survivre ; et ces derniers se trouvent maintenant quelque part dans ce monde. Corrigez-moi si je me trompe en résumant la situation, monsieur Basilides. Leurs dæmons sont dans ce monde et Métatron a l'intention de s'en emparer. S'il les capture, les deux enfants seront obligés de lui obéir et, s'il peut contrôler les enfants, l'avenir lui appartient, pour l'éternité. Notre tâche est claire : nous devons retrouver ces dæmons avant Métatron, et les protéger jusqu'à ce que ma fille et le garçon les rejoignent.

La Gallivespienne demanda :

— Quelle apparence ont-ils ?

— Ils ne sont pas encore fixés, madame, répondit Teukros Basilides. Ils peuvent avoir n'importe quelle apparence.

— Donc, dit Lord Asriel, pour résumer : notre sort commun, celui de la République et de tous les êtres dotés d'une conscience, dépend de la survie de ma fille et du sort de son dæmon et de celui du garçon, qui doivent échapper aux griffes de Métatron ?

— Exactement.

Lord Asriel soupira, presque avec satisfaction, comme s'il était parvenu à la fin d'un long calcul complexe et avait trouvé une réponse qui possédait, contre toute attente, un sens.

— Très bien, dit-il en posant les mains à plat sur la table. Voici donc ce que nous allons faire quand la bataille éclatera. Roi Ogunwe, vous prendrez le commandement de toutes les armées qui défendent la forteresse. Madame Oxentiel, vous enverrez vos semblables dans toutes les directions à la recherche du garçon, de ma fille et de leurs dæmons. Une fois que vous les aurez retrouvés, protégez-les au péril de votre vie, jusqu'à ce qu'ils soient réunis. À ce moment-là, si j'ai bien compris, le garçon pourra se réfugier dans un autre monde.

La lady hocha la tête. Ses cheveux raides et gris projetaient des reflets d'acier dans la lumière de la lampe, et le faucon bleu qu'elle avait hérité de Lord Roke déploya brièvement ses ailes, sur l'applique près de la porte.

— Xaphania, dit Lord Asriel en se tournant vers l'ange. Que savez-vous de ce Métatron ? C'était un homme autrefois : a-t-il conservé la force physique d'un être humain ?

— Il s'est hissé au pouvoir bien après mon exil, expliqua l'ange. Je ne l'ai jamais vu de près. Mais il n'aurait jamais pu dominer le Royaume s'il n'avait pas été doté, sur tous les plans, d'une très grande force. La plupart des anges éviteraient de l'affronter dans une lutte au corps à corps. Métatron se délecterait de ce combat et il en sortirait vainqueur.

Ogunwe devina que Lord Asriel venait d'être traversé par une idée. Son attention se relâcha tout à coup, ses yeux se perdirent dans le vague pendant quelques instants, puis il revint dans le présent, habité par une détermination nouvelle.

— Je vois, dit-il. Pour finir, Xaphania, M. Basilides nous apprend que leur bombe n'a pas seulement ouvert un abîme sous les mondes, elle a également fracturé la structure même de toutes choses, si profondément que les fissures s'étendent partout. Il doit exister près de cet endroit un passage conduisant au bord de ce gouffre. Je veux que vous le cherchiez.

— Qu'allez-vous faire ? demanda le roi Ogunwe d'un ton brusque.

— Je vais détruire Métatron. Mais mon rôle est presque terminé. C'est ma fille qui doit survivre, et notre tâche consiste à éloigner d'elle toutes les forces du Royaume pour qu'elle puisse trouver le chemin d'un monde plus sûr, avec ce garçon et leurs dæmons.

— Et Mme Coulter ? demanda le roi.

Lord Asriel se massa le front.

— Je ne veux pas la perturber davantage. Laissez-la en paix, et protégez-la si vous le pouvez. Toutefois... Peut-être suis-je injuste. Quoi qu'elle ait pu faire dans le passé, elle a toujours réussi à me surprendre. Mais nous savons tous ce que nous devons faire, et pour quelle raison : nous devons protéger Lyra jusqu'à ce qu'elle retrouve son dæmon et puisse s'enfuir. Notre République n'a peut-être vu le jour que dans l'unique but de l'aider dans cette tâche. Alors, agissons de notre mieux.

En entendant les voix qui s'échappaient de la pièce voisine, Mme Coulter s'agita, car elle ne dormait pas profondément. Elle s'arracha à son sommeil troublé, étreinte par un sentiment de malaise, le cœur gros.

Son dæmon s'était redressé à côté d'elle dans le lit, mais elle n'avait pas envie de se rapprocher de la porte pour écouter ce qui se disait ; c'était la voix de Lord Asriel qu'elle voulait entendre. Ils étaient condamnés l'un et l'autre, se disait-elle. Ils étaient tous condamnés.

Au bout d'un moment, elle entendit la porte se refermer dans la pièce voisine. Elle se leva et s'y rendit.

— Asriel, dit-elle en s'avançant dans la chaude lumière de naphte.

Stelmaria émit un faible grognement, et le singe doré baissa la tête en signe de soumission. Lord Asriel était occupé à rouler une grande carte ; il ne se retourna pas.

— Dis-moi, que va-t-il nous arriver ? demanda-t-elle en s'asseyant sur une chaise.

Il se frotta les yeux avec ses paumes ; son visage était ravagé par la fatigue. Il s'assit en posant un coude sur la table. Les deux dæmons étaient immobiles : le singe était accroupi sur le dossier de la chaise, tandis que le léopard des neiges se tenait aux côtés de Lord Asriel, bien droit, observant Mme Coulter sans ciller.

— Tu n'as pas entendu ce qu'on disait ? demanda-t-il.

— Quelques mots. Je n'arrivais pas à dormir, mais je n'ai pas voulu vous espionner. Où est Lyra ? Est-ce que quelqu'un le sait ?

— Non.

Il n'avait toujours pas répondu à sa première question, et il n'y répondrait pas ; elle le savait.

— Nous aurions dû nous marier, dit-elle, et élever notre fille ensemble.

Cette remarque était si inattendue qu'il sursauta. Son dæmon laissa échapper un grognement à peine perceptible, venu du fond de sa gorge, et il s'assit en étendant ses pattes devant lui, dans la position du sphinx. L'homme ne dit rien.

— L'idée de l'oubli éternel m'est insupportable, Asriel, ajouta-t-elle. Tout plutôt que ça. Je pensais que la douleur serait la pire des choses, être torturée éternellement... Je croyais qu'il n'y avait rien de pire... Mais, tant qu'on reste conscient, c'est un moindre mal, non ? C'est mieux que de ne plus rien sentir et de s'enfoncer simplement dans l'obscurité, alors que tout disparaît pour toujours ?

Le rôle de Lord Asriel consistait simplement à écouter. Son regard était plongé dans le sien, il lui accordait toute son attention ; inutile dès lors de répondre. Elle dit :

— L'autre jour, quand tu as parlé de Lyra de façon si amère, et de moi aussi... J'ai cru que tu la haïssais. Je comprendrais que tu me haïsses. Même si moi, je ne t'ai jamais haï, je pourrais comprendre... Je comprendrais tes raisons de le faire. Mais je ne pourrais pas comprendre que tu éprouves cela pour Lyra.

Il détourna lentement la tête, puis se retourna vers elle brusquement.

— Je me souviens que tu as dit une chose étrange, à Svalbard, au sommet de la montagne, juste avant de quitter notre monde, reprit-elle. Tu as dit : « Viens avec moi, nous détruirons la Poussière pour toujours. » Tu te souviens d'avoir dit ça ? Mais tu ne le pensais pas vraiment. En fait, tu pensais exactement le contraire, n'est-ce pas ? Je m'en aperçois maintenant. Pourquoi ne m'as-tu pas dit ce que tu faisais réellement ? Pourquoi ne m'as-tu pas dit que tu essayais de préserver la Poussière ? Tu aurais pu me dire la vérité.

— Je voulais que tu te joignes à moi, dit-il d'une voix éraillée, mais calme. Et je croyais que tu préférerais entendre un mensonge.

— Oui, dit-elle dans un murmure, c'est bien ce que je pensais.

Elle ne pouvait plus rester assise, mais elle n'avait pas la force de se lever. Pendant un moment, elle crut qu'elle allait défaillir ; sa tête tournait, tous les bruits semblaient lointains, la pièce s'était assombrie... Mais elle retrouva tous ses sens presque aussitôt, encore plus exacerbés qu'auparavant, et rien n'avait changé.

— Asriel...

Le singe doré tendit timidement la main pour toucher la patte du léopard des neiges. L'homme le regarda faire sans dire un mot, et Stelmaria resta immobile, les yeux toujours fixés sur Mme Coulter.

— Oh, Asriel, que va-t-on devenir ?... Est-ce la fin de toute chose ?

Il ne répondit pas.

Se déplaçant comme dans un rêve, Mme Coulter se leva, prit le sac à dos qui était posé dans un coin de la pièce et y glissa la main pour prendre son pistolet. Qu'aurait-elle fait ensuite, nul ne le sait car, au même moment, des bruits de pas retentirent dans l'escalier.

L'homme, la femme et les deux dæmons se retournèrent en même temps vers l'officier d'ordonnance qui fit irruption dans la pièce, essoufflé :

—Pardonnez-moi, monseigneur... les deux dæmons... ils ont été aperçus non loin de la porte Est... sous l'apparence de deux chats... La sentinelle a essayé de leur parler pour les faire entrer, mais ils ont refusé d'approcher... C'était il y a moins d'une minute...

Lord Asriel se leva d'un bond, métamorphosé. Toute la fatigue avait disparu de son visage en une seconde. D'un geste brusque, il prit son manteau.

Ignorant Mme Coulter, il le jeta sur ses épaules et dit à l'officier d'ordonnance :

—Prévenez immédiatement Mme Oxentiel. Transmettez la consigne : il ne faut surtout pas menacer les dæmons, ni les effrayer ni les obliger à faire quoi que ce soit. Celui qui les aperçoit doit d'abord...

Mme Coulter n'entendit pas la suite, car déjà Lord Asriel dévalait l'escalier. Quand les bruits de ses pas se furent évanouis, il n'y eut plus que le léger sifflement de la lampe à naphte, et les gémissements du vent furieux au-dehors.

Son regard croisa celui de son dæmon. Jamais durant leurs trente-cinq ans d'existence commune l'expression du singe doré n'avait été aussi subtile, aussi complexe.

—Très bien, dit-elle à voix haute. Je ne vois pas d'autre solution. Je pense... Je pense que nous...

Le singe comprit immédiatement ce qu'elle voulait dire. Il se jeta à son cou et ils s'étreignirent. Mme Coulter récupéra ensuite son manteau doublé de peau de mouton et, sans faire de bruit, ils quittèrent la pièce à leur tour et descendirent l'escalier obscur.

Chapitre 29

La bataille dans la plaine

*Chaque homme est soumis au pouvoir
de son spectre, jusqu'à ce que sonne
l'heure où l'humanité se réveille...*
William Blake

 Pour Lyra et Will, abandonner le monde si doux dans lequel ils avaient passé la nuit était un véritable crève-cœur mais, s'ils voulaient retrouver leurs dæmons, ils savaient bien qu'ils devaient replonger dans les ténèbres où habitaient les morts. Et maintenant, après des heures passées à ramper péniblement dans une galerie obscure, Lyra se penchait au-dessus de l'aléthiomètre pour la vingtième fois au moins, tout en émettant inconsciemment des petits bruits de détresse, des gémissements, qui auraient été des sanglots s'ils avaient été plus forts. Will éprouvait une vive douleur, lui aussi, là où se trouvait son dæmon autrefois, un endroit à vif, particulièrement sensible, que chaque inspiration lacérait de ses griffes glacées.

Lyra tournait les roulettes avec lassitude ; ses pensées lui semblaient lestées de plomb. Les échelles de sens qui reliaient les trente-six symboles de l'aléthiomètre, qu'elle empruntait habituellement avec légèreté et confiance, lui paraissaient branlantes. Assembler mentalement toutes les connexions était devenu pour elle une chose naturelle, comme courir, chanter, ou raconter une histoire. Aujourd'hui, c'était une tâche ardue, et elle sentait que l'instrument lui échappait parfois, mais elle ne pouvait pas échouer car, alors, tout le reste échouerait également...

—Ce n'est plus très loin, déclara-t-elle finalement. Mais toutes sortes de dangers nous attendent là-bas : une bataille fait rage et... En tout cas, nous sommes bientôt arrivés. Au bout de cette galerie, il y a un gros rocher lisse qui ruisselle d'eau. Will, tu ouvriras une fenêtre.

Les fantômes qui avaient décidé de se battre se pressèrent autour des enfants avec impatience, et Lyra sentit la présence de Lee Scoresby tout près d'elle.

— Lyra, ma petite, ce ne sera plus très long maintenant. Quand tu verras ce vieil ours, dis-lui que Lee est mort en combattant. Et quand la bataille sera finie, nous aurons toute l'éternité pour dériver avec le vent et retrouver les atomes dont étaient constituées mon dæmon Hester, ma mère, et mes fiancées... toutes mes fiancées... Lyra, mon enfant, quand tout cela sera terminé, tu te reposeras enfin, tu m'entends ? La vie est douce, et la mort n'existe plus...

La voix de Lee Scoresby faiblit. Elle avait envie de l'enlacer, mais c'était impossible, bien évidemment. Alors, elle se contenta de regarder sa silhouette pâle et, en voyant la passion briller dans les yeux de la fillette, le fantôme y puisa des forces.

Les deux Gallivespiens voyageaient sur l'épaule de Lyra et sur celle de Will. Leurs courtes vies approchaient de leur terme ; ils ressentaient une certaine raideur dans les membres, une sensation de froid dans la région du cœur. Tous les deux reviendraient bientôt dans le pays des morts, sous forme de fantômes cette fois, mais leurs regards se croisèrent et ils se jurèrent de rester près de Will et de Lyra le plus longtemps possible, sans faire allusion à leur mort imminente.

Les deux enfants continuaient leur escalade en silence. Ils entendaient leurs respirations rauques, le bruit de leurs pas, ils entendaient rouler les petites pierres délogées par leurs pieds. Devant eux, la harpie progressait péniblement elle aussi, silencieuse et le visage crispé ; ses ailes traînaient par terre, ses griffes raclaient le sol.

Soudain, un son nouveau se fit entendre : comme des gouttes qui tombent à un rythme régulier, en résonnant dans la galerie. Puis l'écoulement devint plus rapide.

— Là ! s'exclama Lyra en tendant le bras vers une plaque rocheuse, lisse, mouillée et froide qui bloquait le passage. On est arrivés !

Elle se tourna vers la harpie.

— J'ai réfléchi, dit-elle. J'ai repensé à la façon dont vous m'avez sauvé la vie, à votre promesse de guider à travers le pays des morts tous les fantômes qui se présenteront ici à l'avenir, vers ce monde où nous avons dormi la nuit dernière. Et je me suis dit que si vous n'aviez pas de nom ce n'était pas bien, pour l'avenir. Alors, j'ai décidé de vous en donner un, comme le roi Iorek Byrnison m'a baptisée Parle-d'Or. Je vous appellerai Ailes Gracieuses. C'est votre nom à partir de maintenant, et c'est ainsi que vous vous appellerez pour toujours : Ailes Gracieuses.

— Un jour, dit la harpie, on se reverra, Lyra Parle-d'Or.

—Si je sais que vous êtes là, je n'aurai pas peur, dit-elle. Au revoir, Ailes Gracieuses. Jusqu'à ma mort.

Elle étreignit la harpie avec fougue et l'embrassa sur les deux joues.

Le chevalier Tialys demanda :

—Est-ce le monde de la République de Lord Asriel ?

—Oui, répondit-elle. À en croire l'aléthiomètre. Nous sommes tout près de sa forteresse.

—Dans ce cas, je vais m'adresser aux fantômes.

Lyra le souleva dans sa paume, à bout de bras, et il dit :

—Écoutez-moi tous ! Lady Salmakia et moi sommes les seuls ici à avoir déjà vu ce monde. Il y a une forteresse au sommet d'une montagne ; c'est elle que Lord Asriel cherche à défendre. Qui est l'ennemi ? Je l'ignore. Lyra et Will n'ont plus qu'une seule tâche à accomplir, celle de retrouver leurs dæmons. La nôtre consiste à les aider. Faisons preuve de courage et battons-nous vaillamment.

Lyra se tourna vers Will.

—O.K. Je suis prêt, dit-il.

Il sortit le couteau et regarda au fond des yeux le fantôme de son père qui se tenait tout près de lui. Ils ne seraient plus réunis très longtemps, et il songea combien il aurait été heureux de voir sa mère à côté d'eux, à nouveau ensemble...

—Will ! s'exclama Lyra, affolée.

Le garçon se figea. Le couteau était coincé dans le vide. Il retira sa main et il resta planté, dans la substance d'un monde invisible. Will laissa échapper un profond soupir.

—J'ai failli...

—Oui, j'ai vu, dit-elle. Regarde-moi, Will.

Dans la lumière spectrale, il vit ses cheveux clairs, sa bouche pincée et ses yeux innocents ; il sentit la chaleur de son souffle, il perçut l'odeur familière de sa peau.

Le couteau se libéra.

—Je vais essayer encore une fois, dit-il.

Il se retourna. Concentré au maximum, il laissa son esprit glisser vers la pointe du couteau ; il sonda, palpa, se retira, chercha un peu plus loin et, enfin, il trouva. Les fantômes se pressaient de tous les côtés, si près que les enfants sentaient de petites décharges glacées parcourir leurs terminaisons nerveuses.

Will donna le dernier coup de couteau.

La première chose qu'ils perçurent, ce fut le bruit. La lumière qui pénétra dans la galerie était aveuglante et tous, les fantômes comme les vivants, durent plaquer leurs mains sur leurs yeux. Pendant plusieurs secondes, ils ne virent rien du tout, mais les détonations, les explosions, le crépitement des armes à feu, les cris et les hurlements étaient d'une clarté effrayante.

Le fantôme de John Parry et celui de Lee Scoresby furent les premiers à reprendre leurs esprits. L'un et l'autre avaient été soldats, ils avaient l'expérience du combat et étaient moins désorientés par ce vacarme. Will et Lyra, quant à eux, assistaient à la scène avec un mélange de peur et de stupéfaction.

Des obus explosaient dans les airs et déversaient une pluie de fragments de rocher et de métal sur les pentes de la montagne qu'ils apercevaient un peu plus loin et, dans le ciel, des anges luttaient contre d'autres anges ; des sorcières descendaient en piqué, puis remontaient, poussant les cris de guerre de leurs clans et décochant des flèches sur leurs ennemis. Un Gallivespien monté sur une libellule plongea pour attaquer une machine volante, dont le pilote tenta de riposter en affrontant la petite créature à mains nues. Tandis que la libellule tournoyait au-dessus de l'engin, son cavalier bondit pour planter ses éperons dans le cou du pilote et, immédiatement après, l'insecte revint se placer sous l'appareil pour qu'il puisse sauter sur son dos vert et brillant, pendant que la machine volante plongeait droit vers les rochers au pied de la forteresse.

—Ouvre une fenêtre plus grande, dit Lee Scoresby. Laisse-nous sortir !

—Pas si vite, Lee, dit John Parry. Il se passe quelque chose... Regardez là-bas.

Will ouvrit une petite fenêtre dans la direction qu'indiquait son père et, sous leurs yeux, un changement se produisit dans la physionomie du combat. Les forces attaquantes commencèrent à se retirer : un groupe de véhicules blindés s'arrêta et, sous un tir de couverture, ils firent laborieusement demi-tour et repartirent en sens inverse. De même, une escadrille de machines volantes qui avaient pris le dessus sur les gyroptères de Lord Asriel à la suite d'une bataille inégale firent demi-tour dans le ciel et s'éloignèrent vers l'ouest. Sur le sol, les forces du Royaume — des colonnes de fusiliers, des troupes équipées de lance-flammes et de canons propulseurs de poison, et d'autres armes insolites — commencèrent à battre en retraite.

—Que se passe-t-il ? demanda Lee. Ils abandonnent le combat... Pourquoi donc ?

Il semblait n'y avoir aucune raison : les alliés de Lord Asriel étaient inférieurs en nombre, leurs armes étaient moins puissantes, et les blessés étaient bien plus nombreux dans leur camp.

Mais soudain, Will perçut un mouvement parmi les fantômes. Ils désignaient quelque chose qui flottait dans l'air.

—Des Spectres ! s'exclama John Parry. La voilà, la raison.

Pour la première fois, Will et Lyra eurent l'impression qu'ils pouvaient voir ces choses, semblables à des voiles de gaze scintillante, qui tombaient du ciel comme du duvet de chardon. Mais elles étaient extrêmement diffuses et, dès qu'elles se posaient sur le sol, il était encore plus difficile de les voir.

— Que font-ils ? demanda Lyra.

— Ils se dirigent vers cette section de soldats...

Will et Lyra savaient ce qui allait arriver et, en chœur, ils s'écrièrent :

— Courez ! Fuyez !

Certains soldats, en entendant les voix des enfants tout près d'eux, tournèrent la tête, surpris. D'autres, voyant un Spectre approcher, si étrange, vide et vorace, levèrent leurs armes et ouvrirent le feu, sans résultat, évidemment. Le Spectre se précipita vers le premier homme qui se trouvait devant lui.

C'était un soldat originaire du monde de Lyra, un Africain. Son dæmon était un félin couleur fauve, aux longues pattes, tacheté de noir ; il montra les dents, prêt à bondir.

Ils virent tous l'homme, intrépide, épauler son arme, sans céder un pouce de terrain devant le Spectre, puis ils virent son dæmon se débattre dans les mailles d'un filet invisible, grognant et hurlant, impuissant, et l'homme essayer de le libérer, lâchant son arme, répétant son nom en pleurant, avant de s'effondrer sous l'effet de la douleur et d'une violente nausée.

— O.K., Will, dit John Parry. Fais-nous sortir d'ici maintenant. On peut combattre ces créatures.

Will élargit la fenêtre à l'aide du couteau et sortit le premier, en courant, à la tête de cette armée de fantômes. Débuta alors la bataille la plus étrange qu'on puisse imaginer.

Les fantômes émergèrent des profondeurs de la terre, silhouettes pâles encore plus livides dans la lumière de la mi-journée. N'ayant plus rien à redouter, ils se lancèrent à l'attaque des Spectres invisibles, se jetant avec férocité sur des ennemis que Will et Lyra ne pouvaient pas voir.

Les fusiliers et les autres alliés vivants étaient abasourdis : ils ne voyaient rien de ce combat fantomatique, spectral. Will se fraya un chemin au milieu de la mêlée, en brandissant le poignard subtil, car il se souvenait que celui-ci avait déjà fait fuir les Spectres.

Où qu'il aille, Lyra le suivait, et elle aurait aimé avoir elle aussi quelque chose pour se battre comme le faisait Will. Malheureusement elle devait se contenter de regarder autour d'elle, les yeux exorbités. Par moments, elle croyait apercevoir les Spectres, sous la forme d'un miroitement dans l'air ; et ce fut elle qui perçut, la première, le danger.

Salmakia perchée sur son épaule, la fillette se retrouva sur un petit promontoire, une langue de terre coiffée de buissons d'aubépine, d'où elle avait une vue d'ensemble sur le paysage ravagé par les envahisseurs.

Le soleil brillait au-dessus de sa tête. À l'horizon, les nuages s'étaient amoncelés, brillants, déchirés par des abîmes de ténèbres, étirés par les vents violents de haute altitude. Dans la même direction, au cœur de la plaine, les forces ennemies attendaient : les machines étincelaient, les étendards multicolores étaient hissés, les soldats alignés.

Derrière elle et sur sa gauche se dressaient les sommets déchiquetés conduisant à la forteresse. Ils brillaient d'un éclat gris intense dans la lumière sinistre qui précède un orage et, sur les remparts de basalte noir, au loin, elle apercevait même des petites silhouettes qui se déplaçaient, pour réparer les murailles endommagées, apporter d'autres armes ou simplement regarder.

C'est à ce moment-là que Lyra sentit venir les prémices de la nausée, de la douleur et de la peur, autant de signes caractéristiques de la proximité des Spectres.

Elle sut immédiatement ce qui se passait, bien qu'elle n'ait jamais éprouvé cette sensation. Et elle en tira deux conclusions : premièrement, elle avait grandi au point d'être désormais vulnérable face aux Spectres ; deuxièmement, Pan devait se trouver quelque part dans les parages.

– Will... Will... !

Entendant les cris de Lyra, le garçon se retourna, le couteau à la main, le regard enflammé.

Mais, avant de pouvoir dire un mot, il laissa échapper un petit hoquet, comme s'il étouffait, et il plaqua sa main sur sa poitrine ; elle comprit alors qu'il lui arrivait la même chose.

– Pan ! Pan ! cria-t-elle en se dressant sur la pointe des pieds pour scruter les environs.

Will était plié en deux pour lutter contre l'envie de vomir. Au bout d'un moment, les nausées disparurent, comme si leurs dæmons avaient réussi à fuir ; mais ce n'était pas ça qui les aiderait à les retrouver, et tout autour d'eux l'air crépitait de coups de feu, de hurlements, de cris de douleur ou de terreur, au loin montaient les hurlements sinistres des monstres des falaises qui tournoyaient dans le ciel et, parfois, on entendait le sifflement et les vibrations des flèches. Puis un nouveau bruit vint s'ajouter à ce vacarme : le souffle du vent.

Lyra le sentit d'abord sur ses joues, puis elle vit les herbes hautes se coucher, et elle l'entendit mugir dans les buissons d'aubépine. Devant elle, le ciel était gonflé par l'orage ; les gros nuages avaient perdu toute trace de blancheur et ils se déplaçaient, tourbillonnaient, masse énorme à l'horizon dans une sorte de bouillonnement nauséeux, jaune comme du soufre, vert comme la mer, gris comme de la fumée et noir comme du pétrole.

Derrière Lyra, le soleil continuait pourtant à briller, si bien que chaque bosquet, chaque arbre rayonnait d'une lueur ardente et vivace : petites choses fragiles défiant l'obscurité avec des feuilles, des branches, des fruits et des fleurs.

Au milieu de tout cela se trouvaient les deux enfants qui n'en étaient plus vraiment, et qui maintenant apercevaient les Spectres presque clairement. Le vent mordait les yeux de Lyra et ses cheveux lui cinglaient le visage ; il aurait dû disperser les Spectres, mais ceux-ci traversaient sans peine les courants. Main dans la main, le garçon et la fille se frayèrent un chemin au milieu des morts, des blessés et des vivants ; Lyra appelait son dæmon, pendant que Will guettait le sien, utilisant chacun de ses sens.

Le ciel était maintenant zébré d'éclairs et, soudain, le premier coup de tonnerre déchira leurs tympans. Lyra plaqua ses mains sur ses oreilles, et Will fut comme déséquilibré par le bruit. Accrochés l'un à l'autre, ils levèrent la tête vers le ciel et découvrirent un spectacle que nul n'avait jamais vu, dans aucun des millions de mondes existants.

Des sorcières appartenant aux clans de Ruta Skadi, de Reina Miti et à une demi-douzaine d'autres, chacune tenant une torche faite de pitchpin trempé dans le bitume, se déployaient au-dessus de la forteresse en venant de l'est, là où subsistaient les dernières taches de ciel clair, et filaient droit vers l'orage.

Ceux qui se trouvaient sur le sol entendaient le grondement et le crépitement des hydrocarbures volatils qui se consumaient tout là-haut. Quelques Spectres étaient encore dans les airs, et plusieurs sorcières leur foncèrent dessus sans les voir. Elles poussèrent alors de grands cris et dégringolèrent comme des torches vivantes, mais la plupart des pâles créatures avaient déjà atterri, et l'immense vol de sorcières se déversa tel un fleuve de feu au cœur de l'orage.

Un vol d'anges, armés de lances et d'épées, venait de jaillir de la Montagne Nébuleuse pour affronter les sorcières. Ils avaient le vent dans le dos et avançaient plus vite que les flèches, mais les sorcières n'avaient rien à leur envier sur ce plan. Elles prirent rapidement de l'altitude pour plonger ensuite dans les rangs ennemis, frappant de tous côtés avec leurs torches enflammées. Les uns après les autres, les ailes en feu, entourés d'un halo incandescent, les anges dégringolèrent en hurlant.

C'est alors que tombèrent les premières grosses gouttes de pluie. Si celui qui commandait aux nuages espérait ainsi éteindre le feu des sorcières, il fut déçu ; le pitchpin et le bitume défiaient la pluie en rougeoyant de plus belle, et les gouttes s'écrasaient sur les torches en grésillant. D'autres frappaient le sol, comme si on les lançait avec violence ; elles éclataient et se dispersaient dans l'air. En moins d'une minute, Lyra et Will furent trempés jusqu'aux os et grelottants de froid ; la pluie martelait leur tête et leurs bras comme des pierres minuscules.

Les deux enfants continuaient à lutter pour avancer, en titubant, obligés d'essuyer l'eau qui coulait dans leurs yeux.

— Pan ! Pan ! criaient-ils dans le tumulte.

Les grondements de tonnerre se succédaient presque sans discontinuer, lacérant et broyant le ciel, comme si les atomes eux-mêmes étaient éventrés. Pris entre les déflagrations et la peur qui leur nouait le ventre, Will et Lyra couraient et s'époumonaient :

— Pan ! Mon Pantalaimon ! Pan ! criait la fillette, alors que Will, qui sentait ce qu'il avait perdu sans savoir quel nom lui donner, hurlait tout simplement.

Ils étaient accompagnés par les deux Gallivespiens qui les mettaient en garde, les guidaient de leur mieux et guettaient les Spectres que les enfants ne voyaient pas encore très nettement. Mais Lyra était obligée de tenir Salmakia dans ses mains, car la lady n'avait plus assez de force pour s'accrocher à son épaule. Pendant ce temps, Tialys scrutait le ciel, à la recherche de ses semblables, lançant un appel plein d'espoir chaque fois qu'il voyait un mouvement brillant comme une aiguille traverser le ciel à toute allure. Mais sa voix avait perdu de sa puissance et, de toute façon, les autres Gallivespiens cherchaient à apercevoir les couleurs claniques de leurs deux libellules, le bleu électrique et le jaune et rouge, mais celles-ci s'étaient depuis longtemps éteintes, et les corps qu'elles faisaient briller autrefois gisaient maintenant dans le monde des morts.

Soudain, il se produisit dans le ciel un mouvement irrégulier. Les enfants levèrent la tête de nouveau, en mettant leurs mains en visière pour se protéger des gouttes de pluie, et ils virent un engin volant comme ils n'en avaient encore jamais vu : disgracieux, doté de six pattes, sombre et totalement silencieux. Il volait à basse altitude et semblait venir de la forteresse. Il passa au-dessus d'eux avant de disparaître à son tour au cœur de l'orage.

Mais ils n'eurent pas le temps de s'interroger sur cette apparition, car une nouvelle crise de nausées indiqua à Lyra que Pan était en danger encore une fois. Will éprouva la même sensation presque au même moment, et tous deux se mirent à courir aveuglément au milieu des flaques, dans la boue et le chaos des hommes blessés et des fantômes qui livraient bataille, impuissants, terrorisés et malades.

Chapitre 30

La Montagne Nébuleuse

L'archange balance ses ailes déployées, pour
contempler de loin et à loisir le ciel empyré :
si grande en est l'étendue, qu'il ne peut déterminer
si elle est carrée ou ronde. Il découvre les tours
d'opale, les créneaux ornés d'un vivant saphir.

Jᴏʜɴ Mɪʟᴛᴏɴ

Le vaisseau d'intentions était piloté par Mme Coulter. Son dæmon et elle étaient seuls dans le cockpit.

L'altimètre barométrique ne servait pas à grand-chose au cœur de l'orage, mais elle pouvait évaluer *grosso modo* son altitude d'après les feux épars qui brûlaient sur le sol, là où étaient tombés des anges, et qui malgré la pluie battante continuaient à projeter de grandes flammes vers le ciel. Pour calculer le cap, ce n'était pas très difficile là non plus : les éclairs qui zébraient le ciel autour de la montagne servaient de balises. Mais elle devait éviter les diverses créatures volantes qui continuaient à se battre et prendre garde au relief accidenté.

Elle n'avait pas allumé les projecteurs de l'engin, car elle voulait s'approcher au maximum et trouver un endroit pour se poser avant d'être repérée et abattue en vol. À mesure qu'elle avançait, les courants ascendants devenaient de plus en plus violents ; les rafales étaient plus soudaines, plus brutales. Un gyroptère n'aurait eu aucune chance : le vent sauvage l'aurait plaqué au sol comme une vulgaire mouche. À bord du vaisseau d'intentions, elle pouvait se déplacer avec légèreté et corriger son équilibre comme un bateau sur l'océan paisible.

Avec prudence, elle prit de l'altitude, scrutant l'horizon, ignorant les instruments de bord, volant à vue et à l'instinct. Son dæmon bondissait d'un bout à l'autre de la petite cabine vitrée ; il regardait droit devant, au-dessus, à gauche, à droite, pour la guider. Les éclairs, immenses lances de lumière éclatante, claquaient tout autour de l'engin. Mais Mme Coulter continuait d'avancer coûte que coûte, en prenant peu à peu de l'altitude, en direction du palais suspendu dans les nuages.

À mesure qu'elle s'en approchait, elle était éblouie et désorientée par la nature même de la montagne.

Cela lui rappelait une certaine hérésie abominable, dont le défenseur croupissait désormais dans les donjons de la Cour de Discipline Consistoriale, comme il le méritait. Cet homme osait affirmer qu'il existait dans l'espace d'autres dimensions que les trois connues et que, sur une très petite échelle, il y avait jusqu'à sept ou huit autres dimensions, mais qu'il était malheureusement impossible de les examiner directement. Il avait même construit une maquette pour montrer comment fonctionnait ce phénomène. Mme Coulter avait eu l'occasion de voir cette chose, avant qu'elle soit exorcisée et brûlée. Des recoins à l'intérieur d'autres recoins, des bords et des arêtes qui contenaient tout en étant contenus : l'intérieur était partout, et l'extérieur était partout ailleurs. La Montagne Nébuleuse affectait les perceptions de Mme Coulter de la même manière : ce lieu ressemblait moins à un immense rocher qu'à un champ de forces qui manipulait l'espace lui-même pour l'envelopper, l'étendre et le superposer sous forme de galeries et de terrasses, de chambres, de colonnades, de tours de guet faites d'air, de lumière et de vapeur.

Mme Coulter sentait monter lentement dans sa poitrine une étrange exultation et, en même temps, elle vit comment elle pouvait accéder sans danger à la terrasse nuageuse sur le flanc sud. Le petit appareil tremblait dans l'air trouble, mais elle maintenait le cap avec fermeté, et son dæmon la guida pour se poser sur la terrasse.

Toute la lumière provenait jusqu'à présent des éclairs, des rares entailles dans le nuage qui laissaient filtrer le soleil, des corps enflammés des anges et des faisceaux des projecteurs ambariques, mais ici, la luminosité était différente : elle émanait de la substance même de la montagne, qui rayonnait avec un éclat nacré, puis pâlissait au rythme d'une respiration lente.

La femme et le dæmon descendirent de l'engin et balayèrent du regard les environs, hésitant sur la direction à emprunter.

Mme Coulter avait le sentiment que d'autres êtres se déplaçaient rapidement au-dessus et en dessous d'elle, à travers la masse de la montagne, porteurs de messages, d'ordres et d'informations. Elle ne les voyait pas ; elle ne distinguait que les fausses perspectives, déroutantes, de colonnades, d'escaliers, de terrasses et de façades.

Soudain, elle entendit des voix et se cacha précipitamment derrière une colonne. Les voix chantaient un cantique, et elles se rapprochaient. Bientôt, elle vit arriver une procession d'anges transportant une litière.

En arrivant à l'endroit où elle se cachait, les anges découvrirent le vaisseau d'intentions et s'arrêtèrent. Leur psalmodie s'interrompit et certains des porteurs jetèrent autour d'eux des regards perplexes et apeurés.

Mme Coulter était suffisamment près pour apercevoir le personnage allongé sur la litière : il s'agissait d'un ange autant qu'elle pût en juger, sans âge tellement il semblait vieux. Mais on le distinguait mal, car la litière était entourée d'une sorte de bulle de cristal qui scintillait et renvoyait l'éclat de la montagne ; malgré tout, elle eut une impression de terrifiante décrépitude, d'un visage creusé de profondes rides, de mains tremblantes, d'une bouche marmonnante et d'yeux chassieux.

L'être sans âge désigna le vaisseau d'intentions d'une main tremblotante, sans cesser de tirer sur sa longue barbe, puis il rejeta la tête en arrière et poussa un tel cri d'angoisse que Mme Coulter fut obligée de plaquer ses mains sur ses oreilles.

Mais de toute évidence, les porteurs de litière avaient une tâche à accomplir car, après s'être ressaisis, ils continuèrent d'avancer sur la terrasse, sans se soucier des cris et des grommellements de protestation qui s'échappaient de l'intérieur de la litière. Lorsqu'ils atteignirent un espace dégagé, ils déployèrent leurs ailes et, sur l'ordre de leur chef, ils s'envolèrent, tenant la litière entre eux, puis disparurent aux yeux de Mme Coulter, au milieu des tourbillons de vapeur.

Mais ce n'était pas le moment de s'interroger sur ce qu'elle venait de voir. Accompagnée de son dæmon au pelage doré, elle repartit d'un pas vif, gravit de grands escaliers, traversa des ponts, sans cesser de monter. Et plus elle montait, plus elle ressentait autour d'elle cette impression d'activité invisible jusqu'à ce que, à la dernière courbe, elle débouche sur un vaste espace dégagé, une sorte de grande place suspendue dans le brouillard. Là, elle se retrouva face à un ange armé d'une lance.

— Qui êtes-vous ? Et que venez-vous faire ? demanda-t-il.

Elle l'observa avec curiosité. C'était un de ces êtres qui étaient tombés amoureux d'une femme humaine, d'une fille des hommes, il y a fort longtemps.

— Non, non, je vous en prie, répondit-elle calmement, ne perdons pas de temps. Conduisez-moi immédiatement auprès du Régent. Il m'attend.

« Il faut les déconcerter, se dit-elle, les déstabiliser. » Ne sachant pas ce qu'il devait faire, l'ange fit ce qu'on lui ordonnait. Mme Coulter le suivit pendant plusieurs minutes, à travers ces perspectives de lumière trompeuses, jusqu'à ce qu'ils atteignent une antichambre. Comment ils étaient entrés, elle l'ignorait, toujours est-il qu'ils se trouvaient maintenant à l'intérieur, et après une courte pause, quelque chose devant elle s'ouvrit comme une porte.

Les ongles acérés de son dæmon s'enfonçaient dans la peau de ses bras. Elle s'accrocha à la fourrure de l'animal pour se rassurer.

Face à eux venait d'apparaître un être fait de lumière. Il avait le corps d'un homme, la taille d'un homme, se dit-elle, mais elle était trop éblouie pour en voir davantage. Le singe doré enfouit sa tête dans son cou, et elle leva son bras devant son visage pour protéger ses yeux.

Métatron demanda :

—Où est-elle ? Où est votre fille ?

—Je viens pour vous le dire, Monseigneur Régent.

—Si elle était en votre pouvoir, vous l'auriez amenée ici.

—Si elle n'est pas en mon pouvoir, son dæmon l'est.

—Comment est-ce possible ?

—Je vous jure, Métatron, que son dæmon est en mon pouvoir. Je vous en prie, Grand Régent, cachez-vous un peu... je suis éblouie...

Il tira un voile de nuages devant lui. Maintenant, c'était comme regarder le soleil à travers des verres fumés : elle l'apercevait plus nettement, mais elle continua à faire semblant d'être aveuglée par son visage. Il ressemblait exactement à un homme d'un certain âge, grand, puissant et imposant. Était-il vêtu ? Avait-il des ailes ? Elle ne pouvait le dire, à cause du pouvoir de ses yeux. Elle ne pouvait rien regarder d'autre.

—Je vous en supplie, Métatron, écoutez-moi. Je viens de quitter Lord Asriel. Il détient le dæmon de l'enfant, et il sait qu'elle va bientôt venir le chercher.

—Que veut-il faire de cette enfant ?

—L'éloigner de vous jusqu'à ce qu'elle grandisse. Il ignore où je suis allée, et je dois retourner auprès de lui rapidement. Je vous dis la vérité. Regardez-moi, Grand Régent, puisque moi, je ne peux pas vous regarder sans être aveuglée. Regardez-moi franchement, et dites-moi ce que vous voyez.

Le prince des anges la regarda. De toute sa vie, Marisa Coulter n'avait jamais subi un examen aussi pénétrant. Chaque recoin secret de son être, chaque faux-semblant fut dépouillé, et son corps, son fantôme et son dæmon se retrouvèrent totalement nus, déshabillés par le regard féroce de Métatron.

Elle savait que sa nature devrait répondre d'elle, et elle était terrorisée à l'idée qu'il juge insuffisant ce qu'il découvrait en elle. Lyra avait menti à Iofur Raknison en utilisant des mots ; sa mère devait mentir en faisant appel à toute son existence.

—Oui, je vois, dit le Régent.

—Que voyez-vous ?

—La corruption, la jalousie et la soif de pouvoir. La cruauté et la froideur.

Une curiosité perverse et inquisitrice. Une méchanceté pure, venimeuse et toxique. Jamais depuis votre plus jeune âge vous n'avez fait preuve d'une once de compassion, de sympathie ou de gentillesse sans calculer ce que cela pouvait vous rapporter en retour. Vous avez torturé et tué sans remords ni hésitation ; vous avez trahi et intrigué, et vous avez tiré fierté de votre duplicité. Vous êtes un cloaque d'obscénité morale.

Ce jugement, délivré d'une voix implacable, ébranla Mme Coulter. Elle s'y attendait, elle le redoutait et, en même temps, elle l'espérait. Maintenant que ces paroles avaient été prononcées, elle éprouva une petite bouffée de triomphe.

Elle s'approcha.

— Vous voyez bien, dit-elle. Je peux le trahir sans peine. Je peux vous conduire jusqu'à l'endroit où il a emmené le dæmon de ma fille. Ainsi, vous pourrez détruire Asriel, et l'enfant se jettera dans vos bras sans se douter de rien.

Elle sentit les déplacements de vapeur autour d'elle, et la confusion s'empara de ses sens. Les paroles de Métatron transpercèrent sa chair comme des flèches de glace.

— Quand j'étais un homme, dit-il, j'ai eu des épouses à profusion, mais aucune n'était aussi belle que vous.

— Quand vous étiez un homme ?

— En ce temps-là, je m'appelais Enoch, le fils de Jared, le fils de Mahalalel, le fils de Kenan, le fils d'Enoch, le fils de Seth, le fils d'Adam. J'ai vécu sur terre pendant soixante-cinq ans, puis l'Autorité m'a entraîné dans son Royaume.

— Et vous avez eu de nombreuses épouses.

— J'aimais leur peau. Quand les fils du ciel sont tombés amoureux des filles de la terre, j'ai compris, et j'ai plaidé leur cause auprès de l'Autorité. Mais elle était furieuse contre eux, et elle m'a obligé à prophétiser leur chute.

— Et vous n'avez pas eu d'autre femme depuis des milliers d'années…

— Je suis le Régent du Royaume.

— Le moment n'est-il pas venu de prendre épouse ?

C'était l'instant où elle se sentit le plus exposée, le plus en danger. Mais elle faisait confiance à sa chair, et à cette étrange vérité qu'elle avait apprise sur les anges, surtout ceux qui avaient été humains autrefois : privés d'enveloppe corporelle, ils en rêvaient et se languissaient de ce contact charnel. Métatron était tout près d'elle maintenant, assez près pour sentir l'odeur de ses cheveux et admirer la texture de sa peau, assez près pour la toucher avec ses mains brûlantes.

Soudain, il se produisit un bruit étrange, semblable au murmure et au crépitement que vous entendez avant de vous apercevoir que votre maison est en feu.

— Dites-moi ce que fait Lord Asriel, et où il est, demanda le Prince des Anges.

— Je peux vous conduire auprès de lui immédiatement.

Les anges qui transportaient la litière quittèrent la Montagne Nébuleuse pour s'envoler vers le sud. Métatron avait donné ordre de conduire l'Autorité dans un lieu sûr, loin du champ de bataille, car il voulait la maintenir en vie encore un peu mais, plutôt que de lui accorder la protection de plusieurs régiments, qui n'auraient pas manqué d'attirer l'attention de l'ennemi, il avait préféré faire confiance à l'obscurité de l'orage en se disant que, dans de telles circonstances, un petit groupe serait plus efficace.

Et sans doute aurait-il eu raison si un monstre des falaises, occupé à dévorer un guerrier à moitié mort, n'avait pas levé la tête juste au moment où un projecteur balayant le ciel captait dans son faisceau la bulle de cristal de la litière.

À cet instant, quelque chose se réveilla dans la mémoire du monstre des falaises. Il s'immobilisa, une patte posée sur le foie chaud de sa proie et, tandis qu'un congénère l'écartait brutalement, le souvenir d'un renard de l'Arctique bavard lui revint.

Immédiatement, il déploya ses ailes parcheminées et s'élança dans les airs. Quelques secondes plus tard, le reste de la meute le suivit.

Xaphania et ses anges avaient passé toute la nuit et une partie de la matinée à chercher, avec opiniâtreté et, finalement, ils avaient fini par découvrir au sud de la forteresse, dans le flanc de la montagne, une étroite fissure qui ne s'y trouvait pas la veille. Ils l'avaient explorée et élargie, et Lord Asriel descendait maintenant dans une succession de cavernes et de tunnels qui plongeaient et couraient sous la forteresse.

Il ne faisait pas totalement nuit, comme il l'avait cru. Il y avait une faible source de lumière, semblable à un flot de milliards de minuscules particules scintillantes qui s'écoulait dans les galeries comme une rivière lumineuse.

— La Poussière, dit-il à son dæmon.

Jamais encore il ne l'avait vue à l'œil nu, mais jamais non plus il n'avait vu une telle quantité de Poussière rassemblée. Il continua d'avancer jusqu'à ce que, soudain, le tunnel s'élargisse et qu'il se retrouve au sommet d'une gigantesque grotte : une cavité assez vaste pour abriter une douzaine de cathédrales. Il n'y avait pas de sol, les parois plongeaient de manière vertigineuse vers le bord d'un puits immense, des centaines de mètres plus bas, plus obscur que l'obscurité elle-même, dans lequel se déversait le flot incessant de Poussière. Les milliards de particules étaient comme les étoiles de toutes les galaxies du ciel, et chacune représentait un minuscule fragment de pensée consciente. C'était une lumière mélancolique.

Accompagné de son dæmon, Lord Asriel descendit vers l'abîme et, à mesure qu'ils s'enfonçaient, prudemment, ils découvrirent peu à peu ce qui se passait de l'autre côté du gouffre, à des centaines de mètres, dans la pénombre. Il avait cru apercevoir un mouvement tout là-bas et plus il descendait, plus la chose en question apparaissait nettement : une procession de silhouettes pâles et floues qui progressaient péniblement dans la pente périlleuse, des hommes, des femmes, des enfants, des représentants de toutes les créatures qu'il avait vues dans sa vie, et d'autres encore qu'il n'avait jamais vues. Ils ne faisaient pas attention à lui, et Lord Asriel sentit ses cheveux se dresser sur sa tête quand il comprit que c'étaient des fantômes.

— Lyra est passée par ici, dit-il à voix basse au léopard des neiges.

— Avance avec prudence, telle fut la réponse du dæmon.

Will et Lyra, trempés jusqu'aux os, tremblants de froid et rongés par la douleur, avançaient en trébuchant dans la boue et parmi les rochers, à l'aveuglette, traversant de petits ravins où les ruisseaux alimentés par la pluie battante étaient rouges de sang. Lyra craignait que Lady Salmakia soit en train d'agoniser ; elle n'avait pas dit un mot depuis plusieurs minutes et était couchée dans sa paume, inerte.

Alors qu'ils étanchaient leur soif à grandes lampées, dans le lit d'une rivière où l'eau était restée claire, par miracle, Will sentit Tialys s'agiter sur son épaule.

— Will..., dit-il. J'entends des chevaux qui arrivent... Lord Asriel n'a pas de cavalerie. Ce sont sûrement des ennemis. Traversons la rivière et cachons-nous. J'ai aperçu des buissons un peu plus loin...

— Viens, dit Will à Lyra.

Ils traversèrent l'eau de la rivière, si glacée qu'elle leur fit mal aux os, et escaladèrent la rive opposée de la ravine. Juste à temps. Les cavaliers qui apparurent au sommet de la pente et descendirent bruyamment pour s'abreuver ne ressemblaient pas à la cavalerie ; ils semblaient appartenir à la même race de créatures à poils ras que leurs montures, et ils n'avaient ni vêtements ni harnais. Mais ils avaient des armes : des tridents, des filets et des cimeterres.

Will et Lyra ne prirent pas le temps de les observer ; ils décampèrent sur le sol accidenté tout en restant accroupis. Ils n'avaient qu'une seule envie : fuir sans être vus.

Ils étaient obligés de garder la tête baissée pour regarder où ils mettaient les pieds et éviter de se tordre une cheville ou pire et, tandis qu'ils couraient, les coups de tonnerre résonnaient au-dessus d'eux, si bien qu'ils n'entendirent pas les cris et les feulements des monstres des falaises, jusqu'au moment où ils se trouvèrent face à eux.

Les créatures entouraient quelque chose qui scintillait dans la boue, un objet légèrement plus grand qu'elles, qui gisait sur le côté, une sorte de cage, avec des parois en cristal. Les monstres frappaient dessus à coups de poing et de pierre, en poussant des hurlements perçants.

Avant de pouvoir s'arrêter et fuir dans la direction opposée. Will et Lyra se retrouvèrent au milieu de la meute.

Chapitre 31
La fin de l'Autorité

L'empire n'est plus,
le lion et le loup vont maintenant
disparaître.
WILLIAM BLAKE

 Mme Coulter s'adressa à l'ombre qui était à ses côtés en murmurant :

—Regardez, Métatron, comme il se cache ! Il se faufile dans le noir comme un rat...

Debout sur une corniche au sommet de l'immense caverne, ils observaient Lord Asriel et son léopard des neiges qui avançaient avec prudence, beaucoup plus bas.

—Je pourrais l'anéantir sur-le-champ, murmura l'ombre.

—Certainement, répondit-elle à voix basse en se penchant vers son interlocuteur, mais je tiens à voir son visage, cher Métatron. Je veux qu'il sache que je l'ai trahi. Venez, suivons-le et rattrapons-le...

La cascade de Poussière qui se déversait sans fin au fond du gouffre brillait comme un énorme pilier lumineux. Mais Mme Coulter n'avait pas le temps de l'admirer, car l'être qui marchait à ses côtés frémissait de désir, et elle devait le garder près d'elle afin de le contrôler au maximum.

Ils descendirent dans le gouffre, en silence, sur les traces de Lord Asriel. Et à mesure qu'ils s'enfonçaient, elle sentait une immense lassitude la submerger.

—Qu'y a-t-il ? murmura l'ombre, qui percevait toutes ses émotions.

—Je réfléchissais, répondit-elle avec malice. Je songeais combien j'étais heureuse de savoir que cette enfant ne vivra pas assez longtemps pour aimer et être aimée. Je croyais que je l'aimais quand elle était toute petite, mais aujourd'hui...

—J'ai senti du regret, dit l'ombre. Il y avait du regret dans votre cœur en songeant que vous ne la verrez pas grandir.

— Oh, Métatron, depuis quand avez-vous cessé d'être un homme ? Vous ne comprenez donc pas ce que je déplore ? Ce n'est pas qu'elle vieillisse, c'est que je vieillisse. Si vous saviez avec quelle amertume je regrette de ne pas vous avoir connu dans ma jeunesse. Avec quelle passion alors je me serais vouée à vous...

En disant cela, elle se pencha vers lui, comme si elle était incapable de contrôler les pulsions de son corps, et il renifla l'atmosphère avec voracité comme s'il engloutissait l'odeur de sa chair.

Ils progressaient péniblement parmi les éboulis, vers le bas de la pente. Plus ils descendaient, plus la lumière de la Poussière nimbait le décor d'une brume dorée. Mme Coulter tendait fréquemment la main vers l'endroit où se serait trouvée celle de son compagnon s'il avait été humain, et faisait mine ensuite de se ressaisir.

— Restez derrière moi, Métatron, chuchota-t-elle. Attendez ici. Asriel est méfiant ; laissez-moi d'abord l'amadouer. Quand il aura baissé sa garde, je vous préviendrai. Mais approchez comme une ombre, sous cette forme discrète, pour qu'il ne vous voie pas. Sinon, il va laisser le dæmon de l'enfant s'enfuir.

Le Régent était un être doté d'un intellect supérieur qui avait eu des milliers d'années pour s'étoffer et se renforcer, et ses connaissances englobaient un million d'univers. Malgré tout, à cet instant, il était aveuglé par une double obsession : détruire Lyra et posséder sa mère. Il répondit par un hochement de tête et resta où il était, pendant que la femme et le singe continuaient d'avancer en faisant le moins de bruit possible.

Lord Asriel attendait derrière un gros bloc de granit, dissimulé aux yeux du Régent. Le léopard des neiges les entendit approcher, et Lord Asriel se redressa au moment où Mme Coulter apparut. Chaque centimètre carré de surface, chaque centimètre cube d'air était envahi par la pluie de Poussière, qui les baignait d'une douce clarté. Et dans cette lumière si particulière, il constata qu'elle avait les larmes aux yeux et serrait les dents pour ne pas sangloter.

Il la prit dans ses bras et le singe doré prit le léopard des neiges par le cou pour enfouir son visage noir dans sa fourrure.

— Lyra est-elle en sûreté ? A-t-elle retrouvé son dæmon ? murmura-t-elle.

— Le fantôme du père du garçon les protège tous les deux.

— La Poussière est magnifique... Je l'ignorais.

— Qu'as-tu dit à Métatron ?

— J'ai menti et j'ai encore menti, Asriel... Ne tardons pas, je n'en peux plus... Nous ne survivrons pas, n'est-ce pas ? Nous survivrons pas comme les fantômes ?

—Non, pas si nous tombons dans cet abîme. Mais nous sommes venus ici pour donner à Lyra le temps de retrouver son dæmon, et aussi celui de grandir et de vivre. Si nous détruisons Métatron, elle disposera de ce temps, Marisa, et si jamais nous disparaissons avec lui, peu importe.

—Lyra sera à l'abri ?

—Oui, oui, dit-il d'une voix tendre.

Il l'embrassa. Elle se sentait aussi légère et heureuse dans ses bras qu'elle l'avait été lorsque Lyra avait été conçue, treize ans plus tôt.

Elle sanglotait doucement. Dès qu'elle put parler à nouveau, elle murmura :

—Je lui ai dit que j'allais te trahir ainsi que Lyra, et il m'a crue car je suis corrompue et remplie de vilenie ; il a regardé si profondément en moi que j'étais sûre qu'il verrait la vérité. Mais j'ai su mentir à la perfection. J'ai menti avec chaque fibre, chaque parcelle de mon corps. Je voulais qu'il ne trouve rien de bon en moi, et il n'a rien trouvé. Car il n'y a rien de bon. Mais j'aime Lyra. D'où vient cet amour ? Je l'ignore ; il s'est emparé de moi comme un voleur dans l'obscurité et, aujourd'hui, mon cœur est si plein d'amour qu'il menace d'exploser. Je pouvais seulement espérer que mes crimes soient si monstrueux et que mon amour n'apparaisse pas plus gros qu'une graine de moutarde dans leur ombre. Et j'aurais aimé avoir commis de plus grands crimes encore pour mieux cacher mon amour... Mais la graine de moutarde avait pris racine, elle se développait, et la petite pousse verte écartelait mon cœur. J'avais peur qu'il s'en aperçoive...

Elle dut s'interrompre pour se ressaisir. Lord Asriel caressa ses cheveux brillants, constellés de Poussière dorée, et il attendit.

—D'une seconde à l'autre, il va perdre patience, murmura-t-elle. Je lui ai conseillé de se faire tout petit, mais ce n'est qu'un ange après tout, même s'il a été un homme autrefois. Nous pouvons nous battre avec lui et l'entraîner jusqu'au bord du gouffre, et nous plongerons tous les deux avec lui...

Il l'embrassa de nouveau.

—Oui. Lyra sera en sécurité et le Royaume ne pourra rien contre elle. Appelle-le, Marisa mon amour.

Elle inspira profondément et relâcha sa respiration dans un long soupir tremblant. Elle lissa sa jupe sur ses cuisses et repoussa ses cheveux derrière ses oreilles.

—Métatron ! lança-t-elle à voix basse. L'heure a sonné.

La silhouette du Régent, enveloppée d'ombre, surgit de la brume dorée et, aussitôt, il comprit ce qui se passait : les deux dæmons, accroupis et aux aguets, la femme nimbée de Poussière et Lord Asriel...

... qui se jeta sur lui immédiatement pour le ceinturer et tenter de le plaquer au sol. Mais l'ange avait les bras libres et, avec ses poings, ses paumes, ses coudes, ses jointures, ses avant-bras, il martela la tête et le corps de Lord Asriel de grands coups qui lui coupaient le souffle et rebondissaient sur sa cage thoracique, s'écrasaient sur son crâne et ébranlaient tous ses sens.

Malgré tout, les bras de Lord Asriel restaient noués autour des ailes de l'ange pour les plaquer le long de son corps. Entre-temps, Mme Coulter avait bondi entre les ailes immobilisées et saisi Métatron par les cheveux. Il possédait une force surhumaine ; elle avait l'impression d'agripper la crinière d'un cheval lancé au triple galop. Il secouait furieusement la tête, et la mère de Lyra, ballottée de droite à gauche comme un pantin, sentait la puissance des grandes ailes luttant pour se libérer des bras qui les enserraient comme un étau.

Les deux dæmons eux aussi s'étaient jetés sur Métatron. Stelmaria avait planté ses crocs dans sa jambe, pendant que le singe doré lacérait l'extrémité d'une des ailes, arrachant les plumes et les barbes, ce qui ne faisait que décupler la fureur de l'ange. Au prix d'un effort aussi brutal que soudain, il parvint à se jeter sur le côté et à libérer une aile, avec laquelle il écrasa Mme Coulter contre la paroi rocheuse.

À moitié assommée par le choc, elle lâcha prise. L'ange se cabra immédiatement, agitant son aile libre pour repousser le singe doré, mais Lord Asriel le tenait toujours aussi solidement. À vrai dire, il avait même une meilleure prise maintenant qu'il n'y avait plus qu'une aile à immobiliser. Il serra de toutes ses forces pour tenter d'étouffer l'ange en lui broyant les côtes, tout en s'efforçant d'ignorer les coups sauvages qui s'abattaient sur son crâne et sur sa nuque.

Mais ceux-ci commençaient à se faire sentir. Et, alors que Lord Asriel luttait pour conserver son équilibre sur les cailloux, un choc violent l'assomma. Métatron avait saisi une pierre de la taille d'un poing, et il venait de l'abattre de toutes ses forces sur le crâne de son adversaire. Lord Asriel savait qu'un autre coup comme celui-ci le tuerait. Ivre de douleur — une douleur augmentée par le fait que sa tête était appuyée contre les côtes de l'ange — il continua malgré tout à s'accrocher à lui ; les doigts de sa main droite broyaient les os de sa main gauche, et ses pieds cherchaient en permanence un appui solide sur le sol caillouteux et instable.

Au moment où Métatron levait la pierre tachée de sang pour frapper à nouveau, une boule de fourrure dorée bondit comme une flamme, et le singe planta ses dents dans la main de l'ange. Celui-ci lâcha la pierre, qui dégringola vers le gouffre, pendant qu'il agitait son bras dans tous les sens pour essayer de se débarrasser du dæmon, mais le singe doré s'accrochait à lui avec ses dents, ses griffes et sa queue, et Mme Coulter serrait contre elle la grande aile blanche pour l'empêcher de battre.

Métatron était immobilisé, certes, mais toujours indemne. Et ils n'avaient pas réussi à l'attirer vers le précipice.

Lord Asriel sentait ses forces diminuer. À chaque mouvement, il perdait un peu de lucidité. Il lui semblait entendre les os de son crâne frotter les uns contre les autres. La confusion régnait dans ses sens ; il ne pensait qu'à deux choses : tenir bon et entraîner son adversaire vers le gouffre.

Soudain, Mme Coulter sentit le visage de l'ange sous sa main, et elle enfonça ses doigts dans ses yeux.

Métatron hurla. À l'autre bout de la caverne, très loin, l'écho lui répondit et son cri rebondit de paroi en paroi, s'amplifiant puis faiblissant et, quand il parvint aux oreilles des fantômes, ceux-ci interrompirent leur lente et interminable procession pour lever la tête.

Stelmaria, le dæmon-léopard des neiges, dont la conscience s'éteignait en même temps que celle de Lord Asriel, fit un ultime effort pour sauter à la gorge de l'ange.

Métatron tomba à genoux. Mme Coulter tomba en même temps et vit les yeux injectés de sang de Lord Asriel qui la regardaient fixement. Alors, elle se redressa en rassemblant ses dernières forces, écarta l'aile qui battait l'air et agrippa la chevelure de l'ange pour lui tirer la tête en arrière et offrir ainsi sa gorge aux crocs du léopard des neiges.

Lord Asriel le traînait tant bien que mal, dérapant sur les pierres qui roulaient, et le singe doré les accompagnait dans la pente, en donnant de grands coups de patte et de dents. Ils avaient presque atteint le bord du gouffre, mais le Régent réussit à se relever et, dans un ultime effort, il déploya ses ailes : un grand dais blanc qui claquait et fouettait l'air. Mme Coulter était tombée, Métatron se dressait de toute sa hauteur, ses ailes battant furieusement, et il décolla. Il s'envolait, alors que Lord Asriel, de plus en plus faible, était toujours accroché à lui. Les doigts du singe doré étaient enfouis dans les cheveux de l'ange, et ne lâchaient pas prise…

Mais ils avaient franchi le bord de l'abîme. Ils s'élevaient dans les airs. S'ils prenaient de l'altitude, Lord Asriel tomberait et Métatron parviendrait à s'enfuir.

— Marisa ! Marisa !

Ce cri avait été arraché à Lord Asriel. Les oreilles bourdonnantes, la mère de Lyra se releva, retrouva tant bien que mal son équilibre et bondit de toute son énergie sur le groupe formé par l'ange, son dæmon et son amant qui agonisait. Elle enlaça les grandes ailes pour les empêcher de battre et les entraîna tous dans l'abîme.

Les monstres des falaises entendirent le cri d'effroi de Lyra ; toutes les têtes plates se retournèrent en même temps.

Sans leur laisser le temps de réagir, Will s'élança et frappa d'un coup de couteau la créature la plus proche. Il sentit un petit choc à l'épaule lorsque Tialys bondit pour atterrir sur la joue du plus grand des monstres, s'accrochant à ses cheveux pour lui décocher un coup de pied sous la mâchoire, avant de se faire éjecter. La créature poussa un hurlement et s'effondra dans la boue en agitant furieusement les pattes. Celle qui se trouvait face à Will regardait d'un air ahuri le moignon de son bras, puis ses yeux se posèrent sur sa cheville, que sa main tranchée avait saisie en tombant. Une seconde plus tard, la lame du couteau s'enfonça dans sa poitrine. Le garçon sentit le manche tressauter trois ou quatre fois au rythme des battements du cœur de sa victime, et il retira le poignard avant que le monstre ne le lui arrache des mains en tombant.

Il entendit ses congénères pousser des cris de haine en s'enfuyant, et il comprit que Lyra était saine et sauve à ses côtés. Il se jeta à genoux dans la boue, une seule pensée en tête.

—Tialys ! Tialys ! cria-t-il, évitant les longues dents qui tentaient de le mordre et repoussant la gueule du plus gros des monstres.

Tialys était mort. Ses éperons étaient plantés dans le cou de la créature. Malgré tout, celle-ci continuait à agiter les pattes et à mordre dans le vide ; il lui trancha alors la tête d'un seul coup de couteau et la fit rouler avec son pied, pour pouvoir dégager le petit Gallivespien accroché au cou parcheminé.

—Will, dit Lyra dans son dos. Will, regarde...

Elle observait la litière de cristal. La bulle était maculée de boue et de sang provenant des proies dévorées par les monstres des falaises, mais elle était intacte. Elle reposait en équilibre précaire au milieu des rochers, et à l'intérieur...

—Oh, Will, il est encore vivant ! Mais... Oh, le pauvre !...

Elle appuyait ses mains contre la paroi de cristal pour essayer d'atteindre l'ange et de le réconforter. Il paraissait si vieux, et terrorisé ; il pleurait comme un bébé, recroquevillé au fond de sa bulle.

—Il doit être terriblement vieux... Je n'ai jamais vu personne souffrir à ce point... Oh, Will, essayons de le libérer !

Il découpa le cristal d'un seul coup de couteau et glissa la main à l'intérieur de la bulle pour aider l'ange à sortir. Fou de terreur et totalement paralysé, celui-ci ne pouvait que pleurer et marmonner pour exprimer sa peur, sa souffrance et son désespoir. Il s'était replié sur lui-même pour échapper à ce qui lui apparaissait comme une nouvelle menace.

— N'ayez pas peur, lui dit Will. On peut vous aider à vous cacher. Venez, on ne vous fera pas de mal.

La main tremblante prit celle du garçon et s'y accrocha faiblement. Un gémissement ininterrompu s'échappait des dents serrées de l'ancêtre qui, avec sa main libre, tirait fébrilement sur les poils de sa barbe mais, lorsque Lyra se pencha à son tour à l'intérieur de la bulle pour l'aider à sortir, il essaya de sourire et de s'incliner, et ses yeux sans âge, profondément enfoncés au milieu des rides, la regardèrent en clignant, avec un émerveillement plein d'innocence.

À eux deux, les enfants parvinrent à extirper le vieillard de sa cage de cristal ; ce n'était pas très difficile d'ailleurs, car il était aussi léger qu'une feuille de papier, et il les aurait suivis n'importe où, car il était privé de toute volonté et réagissait aux marques de gentillesse les plus simples comme une fleur face au soleil. Mais, lorsqu'il se retrouva à l'air libre, plus rien ne pouvait empêcher le vent de provoquer en lui des ravages et, sous l'œil consterné des deux enfants, son corps commença à se défaire et à se dissoudre. En l'espace de quelques secondes seulement, il se volatilisa et ils ne conservèrent de lui que l'image de ces yeux émerveillés et le souvenir d'un profond soupir d'épuisement et de soulagement.

Il avait disparu : mystère dissous dans le mystère. La scène avait duré moins d'une minute, et Will se retourna aussitôt vers le chevalier qui gisait sur le sol. Il prit le corps du petit Gallivespien et le déposa délicatement au creux de sa paume ; il sentait ses larmes ruisseler sur ses joues.

Lyra l'arracha à son deuil.

— Will ! Il ne faut pas rester là ! Partons ! Lady Salmakia entend des chevaux qui approchent...

Soudain, du ciel bleu surgit un faucon de la même couleur qui piqua vers le sol. Lyra poussa un cri et baissa la tête, mais Salmakia cria de toutes ses forces :

— Non, Lyra ! Non ! Relève-toi et lève ton poing !

Elle se redressa et tendit son bras vers le ciel. Le faucon bleu tournoya au-dessus d'elle et plongea de nouveau pour venir agripper son poing de ses serres acérées.

Sur le dos du faucon était assise une femme aux cheveux gris, dont les yeux clairs regardèrent d'abord Lyra, puis Salmakia qui s'accrochait à son col.

— Madame..., dit-elle d'une toute petite voix, nous avons fait...

— Vous avez fait tout ce qu'il fallait. Nous sommes là maintenant, dit Mme Oxentiel, et elle tira sur les rênes du faucon d'un petit coup sec.

Le rapace poussa alors trois cris stridents, si puissants que Lyra eut la tête qui bourdonna. En réponse à cet appel jaillirent du ciel d'abord une, puis deux, puis trois... puis des centaines de libellules étincelantes chevauchées par des guerriers. Elles volaient si vite qu'on aurait dit qu'elles allaient se percuter mais, grâce aux réflexes des insectes et à l'habileté de leurs cavaliers, elles semblaient tisser une tapisserie aux couleurs vives autour des enfants.

—Lyra et Will, dit la dame à cheval sur le faucon. Suivez-nous, nous allons vous conduire jusqu'à vos dæmons.

Au moment où le faucon déployait ses ailes et quittait la main de Lyra, celle-ci sentit le poids plume de Salmakia tomber dans son autre main, et elle comprit que seule la volonté de la lady lui avait permis de rester en vie aussi longtemps. Elle la tint contre elle et courut avec Will sous le nuage de libellules, trébuchant et tombant plus d'une fois, sans jamais cesser de serrer le corps frêle contre son cœur.

—À gauche! À gauche! cria la voix provenant du faucon bleu et, dans le ciel assombri, sillonné d'éclairs, ils suivirent la direction qu'elle leur indiquait.

Sur leur droite, Will aperçut une escouade d'hommes en armure grise, casqués et masqués, dont les dæmons-loups, gris eux aussi, marchaient à pas feutrés. Un flot de libellules se précipita aussitôt vers eux et les soldats s'arrêtèrent: leurs armes étaient inutiles. Les Gallivespiens fondirent sur eux en quelques secondes, sautant du dos de leur insecte, visant une main, un bras, un cou nus, pour y planter leur éperon, avant de sauter à nouveau sur leur monture ailée au moment où celle-ci repassait à leur hauteur. Ils agissaient si rapidement que l'œil avait du mal à les suivre. Paniqués, les soldats firent demi-tour et s'enfuirent, oubliant toute discipline.

Mais un bruit de sabots semblable à un grondement de tonnerre monta soudain, et les enfants se retournèrent avec effroi: les étranges hommes-chevaux fonçaient vers eux au triple galop. Certains faisaient tournoyer un filet au-dessus de leur tête, avec lequel ils capturaient les libellules, les faisant claquer ensuite comme des fouets pour rejeter les insectes brisés.

—Par ici! s'écria Mme Oxentiel. Baissez-vous! Jetez-vous à terre!

Ils obéirent et sentirent le sol trembler sous eux. S'agissait-il du martèlement des sabots? Lyra redressa la tête en écartant les cheveux mouillés qui tombaient devant ses yeux, et ce qu'elle découvrit alors ne ressemblait pas du tout à des chevaux.

—Iorek! s'écria-t-elle en sentant son cœur bondir de joie dans sa poitrine. Oh, Iorek!

Will l'obligea à baisser la tête, car Iorek Byrnison n'était pas seul; il était accompagné par tout un régiment d'ours qui fonçaient droit vers eux. Lyra se coucha juste à temps pour permettre à l'ours-roi de sauter au-dessus d'eux, en ordonnant à ses compagnons, d'une voix rugissante, de se disperser à droite et à gauche, et de pulvériser l'ennemi pris en tenailles.

Avec grâce, comme si son armure ne pesait pas plus lourd que sa fourrure, l'ours-roi pivota sur lui-même pour faire face à Will et à Lyra, qui se relevaient péniblement.

—Iorek ! Derrière vous ! Ils ont des filets ! s'écria Will en voyant les cavaliers arriver à leur hauteur.

Avant que l'ours ait eu le temps de réagir, le filet du cavalier siffla, et il se retrouva prisonnier d'une toile d'araignée solide comme de l'acier. Il se dressa en rugissant et tenta de frapper son agresseur avec ses énormes pattes. Mais le filet était résistant et, même si le cheval se cabra en hennissant de peur, Iorek ne parvint pas à se libérer.

—Iorek ! cria Will. Ne bougez pas !

Le garçon traversa en trébuchant les flaques boueuses et les touffes d'herbes hautes, tandis que le cavalier essayait de maîtriser son cheval affolé, et rejoignit l'ours-roi juste au moment où un deuxième cavalier lançait son filet.

Will garda la tête froide : au lieu de donner des coups de couteau en tous sens, au risque de se retrouver empêtré lui aussi, il observa les mouvements du filet et le découpa en quelques secondes. Le deuxième filet tomba sur le sol, inutilisable. Will se jeta alors sur Iorek, tâtonnant avec sa main gauche et taillant avec sa main droite. Malgré sa fureur, le grand ours demeura immobile pendant que le garçon allait et venait autour de lui pour trancher les mailles et le libérer.

—Allez-y, maintenant ! cria Will en se jetant sur le côté.

Iorek sembla jaillir comme une fusée et alla percuter la poitrine du cheval le plus proche.

Le cavalier avait levé son cimeterre pour l'abattre sur la nuque de l'ours mais, avec son armure, Iorek Byrnison pesait presque deux tonnes, et rien à cette distance ne pouvait le retenir. Le cavalier et le cheval, l'un et l'autre ébranlés et choqués, basculèrent sur le côté. Iorek reprit son équilibre, regarda autour de lui et cria aux enfants :

—Grimpez sur mon dos ! Vite !

Lyra sauta la première, suivie de Will. Les cuisses serrées autour de la carapace de métal froid, ils sentirent toute la puissance de l'ours quand celui-ci se remit en marche.

Derrière eux, les autres ours avaient engagé le combat avec cette étrange cavalerie, aidés par les Gallivespiens, dont les éperons faisaient enrager les chevaux. La dame au faucon bleu les survola comme une flèche.

—Droit devant ! leur cria-t-elle. Au milieu des arbres, dans la vallée !

En atteignant le sommet d'un petit promontoire, Iorek s'arrêta. Devant eux, le terrain accidenté descendait vers un bosquet situé à environ cinq cents mètres de là. Quelque part, un peu plus loin, une batterie d'armes de gros calibre tirait sans discontinuer des obus qui s'envolaient au-dessus de leurs têtes en sifflant, et des fusées éclairantes explosaient juste sous les nuages et retombaient en direction des arbres, les enveloppant d'une lumière verdâtre qui en faisait une cible parfaite pour l'artillerie.

Pendant ce temps, une vingtaine de Spectres, peut-être plus, luttaient pour prendre le contrôle du bosquet, mais ils étaient repoussés par un groupe disparate de fantômes. Dès qu'ils aperçurent les arbres, Lyra et Will surent que leurs dæmons s'y trouvaient, et ils comprirent que, s'ils ne les rejoignaient pas rapidement, ils allaient mourir. De nouveaux Spectres affluaient à chaque instant, en franchissant la crête sur la droite. Will et Lyra les voyaient très nettement à présent.

Une explosion, juste derrière l'arête, ébranla le sol et projeta des pierres et des mottes de terre très haut dans le ciel. Lyra poussa un grand cri, et Will plaqua malgré lui sa main sur sa poitrine.

– Accrochez-vous, leur dit Iorek.

Et il chargea.

Une fusée éclairante explosa dans le ciel, puis une autre, et encore une autre, avant de retomber lentement en diffusant une lumière éclatante comme du magnésium enflammé. Un autre obus explosa, plus proche cette fois ; ils sentirent l'onde de choc suivie, une ou deux secondes plus tard, d'une pluie de terre et de cailloux. Iorek continua d'avancer sans s'arrêter, ni même ralentir, mais les deux enfants avaient du mal à se tenir sur son dos : ils ne pouvaient pas enfoncer leurs doigts dans sa fourrure, ils étaient obligés de serrer l'armure entre leurs genoux, mais son dos était si large qu'ils ne cessaient de glisser.

– Regarde ! s'exclama Lyra en tendant le doigt vers le ciel, au moment où un autre obus explosait tout près d'eux.

Une douzaine de sorcières se précipitaient vers les lueurs des fusées éclairantes, en agitant de grosses branches d'arbres feuillues avec lesquelles elles dispersaient les nappes lumineuses dans l'atmosphère. L'obscurité retomba sur le bosquet, qui se retrouva ainsi à l'abri des tirs d'artillerie.

Ils n'étaient plus qu'à quelques mètres désormais. Will et Lyra sentaient l'un et l'autre la proximité de leur moitié disparue : un mélange d'excitation et d'espoir insensé, refroidi par la peur, car les Spectres formaient une masse compacte au milieu des arbres. Il leur faudrait pénétrer au cœur de cette meute de créatures immondes, dont la simple vue déclenchait dans leur cœur une douleur déchirante.

—Ils ont peur du poignard subtil, déclara une voix à leurs côtés.

L'ours-roi s'arrêta si brutalement que Will et Lyra dégringolèrent de son dos.

—Lee ! s'exclama Iorek. Lee, mon camarade, je n'ai jamais rien vu de semblable. Tu es mort... À qui suis-je donc en train de parler ?

—Iorek, mon vieil ami, si tu savais ! Laissez-nous prendre la relève, les Spectres n'ont pas peur des ours. Lyra, Will... venez par ici. Will, brandis ton couteau.

Le faucon bleu revint se poser sur le poing de Lyra, et la dame aux cheveux gris dit :

—Ne perdez pas une seconde, allez chercher vos dæmons et fuyez ! D'autres dangers approchent.

—Merci, madame ! Merci à tous ! dit Lyra, et le faucon s'envola.

Will voyait à côté d'eux le pâle fantôme de Lee Scoresby qui les pressait de pénétrer dans le bosquet, mais ils devaient d'abord faire leurs adieux à l'ours-roi.

—Très cher Iorek, dit Lyra, il n'y a pas de mots pour... Merci infiniment.

—Merci, roi Iorek, dit Will.

—Le temps presse. Allez ! Vite !

Il les poussa de sa tête casquée.

Will plongea dans les fourrés à la suite du fantôme de Lee Scoresby, en donnant de grands coups de couteau de tous côtés. À cet endroit, la lumière du jour était atténuée et fragmentée ; les ombres épaisses dessinaient des silhouettes déroutantes.

—Reste près de moi, dit-il à Lyra, juste avant de pousser un cri de douleur lorsqu'une branche lui cingla la joue.

Tout autour d'eux, ils percevaient des mouvements, du bruit, des combats. Des ombres couraient en tous sens, comme des branches agitées par un vent violent. C'étaient peut-être des fantômes, car les deux enfants sentaient ces petites morsures glacées qu'ils connaissaient si bien maintenant, et ils entendaient des voix :

—Par ici !

—Venez !

—Continuez. On les retient !

—Vous y êtes presque !

Soudain retentit un cri, poussé par une voix que Lyra chérissait par-dessus tout :

—Viens vite ! Vite, Lyra !

—Pan chéri ! Je suis là !

La fillette se précipita dans le noir, secouée de sanglots et tremblante de joie ; Will tailla un passage avec son couteau au milieu des branches, du lierre et des orties, tandis qu'autour d'eux les voix des fantômes formaient une clameur d'encouragement et de mise en garde.

Mais les Spectres avaient trouvé leurs proies eux aussi, et ils se pressaient au milieu des entrelacs de ronces, de bruyère, de racines et de branches, sans rencontrer plus de résistance que s'ils traversaient un rideau de fumée. Une dizaine, une vingtaine de créatures malfaisantes semblaient se déverser dans le bosquet, où le fantôme de John Parry galvanisait ses compagnons pour repousser ces ignobles agresseurs.

Bien que tremblants de fatigue et de peur, assaillis par la nausée et la souffrance, les enfants ne pouvaient envisager un seul instant d'abandonner. Lyra arrachait les ronces à mains nues, pendant que Will se servait du couteau comme d'une machette et qu'autour d'eux le combat redoublait de sauvagerie.

— Par ici ! s'écria Lee. Vous les voyez ? Près de ce gros rocher...

Il y avait là deux chats sauvages qui crachaient et donnaient des coups de patte, toutes griffes dehors. L'un et l'autre étaient des dæmons, et Will sentait que, avec un peu de temps, il aurait pu deviner aisément lequel était Pantalaimon, mais le temps lui manqua car un Spectre hideux venait de jaillir de la tache d'ombre la plus proche et glissait vers eux.

Will sauta par-dessus le dernier obstacle, un tronc d'arbre abattu, et plongea le couteau dans le scintillement qui flottait dans l'air, sans rencontrer la moindre résistance. Il sentit son bras s'engourdir, mais il serra les dents comme il serrait les doigts autour du manche du couteau, et la forme pâle sembla s'évaporer et se fondre à nouveau dans les ténèbres.

Ils étaient presque arrivés. Les dæmons étaient morts de peur, car d'autres Spectres continuaient à se bousculer entre les arbres, et seuls les fantômes les plus vaillants pouvaient encore les repousser.

— Peux-tu ouvrir une fenêtre ? demanda le fantôme de John Parry.

Will leva le couteau, mais il fut interrompu dans son geste par une vague de nausée qui le secoua de la tête aux pieds. Il avait l'estomac vide et les spasmes étaient terriblement douloureux. À ses côtés, Lyra était dans le même état. Comprenant la cause de ce malaise, le fantôme de Lee se précipita vers les dæmons et affronta la créature pâle qui avançait dans leur dos.

— Will... par pitié..., dit Lyra, le souffle coupé.

Le couteau s'enfonça, descendit, remonta, se retira. Le fantôme de Lee Scoresby jeta un coup d'œil par l'ouverture et découvrit une immense et paisible prairie éclairée par une lune brillante, si semblable à son pays natal qu'il crut à un miracle.

Will sauta de l'autre côté de l'ouverture et s'empara du dæmon le plus proche, pendant que Lyra se saisissait de l'autre.

Même en cet instant d'affreuse panique, malgré l'ampleur du péril, les deux enfants ressentirent une excitation semblable, car Lyra tenait le dæmon de Will, le chat sauvage sans nom, et Will tenait Pantalaimon.

Ils s'obligèrent à détacher leurs regards rivés l'un à l'autre.

—Adieu, monsieur Scoresby! lança Lyra en se tournant vers l'aéronaute texan. J'aimerais... Merci, merci infiniment... et adieu!

—Adieu, ma chère enfant... Adieu, Will... Bonne chance!

Lyra se glissa par l'ouverture, mais Will resta où il était et plongea ses yeux dans ceux du fantôme de son père, qui étincelaient dans la pénombre. Avant de le quitter, il avait encore quelque chose à lui dire:

—Tu as dit que j'étais un guerrier. Tu as dit que c'était ma nature, et que je ne pouvais pas m'y opposer. Père, tu avais tort. Je me suis battu parce que j'y étais obligé. Je ne peux pas choisir ma nature, mais je peux choisir mes actes. Et désormais, je choisirai, car je suis libre.

Le sourire de son père débordait de fierté et de tendresse.

—Bravo, mon fils. Bravo, oui.

Will ne le voyait déjà plus. Il se retourna et franchit l'ouverture à la suite de Lyra.

Maintenant que leur tâche était accomplie, maintenant qu'ils avaient retrouvé leurs dæmons et pris la fuite, les guerriers morts laissèrent leurs atomes se séparer et dériver, enfin.

Hors du bosquet, loin des Spectres déconcertés, en dehors de la vallée, au-delà de la silhouette puissante de son vieux compagnon l'ours en armure, les dernières parcelles de conscience qui avaient constitué Lee Scoresby l'aéronaute s'élevèrent dans le ciel, comme son ballon l'avait fait si souvent. Indifférent aux fusées éclairantes et aux obus qui explosaient, sourd aux déflagrations, aux hurlements, aux cris de hargne, de mise en garde ou de souffrance, conscient seulement de son mouvement ascendant, ce qui restait de Lee Scoresby traversa les nuages épais et déboucha sous les étoiles brillantes, là où les atomes de Hester, son dæmon bien-aimé, l'attendaient.

CHAPITRE 32

AU MATIN

*Le matin vient, la nuit
se désagrège, les guetteurs
quittent leurs postes...*
WILLIAM BLAKE

 L'immense prairie dorée que le fantôme de Lee Scoresby avait brièvement aperçue à travers la fenêtre ouverte par Will s'étendait, paisible, sous les premiers rayons de soleil.

Dorée, mais aussi jaune, brune, verte et des millions de nuances de toutes ces couleurs ; noire également par endroits, là où serpentaient des sortes de bandes de goudron ; argentée aussi, là où le soleil éclairait la pointe des grandes herbes ; et bleue, là où un vaste lac et un petit étang, plus proche, reflétaient l'immensité du ciel.

Paisible, oui, mais pas silencieuse, car une douce brise faisait bruire les milliards de brins d'herbe, et autant d'insectes et d'autres minuscules créatures grattaient, bourdonnaient et stridulaient dans la végétation, tandis qu'un oiseau, volant trop haut dans le bleu du ciel pour qu'on l'aperçoive, lançait ses notes flûtées, tantôt proches, tantôt éloignées, jamais identiques.

Dans ce paysage immense, les seules choses vivantes, silencieuses et immobiles étaient le garçon et la fille qui dormaient sur le sol, couchés dos à dos, à l'ombre d'une avancée rocheuse.

Ils étaient si immobiles, si pâles, qu'on aurait pu les croire morts. La faim avait tiré leurs traits, la douleur avait creusé des rides autour de leurs yeux, et ils étaient couverts de boue, de poussière et aussi de sang. Ils semblaient avoir atteint les frontières de l'épuisement.

Lyra fut la première à se réveiller. En s'élevant dans le ciel, le soleil passa au-dessus du rocher et vint caresser les cheveux de la fillette qui remua et, lorsque les rayons frappèrent ses paupières closes, elle se sentit arrachée aux profondeurs de son sommeil comme un poisson qu'on tire hors de l'eau et qui résiste.

Mais impossible de lutter contre le soleil. Elle remua la tête, plaqua ses bras sur ses yeux et murmura :

— Pan... Pan...

Protégée par l'ombre de son bras, elle ouvrit les yeux et se réveilla tout à fait. Un long moment, elle resta immobile tant ses bras et ses jambes étaient douloureux, comme chaque partie de son corps engourdi de fatigue, mais elle était réveillée et sentait le souffle de la brise et la chaleur du soleil sur sa peau, elle entendait les insectes et le chant cristallin de cet oiseau là-haut dans le ciel. Tout cela était si bon. Elle avait oublié combien le monde était agréable.

Elle roula sur le côté et découvrit Will allongé près d'elle, dormant à poings fermés. Sa main avait saigné abondamment, sa chemise était déchirée et sale, ses cheveux durcis par la poussière et la transpiration. Lyra l'observa longuement : elle regarda battre le pouls dans son cou, sa poitrine qui se soulevait et retombait lentement, les ombres fragiles que dessinaient ses cils sur ses joues.

Il murmura quelques paroles incompréhensibles et remua. Ne voulant pas être surprise en train de l'observer, elle détourna la tête et reporta son attention sur la petite tombe qu'ils avaient creusée la veille au soir, pas plus large que deux mains posées côte à côte, dans laquelle reposaient en paix les corps du chevalier Tialys et de Lady Salmakia. Avisant une pierre plate à proximité, Lyra se leva, l'arracha à la terre et la planta verticalement dans le sol en haut de la tombe, après quoi elle s'assit de nouveau et mit sa main en visière pour contempler la plaine.

Celle-ci semblait s'étendre à l'infini. Nulle part elle n'était parfaitement plate : où que se pose son regard, de faibles ondulations, de petites arêtes et des ravines rompaient la monotonie du paysage ; ici et là étaient éparpillés des bosquets d'arbres, si grands qu'ils semblaient avoir été érigés comme on bâtit un immeuble, leurs troncs bien droits et leur feuillage d'un vert très sombre, visibles à des kilomètres, défiaient les distances.

Plus près d'eux, au pied du promontoire, à moins d'une centaine de mètres, se trouvait un petit étang, alimenté par un ruisseau qui jaillissait de la roche et, en le voyant, Lyra sentit à quel point elle était assoiffée.

Elle se leva sur ses jambes tremblantes et descendit lentement vers l'étang. Le ruisseau gargouillait entre les pierres recouvertes de mousse. Elle s'agenouilla pour y plonger ses mains, afin de les débarrasser de la boue et de la crasse, avant de former une coupe pour s'abreuver. L'eau glacée lui fit mal aux dents, mais elle en avala de grandes gorgées avec délice.

L'étang était entouré de roseaux, au milieu desquels une grenouille coassait. L'eau était peu profonde, et moins froide que celle du ruisseau, comme elle s'en aperçut en y barbotant, après avoir ôté ses chaussures. Elle resta ainsi un long moment, goûtant la chaleur du soleil sur sa tête et sur son corps, savourant le contact apaisant de la boue fraîche sous ses pieds et le faible courant du ruisseau qui caressait ses chevilles.

Elle se baissa pour plonger son visage dans l'eau et mouiller entièrement ses cheveux qu'elle laissa flotter, avant de les rejeter en arrière et de les ébouriffer avec ses doigts pour ôter toute la poussière et la crasse.

Quand elle se sentit un peu plus propre, et après avoir étanché sa soif, elle leva la tête vers le sommet de la pente et constata que Will était réveillé. Il était assis, les genoux ramenés contre la poitrine, les bras noués autour des jambes, et il contemplait la plaine comme elle l'avait fait quelques instants plus tôt, émerveillé par cette immensité, par la lumière, la chaleur et la quiétude de ce lieu.

Lyra remonta lentement la pente pour le rejoindre ; elle le trouva en train de graver les noms des deux Gallivespiens sur la petite pierre tombale.

— Est-ce qu'ils... ? demanda-t-il sans achever sa phrase, mais Lyra comprit qu'il parlait de leurs dæmons.

— Je ne sais pas. Je n'ai pas vu Pan. J'ai l'impression qu'il n'est pas loin, mais je ne sais pas où. Tu te souviens de ce qui s'est passé ?

Will se frotta les yeux et bâilla, si largement qu'elle entendit le petit craquement de ses mâchoires. Il cligna des yeux et secoua la tête.

— Pas très bien, dit-il. J'ai pris Pantalaimon, et toi, tu as agrippé... l'autre, et on a franchi la fenêtre. Le paysage était éclairé par la lune, je l'ai posé près de l'ouverture...

— Et ton... L'autre dæmon a sauté de mes bras, dit Lyra. J'essayais d'apercevoir M. Scoresby et Iorek par la fenêtre et, quand je me suis retournée, les dæmons avaient disparu.

— Pourtant, ce n'est pas comme quand on est entrés dans le monde des morts. Comme quand on était séparés pour de bon.

— C'est vrai, confirma-t-elle. Ils sont quelque part, tout près d'ici. Je me souviens que, quand on était petits, on essayait de jouer à cache-cache, mais ça ne marchait jamais, car j'étais trop grande pour me cacher de lui et, à l'inverse, je savais toujours exactement où il était, même s'il se métamorphosait en papillon ou en n'importe quoi d'autre. Mais là, c'est bizarre, dit-elle en passant ses mains au-dessus de sa tête, de manière inconsciente, comme pour essayer de briser un envoûtement, Pan n'est pas là et, pourtant, je ne me sens pas déchirée, au contraire, je me sens en sécurité, et je sais qu'il ne peut rien lui arriver.

—Ils sont ensemble, je suppose, dit Will.

—Oui, certainement.

Il se leva tout à coup.

—Regarde! Là-bas...

Il se protégeait les yeux avec sa main et pointait quelque chose du doigt. Lyra suivit la direction qu'il indiquait et aperçut au loin un frémissement dans l'air qui trahissait un mouvement, très différent du scintillement de la brume de chaleur.

—Des animaux? dit-elle, dubitative.

—Écoute, dit Will en collant sa main derrière son oreille.

Maintenant qu'il avait attiré son attention, elle percevait effectivement un grondement sourd et persistant, presque un roulement de tonnerre, très très éloigné.

—Ils ont disparu, dit Will.

En effet, la petite tache d'ombres mouvantes s'était volatilisée, mais le grondement se poursuivit quelques instants. Puis le calme retomba brusquement. Les deux enfants continuaient à scruter l'horizon et, au bout d'un moment, ils virent réapparaître le mouvement. Suivi de près par le même grondement sourd.

—Ils avaient disparu derrière une colline ou un truc comme ça, commenta Will. Ils approchent, tu crois?

—J'ai du mal à voir... Oui, ils tournent! Regarde, ils viennent par ici.

—Si on doit les affronter, je vais boire d'abord, déclara-t-il.

Joignant le geste à la parole, il prit son sac à dos et descendit à son tour jusqu'au ruisseau, où il but tout son soûl et se lava sommairement. Sa blessure avait saigné en abondance. Il était vraiment dans un triste état, et rêvait d'une bonne douche bien chaude, avec beaucoup de savon qui mousse, et de vêtements propres.

Pendant ce temps, Lyra observait les... cette chose qui approchait. Une chose très étrange.

—Will! s'écria-t-elle. On dirait qu'ils se déplacent sur des roues...

Elle avait dit cela de manière hésitante, comme si elle refusait d'y croire. Le garçon remonta légèrement et mit sa main en visière pour scruter l'horizon. Il était possible de distinguer des détails désormais. Le groupe, le troupeau ou la bande, se composait d'une douzaine de membres et, en effet, comme l'avait souligné Lyra, les créatures se déplaçaient sur des roues! Elles ressemblaient à un croisement entre des antilopes et des motos, mais ce n'était pas là leur seule étrangeté: elles possédaient des trompes comme de petits éléphants.

Elles se dirigeaient vers les enfants, avec une détermination visible. Will sortit son couteau, tandis que Lyra, assise dans l'herbe près de lui, manipulait déjà les aiguilles de l'aléthiomètre.

L'instrument réagit rapidement, alors que les créatures se trouvaient encore à quelques centaines de mètres. Le curseur virevolta autour du cadran, et Lyra sentit son esprit bondir d'un symbole à l'autre et se poser sur les niveaux de signification avec la légèreté d'un oiseau.

— Leurs intentions sont pacifiques, dit-elle, il n'y a rien à craindre, Will. En fait, ils nous cherchent. Ils savent qu'on est ici... C'est bizarre, il y a une chose que je ne comprends pas... Le Dr Malone ?

Elle avait prononcé ce nom à voix basse, comme pour elle-même, car elle ne pouvait pas croire que le Dr Malone se trouvait dans ce monde. Pourtant, l'aléthiomètre l'indiquait clairement, même s'il ne donnait pas son nom, évidemment. Lyra rangea l'instrument et se leva, à côté de Will.

— Descendons à leur rencontre, dit-elle. Ils ne nous feront pas de mal.

Certaines des créatures s'étaient arrêtées, elles attendaient. Leur chef s'avança légèrement, la trompe levée, et les deux enfants découvrirent qu'il se propulsait en exerçant une poussée sur le sol avec ses membres latéraux. Certains de ses congénères s'étaient approchés du ruisseau pour boire, les autres attendaient, mais pas avec cette morne passivité des vaches regroupées derrière la barrière d'un pré. C'étaient des êtres à part entière, dotés d'une vive intelligence. C'étaient des personnes.

Les enfants descendirent la pente jusqu'à ce qu'ils soient assez proches pour leur parler. Malgré les affirmations rassurantes de Lyra, Will gardait la main sur le manche du couteau.

— Je ne sais pas si vous me comprenez, dit Lyra avec prudence, mais je sais que vous venez en amis. Je crois qu'on devrait...

Le chef remua sa trompe et dit :

— *Venir voir Mary. Vous montez sur nous. On vous emmène. Venez voir Mary.*

Lyra poussa une petite exclamation de joie et se tourna vers Will, rayonnante de bonheur.

Deux des créatures étaient équipées de brides et d'étriers faits de corde tressée. Ils n'avaient pas de selles, mais leurs dos en forme de losange se révélèrent suffisamment confortables. Lyra avait déjà chevauché un ours, Will avait l'habitude de faire de la bicyclette, mais ni l'un ni l'autre n'étaient jamais montés sur un cheval, qui pouvait à la rigueur être comparé à cette étrange monture, à la différence près que les cavaliers contrôlaient généralement la leur. Les enfants ne tardèrent pas à découvrir que ce n'était pas le cas ici : les brides et les étriers n'étaient là que pour leur permettre de se retenir à quelque chose. C'étaient les étranges créatures qui prenaient toutes les décisions.

– Où est-ce qu'on... ?

Will n'eut pas le temps d'achever sa question, car il dut se cramponner à la bride pour ne pas tomber au moment où sa monture s'ébranlait.

Le groupe fit demi-tour et descendit la pente douce, en roulant lentement au milieu des hautes herbes. Le mouvement était cahoteux mais pas désagréable, car ces créatures n'avaient pas de colonne vertébrale, et les deux enfants avaient l'impression d'être assis dans des fauteuils dotés de puissants ressorts.

Bientôt, ils atteignirent ce qu'ils avaient aperçu de manière indistincte du haut de leur promontoire : un de ces rubans noirs ou marron foncé qui serpentaient dans la plaine et, en découvrant ces routes de basalte parfaitement lisses, leur étonnement rivalisa avec celui de Mary Malone quelque temps plus tôt.

Dès qu'elles se retrouvèrent sur cette surface dure, les créatures accélérèrent. La route ressemblait plus à un cours d'eau qu'à une véritable chaussée car, par endroits, elle s'élargissait pour former comme un petit lac ou bien, au contraire, elle se scindait en plusieurs petits canaux, qui se rejoignaient un peu plus loin, de manière totalement imprévisible. Rien à voir avec les routes bien droites qui, dans le monde de Will, traversaient le paysage de manière brutale et franchissaient les vallées sur des ponts de béton. Ici, la route faisait partie du paysage, elle ne lui était pas imposée.

Ils allaient de plus en plus vite. Il fallut à Will et Lyra un certain temps pour s'habituer à l'impulsion sauvage donnée par les muscles et à la trépidation bruyante des roues sur la surface dure. Au début, Lyra eut plus de mal que Will à conserver son équilibre, car elle n'avait jamais fait de vélo, et elle ignorait qu'il fallait se pencher dans les virages, mais elle regarda comment faisait le garçon et, très vite, elle s'étonna de se laisser griser par la vitesse.

Le vacarme des roues les empêchait de parler ; ils étaient obligés de désigner les choses du doigt : les arbres, dont la taille et la splendeur les impressionnaient ; un vol d'oiseaux comme ils n'en avaient encore jamais vu, dont les deux ailes placées en ligne, devant et derrière, donnaient à leur vol un curieux mouvement hélicoïdal, ou encore un énorme lézard bleu, de la taille d'un cheval, qui se faisait dorer au soleil en plein milieu de la route. (Les créatures montées sur roues se séparèrent pour passer de part et d'autre, sans que le lézard les remarque.)

Le soleil était déjà haut dans le ciel quand ils commencèrent à ralentir. Dans l'air flottait le parfum salé caractéristique de la mer. La route montait vers un promontoire, et ils avançaient maintenant au pas.

Lyra, ankylosée et endolorie, demanda :

— Peut-on s'arrêter ? J'aimerais me dégourdir les jambes.

Sa monture sentit qu'on tirait sur sa bride, et peut-être comprit-elle les paroles de la fillette ; elle s'arrêta. Celle de Will l'imita et les deux enfants mirent pied à terre, les membres raidis et tremblants à force d'être secoués et crispés.

Les créatures formèrent un cercle pour bavarder ; leurs trompes se balançaient de manière gracieuse pour accompagner les sons qui sortaient de leurs bouches. Au bout de quelques minutes, ils repartirent, et Will et Lyra furent heureux de pouvoir marcher au milieu des mulefas qui avançaient à leurs côtés. Un ou deux étaient partis en éclaireurs vers le sommet du promontoire, et maintenant qu'ils n'étaient plus obligés de se concentrer pour rester sur leurs montures, les enfants purent observer leur manière de se mouvoir et admirer l'élégance et la puissance avec lesquelles ils se propulsaient vers l'avant, se penchaient et se retournaient.

Arrivées en haut du promontoire, ils s'arrêtèrent. Will et Lyra entendirent le chef déclarer :

— *Mary tout près. Mary là-bas.*

À l'horizon s'étendait le miroitement bleu de la mer. Une rivière large et paresseuse serpentait à travers une prairie herbeuse, à mi-distance, et au pied de la longue pente, entouré de bosquets de petits arbres et de rangées de plantations, se dressait un petit village de cabanes aux toits de chaume. D'autres créatures semblables à celles qui les escortaient allaient et venaient entre les habitations, s'occupaient des récoltes ou s'affairaient parmi les arbres.

— *Repartir maintenant,* déclara le chef.

Ce n'était plus très loin. Will et Lyra enfourchèrent de nouveau leurs montures ; les autres créatures s'assurèrent qu'ils étaient bien assis et vérifièrent les étriers avec leurs trompes.

Après quoi, elles repartirent, se propulsant avec leurs membres latéraux, la tête penchée en avant, jusqu'à ce qu'elles dévalent la pente à toute allure. Les enfants s'accrochaient de leur mieux, avec leurs mains et leurs genoux ; ils sentaient l'air fouetter leurs visages. Le fracas des roues, les herbes hautes qui défilaient de chaque côté, la maîtrise et la puissance, le plaisir pur de la vitesse... ces créatures adoraient ça, et leur joie évidente les faisait rire de bon cœur.

Finalement, les mulefas s'arrêtèrent au centre du village, et leurs congénères, qui les avaient vus et entendus arriver, se rassemblèrent autour d'eux en levant leurs trompes et en leur adressant des paroles de bienvenue.

Soudain, Lyra s'écria :

—Docteur Malone !

Mary venait de sortir d'une des cabanes, avec sa chemise bleue délavée, sa silhouette trapue et ses joues empourprées.

Lyra se précipita pour l'enlacer, et la femme la serra contre elle, pendant que Will se tenait en retrait, prudent et dubitatif.

Mary embrassa chaleureusement Lyra, puis s'avança vers Will. Se produisit alors une valse-hésitation entre affection et gêne, qui dura moins d'une seconde.

Émue de les voir dans cet état pitoyable, Mary eut le réflexe d'étreindre Will, comme elle l'avait fait avec Lyra. Mais elle était une adulte et lui n'était plus tout à fait un enfant ; elle comprit qu'elle risquait de le vexer. Alors qu'elle aurait serré un enfant dans ses bras, jamais elle n'aurait agi ainsi avec un homme qu'elle ne connaissait pas. C'est pourquoi elle se retint, désireuse de rendre hommage au camarade de Lyra et ne voulant surtout pas le mettre mal à l'aise.

Aussi se contenta-t-elle de lui tendre la main. Will la serra et un courant de compréhension et de respect passa entre eux, si puissant qu'il se transforma instantanément en affection, et l'un et l'autre sentirent qu'ils venaient de se faire un ami pour la vie. Ils avaient raison.

—Je vous présente Will, dit Lyra. Il vient de votre monde. Vous vous souvenez, je vous avais parlé de lui...

—Mary Malone, enchantée. Vous m'avez l'air affamés tous les deux.

Elle se tourna vers la créature qui se tenait à ses côtés et s'adressa à elle en produisant ces étranges sons chantants et sifflants, accompagnés de mouvements des bras.

Toutes les créatures s'agitèrent immédiatement, et certaines apportèrent des coussins et des tapis provenant de la cabane la plus proche, qu'ils déposèrent sur le sol dur, sous un arbre dont les feuilles touffues et les branches basses offraient une ombre fraîche et parfumée.

Dès que les deux enfants furent confortablement installés, leurs hôtes apportèrent des bols en bois lisse, pleins à ras bord de lait délicieusement rafraîchissant, avec une pointe d'acidité citronnée, ainsi que des sortes de noisettes très suaves, et de la salade qui venait d'être cueillie, des feuilles épicées et âcres mélangées à des feuilles plus épaisses et plus douces d'où suintait une sève crémeuse, et aussi de petites racines qui avaient un goût de carotte sucrée.

Mais ils ne pouvaient pas manger autant. La nourriture était trop riche. Will aurait voulu faire honneur à leur générosité, mais la seule chose qu'il put avaler sans trop de mal, outre le lait, c'étaient des sortes de galettes de pain farineuses, comme des tortillas, plates et légèrement dorées. C'était à la fois simple et nourrissant. Lyra, quant à elle, se fit un devoir de goûter à tout mais, comme Will, elle fut très vite rassasiée.

Mary réussit à éviter de les bombarder de questions. Ces deux enfants venaient de vivre une expérience qui les avait profondément marqués, se disait-elle ; ils n'étaient pas encore prêts à en parler.

En revanche, elle répondit de bon cœur à leurs questions sur les mulefas, et leur raconta brièvement comment elle était arrivée dans ce monde, après quoi, elle les abandonna à l'ombre de l'arbre, car elle voyait leurs paupières se fermer et leurs têtes basculer vers l'avant.

— Vous n'avez plus rien à faire, à part vous reposer, dit-elle.

L'air de l'après-midi était chaud et statique, et le chant monotone des criquets incitait à la somnolence. Moins de cinq minutes après avoir bu la dernière gorgée de lait, Will et Lyra s'endormirent profondément.

— *Ils ne sont pas du même sexe ?* dit Atal, stupéfaite. *Mais comment on les différencie ?*

— *C'est facile*, répondit Mary. *Leurs corps n'ont pas la même forme. Ils se déplacent différemment.*

— *Ils ne sont pas beaucoup plus petits que toi. Mais ils ont moins de* sraf. *Quand est-ce que ça viendra ?*

— *Je l'ignore*, avoua Mary. *Bientôt, je suppose. Je ne sais pas à quel moment ça se produit.*

— *Et ils n'ont pas de roues*, ajouta Atal d'un ton compatissant.

Elles étaient en train de désherber le potager. Mary avait fabriqué une binette pour ne pas avoir à se baisser ; quant à Atal, elle se servait de sa trompe, si bien que leur conversation était intermittente.

— *Mais tu savais qu'ils allaient venir*, dit la zalif.

— *Oui.*

— *Ce sont les baguettes qui te l'ont dit ?*

— *Non*, répondit Mary en rougissant.

C'était une scientifique ; il lui était déjà pénible de devoir avouer qu'elle consultait le I-Ching, mais là, c'était encore plus gênant.

— *C'était une image de nuit*, avoua-t-elle.

Les mulefas n'avaient pas de mot pour désigner les rêves. Ce qui ne les empêchait pas de faire des rêves vivants, qu'ils prenaient très au sérieux.

— *Tu n'aimes pas les images de nuit*, fit remarquer Atal.

— *Si, j'aime ça. Mais je n'y ai jamais cru jusqu'à maintenant. J'ai vu le garçon et la fille, très nettement, et une voix m'a dit de me préparer à les accueillir.*

— *Quel genre de voix ? Comment a-t-elle pu te parler si tu ne la voyais pas ?*

Atal avait du mal à concevoir un langage sans mouvements de la trompe pour clarifier et préciser le sens des mots. Elle s'était arrêtée de biner au milieu d'une rangée de haricots et regardait Mary avec une curiosité pleine de fascination.

— *J'ai vu la personne qui me parlait*, expliqua-t-elle. *C'était une femme, une sage, une femme comme nous, comme mon peuple. Mais très âgée, et en même temps, pas du tout âgée.*

Un sage était le terme qu'employaient les mulefas pour désigner leurs chefs. Mary remarqua qu'Atal était captivée.

— *Comment pouvait-elle être à la fois vieille et pas vieille ?*

— *C'est un faire-comme.*

Atal agita sa trompe, rassurée.

Mary poursuivit son explication, de son mieux :

— *Elle m'a dit de me préparer à l'arrivée des enfants, en précisant le moment et le lieu de leur apparition. Sans me dire pourquoi. Je dois juste veiller sur eux.*

— *Ils sont blessés et fatigués*, dit Atal. *Pourront-ils empêcher la* sraf *de s'en aller ?*

Mary leva les yeux vers le ciel, embarrassée. Elle savait, sans avoir besoin d'utiliser son télescope, que les particules d'Ombre poursuivaient leur exode, plus vite que jamais.

— *Je l'espère*, dit-elle. *Mais je ne sais pas comment.*

En début de soirée, alors qu'on allumait les feux pour préparer à manger et que les premières étoiles faisaient leur apparition, un groupe d'étrangers arriva au village. Mary était en train de se laver ; en entendant le grondement de leurs roues et le murmure fiévreux de leurs voix, elle s'empressa de sortir de sa cabane, tout en se séchant.

Will et Lyra avaient dormi tout l'après-midi et ils commençaient à se réveiller, sans doute à cause de cette agitation. Lyra se redressa, encore ensommeillée, pour découvrir Mary en pleine discussion avec cinq ou six mulefas, qui l'entouraient, visiblement excités, mais elle n'aurait su dire s'ils étaient furieux ou joyeux.

Voyant qu'elle était réveillée, Mary abandonna le petit groupe pour venir vers elle.

— Lyra, dit-elle, il s'est passé quelque chose... Ils ont découvert un phénomène qu'ils ne peuvent pas expliquer et je... Je ne sais pas ce que c'est... Il faut que j'aille voir. C'est à une heure d'ici environ. Je reviendrai dès que possible. Prenez tout ce que vous voulez dans ma cabane... Je dois y aller, ils ont l'air paniqué...

— D'accord, répondit-elle, encore étourdie par cette longue sieste.

Mary regarda sous le feuillage de l'arbre : Will se frottait les yeux.

— Je n'en ai pas pour longtemps, dit-elle. Atal restera avec vous.

Le chef s'impatientait. Mary jeta rapidement sa bride et ses étriers sur le dos du zalif en s'excusant pour sa maladresse, et elle l'enfourcha. Les mule-fas firent demi-tour et s'enfoncèrent rapidement dans le crépuscule.

Ils partirent dans une nouvelle direction, longeant la crête qui dominait la côte nord. Mary n'avait jamais voyagé à dos de mulefa dans l'obscurité, et la vitesse lui parut encore plus effrayante qu'en plein jour. Alors qu'ils gravissaient la pente, elle apercevait le reflet scintillant de la lune sur la mer, et cette lumière argentée semblait l'envelopper d'un émerveillement sceptique et froid. L'émerveillement était en elle, le scepticisme était dans le monde et le froid était dans les deux.

Régulièrement, elle levait la tête vers le ciel et sa main frôlait instinctivement le télescope dans sa poche, mais elle ne pouvait pas l'utiliser tant qu'ils n'étaient pas arrêtés. Or, les mulefas avançaient avec détermination, et ils ne semblaient pas décidés à faire la moindre pause. Finalement, au bout d'une heure de trajet cahoteux, ils bifurquèrent vers l'intérieur des terres, abandonnant la route pour suivre, à une allure réduite, une piste de terre battue qui s'enfonçait au milieu de grandes herbes. Ils passèrent devant un bosquet d'arbres à cosses et montèrent vers une crête. Le paysage luisait sous l'éclat de la lune : immenses collines dénudées, traversées parfois par des ravines où coulaient de minces filets d'eau.

C'était vers un de ces petits ravins qu'ils la conduisaient. Quand ils avaient quitté la route de basalte, Mary avait mis pied à terre et elle marchait maintenant d'un pas vif, en suivant le rythme des mulefas. Ils franchirent la crête et descendirent dans le ravin.

Elle entendait le murmure du ruisseau et le souffle du vent nocturne dans l'herbe. Elle entendait la terre compacte qui crissait sous les roues, et elle entendait chuchoter les mulefas qui avançaient devant elle ; puis ils s'arrêtèrent.

Sur le flanc de la colline, à quelques mètres de là, se trouvait une des ouvertures découpées par le poignard subtil. On aurait dit l'entrée d'une grotte, car l'éclat de la lune s'y glissait discrètement, laissant deviner l'intérieur de la colline, mais ce n'était qu'une illusion d'optique. Et, de cette ouverture, sortait une procession de fantômes.

Mary eut l'impression que le sol venait de céder sous ses pieds. Elle se ressaisit dans un sursaut et dut agripper la branche d'arbre la plus proche pour s'assurer qu'il existait toujours un monde physique, et qu'elle en faisait toujours partie.

Elle s'approcha de la fenêtre. Des hommes, des femmes, des enfants, des bébés qu'on tenait dans les bras, des êtres humains et d'autres créatures... tous sortaient de l'obscurité, en rangs de plus en plus serrés, pour déboucher dans ce monde concret... et disparaître aussitôt.

C'était bien cela le plus étrange. Ils faisaient quelques pas dans ce monde fait d'herbe, d'air et de lumière argentée, ils regardaient autour d'eux, la joie transformait leur visage (Mary n'avait jamais vu de telles expressions de félicité), ils écartaient les bras pour étreindre l'univers tout entier et, soudain, comme s'ils étaient faits de brouillard ou de fumée, ils se volatilisaient, ils devenaient partie intégrante de la terre, de la rosée et de la brise.

Certains s'avancèrent vers Mary comme s'ils voulaient lui dire quelque chose, en tendant les bras, et elle sentait leur contact, semblable à de petites décharges glacées. Un des fantômes, une vieille femme, lui fit signe d'approcher.

Et elle s'adressa à Mary :

— Racontez-leur des histoires. C'est ça qu'on ne savait pas. Pendant tout ce temps, on l'ignorait! Mais c'est la vérité qu'il leur faut. C'est elle qui les nourrit. Vous devez leur raconter des histoires vraies, et tout se passera bien. Racontez-leur simplement des histoires.

Sur ce, la vieille femme disparut à son tour. C'était un de ces moments où, tout à coup, on se souvient d'un rêve qu'on avait oublié, sans trop savoir pourquoi, et resurgissent alors, comme un torrent, toutes les émotions ressenties durant notre sommeil. C'était ce rêve qu'elle avait essayé de raconter à Atal, l'image de nuit. Mais, alors qu'elle essayait de le retrouver, il ne cessait de se dissoudre, semblable à ces fantômes qui se volatilisaient devant ses yeux. Le rêve s'était enfui.

Il ne restait que la douceur de cette sensation, et cette injonction : « Racontez-leur des histoires. »

Mary scruta les ténèbres. Aussi loin que portait son regard, dans ce silence infini, d'autres fantômes continuaient d'affluer, des milliers et des milliers, tels des réfugiés revenant chez eux.

— Racontez-leur des histoires, répéta-t-elle à voix basse.

Chapitre 33
Pâte d'amandes

Doux printemps, plein de journées douces
et de roses ; une boîte dans laquelle
les sucreries étaient bien tassées.
GEORGE HERBERT

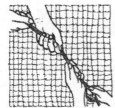 Le lendemain matin, Lyra s'éveilla d'un rêve dans lequel Pantalaimon était revenu auprès d'elle pour lui dévoiler son apparence ultime et définitive, et celle-ci lui avait beaucoup plu. Mais, maintenant qu'elle était réveillée, elle ne parvenait pas à s'en souvenir.

Le soleil s'était levé depuis peu et la fraîcheur de la nuit flottait encore dans l'air. Elle voyait entrer les premiers rayons dorés par la porte ouverte de la petite cabane où elle avait dormi, la modeste maison de Mary. Elle resta couchée un moment, tendant l'oreille. Dehors, des oiseaux chantaient, accompagnés par une sorte de grillon et, allongée à côté d'elle, Mary respirait tranquillement dans son sommeil.

En se redressant dans le lit, Lyra s'aperçut qu'elle était nue. Passé son premier réflexe d'indignation, elle découvrit des vêtements propres, pliés par terre à côté d'elle : une chemise appartenant à Mary, et un morceau de tissu doux imprimé qu'elle pourrait nouer autour de sa taille pour en faire une jupe. Elle s'habilla. Évidemment, elle nageait dans la jupe mais, au moins, elle était présentable.

Ainsi vêtue, elle sortit de la cabane. Pantalaimon se trouvait tout près d'ici, elle en était convaincue. C'était comme si elle l'entendait parler et rire. Cela signifiait certainement qu'il était en sécurité et que, d'une certaine façon, ils étaient toujours liés l'un à l'autre. Lorsqu'il reviendrait enfin vers elle, après lui avoir pardonné... ah ! ces heures qu'ils passeraient à bavarder, à se raconter tout ce qui leur était arrivé...

Will dormait encore sous l'arbre, le paresseux. Lyra songea à le réveiller mais, puisqu'elle était seule, elle pouvait en profiter pour aller nager dans la rivière. Du temps d'Oxford, elle adorait se baigner nue dans la rivière Cherwell, avec les autres enfants mais, avec Will, ce ne serait pas du tout pareil. Rien que d'y penser, elle rougissait.

Alors elle descendit jusqu'au bord de l'eau, dans la lumière nacrée du matin. Parmi les roseaux, un grand oiseau très fin, semblable à un héron, se tenait sur une seule patte, parfaitement immobile. Lyra s'en approcha à pas feutrés pour ne pas l'effrayer, mais l'oiseau ne lui accorda pas plus d'attention qu'à une brindille sur l'eau.

Abandonnant ses vêtements sur le rivage, elle se glissa dans l'eau. C'était de l'eau de mer apportée par la marée et, pour Lyra qui n'avait jamais nagé dans de l'eau salée, c'était une sensation étrange. Elle nagea énergiquement pour lutter contre le froid, puis retourna s'asseoir en grelottant sur le rivage, les genoux remontés contre la poitrine. En temps normal, Pan l'aurait aidée à se sécher. Était-il là, tout près d'elle, transformé en poisson, en train de se moquer d'elle dans l'eau ? Ou métamorphosé en scarabée qui s'introduisait dans ses vêtements pour la chatouiller ? Ou en oiseau ? Ou bien était-il loin d'ici, avec l'autre dæmon, ne pensant même plus à elle ?

Le soleil était chaud maintenant et Lyra fut très vite sèche. Elle enfila la grande chemise de Mary, puis, avisant des pierres plates au bord de l'eau, elle remonta chercher ses vêtements pour les laver. Mais elle s'aperçut que quelqu'un s'en était déjà chargé : ses habits, comme ceux de Will, étaient étendus sur les branches d'un buisson odorant, et ils étaient presque secs.

Un peu plus loin, sous l'arbre, Will commençait à se réveiller. Lyra alla s'asseoir près de lui.

— Will ! Réveille-toi ! souffla-t-elle.

— Hein ? Quoi ? Où on est ? demanda-t-il en se redressant et en portant instinctivement la main à son couteau. Lui aussi était nu.

Lyra détourna le regard.

— On est en sécurité, dit-elle. Nos hôtes ont même lavé nos vêtements, ou bien c'est le Dr Malone, je ne sais pas. Je vais chercher tes affaires. Elles sont presque sèches.

Elle lui passa ses vêtements sans le regarder et lui tourna le dos jusqu'à ce qu'il soit habillé.

— Je suis allée nager dans la rivière, dit-elle. Et j'ai cherché Pan, mais je crois qu'il se cache.

— Bonne idée. Je veux dire, d'aller nager. J'ai l'impression d'être couvert de plusieurs années de crasse... Je vais aller me tremper, moi aussi.

Pendant l'absence de Will, Lyra fit le tour du village, en prenant soin de ne pas se montrer trop indiscrète, pour ne pas enfreindre, sans le savoir, quelque code de politesse ; pourtant, tout ce qu'elle découvrait éveillait sa curiosité.

Certaines cabanes paraissaient très anciennes, d'autres au contraire étaient récentes, mais toutes étaient construites de la même manière, avec du bois, de l'argile et du chaume. Malgré tout, elles n'avaient rien de grossier : ainsi, chaque porte, chaque encadrement de fenêtre était orné de motifs subtils, mais ceux-ci n'étaient pas sculptés dans le bois, c'était plutôt comme si les mulefas avaient « obligé » le bois à pousser sous cette forme, naturellement.

À force d'observer ce village, Lyra commençait à distinguer ici et là des traces d'ordre et de rigueur, un peu comme les différentes couches d'interprétation de l'aléthiomètre. Une partie de son esprit brûlait d'envie d'élucider cette énigme, de bondir avec légèreté d'un symbole à un autre, d'une signification à une autre, comme elle le faisait avec l'instrument, mais une autre partie se demandait combien de temps ils pourraient demeurer ici avant d'être obligés de repartir.

« Je n'irai nulle part tant que Pan ne sera pas revenu », décréta-t-elle.

Will revint de la rivière, puis Mary sortit de sa cabane pour leur proposer un petit déjeuner et, bientôt, Atal les rejoignit, puis tout le village s'anima autour d'eux. Deux jeunes mulefas, dépourvus de roues, ne cessaient de leur jeter des regards intrigués, cachés au coin d'une cabane ; Lyra s'amusait à se retourner brusquement pour les surprendre et les voir sursauter de frayeur et éclater de rire.

— Voyons, dit Mary, quand ils eurent mangé du pain, des fruits et bu une infusion brûlante ressemblant à de la menthe. Hier, vous étiez épuisés et vous aviez besoin de vous reposer. Mais vous semblez un peu plus vaillants aujourd'hui l'un et l'autre, et je pense qu'il serait bon que nous échangions nos expériences. Toutefois, cela risque de prendre un certain temps, et autant nous occuper les mains pendant que nous bavardons. Nous allons nous rendre utiles en réparant quelques filets.

Ils emportèrent au bord de l'eau un tas de filets de pêche raidis par le sel et les étendirent sur l'herbe. Mary leur enseigna comment nouer un nouveau morceau de corde aux endroits où il était usé. Pendant tout ce temps, elle demeurait sur ses gardes, car Atal l'avait informée que des familles de mulefas installées un peu plus loin sur la côte avaient vu un grand nombre de tualapis, ces étranges oiseaux blancs, se rassembler au large, et toute la tribu était prête à s'enfuir à la moindre alerte. Mais entre-temps, il fallait accomplir les tâches indispensables.

Assis tous les trois au bord du paisible bras de mer, en plein soleil, ils rafistolèrent les filets et Lyra raconta à Mary toute son histoire, en commençant par ce jour, très lointain, où Pan et elle avaient décidé de se faufiler dans le Salon de Jordan College.

La marée arriva, puis se retira. Il n'y avait toujours aucun signe des tualapis. En fin d'après-midi, Mary emmena Will et Lyra se promener le long du bras de mer, au-delà des piquets auxquels étaient attachés les filets de pêche, à travers l'immense marais salant qui s'étendait jusqu'à la mer. C'était un endroit sûr à marée basse, car les grands oiseaux blancs ne s'aventuraient à l'intérieur des terres que lorsque la marée était haute. Mary précédait les deux enfants sur une route en terre dure, au-dessus de la boue. Comme beaucoup de choses construites par les mulefas, elle était ancienne et parfaitement entretenue, et semblait faire partie intégrante de la nature.

— Ce sont eux qui ont construit ces routes de pierre ? demanda Will.

— Non. Je crois plutôt que ce sont ces routes qui les ont construits, d'une certaine façon, répondit Mary. Je veux dire par là qu'ils n'auraient jamais appris à utiliser les roues s'il n'y avait pas eu toutes ces surfaces dures pour rouler. Je pense que ce sont des coulées de lave provenant d'anciens volcans.

Quoi qu'il en soit, ces routes leur ont permis d'utiliser les roues. Et d'autres éléments se sont conjugués. Comme les arbres à cosses eux-mêmes et la constitution physique des mulefas : ils n'ont pas de vertèbres, ils n'ont pas d'épine dorsale. Dans nos mondes, un hasard quelconque a fait, il y a fort longtemps, que les créatures dotées de colonnes vertébrales ont pris le dessus et, dès lors, d'autres formes se sont développées, toutes axées autour de la colonne vertébrale. Dans ce monde-ci, le hasard a pris une autre direction, et c'est le squelette en forme de losange qui l'a emporté. Il existe quand même des créatures vertébrées, évidemment, mais pas beaucoup. Il y a des serpents, par exemple. Ils sont très importants ici. Les mulefas veillent sur eux et essayent de ne pas leur faire de mal... Bref, leur squelette, les routes de lave et les arbres à cosses se sont combinés pour créer ce monde. Une succession de petits hasards qui s'assemblent. Et toi, Will, à quel moment commence ton histoire ?

— C'est un peu une succession de petits hasards pour moi aussi, dit-il, en songeant au chat sous les marronniers.

S'il était arrivé trente secondes plus tôt, ou plus tard, il n'aurait jamais vu le chat, il n'aurait pas vu la fenêtre, il n'aurait pas découvert Cittàgazze, ni Lyra, et rien de tout cela ne lui serait arrivé.

Il commença son récit et Mary et Lyra l'écoutèrent en marchant. Quand ils atteignirent les bancs de boue, Will en était arrivé au moment où il se battait contre son père au sommet de la montagne.

— Puis la sorcière l'a tué..., dit-il.

Il n'avait jamais compris la raison de ce geste. Il rapporta ce que lui avait dit la sorcière avant de se suicider : elle avait été amoureuse de John Parry, et celui-ci l'avait trahie.

— Les sorcières sont des êtres féroces, dit Lyra.

— Si elle était amoureuse de lui...

— L'amour est une chose féroce également, dit Mary.

— Mais il aimait ma mère, dit Will. Et je peux lui dire qu'il n'a jamais été infidèle.

En observant Will, Lyra songea que, le jour où il tomberait amoureux, il serait comme son père.

Autour d'eux, les bruits paisibles de l'après-midi flottaient dans l'air chaud : le clapotis incessant des marais, les raclements des insectes, les cris des mouettes. La mer s'était totalement retirée, dévoilant une immense étendue de plage claire qui scintillait sous le soleil. Un milliard de minuscules créatures vivaient, se nourrissaient et mouraient dans la boue et le sable ; les petites empreintes, les trous dans le sol et les mouvements invisibles indiquaient que tout le paysage bourdonnait de vie.

Mary scrutait la mer lointaine et l'horizon, guettant les voiles blanches. Mais à l'endroit où le bleu du ciel pâlissait, à l'horizon, il n'y avait qu'un scintillement brumeux, et la mer s'emparait de cette pâleur pour la faire miroiter dans l'air étincelant.

Elle montra à Will et à Lyra comment ramasser une espèce particulière de mollusques en repérant les trous qu'ils laissaient dans le sable pour respirer. Les mulefas en raffolaient, mais ils avaient du mal à se déplacer sur la plage. Chaque fois que Mary se rendait sur le rivage, elle en ramassait le plus possible, et aujourd'hui qu'ils avaient trois paires de mains et d'yeux, ce serait un véritable festin !

Elle distribua un sac en toile à chacun et ils se lancèrent dans la pêche aux mollusques, tout en écoutant la suite de l'histoire de Will. Les sacs se remplissaient à un bon rythme et, peu à peu, sans rien dire, Mary ramena les deux enfants vers l'entrée du marais, car la mer commençait à remonter.

L'histoire était longue, comme prévu, et ils n'arriveraient pas au monde des morts aujourd'hui. Alors qu'ils approchaient du village, Will racontait à Mary ce que Balthamos lui avait dit sur les origines de la vie humaine. Mary semblait particulièrement intéressée par la théorie de la triple nature des êtres humains.

— Tu sais, dit-elle, l'Église... l'Église catholique à laquelle j'appartenais, refusait d'employer le mot dæmon, mais saint Paul parle à la fois d'esprit, d'âme et de corps. L'idée d'une nature humaine séparée en trois n'est donc pas si bizarre.

— La meilleure partie, c'est le corps, déclara Will. C'est ce que m'ont dit Baruch et Balthamos en tout cas. Les anges rêvent d'avoir des corps. Et ils ne comprennent pas pourquoi nous ne sommes pas plus heureux de vivre sur terre. Pour eux, posséder notre chair et nos sens serait une sorte d'extase. Dans le monde des morts...

— Attends d'en arriver là, dit Lyra, avec un sourire.

Un sourire si tendre et si plein de bonheur que Will sentit la confusion s'emparer de ses sens. Il lui rendit son sourire, et Mary se dit que son visage exprimait une confiance absolue, une confiance qu'elle n'avait jamais vue sur un visage humain.

Le temps qu'ils regagnent le village, il fallait préparer le repas du soir. Mary abandonna les deux enfants sur le rivage, où ils s'assirent pour regarder monter la mer, et elle rejoignit Atal près du feu. Son amie fut ravie en découvrant l'abondance de mollusques. Cependant...

— *Mary*, dit-elle, *les tualapis ont détruit un village un peu plus loin sur la côte, et un autre ensuite, et encore un autre. Ils n'ont jamais fait ça. Généralement, après en avoir attaqué un, ils repartent vers le large. Et un autre arbre est tombé aujourd'hui...*

— *Non! Où?*

Atal lui indiqua un bosquet situé à proximité d'une source d'eau chaude. Mary s'y était rendue trois jours plus tôt et tout lui avait semblé normal. Elle sortit le télescope de sa poche pour regarder le ciel : comme elle le redoutait, l'immense flot de particules d'Ombre coulait avec une puissance redoublée, bien plus vite que la marée qui montait entre les deux rives.

— *Que peux-tu faire?* demanda Atal.

Mary sentit le poids de la responsabilité peser sur ses épaules comme une main gigantesque, mais elle se força à les redresser.

— *Leur raconter des histoires*, dit-elle.

Après le dîner, les trois humains et Atal restèrent assis sur des tapis devant la cabane de Mary, sous la douce chaleur du ciel étoilé. Repus, ils se prélassaient et respiraient le parfum fleuri de la nuit en écoutant Mary raconter son histoire.

Elle commença juste avant sa rencontre avec Lyra, et leur parla de son travail au sein du groupe d'étude de la Matière Sombre, et des problèmes de crédits. Elle passait plus de temps à réclamer de l'argent, expliqua-t-elle, qu'à effectuer ses recherches!

Mais la venue de Lyra avait tout changé, et rapidement : en l'espace de quelques jours, elle avait définitivement quitté son monde.

— J'ai fait ce que tu m'as dit, Lyra. J'ai fabriqué un programme, c'est-à-dire un ensemble d'instructions, pour permettre aux Ombres de communiquer avec moi par l'intermédiaire de l'ordinateur. Et elles m'ont dit ce que je devais faire. Elles m'ont expliqué qu'elles étaient des anges, et... bref...

– S'adressant à une scientifique comme vous, dit Will, ce n'était pas la meilleure chose à dire. Peut-être que vous ne croyiez pas aux anges.

– Oh, je connaissais leur existence. Figure-toi que dans le temps, j'étais religieuse. Je pensais que la physique pouvait servir la gloire de Dieu, jusqu'à ce que je découvre qu'il n'y avait pas de dieu du tout et que la physique était bien plus intéressante de toute façon. La religion chrétienne n'est qu'une erreur fort puissante et convaincante, rien d'autre.

– Quand avez-vous cessé d'être bonne sœur ? demanda Lyra.

– Je m'en souviens très bien aujourd'hui encore. Comme j'étais douée pour la physique, ils m'ont laissée poursuivre mes études à l'université, et j'ai obtenu mon doctorat, avec l'intention d'enseigner. Je précise que je n'appartenais pas à un de ces ordres religieux qui vous tiennent à l'écart du monde. En fait, nous n'étions même pas obligées de porter le voile ; nous devions juste nous habiller sobrement et porter un crucifix. Bref, je suis rentrée à l'université pour enseigner et poursuivre mes recherches sur la physique des particules.

Un colloque était organisé sur mon sujet de thèse et on m'a demandé de faire un exposé. La conférence se déroulait à Lisbonne. Je n'y étais jamais allée. À vrai dire, je n'étais même jamais sortie d'Angleterre. Toutes ces choses nouvelles : le voyage en avion, l'hôtel, le soleil éclatant, les gens qui parlaient des langues étrangères autour de moi, ces savants émérites qui allaient prendre la parole, la peur de faire mon exposé, de ne pas être à la hauteur, de rester muette à cause du trac... j'étais survoltée, vous ne pouvez pas imaginer à quel point. Et tellement innocente, il ne faut pas l'oublier. J'avais toujours été une petite fille bien sage, j'allais à la messe régulièrement, je pensais avoir une vocation pour la vie spirituelle. Je voulais servir Dieu de tout mon cœur. Je voulais prendre ma vie, comme ça, dit-elle en joignant ses mains en coupe, et la déposer aux pieds de Jésus pour qu'il en fasse ce qu'il voulait. Et je crois que j'étais très contente de moi. Trop. Je me prenais pour une sainte et un génie ! Ah, ah ! Cela a duré jusqu'à vingt et une heures trente le 10 août, il y a de cela sept ans maintenant.

Lyra l'écoutait avec passion, les genoux ramenés contre la poitrine.

– C'était le soir, juste après mon exposé, reprit Mary. Tout s'était bien passé, quelques personnes connues étaient venues m'écouter et j'avais répondu aux questions sans hésiter. Bref, je me sentais à la fois soulagée et heureuse. Fière également, sans aucun doute.

Quelques-uns de mes collègues allaient dîner dans un restaurant situé sur la côte, et ils m'ont proposé de les accompagner. En temps normal, j'aurais trouvé une excuse pour me défiler mais, ce jour-là, je me suis dit : « Je suis une adulte, j'ai fait un exposé sur un sujet important, il a été bien accueilli et je suis avec des amis… » L'ambiance était chaleureuse, nous parlions de toutes les choses qui me passionnaient, et nous étions tous d'excellente humeur. J'ai eu envie de m'offrir un peu de bon temps pour une fois. Je découvrais un autre aspect de ma personnalité, celle qui aimait le goût du vin et des sardines grillées, le contact du soleil sur sa peau et le rythme de la musique en fond sonore. J'appréciais chaque chose.

Nous nous sommes installés dans un jardin pour dîner. J'étais assise à l'extrémité d'une longue table dressée sous un citronnier, et il y avait à côté de moi une sorte de charmille avec des passiflores ; mon voisin parlait avec la personne assise en face de lui, et… juste en face de moi se trouvait un homme que j'avais aperçu une ou deux fois depuis le début du colloque. Je ne le connaissais pas assez bien pour lui parler ; c'était un Italien, il avait effectué des travaux que tout le monde évoquait, et je me disais que ce serait intéressant d'en savoir plus. Bref, il était à peine plus âgé que moi, il avait des cheveux noirs soyeux, une très jolie peau mate et des yeux très très noirs. Ses cheveux n'arrêtaient pas de tomber devant son visage, et il les remettait en arrière, comme ceci, lentement…

Elle imita ce geste. Will eut l'impression qu'elle s'en souvenait parfaitement bien.

— Il n'était pas très beau, reprit Mary. Ce n'était pas un homme à femmes, ni un séducteur. Si tel avait été le cas, j'aurais été intimidée, je n'aurais pas su quoi lui dire. Mais il était gentil, intelligent et drôle, et il me paraissait tout naturel d'être assise là, sous ce citronnier, dans ce jardin éclairé par des lanternes, avec le parfum des fleurs, l'odeur du poisson grillé et le goût du vin, en train de bavarder, de rire, et d'espérer que cet homme me trouvait jolie. Sœur Mary Malone qui flirtait ! Et mes vœux de religieuse dans tout ça ? Et ma vie tout entière consacrée à Jésus ?

Je ne pourrais dire si c'était le vin, ma sottise, la douceur de l'air, le citronnier ou je ne sais quoi encore… mais j'avais peu à peu le sentiment de m'être convaincue d'une chose qui n'existait pas, de m'être menti. Je m'étais forcée à croire que j'étais heureuse et parfaitement épanouie dans ma solitude, sans l'amour d'une autre personne. Pour moi, l'amour, c'était comme la Chine : vous saviez que ce pays existait quelque part, et sans doute était-ce très intéressant ; certaines personnes y allaient, mais ce ne serait jamais mon cas. Je mourrais sans jamais y être allée, mais ça n'avait pas d'importance, car il y avait un tas d'autres endroits à visiter dans le monde.

Soudain, quelqu'un m'a tendu quelque chose de sucré et, à ce moment-là, je me suis aperçue que j'étais déjà allée en Chine ! C'est une façon de parler, évidemment. J'avais oublié. C'était le goût de cette chose sucrée, de la pâte d'amandes, qui avait réveillé ce souvenir en moi. Je me suis souvenue de ce goût si particulier et, immédiatement, je me suis revue enfant, la première fois où j'avais mangé de la pâte d'amandes. J'avais douze ans. C'était à une fête d'anniversaire, chez un de mes camarades d'école. Il y avait de la musique et on dansait. Généralement, dans ce genre de fête, les filles dansent entre elles, car les garçons sont trop timides pour les inviter. Mais, ce jour-là, un garçon que je ne connaissais pas m'a proposé de danser avec lui. Après la première chanson, on a continué à danser, puis on a commencé à discuter... Vous savez comment ça se passe quand quelqu'un vous plaît, on le sent immédiatement. Eh bien, c'était le cas avec ce garçon. On a continué à parler longtemps, et puis ils ont apporté le gâteau d'anniversaire. Il a pris un bout de pâte d'amandes et l'a mis délicatement dans ma bouche. Je me souviens que j'essayais de sourire, et je rougissais en même temps, je me sentais ridicule. Je suis tombée amoureuse de lui uniquement à cause de ça, de la douceur avec laquelle il a caressé mes lèvres avec ce bout de pâte d'amandes.

En entendant cela, Lyra sentit un étrange phénomène se produire en elle. Elle éprouva une sorte de démangeaison à la racine des cheveux, sa respiration s'accéléra. Elle n'était jamais montée sur des montagnes russes, ni rien de semblable ; sinon, elle aurait reconnu ces sensations dans sa poitrine : un mélange d'excitation et de frayeur. Elle n'avait pas la moindre idée de ce qui lui arrivait. La sensation se prolongea, s'intensifia et se modifia, à mesure que d'autres parties de son corps se trouvaient affectées. C'était comme si on lui avait donné la clé d'une grande maison dont elle ignorait l'existence jusqu'à présent, une maison située à l'intérieur d'elle-même et, alors qu'elle tournait la clé pour pénétrer dans l'obscurité de cette demeure, elle sentait d'autres portes s'ouvrir, et des lumières s'allumer. Assise par terre, les genoux dans les mains, elle tremblait et osait à peine respirer, tandis que Mary poursuivait son récit :

— C'est au cours de cette fête, je crois, ou alors dans une autre, que nous nous sommes embrassés pour la première fois. C'était dans un jardin, de la musique venait de l'intérieur, au milieu des arbres tout était calme, il faisait frais et j'avais mal, tout mon corps souffrait à cause de lui, et je sentais qu'il éprouvait la même chose, mais nous étions trop timides tous les deux pour agir. Enfin presque. L'un de nous deux a fait le premier pas et, brusquement, comme après un saut dans l'espace-temps, nous étions en train de nous embrasser. C'était mieux que la Chine, c'était le paradis.

Nous nous sommes revus une demi-douzaine de fois, pas plus. Ses parents ont déménagé et je ne l'ai jamais revu. Ce fut un moment si merveilleux, et si bref... Mais voilà, j'avais connu ça. J'étais allée en Chine.

C'était extrêmement curieux et troublant : Lyra comprenait exactement ce que voulait dire Mary alors que, une demi-heure plus tôt, tout cela lui serait passé au-dessus de la tête. Et à l'intérieur d'elle-même, cette grande maison somptueuse, avec toutes ses portes ouvertes et ses lumières allumées, attendait, silencieuse, pleine d'espoir.

— À vingt et une heures trente, ce soir-là, dans le jardin de ce restaurant, au Portugal, ajouta Mary, ignorant le drame muet qui se déroulait dans l'esprit et le corps de Lyra, quelqu'un m'a offert un morceau de pâte d'amandes et tout m'est revenu en mémoire. Je me suis dit : « Vais-je passer le restant de ma vie sans connaître à nouveau ce sentiment ? Je veux retourner en Chine. C'est un pays plein de trésors, de mystères et de joies. » Je me disais encore : « Quelqu'un sera-t-il plus heureux sur cette terre si je rentre directement à l'hôtel, si je récite mes prières et si je me confesse au prêtre en faisant le serment de ne plus jamais céder à la tentation ? Quelqu'un sera-t-il plus heureux en sachant que je suis triste ? »

Et la réponse m'a été donnée : Non. Personne. Il n'y a personne qui s'en soucie, personne pour me condamner, personne pour me bénir d'avoir été une gentille fille, personne pour me punir d'avoir été vilaine. Le ciel était un endroit vide. Je ne savais pas si Dieu était mort, ni même s'il y avait jamais eu un dieu. En tout cas, je me sentais libre, seule et je ne savais pas si j'étais heureuse ou malheureuse, mais il s'était passé une chose très étrange. Et ce changement s'était produit pendant que j'avais le morceau de pâte d'amandes dans la bouche, avant même de l'avaler. Un goût, un souvenir, un raz de marée...

Quand je l'ai avalé et que j'ai regardé l'homme assis en face de moi, j'ai vu qu'il avait senti qu'il s'était passé quelque chose. Mais je ne pouvais pas lui en parler, c'était trop étrange, trop personnel, même pour moi. Un peu plus tard, nous sommes allés nous promener sur la plage, dans l'obscurité ; la brise chaude faisait voltiger mes cheveux, et l'océan était très bien élevé, de petites vagues s'enroulaient autour de nos pieds...

Alors, j'ai ôté le crucifix de mon cou et je l'ai lancé dans la mer. C'était la fin. Terminé.

Voilà comment j'ai cessé d'être bonne sœur.

— Cet homme, c'est celui qui a fait la découverte sur les crânes ? demanda Lyra.

— Oh, non ! L'homme des crânes, c'était le Dr Payne. Oliver Payne. Il est arrivé beaucoup plus tard dans ma vie. Non, l'homme du colloque au Portugal s'appelait Alfredo Montale. Il était très différent.

— Vous l'avez embrassé ?

Mary esquissa un sourire.

— Oui. Mais pas ce soir-là.

—C'était dur de quitter l'Église ? demanda Will.

—Oui, en un sens, car tout le monde autour de moi était terriblement déçu. Que ce soit la mère supérieure, les prêtres ou mes parents, ils étaient tous furieux et pleins de reproches... J'avais l'impression que la chose en laquelle ils croyaient tous passionnément reposait sur la foi que je n'avais plus. Mais, d'un autre côté, ce fut très facile, car c'était un choix logique. Pour la première fois de ma vie j'avais le sentiment de faire une chose en accord avec ma nature tout entière, et pas seulement une partie de moi-même. C'est vrai, j'ai souffert de la solitude pendant quelque temps, mais j'ai fini par m'y habituer.

—Cet homme, vous l'avez épousé ? demanda Lyra.

—Non. Je n'ai épousé personne. Mais j'ai vécu avec quelqu'un, pas Alfredo, un autre homme. Pendant presque quatre ans. Ma famille était scandalisée. Puis, finalement, nous avons décidé que nous serions plus heureux en vivant chacun de notre côté. Voilà pourquoi je vis seule. L'homme avec qui je vivais adorait l'escalade, il m'a fait découvrir sa passion et... J'ai mon travail. Enfin, j'avais mon travail. Alors, je suis seule, mais heureuse, si vous voyez ce que je veux dire.

—Comment s'appelait le garçon, celui de la fête d'anniversaire ? demanda Lyra.

—Tim.

—Comment était-il ?

—Oh... Gentil. C'est tout ce dont je me souviens.

—La première fois que je vous ai vue, à Oxford, vous m'avez dit que vous étiez devenue scientifique en partie pour ne plus penser au bien et au mal. Vous y pensiez tout le temps quand vous étiez bonne sœur ?

—Hmm... Non. Mais je savais ce que je devais penser : c'était ce que l'Église m'avait appris à penser. Quand je me suis intéressée à la science, j'ai dû penser à des choses totalement différentes. Conclusion, je n'ai jamais eu besoin de penser par moi-même.

—Et maintenant ? demanda Will.

—Je crois que j'y suis obligée.

—Quand vous avez cessé de croire en Dieu, ajouta le garçon, avez-vous cessé de croire au bien et au mal aussi ?

—Non. Mais j'ai cessé de croire qu'il existait des forces du bien et des forces du mal extérieures à nous. Et j'en suis venue à penser que le bien et le mal étaient des mots servant à désigner ce que font les gens, ce qu'ils sont. On peut seulement dire que telle action est bonne parce qu'elle aide quelqu'un, ou qu'elle est mauvaise, car elle fait du mal. Les gens sont trop complexes pour porter des étiquettes aussi simples.

— Exact, déclara Lyra.

— Dieu vous a manqué ? demanda Will.

— Oui, terriblement. Et aujourd'hui encore. Mais ce qui me manque le plus, c'est le sentiment d'être reliée au reste de l'univers. Autrefois, j'avais l'impression d'être reliée à Dieu et, grâce à sa présence, j'étais reliée à l'ensemble de sa création. Mais, s'Il n'existe pas...

Au loin, dans les marais, un oiseau poussa une longue suite de trilles mélancoliques. Les braises rougeoyaient dans le feu, les herbes hautes dansaient paresseusement dans la brise nocturne. Atal semblait somnoler comme un chat, ses roues étaient posées à plat à côté d'elle, ses pattes repliées sous son corps, ses yeux mi-clos ; une partie de son attention était ailleurs. Will, lui, était allongé sur le dos et il contemplait les étoiles.

Quant à Lyra, elle n'avait pas bougé un seul muscle depuis que cette étrange chose s'était produite, et elle conservait en elle le souvenir de ces sensations, comme un vase fragile rempli à ras bord de connaissances nouvelles, auquel elle n'osait pas toucher de peur de tout renverser. Elle ignorait ce que c'était, ce que ça signifiait, et d'où ça venait ; alors elle restait assise, immobile, les genoux serrés contre la poitrine, essayant de maîtriser ses tremblements d'excitation. « Bientôt, se disait-elle, bientôt je saurai. Je saurai très bientôt. »

Mary était fatiguée ; elle était à court d'histoires. Mais aucun doute qu'elle en trouverait d'autres demain.

CHAPITRE 34
UN NOUVEAU BUT

... Le monde si vivant, où
chaque particule de poussière
exhale sa joie.
WILLIAM BLAKE

 Mary ne parvenait pas à trouver le sommeil. Chaque fois qu'elle fermait les yeux, quelque chose la faisait glisser et basculer, comme si elle se trouvait au bord d'un précipice, et elle se réveillait en sursaut, effrayée. La même chose se répéta trois, quatre, cinq fois, jusqu'à ce qu'elle comprît que le sommeil ne viendrait pas ; alors elle se leva, s'habilla rapidement, sortit de sa cabane et s'éloigna de l'arbre aux longues branches basses semblables à une tente, sous lequel dormaient Will et Lyra.

La lune éclatante était haut dans le ciel. Le vent était violent, et tout le paysage était tacheté de nuages d'Ombre qui se déplaçaient tous dans la même direction, évoquant la migration d'un troupeau d'animaux invraisemblables, songea Mary. Mais les animaux migrent dans un but précis : quand vous voyez un troupeau de rennes traverser la toundra, ou des gnous parcourir la savane, vous savez qu'ils partent en quête de nourriture, ou d'un endroit propice aux accouplements et à la naissance de leur progéniture. Leurs déplacements ont un sens. Les mouvements de ces nuages, en revanche, étaient le fruit du hasard, la conséquence d'événements aléatoires ; leurs ombres qui filaient au-dessus de la prairie n'avaient aucun but.

Pourtant, ils donnaient l'impression de suivre un objectif. On aurait dit qu'ils étaient habités et mus par une forme de volonté. Comme la nuit qui les entourait. Mary la sentait, sans pouvoir dire quelle était cette détermination. Mais, contrairement à elle, les nuages semblaient savoir ce qu'ils faisaient, et pour quelle raison ; le vent savait lui aussi, l'herbe également. Le monde entier était éveillé et conscient.

Mary gravit la colline et se retourna vers les marais, où la marée montante faisait serpenter un ruban d'argent au milieu de l'obscurité brillante des étendues de boue et de roseaux. Les nuages d'Ombre apparaissaient très clairement au loin : on aurait dit qu'ils fuyaient un prédateur effrayant, ou qu'ils se hâtaient d'aller étreindre une chose merveilleuse qui les attendait là-bas au loin. Quelle était cette chose, Mary ne le saurait jamais.

Elle se retourna vers le bosquet où se dressait son arbre d'observation, à vingt minutes de marche. Elle l'apercevait distinctement, majestueux, avec sa grande tête qui dialoguait avec le vent pressant. Ils avaient des choses à se dire, mais Mary ne les entendait pas.

Elle se dirigea d'un pas décidé dans cette direction, mue par l'excitation de la nuit, impatiente de participer. C'était cela dont elle avait parlé à Will quand le garçon lui avait demandé si Dieu lui manquait : cette impression que tout l'univers était vivant, et que tout était relié à tout par des liens de signification. Du temps où elle était chrétienne, elle aussi se sentait reliée à quelque chose mais, après avoir quitté l'Église, elle s'était sentie libérée, légère et à la dérive, dans un univers sans but.

Puis il y avait eu la découverte des Ombres, et son voyage dans cet autre monde, et maintenant, cette nuit vivante ; il était évident que chaque chose vibrait de détermination et de sens, mais Mary en était séparée. Et impossible de trouver une connexion, car il n'y avait pas de Dieu.

Partagée entre l'exaltation et le désespoir, elle décida de grimper dans son arbre et d'essayer de se perdre à nouveau dans la Poussière.

Mais elle n'avait pas parcouru la moitié du chemin en direction du bosquet qu'elle entendit un bruit singulier, au milieu du claquement des feuilles et du sifflement du vent entre les herbes. Quelque chose émettait un grognement, un son profond et ténébreux comme un orgue. Et surtout, il y avait les craquements, les cris et les grincements du bois.

Non, ça ne pouvait pas être son arbre...

Mary s'arrêta net, au milieu de l'immense prairie ; le vent lui cinglait le visage, les nuages d'Ombre filaient au-dessus de sa tête, les hautes herbes lui fouettaient les cuisses. Elle observa la voûte du bosquet. Les branches grinçaient, les plus petites se brisaient, le bois vert se cassait comme du vulgaire bois mort et dégringolait vers le sol. Quant au feuillage de cet arbre qu'elle connaissait si bien, il penchait, penchait de plus en plus et commença à basculer, lentement.

Chaque fibre de l'arbre, l'écorce, les racines semblaient hurler pour protester contre ce meurtre. Mais l'arbre continua à chanceler et toute la longueur du tronc donna l'impression de s'incliner vers Mary, avant de s'effondrer sur le sol, comme une vague qui se brise sur une digue. Le tronc colossal rebondit avant de s'immobiliser définitivement dans un gémissement de bois fendu.

Mary se précipita pour caresser les feuilles qui continuaient de s'agiter. Sa corde était toujours là, avec les débris de sa plate-forme. Le cœur brisé, elle grimpa au milieu des branches abattues, se hissant à travers la frondaison familière, dans cette position inhabituelle, et elle monta le plus haut possible.

Appuyée contre une branche, elle sortit son télescope. À travers les plaques ambrées, elle aperçut deux mouvements très différents dans le ciel.

Le premier était la course des nuages qui passaient devant la lune, dans une direction unique ; le second était le courant de Poussière qui semblait le croiser en sens inverse.

Des deux, c'était assurément la Poussière qui se mouvait le plus rapidement, en masse plus importante. De fait, le ciel tout entier semblait se déplacer en même temps qu'elle : formidable et inexorable torrent qui se déversait hors du monde, hors de tous les mondes, dans quelque vide ultime.

Lentement, comme si elles se mouvaient d'elles-mêmes dans l'esprit de Mary, les choses s'assemblèrent.

Will et Lyra avaient dit que le poignard subtil avait au moins trois cents ans. À en croire le vieil homme de la tour des Anges.

Les mulefas lui avaient dit que la *sraf,* qui avait alimenté leur vie et leur monde pendant trente-trois mille ans, avait commencé à disparaître il y avait un peu plus de trois cents ans.

D'après la Guilde de la tour des Anges, les propriétaires du poignard subtil avaient fait preuve de négligence : ils n'avaient pas toujours refermé les fenêtres qu'ils avaient ouvertes. Après tout, Mary en avait découvert une par hasard et, il en existait peut-être de nombreuses autres.

Et si, depuis ce temps-là, la Poussière s'était mise à fuir à travers les plaies creusées dans la nature par le poignard subtil ?

Mary avait la tête qui tournait, et ce n'était pas seulement dû au balancement des branches auxquelles elle s'accrochait. Elle rangea soigneusement le télescope dans sa poche, enlaça une branche et contempla le ciel, la lune, les nuages qui filaient à toute allure.

Le couteau était responsable de cette fuite, sur une petite échelle. C'était préjudiciable pour tout l'univers qui en souffrait. Elle devait en parler à Will et à Lyra et trouver un moyen de stopper l'hémorragie.

Mais ce gigantesque torrent qui se déversait dans le ciel représentait un phénomène nouveau et catastrophique et si on ne l'arrêtait pas, toute vie consciente allait disparaître. Comme le lui avaient expliqué les mulefas, la Poussière se formait quand les êtres vivants prenaient conscience d'eux-mêmes ; mais un système de réciprocité était nécessaire pour la renforcer et la protéger, comme les mulefas avec leurs roues et leur huile provenant des cosses. Sans quelque chose du même ordre, la Poussière disparaîtrait. La pensée, l'imagination, les sentiments... tout cela dépérirait et serait emporté, ne laissant qu'un monde brutal et mécanique, et cette courte période durant laquelle la vie prenait conscience d'elle-même s'éteindrait comme une bougie qu'on souffle, dans chacun des milliards de mondes où elle brillait avec éclat.

Mary sentait le poids écrasant de ce fardeau. Lourd comme les ans. Elle avait l'impression d'avoir quatre-vingts ans ; elle était vieille, fatiguée, impatiente de mourir.

Elle redescendit péniblement des branches du grand arbre abattu et, tandis que le vent continuait à souffler dans les feuilles, l'herbe et ses cheveux, elle repartit vers le village.

Arrivée au sommet de la pente, elle regarda une dernière fois le flot de Poussière, traversé par les nuages et le vent, et la lune, immobile, solidement ancrée au milieu.

Soudain, elle comprit ce qu'ils faisaient : elle découvrit quel était leur objectif.

Ils essayaient de retenir le flot de Poussière ! Ils luttaient pour dresser une barrière face à ce terrible déluge : le vent, la lune, les nuages, les feuilles, l'herbe... toutes ces belles choses se jetaient dans la bataille en hurlant pour maintenir les particules d'Ombre à l'intérieur de cet univers qu'elles enrichissaient.

La matière aimait la Poussière. Elle ne voulait pas qu'elle s'en aille. Telle était la signification de cette nuit, et également le sens de la présence de Mary.

Avait-elle cru que la vie n'avait aucun sens, aucun but, une fois que Dieu avait disparu ? Oui, elle l'avait cru.

— Eh bien, il y a un but maintenant ! dit-elle à voix haute. Il y a un but ! répéta-t-elle, plus fort.

Elle leva de nouveau les yeux vers les nuages, la lune au milieu du flot de Poussière : ils paraissaient aussi fragiles et impuissants qu'un barrage de brindilles essayant de contenir le Mississippi. Mais ils essayaient malgré tout. Et ils continueraient d'essayer... jusqu'à la fin.

Combien de temps resta-t-elle ainsi ? Elle n'aurait su le dire. Lorsque l'intensité de ses émotions s'atténua, remplacée par l'épuisement, elle redescendit lentement la colline pour regagner le village.

Près d'un bosquet, elle aperçut une chose étrange au milieu des bancs de boue : une sorte de lueur blanche, un mouvement régulier qui approchait en même temps que la marée.

Mary s'immobilisa, le regard fixé sur ce point. Ce ne pouvait être les tua-lapis, ils évoluaient toujours en groupe, et cette créature était solitaire. Pourtant, c'était bien les mêmes ailes-voiles, le même long cou de cygne... aucun doute, il s'agissait bien d'un de ces oiseaux. Mary n'avait jamais entendu dire qu'il leur arrivait de se déplacer seuls, et elle hésita avant de se précipiter vers le village pour donner l'alerte, car la créature s'était arrêtée. Elle flottait à la surface de l'eau, près du chemin.

Et elle se scindait en deux... Non, quelque chose descendait de son dos. C'était un homme.

Mary le voyait distinctement, même à cette distance ; le clair de lune était lumineux et ses yeux s'y étaient habitués. Elle sortit le télescope pour dissiper ses derniers doutes : il s'agissait bien d'une silhouette humaine, entourée d'un puissant halo de Poussière.

L'homme tenait quelque chose : une sorte de longue branche. Il remontait le chemin d'un pas vif et léger, mais sans courir, comme un athlète ou un chasseur. Il était sobrement vêtu d'habits sombres qui, en temps normal, l'auraient fait passer inaperçu mais, à travers le télescope ambré, il se découpait dans le paysage comme s'il était éclairé par un projecteur.

Alors qu'il approchait du village, Mary découvrit que ce n'était pas une branche qu'il tenait dans la main : c'était un fusil.

Ce fut comme si on lui avait versé de l'eau glacée sur le cœur. Tous ses sens furent aussitôt en alerte.

Elle était trop loin pour intervenir : même si elle avait crié, l'homme ne l'aurait pas entendue. Elle ne put que le regarder pénétrer dans le village, en scrutant de tous côtés, s'arrêtant régulièrement pour tendre l'oreille, allant d'une cabane à l'autre.

Mary se sentait aussi impuissante que la lune et les nuages qui essayaient de retenir la Poussière, alors qu'elle hurlait en silence : « Ne regardez pas sous l'arbre... éloignez-vous de l'arbre... ! »

Mais l'homme s'en approchait de plus en plus et, finalement, il s'arrêta devant la cabane de Mary. C'était plus qu'elle ne pouvait en supporter : elle rangea le télescope dans sa poche et dévala la pente. Elle s'apprêtait à pousser un grand cri, n'importe quoi, mais elle se retint juste à temps en songeant qu'elle risquait de réveiller Will ou Lyra et de dévoiler ainsi leur présence.

Parce qu'elle ne pouvait supporter de ne pas savoir ce que faisait l'homme, elle s'arrêta et sortit de nouveau sa longue-vue, et elle dut maîtriser ses tremblements pour la coller à son œil.

Il ouvrait la porte de sa cabane. Il entrait... Il disparut à l'intérieur, mais on apercevait un mouvement dans le nuage de Poussière qu'il laissait derrière lui, comme une main qui traverse un rideau de fumée. Mary attendit pendant une minute interminable, et l'homme réapparut.

Il s'arrêta sur le seuil de la cabane et regarda lentement à droite et à gauche. Son regard glissa sur l'arbre sans s'y arrêter.

Il s'éloigna de quelques pas et s'arrêta de nouveau, comme s'il s'était égaré. Mary s'aperçut alors qu'elle était totalement exposée aux regards sur le flanc de cette colline nue, à portée de fusil mais, heureusement, l'homme ne s'intéressait qu'au village et, au bout d'une minute ou deux, il fit demi-tour et repartit lentement.

Elle ne le quitta pas des yeux tandis qu'il s'éloignait sur le chemin longeant le bras de mer. Elle le vit très clairement monter sur le dos de l'oiseau et s'asseoir en tailleur, alors que le tualapi se retournait pour repartir en glissant sur l'eau. Cinq minutes plus tard, ils avaient disparu à l'horizon.

Chapitre 35
Très loin, au-delà des collines

L'anniversaire de ma vie est venu.
Mon amour est venu
vers moi.
Christina Rossetti

 —Docteur Malone, annonça Lyra le lendemain matin, Will et moi, il faut qu'on parte à la recherche de nos dæmons. Une fois qu'on les aura retrouvés, on saura quoi faire. On ne peut pas rester trop longtemps sans eux.
—Mais où irez-vous ? demanda Mary, les paupières et la tête lourdes après cette nuit agitée.

Elle se trouvait au bord du bras de mer en compagnie de Lyra ; la fillette se lavait et Mary recherchait, discrètement les empreintes laissées par le mystérieux visiteur. En vain jusqu'à présent.

—On n'en sait rien, avoua Lyra. Mais les dæmons sont quelque part, par ici. Dès que nous nous sommes réfugiés dans ce monde, ils se sont enfuis, comme s'ils n'avaient plus confiance en nous. Mais on sait qu'ils sont ici ; on pense même les avoir aperçus une ou deux fois. Alors, peut-être qu'on peut les retrouver.

—Écoute-moi, dit Mary à contrecœur.

Et elle raconta à Lyra ce qu'elle avait vu la nuit précédente.

Pendant son récit, Will les rejoignit et, tout comme la fillette, il écouta attentivement ce que racontait Mary, les yeux écarquillés et l'air grave.

—C'est sans doute un simple voyageur qui a trouvé une fenêtre quelque part, dit Lyra quand le Dr Malone eut fini.

En ce qui la concernait, elle avait des sujets de préoccupation bien plus intéressants que cet homme.

—Comme le père de Will, ajouta-t-elle. Il va y avoir un tas d'ouvertures maintenant. De toute façon, s'il a fait demi-tour, ça veut dire qu'il n'a pas de mauvaises intentions, pas vrai ?

—Je ne sais pas. Je n'aime pas ça. Et ça m'inquiète de vous laisser partir seuls tous les deux… Du moins, je me ferais du souci si vous n'aviez pas réalisé des exploits plus dangereux. Mais quand même… Je vous en prie, soyez prudents. Regardez bien autour de vous. Heureusement, dans la prairie, on voit arriver l'ennemi de loin…

—Dans ce cas, si on s'enfuit dans un autre monde, cet homme ne pourra rien nous faire, souligna Will.

Ils étaient déterminés à partir, et Mary n'avait pas envie de discuter.

—Promettez-moi de ne pas vous aventurer au milieu des arbres, dit-elle malgré tout. Si cet homme rôde toujours dans les parages, il se cache peut-être dans un bosquet, et vous ne le verrez pas à temps pour vous enfuir.

—Promis, dit Lyra.

—Je vais vous préparer quelques provisions, au cas où vous seriez absents toute la journée.

Mary alla chercher une galette de pain, du fromage et quelques fruits rouges très désaltérants, enveloppa le tout dans un linge, qu'elle ferma avec une longue ficelle pour qu'un des deux enfants puisse porter ce balluchon sur son épaule.

—Bonne chasse, dit-elle. Et soyez prudents, surtout.

Elle demeurait inquiète. Elle les suivit du regard jusqu'au pied de la colline.

—Je ne sais pas pourquoi elle est si triste, dit Will, tandis que les deux enfants gravissaient le chemin qui menait à la crête.

—Elle se demande certainement si elle retournera chez elle un jour, dit Lyra. Et si elle retrouvera son laboratoire à son retour. Ou peut-être est-elle triste à cause de l'homme dont elle était amoureuse.

—Hum, fit Will. Et nous, tu crois qu'on va rentrer à la maison un jour ?

—Je ne sais pas. J'imagine que je n'ai même plus de maison de toute façon. Ça m'étonnerait qu'ils me reprennent à Jordan College, et je ne peux pas vivre avec les ours ni avec les sorcières. Peut-être que je pourrais aller vivre avec les gitans. Je serais d'accord, s'ils veulent bien de moi.

—Et le monde de Lord Asriel ? Tu ne voudrais pas aller vivre là-bas ?

—Il est condamné à disparaître, souviens-toi.

—Pourquoi ?

—À cause de ce qu'a dit le fantôme de ton père, juste avant qu'on s'enfuie. Au sujet des dæmons, et le fait qu'ils ne peuvent vivre longtemps qu'en restant dans leur monde. Mais sans doute que Lord Asriel, je veux dire mon père, ne pouvait pas envisager ce problème car personne ne connaissait suffisamment bien les autres mondes quand il a commencé… tout ça, dit-elle, perplexe. Tout ce courage, toutes ces manœuvres... Pour rien ! Tout ça pour rien !

Ils progressaient sans peine sur le chemin rocailleux et, lorsqu'ils arrivèrent au sommet de la crête, ils s'arrêtèrent pour regarder en arrière.

—Dis, Will. Suppose qu'on ne les retrouve pas ?

—Je suis sûr qu'on va les retrouver. Ce que je me demande, c'est à quoi va ressembler mon dæmon.

—Tu l'as vu. Et moi, je l'ai pris dans mes bras.

Lyra rougit en prononçant ces mots car, évidemment, toucher une chose aussi intime que le dæmon d'une autre personne représentait une grave violation des règles de bienséance. C'était interdit, par politesse, mais également à cause d'un sentiment plus profond, proche de la honte. Un rapide coup d'œil aux joues rouges de Will lui indiqua qu'il le savait aussi bien qu'elle. Toutefois, elle n'aurait su dire si, comme elle, il ressentait cet autre sentiment, fait d'un mélange de peur et d'excitation, qui s'était emparé d'elle la veille au soir, et qui était toujours là.

Ils se remirent en marche côte à côte, un peu gênés tout à coup. Ce qui n'empêcha pas Will de demander :

—Quand est-ce que le dæmon cesse de changer de forme ?

—Vers... À notre âge environ, ou un peu plus tard. Beaucoup plus tard, parfois. Avec Pan, on en parlait souvent. On se demandait quel animal il deviendrait...

—Les gens ne le savent pas ?

—Non, pas quand ils sont jeunes. À mesure que tu grandis, tu commences à réfléchir ; tu te dis que ton dæmon pourrait devenir ceci ou cela... Et, généralement, ça correspond. Avec ta véritable nature, je veux dire. Par exemple, si ton dæmon est un chien, ça veut dire que tu aimes faire ce qu'on te dit de faire, savoir qui est le chef, obéir aux ordres et faire plaisir à celui qui commande. Un tas de domestiques ont des dæmons-chiens. Ça t'aide à connaître ta personnalité et à découvrir ce que tu devrais faire plus tard. Et dans ton monde, comment font les gens pour savoir ce qu'ils sont ?

—J'en sais rien. À vrai dire, je ne sais pas grand-chose sur mon monde. Tout ce que je sais, c'est comment rester caché et ne pas me faire remarquer, alors je ne connais pas très bien ces histoires... d'adultes et d'amis. Ou d'amoureux. Mais je pense que ce ne serait pas facile d'avoir un dæmon, car tout le monde saurait un tas de choses sur toi, rien qu'en te regardant. Moi, j'aime mieux rester secret et invisible.

—Dans ce cas, il serait peut-être un animal très doué pour se cacher. Ou un de ces animaux qui ressemblent à un autre, tu sais, un papillon qui ressemble à une abeille, par exemple, pour se camoufler. Il y a forcément des créatures comme ça dans ton monde, puisque nous on en a, et qu'on se ressemble.

Ils continuèrent à marcher dans un silence complice. Autour d'eux, l'immensité du matin clair flottait en nappes limpides au ras du sol, d'un bleu nacré dans l'air chaud. Aussi loin que portait le regard, la savane, scintillante et vide, étendait ses ocres, ses ors et ses verts jusqu'à l'horizon. Ils auraient pu tout aussi bien être les seules personnes au monde.

— Mais en fait, ce n'est pas vraiment désert, dit Lyra.

— Tu fais allusion à cet homme ?

— Non. Tu sais de quoi je veux parler.

— Oui. J'aperçois des ombres dans l'herbe... Peut-être des oiseaux.

Il suivait du regard les petits mouvements rapides. Curieusement, il s'aperçut qu'il était plus facile d'apercevoir les ombres s'il n'essayait pas de les regarder. Elles semblaient plus disposées à apparaître à la lisière de son champ de vision et, lorsqu'il en fit la remarque à Lyra, celle-ci déclara :

— C'est la capacité négative.

— C'est quoi ce truc ?

— Le poète Keats a été le premier à en parler. Le Dr Malone connaît. C'est comme ça que je déchiffre l'aléthiomètre. Et c'est comme ça que tu utilises le couteau, non ?

— Oui, sans doute. Mais je me disais que c'étaient peut-être les dæmons.

— Moi aussi, mais...

Elle posa son index sur ses lèvres. Le garçon hocha la tête.

— Regarde, dit-elle. Un des arbres est tombé.

Il s'agissait du poste d'observation de Mary. Ils s'en approchèrent prudemment, scrutant le bosquet, au cas où un autre arbre tomberait. Dans la quiétude de cette matinée, uniquement troublée par une très légère brise qui agitait les feuilles, il semblait impossible qu'une chose aussi solide puisse s'effondrer ainsi et, pourtant, les faits étaient là.

L'énorme tronc couché, reposant à l'intérieur du bosquet sur ses racines arrachées, et sur la masse des branches et du feuillage à l'extérieur, était bien plus haut que leurs têtes. Certaines branches, brisées elles aussi, étaient aussi larges que les plus gros arbres que Will avait jamais vus. La cime, entrelacs compact de branches qui semblaient encore solides et de feuilles encore vertes, se dressait tout là-haut comme un palais en ruine, suspendu dans le vide.

Soudain, Lyra agrippa le bras de Will.

— Chut, murmura-t-elle. Ne regarde pas. Je suis sûre qu'ils sont là-haut. J'ai vu quelque chose bouger, et je jurerais que c'était Pan...

La main de Lyra était chaude. Will ne sentait plus que ce contact. Faisant mine de balayer l'horizon d'un air absent, il laissa son regard remonter vers la masse colorée en vert, brun et bleu et... Lyra avait raison ! Il y avait là-haut une chose qui ne faisait pas partie de l'arbre. Et, juste à côté, une autre chose semblable.

— Allons-nous-en, murmura Will. Éloignons-nous et on verra bien s'ils nous suivent.

— Suppose qu'ils ne nous suivent pas... Bon, d'accord.

Ils firent semblant de regarder partout autour d'eux. Ils s'accrochèrent à une des branches qui reposaient sur le sol, comme s'ils avaient l'intention d'escalader l'arbre, avant de faire mine de changer d'avis en secouant la tête et de repartir.

— J'ai envie de regarder en arrière, dit Lyra quand ils se furent éloignés d'une centaine de mètres.

— Non, continue à avancer, dit Will. Ils nous voient, ils ne risquent pas de se perdre. Ils nous rejoindront quand ils en auront envie.

Ils quittèrent la route noire pour pénétrer dans les herbes hautes qui leur cinglaient les cuisses. Ils regardaient les insectes faire du surplace, voltiger, tournoyer, et ils entendaient le chœur d'un million de stridulations et de bourdonnements.

Ils continuèrent à marcher en silence, puis Lyra demanda :

— Qu'est-ce que tu vas faire ensuite, Will ?

— Il faut que je rentre chez moi.

Elle eut l'impression qu'il n'était pas très convaincu ; elle l'espérait.

— Peut-être qu'ils te cherchent encore, ces hommes.

— On a connu pire que ça, non ?

— Oui, sans doute... Mais j'aurais voulu te montrer Jordan College et les environs. J'aurais voulu qu'on...

— Oui. Et moi, j'aurais voulu... Ce serait chouette de retourner à Cittàgazze même. C'était un bel endroit, et si les Spectres ont tous disparu... Mais je dois penser à ma mère. Je dois retourner auprès d'elle. Je l'ai laissée avec Mme Cooper, et c'est injuste pour toutes les deux.

— C'est aussi injuste que tu sois obligé de faire ça.

— C'est vrai, mais c'est une sorte d'injustice différente. C'est comme un tremblement de terre ou une inondation. C'est peut-être injuste, mais tu ne peux accuser personne. Par contre, si j'abandonne ma mère entre les mains d'une vieille femme qui n'a pas toute sa tête, elle non plus, c'est une autre forme d'injustice. Ce serait mal de ma part. Il faut que je rentre chez moi. Je sais qu'il me sera difficile de vivre comme avant. Le secret a certainement été dévoilé, car ça m'étonnerait qu'elle ait pu s'occuper de ma mère si elle a fait une de ses crises pendant lesquelles elle a peur de tout. Mme Cooper a sûrement été obligée de réclamer de l'aide. Dans ce cas, quand je rentrerai chez moi, on m'enverra dans un centre quelconque.

—Un orphelinat, tu veux dire?

—C'est ce qu'ils font, j'imagine. J'en sais rien. Mais je ne supporterai pas ça.

—Tu pourras t'échapper grâce au couteau, Will! Tu pourras venir dans mon monde!

—Ma place est dans celui où vit ma mère. Quand je serai grand, je pourrai m'occuper d'elle convenablement, dans ma maison. Et personne ne pourra venir s'en mêler.

—Tu crois que tu te marieras?

Will resta muet. Mais elle savait qu'il réfléchissait.

—Je ne peux pas voir si loin, répondit-il finalement. En tout cas, il faudrait que ce soit quelqu'un qui comprenne ce que... Je crois qu'une telle personne n'existe pas dans mon monde. Et toi, tu te marieras?

—C'est comme toi, dit Lyra d'une voix mal assurée. Je ne pourrai jamais me marier avec quelqu'un de mon monde.

Ils marchaient lentement, vers l'horizon. Ils avaient tout le temps devant eux; tout le temps que le monde avait à leur offrir.

Au bout d'un moment, Lyra dit:

—Tu vas garder le couteau, hein? Pour pouvoir venir dans mon monde.

—Bien sûr. Je ne le donnerai à personne, jamais.

—Ne tourne pas la tête! dit-elle sans modifier l'allure de son pas. Ils sont revenus. Sur la gauche.

—Tu vois, ils nous suivent, dit Will, heureux.

—Chut!

—Je le savais. On va continuer à avancer comme si on les cherchait, en regardant partout, dans toutes sortes d'endroits idiots.

Cela devint un jeu. Arrivés près d'un étang, ils cherchèrent au milieu des roseaux et dans la vase, en disant à voix haute que leurs dæmons avaient certainement pris l'apparence de grenouilles, de tourniquets ou de limaces. Ils arrachèrent l'écorce d'un arbre déraciné à la lisière d'un bosquet, en faisant mine de les avoir vus se faufiler en dessous, sous la forme de perce-oreilles. Lyra fit toute une histoire à cause d'une fourmi qu'elle prétendait avoir écrasée; elle se lamentait sur le triste sort de la pauvre petite bête, dont le visage ressemblait à celui de Pan, affirma-t-elle, et elle lui demanda, avec un désespoir feint, pourquoi elle refusait de lui parler.

Mais dès qu'elle estima qu'ils étaient hors de portée de voix des dæmons, elle se pencha vers Will pour lui demander, avec gravité cette fois:

—On était obligés de les laisser, hein ? On n'avait pas vraiment le choix ?

—Non. On était obligés. Je suppose que c'était plus terrible pour toi que pour moi, mais on n'avait pas le choix. Tu avais fait une promesse à Roger, et tu devais tenir parole.

—Et toi, tu devais revoir ton père...

—Et on devait tous les libérer.

—C'est juste. Je suis si contente qu'on l'ait fait. Pan sera heureux lui aussi, le jour où je mourrai. On ne sera pas séparés. C'est une chose bien qu'on a faite.

Alors que le soleil s'élevait dans le ciel et que l'air devenait plus chaud, ils commencèrent à chercher de l'ombre. Vers midi, ils atteignirent une crête et Lyra se laissa tomber dans l'herbe en disant :

—Si on ne trouve pas rapidement un coin d'ombre...

Une vallée plongeait de l'autre côté de la crête, tapissée de buissons, et ils en déduisirent qu'il y avait peut-être un cours d'eau quelque part. Ils la longèrent et, comme ils l'avaient espéré, au milieu des fougères et des roseaux, un ruisseau jaillissait de la roche en bouillonnant.

Les deux enfants plongèrent leurs visages brûlants dans l'eau et s'abreuvèrent goulûment, après quoi ils descendirent le long du ruisseau qui formait par endroits des tourbillons miniatures et franchissait de minuscules rebords de pierre, sans cesser de grossir et de s'élargir.

—Comment est-ce possible ? demanda Lyra, stupéfaite. Le ruisseau ne reçoit d'eau de nulle part et, pourtant, on dirait qu'il grossit de plus en plus.

Will, qui observait les ombres du coin de l'œil, les vit se faufiler devant eux, bondir par-dessus les fougères et disparaître dans les fourrés, un peu plus loin. Il les montra du doigt en silence.

—La rivière ralentit, tout simplement, expliqua-t-il. Elle coule moins vite que le jaillissement de la source, alors elle forme de petites mares... Ils se sont cachés là-bas, ajouta-t-il à voix basse en désignant un petit groupe d'arbres au pied de la pente.

Le cœur de Lyra cognait si fort qu'elle sentait battre son pouls dans sa gorge. Will et elle échangèrent un regard étrangement sérieux et solennel, avant de continuer à suivre le ruisseau. À mesure qu'ils s'enfonçaient dans la vallée, la végétation devenait plus dense ; le ruisseau pénétrait parfois dans des tunnels de verdure et émergeait de l'autre côté dans des clairières tachetées de soleil, pour franchir ensuite un petit rebord de pierre et disparaître de nouveau sous la végétation. Pour continuer à le suivre, les deux enfants étaient obligés de se fier à leur ouïe autant qu'à leurs yeux.

Au pied de la colline, le ruisseau pénétrait dans un petit bois constitué d'arbres aux troncs argentés.

Le père Gomez les observait du sommet de la crête. Il n'avait eu aucun mal à les suivre, car malgré les paroles rassurantes de Mary concernant la savane, les herbes hautes, les bosquets et les buissons de sève-laque offraient de nombreuses cachettes. Les deux enfants avaient passé un long moment à regarder autour d'eux, comme s'ils craignaient d'être suivis, l'obligeant à garder ses distances mais, à mesure que la matinée avançait, ils étaient de plus en plus absorbés l'un par l'autre, et ils prêtaient moins attention à leur environnement.

La seule chose que voulait éviter le père Gomez, c'était de faire du mal au garçon. Il avait horreur de faire souffrir des innocents. Et la seule façon de ne pas se tromper de cible, c'était de s'approcher suffisamment près et cela impliquait de suivre les enfants à l'intérieur du bois.

À pas feutrés, avec prudence, il descendit le long du cours de la rivière. Son dæmon, le scarabée au dos vert, volait au-dessus de sa tête, flairant l'air. La vue du coléoptère était moins bonne que la sienne, mais son odorat était beaucoup plus développé et il captait sans peine les odeurs des corps du garçon et de la fille. Le dæmon volait en éclaireur, puis se posait sur un brin d'herbe pour attendre le père Gomez, avant de repartir ; et, tandis qu'il suivait la piste laissée par les deux enfants, l'homme se surprit à remercier Dieu de lui avoir confié cette mission, car il était de plus en plus évident que ce garçon et cette fille marchaient vers un péché mortel.

Soudain, il l'aperçut : cette tache claire qui bougeait, c'étaient les cheveux de la fillette. Il se rapprocha et prit son fusil. Celui-ci était muni d'une lunette, de faible puissance, mais d'excellente fabrication si bien que regardant à travers, la vision était non seulement grossie, mais clarifiée. Oui, elle était là. Elle venait de se retourner pour regarder derrière elle, et le père Gomez vit nettement son expression ; il ne comprenait pas comment un être à ce point imprégné par le mal pouvait être aussi rayonnant d'espoir et de bonheur.

Son étonnement le fit hésiter, et le moment propice s'envola : les deux enfants avaient disparu au milieu des arbres. Bah, ils ne pouvaient pas aller bien loin, se dit-il. Il les suivit en longeant le ruisseau, accroupi, le fusil dans une main, se servant de l'autre pour conserver son équilibre.

Il était si près du but que pour la première fois depuis le début de sa mission, il se surprit à se demander ce qu'il ferait ensuite : satisferait-il davantage le Royaume du Ciel en retournant à Genève ou en restant ici pour évangéliser ce monde ? Dans ce cas, la première chose à faire serait de convaincre ces créatures à quatre pattes, qui semblaient posséder les rudiments de la réflexion, que l'utilisation de ces roues était une abomination satanique, contraire à la volonté de Dieu. Si elles abandonnaient cette pratique, leur salut suivrait.

Le père Gomez atteignit le pied de la colline, là où poussaient les premiers arbres, et il posa son fusil, sans bruit.

Il scruta les ombres argentées, vertes et dorées et écouta, les mains derrière les oreilles, essayant de capter le moindre murmure à travers le chant des insectes et le clapotis du ruisseau. Oui, ils étaient bien là. Ils s'étaient arrêtés.

Il se pencha pour ramasser son fusil.

Et il laissa échapper un hoquet de douleur en sentant quelque chose se saisir de son dæmon et l'éloigner brutalement de lui.

Mais il n'y avait rien ni personne autour de lui ! Où était son scarabée ? La douleur était atroce. Il l'entendait crier et il se tournait furieusement de tous les côtés pour essayer de l'apercevoir.

— Restez calme, ordonna une voix venue de nulle part, et taisez-vous. Je tiens votre dæmon dans ma main.

— Mais... où êtes-vous ? Qui êtes-vous ?

— Je m'appelle Balthamos, dit la voix.

Will et Lyra suivirent le ruisseau à l'intérieur du bois, marchant avec prudence, parlant à peine, jusqu'à ce qu'ils débouchent au centre du bosquet.

Il y avait là une petite clairière tapissée d'herbe douce et de pierres recouvertes de mousse. Les branches entrelacées au-dessus de leurs têtes masquaient presque totalement le ciel, ne laissant filtrer que des paillettes de soleil dansantes, si bien que le décor était constellé d'or et d'argent.

Tout était calme. Seuls le murmure du ruisseau et parfois le bruissement des feuilles, tout là-haut dans les arbres, venaient troubler le silence.

Will posa le baluchon contenant les provisions et Lyra son petit sac à dos. Aucun signe des dæmons-ombres, nulle part. Ils étaient totalement seuls.

Ils ôtèrent leurs chaussures, leurs chaussettes et s'assirent sur les pierres couvertes de mousse au bord du ruisseau. Ils plongèrent leurs pieds nus dans l'eau froide et le contraste de température les revigora.

— J'ai faim, déclara Will.

— Moi aussi, dit Lyra, même si sa faim était atténuée par un autre sentiment, quelque chose de diffus et de pressant à la fois, source de joie et de douleur, qu'elle ne parvenait pas à identifier.

Ils ouvrirent le balluchon et grignotèrent un peu de pain et de fromage. Curieusement, leurs gestes étaient lents et maladroits, et ils firent à peine attention à ce qu'ils mangèrent, bien que le pain soit frais et croustillant et le fromage plein de saveur.

Lyra prit ensuite un des petits fruits rouges. Le cœur battant, elle se tourna vers son ami et dit :

– Will...

Elle approcha lentement le fruit de la bouche du garçon.

À son regard, elle vit qu'il avait compris immédiatement son intention, et qu'il était trop heureux pour parler. Les doigts de Lyra s'étaient posés sur ses lèvres ; il les sentait trembler. Il leva la main à son tour pour prendre ses doigts. Ils n'osaient plus se regarder, ils étaient désorientés et ivres de bonheur.

Tels deux papillons de nuit qui se heurtent maladroitement, avec la même légèreté, leurs lèvres entrèrent en contact. Et avant même qu'ils comprennent ce qui leur arrivait, ils s'enlacèrent et leurs visages se pressèrent l'un contre l'autre, aveuglément.

– Mary avait raison, murmura Will. Quand quelqu'un te plaît, tu le sens immédiatement... Quand tu dormais dans la montagne, avant qu'elle t'emmène, j'ai dit à Pan...

– J'ai entendu, dit Lyra à voix basse. J'étais réveillée et j'avais envie de te dire la même chose, et maintenant, je sais ce que je ressens depuis le début : je t'aime, Will, je t'aime...

Ce mot enflamma les sens de Will et fit vibrer tout son corps. Il lui répondit en utilisant le même mot, puis il embrassa son visage brûlant, encore et encore, s'abreuvant avec adoration de l'odeur de son corps, de ses cheveux chauds qui sentaient le miel et de sa bouche humide qui avait le goût sucré de ce petit fruit rouge.

Autour d'eux, tout n'était que silence, comme si le monde lui-même retenait son souffle.

Balthamos était terrorisé. Il remontait le cours du ruisseau, s'éloignant du bois, avec dans ses mains le dæmon-insecte qui le piquait et le mordait, et il s'efforçait de demeurer invisible aux yeux de l'homme qui les poursuivait.

Il ne devait pas se laisser rattraper ; il savait que le père Gomez le tuerait sur-le-champ. Un ange de son rang n'était pas de taille à rivaliser avec un homme, même si cet ange était robuste et en pleine forme, or Balthamos n'était ni l'un ni l'autre. De plus, il était accablé de chagrin depuis la disparition de Baruch et rongé par la honte d'avoir abandonné Will. Il n'avait même plus la force de voler.

– Stop ! Stop ! criait le père Gomez. Par pitié, arrêtez-vous. Je ne vous vois pas... Parlons, je vous en supplie... Ne faites pas de mal à mon dæmon. Par pitié...

En vérité, c'était le scarabée qui faisait du mal à Balthamos. À travers le dos de ses mains jointes, l'ange distinguait faiblement la petite créature verte qui plantait inlassablement ses mâchoires puissantes dans ses paumes. S'il entrouvrait ses mains, ne serait-ce qu'une seconde, l'insecte s'enfuirait. Il s'efforçait donc de les garder jointes, malgré la douleur.

—Par ici! lança-t-il. Suivez-moi. Éloignez-vous de ce bois. J'ai à vous parler, mais cet endroit est mal choisi.

—Qui êtes-vous donc? Je ne vous vois pas. Arrêtez-vous... Comment puis-je savoir qui vous êtes si je ne vous vois pas? Restez où vous êtes, arrêtez de courir!

La vitesse était l'unique arme dont disposait Balthamos. Essayant d'ignorer les piqûres et les morsures du dæmon, il remonta le petit ravin au fond duquel coulait le ruisseau, en sautant de rocher en rocher.

Mais soudain, il commit une erreur: en voulant regarder derrière lui, il dérapa et enfonça un pied dans l'eau.

—Ah! s'exclama le père Gomez avec satisfaction en voyant l'éclaboussure.

Balthamos sortit immédiatement son pied du ruisseau et repartit, mais il laissait maintenant, à chaque pas, une empreinte humide sur les pierres sèches. Ce qui n'avait pas échappé au prêtre, qui bondit en avant et sentit le frôlement des plumes sur sa main.

Il se figea, stupéfait: le mot ange résonna dans son esprit. Balthamos profita de cette hésitation pour repartir, le prêtre se sentit alors entraîné dans son sillage et une autre douleur brutale lui lacéra le cœur.

L'ange lança par-dessus son épaule:

—Continuons encore un peu, jusqu'au sommet de la crête, et ensuite nous parlerons, c'est promis.

—Non, parlons ici! Restez où vous êtes, et je jure de ne pas vous toucher!

Balthamos ne répondit pas: il était trop difficile de se concentrer. Il devait rester vigilant, éviter son poursuivant, regarder devant lui, et surveiller le scarabée furieux qui le torturait.

Quant au prêtre, son esprit fonctionnait à toute allure. Un adversaire véritablement dangereux aurait déjà tué son dæmon, se disait-il, ce qui aurait réglé le problème. Cela signifiait que l'ange avait peur de frapper.

Rassuré par cette constatation, le père Gomez se laissa entraîner dans le sillage de Balthamos en poussant de petits gémissements de douleur, le suppliant de s'arrêter... sans cesser d'observer, tout en se rapprochant et en jaugeant la corpulence de son adversaire, la rapidité de ses déplacements, la direction de son regard.

—Par pitié..., dit-il d'une voix brisée, vous ne pouvez pas imaginer combien c'est douloureux... Je ne peux pas vous faire de mal... Je vous en prie, ne peut-on pas s'arrêter et discuter?

Le prêtre ne voulait pas perdre le bois de vue. Ils avaient atteint l'endroit où jaillissait le ruisseau, et il voyait les pieds de Balthamos imprimer des marques légères dans l'herbe. Le père Gomez l'avait suivi pas à pas et, même s'il ne le voyait toujours pas, il était certain maintenant de savoir où se trouvait l'ange.

Balthamos se retourna. Le prêtre leva les yeux vers l'endroit où il supposait que se trouvait son visage et, pour la première fois, il le vit : ce n'était qu'un scintillement dans l'air, mais impossible de se tromper.

Il n'était pas encore assez près pour l'atteindre d'un seul mouvement cependant, et toute comédie mise à part, la douloureuse séparation d'avec son dæmon l'avait épuisé. Peut-être que s'il avançait encore d'un pas ou deux...

— Assis, ordonna Balthamos. Asseyez-vous où vous êtes. N'approchez plus.

— Que voulez-vous ? demanda le père Gomez, sans bouger.

— Ce que je veux ? Je veux vous tuer, mais je n'en ai pas la force.

— Vous êtes un ange, non ?

— Quelle importance ?

— Vous avez peut-être commis une erreur. Peut-être sommes-nous dans le même camp.

— Non. Je vous ai suivi. Je sais dans quel camp vous êtes et... Ne bougez pas. Restez où vous êtes.

— Il n'est pas trop tard pour vous repentir. Même les anges ont droit au pardon. Faites-moi entendre votre confession.

— Oh, Baruch, aide-moi ! s'écria Balthamos, au désespoir, en levant les yeux vers le ciel.

Au même moment, le père Gomez se jeta sur lui. Son épaule percuta celle de l'ange, qui se trouva déséquilibré, et en tendant la main, par réflexe, pour se retenir, Balthamos laissa échapper le dæmon-insecte. Le scarabée s'envola immédiatement, et le père Gomez fut submergé par une vague de soulagement et de puissance. En vérité, cette libération fut la cause de sa mort. Il se jeta avec une telle force sur la silhouette à peine visible de l'ange qu'il ne parvint pas à conserver son équilibre en rencontrant si peu de résistance. Son pied dérapa et son élan l'entraîna vers le ruisseau. À cet instant, pensant à ce qu'aurait fait Baruch en pareille circonstance, Balthamos repoussa d'un coup de pied la main tendue du prêtre qui cherchait à se retenir.

Le père Gomez tomba lourdement. Sa tête heurta une pierre et, à moitié assommé, il roula dans l'eau. Le froid le réveilla immédiatement mais, alors qu'il suffoquait et tentait faiblement de se relever, Balthamos, ivre de déses-

poir et ignorant le dæmon qui lui piquait le visage, les yeux et la bouche, utilisa le faible poids de son corps pour maintenir la tête de l'homme sous
l'eau, il appuya, il appuya, il appuya...

Lorsque le dæmon disparut soudainement, l'ange relâcha sa pression. Le
prêtre était mort. Après s'en être assuré, il hissa le corps hors du ruisseau et
l'étendit dans l'herbe. Il croisa soigneusement les mains du père Gomez sur
sa poitrine et lui ferma les yeux.

Puis l'ange se redressa, écœuré, épuisé et rongé par la douleur.

– Baruch... Oh, mon très cher Baruch, je n'en peux plus. Will et la fille
sont à l'abri désormais, et tout ira bien. Mais, pour moi, c'est la fin, même si,
en vérité, je suis déjà mort en même temps que toi, Baruch, mon bien-
aimé.

La seconde suivante, il avait disparu.

Alors qu'elle bêchait le champ de haricots, assommée par la chaleur de la
fin d'après-midi, Mary entendit soudain la voix de son amie Atal, sans parvenir à faire la différence entre l'excitation et la panique : un autre arbre
venait-il de tomber ? L'homme au fusil était-il réapparu ?

– *Regarde ! regarde !* disait la zalif en tapotant la poche de Mary avec sa
trompe.

Elle sortit son télescope comme le lui demandait Atal et le pointa vers le
ciel.

– *Dis-moi ce qui se passe !* demanda-t-elle. *Je sens que c'est différent, mais je ne vois
rien.*

Le redoutable torrent de Poussière dans le ciel avait cessé de couler. Ce
qui ne voulait pas dire qu'il était immobile, loin s'en faut. En balayant le ciel
à travers ses verres ambrés, Mary apercevait ici un courant, là un tourbillon,
un peu plus loin un vortex. La Poussière était agitée par un mouvement
perpétuel, mais elle ne s'enfuyait plus. À vrai dire, elle semblait tomber
comme des flocons de neige.

Mary pensa aux arbres à cosses : les fleurs ouvertes face au ciel s'abreuve-
raient de cette pluie dorée. Elle pouvait presque sentir leur bonheur en
accueillant cette offrande dans leurs pauvres cœurs desséchés, sevrés depuis
si longtemps.

– *Les deux enfants,* dit Atal.

Mary se retourna, son télescope à la main, pour découvrir Will et Lyra
qui revenaient. Ils étaient encore loin ; ils ne se pressaient pas. Ils se tenaient
par la main et marchaient au même rythme, leurs têtes penchées l'une vers
l'autre, oublieux de tout ce qui les entourait. Même à cette distance, elle le
sentait.

Elle faillit coller son œil à sa longue-vue, mais se retint et la rangea dans sa poche. Elle n'avait pas besoin de cet instrument, elle savait ce qu'elle verrait : ils donneraient l'impression d'être faits d'or. Ils apparaîtraient comme l'image authentique de ce que pourraient être les humains en permanence, après avoir reçu leur héritage.

La Poussière qui se déversait des étoiles avait retrouvé un foyer vivant, et ces enfants qui n'étaient plus des enfants, débordants d'amour, étaient à l'origine de tout cela.

Chapitre 36
La flèche brisée

Mais le destin enfonce des coins d'acier,
et toujours il s'engouffre
au milieu.

Andrew Marvell

Les deux dæmons traversèrent le village endormi, courant d'une ombre à une autre, sautillant avec leurs pattes de chat sur le sol baigné de lune. Arrivés devant la porte ouverte de la cabane de Mary, ils s'arrêtèrent. Ils risquèrent un coup d'œil à l'intérieur et ne virent que la femme qui dormait. Alors ils rebroussèrent chemin et traversèrent à nouveau l'éclat argenté du clair de lune en direction de l'arbre qui ressemblait à une tente.

Les feuilles vrillées et odorantes qui faisaient ployer les longues branches touchaient presque le sol. Très lentement, avec la plus grande prudence, pour ne pas faire bouger une feuille ou briser une brindille sèche, les deux félins se faufilèrent à travers le rideau végétal et découvrirent ce qu'ils cherchaient : le garçon et la fille dormant à poings fermés, enlacés.

Ils s'approchèrent à pas feutrés et touchèrent délicatement les dormeurs avec leur museau, leurs pattes et leurs moustaches, s'abreuvant de la chaleur vitale qu'ils dégageaient mais soucieux, surtout, de ne pas les réveiller.

Alors qu'ils s'occupaient de leurs humains (nettoyant tout doucement la plaie de Will qui cicatrisait vite, repoussant une mèche de cheveux sur le visage de Lyra...), un petit bruit se produisit dans leurs dos.

Aussitôt, sans faire le moindre bruit, les deux dæmons firent volte-face et se transformèrent en loups : les yeux brillant d'une lueur sauvage, tous crocs dehors, menaçants.

Devant eux, la silhouette d'une femme se découpait dans la lumière de la lune. Ce n'était pas Mary et, quand elle s'adressa à eux, ils l'entendirent parfaitement, alors que sa voix ne produisait aucun son.

—Venez avec moi.

Pantalaimon sentit son cœur faire un bond dans sa poitrine, mais il ne dit rien avant de pouvoir saluer cette apparition loin des deux dormeurs réfugiés sous l'arbre.

—Serafina Pekkala! s'exclama-t-il alors, joyeux. Où étiez-vous donc? Savez-vous tout ce qui s'est passé?

—Chut. Allons dans un endroit où nous pourrons parler, dit-elle, soucieuse de ne pas réveiller les mulefas endormis.

Sa branche de sapin magique était posée à côté de la porte de la maison de Mary, et au moment où elle l'enfourchait, les deux dæmons se transformèrent en oiseaux — un rossignol et une chouette - et ils s'envolèrent avec elle au-dessus des toits de chaume, au-dessus de la prairie, au-dessus de la crête, vers le bosquet d'arbres à cosses le plus proche, aussi imposant qu'un château, avec son feuillage ressemblant à des pièces d'argent au clair de lune.

Serafina se posa sur la branche la plus haute, au milieu des fleurs ouvertes qui s'abreuvaient de Poussière, et les deux oiseaux se perchèrent à côté d'elle.

—Vous ne resterez pas des oiseaux très longtemps, dit Serafina Pekkala. Très bientôt, votre apparence va se fixer. Regardez bien autour de vous et gravez cette vision dans votre mémoire.

—Quel animal serons-nous? demanda Pantalaimon.

—Vous le découvrirez plus vite que vous ne l'imaginez. Mais écoutez-moi, dit-elle, je vais vous raconter une histoire que seules les sorcières connaissent. Si je peux vous la raconter, c'est parce que vous êtes perchés ici avec moi, et que vos humains sont en bas, en train de dormir. Quelles sont les seules personnes pour qui une telle chose est possible?

—Les sorcières, répondit Pantalaimon. Et les chamans. Ça veut dire...?

—En vous abandonnant tous les deux sur le rivage du monde des morts, Lyra et Will ont fait, sans le savoir, une chose que font les sorcières depuis qu'elles existent. Il y a dans notre terre du Nord une région affreusement désolée, où une grande catastrophe s'est produite quand le monde était encore enfant, et où rien n'a jamais réussi à survivre depuis. Aucun dæmon ne peut pénétrer dans ce lieu. Pour devenir une sorcière, une jeune fille doit traverser seule cette région abominable, en laissant son dæmon derrière elle. Vous savez les souffrances qu'ils doivent endurer. Mais après cette épreuve, elle s'aperçoit que son dæmon n'a pas été séparé d'elle, comme à Bolvangar. Ils continuent à former un seul et même être mais, désormais, ils sont libres de vagabonder séparément; ils peuvent partir chacun de leur côté dans des endroits lointains, voir des choses étranges et se retrouver pour échanger leurs expériences. Et vous n'avez pas été séparés de vos humains, vous non plus, n'est-ce pas ?

— Non, en effet, répondit Pantalaimon. Nous ne formons toujours qu'un. Mais ce fut si douloureux, et nous avons eu si peur...

— Vous ne pourrez jamais voler comme des sorcières tous les deux, et vos humains ne vivront pas aussi longtemps que nous mais, grâce à leur geste, vous êtes quasiment des sorcières vous aussi, à ces différences près.

Les deux dæmons réfléchissaient à cette étrange révélation.

— Ça veut dire que nous deviendrons des oiseaux, comme les dæmons des sorcières ? demanda Pantalaimon.

— Un peu de patience.

— Comment Will peut-il devenir une sorcière ? Je croyais que toutes les sorcières étaient des femmes.

— Ces deux enfants ont changé bien des choses. Le monde évolue, y compris pour les sorcières. Mais une seule chose n'a pas changé : vous devez venir en aide à vos humains, et non être des obstacles. Vous devez les guider et les encourager sur la voie de la sagesse. Tel est le rôle des dæmons.

Les deux oiseaux restèrent muets. Serafina se tourna vers le rossignol et demanda :

— Comment t'appelles-tu ?

— Je n'ai pas de nom. J'ignorais même que j'existais jusqu'à ce qu'on m'arrache du cœur de Will.

— Dans ce cas, je te baptise Kirjava.

— Kirjava, répéta Pantalaimon en faisant rouler ce nom sur sa langue. Qu'est-ce que ça veut dire ?

— Vous le saurez bientôt. Mais en attendant, reprit Serafina, vous devez m'écouter attentivement, car je vais vous dire ce que vous devez savoir.

— Non ! s'écria Kirjava.

— À voir ta réaction, dit Serafina avec douceur, je devine que tu sais déjà ce que je vais dire.

— Nous ne voulons pas l'entendre ! dit Pantalaimon.

— C'est trop tôt, ajouta le rossignol. Beaucoup trop tôt.

Serafina ne dit rien, car elle était d'accord avec eux, et cela l'attristait. Mais elle était aussi la plus sage des trois, et elle devait les guider vers le bon choix. Malgré tout, elle les laissa retrouver leur calme avant de continuer.

— Où êtes-vous allés au cours de vos pérégrinations ? demanda-t-elle.

— Nous avons traversé de nombreux mondes, dit Pantalaimon. Partout où nous trouvions une fenêtre, nous la franchissions. Il y en a plus qu'on l'imaginait.

— Et vous avez vu...

—Oui, la coupa Kirjava, nous avons regardé attentivement et nous avons vu ce qui se passait.

—On a vu un tas d'autres choses aussi, s'empressa d'ajouter Pantalaimon. On a vu le monde d'où viennent ces gens tout petits, les Gallivespiens. Il y a aussi des êtres normaux, qui essayent de les tuer.

Ils racontèrent à la sorcière tout ce qu'ils avaient vu ; ils essayaient de détourner son attention, et elle le savait, mais elle les laissa parler, car ils prenaient plaisir à entendre le son de leurs voix.

Mais au bout d'un moment, les deux dæmons se trouvèrent à court d'anecdotes, et ils furent obligés de se taire. On n'entendait plus que le murmure doux et incessant des feuilles, jusqu'à ce que Serafina Pekkala dise :

—Vous vous êtes éloignés de Will et de Lyra pour les punir. Je sais pourquoi vous avez fait ça : mon Kaisa a réagi de la même manière après que je l'avais abandonné pour traverser cette région désertique dont je vous ai parlé. Mais il a fini par revenir auprès de moi, car nous nous aimions toujours. Or, vos humains auront bientôt besoin de vous pour accomplir ce qui doit être accompli. Vous devez leur raconter ce que vous savez.

Pantalaimon poussa un cri sonore, un cri de chouette glacial, un son terrible qui n'avait jamais résonné dans ce monde. Dans les nids et les terriers, dans un très large périmètre, et partout où les petites créatures de la nuit chassaient ou broutaient, une peur nouvelle et inoubliable fit son apparition.

Serafina n'éprouvait que compassion, jusqu'à ce qu'elle regarde le dæmon de Will, Kirjava le rossignol. Elle se souvint alors de sa discussion avec la sorcière Ruta Skadi qui lui avait demandé, après n'avoir vu Will qu'une seule fois, si elle l'avait regardé dans les yeux, et Serafina lui avait répondu qu'elle n'avait pas osé. Il émanait de ce petit oiseau au plumage marron une férocité implacable, palpable comme un courant chaud, qui effrayait la sorcière.

L'écho du hululement sauvage de Pantalaimon s'éteignit, et Kirjava ajouta :

—Et on doit leur dire.

—Oui, il le faut, dit Serafina avec douceur.

Peu à peu, la férocité quitta le regard du petit oiseau et la sorcière put le regarder à nouveau. À la place, elle découvrit une profonde tristesse.

—Un bateau va arriver, ajouta-t-elle. Je l'ai quitté pour venir jusqu'à vous. Je suis venue avec les gitans, depuis notre monde. Ils seront ici dans un jour ou deux.

Les deux oiseaux étaient perchés côte à côte et, en l'espace d'une seconde, ils avaient changé d'aspect pour devenir des colombes.

Serafina poursuivit :

— C'est peut-être la dernière fois que vous volez. Je suis capable de deviner le futur proche ; et je vois que vous pourrez encore grimper à cette hauteur vertigineuse du moment qu'il y a un arbre de cette taille, mais je pense que vous ne serez plus des oiseaux quand vous prendrez votre apparence définitive. Rassemblez le maximum de souvenirs et gardez-les précieusement. Je sais que tous les deux, avec Lyra et Will, vous allez réfléchir intensément et douloureusement, et je sais aussi que vous ferez le meilleur choix possible. Mais c'est vous qui devez le faire, et personne d'autre.

Les deux dæmons se taisaient. La sorcière reprit sa branche de sapin et s'envola au-dessus du feuillage des arbres gigantesques ; elle tournoya plusieurs fois dans le ciel pour sentir sur sa peau la fraîcheur de la brise, le picotement des étoiles et cette fine pluie bienfaisante de Poussière qu'elle n'avait jamais vue.

Serafina redescendit vers le village et, sans un bruit, elle pénétra dans la maison de la femme prénommée Mary. Elle ne savait rien d'elle, à part qu'elle venait du même monde que Will et qu'elle jouait un rôle crucial dans tous ces événements. Était-elle d'un tempérament belliqueux ou amical ? La sorcière n'avait aucun moyen de le savoir, mais elle devait réveiller Mary sans lui faire peur et, pour cela, il existait un envoûtement.

Assise par terre près de la tête de la femme endormie, elle l'observait à travers ses paupières mi-closes et calquait sa respiration sur la sienne. Bientôt, ses yeux entrouverts lui montrèrent les silhouettes pâles que Mary voyait dans ses rêves et elle ajusta ses propres pensées pour vibrer à l'unisson avec l'esprit de la dormeuse, comme si elle accordait un instrument. Pour finir, grâce à un dernier effort de volonté, Serafina pénétra au milieu de ces silhouettes. Une fois introduite dans les pensées de Mary, elle pouvait lui parler, ce qu'elle fit, avec l'affection instantanée et naturelle qu'on éprouve parfois pour les gens qu'on rencontre dans des rêves.

Quelques secondes plus tard, elles échangeaient dans un murmure ininterrompu une conversation animée dont Mary ne garda aucun souvenir par la suite et, ensemble, elles traversèrent un paysage insensé où les étendues de roseaux côtoyaient des transformateurs électriques. Le moment était venu pour Serafina de prendre les choses en main.

— Dans un instant, vous allez vous réveiller, dit-elle. N'ayez pas peur. Vous me découvrirez à vos côtés. Je vous réveille de cette façon pour vous montrer que vous n'avez rien à craindre. Ensuite, nous pourrons parler normalement.

La sorcière quitta le rêve, entraînant Mary avec elle, et elle se retrouva dans la cabane, assise en tailleur sur le sol en terre battue. La femme la regardait avec des yeux brillants.

– Vous devez être la sorcière, murmura-t-elle.

– En effet. Je me nomme Serafina Pekkala. Et vous, comment vous appelez-vous ?

– Mary Malone. Jamais on ne m'a réveillée aussi doucement. Mais suis-je vraiment réveillée ?

– Oui. Nous devons parler toutes les deux, mais le langage du monde des rêves est difficile à maîtriser, et encore plus à mémoriser. Mieux vaut parler éveillé. Préférez-vous rester à l'intérieur ou voulez-vous marcher avec moi au clair de lune ?

– Allons nous promener, dit Mary en se redressant et en s'étirant. Où sont Lyra et Will ?

– Ils dorment sous l'arbre.

Elles sortirent de la cabane et passèrent sans s'arrêter devant l'arbre avec son rideau opaque de feuilles ; elles descendirent jusqu'à la rivière.

Mary regardait Serafina Pekkala avec un mélange de méfiance et d'admiration : jamais elle n'avait vu une silhouette aussi svelte et gracieuse. La sorcière paraissait plus jeune qu'elle, alors que Lyra lui avait dit qu'elle était âgée de plusieurs centaines d'années ; seule son expression, remplie d'une tristesse insondable, donnait une vague idée de son âge.

Elles s'assirent au bord de l'eau noire aux reflets argentés, et Serafina informa Mary qu'elle venait de s'entretenir avec les dæmons des deux enfants.

– Ils sont partis à leur recherche aujourd'hui, dit-elle, mais il s'est passé quelque chose. Will n'a jamais vu véritablement son dæmon, sauf au moment où ils ont fui la bataille, et ça n'a duré qu'une seconde. D'ailleurs, il n'était même pas certain d'en posséder un.

– Il en a un. Et vous aussi, déclara Serafina.

Mary regarda la sorcière d'un air hébété.

– Si vous pouviez le voir, reprit-elle, vous verriez un oiseau noir avec des pattes rouges et un bec jaune vif, légèrement incurvé. Un oiseau des montagnes.

– Un crave alpin... Mais comment faites-vous pour le voir ?

– En fermant les yeux à moitié. Si nous avions le temps, je pourrais vous apprendre à le voir vous aussi, et à voir les dæmons de tous les habitants de votre monde. Nous autres, sorcières, nous avons du mal à croire que vous ne puissiez pas les voir.

Puis elle répéta à Mary ce qu'elle avait dit aux deux dæmons, et ce que cela signifiait.

—Ils vont devoir le leur dire ? demanda-t-elle.

—J'ai d'abord pensé réveiller les deux enfants pour leur dire moi-même. Puis j'ai pensé vous confier cette responsabilité. Finalement, en voyant leurs dæmons, je me suis dit que c'était la meilleure solution.

—Ils s'aiment.

—Je sais.

—Ils viennent de s'en apercevoir…

Mary essayait de se représenter toutes les conséquences de ce que venait de lui dire Serafina, mais c'était trop difficile.

Au bout d'une minute de silence, elle demanda :

—Vous voyez la Poussière ?

—Non, je ne l'ai jamais vue. Jusqu'à ce qu'éclate cette guerre, nous ignorions même son existence.

Mary sortit le télescope de sa poche et le tendit à la sorcière. Celle-ci approcha l'instrument de son œil et ne put retenir un petit cri.

—Voilà donc la Poussière !… C'est magnifique !

—Tournez-vous pour regarder l'arbre qui leur sert d'abri.

Serafina s'exécuta, et s'exclama :

—Ce sont eux qui ont fait ça ?

—Il s'est passé quelque chose aujourd'hui, ou hier plutôt, s'il est minuit passé.

Mary cherchait les mots appropriés, et elle se souvint de sa vision du flot de Poussière semblable à un grand fleuve comme le Mississippi.

—Une chose infime, mais cruciale, ajouta-t-elle. Si vous vouliez détourner le cours d'un fleuve puissant, en ne disposant que d'une petite pierre, vous pourriez y parvenir, à condition de placer la pierre au bon endroit, afin d'orienter le premier filet d'eau dans telle direction au lieu de telle autre. Il s'est produit une chose similaire hier. Mais j'ignore de quoi il s'agit. Lyra et Will se sont vus sous un jour nouveau… Ils ont éprouvé un sentiment qu'ils ignoraient jusqu'alors. À ce moment-là, la Poussière a été attirée vers eux avec force et elle a cessé de s'écouler dans l'autre direction.

—C'était donc ainsi que cela devait se passer ! s'exclama Serafina, émerveillée. Et maintenant, il n'y a plus rien à craindre, du moins lorsque les anges auront comblé le gouffre immense des enfers.

Elle décrivit l'abîme sans fond, et la manière dont elle avait découvert son existence.

—Je volais très haut dans le ciel au-dessus de l'océan, expliqua-t-elle, et je cherchais une côte, quand j'ai rencontré un ange : une femme très étrange, car elle était à la fois très vieille et jeune, dit-elle, oubliant que c'était exactement ainsi qu'elle apparaissait aux yeux de Mary. Elle s'appelait Xaphania.

Elle m'a dit un tas de choses... Elle m'a expliqué que toute l'histoire humaine se résumait à la lutte entre la sagesse et la bêtise. Avec les anges rebelles, les disciples de la sagesse, ils ont toujours essayé d'ouvrir les esprits, tandis que l'Autorité et ses Églises s'efforçaient au contraire de les brimer. Elle m'a donné de nombreux exemples dans mon monde.

—Je pourrais en citer autant dans le mien.

—Depuis toujours, la sagesse a été obligée d'œuvrer en secret, de s'exprimer à voix basse, de se déplacer comme une espionne dans les endroits les plus humbles, alors que ses ennemis occupaient les palais et les cours.

—Je connais bien cette situation, dit Mary.

—La lutte n'est pas terminée, même si les puissances du Royaume des Cieux ont subi un revers. Elles vont se regrouper sous un nouveau commandement et revenir en force. Nous devons être prêts à résister.

—Mais qu'est-il advenu de Lord Asriel ?

—Il a combattu le Régent du Ciel, l'ange Métatron, et il l'a entraîné dans l'abîme. Métatron a disparu pour toujours. Et Lord Asriel aussi.

Mary retint son souffle.

—Et Mme Coulter ? demanda-t-elle.

En guise de réponse, la sorcière sortit une flèche de son carquois, en prenant son temps pour choisir la plus belle, la plus droite, la mieux équilibrée.

Et elle la brisa en deux.

—Un jour, dans mon monde, dit-elle, j'ai vu cette femme torturer une sorcière, et j'ai juré de lui planter cette flèche dans la gorge. Je ne pourrai plus le faire. Elle s'est sacrifiée avec Lord Asriel pour combattre l'ange et protéger l'avenir de Lyra. Séparément, ils n'y seraient pas arrivés, mais ensemble, ils ont réussi.

Affligée, Mary demanda :

—Comment faire pour l'annoncer à Lyra ?

—Attendons qu'elle pose la question, dit Serafina. Peut-être qu'elle ne le fera pas. De toute façon, elle possède le déchiffreur de symboles ; il lui dira tout ce qu'elle veut savoir.

Elles demeurèrent assises en silence, tandis que les étoiles tournoyaient lentement dans le ciel. Au bout d'un moment, Mary demanda :

—Pouvez-vous voir l'avenir et deviner quel sera leur choix ?

—Non, mais si Lyra retourne dans son monde, je serai sa sœur aussi longtemps qu'elle vivra. Et vous, qu'allez-vous faire ?

—Je...

Mary s'aperçut alors qu'elle ne s'était pas posé la question depuis longtemps.

—Ma place est dans mon monde, je suppose. Mais je serai triste de quitter celui-ci. J'y ai été heureuse. Plus heureuse que je ne l'avais jamais été, je crois.

— Si vous rentrez chez vous, vous aurez une sœur dans un autre monde, dit Serafina, et moi aussi. Nous nous reverrons dans un jour ou deux, quand le bateau sera là, et nous pourrons continuer à parler durant le voyage du retour, puis nous nous séparerons pour toujours. Prends-moi dans tes bras, ma sœur.

Elle s'exécuta, et Serafina Pekkala s'envola sur sa branche de sapin, au-dessus des roseaux, au-dessus des marais, au-dessus des bancs de vase, de la plage et de la mer, jusqu'à ce que Mary la perde de vue.

À peu près au même moment, un gros lézard bleu découvrit le corps du père Gomez. Will et Lyra avaient regagné le village dans l'après-midi en empruntant une route différente et ils ne l'avaient pas vu. Le prêtre reposait en paix à l'endroit où Balthamos l'avait déposé. Les lézards bleus étaient des charognards, mais c'étaient des animaux paisibles et inoffensifs et conformément à un très vieil arrangement avec les mulefas, ils avaient le droit de s'approprier toutes les créatures mortes qu'ils trouvaient après la tombée de la nuit.

Le lézard traîna donc la dépouille du prêtre jusqu'à son terrier, et ses petits se régalèrent. Quant au fusil, il resta dans l'herbe, là où le père Gomez l'avait posé, livré à la rouille.

Chapitre 37
Les dunes

*Mon âme, ne cherche pas
la vie éternelle,
épuise le royaume des possibles.*
PINDARE

 Le lendemain, Will et Lyra repartirent tous les deux, se parlant à peine, impatients de se retrouver en tête à tête. Ils paraissaient hébétés, comme si un heureux accident leur avait fait perdre tous leurs esprits ; ils marchaient lentement et regardaient autour d'eux d'un air vague.

Ils passèrent toute la journée dans les collines infinies et, dans la chaleur torride de l'après-midi, ils rendirent visite à leur bosquet d'or et d'argent. Là, ils parlèrent, se baignèrent, mangèrent, s'embrassèrent et, allongés sur le sol dans une transe de bonheur, ils murmurèrent des mots dont la signification était aussi confuse que leurs sens ; ils avaient l'impression de se consumer d'amour.

Le soir venu, ils partagèrent le repas de Mary et d'Atal, sans se montrer très loquaces et, comme l'air était encore chaud, ils décidèrent ensuite de marcher jusqu'à la mer, où ils espéraient trouver une brise rafraîchissante. Ils longèrent donc la rivière jusqu'à ce qu'ils débouchent sur la grande plage, éclatante dans la lumière de la lune, où la marée basse commençait à remonter.

Ils s'allongèrent dans le sable doux au pied des dunes, et c'est là qu'ils entendirent chanter le premier oiseau.

Will et Lyra tournèrent la tête en même temps, car le chant de cet oiseau ne ressemblait à celui d'aucune créature du monde dans lequel ils se trouvaient. Quelque part dans l'obscurité, au-dessus d'eux, résonnaient des trilles délicats, auxquels répondit bientôt un chant flûté venant d'une autre direction. Ravis, Will et Lyra se levèrent d'un bond et essayèrent d'apercevoir les chanteurs, mais ils ne distinguaient que deux silhouettes noires qui tournoyaient, plongeaient en piqué, puis remontaient à toute allure, sans cesser d'égrener leurs notes cristallines qui dessinaient des mélodies aux variations illimitées.

Finalement, avec un battement d'ailes qui fit jaillir une petite gerbe de sable devant lui, le premier oiseau se posa à quelques mètres d'eux.

Timidement, Lyra demanda :

—Pan... ?

Il avait l'apparence d'une colombe, mais son plumage était sombre, d'une couleur indéfinissable dans le clair de lune ; en tout cas, il se détachait distinctement sur le fond de sable blanc. Le deuxième oiseau continua à tournoyer au-dessus de leur tête en chantant, avant de descendre à son tour pour rejoindre son compagnon : c'était aussi une colombe, mais d'un blanc nacré, avec une crête de plumes rouge foncé.

Will sut alors ce qu'on ressentait en voyant son dæmon. En regardant l'oiseau se poser sur le sable, il sentit son cœur se serrer, puis se relâcher d'une manière qu'il n'oublierait jamais. Soixante ans plus tard, devenu un vieil homme, il continuerait à éprouver certaines sensations avec la même intensité : les doigts de Lyra introduisant le petit fruit rouge entre ses lèvres à l'abri des arbres d'or et d'argent, sa bouche chaude plaquée contre la sienne, la surprise et la douleur de son cœur au moment où on lui avait arraché son dæmon, avant de pénétrer dans le monde des morts, et enfin sa réapparition magique et merveilleuse au pied des dunes baignées de lune.

Lyra avança d'un pas vers les oiseaux, et Pantalaimon dit :

—Lyra. Serafina Pekkala est venue nous parler hier soir. Elle nous a raconté beaucoup de choses. Elle est repartie pour guider les gitans jusqu'ici. Farder Coram arrive, avec Lord Faa. Bientôt, ils seront tous ici...

—Pan, mon pauvre Pan, tu sembles bien triste. Que se passe-t-il ? Qu'y a-t-il ?

Il se métamorphosa et se précipita vers elle dans le sable, sous la forme d'une hermine immaculée. Le deuxième dæmon changea d'apparence, lui aussi — Will sentit la transformation, comme une petite main se refermant sur son cœur —, pour devenir un chat.

Avant d'approcher de Will, il dit :

—La sorcière m'a donné un nom. Autrefois, je n'en avais pas besoin. Elle m'a baptisé Kirjava. Mais écoutez-nous, vous devez nous écouter...

—Oui, écoutez-nous bien, renchérit Pantalaimon. C'est difficile à expliquer.

À eux deux, les dæmons réussirent à répéter tout ce que leur avait dit Serafina, en commençant par la révélation sur la nature des deux enfants : comment, sans le vouloir, ils étaient devenus semblables aux sorcières qui pouvaient se séparer de leurs dæmons tout en continuant à former avec lui un être unique.

—Mais il y a autre chose, ajouta Kirjava.

Et Pantalaimon dit :

—Oh, Lyra, pardonne-nous, mais nous sommes obligés de te révéler ce que nous avons découvert...

La fillette était abasourdie. Depuis quand Pan réclamait-il le pardon ? Elle se tourna vers Will : il semblait aussi perplexe qu'elle.

—Parlez, dit-il. N'ayez pas peur.

—Il s'agit de la Poussière, dit le dæmon-chat, et Will fut surpris d'entendre une partie de lui-même lui apprendre une chose qu'il ignorait. Toute la Poussière disparaissait dans le gouffre que vous avez vu. Heureusement, quelque chose l'a empêchée de continuer à s'y jeter, mais...

—Will, c'était cette lumière dorée ! s'exclama Lyra. Cette lumière qui se déversait dans l'abîme et disparaissait... C'était donc la Poussière ? Vraiment ?

—Oui. Mais elle continue de s'échapper, reprit Pantalaimon. Et il ne faut pas. Il est vital qu'elle cesse de fuir. Elle doit rester dans le monde au lieu de se volatiliser, ou sinon tout le bien disparaîtra et mourra.

—Mais par où s'échappe-t-elle ? demanda Lyra.

Les deux dæmons regardèrent Will, puis le couteau.

—Chaque fois que nous avons découpé une ouverture, expliqua Kirjava (et encore une fois, Will éprouva ce petit pincement au cœur : il est moi, et je suis lui), chaque fois que quelqu'un a ouvert une fenêtre entre les mondes, que ce soit nous, les hommes de la Guilde, ou n'importe qui, le couteau a fait une entaille dans le vide. Le même vide que celui de l'abîme. Mais on ne le savait pas. Personne ne le savait, car l'ouverture était trop fine pour qu'on l'aperçoive. Mais elle était assez large malgré tout pour laisser passer la Poussière. Si la fenêtre était refermée immédiatement, la Poussière n'avait pas le temps de fuir, mais des milliers de fenêtres n'ont jamais été refermées. Et pendant tout ce temps, la Poussière n'a pas cessé de s'échapper des mondes pour se déverser dans le néant.

La signification profonde de ces paroles commençait à se faire jour dans l'esprit de Will et de Lyra. Ils la repoussaient, ils la combattaient, mais elle était semblable à cette lumière grise qui s'infiltre dans le ciel et éteint les étoiles : elle contournait tous les obstacles qu'ils dressaient devant elle, elle se glissait sous les volets et autour des rideaux qu'ils essayaient de tirer.

—Toutes les ouvertures, murmura Will.

—Chaque fenêtre... il faut toutes les refermer ? demanda Lyra.

—Toutes sans exception, dit Pantalaimon, en chuchotant comme Lyra.

—Oh, non, gémit la fillette. Non, ce n'est pas vrai...

– Nous devons donc quitter notre monde pour aller vivre dans celui de Lyra, ajouta Kirjava. Ou Pan et Lyra doivent quitter le leur pour venir vivre dans le nôtre. Il n'y a pas d'autre solution.

La sinistre lumière du jour fit irruption.

Lyra ne put retenir un cri d'effroi. Le cri de chouette poussé par Pantalaimon la veille avait effrayé toutes les créatures qui l'avaient entendu, mais ce n'était rien comparé au hurlement passionné qui sortit de sa bouche. Les dæmons semblaient abasourdis, et Will comprit soudain la raison de cette réaction : ils ne connaissaient pas toute la vérité. Ils ne savaient pas ce que Will et Lyra avaient appris de leur côté.

La fillette tremblait de colère et de chagrin, elle faisait les cent pas dans le sable, les poings serrés, en tournant de tous les côtés son visage ruisselant de larmes, comme si elle cherchait une réponse. Will la saisit par les épaules ; il la sentit tendue et tremblante.

– Écoute-moi, dit-il. Lyra, écoute-moi. Qu'a dit mon père exactement ?

– Oh, Will... (Elle agitait la tête dans tous les sens.) Tu sais bien ce qu'il a dit. Tu étais là, Will, tu l'as entendu !

Il crut qu'elle allait mourir foudroyée par le chagrin. Elle se jeta dans ses bras et éclata en sanglots, s'accrochant passionnément à lui, enfonçant ses ongles dans son dos et son visage dans son cou, et il l'entendait répéter :

– Non... non... non...

– Écoute-moi, dit-il. Essayons de nous souvenir de ses paroles exactes. Il y a peut-être un passage quelque part. Il existe peut-être une faille.

Il se libéra en douceur de l'étreinte de Lyra et l'obligea à s'asseoir. Pantalaimon, terrorisé, bondit sur ses genoux, pendant que le dæmon-chat se rapprochait timidement de Will. Ils ne s'étaient pas encore touchés, mais le garçon tendit la main vers son dæmon qui frotta sa tête de chat contre ses doigts et monta délicatement sur ses genoux.

– Ton père a dit..., commença Lyra, entre deux sanglots... il a dit que les gens ne pouvaient vivre quelque temps dans un autre monde sans être affectés. C'est possible. Nous l'avons fait, non ? Et excepté ce qu'on a été obligés de faire pour pénétrer dans le monde des morts, on n'a pas souffert, hein ?

– Les gens peuvent rester quelque temps dans un autre monde, mais pas longtemps, dit Will. Mon père a quitté son monde, mon monde, pendant dix ans. Et, quand je l'ai retrouvé, il était presque mourant. Dix ans, c'est tout.

– Et Lord Boreal ? Sir Charles ? Il était bien portant, non ?

– Oui, mais souviens-toi qu'il pouvait retourner dans son monde quand il voulait pour retrouver sa santé. C'est d'ailleurs là que tu l'as vu pour la première fois, dans ton monde. Sans doute avait-il découvert une ouverture secrète, connue de lui seul.

—On peut faire pareil!

—Oui, à part que...

—Toutes les fenêtres doivent être refermées, dit Pantalaimon. Toutes.

—Comment le savez-vous, d'abord? demanda Lyra en s'adressant aux deux dæmons.

—Un ange nous l'a dit, répondit Kirjava. On a rencontré un ange. Elle nous a tout expliqué, ça et d'autres choses. C'est la vérité, Lyra.

—Elle? fit-elle, méfiante.

—C'était un ange femme.

—J'ignorais qu'il existait des anges femmes. Peut-être qu'elle vous a menti.

Will, lui, réfléchissait à une autre possibilité.

—Supposons qu'ils referment toutes les fenêtres, dit-il, et qu'on en ouvre une seulement en cas de besoin, en la refermant tout de suite après... c'est sans danger, non? Si on ne laisse pas le temps à la Poussière de s'échapper?

—Parfaitement! s'exclama Lyra.

—On choisirait un endroit où personne ne peut voir la fenêtre, ajouta-t-il, et personne à part nous deux ne saurait...

—Oui, ça peut marcher! J'en suis sûre!

—Ainsi, on pourrait passer d'un monde à l'autre, sans risquer de tomber malade...

Mais les dæmons ne partageaient pas leur enthousiasme. Kirjava marmonnait des «Non, non... », et Pantalaimon dit:

—Les Spectres... L'ange nous a aussi parlé des Spectres.

—Les Spectres? dit Will. On les a vus pour la première fois durant la bataille. Et alors?

—On a découvert d'où ils venaient, dit Kirjava. Et c'est ça la chose la plus terrible. Les Spectres sont un peu les enfants de l'abîme. Chaque fois qu'on ouvre une fenêtre avec le couteau, un Spectre se forme. C'est comme un petit morceau d'abîme qui s'en échappe et pénètre dans le monde. Voilà pourquoi le monde de Cittàgazze en était rempli, car toutes les fenêtres étaient restées ouvertes.

—Et ils se développent en se nourrissant de Poussière, ajouta Pantalaimon. Et de dæmons. Car la Poussière et les dæmons sont plus ou moins similaires; les dæmons adultes du moins. Et les Spectres deviennent de plus en plus gros, de plus en plus forts...

Un sentiment d'horreur s'empara de Will, et Kirjava se pressa contre sa poitrine pour essayer de le réconforter, car lui aussi ressentait cet effroi.

— Autrement dit, chaque fois que j'ai utilisé le couteau, dit-il, j'ai donné naissance à un nouveau Spectre ? Chaque fois...

Il se souvint alors des paroles de Iorek Byrnison dans la caverne où l'ours-roi avait réparé le poignard : « Tu ignores ce que le couteau fait de son côté. Tes intentions sont peut-être louables. Mais le couteau poursuit un but, lui aussi. »

Lyra le regardait avec des yeux écarquillés, remplis d'angoisse.

— On ne peut pas faire ça, Will ! On ne peut pas libérer d'autres Spectres, pas après avoir vu ce qu'ils font aux gens !

— Très bien, dit-il en se relevant et en serrant son dæmon contre lui. Dans ce cas, nous devrons... l'un de nous devra... J'irai dans ton monde et...

Lyra savait ce qu'il allait dire ; elle le voyait tenir dans ses bras le magnifique dæmon qu'il n'avait pas eu le temps de connaître, et elle pensa à la mère de Will, sachant que lui aussi y pensait. Abandonner sa mère pour vivre avec Lyra, durant les quelques années qu'ils pourraient partager... en serait-il capable ? Sans doute pourrait-il vivre avec Lyra, mais elle savait qu'il ne pourrait pas vivre avec lui-même.

— Non ! s'écria-t-elle en bondissant à ses côtés, et Kirjava rejoignit Pantalaimon sur le sable, tandis que le garçon et la fille s'étreignaient désespérément. C'est moi qui m'exilerai, Will ! Nous retournerons vivre dans ton monde, Pan et moi ! Peu importe si nous tombons malades ; nous sommes résistants, je suis sûre qu'on vivra longtemps. Et il y a sûrement de bons médecins dans ton monde... Le Dr Malone nous renseignera ! Oui, faisons ça !

Will secouait la tête, et Lyra voyait briller les larmes sur ses joues.

— Tu crois que je pourrais le supporter, Lyra ? Crois-tu que je pourrais vivre heureux en te voyant dépérir, tomber malade et mourir, alors que moi, je continuerais à grandir et à devenir plus fort de jour en jour ? Dix ans... Ce n'est rien. Ça passerait en un éclair. On aurait tout juste un peu plus de vingt ans. Ce n'est pas si loin. Imagine un peu, Lyra, toi et moi devenus adultes, faisant un tas de projets et, soudain... tout s'arrête. Crois-tu que je pourrais continuer à vivre après ta mort ? Oh, Lyra, je te suivrais dans le monde des morts sans même réfléchir, comme tu as suivi Roger, et cela ferait deux vies gâchées inutilement. Non, nous devrions passer toute notre vie ensemble, une vie longue et bien remplie, et si on ne peut pas la partager, alors... nous devrons vivre chacun de notre côté.

Lyra se mordait la lèvre en le regardant marcher de long en large sur la plage, bouleversé.

Finalement, il s'arrêta, se retourna vers elle et reprit :

— Tu te souviens d'une autre chose que mon père a dite ? Il a dit que nous devions construire la République des Cieux à l'endroit où nous étions. Il a dit que, pour nous, il n'existait pas d'ailleurs. Voilà ce qu'il voulait dire, je comprends maintenant. Oh! c'est trop cruel. Je croyais qu'il parlait uniquement de Lord Asriel et de son nouveau monde, mais il parlait de nous, il parlait de toi et moi. Nous sommes obligés de vivre dans notre propre monde...

— Je vais interroger l'aléthiomètre! déclara Lyra. Il saura, lui. Je me demande pourquoi je n'y ai pas pensé plus tôt.

Elle se rassit dans le sable, essuya ses joues avec sa paume et, avec l'autre main, elle récupéra son sac à dos. Elle l'emportait partout; quand Will penserait à elle, bien plus tard, il l'imaginerait souvent avec son petit sac sur les épaules. Elle coinça ses cheveux derrière ses oreilles, avec ce petit geste rapide et précis qu'il adorait, et sortit l'instrument enveloppé dans du velours noir.

— Tu vois assez clair? demanda-t-il, car même si la lune était brillante, les symboles disposés tout autour du cadran étaient minuscules.

— Je sais où ils se trouvent, dit-elle. Je les connais par cœur. Silence, maintenant...

Elle se mit en tailleur et tendit sa jupe entre ses genoux pour faire une sorte de table. Will se rassit à son tour et prit appui sur son coude pour la regarder. Le clair de lune qui se reflétait sur le sable blanc éclairait le visage de Lyra avec un rayonnement qui semblait attirer une autre lumière venant de l'intérieur. Ses yeux étincelaient, elle paraissait si sérieuse, si concentrée que Will aurait pu tomber amoureux d'elle de nouveau, si chaque fibre de son être n'était pas déjà gorgée d'amour.

Lyra inspira profondément et commença à manipuler les roulettes. Mais très vite, elle s'arrêta et fit tourner l'instrument entre ses mains.

— Ce n'est pas le bon côté, dit-elle, avant de recommencer.

Will voyait très nettement son visage bien-aimé. Et parce qu'il le connaissait très bien, parce qu'il avait si souvent étudié son expression, de bonheur ou de désespoir, d'espoir ou de tristesse, il comprit que quelque chose n'allait pas, car il n'y avait aucune trace de cette profonde concentration dans laquelle elle plongeait habituellement, si rapidement. À la place, une sorte de stupéfaction angoissée se répandait peu à peu sur ses traits: elle se mordillait la lèvre, ses paupières battaient de plus en plus vite et ses yeux glissaient lentement d'un symbole à l'autre, presque au hasard, au lieu de bondir avec agilité et sûreté.

— Je ne comprends pas, dit-elle en secouant la tête. Je ne sais pas ce qui se passe... Je connais bien cet instrument pourtant, mais je ne vois pas ce qu'il veut dire...

Elle inspira de nouveau, en frissonnant, et retourna encore une fois l'aléthiomètre, qui paraissait étrange et grotesque entre ses mains. Pantalaimon, transformé en souris, grimpa sur ses genoux et posa ses petites pattes noires sur le cadran pour examiner les symboles, les uns après les autres. Lyra actionna une roulette, puis une autre, elle fit tourner l'ensemble et leva les yeux vers Will, paniquée.

– Oh, Will ! Will ! Je n'y arrive plus ! J'ai perdu mon don !

– Calme-toi, dit-il. Il est toujours là, en toi. Reste calme et laisse-le remonter à la surface. Ne le brusque pas. Descends lentement en toi pour aller à sa rencontre...

Elle avala sa salive, frotta ses yeux avec son poignet d'un geste rageur et inspira plusieurs fois, profondément, mais Will voyait bien qu'elle était trop tendue, alors il posa ses mains sur ses épaules tremblantes et il la serra fort contre lui. Lyra se recula et essaya encore une fois d'interroger l'aléthiomètre. De nouveau elle contempla les symboles, de nouveau elle fit tourner les roulettes, mais ces échelles invisibles qu'elle utilisait habituellement avec aisance et assurance pour passer d'une signification à l'autre avaient disparu. Elle ne savait plus ce que signifiaient tous les symboles.

Abandonnant l'instrument, elle s'accrocha à Will et dit, d'une voix désespérée :

– C'est inutile... je le sens bien... mon don a disparu pour toujours... il est apparu quand j'en avais besoin, pour m'aider dans tout ce que je devais entreprendre, pour sauver Roger, et puis pour nous deux... et maintenant, c'est terminé, tout est terminé, il m'a abandonnée... Il s'est enfui, Will ! Je l'ai perdu ! Il ne reviendra jamais !

Elle sanglotait avec l'abandon du désespoir. Will ne pouvait que la serrer contre lui. Il ne savait pas comment la réconforter, car il était évident qu'elle avait raison.

Soudain, les deux dæmons se dressèrent sur leurs pattes et levèrent la tête. Will et Lyra avaient senti leur réaction, et ils suivirent leurs regards tournés vers le ciel. Une lumière venait vers eux : une lumière avec des ailes.

– C'est l'ange qu'on a vu, dit Pantalaimon.

Il avait deviné juste. Sous les yeux de la fillette, du garçon et des deux dæmons, Xaphania déploya ses ailes et glissa en douceur jusque sur le sable. Malgré tout le temps qu'il avait passé en compagnie de Balthamos, Will n'était nullement préparé à l'étrangeté de cette apparition. Lyra et lui se tenaient fermement par la main, tandis que l'ange avançait vers eux, éclairé par une lumière provenant d'un autre monde. Elle ne portait aucun vêtement, mais cela ne signifiait rien : quel genre de vêtements pouvait porter un ange de toute façon ? se dit Lyra. Impossible, en outre, de dire si elle était vieille ou jeune, mais elle avait une expression austère et compatissante, et les enfants eurent le sentiment qu'elle voyait au plus profond de leur cœur.

—Will, dit-elle, je suis venue réclamer ton aide.

—Mon aide? Comment puis-je vous aider?

—Je veux que tu m'expliques comment refermer les fenêtres faites par le couteau.

Will déglutit.

—Je vous montrerai, dit-il. Mais en échange, pouvez-vous nous aider?

—Pas de la manière dont tu l'espères. Je sais de quoi vous venez de parler. Votre chagrin a laissé des traces dans l'air. Ce n'est pas une consolation mais, croyez-moi, tous les êtres qui connaissent votre dilemme aimeraient que la situation soit différente. Malheureusement, il est des destins auxquels même les plus puissants doivent se soumettre. Je ne peux rien faire pour vous aider à modifier le cours des choses.

—Pourquoi est-ce...? (Lyra s'aperçut que sa voix était faible et tremblante.) Pourquoi ne puis-je plus déchiffrer l'aléthiomètre? Pourquoi ne puis-je même plus faire ça? C'était la seule chose que je savais faire réellement, et ce don a disparu... Il s'est volatilisé comme s'il n'avait jamais existé...

—C'était la grâce qui te permettait de le déchiffrer, expliqua Xaphania. Tu peux retrouver ce don en travaillant.

—Combien de temps ça prendra?

—Toute une vie.

—Tant que ça...

—Mais ta maîtrise de l'instrument sera encore meilleure, après une vie de réflexion et d'efforts, car elle émanera d'une compréhension consciente. La grâce obtenue de cette façon est plus profonde, plus solide, que celle qui vient naturellement, et une fois acquise, tu ne risques plus de la voir s'envoler.

—Une vie tout entière, vous voulez dire? murmura Lyra. Une longue vie? Pas juste... quelques années?

—Absolument, dit l'ange.

—Toutes les fenêtres doivent être refermées? demanda Will. Toutes sans exception?

—Comprenez bien une chose, dit Xaphania. La Poussière n'est pas une matière immuable. Il n'en existe pas une quantité bien définie. Ce sont les êtres dotés d'une conscience qui la fabriquent, ils la renouvellent en permanence, par leurs pensées, leurs sentiments, leurs réflexions... en accédant à la sagesse et en la transmettant. Et si vous aidez toutes les autres personnes de vos mondes respectifs à faire de même, en leur enseignant à apprendre et à se comprendre, à comprendre les autres et la manière dont fonctionnent les choses, en leur montrant comment être bons et non cruels, patients, joyeux et non maussades, et surtout, comment garder un esprit ouvert, libre et curieux... Alors ils produiront suffisamment de Poussière pour remplacer celle qui s'est échappée par une fenêtre. On pourra donc en laisser une ouverte.

Will tremblait d'excitation, et tout son esprit était tendu vers un seul objectif : une nouvelle fenêtre dans le ciel, entre son monde et celui de Lyra. Ce serait leur secret, et ils pourraient la traverser chaque fois qu'ils le désireraient, et vivre dans chacun des deux mondes pendant un certain temps, sans être obligés d'en choisir un de manière définitive, et leurs dæmons resteraient en parfaite santé. Ils pourraient grandir ensemble et peut-être, bien plus tard, auraient-ils des enfants qui seraient les citoyens secrets de deux mondes ; ils apporteraient tout le savoir d'un monde dans l'autre, ils pourraient accomplir de bonnes actions...

Mais Lyra secouait la tête.

— Non, dit-elle en réprimant un gémissement, c'est impossible, Will...

Soudain, il comprit pourquoi elle disait cela et, du même ton angoissé, il dit :

— À cause des morts...

— Cette fenêtre doit rester ouverte pour eux ! Il le faut !

— Oui, car sinon...

— Nous devons produire suffisamment de Poussière pour eux, Will, et laisser la fenêtre ouverte...

Elle tremblait. Et alors que Will la tenait serrée contre lui, elle se sentait affreusement jeune.

— Si nous y parvenons, dit-il d'une voix tremblante, si nous menons nos existences comme il convient, en pensant à eux, nous aurons alors quelque chose à raconter aux harpies. Il faut dire ça aux gens, Lyra.

— Oui, tu as raison. Les histoires vraies que les harpies veulent entendre en échange. Car si après avoir vécu une longue vie, les gens n'ont rien à raconter une fois qu'elle est terminée, ils ne pourront jamais quitter le monde des morts. Il faut leur dire ça, Will.

— Mais seuls...

— Oui, seuls, dit Lyra.

Ce mot déclencha en Will une immense vague de rage et de désespoir venue du plus profond de lui-même, comme si son esprit était un océan ébranlé tout à coup par quelque profonde secousse. Toute sa vie il avait été seul, et aujourd'hui, il devait retrouver sa solitude, car ce bonheur infini qui lui avait été offert devait lui être repris presque immédiatement. Il sentit la vague enfler et s'élever jusqu'à obscurcir le ciel, il sentit la crête trembler et commencer à s'affaisser, et la gigantesque masse s'abattit avec tout le poids de l'océan derrière elle sur le rivage de l'inébranlable réalité. Il se surprit à haleter, trembler et pleurer, habité par une fureur et une douleur qu'il n'avait jamais connues ; et Lyra était tout aussi impuissante dans ses bras. Mais tandis que la vague mourait et que l'eau se retirait, les sinistres rochers étaient toujours là : inutile de discuter avec le destin ; ni son désespoir ni celui de Lyra n'avaient réussi à les faire bouger d'un centimètre.

Combien de temps dura sa fureur ? Il n'aurait su le dire. Elle fut obligée de refluer au bout d'un moment et, après cette secousse sismique, l'océan retrouva un peu de son calme. L'eau était encore agitée et peut-être ne serait-elle plus jamais paisible, mais la violence s'était éteinte.

Se tournant vers l'ange, ils constatèrent qu'elle avait compris, et elle semblait partager leur détresse. Mais elle était capable de voir plus loin qu'eux, et il y avait également sur son visage l'expression d'un espoir serein.

Will déglutit avec peine et dit :

— Très bien. Je vous montrerai comment refermer une fenêtre. Mais pour cela, je vais devoir en ouvrir une, et donc donner naissance à un nouveau Spectre. J'ignorais qu'ils apparaissaient ainsi ou, sinon, j'aurais été plus prudent.

— Nous nous chargerons des Spectres, dit Xaphania.

Will sortit le couteau et fit face à la mer. À son grand étonnement, ses mains ne tremblaient pas. Il découpa une fenêtre qui s'ouvrit sur son propre monde, et ils se retrouvèrent en train d'observer une immense usine de produits chimiques où un réseau complexe de tuyauteries reliait des bâtiments et des réservoirs, éclairés par des projecteurs installés à chaque coin et d'où s'élevaient des rubans de vapeur.

— C'est bizarre de penser que les anges ne savent pas faire ça, commenta Will.

— Ce couteau est une invention humaine.

— Vous allez refermer toutes les fenêtres, sauf une, dit Will. Toutes sauf celle du monde des morts.

— Vous avez ma parole. Mais il y a une condition, et vous la connaissez.

— Oui, on la connaît. Combien y a-t-il de fenêtres à fermer ?

— Des milliers. À commencer, bien évidemment, par le terrible abîme créé par la bombe, et la grande ouverture pratiquée par Lord Asriel dans son propre monde. L'un et l'autre doivent être refermés, et ils le seront. Mais il existe de nombreuses ouvertures plus petites, certaines situées dans les profondeurs de la terre, d'autres dans les airs, apparues de différentes manières.

— Baruch et Balthamos m'ont confié qu'ils utilisaient des ouvertures comme celles-ci pour voyager entre les mondes. Les anges ne pourront donc plus le faire ? Serez-vous confinés dans un monde unique, comme nous ?

— Non. Nous avons d'autres façons de voyager.

— Ces autres façons, on peut les apprendre ? demanda Lyra.

— Oui. Vous pourriez apprendre, comme l'a fait le père de Will. Il suffit d'utiliser cette capacité que vous nommez l'imagination. Mais ça ne veut pas dire inventer des choses. C'est une forme de vision.

— On ne voyage pas vraiment, alors, dit Lyra. On fait juste semblant...

— Non, dit Xaphania, ça n'a rien à voir. Faire semblant, c'est facile. Cette méthode est plus difficile, mais beaucoup plus authentique.

— Est-ce comme avec l'aléthiomètre ? demanda Will. Il faut une vie entière pour apprendre ?

— Il faut un long entraînement, en effet. Il faut travailler. Tu croyais qu'il suffisait de claquer des doigts pour posséder ce savoir, comme un don ? Ce qui mérite d'être possédé mérite qu'on travaille pour l'obtenir. Mais tu as un ami qui a déjà fait les premiers pas, et qui pourrait t'aider.

Will ne voyait pas du tout de qui il s'agissait mais, à cet instant, il n'était pas d'humeur à poser la question.

— Je vois, dit-il dans un soupir. Vous reverra-t-on ? Aura-t-on de nouveau l'occasion de parler à un ange dans nos mondes respectifs ?

— Je ne sais pas, dit Xaphania. Mais ne passez pas votre temps à attendre.

— Et je devrai briser le couteau, dit Will.

— Oui.

Ils regardaient par la fenêtre découpée tout près d'eux. Dans l'usine, les lumières brillaient, le travail se poursuivait, des machines tournaient, des produits chimiques se mélangeaient, des gens produisaient des marchandises pour gagner leur vie. Tel était le monde auquel appartenait Will.

— Je vais vous montrer comment faire, dit-il.

Il apprit à l'ange à palper le vide pour trouver les bords de la fenêtre, comme le lui avait enseigné Giacomo Paradisi : quand on les sentait au bout de ses doigts, il fallait les réunir en les pinçant. Peu à peu la fenêtre se referma et l'usine disparut.

— Et les ouvertures qui n'ont pas été faites par le poignard subtil ? demanda Will. Est-il vraiment nécessaire de toutes les fermer ? Car visiblement, la Poussière ne s'enfuit que par celles découpées par le couteau. Les autres existent depuis des milliers d'années, et la Poussière est toujours là.

L'ange répondit :

— Nous les refermerons toutes car, si tu pensais qu'il restait des fenêtres ouvertes quelque part, tu passerais ta vie à les chercher, et tu gâcherais le temps dont tu disposes. Tu as d'autres choses à faire, plus importantes et plus précieuses, dans ton monde. Tu n'auras plus jamais l'occasion de le quitter.

—Quelles sont ces choses que je dois faire ? demanda Will, mais il ne laissa pas à l'ange le temps de répondre. Non, réflexion faite, ne me dites rien. Je déciderai moi-même ce que je dois faire. Si vous me dites que mon devoir est de me battre, de guérir les gens, d'explorer mon monde, ou je ne sais quoi encore, je ne cesserai d'y penser et, si je finis par le faire, j'éprouverai du ressentiment, car j'aurai l'impression qu'on ne m'a pas laissé le choix. À l'inverse, si je ne le fais pas, je me sentirai coupable. Quoi que je fasse, c'est moi qui choisirai, et personne d'autre.

—Dans ce cas, tu as déjà fait les premiers pas vers la sagesse, dit Xaphania.

—J'aperçois une lumière au large, dit Lyra.

—C'est le bateau de vos amis qui viennent pour vous ramener chez vous. Ils seront ici demain.

Le mot demain fit à Lyra l'effet d'un coup de poing. Jamais elle n'aurait pensé qu'elle serait si triste de revoir Farder Coram, John Faa et Serafina Pekkala.

—Je dois vous quitter maintenant, déclara l'ange. J'ai appris ce que je voulais savoir.

Elle les serra l'un et l'autre dans ses bras légers et frais et déposa un baiser sur leur front. Puis elle se pencha pour embrasser les dæmons, qui se transformèrent en oiseaux et l'accompagnèrent tandis qu'elle déployait ses ailes et s'envolait. En quelques secondes, elle disparut.

Lyra laissa échapper un petit hoquet.

—Qu'y a-t-il ? demanda Will.

—Je ne lui ai pas demandé des nouvelles de mon père et de ma mère... et je ne peux plus interroger l'aléthiomètre... Je me demande si je saurai un jour ce qu'ils sont devenus.

Elle s'assit dans le sable, et Will s'installa à côté d'elle.

—Oh, Will, que peut-on faire ? Que peut-on faire ? J'ai envie de vivre avec toi pour toujours. J'ai envie de t'embrasser, de me coucher et de me réveiller près de toi chaque jour, jusqu'à ma mort, dans très très longtemps. Je ne veux pas un souvenir, juste un souvenir...

—Non, dit-il, un souvenir ça ne suffit pas, tu as raison. Ce sont tes vrais cheveux que je veux, ta bouche, tes bras, tes yeux et tes mains. J'ignorais que je pourrais aimer quelqu'un à ce point. Oh, Lyra, je voudrais que cette nuit ne finisse jamais ! Si seulement on pouvait rester comme ça, ici, si le monde pouvait s'arrêter de tourner, et si tous les gens s'endormaient...

—Tout le monde sauf nous ! On vivrait ici pour toujours, et on ne ferait que s'aimer...

—Je t'aimerai toujours, quoi qu'il arrive. Jusqu'à ma mort, et après ma mort, et quand je sortirai du pays des morts, j'errerai sans fin, mes atomes dériveront, jusqu'à ce que je te retrouve...

—Je te guetterai, Will, à chaque instant, à chaque seconde. Et quand nous nous retrouverons, nous nous serrerons si fort que rien ni personne ne pourra plus nous séparer. Tous nos atomes se mélangeront... Nous vivrons dans les oiseaux, les fleurs, les libellules, dans les sapins et les nuages, et dans ces minuscules particules de lumière qu'on voit flotter dans les rayons du soleil... Et quand ils utiliseront nos atomes pour fabriquer de nouvelles vies, ils ne pourront pas en prendre qu'un seul, ils seront obligés d'en prendre deux, un de toi et un de moi, tellement nous serons soudés...

Ils étaient allongés côte à côte, main dans la main, et ils contemplaient le ciel.

—Tu te souviens, demanda-t-elle dans un murmure, quand tu es entré dans ce café à Cittàgazze et que tu n'avais jamais vu de dæmon?

—Oui, je ne comprenais pas ce que c'était. Mais quand je t'ai vue, tu m'as plu d'emblée, car tu étais courageuse.

—Non, c'est toi qui m'as plu en premier.

—Ça m'étonnerait! Tu t'es battue avec moi!

—Évidemment, tu m'as attaquée!

—Pas du tout! Tu as foncé sur moi.

—D'accord, mais je me suis vite arrêtée.

—D'accord, mais..., dit-il en l'imitant.

Il la sentit trembler contre lui, il vit sa poitrine se soulever et retomber rapidement, et il l'entendit sangloter en silence. Il caressa ses cheveux tièdes, ses épaules si douces, et il couvrit son visage de petits baisers, jusqu'à ce qu'elle laisse échapper un long soupir tremblant et retrouve son calme.

Les dæmons étaient redescendus sur la plage; ils se métamorphosèrent encore une fois et avancèrent vers eux dans le sable fin. Lyra se redressa pour les accueillir, tandis que Will s'émerveillait de pouvoir identifier immédiatement les deux dæmons, quelle que soit leur apparence. Pantalaimon était maintenant un animal dont il ignorait le nom: une sorte de grand et puissant furet au pelage roux, svelte, qui ondulait avec grâce. Kirjava, quant à lui, était redevenu un chat, mais un chat d'une taille inhabituelle, avec un poil épais et lustré, parcouru de milliers de reflets et de nuances, entre le noir d'encre, le gris foncé et le bleu d'un lac profond sous un ciel éclairé par la lune. Pour comprendre le sens du mot subtilité, il suffisait de regarder sa fourrure.

—Une martre, dit-il, en trouvant enfin le nom de l'animal qu'était devenu Pantalaimon.

−Pan, dit Lyra, alors que son dæmon bondissait sur ses genoux, tu vas bientôt arrêter de changer, n'est-ce pas?

−Oui.

−C'est drôle, dit-elle. Tu te souviens quand on était plus jeunes et que je ne voulais pas qu'un jour tu arrêtes de changer... Je crois que ça ne me gênerait plus maintenant. Du moment que tu restes comme ça.

Will posa sa main sur celle de Lyra. Un nouvel état d'esprit s'était emparé de lui: il se sentait déterminé et serein. Sachant exactement ce qu'il faisait et ce que cela signifiait, il détacha sa main du poignet de Lyra et caressa le pelage roux de son dæmon.

Lyra émit un hoquet. Mais sa surprise s'accompagna d'un plaisir si proche de la joie qui l'avait envahie quand elle avait glissé le fruit entre les lèvres de Will qu'elle ne put protester, car elle avait le souffle coupé. Le cœur battant la chamade, elle répondit de la même manière: elle posa la main sur le poil soyeux et chaud du dæmon de Will et, en enfonçant ses doigts dans la fourrure, elle sentit que Will éprouvait exactement la même chose qu'elle.

Elle savait également que leurs deux dæmons ne changeraient plus désormais, maintenant que la main d'une personne amoureuse s'était posée sur eux. Ils avaient trouvé leur apparence pour la vie et ils n'en voudraient pas d'autre.

En se demandant si d'autres amoureux avant eux avaient fait cette magnifique découverte, ils se rallongèrent côte à côte, tandis que la Terre tournait lentement et que la lune et les étoiles étincelaient au-dessus d'eux.

Chapitre 38

Le Jardin Botanique

Les gitans arrivèrent le lendemain, dans l'après-midi. Il n'y avait pas de port pour accueillir leur bateau, évidemment, aussi durent-ils jeter l'ancre au large. Après quoi, John Faa, Farder Coram et le capitaine débarquèrent à bord d'une chaloupe, guidés par Serafina Pekkala.

Mary avait raconté aux mulefas tout ce qu'elle savait et, lorsque les gitans posèrent le pied sur la grande plage de sable, une foule intriguée s'était rassemblée pour les voir arriver. De chaque côté, la curiosité était à son comble, comme on l'imagine, mais, au cours de sa longue existence, John Faa avait appris la politesse et la patience, et il mettait un point d'honneur à manifester devant ce peuple fort étrange toute la distinction et l'amabilité du seigneur des gitans.

Aussi resta-t-il un long moment debout en pleine chaleur pendant que le vieux zalif, Sattamax, récitait un discours de bienvenue, que Mary traduisit de son mieux, et auquel John Faa répondit en transmettant aux mulefas les salutations du peuple des canaux et de sa terre natale.

Lorsqu'ils se mirent en route à travers les marécages pour se rendre au village, les mulefas constatèrent que Farder Coram avait le plus grand mal à se déplacer, et ils proposèrent de le porter. Il accepta volontiers, et c'est ainsi qu'ils firent leur entrée dans le village, où Will et Lyra vinrent les accueillir.

Lyra n'avait pas revu ces êtres chers depuis une éternité. La dernière fois qu'ils s'étaient parlé, c'était dans les neiges de l'Arctique, alors qu'ils partaient sauver les enfants capturés par les Enfourneurs. Presque intimidée, elle leur tendit sa main, hésitante, mais John Faa la serra fort dans ses bras et l'embrassa sur les deux joues ; Farder Coram fit de même, l'observant attentivement, avant de la plaquer contre sa poitrine.

—Comme elle a grandi, John, dit-il. Tu te souviens de la petite gamine qu'on avait emmenée dans les terres du Nord ? Regarde-la maintenant ! Lyra, ma petite chérie, même si j'avais le parler d'un ange, je ne pourrais pas te dire comme je suis heureux de te revoir !

Mais elle avait l'air si triste, se disait-il, si fragile et fatiguée. Et Farder Coram comme John Faa avaient remarqué qu'elle se tenait en permanence tout près de Will. De son côté, le garçon aux sourcils noirs et droits semblait avoir conscience de sa présence à chaque seconde, comme s'il veillait à ce qu'elle ne s'éloigne pas.

Les vieux gitans l'accueillirent avec respect, car Serafina Pekkala leur avait raconté une partie de ses exploits. Quant à lui, il admirait le pouvoir impressionnant qui émanait de Lord Faa, un pouvoir tempéré par la courtoisie, et il se disait que ce serait un bel exemple à imiter quand lui-même atteindrait cet âge : John Faa était un abri et un refuge solides.

—Docteur Malone, dit celui-ci, nous avons besoin d'eau potable et de tous les vivres que vos amis accepteront de nous vendre. En outre, nos hommes sont à bord depuis de longues semaines maintenant, et nous avons dû batailler en chemin ; aussi, ce serait pour eux une bénédiction de pouvoir débarquer, afin de respirer l'air de cette terre et décrire ensuite à leurs familles, quand ils rentreront, ce monde dans lequel ils ont voyagé.

—Lord Faa, dit Mary, les mulefas m'ont chargée de vous dire qu'ils vous fourniraient tout ce dont vous aurez besoin, et ils seraient honorés que vous vous joigniez à eux ce soir pour partager leur repas.

—Nous acceptons avec le plus grand plaisir, dit-il.

C'est ainsi que, le soir venu, les habitants de trois mondes s'assirent tous ensemble pour partager du pain, de la viande, des fruits et du vin. Les gitans offrirent à leurs hôtes des cadeaux provenant des quatre coins de leur monde : des cruches remplies de genièvre, des défenses de morse sculptées, des tapis de soie du Turkestan, des coupes en argent venant des mines de Suède et des plats émaillés de Corée.

Les mulefas reçurent ces cadeaux avec ravissement et, en échange, ils offrirent aux gitans des objets de leur propre artisanat : des récipients rares et précieux en bois ancien, leurs plus belles cordes, des bols laqués et des filets de pêche à la fois si légers et résistants que même le peuple des canaux n'en avait jamais vu de semblables.

Après avoir partagé ce festin, le capitaine du bateau remercia ses hôtes et prit congé pour aller superviser le chargement des vivres et de l'eau à bord du bateau, car ils avaient l'intention de lever l'ancre dès l'aube. Pendant ce temps, le vieux zalif dit à ses invités :

— *Un grand changement est survenu. La responsabilité qu'on nous a confiée en est la preuve et le symbole. Nous aimerions vous montrer ce qui se passe.*

Et donc, John Faa, Farder Coram, Mary et Serafina accompagnèrent les mulefas à l'endroit où s'ouvrait le monde des morts, et d'où continuaient à émerger les fantômes, en une lente procession ininterrompue. Les mulefas avaient décidé de planter un bosquet tout autour, car c'était un lieu saint, disaient-ils, et ils l'entretiendraient éternellement, car c'était une source de joie.

— Voilà un sacré mystère, dit Farder Coram, et je suis heureux d'avoir vécu assez longtemps pour voir ça. Car on a beau dire, on a tous peur de pénétrer dans les ténèbres de la mort. Mais s'il existe une sortie pour cette partie de nous-mêmes qui doit pénétrer dans cet endroit, voilà qui rend mon cœur léger !

— Tu as raison, Coram, dit John Faa. J'ai vu un grand nombre de personnes mourir. Moi-même, j'ai envoyé un certain nombre d'individus vers les ténèbres, mais toujours dans la fureur d'une bataille. Savoir qu'après un séjour chez les morts, on débouche dans cet endroit enchanté, pour devenir libres comme des oiseaux, voilà la plus belle chose qu'on puisse souhaiter.

— Il faut en parler à Lyra, dit Farder Coram, pour savoir ce qui s'est passé, et ce que cela signifie.

Mary eut énormément de mal à faire ses adieux à Atal et aux autres mulefas. Avant qu'elle monte à bord du bateau, ils lui firent un cadeau : un flacon en laque contenant un peu d'huile d'arbres à cosses et, plus précieux encore, un petit sachet de graines.

— *Peut-être qu'elles ne pousseront pas dans ton monde, dit Atal. Dans ce cas, il te restera l'huile. Ne nous oublie pas, Mary.*

— *Jamais, répondit celle-ci. Jamais. Même si je vis aussi longtemps que les sorcières et si j'oublie tout le reste, je ne vous oublierai jamais. Je n'oublierai pas la gentillesse de ton peuple, Atal.*

Débuta alors le voyage du retour. Le vent était léger, la mer calme ; ils aperçurent à plusieurs reprises le scintillement de grandes ailes blanches semblables à des voiles, mais les oiseaux, méfiants, gardèrent leurs distances. Will et Lyra passèrent chaque heure côte à côte et, pour eux, le voyage de deux semaines ne dura que le temps d'un battement de cils.

Lorsque toutes les fenêtres seraient refermées, avait expliqué Xaphania à Serafina Pekkala, les anciennes relations entre les mondes seraient rétablies, et les Oxford de Lyra et de Will se retrouveraient superposés, comme avant, telles des images transparentes sur deux pellicules qui se rapprocheraient de plus en plus, jusqu'à se fondre l'une dans l'autre, mais sans jamais véritablement se toucher.

Mais pour l'instant, les deux mondes étaient encore fort éloignés, séparés par la même distance que Lyra avait dû parcourir entre son Oxford et Cittàgazze. L'Oxford de Will était juste là, par contre, à portée de couteau. Le soir tombait quand ils arrivèrent et, lorsque l'ancre s'enfonça dans l'eau, les derniers rayons de soleil tapissaient d'une lumière chaude les collines verdoyantes, les terrasses de terre cuite, le front de mer élégant et délabré, et le petit café de Will et Lyra. Une longue et minutieuse observation des lieux à l'aide de la longue-vue du capitaine n'avait fait apparaître aucun signe de vie ; malgré tout, John Faa prévoyait de débarquer avec une demi-douzaine d'hommes armés, au cas où. Ils sauraient se montrer discrets, et ils seraient là en cas de besoin.

Ils partagèrent un dernier repas, en regardant tomber la nuit. Will fit ses adieux au capitaine et à ses officiers, puis à John Faa et à Farder Coram. Durant tout le voyage, il semblait avoir à peine remarqué leur présence, comme s'il ne les voyait même pas. Les gitans, eux, le voyaient. Et ce qu'ils avaient sous les yeux, c'était un garçon encore jeune, mais très fort et profondément meurtri.

Enfin, après avoir débarqué, Will, Lyra, leurs dæmons, Mary et Serafina Pekkala s'aventurèrent à travers les rues désertes : les seuls bruits de pas et les seules ombres étaient les leurs. Will et Lyra marchaient devant, main dans la main, vers l'endroit où ils devraient bientôt se séparer, et les femmes demeuraient en retrait, en bavardant comme deux sœurs.

— Lyra veut faire un petit tour dans mon Oxford, dit Mary. Elle a une idée en tête. Elle repartira juste après.

— Et toi, que vas-tu faire, Mary ?

— Moi ? Je vais rester avec Will. Ce soir, nous irons chez moi et, demain, nous partirons à la recherche de sa mère, nous verrons si nous pouvons la soigner. Il y a tellement de lois et de réglementations dans mon monde, Serafina. Tu dois te soumettre aux autorités et répondre à des milliers de questions. J'aiderai Will à régler tous les problèmes juridiques concernant les services sociaux, le logement et ainsi de suite, pour qu'il puisse s'occuper uniquement de sa mère. C'est un garçon solide et débrouillard, mais je l'aiderai quand même. En outre, j'ai besoin de lui. Je n'ai plus de travail et mon compte en banque est presque vide. Et je ne serais pas étonnée que la police me recherche... Mais, surtout, il est la seule personne de mon monde avec qui je pourrai parler de toute cette histoire.

Le petit groupe continuait de marcher dans les rues silencieuses, passant devant une tour carrée, dont la porte s'ouvrait sur les ténèbres, devant un petit café dont les tables étaient disposées sur le trottoir, pour finalement déboucher sur un large boulevard, au milieu duquel étaient alignés des palmiers.

— C'est ici que j'ai traversé, dit Mary.

La première fenêtre que Will avait découverte, au bord de cette paisible route de la banlieue d'Oxford, s'ouvrait à cet endroit et, du côté Oxford, elle était gardée par la police, du moins lorsque Mary avait réussi à s'y faufiler, en utilisant la ruse. Elle vit Will tendre les bras vers cette ouverture, puis agiter les mains avec dextérité dans le vide, et elle disparut.

— Ils vont être surpris la prochaine fois qu'ils voudront examiner cette fenêtre, commenta Mary.

Lyra avait l'intention de pénétrer dans l'Oxford de Mary afin de montrer quelque chose à Will, avant de retourner auprès de Serafina et, de toute évidence, ils devaient choisir avec soin l'endroit où ils allaient ouvrir une fenêtre. Les deux femmes les suivaient de près, à travers les rues vides de Cittàgazze. Sur leur droite, un vaste et élégant parc montait vers une grande demeure dotée d'un portique de style classique, brillant comme un glaçage au sucre dans l'éclat de la lune.

— Quand tu m'as parlé de l'apparence de mon dæmon, dit Mary à Serafina, tu as dit que tu pourrais m'apprendre à le voir, si nous avions le temps... Dommage qu'il nous manque.

— Nous avons eu du temps, répondit la sorcière, et nous avons parlé, non ? Je t'ai enseigné des savoirs de sorcière qui seraient interdits dans mon monde, en vertu des anciennes traditions. Mais tu vas retourner dans le tien, et les traditions ont changé. Moi aussi j'ai appris beaucoup de choses grâce à toi. Mais dis-moi : quand tu dialoguais avec les Ombres sur ton ordinateur, tu étais obligée de te plonger dans un certain état d'esprit, n'est-ce pas ?

— Oui... comme Lyra avec l'aléthiomètre. Tu veux dire que, si j'essayais de...

— Pas uniquement. Tu dois voir les choses normalement en même temps. Essaie.

Dans le monde de Mary, il existait des images qui, à première vue, ressemblaient à des taches de couleur disposées au hasard mais, quand vous y regardiez de plus près, d'une certaine manière, l'image semblait se détacher de la feuille et vous voyiez apparaître en trois dimensions un arbre, un visage, ou quelque chose d'autre qui n'était pas là une seconde plus tôt.

Ce que Serafina enseignait à Mary ressemblait à cela. Elle devait continuer à regarder les choses de manière normale, tout en se mettant dans cet état de transe, ce rêve éveillé, qui lui permettait de voir les Ombres. La difficulté consistait à maintenir simultanément les deux formes de vision, de la même manière que vous deviez regarder dans deux directions à la fois pour voir surgir les images en relief parmi les taches de couleur.

Et, comme avec ces images, elle le vit soudain...

Elle laissa échapper un cri et dut se retenir au bras de Serafina car là, devant elle, sur le grillage qui entourait le parc, était perché un oiseau, d'un noir brillant avec des pattes rouges et un bec jaune incurvé : un crave alpin, exactement comme l'avait décrit la sorcière. Il était à moins de un mètre d'elle, et il l'observait, la tête penchée sur le côté, en donnant l'impression... de sourire !

La surprise de Mary fut telle qu'elle laissa filer sa concentration et l'oiseau disparut.

– Tu as réussi une fois, la prochaine, ce sera plus facile, dit Serafina. Quand tu seras dans ton monde, tu apprendras à voir les dæmons des autres personnes, de la même manière. Mais elles ne verront pas le tien, ni celui de Will, sauf si tu leur apprends ce que je viens de t'enseigner.

– Oh, c'est extraordinaire !

Mary songea alors : « Lyra parle à son dæmon, non ? » Pouvait-elle, elle aussi, entendre cet oiseau aussi bien qu'elle le voyait ? Elle se remit à avancer, bouillonnante d'impatience et d'excitation.

Devant elles, Will venait de découper une fenêtre et, avec Lyra, ils attendaient les deux femmes pour pouvoir la refermer.

– Vous savez où on est ? demanda Will.

Mary regarda autour d'elle. Ils étaient dans une rue calme, dans son monde, une rue bordée d'arbres et de grandes maisons victoriennes entourées de jardins remplis d'arbustes.

– Quelque part dans le nord d'Oxford, dit-elle. Pas très loin de chez moi, d'ailleurs. Mais je ne sais pas quelle est cette rue.

– Je veux aller au Jardin Botanique, déclara Lyra.

– D'accord. Ce doit être à un quart d'heure de marche. Par ici...

Mary essaya de nouveau la technique de la double vision. Cette fois, cela lui parut plus simple, en effet. Le crave était là, dans son monde, perché sur une branche basse qui penchait vers le trottoir. Poussée par la curiosité, elle tendit la main... et l'oiseau vint s'y poser, sans aucune hésitation. Elle sentit son poids léger, la pression des petites griffes autour de son doigt et, délicatement, elle le déposa sur son épaule. L'oiseau s'y installa comme s'il avait été là depuis toujours. « Et pour cause », songea-t-elle en repartant.

Il n'y avait pas beaucoup de circulation dans la Grand-Rue et, quand ils laissèrent derrière eux Magdalen College pour se diriger vers les grilles du Jardin Botanique, ils se retrouvèrent totalement seuls. Il y avait un grand porche sculpté qui abritait des bancs en pierre, et pendant que Mary et Serafina s'y asseyaient, Will et Lyra escaladèrent la grille pour pénétrer dans le jardin. Leurs dæmons se glissèrent entre les barreaux, et filèrent droit devant.

— C'est par ici, dit Lyra en tirant Will par la main.

Elle le fit passer devant un bassin avec une fontaine, sous un arbre immense, puis bifurqua sur la gauche, entre des parterres de fleurs, vers un énorme pin à plusieurs troncs. À cet endroit se dressait un mur de pierre massif dans lequel se découpait une porte et, vers le fond du jardin, les arbres étaient plus jeunes, les plantations moins ordonnées. Lyra entraîna Will presque jusqu'au bout, traversa un petit pont et se dirigea vers un banc en bois à moitié dissimulé sous un arbre aux branches basses.

— Oui ! s'exclama-t-elle. J'espérais de tout mon cœur qu'il serait toujours là. C'est bien le même... Dans mon Oxford, j'avais l'habitude de venir ici et je m'asseyais sur ce banc, exactement le même, quand j'avais envie d'être seule, avec Pan. Et je me suis dit que si tu... rien qu'une fois par an peut-être, si on pouvait venir ici en même temps, juste une heure, on pourrait faire comme si on était encore ensemble car, en fait, on serait tout proches l'un de l'autre, si toi tu étais assis ici et si moi j'étais assise ici aussi, dans mon monde...

— C'est promis, dit Will. Aussi longtemps que je vivrai, je reviendrai ici. Où que je sois dans le monde, je reviendrai ici...

— Le jour du solstice d'été, dit Lyra. À midi. Aussi longtemps que je vivrai. Toute ma vie...

Will s'aperçut alors qu'il ne voyait plus rien ; il laissa couler ses larmes brûlantes et serra Lyra contre lui.

— Et si... plus tard..., murmura-t-elle d'une voix tremblante... si on rencontre quelqu'un qui nous plaît, et si on se marie avec cette personne, il faudra être bon avec elle, ne pas faire des comparaisons tout le temps, en regrettant de ne pas être mariés l'un avec l'autre... Mais quoi qu'il arrive, on continuera à venir ici une fois par an, juste une heure, juste pour être ensemble...

Ils s'étreignirent. Les minutes passèrent ; tout près d'eux, sur le fleuve, un oiseau aquatique battit des ailes et poussa un cri, une voiture franchit Magdalen Bridge.

Enfin, ils se séparèrent.

— Bon, fit Lyra à voix basse.

À cet instant, tout en elle n'était que douceur et, rétrospectivement, ce souvenir devint un des préférés de Will : sa grâce pleine de nervosité était adoucie par l'obscurité, ses yeux, ses mains et ses lèvres surtout, étaient infiniment doux. Will l'embrassa encore une fois, et encore une fois, et chaque baiser les rapprochait inexorablement du tout dernier.

Alourdis et engourdis par le poids de l'amour, ils retournèrent vers l'entrée du jardin. Mary et Serafina attendaient.

— Lyra..., dit Will.

— Will..., dit Lyra.

Il ouvrit une fenêtre donnant sur Cittàgazze. Ils étaient au fond du parc, près de la grande demeure blanche, pas très loin de la lisière du bois. Will franchit l'ouverture pour la dernière fois, et il contempla la ville silencieuse : les toits de tuile qui luisaient au clair de lune, la tour des Anges qui se dressait au-dessus d'eux, le bateau éclairé qui attendait, là-bas au large sur la mer d'huile.

Il se tourna vers la sorcière et dit, en s'efforçant de maîtriser sa voix :

— Merci, Serafina Pekkala, de nous avoir sauvés au belvédère, et merci pour tout le reste. Je vous en prie, soyez bonne avec Lyra durant toute sa vie. Je l'aime plus qu'on n'a jamais aimé quelqu'un.

En guise de réponse, la reine des sorcières l'embrassa sur les deux joues. Pendant ce temps, Lyra avait parlé à voix basse avec Mary, et elles s'étreignirent avant de se quitter pour toujours. Puis Mary d'abord, et Will ensuite, franchirent la dernière fenêtre, pour retourner dans leur monde, à l'ombre des arbres du Jardin Botanique.

« C'est dès maintenant qu'il faut commencer à être joyeux », se répétait Will avec le maximum de conviction, mais c'était comme essayer de maîtriser un loup enragé qui brûlait d'envie de vous lacérer le visage à coups de griffes et de vous arracher la gorge de ses crocs. Il y parvint malgré tout, en songeant que nul ne voyait l'effort que cela lui réclamait.

Et il savait que c'était la même chose pour Lyra : son sourire forcé et crispé en était la preuve.

Mais, au moins, elle souriait.

Ils échangèrent un ultime baiser, si précipité et maladroit que leurs joues se cognèrent, et une larme provenant de l'œil de Lyra se colla sur le visage de Will. Leurs deux dæmons s'embrassèrent pour se dire adieu, puis Pantalaimon franchit la fenêtre en bondissant pour se réfugier dans les bras de Lyra, et Will commença à refermer l'ouverture... Voilà, c'était fini, le passage était bouché, Lyra avait disparu.

— Et maintenant..., dit-il en essayant de prendre un ton détaché, mais obligé de tourner le dos à Mary pour qu'elle ne le voie pas pleurer... Il faut que je brise le poignard subtil.

Il inspecta le vide comme il en avait pris l'habitude, jusqu'à ce qu'il trouve une fissure, et il essaya de se remémorer ce qui s'était produit la première fois. Il s'apprêtait à découper une ouverture dans la caverne, lorsque Mme Coulter lui avait, de manière inattendue, rappelé sa mère, et le couteau s'était brisé car, se disait Will, il avait fini par rencontrer une chose qu'il ne pouvait pas couper et, cette chose, c'était l'amour qu'il vouait à sa mère.

Alors, il essaya de nouveau d'évoquer le visage de sa mère, tel qu'il l'avait vu pour la dernière fois, apeuré et absent, dans le petit vestibule de Mme Cooper.

Mais ça ne marcha pas. Le couteau s'enfonça sans peine dans le vide et pénétra dans un monde où s'abattait une pluie torrentielle : la violence des grosses gouttes qui martelaient le sol les fit sursauter, Mary et lui. Il s'empressa de refermer la fenêtre et demeura planté là un instant, dérouté.

Son dæmon savait ce qu'il devait faire, et il dit simplement :

— Lyra.

Évidemment. Will hocha la tête et, tenant le couteau dans la main droite, il appuya avec sa main gauche sur sa joue, à l'endroit où était restée accrochée la larme de Lyra.

Cette fois, avec un craquement sinistre, le poignard subtil se brisa et la lame tomba en mille morceaux, qui scintillèrent sur les pierres encore mouillées par la pluie battante de l'autre univers.

Will s'agenouilla pour les ramasser soigneusement. Avec ses yeux de chat, Kirjava l'aida à ne pas en oublier.

Mary mettait son sac sur ses épaules.

— Euh... écoute, Will. On n'a pas beaucoup parlé, toi et moi... Nous sommes encore des étrangers, d'une certaine façon. Mais Serafina Pekkala et moi, nous nous sommes fait une promesse, et je viens d'en faire une à Lyra. D'ailleurs, même sans cette promesse, je t'aurais fait la même proposition : celle de devenir ton amie pour la vie, si tu le veux bien. Nous sommes seuls tous les deux, et je me dis qu'on aurait bien besoin de... Bref, nous n'avons personne à qui parler de tout cela, à part nous... Et nous devons nous habituer tous les deux à vivre avec nos dæmons... Et, enfin, nous avons tous les deux des ennuis. Si cela ne suffit pas à nous rapprocher, je ne vois pas ce qu'on peut espérer de plus.

— Vous avez des ennuis ? demanda Will en la regardant.

Mary le dévisagea elle aussi. Son visage était chaleureux et pétillant d'intelligence.

— Disons que j'ai démoli un peu de matériel au laboratoire avant de partir, et j'ai fabriqué une fausse carte d'identité et... Ce sont des choses qui peuvent s'arranger. Quant à tes problèmes... on peut les régler aussi. On retrouvera ta mère et on la soignera. Et, si tu as besoin d'un endroit pour dormir, si ça ne t'ennuie pas d'habiter avec moi, je peux t'héberger, et ainsi tu ne seras pas obligé d'aller dans... un foyer ou je ne sais quoi. Il suffit d'inventer une histoire crédible. C'est possible, non ?

Mary était une amie. Il avait une amie. C'était bien vrai. Il ne l'aurait jamais cru.

—D'accord ! s'exclama-t-il.

—Alors, allons-y. J'habite à moins d'un kilomètre d'ici, et sais-tu ce dont j'ai le plus envie au monde à cet instant ? D'une bonne tasse de thé. Viens, on va mettre la bouilloire sur le feu.

Trois semaines après avoir vu la main de Will refermer pour toujours la fenêtre de son monde, Lyra se retrouva assise de nouveau à la grande table de Jordan College, là où, pour la première fois, elle était tombée sous la coupe de Mme Coulter.

Il y avait moins de monde autour de la table aujourd'hui : uniquement Lyra, le Maître de Jordan College et dame Hannah Relf, Directrice de Sainte-Sophie, un des collèges de filles. Dame Hannah était présente également à ce premier dîner, et si Lyra s'étonnait de la trouver ici ce soir, elle se comporta poliment avec elle et surprit sa mémoire en flagrant délit de mensonge, car cette dame Hannah était beaucoup plus intelligente, plus intéressante, et bien plus gentille que cette femme sinistre et mal fagotée dont elle avait gardé le souvenir.

Beaucoup de choses s'étaient produites durant l'absence de Lyra : à Jordan College, en Angleterre, dans le monde entier. Le pouvoir de l'Église semblait s'être accru de manière considérable, et de nombreuses lois brutales avaient été adoptées, mais ce pouvoir s'était évanoui aussi vite qu'il avait grandi : des révoltes au sein du Magisterium avaient renversé les fanatiques et installé au pouvoir des factions plus libérales. Le Conseil d'Oblation avait été dissous, la Cour de Discipline Consistoriale, privée de chef, nageait en pleine confusion.

Quant aux collèges d'Oxford, après un intermède aussi bref que turbulent, ils retrouvaient le calme des études et des rituels. Certaines choses avaient disparu : la précieuse collection d'argenterie du Maître avait été pillée, et quelques domestiques du collège s'étaient volatilisés. Mais Cousins, le majordome du Maître, était toujours en poste, et Lyra s'était préparée à affronter son hostilité, car ils avaient toujours été ennemis, aussi loin qu'elle s'en souvienne. Aussi fut-elle décontenancée quand il l'accueillit chaleureusement et serra sa main entre les siennes. Était-ce de l'affection qu'elle percevait dans sa voix ? Lui aussi avait changé, se dit-elle.

Au cours du dîner, le Maître et dame Hannah évoquèrent tout ce qui était arrivé en l'absence de Lyra, et elle les écouta avec un mélange d'effroi, de tristesse et d'émerveillement. Quand ils se retirèrent dans le salon du Maître pour prendre le café, celui-ci dit :

—Eh bien, Lyra, nous ne t'avons guère entendue ce soir. Pourtant, je sais que tu as vu un grand nombre de choses. Es-tu capable de nous raconter ton expérience ?

—Oui, répondit-elle. Mais pas tout d'un seul coup. Il y a certaines choses que je ne comprends pas, et d'autres qui me font encore frissonner et pleurer, mais je vous raconterai, c'est promis, autant que je peux. Toutefois, vous devez me promettre une chose.

Le Maître se tourna vers la dame aux cheveux gris, dont le dæmon-ouistiti était assis sur ses genoux, et ils échangèrent un regard amusé.

—Quoi donc ? demanda dame Hannah.

—Vous devez promettre de me croire, dit Lyra avec le plus grand sérieux. Je sais que je n'ai pas toujours dit la vérité, et j'ai pu survivre dans certaines circonstances en racontant des mensonges et en inventant des histoires. Je sais que j'ai souvent menti, et je sais que vous le savez, mais mon histoire vraie est trop importante pour que vous ne la croyiez qu'à moitié. Alors, je promets de dire la vérité, si vous promettez d'y croire.

—Je le promets, dit dame Hannah.

—Et moi aussi, ajouta le Maître.

—Mais vous savez ce que j'aimerais ? dit Lyra. Plus que tout ou presque... j'ai bien dit presque. J'aimerais avoir conservé le don de déchiffrer l'aléthiomètre. C'est tellement étrange ce qui s'est passé, Maître. Il est apparu un beau jour, et il a disparu aussi soudainement ! C'était devenu un jeu d'enfant ; je me déplaçais de symbole en symbole, je sautais d'une signification à une autre et j'établissais toutes les connexions. C'était comme... (Elle sourit.) C'était comme si j'étais un singe qui grimpe dans les arbres. Et puis, tout à coup... terminé. Plus rien n'avait de sens, je ne me souvenais que des interprétations les plus évidentes, comme l'ancre qui représente l'espoir ou le crâne qui signifie la mort. Mais les milliers d'autres significations... disparues !

—Elles n'ont pas disparu, Lyra, dit dame Hannah. Les livres sont toujours dans la Bibliothèque Bodley. Et les Érudits sont toujours de ce monde pour les étudier.

La directrice de Sainte-Sophie était assise en face du Maître, dans un des deux gros fauteuils en cuir placés devant la cheminée, Lyra était installée sur le canapé entre eux. La lampe disposée près du fauteuil du Maître était l'unique source de lumière, mais elle éclairait parfaitement les expressions des deux adultes. Et c'était le visage de dame Hannah que Lyra se surprit à étudier. «Un visage chaleureux, se disait-elle, perspicace et intelligent, mais aussi impossible à déchiffrer que l'aléthiomètre désormais. »

Le Maître reprit la parole :

—Nous devons penser à ton avenir, Lyra.

Ces mots la firent frissonner. Elle se redressa sur le canapé.

—Pendant tout ce périple, je n'y ai jamais pensé. Je pensais uniquement au moment que j'étais en train de vivre, à l'instant présent. Plusieurs fois, j'ai même cru que je n'aurais pas d'avenir. Et maintenant... Soudain, je découvre que j'ai toute une vie à vivre... sans avoir la moindre idée de ce que je vais en faire. C'est comme posséder l'aléthiomètre sans savoir l'utiliser. Je devrai travailler, sans doute, mais pour faire quoi ? Mes parents étaient certainement riches, mais je parie qu'ils ont dilapidé tout leur argent d'une manière ou d'une autre, alors même si je pouvais hériter, il ne doit pas rester grand-chose. Je ne sais pas quoi dire, Maître. Je suis revenue ici à Jordan, car c'était ma maison autrefois, et je n'avais pas d'autre endroit où aller. Je pense que le roi Iorek Byrnison me laisserait vivre à Svalbard, et sans doute que Serafina Pekkala m'accueillerait dans son clan de sorcières, mais je ne suis pas un ours, ni une sorcière et, même si je les aime énormément, je ne serai jamais à ma place là-bas. Peut-être que les gitans voudraient bien de moi... Mais franchement, je ne sais plus quoi faire. Je suis perdue.

Les deux adultes la regardaient : ses yeux brillaient encore plus que d'habitude, elle gardait le menton levé, avec une expression de défi qu'elle avait empruntée à Will sans le savoir. Elle paraissait aussi déterminée que désorientée, se disait dame Hannah, et elle l'admirait pour cette raison. Le Maître, lui, voyait autre chose : il voyait que cette enfant avait perdu sa grâce inconsciente, et qu'elle était mal à l'aise dans son corps qui grandissait. Mais il aimait profondément Lyra et il éprouvait un mélange de fierté, d'admiration et de timidité en songeant à la belle femme qu'elle serait bientôt.

—Lyra, déclara-t-il, tu ne seras jamais perdue tant que ce collège restera debout. Ce sera ta maison aussi longtemps que tu le désireras. Quant à l'argent, ton père avait fait une donation afin de subvenir à tes besoins, et il m'avait désigné comme son exécuteur testamentaire, tu n'as donc pas de souci à te faire.

En vérité, Lord Asriel n'avait jamais fait aucun don, mais Jordan College était riche et le Maître possédait une petite fortune personnelle, malgré les révoltes récentes.

—En parlant de ton avenir, reprit-il, je pensais à ton éducation. Tu es encore très jeune et, jusqu'à présent, ton éducation a surtout été assurée par... disons-le franchement, par ceux de nos professeurs que tu intimidais le moins. (Il souriait en disant cela.) Elle s'est faite au petit bonheur la chance. Il se peut qu'un beau jour tes talents t'entraînent dans une direction qu'on ne peut prévoir. Mais si tu nourrissais le désir de faire de l'aléthiomètre le sujet d'étude de toute ta vie, et si tu décidais d'apprendre consciencieusement ce que, jadis, tu savais faire de manière intuitive...

—Oui, oui, déclara Lyra avec détermination.

—... dans ce cas, tu ne pourrais pas faire de meilleur choix que de te remettre entre les mains de ma chère amie dame Hannah. Son enseignement dans ce domaine n'a pas d'égal.

—Permets-moi, Lyra, de te faire une proposition, enchaîna la lady. Tu n'es pas obligée de répondre tout de suite. Prends le temps d'y réfléchir. Mon collège n'est pas aussi vieux qu'Oxford, et tu es encore trop jeune pour devenir diplômée de toute façon. Mais il y a quelques années, nous avons fait l'acquisition d'une grande maison dans le nord d'Oxford, et nous avons décidé d'y installer un internat. J'aimerais que tu viennes faire la connaissance de notre Directrice pour voir si tu as envie de devenir une de nos élèves. Car, bientôt, tu auras besoin de l'amitié d'autres filles de ton âge. Quand on est jeune, il y a certaines choses qu'on apprend uniquement entre soi. Or, je doute que Jordan College puisse te fournir toutes les réponses. La Directrice est une jeune femme brillante, énergique, imaginative et gentille. Nous avons de la chance de l'avoir. Tu pourras la rencontrer et, si cette idée te plaît, tu pourras faire de Sainte-Sophie ton école, comme Jordan est ta maison. Et si tu as envie de commencer à étudier l'aléthiomètre de manière rigoureuse, nous pourrions nous voir pour quelques leçons particulières. Mais tu as le temps, Lyra. Ne réponds pas immédiatement. Réfléchis.

—Merci, dit Lyra. Merci, dame Hannah, j'y réfléchirai.

Le Maître avait confié à Lyra sa clé personnelle de la porte annexe du collège, pour qu'elle puisse aller et venir à sa guise. Plus tard ce même soir, au moment où le gardien verrouillait la porte de la loge, Pantalaimon et Lyra sortirent en douce du collège et traversèrent les rues sombres, tandis que les cloches d'Oxford sonnaient minuit.

Dès qu'ils furent dans le Jardin Botanique, Pantalaimon fila dans l'herbe en chassant une souris, en direction du mur, puis il abandonna sa proie pour sauter dans l'immense pin qui se dressait à proximité. Quel bonheur de le voir ainsi grimper de branche en branche, se disait Lyra, si loin d'elle. Mais ils devaient prendre garde à ne pas le faire devant témoins. Ce pouvoir réservé aux sorcières, si durement acquis, devait demeurer un secret. Autrefois, elle aurait pris plaisir à fanfaronner devant tous ses camarades, rien que pour voir leurs yeux écarquillés de peur, mais Will lui avait enseigné la valeur du silence et de la discrétion.

Assise sur le banc, elle attendit que Pan revienne vers elle. Il adorait lui sauter dessus par surprise, mais elle réussissait généralement à le repérer avant qu'il arrive, comme maintenant où elle voyait sa silhouette filer le long de la grille. Elle tourna la tête de l'autre côté, en faisant semblant de ne pas l'avoir vu, et elle le saisit brusquement, au moment où il sautait sur le banc.

—J'ai failli te surprendre, dit-il.

—Tu as encore des progrès à faire. Je t'ai entendu venir depuis la grille.

Pantalaimon s'assit sur le dossier du banc, ses pattes avant posées sur l'épaule de Lyra.

—Que va-t-on répondre à dame Hannah ? demanda-t-il.

—On va accepter. D'ailleurs, il s'agit simplement de rencontrer la Directrice pour l'instant. Pas d'aller à l'école.

—Mais on va quand même y aller, non ?

—Oui, probablement.

—Ça pourrait être bien.

Lyra songea aux autres élèves de cet internat. Peut-être seraient-elles plus intelligentes qu'elle, ou plus sophistiquées, et sans doute qu'elles en savaient beaucoup plus qu'elle sur toutes les questions qui intéressaient les filles de leur âge. De son côté, elle ne pourrait pas leur raconter un centième des choses qu'elle savait. Alors, elles penseraient forcément qu'elle était simple d'esprit et ignorante.

—Tu crois que dame Hannah sait vraiment déchiffrer l'aléthiomètre ? demanda Pantalaimon.

—Avec l'aide des livres, certainement. Je me demande combien il y en a, d'ailleurs. Je suis sûre qu'on pourrait tous les apprendre par cœur et s'en passer ensuite. Tu imagines, être obligé de transporter une grosse pile de livres partout où tu vas... Hé, Pan ?

—Quoi ?

—Tu me raconteras un jour ce que vous avez fait, le dæmon de Will et toi, quand vous avez disparu tous les deux ?

—Oui, un jour, dit-il. Et Kirjava le dira à Will, lui aussi. Un de ces jours. Quand le moment sera venu. Mais d'ici là, nous ne dirons rien, ni l'un ni l'autre.

—Très bien, dit Lyra, sans insister.

Elle avait tout raconté à Pantalaimon, mais il était normal qu'il garde quelques secrets, étant donné la façon dont elle l'avait abandonné.

De plus, il était réconfortant de penser que Will et elle avaient un autre point commun. Elle se demandait si viendrait un jour où, pendant une heure seulement de sa vie, elle ne penserait plus à lui, où elle ne lui parlerait pas dans sa tête, où elle ne revivrait pas chaque instant qu'ils avaient passé ensemble, où elle ne se languirait pas de sa voix, de ses mains et de son amour. Jamais elle n'avait imaginé ce qu'on pouvait ressentir quand on aimait quelqu'un à ce point et, de toutes les choses qui l'avaient stupéfiée durant son aventure, celle-ci arrivait en tête, assurément. Elle avait l'impression que la tendresse laissée dans son cœur par cet amour était comme une meurtrissure qui ne guérirait jamais, mais qu'elle chérirait pour toujours.

Pan descendit du dossier du banc pour venir se lover sur ses genoux. Ils étaient à l'abri dans le noir, tous les deux, son dæmon et elle, avec leurs secrets. Quelque part dans cette ville endormie se trouvaient des livres qui lui expliqueraient comment déchiffrer à nouveau l'aléthiomètre, il y avait une femme chaleureuse et instruite qui serait son professeur, et les filles de l'école qui savaient tellement plus de choses qu'elle.

Lyra songea : « Elles ne le savent pas encore, mais elles vont devenir mes amies. »

Pan murmura :

— Cette chose qu'a dite Will...

— Quand ?

— Sur la plage, juste avant que tu essaies d'interroger l'aléthiomètre. Il a dit qu'il n'existait pas d'ailleurs. C'était ce que vous avait dit son père. Mais il existait quelque chose d'autre.

— Je m'en souviens. Il voulait dire par là que le Royaume était mort, qu'il n'existait plus. Et qu'on ne devait pas vivre comme si le Royaume des Cieux était plus important que notre vie dans ce monde, car l'endroit où nous vivons est toujours l'endroit le plus important.

— Il disait aussi que nous devions bâtir quelque chose...

— C'est pourquoi nous avions besoin d'une vie entière, Pan. Car sinon, nous serions allés vivre avec Will et Kirjava, pas vrai ?

— Évidemment ! Et ils seraient venus avec nous. Mais...

— Mais alors, nous n'aurions pas pu bâtir cette chose. C'est impossible pour ceux qui pensent d'abord à eux. Nous devons être un tas de choses à la fois : joyeux, gentils, curieux, courageux et patients... Et nous devons étudier et réfléchir, travailler dur, tous, dans nos mondes différents, et ensuite seulement nous construirons.

Les mains de Lyra caressaient le poil doux de Pantalaimon. Quelque part dans le jardin, un rossignol chantait, un petit vent frôlait ses cheveux et faisait trembler les feuilles dans les arbres. Toutes les cloches de la ville sonnèrent, un coup chacune, aigu pour celle-ci, plus grave pour celle-là, certaines proches, d'autres plus lointaines, celle-ci était fendue et grincheuse, celle-là profonde et sonore, mais toutes ces voix différentes étaient d'accord sur l'heure, même si certaines arrivaient un peu moins vite au rendez-vous. Dans cet autre Oxford où Will et elle s'étaient embrassés pour se dire adieu, les cloches sonneraient également, et un rossignol chanterait, un petit vent agiterait les feuilles du Jardin Botanique.

—Et après? demanda son dæmon d'une voix endormie. Qu'est-ce qu'on construira?

—La République des Cieux, répondit Lyra.

TABLE DES MATIÈRES

LES ROYAUMES DU NORD

Table des matières

La tour des Anges

Le miroir d'ambre

Biographie

Philip Pullman est né en Angleterre, à Norwich, en 1946. Il a vécu durant son enfance en Australie et au Zimbabwe où il a effectué une partie de sa scolarité. Diplômé de l'université d'Oxford, il a longtemps enseigné dans cette ville où il vit toujours avec sa femme. Il est, dès son plus jeune âge, passionné par les contes. Très vite, il veut devenir écrivain – terme qu'il juge cependant inapproprié. Philip Pullman adopte une position modeste par rapport à la création littéraire : pour lui, il ne fait qu'écrire des histoires. Derrière cette discrétion se cache un homme de caractère. Philip Pullman a construit une œuvre à son image, tout à la fois rigoureuse et fantaisiste, dynamique et originale. Il a également signé, à l'intention des jeunes spectateurs, des adaptations théâtrales de grandes œuvres littéraires. Sa célèbre trilogie « À la croisée des mondes » connaît un immense succès : elle fait l'objet de plusieurs thèses ; des publications, comme *Les mystères de la science dans la trilogie de Philip Pullman « À la croisée des mondes »* (Gribbin, Gallimard Jeunesse), lui sont consacrées ; et elle a été jouée au National Theatre de Londres avant d'être adaptée au cinéma, dans un film au casting prestigieux. Le troisième tome, *Le Miroir d'ambre*, a reçu le prix Whitbread 2001, l'une des récompenses anglaises les plus renommées, attribué pour la première fois de l'histoire des prix littéraires à une œuvre pour la jeunesse.

Philip Pullman a son propre site www.philip-pullman.com où vous découvrirez une foule d'informations sur l'auteur et son œuvre.

REMERCIEMENTS

À la croisée des mondes n'aurait jamais vu le jour sans l'aide et les encouragements de mes amis et de ma famille, des livres et de quelques inconnus.

Je dois adresser aux personnes suivantes des remerciements particuliers : Liz Cross, pour son travail d'éditrice, méticuleux et toujours joyeux, à tous les stades de ce travail, et pour une idée brillante concernant les images dans *La Tour des Anges* ; Anne Wallace-Hadrill, pour m'avoir laissé inspecter sa péniche ; Richard Osgood, de l'Institut archéologique de l'université d'Oxford, qui m'a expliqué comment on organisait les expéditions archéologiques ; Michael Malleson, de la Trent Studio Forge, dans le Dorset, qui m'a montré comment on forgeait le fer ; et, enfin, Mike Froggatt et Tanqui Weaver, pour m'avoir fourni les feuilles de papier dont j'avais besoin (avec deux trous) quand mon stock était épuisé. Je dois également remercier la cafétéria du musée d'Art moderne d'Oxford. Chaque fois que j'étais bloqué par un problème de narration, une tasse de leur café et une heure de travail dans cette pièce chaleureuse aplanissaient toutes les difficultés, sans aucun effort apparent. Ça marchait à tous les coups.

J'ai volé des idées dans tous les livres que j'ai lus. Quand j'effectue des recherches pour un roman, mon principe est le suivant : « Lire comme un papillon, écrire comme une abeille » et, si cette histoire renferme un peu de miel, c'est uniquement grâce au nectar que j'ai trouvé dans l'œuvre de bien meilleurs écrivains. Mais trois dettes doivent être revendiquées, plus que toutes les autres. La première est l'essai de Heinrich von Kleist *Sur le théâtre de marionnettes*, que j'ai lu pour la première fois dans la traduction d'Idris Parry dans le *Times Literary Supplement* en 1978. La deuxième est le poème de John Milton, *Le Paradis perdu*. Ma troisième dette est envers les œuvres de William Blake.

Et pour finir, mes plus grandes dettes. Envers David Fickling, pour sa foi et ses encouragements inépuisables, son talent sûr et vivant pour faire fonctionner une histoire. Je lui dois une grande partie du succès qu'a pu rencontrer ce travail. Envers King Caradoc à qui je dois plus d'une demi-vie d'amitié et de soutien infaillibles ; envers Enid Jones, le professeur qui m'a fait découvrir, il y a bien longtemps, *Le Paradis perdu*, et à qui je dois ce que l'éducation peut offrir de mieux, l'idée que la responsabilité et la délectation peuvent coexister ; et, enfin, envers ma femme Jude et mes fils Jamie et Tom, à qui je dois tout le reste.

Philip Pullman

Composition : Firmin-Didot

Loi n° 49-956 du 16 juillet 1949
sur les publications destinées à la jeunesse
ISBN : 978-2-07-061455-4
Numéro d'édition : 151763
Numéro d'impression : 84581
Dépôt légal : mai 2007
Imprimé en France par l'imprimerie Brodard et Taupin